W9-DEW-570

PLAZA & JANES
P & J
EDITORES

Oriana Fallaci

INSHALLAH

PLAZA & JANES EDITORES, S. A.

Título original:

INSCIALLAH

Traducción de

FRANCISCO VILA

Sobrecubierta de

ENZO AIMINI

Foto de

FRANCESCO SCAVULLO

Primera edición: **Marzo, 1992**

Enric Granados, 86-88. 08008 Barcelona

Este libro se ha publicado originalmente en italiano con el título de
INSCIALLAH
(ISBN: 88-17-85374-7. Rizzoli. Milano. Ed. original.)

Printed in Spain — Impreso en España

ISBN: 84-01-32369-X — Depósito Legal: B. 5.145 - 1992

Impreso en Printer, Industria Gráfica, S. A.
Sant Vicenç dels Horts (Barcelona)

Los personajes de esta novela son imaginarios. Imaginarias sus historias, imaginaria la trama. Los acontecimientos con que se inicia son auténticos: Auténtico el paisaje, auténtica la guerra en la que se desarrolla el relato.
El autor dedica esta labor suya a los cuatrocientos soldados americanos y franceses asesinados en la matanza de Beirut por la secta Hijos de Dios. La dedica a los hombres, a las mujeres, a los viejos, a los niños asesinados en las otras matanzas de esa ciudad y en todas las matanzas de la eterna matanza llamada guerra.
Esta novela quiere ser un acto de amor a ellos y a la Vida.

ORIANA FALLACI

ACTO PRIMERO

CAPÍTULO PRIMERO

–1–

De noche los perros vagabundos invadían la ciudad. Centenares y centenares de perros que aprovechando el miedo ajeno se desparramaban por las calles desiertas, las plazas vacías, los callejones deshabitados sin que se supiera su proveniencia porque de día no se dejaban ver. Tal vez de día se ocultaban entre los escombros, en los sótanos de las casas destruidas, en las cloacas con los ratones, tal vez no existían porque no eran perros sino fantasmas de perros que se materializaban con la obscuridad para imitar a los hombres que los habían matado. Como los hombres se dividían en bandas ardientes de odio, como los hombres sólo querían despedazarse, y el monótono rito se celebraba siempre con el mismo pretexto: la conquista de una acera que los restos de comida y la podredumbre habían vuelto preciosa. Avanzaban despacio, en patrullas mandadas por un jefe que era el perro más feroz y más grande, y al principio no los notabas porque caminaban en silencio: la estrategia de los soldados que reptan sigilosamente para caer sobre el enemigo y degollarlo. Pero de pronto el jefe de la patrulla lanzaba un ladrido, como el toque de una corneta que anuncia el ataque a ese ladrido seguía otro ladrido, otro más, después el ladrido colectivo del grupo que se disponía en círculo para encerrar al grupo adversario, cercarlo para impedirle la fuga, y estallaba el infierno. Revolcándose en la podredumbre agresores y agredidos se hincaban los colmillos en el cuello y el lomo, se mordían en los ojos y las orejas, se desgarraban el vientre, y los aullidos de furor ensordecían más que las bombas. Fuera cual fuese el combate que desgarrara la noche, el choque entre los hombres, el estruendo de los perros que se mataban por la posesión de una acera superaba los estallidos de los cohetes, los estampidos de los morteros, las detonaciones de la artillería. Y nunca un instante de reposo, de tregua. Sólo cuando el cielo palidecía con la violácea claridad del alba y las bandas se esfumaban dejando charcas de sangre, carroñas de compañeros derrotados, volvías a oír los sonidos de la guerra hecha con cohetes, morteros y artillería. Pero en aquel momento comenzaba un tumulto nuevo y no menos aterrador: el de los gallos que locos de miedo habían perdido la noción del tiempo y en vez de anunciar la salida del sol se desgañitaban comentando aquellos sonidos con sus quiquiriquíes. Un cañonazo y un quiquiriquí. Una ráfaga de metralleta y un quiquiriquí. Un disparo y un quiquiriquí. Desesperado, aterrado, humano. Un doble sollozo en el que te parecía reconocer la palabra socorro. «¡Socorro! ¡Socorro!» Miles de gallos. Era como si cada casa, cada patio, cada terraza albergase un gallinero presa del delirio y cada gallo viviese con el único objeto de chillar su locura. ¿O la locura de la ciudad, los tormentos del absurdo lugar que los mapas militares indicaban con la sigla 36S-YC-316492-Q15? Huso 36, faja S, cuadrado YC, coordenadas 316492, cota 15. Es decir, el Cuartel General del contingente italiano en Beirut.

* * *

Tendido en el catre que había colocado en el tabuco del sótano, Angelo escuchaba desvelado. Y a cada quiquiriquí su hermoso rostro se contraía en una mueca de exasperación. Detestaba hasta tal punto aquellos gallos que cuando veía uno apartaba la cara para no mirarlo. Por los perros en cambio sentía una especie de tétrica curiosidad porque no se dejaban acercar, de lejos apenas se distinguían sus siluetas confusas, como la sombra de una sombra que está por disolverse, y nunca los había visto. Se levantó con cuidado para no despertar a Charlie, su capitán, que dormía en el cuarto contiguo. Encendió la linterna, se puso a caminar arriba y abajo. Pero el espacio era tan exiguo y sus largas piernas recorrían tan deprisa la distancia comprendida entre pared y pared, que en seguida renunció. Volvió a tenderse en el catre y en él permaneció, inmóvil, consumiéndose en conjeturas. ¿Y si no fuera el desgarrador concierto lo que le causaba el insomnio, se preguntó, sino el embrollo en el que había ido a meterse hacía dos meses con Ninette? Mujer espléndida, de acuerdo. Largos cabellos castaños que ondeaban en reflejos de oro, inquietantes pupilas violeta en que ardían todos los deseos del mundo, boca carnosa, facciones duras y fieras, de reina bárbara, y un cuerpo que te quitaba el aliento al mirarlo. Lo malo es que la belleza no basta para justificar una relación sentimental. Cuando no tiene otra cosa que ofrecer que la monótona invitación let-us-make-love, vamos a hacer el amor, let-us-make-love, la atracción que ejerce sobre los sentidos se vuelve una molestia o más bien una amenaza: una celada a tu libertad. Maldito aquel día de agosto. Se habían conocido un día de agosto, en una librería de la zona oriental, cuando estaba comprando los periódicos para Charlie. Un gesto distraído, un empujón involuntario a alguien que tienes detrás, un contacto que en el momento consideras inocuo. «Excusez-moi, Madame. Disculpe, señora.» «Don't mind, sergeant. No se preocupe, sargento.» Un diálogo imposible a fuerza de je-ne-comprends-pas, I-don't-understand, mish-fahem, no-comprendo. A duras penas se habían comunicado los nombres. «Je m'appelle Angelo, me llamo Angelo.» «My name is Ninette, me llamo Ninette.» Y sin embargo el día siguiente había venido a buscarlo: de base en base, de puesto en puesto, había llegado hasta el Cuartel General. Desafiante, intrépida, provocadora. En un barrio en el que la indecencia femenina constituía la peor ofensa a Alá, ¡ay de la que no se cubriera la cabeza y no ocultase sus formas dentro de un burdo pijama o un chador!, había acudido con la melena al viento y un vestidito tan ajustado que a primera vista parecía desnuda. En la mano traía un paquete de dulces. «For you, para ti.» Los había rechazado, la había despedido y el domingo siguiente ahí la tenía otra vez: vestida del mismo modo y con otro paquete de dulces.

Suspiró airado. Había aceptado el regalo, y ¡qué error! Desde entonces no pasaba domingo sin que se presentara en el Cuartel General. Venía aun cuando desde las montañas dispararan con cañones de 155, aun cuando a lo largo de la Línea Verde arreciase el combate, y sólo de verlo vibraba con el gozo de una gata que ha encontrado a su gato. «Angel, my angel! ¡Angelo, mi ángel!» Después corría a su encuentro alborozada, lo embriagaba con carcajadas y caricias y discursos en inglés, con frases incomprensibles de las que sólo deducías que era cristiana y vivía en la zona oriental y tenía intención de llevárselo a la cama, es decir, robarlo a sí mismo. «Let-us-make-love, let-us-make-love.» ¿Cómo resistírsele, pese al deseo que le provocaba? ¿Cómo explicarle que él no quería aventuras sentimentales, que incluso una aventura sentimental es un amor, de todos modos un compromiso amoroso, un vínculo temporal que choca con tu libertad? ¿Cómo aclararle que él no precisaba ni un amor ni un compromiso amoroso porque necesitaba libertad para comprender quién era, qué buscaba, y en qué consiste la Vida? Como no tenían una lengua en común (él no sabía árabe y se expresaba en francés, ella no sabía italiano y se expresaba en inglés), sólo podía defenderse con los je-ne-comprends-pas, I-don't-understand, mish-fahem, no-comprendo: la táctica usada en esos dos meses. Sin embargo ayer, junto con otro paquete de dulces, le había traído un paquetito envuelto en papel de farmacia. En el paquetito, un anticonceptivo. Y cuando te ofrecen un anticonceptivo, ¿puedes acaso seguir defendiéndote con un no-comprendo? Como máximo, y a costa de hacer muy mal papel, puedes devolverlo. Se lo había devuelto, pero devolviéndolo había encontrado las inquietantes pupilas violeta en que ardían todos los deseos del mundo, y había caído dentro. «Ok, Ninette. Demain, tomorrow, mañana.» Mañana era hoy y... ¡Claro que era ella la que lo ponía nervioso, la que le daba insomnio! ¿O no? No, era la crisis que lo extraviaba desde que estaba en la ciudad de los perros vagabundos y los gallos enloquecidos; en el absurdo lugar que los mapas militares indicaban con la sigla 36S-YC-316492-Q15. Era el malestar que lo desorientaba desde que había descubierto que ignoraba quién era, qué quería, en qué consistía la Vida. Era el descontento que lo devoraba y que reaparecía con cualquier pretexto, incluso el de no querer ceder al deseo de la espléndida mujer que se le ofrecía...

Tuvo un arranque de cólera. Antes de venir a Beirut eso no le sucedía. Aceptaba la existencia sin discutirla, con la desenvoltura de un animal que come y bebe y duerme y galantea a placer. Disfrutaba su juventud. No se hacía demasiadas preguntas. Ahora, en cambio, no disfrutaba nada. Tenía siempre los nervios a flor de piel, se sumía cada vez más en las brumas de una rebelión carente de objetivos precisos, en las nieblas de una angustia metafísica, y no hacía sino masturbarse el cerebro con desconcertados porqués. Por ejemplo por qué se encontraba allí, por qué había elegido una profesión que no armonizaba con su carácter y su estructura mental, es decir, el oficio de soldado, por qué había traicionado a las matemáticas con ese oficio. ¡Cuánto echaba en falta las matemáticas, cuánto las añoraba! Las matemáticas son un masaje para las meninges como el que un entrenador da a los músculos de un atleta. Las riega con pensamiento puro, las lava de los sentimientos que corrompen la inteligencia, las lleva a invernaderos donde crecen flores maravillosas. Las flores de una abstracción compuesta de concreción, de una fantasía compuesta de realidad... «Vas en un tren que avanza a 15 kilómetros por hora y está lloviendo. Vas sentado a la ventanilla de la izquierda, mirando en la dirección en que avanza el tren, y ves una gota de lluvia que cae sobre el cristal: de derecha a izquierda, es decir, oblicua, y formando un ángulo de 30 grados respecto de la vertical. Después el tren acelera, pasa a 20 kilómetros por hora y el ángulo formado por la gota de lluvia cambia: se hace de 45 grados respecto de la vertical. En el primero y en el segundo caso, ¿a qué velocidad cae la gota de lluvia?» No, no es cierto que sean una ciencia rígida, las matemáticas, una doctrina severa. Son un arte seductor, caprichoso, una maga que puede realizar mil hechizos y mil prodigios. Puede poner orden en el desorden, dar un sentido a las cosas carentes de sentido, responder a cualquier pregunta. Puede incluso proporcionar lo que en resumidas cuentas buscas: la fórmula de la Vida. Debía volver a ellas, volver a empezar desde el principio con la humildad de un colegial que en vacaciones ha olvidado la tabla de multiplicar. Dos por dos cuatro, cuatro por cuatro dieciséis, dieciséis por dieciséis doscientos cincuenta y seis, y la derivada de una constante es igual a cero, la derivada de una variable es igual a uno, la derivada de una potencia de una variable... ¿No lo recordaba? ¡Sí que lo recordaba! La derivada de una potencia de una variable es igual al exponente de la potencia multiplicado por la variable con el mismo exponente menos uno. ¿Y la derivada de una división? Es igual a la derivada del dividendo multiplicado por el divisor menos la derivada del divisor multiplicada por el dividendo, todo ello dividido por el dividendo multiplicado por sí mismo. ¡Sencillo! Claro que encontrar la fórmula de la Vida no iba a ser tan sencillo. Encontrar una fórmula significa resolver un problema, y para resolver un problema hay que enunciarlo, para enunciarlo hay que partir de una premisa... ¡Ah! ¿Por qué había traicionado a la maga? ¿Qué lo había inducido a traicionarla?

Se agitó en el catre. Tal vez el autobús que lo llevaba de Brianza a Milán y de Milán a Brianza, cuando iba a la universidad. Todas las mañanas dos horas de viaje con un sueño que te idiotiza y por la tarde otras dos horas con un cansancio que te atonta, con lo que vuelves a casa consumido por una especie de rencor hacia la maga que exige tal sacrificio. Tal vez el yugo de la familia que te oprime con los habituales reproches y las habituales quejas. Nosotros-trabajamos-para-enviarte-a-la-escuela, darte-una-educación, y-tú-ni-siquiera-das-las-gracias. Tal vez la melancolía de la provincia donde nunca ocurre nada y donde el único consuelo es coquetear con la vecina de tu edad, el único pasatiempo acompañarla al cine y ver una película que no ves porque estás cavilando sobre la integral indefinida o sobre el temor de haberla dejado embarazada. Tal vez tu carácter siempre afligido por las incertidumbres y las dudas porque quien mucho piensa acaba advirtiendo el pro y el contra de las cosas, perdiéndose en las incertidumbres y las dudas. ¿Qué haré con la licenciatura en matemáticas? ¿Descubriré nuevos mundos, nuevas estrellas? ¿Inventaré una teoría que cambie el curso de la civilización? Lo creías, al principio. Por eso tenías en tu cuarto el póster con el rostro expresivo de Einstein y su divina ecuación $E = mc^2$. Pero las horas de autobús y los reproches de la familia y la melancolía de la provincia consumieron la fe en ti mismo. En determinado momento te juzgaste y llegaste a la conclusión de que no valías gran cosa, eras uno de tantos. No descubrirás nada, no inventarás nada, usarás el título para encontrar un empleo que aproveche tu conocimiento de la integral indefinida, te casarás con la vecina de tu edad, tendrás con ella hijos a los que dirás a tu vez nosotros-trabajamos-para-enviarte-a-la-escuela, darte-una-educación, y-tú-ni-siquiera-das-las-gracias. Te volverás un adulto antes de tiempo con arrugas en el alma y perderás la juventud antes de tiempo. Mejor retrasar ese día, tomarse unas vacaciones respondiendo a la llamada a filas a la que no has respondido por tres años... Sí, había traicionado las matemáticas para no perder antes de tiempo su juventud. La gente cree que el ejército envejece. Al contrario. El ejército devuelve a la infancia, cristaliza la infancia, la detiene igual que los floricultores detienen el crecimiento de las plantas que comprimidas en las raíces y podadas de su follaje se convierten en árboles enanos: bonsai. Tu intelecto en lugar de las raíces comprimidas, tu madurez en lugar del follaje podado. Instrumentos del sortilegio, los juguetes con los que te engatusa el uniforme y el sueldo con el que te paga un trabajo que no es trabajo, sino juego. Dejémonos de hipocresías: es divertido desfilar, disparar el fusil como un campeón a las siluetas del polígono, manejar explosivos, escalar montañas inaccesibles, bajar a las simas marinas, arrojarse desde el cielo con el paracaídas, en una palabra, simular estar haciendo la guerra. Si no te ocurre alguna desgracia o si no te mandan a una guerra de verdad, vuelves en serio a ser un niño. Un niño despreocupado en un colegio despreocupado llamado cuartel. Sin contar el placer que experimentas al exhibir tu vigor: tu cuerpo, que las matemáticas habían debilitado y que el ejército ha fortalecido, ha convertido en una hermosa máquina para jugar y seducir. Estatura imponente, hombros anchos, cintura estrecha, vientre plano. Y al diablo el póster con el rostro expresivo de Einstein, su divina ecuación $E = mc^2$.

Sonrió con tristeza. Adiós al póster, adiós al sueño de descubrir nuevos mundos, nuevas estrellas, inventar teorías que cambien el curso de la civilización, se había vuelto lo que se llama un «comando», es decir, un supersoldado, un samurai moderno que como ninguno desfila, dispara el fusil, maneja los explosivos, escala montañas inaccesibles, baja a las simas marinas, se lanza en paracaídas y la palma en guerras de verdad. Pero tenía veintiséis años y a los veintiséis años sólo sabía hacer eso. Su mente estaba tan anquilosada que ni siquiera lograba enunciar el problema para encontrar la fórmula de la Vida, y a duras penas recordaba que la derivada de una potencia de una variable es igual al exponente de la potencia multiplicada por la variable con el mismo exponente menos uno. Usar el cerebro de nuevo. Llevarlo de nuevo a los invernaderos en que caminabas antes de que el cínico floricultor te comprimiera las raíces del intelecto y te podara el follaje de la madurez. Dejar de ser un árbol enano. Crecer, por fin, hacerte adulto a costa de provocarte arrugas en el alma. Morir con esas arrugas, no palmarla a los veintiséis años en una guerra de verdad. Un momento: ¿no sería el motivo de su insomnio el temor a palmarla a los veintiséis años en una guerra de verdad? Hacía semanas que el Cóndor los tenía en estado de alarma: defensas reforzadas, servicios de guardia triplicados, permisos suspendidos. Ayer los carabinieri de la garita de la entrada casi habían echado a Ninette. Aquí-está-prohibido-detenerse, orden-del-general. Y el Cóndor no era la clase de general que se alarma por nada. En cuanto a Charlie, te asfixiaba constantemente con las recomendaciones atentos-aquí, atentos-allá, quiero-que-tengáis-ojos-hasta-en-el-culo, se-espera-algo. Un poco por fastidiar, un poco por incredulidad, siempre se había negado a darle importancia. En cambio ahora se la daba y sacaba la conclusión que debería haber sacado cuando se había puesto a escuchar los ladridos de los perros y los quiquiriquíes de los gallos enloquecidos. ¡Qué iba a ser el concierto desgarrador! ¡Qué iba a ser el lío amoroso o seudoamoroso en el que había ido a meterse! ¡Qué iba a ser una crisis precipitada por el malestar y el descontento! Era la espera de ese algo lo que lo ponía inquieto. Algo que hasta ayer no existía y que esta noche existía, se movía, avanzaba despacio en la obscuridad y al avanzar esparcía un olor a muerte. No la muerte que mata con los disparos de fusil, las ráfagas, los cañonazos. Una muerte diferente. Más espantosa, más ávida. Una muerte que no lograba imaginar pero que sentía con todas las fibras de su cuerpo, todos los poros de su piel, todos los nervios de su sistema nervioso...

«Allah akbar, Allah akbar, Allah akbar! Wah Muhammad rassullillah! Inna shahada rassullillah... ¡Dios es grande, Dios es grande, Dios es grande! ¡Y Mahoma es su profeta! En verdad os digo que él es su profeta...»

La voz del muecín descendió del alminar de la mezquita hasta la Rue de l'Aérodrome para mezclarse con los ladridos de los perros vagabundos, los quiquiriquíes de los gallos enloquecidos, los estampidos de los obuses. Modulando una cantinela quejumbrosa se dilató para salmodiar preceptos misteriosos, difundir la plegaria que precede al alba, y Angelo se estremeció. ¡Las cinco de la mañana! Tenía que descansar un poco. Después apagó la linterna, cerró los ojos y unos minutos después dormía como si el muecín hubiese anunciado el alba de un día cualquiera. Un domingo igual a los demás.

–2–

Lo despertó un tintinear de objetos golpeados y la sensación de estar en el centro de un terremoto. El catre oscilaba, el suelo temblaba, el tabuco parecía una barca que cabecea en un mar tempestuoso. Después cesó el terremoto, se hizo un silencio inmóvil durante el cual tuvo tiempo de echar un vistazo a las manecillas fosforescentes del cronómetro, advertir que marcaban las seis y veinticuatro, y un mostruoso estruendo desgarró el aire junto con una bofetada apocalíptica. Se puso en pie de un salto. Con gestos convulsos, se enfundó el mono de camuflaje, se calzó las botas y se lanzó al cuarto contiguo para llamar a Charlie. Pero Charlie ya estaba saliendo. La mole de gigante sacudida por un temblor convulso corría hacia las escaleras que conducían a la parte trasera del patio y rezongaba: «¡Maldición! ¡Maldición!» Lo siguió, y mientras lo seguía sabía que aquel algo había sucedido. Una catástrofe gigantesca, una tragedia ante la cual sus dramas resultaban futilidades. Pero no esperaba ver lo que vio a la incierta luz de la mañana y, al verlo, palideció. Era un hongo mastodóntico de polvo rojo, el rojo obscuro de la sangre, que con lentitud impresionante subía de una nube negra a dos kilómetros al sur y al subir aspiraba la tierra como la trompa de un ciclón descomunal. La chupaba, la absorbía, la llevaba al cielo y allí la escupía para volver a chuparla, escupirla otra vez y luego desenrollarla como una alfombra y formar una corona plana que se ensanchaba, se extendía y se desplegaba por todo un manto de negrura: una gran obscuridad de la que llovían extrañas manchas, extrañas sombras, fantoches con dos brazos y dos piernas.

«¡Jefe! Allá abajo...»

«Sí, allá abajo está el Cuartel General americano» respondió Charlie, con voz ronca. Y casi en el mismo instante todo osciló de nuevo, tembló de nuevo con los singultos del terremoto. Los edificios parecieron vacilar, los árboles fluctuar, y la bandera ondeó en lo alto del asta con una ventolera brusca. ¡Chaf! Algunos cristales se rompieron, algunos trozos de enlucido cayeron con estrépito sordo, de la casa contigua se elevó un chillido de terror: «Yahallah!» Después el silencio inmóvil descendió de nuevo, se estancó de nuevo para dar tiempo de nuevo a echar un vistazo a las manecillas del cronómetro, advertir que marcaban las seis y veintinueve, y un segundo estruendo desgarró el aire junto con una segunda bofetada apocalíptica. Un segundo hongo de polvo rojo subió de una segunda nube negra dos kilómetros al norte esta vez, también para chupar la tierra y absorberla y llevarla al cielo y escupirla volver a chuparla escupirla de nuevo desenrollarla y formar la corona plana que se ensanchaba y se extendía y se desplegaba por todo el manto de negrura: la gran obscuridad de la que llovían las extrañas manchas, las extrañas sombras, los fantoches con dos brazos y dos piernas.

«Y allá abajo, jefe...»

«Sí, allá abajo está el Cuartel General francés» respondió Charlie, con voz ronca.

No dijo más, pero Angelo oyó lo que pensaba: el-próximo-hongo-es-para-nosotros. Y por un minuto que les pareció a los dos una eternidad permanecieron quietos y mudos mirándose fijamente. Como si lo único que se pudiera hacer fuese esperar la muerte allí quietos y mudos, mirándose fijamente, o como si quisieran intercambiarse el alma grabando en la memoria sus respectivas facciones. Alta y lisa la frente de Angelo, semicubierta a la derecha por un mechón rebelde, vívidos y azules sus ojos desmesuradamente abiertos, trémula la nariz arrogante, tensas las mejillas excavadas por pómulos agudos, y duros los labios bien dibujados. Tallada de arrugas ya antiguas la frente de Charlie, obscurecida en las sienes por cortos cabellos color azabache, melancólicos y hondos sus ojos obscuros, marchitas sus mejillas un poco hinchadas, y apretados en una mueca de infinita amargura los labios sepultados bajo los híspidos mostachos de foca. Las seis y veintinueve más uno, más dos, más tres, más cuatro, más cinco, más seis, más siete, más ocho, más nueve, más diez, más once, más doce, más trece, más catorce, más quince... Las seis y treinta. Transcurrido el minuto, los labios sepultados bajo los híspidos mostachos de foca se abrieron, vamos-a-la-sala-de-operaciones-muchacho, y cruzaron el umbral de un portón semioculto por los sacos de arena. Sumiéndose en un barullo de militares sin afeitar y con el uniforme puesto de cualquier modo, un caos de voces que se preguntaban ansiosas, qué-ha-sucedido, qué-ha-sido, cruzaron el zaguán de la planta baja. Llegaron a una sala llena de pantallas de radar, teléfonos, cartas topográficas, mapas, transmisores con los radiofonistas que llamaban excitados para comunicar el estado de alarma.

«¡Águila, base Águila, responde! ¡Aquí Cóndor, Sala de Operaciones Cóndor!»

«Sierra Mike, base Sierra Mike, ¡responde! ¡Aquí Cóndor, Sala de Operaciones Cóndor!»

«¡Rubí, base Rubí!»

«¡Logística, base Logística!»

«¡Atención, a todas las bases, a todos los puestos, atención! ¡Estado de máxima alerta! ¡Bloquear bien los accesos, cerrarlos con los tanques! ¡Intensificar la vigilancia, detener cualquier automóvil, cualquier vehículo! ¡Registrar, examinar todos los paquetes, todos los objetos y, si es necesario, disparar! ¡Orden del Cóndor!»

En el centro de la sala, un hombre apuesto con galones de general que indicando un gran reloj colgado en la pared de los transmisores se desgañitaba como un obseso. El Cóndor.

«¡Desde las seis y veintiséis estoy pidiendo el informe de Ost Ten, del Veintisiete Lechuza, de los otros observadoreees! ¡Quiero, he dicho que quiero las coordenadas exactas, las distancias precisas! ¡Y que las ambulancias, los equipos de socorro, las excavadoras vayan inmediatamente a donde los franceses y los americanos! ¡Que el hospital de campaña prepare al instante los quirófanos! ¡No me importa que no tengamos bastantes camillas! ¡Exijo lo imposible! ¿Entendido? ¡Lo imposible!»

Junto a él un coronel, su lugarteniente, estudiando absorto un mapa lleno de banderines tricolores: los posibles blancos del próximo hongo. Tras el coronel absorto, un capitán de paracaidistas furioso que desfogaba su nerviosismo voceando improperios en dialecto y un personaje extraño vestido con bata a rayas rojas y azules que ajustándose el monóculo en el ojo izquierdo lo reprendía en latín.

«Sufficit! ¡Basta! Non decet!»

«¡Qué sufficit ni qué decet ni qué niño muerto! ¡Ya se lo decía yo que no hay que fiarse de esos maricones, y esos mierdas, esos pajilleros de los russillallah! ¡Ya se lo decía yo que un buen día nos iban a dar por culo pero bieeen!»

«Bueno, ¿y qué? ¡De nada sirve agitarse! Fortis animi est non perturbari in rebus asperis, nos enseña Cicerón. ¡Es propio de espíritus fuertes no agitarse en las desventuras!»

A pasos lentos y con aire de quien sabe que puede entrometerse, Charlie se acercó al Cóndor.

«Lo que temíamos... ¿verdad, general?»

«Sí, Charlie. Acabo de hablar con los gubernamentales: el Cuartel General francés y el Cuartel General americano. Dos camiones kamikazes. Una matanza. Una doble matanza.»

«Dos... Y el tercero, el destinado a nosotros, ¿dónde está?»

El Cóndor volvió a indicar el gran reloj colgado en la pared. Señalaba casi las seis y treinta y tres.

«Pronto lo sabremos, Charlie. Ha habido un intervalo de cinco minutos entre el primer ataque y el siguiente. Y han pasado nueve minutos desde el primero y cuatro desde el siguiente. Si dejan el mismo intervalo...»

«Yo no lo dejaría, mi general.»

«Yo tampoco... Si yo fuera el tercer kamikaze, me concedería otros diez o quince minutos, me movería cuando nosotros empecemos a relajarnos...»

«Sí, pero...»

«Charlie, lo que se podía hacer ya se ha hecho. Y usted lo sabe. Ahora sólo nos queda esperar.»

Se pusieron a esperar, callados. Estaban todos callados, ahora. Incluso el capitán de paracaidistas que antes berreaba improperios, incluso el extraño personaje del monóculo y la bata a rayas rojas y azules que antes lo reprendía en latín, incluso los radiofonistas sentados ante los radiotransmisores. Y todos tenían los ojos fijos en el gran reloj, todos tenían los oídos atentos al único sonido que se oía allí dentro: el tic-tac del resorte que marcaba los segundos. Cada tic-tac una conquista pero también una exasperación de la angustia, una esperanza pero también una multiplicación de la tensión, de la insoportable espera. Una espera que no les afectaba sólo a ellos porque, aunque ellos fuesen el blanco más fácil y probable, el próximo hongo hubiera podido alzarse de cada una de las bases que el mapa del coronel absorto localizaba con los banderines tricolores y a las que los radiofonistas habían llamado excitados: la base Águila, la base Sierra Mike, la base Rubí, la base de la Logística. Tic-tac... las seis y treinta tres y un segundo. Tic-tac... las seis y treinta y tres y dos segundos. Tic-tac... las seis y treinta y tres y tres segundos. Tic-tac... las seis y treinta y tres y cuatro segundos. Tic-tac... las seis y treinta y tres y cinco segundos. Tic-tac... las seis y treinta y tres y seis segundos... A las seis y treinta y cuatro, es decir, al cumplirse los cinco minutos todos contuvieron el aliento. Pero no ocurrió nada, conque la espera continuó. Si-yo-fuera-el-tercer-kamikaze-me-concedería-otros-diez-o-quince-minutos, había dicho el Cóndor, y la frase no había pasado inadvertida para nadie. Tic-tac, tic-tac... las seis y treinta y cinco. Tic-tac, tic-tac... las seis y treinta y seis. Tic-tac, tic-tac... las seis y treinta y siete. Tic-tac, tic-tac... las seis y treinta y ocho. Tic-tac, tic-tac... las seis y treinta y nueve... A las seis y treinta y nueve, es decir al cumplirse los diez minutos, Charlie se dirigió hacia Angelo que se mantenía aparte comiéndose las uñas. Le puso afectuosamente un brazo sobre los hombros.

«No hay que desesperar, muchacho.»

«No, jefe» murmuró Angelo y siguió comiéndose las uñas.

«Tal vez el tercer camión haya quedado neutralizado por una avería en el motor.»

«Tal vez.»

«O tal vez ese kamikaze haya cambiado de idea.»

«Tal vez.»

«Esperemos hasta las seis y cuarenta y cinco.»

«Sí.»

Tic-tac, tic-tac... las seis y cuarenta. Tic-tac, tic-tac... las seis y cuarenta y uno. Tic-tac, tic-tac... las seis y cuarenta y dos. Tic-tac, tic-tac... las seis y cuarenta y tres. Tic-tac, tic-tac... las seis y cuarenta y cuatro... Tic-tac, tic-tac... las seis y cuarenta y cinco... A las seis y cuarenta y cinco Charlie se separó de Angelo y volvió a acercarse al Cóndor.

«Mi general, ¿está pensando lo mismo que yo?»

«Sí, Charlie» asintió el Cóndor. «Ya es demasiado tarde para restablecer el factor sorpresa. Creo que por hoy el tercer camión nos ha perdonado.»

«¡Por hoy...!» comentó, con amargura, un teniente con una gran nariz en forma de berenjena.

«Dum fata sinunt vivite laeti, mientras el destino os lo conceda, vivid felices, dice Séneca. Y Horacio añade: Carpe diem!» replicó el extraño personaje del monóculo y la bata.

«¡Carpe y un cuerno, por hoy un cuerno! ¡Menuda la que les voy a dar yo a esos maricones, a esos mierdas, a esos pajilleros de los russillallah!» se puso a vocear otra vez el capitán furioso. Pero esta vez el Cóndor lo hizo callar.

«¡Silencio, Pistoia! ¡Mejor vaya a donde los franceses y los americanos! Quiero saber de qué tipo eran los dos camiones, por qué lado llegaron, a qué velocidad entraron, quién los conducía, cuáles y cuántos explosivos utilizaron.» Después, dirigiéndose al teniente de la gran nariz en forma de berenjena: «Usted también, Azúcar. ¡En marcha!»

«¡Al instante, mi general! ¡Allá voy perdiendo el culo!» respondió el primero alzando un rostro vivo y repentinamente relajado.

«A sus órdenes, mi general» respondió el otro al tiempo que saludaba con un taconazo irreprochable.

Después se fueron juntos precipitadamente, seguidos por una mirada envidiosa. La mirada de Angelo.

* * *

Superada la tensión espasmódica, acabado el suplicio de los quince minutos pasados mirando el reloj fijamente y escuchando el tic-tac, no pensaba sino en correr hasta allá abajo. Pero no para satisfacer la curiosidad o la piedad: para obedecer a una atracción, a una necesidad que confusamente intuía vinculada con su incierto futuro y que casi con mala fe disfrazaba de preguntas sensatas. ¿Cuántos soldados iguales que él habían quedado sepultados bajo los escombros del Cuartel General americano o del Cuartel General francés, cuántos habían sido chupados por el hongo y llevados al cielo y escupidos otra vez a la tierra, fantoches con dos brazos y dos piernas? ¿Cuántos Angelos que durante la noche habían permanecido despiertos escuchando los ladridos de los perros vagabundos y los quiquiriquíes de los gallos enloquecidos, cavilando sobre su Ninette y su descontento, quién-soy, qué-busco, qué-es-la-vida? ¿Cuántas réplicas de sí mismo? ¿Cincuenta, ochenta? No sabía imaginarse a sí mismo muerto cincuenta, ochenta veces. Y quería verse. No, no quería verse. Quería comprenderse. ¿Acaso no son la Vida y la Muerte las dos caras de la misma cuestión? Se plantó delante de Charlie.

«Jefe...»

«No» gruñó Charlie sin dejarle hablar. «¡Contigo no va eso! ¡Tú dependes de mí!»

«Podría ser útil, jefe, unirme a los equipos de socorro...»

«Los equipos de socorro no te necesitan.»

«Podría fotografiarlos mientras trabajan... Para nuestro archivo...»

«Desaparece de mi vista, muchacho.»

Desapareció. Ignorado por todos se puso a vagar por el zaguán, ahora un ir y venir convulsivo de oficiales que seguían las operaciones de socorro. «¡Decid a los de Ingenieros que traigan un par de Leopards y un par de grúas!» «¡Traed más palas, más picos, más palas! ¡No bastan las que habéis mandado!» «¡Y no olvidéis las máscaras, los guantes y las máscaras! Los muertos apestan, ¿no?» Se detuvo, se apoyó en la puerta de un despacho de la que salía una voz amanerada y nasal.

«¡Qué atentado más odioso, ilustre colega! ¡Odioso! Además, no podía llegar en un momento menos oportuno, para mí: precisamente hoy que los colegas del Cuartel General inglés me habían invitado a comer, ¡ay, señor! Desde que tuve el incomparable honor de prestar servicio en la Seventh Brigade con un intercambio de la OTAN, me tienen mucho aprecio. Y Sir Montague, el comandante, había enriquecido incluso el menú con un hermoso pudding. Tendré que excusarme por escrito. Sería una descortesía que me limitara a llamar por teléfono y un caballero nunca cae en descortesías. Nunca. Ni siquiera cuando hay por medio cuatrocientos muertos. Sí, ilustre colega: cuatrocientos. Trescientos americanos y cien franceses: una hermosa tortilla. Sed quid novi? La guerra es siempre una tortilla, ¡y no se puede hacer una tortilla sin romper los huevos!»

Se estremeció incrédulo. ¡Cuatrocientos! ¡Había dicho cuatrocientos! Lo permitiera Charlie o no, ¡tenía que ir! Y, con el cerebro en llamas, se lanzó por las escaleras que conducían al sótano. Irrumpió en la Oficina Árabe, cogió el M12, volvió a subir, bajó de nuevo, agarró la bolsa de las máquinas. ¡Documentarse, documentarse! Después subió otra vez, ya estaba en el patio. Con tal de que estuviera el jeep, se dijo jadeando. El jeep estaba, con el chófer al volante. Montó de un salto.

«¡Arranca, Stefano, arranca!»

«¿Para ir a dónde?» preguntó Stefano, al tiempo que alzaba una carita infantil y aún pálida de espanto.

«A donde los americanos. Y a donde los franceses.»

«Pero yo estoy esperando a Charlie. ¡Debo ir con Charlie!»

«¡Qué Charlie ni qué niño muerto! ¡Ponlo en marcha!»

«¡No, no puedo, no!»

«¡Ponlo en marcha, te digo!»

Intimidado, Stefano lo puso en marcha y salió del Cuartel General. Se internó en la Rue de l'Aérodrome. Ya era totalmente de día, los gallos enloquecidos habían dejado de desgañitarse, los perros vagabundos habían vuelto a los sótanos de las casas destruidas, a las cloacas con los ratones, y los dos hongos de polvo rojo se habían disipado completamente. Sobre la ciudad reinaba un cielo límpido, burlón. Un cielo que parecía decir ven-a-ver, ven.

–3–

Habían elegido un sólido edificio de cuatro pisos al sudeste del aeropuerto, los mil del contingente americano, uno muy grande al final de la avenida que bordeaba el terminal después la torre de control luego los hangares. Y ya a la altura del terminal se distinguía bien la inconfundible silueta blanca que junto con el rojo y el azul de la bandera resaltaba sobre el verde de los árboles. De hecho, en torno al alto edificio no había sino bosquecillos de moreras. Delante, una fila de palmeras. Sin embargo, pasados los hangares, Angelo advirtió que no se veía la inconfundible silueta blanca. Ni tampoco la bandera.

«¡Stefano, te has equivocado de camino!»

«¡Que no! Después de la Rue de l'Aérodrome he girado a la izquierda, me he metido en la avenida, he pasado el terminal, después la torre de control y luego los hangares y... ¡Tienes razón! ¿Dónde está el Cuartel General americano?» exclamó Stefano, perplejo.

«Vuelve atrás. ¡Rápido!»

Balbuceando no-comprendo, no-comprendo, Stefano volvió atrás. Regresó a la Rue de l'Aérodrome, invirtió otra vez el sentido de la marcha, llegó otra vez al aeropuerto, giró de nuevo en la avenida que bordeaba el terminal después la torre de control luego los hangares, y se volvió a encontrar en el mismo punto que antes.

«¿Lo ves? ¡No me había equivocado!»

«No» reconoció Angelo.

«Luego el Cuartel General americano debe de estar allá al final de la avenida...»

«Debería. Pero no está.»

No estaba. Y sin embargo, se daba cuenta entonces, los helicópteros que despegaban del aeropuerto volaban en aquella dirección para descender más allá de la fila de palmeras. Y también las ambulancias que en un ensordecer de sirenas pasaban como flechas por la calle iban en aquella dirección. Comprendió. Dijo a Stefano que las siguiera. Stefano las siguió y pronto estuvieron ante un gran recinto cerrado con alambre de espino contra el que se apretaban decenas de periodistas y operadores de televisión rechazados por tres o cuatro Marines.

«Let us in, dejadnos entrar, let us in!»

«Get back, dammit, get back! ¡Atrás, maldita sea, atrás!»

Dentro del recinto, el caos. Socorristas que corrían como locos con las camillas, como locos tendían en ellas cuerpos descuartizados o quemados, como locos reanudaban la carrera para cargarlos en los helicópteros y las ambulancias: «Make way! ¡Dejad paso! Make way!» Equipos de socorro que excavaban con las palas mecánicas, los picos, las palas: «Quick! ¡Rápido! Quick!» Sacos de plástico gris apilados en forma de pirámide o dispersos aquí y allá. Los sacos de los cadáveres ya recogidos. Supervivientes que cubiertos de suciedad y de pátina negra, con la mirada mortecina y el uniforme desgarrado, vagaban invocando a su madre y a Jesús. «Mammy... Jesus... Mammy...» Y desmoronado, desintegrado por la explosión que a las seis y veinticuatro había sorprendido a los mil en pleno sueño, el sólido edificio de cuatro pisos. En su lugar, una extensión de escombros de menos altura que un camión. Y un tufo a carne carbonizada que el viento esparcía junto con el acre olor del hexógeno, los gritos, las blasfemias, los lamentos.

«Help me! Get me out, help me! ¡Ayudadme, sacadme de aquí, ayudadme!»

«My legs! I lost my legs. ¡Mis piernas! ¡He perdido las piernas!»

«Easy, easy! You're hurting him, God dammit! ¡Despacio, despacio! ¡Que le haces daño, hostias!»

«Ronnie, Ronnie! Where are you?!? ¿¡¿Dónde estás, Ronnie?!?»

«Junior! Junior! Answer! ¡Responde, Junior!»

«Oh, God! God, God! ¡Oh, Dios! ¡Dios, Dios!»

Stefano se acurrucó en el asiento.

«Yo no voy» dijo con voz sofocada.

«No, no vengas» le respondió Angelo. Después bajó del jeep, se echó el M12 al hombro, la Nikon en el chaquetón, y se adentró en el caos. Cada paso una punzada de cólera y de espanto. Aquí un dedo, ahí un pie, allá una mano o un antebrazo o una oreja que recogían y echaban a montones en los sacos como la basura de una carnicería: la mayoría habían quedado desmembrados en decenas de trozos. Otros en cambio habían quedado hechos papilla bajo los armazones de hierro, los muros derribados: parecían bajorrelieves de sangre. Otros habían quedado tan carbonizados que al rozarlos se rompían con un chasquido seco. Heridos veías pocos, y al mirarlos lamentabas que no hubieran muerto ellos también. Troncos privados de los miembros, rostros hechos puré, monstruos sobre los que hasta los enfermeros se inclinaban con espanto. En cuanto a los menos graves, muchos de ellos morían por la incapacidad de los socorristas mandados por el municipio. Carentes de técnica o insensibilizados por las carnicerías a que estaban habituados, la mayoría pensaba sólo en retirar los escombros en el menor tiempo posible. Por ejemplo usaban las excavadoras a ciegas y, en lugar de extraer a las víctimas con delicadeza, las arrastraban junto con los detritos. Las ensartaban, las desgarraban. O bien al levantar una gran lastra que aprisionaba el cuerpo que había que evacuar olvidaban apuntalarla y volvía a caer aplastando a quien habrían podido salvar. Los equipos italianos funcionaban mejor porque estaban dirigidos por los especialistas de Ingenieros y porque habían llevado un Leopard con grúa: esa herramienta permitía izar y apuntalar cualquier peñasco. Pero trabajaban casi siempre junto con los Marines, y raro era el que hablaba inglés. Más raro aún era el Marine que hablaba italiano, por lo que nunca se entendían y en la mayoría de los casos los malentendidos sumaban desastres al desastre.

«¡No, la leche puta, no! ¡Antes hay que serrar la viga!»

«What does he want, for Christsake?!? What does he say?»

«¡La vigaaa! ¡Hay que serrar la vigaaa! ¡Dios santo! ¿Cómo se dice serrar? ¿Cómo se dice viga?»

«Why does he shout? What does he want?»

«¡Hostias! ¿Estáis contentos, hostias? Estaba vivo, respiraba, ¡y se la habéis vuelto a tirar encima!»

«See? We should have cut off the fucking girder! Now he's dead! Dead!»

Después los comentarios desolados, los relatos amargos, las preguntas.

«Pero, ¿¡¿quién ha sido?!? ¿Se puede saber quién ha sido?»

«Un Hijo de Dios, ¿no? Un jomeinista. ¿No has oído al Marine del puesto de guardia? ¡Él le ha visto la cara!»

«No, no lo he oído. ¿Qué ha dicho?»

«Ha dicho que llevaba en torno a la cabeza la cinta negra de los Hijos de Dios, o sea, de los jomeinistas, que era joven y barbudo, de unos treinta años, y sonreía de felicidad.»

«¿De felicidad?»

«Sí, señor, ¡de felicidad!»

«¿Y cómo lo ha hecho?»

«Lo ha hecho bien. Ha pasado ante las narices del centinela con el camión lleno de hexógeno, se ha llevado por delante la barrera del puesto de control, ha atravesado el recinto y ha irrumpido en el aparcamiento interior. Después ha encendido el circuito y ha saltado en pedazos como Pietro Micca. No ha quedado de él ni un cabello siquiera.»

«¡Menudo criminal!»

«¡Psicópata!»

¿Como Pietro Micca? ¿Criminal, psicópata? Pero Pietro Micca no era ni un criminal ni un psicópata, pensó Angelo al tiempo que se dirigía hacia otro grupo de italianos que trabajaban con el pico. Era un héroe. Te lo enseñaban en primaria que era un héroe, te hacían aprenderlo de memoria junto con el Padre Nuestro y el Ave María y el Himno de Mameli: «Pietro Micca, militar del ejército piamontés, nacido en Vercelli en 1677, de servicio en la compañía de zapadores durante el asedio de Turín por los franceses. El 29 de agosto de 1706, para cortar el paso a los granaderos franceses dentro ya de la galería que conducía al interior de la ciudadela, prendió fuego a una mina y saltó en pedazos con el enemigo. Su heroico gesto simboliza el valor de los soldados que defienden a la Patria del extranjero, etcétera.» Sí, eso te enseñaban en la escuela: sin una palabra de piedad o respeto por los granaderos franceses a los que Pietro Micca había desmembrado, aplastado, carbonizado, reducido a troncos privados de sus miembros, a monstruos con rostros hechos puré. ¿Y si un día los niños musulmanes de Beirut aprendieran de memoria la misma retahíla por el Hijo de Dios que había asesinado a los trescientos Marines, por el jomeinista del que no había quedado ni un cabello siquiera? Igual el sacrificio, iguales las circunstancias. No, las circunstancias no. Porque los trescientos Marines no estaban asediando la ciudad: intentaban aportarle un poco de paz. No estaban penetrando en una galería: estaban durmiendo en sus dormitorios.

A Beirut habían venido o, mejor dicho, los habían llamado, para aplacar a los perros que se destrozaban entre sí... Bueno, ¿y qué? Al Hijo de Dios le habían contado que se trataba de enemigos, conque para él eran tan enemigos como los granaderos franceses para Pietro Micca...

«¡Camilleros! ¡Rápido, camilleros!»

«¡Ánimo, cogedlo, está entero!»

Habían encontrado a uno entero. Empuñó la Nikon, enfocó la escena, pero le pareció que todos lo observaban con reproche o desprecio, y en seguida renunció para acercarse a los italianos del Leopard: «¿Puedo ayudaros?» «Desde luego» respondieron indicando una colinita de escombros. «Prueba ahí arriba. Ahí no hemos estado aún.» Obedeció. Sin ocuparse del M12 que le estorbaba, del tufo a carne quemada que le daba náuseas, se puso a quitar piedras y no tardó en vislumbrar cinco dedos que sobresalían entre los cascotes. Los tocó esperanzado, le parecieron calientes, se puso a excavar más deprisa, cada vez más deprisa, y los cinco dedos pronto se convirtieron en una mano y después una muñeca con su reloj. Luego a la muñeca con el reloj se sumó un antebrazo, un codo, una axila que sobresalía por una abertura bastante amplia como para dejar pasar un cuerpo, excitado, tiró y casi cayó de espaldas con un brazo en la mano. No era un hombre aún vivo, era un brazo, y desilusionado se alejó para sentarse en un montón de piedras: a rumiar su decaimiento. De repente sentía un gran decaimiento, una necesidad redoblada de dar sentido a las cosas carentes de sentido y comprender lo que no comprendía. Sonreía-de-felicidad, habían dicho. ¿Es posible, pues, sonreír de felicidad mientras uno se prepara a morir y matar a trescientas personas? Tal vez sí. En cierta ocasión, en Livorno, había simulado un ataque a un puente: empresa que consistía no sólo en colocar bien las cargas sino también en hacerlas explotar mientras las imaginarias tropas enemigas lo cruzaban. Bueno, pues había realizado la hipotética matanza con cuidado y arrojo, calculando a la perfección el instante en que el puente se desplomaría con las tropas enemigas, y cuando Azúcar le había congratulado bien-te-felicito-bien, había sonreído de felicidad. Dejémonos de hipocresías, pues: si sobre el puente hubieran estado de verdad las tropas enemigas, habría puesto las mismas cargas con el mismo cuidado y el mismo arrojo. Nada de negativas en nombre de la ética. Y después habría sonreído con la misma sonrisa: cosa que era aplicable también a los Marines asesinados. También ellos habían aprendido a derrumbar puentes con las tropas enemigas, a matar. «Kill! Kill! Kill! ¡Mata, mata, mata!» era el grito con que los adiestraban. Sin contar con que un militar tiene bastantes probabilidades de salir con bien; un kamikaze, no: la palma de todas todas con sus víctimas y... Basta. Volver al Cuartel General, basta. Había visto lo que quería ver, no quería ver más. Se levantó para ir a reunirse con Stefano pero al instante se detuvo, impresionado por el espectáculo de un infante de marina que sollozaba arrodillado en el suelo y estrechaba contra su pecho un casco.

«¡John! ¡John! ¡John!»

Lo estrechaba con el ahínco de un niño que no quiere ceder un objeto muy precioso para él. Y sin embargo no tenía nada de niño: era un joven de unos veintisiete o veintiocho años y rostro masculino y maduro. Pues vaya, farfulló al tiempo que se dirigía hacia él para reprenderlo: venga-déjalo-ya, ¿te-parece-momento-para-abandonarse-a-escenas-de-histeria? Pero en cuanto estuvo a su lado enmudeció, y pasaron unos instantes antes de que recuperara la voz. Porque lo que el infante de marina apretaba contra su pecho no era un simple casco. Era una cabeza decapitada dentro del casco.

* * *

«¡Déjala, marinero!»

Pero el infante de marina continuó sollozando y estrechando contra su pecho la cabeza decapitada dentro del casco.

«¡John! ¡Oh, John, John!»

«¡Déjala, marinero.»

«¡John! ¡Oh, John, John!»

«¡He dicho que la dejes!»

«Pero, ¡si es John!» Después volvió a sollozar. «¡Oh, John, John!»

«Sea quien sea, marinero. Déjala y ve a reunirte con tu equipo. ¿Cuál es tu equipo?»

«¿Qué equipo? ¡Oh, John, John!»

«Has venido con un equipo de socorro, ¿no?»

«No... He venido a buscar a John... ¡Oh, John, John!»

«¿Cómo has venido?»

«No lo sé, no me acuerdo... ¡Oh, John, John!»

«¿Cómo te llamas?»

«Fabio... ¡Oh, John, John!»

«Dámela, Fabio, la meto en un saco. Hay que meterla en un saco...»

«¡No! ¡En el saco, no! ¡Oh, John, John!»

No había modo de calmarlo y menos de inducirlo a dejar la cabeza. Pero de repente los sollozos cesaron, y sin dejar de estrechar la cabeza o mejor aferrándose a ella para no arriesgarse a que Angelo se la quitara, se puso a hablar. Un largo monólogo inconexo en el que intercalaba calla-sargento-calla cada vez que Angelo intentaba poner un freno a la repentina locuacidad, la historia de una amistad breve pero intensa. Se habían conocido en el polígono durante un ejercicio conjunto y en seguida se habían entendido, John y él, porque John hablaba italiano: su familia procedía de Umbría y en casa sus padres no se expresaban nunca en inglés. Calla, sargento, calla. Se parecían en muchas cosas, John y él. Por ejemplo, John no podía soportar la guerra, y eso que era también un militar profesional es decir alguien que la desgracia se la ha ido a buscar. Con cualquier pretexto exclamaba «Fuck the war, fuck the war» que quiere decir a la mierda la guerra y no se había metido en los Marines para hacer la guerra. Había entrado para recorrer el mundo. Alístate-y-verás-el-mundo, prometían los carteles, ¿y acaso podía imaginarse que lo iban a joder es decir que de aquel sitio llamado Parris Island donde te hacen trizas con los adiestramientos y los malos tratos no saldría sino para venir a Beirut? Exactamente como él que había entrado en la Marina creyendo que iría a Japón y en cambio había salido de Brindisi sólo para venir a encontrarse entre esta gentuza que mataba. Calla, sargento, calla. Se veían con frecuencia John y él. Para beber una cerveza, hacer proyectos, soñar. Ayer, por ejemplo, le había dicho Fabio, en cuanto acabe este follón me salgo de los Marines y tú te sales de la Marina. Te vienes a mi ciudad que es Cleveland en Ohio, abrimos juntos un restaurante italiano, nos hacemos ricos, y nos vamos a recorrer el mundo por nuestra cuenta con nuestro dinero: fuck the war, fuck the war. No era casualidad que esa mañana se hubiese despertado pensando en el restaurante italiano y en John, en sus ojillos celestes, en su naricita en punta, en sus labios finos, en sus cómicos cabellos color rojo ladrillo. El rojo ladrillo de la langosta hervida. Estaba pensando precisamente en John cuando había habido aquella explosión repentina, se había obscurecido el cielo, en la negrura había aparecido el hongo de Hiroshima, y alguien había gritado muchachos-los-americanos-han-saltado-en-pedazos. Calla, sargento, calla. Después había habido la segunda explosión, el cielo se había obscurecido de nuevo, en la negrura había aparecido de nuevo el hongo de Hiroshima, alguien había gritado muchachos-los-franceses-han-saltado-en-pedazos. Había pedido que lo incluyeran en los equipos de socorro que iban a donde los americanos, una vez allí se había puesto a llamar John-dónde-estás-John, en seguida había tropezado con una cabeza decapitada dentro de un casco, una cabeza tan negra, que cualquiera la habría confundido con la cabeza de un Marine negro, y sólo al mirarla detenidamente había comprendido que aquel negro no era el negro de la piel negra: era el negro opaco y tiznado de la piel quemada. Había advertido también que los ojos no eran los ojos de un negro, la nariz no era la nariz de un negro, los labios no eran los labios de un negro. Los negros tienen los ojos negros, la nariz ancha, los labios carnosos, y los ojos de la cabeza decapitada dentro del casco eran celestes. En cambio la nariz era en punta, los labios eran finos. Calla, sargento, calla. Se había sentido morir al darse cuenta de que los ojos eran celestes, la nariz era en punta, los labios eran finos, y con la esperanza de que al menos los cabellos fueran negros como los de un negro había separado el casco. Pero los cabellos eran color rojo ladrillo, el rojo ladrillo de la langosta hervida, los cabellos de John. Los cabellos de John. La nariz de John. Los ojos de John. La cabeza de John... Y ahí se interrumpió para ofrecérsela a Angelo.

«Ten, sargento.»

La había mantenido todo el tiempo contra su pecho, durante el inconexo relato, por lo que Angelo sólo había podido mirar el perfil. Ahora en cambio podía mirarla de frente, y de frente era como para quedarse helado. Las pupilas desorbitadas, los labios abiertos en una expresión de estupefacción, parecía que siguiera viendo y al ver siguiese pensando y al pensar no lograra creer que había perdido el cuerpo. No obstante, la tomó, y sin mirarla más fue a echarla en el saco. Después advirtió al jefe del equipo de Sierra Mike que había que conducir a un infante de marina al hospital de campaña, un infante de marina en estado de shock, y volvió a reunirse con Stefano.

«Arranca. Volvamos al Cuartel General.»

«¿Y los franceses?» preguntó Stefano, atónito.

«Nada de franceses» respondió.

Pero mientras así decía la radio chirrió para transmitir la voz enfurecida de Charlie.

«¿Dónde estás, desgraciado?»

«Voy de regreso con Stefano, jefe.»

«Ya sé que te lo has llevado contigo, ¡ya lo sé! ¡Después arreglaremos cuentas tú y yo!»

«Voy en seguida, jefe.»

¡No señor! Ahora te vas a donde los franceses, ¿entendido? ¡Orden del general! Quiere las fotografías de los equipos de socorro manos a la obra, le he dicho que habías corrido ya a donde los americanos, que te había mandado yo, conque ahora quiere que vayas a donde los franceses. ¡Arreando!»

«Sí, jefe» murmuró con la esperanza de no encontrarse a otro Fabio, otra cabeza decapitada dentro del casco. Después fue a donde los franceses y allí encontró a Ferruccio y con Ferruccio algo peor.

–4–

Ferruccio dejó la pala, se bajó la mascarilla de gasa para secarse el sudor que le corría por las mejillas, y su rostro de adolescente no acostumbrado a sufrir se torció en una mueca rabiosa. ¡La Virgen! ¡Cuántos cuentos le habían hecho tragar para llevárselo de Milán y traerlo a pasarlas putas en Beirut! Que si iba a ser una noble empresa, una experiencia de la que sentirse orgulloso, que si los habitantes de la ciudad lo acogerían con los brazos abiertos, que si aquella pobre gente necesitaba ayuda para recuperar la paz... ¡Embusteros! ¡Bribones! ¡Granujas! ¿En nombre de qué principio debe un muchacho recién salido de la escuela arriesgar su piel por un país que lleva años atormentando al mundo con bombas en los aviones, tiroteos en los aeropuertos, secuestros, chantajes, insolencias en casa ajena? Y pensar que se lo había creído al principio, que se había preparado casi con gusto para la noble empresa. Marchas interminables al sol, ejercicios en el polígono, adiestramientos para el cuerpo a cuerpo, explosiones simuladas para habituarse a calcular la distancia de un estallido: unos tutes como para dejarte en los huesos. Se había peleado con Daniela que gritaba como-vayas-te-dejo. Pero a bordo del C-130 lo había entendido todo. Aquel trasto gélido y ruinoso en el que iban en hilera como los pájaros en los cables de la electricidad, sentados en largos bancos y tan apretados unos contra otros que si te levantabas para ir al retrete no tenías ni un centímetro para poner los pies. Aquel retrete que no era un retrete sino un bidón fétido, aquellos minúsculos urinarios que en seguida se llenaban de orina y a cada brinco del avión te la echaban encima. Aquellos oficiales ceñudos, callados, que para ocultar el miedo no cesaban de leer el periódico al revés. Aquellos soldados pálidos, inquietos, que no ocultaban el miedo en absoluto y para vencerlo soltaban chistes macabros. «¿Has dejado testamento tú?» «No. Y tú, ¿has comprado el nicho en el cementerio?» Por no hablar del canguelo que le había retorcido las tripas, cuando el C-130 había aterrizado con aquel tumbo sordo, de mal agüero. ¡Tum! ¡Tum! Casi se había desmayado al oír el tum-tum, y se había aferrado a su Fal. Se había cerciorado de haber introducido bien el cargador, se había preguntado señor, ¿por qué no dije que tenía la rótula partida en la rodilla izquierda? Te eximen, si tienes la rótula partida en la rodilla izquierda o en la derecha, da igual, te mandan de vuelta a Milán: ¿por qué no lo dije? Porque quería conocer la guerra vista en el cine y la televisión porque soy un gilipollas, vamos, por eso. Tenía razón mi madre cuando al oírme parlotear es-interesante-la-guerra-me-gustaría-ir-a-Beirut gritaba: «¡Eres un gilipollas! ¡Un bobo!» Sin embargo, la prueba máxima la había tenido al llegar a la base. ¡Dios! Ni había dejado aún el morral en el suelo, cuando ya habían caído sobre el campamento dos Rpg, esos cohetes antitanque, verdad, que horadan el acero como si fuera mantequilla. Después a los Rpg se habían sumado los obuses, el coronel había ordenado bajar a los refugios donde uno de Caserta llamado Cebolla se cagaba en los pantalones lamentando no ser marica: «¡Ah, si hubiera sido marica! El ejército no los quiere a los maricas y, si hubiera sido marica, ¡no me cogían!» En determinado momento le había gritado: «Cebolla, aún estás a tiempo de llegar a serlo.» Después había salido y una esquirla no le había acertado por un pelo. ¡Por un pelo! ¡Qué asco de ciudad! Sólo le había ofrecido espantos y tristezas y disgustos, este asco de ciudad, incluido el disgusto de perder a Daniela que lo había dejado de verdad. Pero la carnicería de esta mañana superaba todo.

Volvió a alzarse la mascarilla de gasa, empuñó de nuevo la pala y se puso a excavar otra vez. ¡La Virgen, qué carnicería! ¿Quién lo iba a imaginar que la muerte pudiera ser tal carnicería? En Italia la muerte era la bisabuela que se apaga de vejez y la colocan sobre el lecho donde parece dormir entre flores velas y parientes que recitan el Requiem Aeternam. Era el motorista que se estrella contra un autocar en la autopista Florencia-Bolonia y los de tráfico lo cubren con una tela y pasando no ves más que la silueta incierta de un cadáver y una motocicleta destrozada. Era el siciliano que ha emigrado a Milán o mejor dicho a tu propio barrio y ha desafiado a otro siciliano y ha recibido una cuchillada en el vientre por lo que la Policía no deja que te acerques y desde lejos sólo vislumbras una sábana manchada de sangre sobre la que una mujer chilla: «¡Turiddu, Turiddu!» Era un escalofrío que se olvida pronto, un entierro y una tumba en los que piensas raras veces y con melancolía. ¡Aquí, en cambio! Hace poco habían levantado una gran lastra bajo la cual había un paracaidista vivo aún. Tan vivo que pese a tener los brazos rotos se esforzaba por sonreír y repetía: «Merci, merci!» Pero la lastra había resbalado y del paracaidista no había quedado sino una tortilla de huesos y carne. ¡Y cómo apestaba la muerte! Apestaba como el ratón que el verano pasado había acabado en la garrafa del aceite. Su madre no lo había notado y seguía murmurando: «¿Qué es este olor? ¿De dónde viene?» Si lo hubiera sabido, ¡no habría pedido, desde luego, que lo incluyeran en los equipos de socorro! Sí, lo habría pedido igualmente... Porque, si hubiera sido capaz de salvar a una persona, una sola, se habría sentido menos primo, menos bobo. Imagínate qué satisfacción poder escribir a Daniela: «Querida Daniela, tú me has dejado por lo de Beirut. Pero si no hubiera venido a Beirut no habría salvado a una persona. ¿Has salvado tú a una persona alguna vez? Saludos cordiales, Ferruccio.» Ánimo, Ferruccio. No te canses, Ferruccio. No te dejes desanimar por la tortilla de huesos y carne ni por la peste del ratón que acabó en la garrafa del aceite. Da un sentido a los espantos las tristezas y los disgustos sufridos en este asco de ciudad. Encontrarás a alguien que respira, bajo estas piedras, alguien que sin ti moriría. Basta con que tú resistas con fuerza, que tú...

Se interrumpió y aguzó la vista. Entre las piedras que estaba quitando asomaba un retrete, y del retrete sobresalía un jirón de tela celeste con florecillas rosas. ¡¿¡Un jirón de tela celeste con florecillas rosas!?! Y sin embargo se trataba exactamente de tela celeste con florecillas rosas. Y dentro de la tela celeste con florecillas rosas había... había... había... Ferruccio dejó caer la pala y fue casi en aquel momento cuando Angelo llegó al Cuartel General francés.

* * *

Le parecía que ya nada podía turbarlo. La prueba era que durante el trayecto sólo se había preocupado por la reprimenda que Charlie le iba a echar al descubrir que no había sacado ni una foto siquiera de los americanos. Se sentía dispuesto a recoger mil cabezas decapitadas dentro del casco, a consolar a mil marineros deshechos en sollozos. Y en tono seguro dijo a Stefano que lo esperara en el jeep, con paso decidido surcó el muro de los periodistas rechazados, se zambulló en el caos de las excavadoras y las ambulancias y los bulldozer, con ojos fijos miró lo que quedaba del edificio de nueve pisos ocupado por los franceses. Una sima negra a cuya orilla se asomaba una pirámide torcida. Allí el kamikaze había bajado con el camión al garaje subterráneo, el edificio se había visto embestido por la explosión en un lado de los cimientos y en lugar de desintegrarse había cedido sobre un flanco manteniendo su estructura: los nueve pisos se habían recostado unos sobre otros y en sentido oblicuo como una tarta de varias capas que se derrumba al sesgo formando escalones. En lugar de las varias capas, las ruinas de cada uno de los pisos y las víctimas atrapadas mientras dormían. Sobre los escalones, los equipos de socorro que renunciando a las excavadoras cuyo peso habría alterado el precario equilibrio de la pirámide desenterraban sólo con las palas y los picos. Junto a la sima negra, los cadáveres extraídos: casi un centenar. Por todos lados, los heridos que los escombros seguían soltando. Y unos lanzaban alaridos salvajes, otros se lamentaban con un hilo de voz, otros gemían invocaciones lastimeras.

«Maman!, ¡mamá! Maman!»

«Ne me touchez pas, je veux mourir! ¡No me toquéis, quiero morir!»

«Mes jambes! ¡Mis piernas! Où sont mes jambes? ¿Dónde están mis piernas?»

«Aidez-moi, je vous en supplie! ¡Ayudadme, os lo suplico!»

Sí, una réplica de lo que ya había visto, concluyó. Después empuñó la Nikon, enfocó a un par de italianos que apartaban una viga arrancada, y se dispuso a tomar la primera fotografía. Pero no la tomó porque lo distrajo un bersagliere que había dejado la pala y miraba petrificado un objeto en el suelo. Era un bersagliere muy joven, se veía pese a la mascarilla que le ocultaba la mitad del rostro, y de su inmovilidad emanaba un espanto tan doloroso que sentías la necesidad de ir a ver qué objeto estaba mirando. Se le acercó, lo observó. Miraba un retrete del que salía un jirón de tela celeste con florecillas rosas. No, miraba algo que sobresalía con el jirón de tela celeste con florecillas rosas. Observó lo que era y exhaló un gemido ronco.

«Nooo...»

Era una niña con la cabeza empotrada hacia abajo y tres cuartas partes del cuerpo dentro del retrete. Junto al jirón de tela celeste con florecillas rosas no sobresalía, de hecho, sino la parte inferior del vientre y una piernecita: el resto desaparecía dentro del retrete, engullido por la tubería de desagüe del retrete. Estaba hundido en él como el tapón de una botella en el cuello de la botella, y no lograbas entender a consecuencia de qué casualidad o coincidencia dinámica se había metido en él como un tapón de una botella en el cuello de la botella porque la tubería de desagüe era muy estrecha y el cuerpo de la niña no era muy pequeño. Y sin embargo la onda expansiva había provocado precisamente esto y... Apartó por un instante la mirada. Además sabía quién era aquella niña. Fawzia, la hija de la portera. Cuando iba a donde los franceses se la encontraba siempre en el pasillo de la planta baja. Estaba siempre allí jugando con las vainas de los cartuchos, y siempre llevaba puesto el mismo delantalito de tela celeste con florecillas rosas. Con su delantalito de tela celeste con florecillas rosas corría a su encuentro, levantaba una mano y le decía: «¿Tiene un caramelo para mí?»

«Sargento...» balbució Ferruccio. «Sargento, ¿qué hacía aquí una niña?»

«Era la hija de la portera» respondió.

«¡Oh, Señor!»

«Tenía tres años...»

«¡Oh, Señor!»

«Le gustaban los caramelos...»

«¡Oh, Señor!»

«Vamos a sacarla...»

Tardaron mucho en sacarla. Tardaron al menos una hora, sin que nadie los ayudara: los socorristas se ocupaban de aquellos a los que se podía salvar, no perdían tiempo con los muertos. Tardaron tanto porque estaba de verdad empotrada como el tapón de una botella en el cuello de la botella, y porque sólo disponían de aquella piernecita para sacar el tapón. La sujetaban por turno, con delicadeza, como si temieran hacerle daño y añadir tormento al tormento, después tiraban de ella con fuerza pero a cada tirón el tubo parecía tragarla aún más. Si ganabas un centímetro en seguida lo volvías a perder, para reconquistarlo tardabas una eternidad y, apenas lo reconquistabas, volvías a perderlo. «No lo consigo» jadeaban sucesivamente. «No sale, no lo consigo.» Pero lo consiguieron. Al final, la extrajeron entera. Un cilindro duro y rojo, una horripilante salchicha de la que colgaba una cola de rizos ensangrentados. Salió con el chasquido que hace un tapón sacado con el sacacorchos. ¡Plop! Entonces Ferruccio la metió en un saco de plástico, se quitó la máscara, y vomitó con un grito.

«¡Cristo cabróóón! ¡Cabróóóóón!»

Vomitó y gritó unos minutos, como si junto con el disgusto ante la horripilante salchicha quisiera escupir su desilusión: el dolor de descubrir que Beirut no le había servido ni siquiera para salvar una vida. Después recogió la pala, volvió a excavar y dijo:

«Estoy muy, muy enfadado, sargento. Tenía diecinueve años, sargento... Diecinueve, la madre de Dios, diecinueve, y ahora ya no los tengo. Los he perdido. Porque desde hoy ya no creo en nada, sargento. Ni en Cristo ni en la Virgen ni en Dios Nuestro Señor ni en los santos ni en los hombres, en nada. Cristo no existe, la Virgen no existe, Dios nuestro Señor no existe, los santos no existen, no existen. Los hombres existen, pero sería mejor que no existieran. ¡Qué malos son, los hombres! Malos, malos, ¡animales! No, animales, no. Porque los animales se matan, se comen. No van con camiones llenos de hexógeno a lanzar a las niñas dentro de los retretes. ¿Quién era ese hombre del camión, sargento? ¿Quién era? Te lo digo yo, quién era: un hombre. Sí, un hombre con dos brazos y dos piernas y un corazón y un cerebro. Conque no me gusta haber nacido entre los hombres. Mejor nacer entre las hienas y las cucarachas, o incluso no nacer y se acabó. El año pasado escribí una redacción en la que decía que los hombres son superiores a los animales porque saben construir carreteras y puentes y casas y cúpulas y barcos y aeroplanos. Y además saben pintar la Capilla Sixtina, y escribir el *Hamlet*, y componer el *Nabucco* y transplantar corazones, e ir a la Luna. Cosas todas que los animales no saben hacer. Pero dije tonterías. Porque, ¿¡¿para qué sirve ser tan listos si después se lanza a las niñas dentro de los retretes?!? No, yo no creo en los hombres. Y como soy uno de ellos, desde hoy ya no creo ni siquiera en mí. Sargento... no debía haber venido a Beirut. Si no hubiera venido aquí, creería aún en mí mismo. Y tendría aún mis diecinueve años. ¡Bobo! ¡Primo, bobo! Yo quería ver la guerra, por eso no dije que tenía la rótula partida en la rodilla izquierda. Bueno, pues ya he visto la guerra y no me gusta. No me gustan los ejércitos, no me gustan los uniformes. ¿Por qué has elegido este oficio, sargento? Yo no lo he elegido. Yo soy soldado de remplazo, yo estoy aquí por carambola o, mejor dicho, por error. Por curiosidad. En cambio, ¡tú!, para ti la guerra es un oficio. Tú también sabes hacer las porquerías que ha hecho el hombre del camión. Has aprendido a usar las bombas como un panadero aprende a cocer el pan. ¿Por qué? Yo no comprendo por qué alguien puede querer aprender cosas así. Yo he aprendido a usar el fusil, y me avergüenzo. Y pienso: ¿Y si le cogiera gusto yo también? No, no es posible, odio demasiado la guerra. Y si alguien me viene a decir que siempre ha habido guerra y siempre la habrá, le rompo los huesos. Le doy una paliza. Para vengarme de haber perdido mis diecinueve años, sargento. Dime que tengo razón, sargento.»

«Tienes razón» dijo.

«Jura que no matarás nunca a nadie, sargento.»

«Juro que no mataré nunca a nadie» dijo.

Después le dio una palmada en el hombro y se fue sin sacar siquiera una fotografía.

«Stefano, volvamos al Cuartel General.»

Y volvió al Cuartel General donde lo esperaba Ninette.

* * *

Lo esperaba caminando arriba y abajo delante de la garita de los carabinieri, con su encantador rostro deformado por la angustia, su hermoso cuerpo tenso de impaciencia, y en cuanto el jeep aminoró la marcha para entrar corrió a su encuentro con voz alegre.

«Darling! ¡Cielo! Darling! You are alive, thank God! ¡Estás vivo, gracias a Dios!»

La miró como se mira a alguien que no se conoce y que no interesa conocer. Se dirigió a Stefano.

«¿Qué dice? ¿Qué quiere?»

«Dice que gracias a Dios estás vivo» tradujo Stefano.

«But where have you been, darling? You look so pale, so tired, and there is blood on your shirt!»

La miró como antes, se dirigió de nuevo a Stefano.

«Y ahora, ¿qué dice? ¿Qué quiere?»

«Dice que estás muy pálido, que pareces cansado y que tienes la camisa manchada de sangre. Pregunta dónde has estado» tradujo Stefano.

«You should have a rest and forget, poor darling. Go to sleep, I'll pick you up at seven. We will spend the night to make love and forget.»

«Dice que debes descansar y olvidar» continuó Stefano, muy violento. «Dice que debes ir a dormir y que vendrá a recogerte a las siete, para que paséis la noche haciendo el amor y olvidando.»

¿Olvidando? ¿Había dicho de verdad olvidando, la idiota?

«Life goes on, darling, and we must forget» insistió la voz alegre.

«Dice que la vida continúa y que hay que olvidar. ¿Quieres que le responda algo?»

«No. Arranca, ¡rápido!»

Exhalando un suspiro de alivio, Stefano arrancó. El jeep saltó hacia delante y entró en el pasaje en serpentina que conducía al patio del Cuartel General. Ya era mediodía, en los barrios de Beirut occidental se celebraba festivamente la doble matanza, y en el puesto número Veintiocho de Chatila Fabio se preparaba para traicionar la memoria de John.

–5–

Había permanecido muy poco en el hospital de campaña. Las tiendas rebosaban de heridos y moribundos, en los quirófanos se operaba con prisa convulsa, escaseaba el plasma sanguíneo, faltaba la morfina, conque, ¿quién iba a tener tiempo que perder con un infante de marina enfermo de dolor y nada más? Tras haberlo examinado para cerciorarse de que no presentaba lesiones físicas, un oficial médico lo había despedido con un par de aspirinas y un consejo semejante al de Ninette: «Pide la baja, marinero, y no pienses más en ello.» Después lo había enviado de regreso a la base y, tras pedir la baja, Fabio había intentado de verdad no pensar más en ello. Soy un pesado, se había dicho, me dejo vencer por la histeria y no tengo en cuenta que estoy en una guerra: si cada militar que pierde a un amigo en la guerra debiera enloquecer por ello, los ejércitos se convertirían en manicomios. Pero igual que un palo tirado al agua sale a flote en seguida la imagen de la cabeza decapitada dentro del casco había vuelto a surgir inmediatamente para devolverle la aflicción ante aquel negro que no era el negro de la piel negra, era el negro opaco y tiznado de la piel quemada, y a esto en seguida se había superpuesto el recuerdo de John entero. John, que exclamaba fuck-the-war, a-la-mierda-la-guerra, fuck-the-war. John que quería salirse de los Marines y hacerlo salirse a él de la Marina para abrir el restaurante italiano en Cleveland (Ohio), hacerse ricos y recorrer el mundo con su dinero. John que le había hecho descubrir la fortuna que es tener un amigo en Beirut, un amigo que ríe y habla... Antes de John, el único amigo que tenía en Beirut era Rambo: el jefe de su equipo. Pero Rambo no se reía nunca, no hablaba nunca, ni siquiera bebía cerveza y poco a poco se había echado a llorar otra vez: «¡John! ¡Oh, John, John!» Así había ido a buscar a Rambo, le había pedido que lo volviera a admitir en el servicio, y ahora estaba con él en el Campo Tres de Chatila: el puesto auxiliar del Veintiocho. Inmóvil tras el muro de los sacos de arena miraba el cruel espectáculo del barrio en fiesta por la doble matanza. En fiesta, sí: parecían enloquecidos de alegría. Ondeando estandartes negros y banderas verdes, los estandartes de los palestinos y las banderas de los chiítas, salían de las casas y las barracas después corrían unos al encuentro de los otros y se abrazaban. Se congratulaban, elevaban alabanzas al Señor. O bien se asomaban a las ventanas, a las terrazas, a los tejados, gritaban desde allá arriba su alborozo. Y muchos rodeaban los puestos de los italianos con los dedos índice y medio separados en señal de victoria, les lanzaban tétricas advertencias.

«Al-amerikin matu, jah! Los americanos muertos, ¡viva! Al-talieni bukra, jah! Los italianos mañana, ¡viva!»

«Al-faransin matu, jah.» Los franceses muertos, ¡viva! Al-talieni bukra, jah! Los italianos mañana, ¡viva!»

«Kaputt! Los italianos mañana, ¡kaputt!»

Hombres y mujeres. Jóvenes y viejos. A centenares. Y pandas de niños que instigados por los adultos participaban en la algazara pronunciando injurias rítmicamente.

«Al-talieni akrut! ¡Ladrones! Akrut!»

«Haqkirin! ¡Cabrones! Haqkirin!»

«Miniukin! ¡Maricas! Miniukin!»

Entre los niños un viejo mullah que, con una cafetera en la mano derecha y una tacita en la izquierda, ofrecía café para incitar a la matanza.

«Eshrabu! Wah Allah maacum, eshrabu! ¡Bebed! ¡Dios sea con vosotros! ¡Bebed!»

Él no alborotaba. No pronunciaba ni tétricas advertencias ni injurias. Ofrecía café y se acabó. A primera vista, la persona más inofensiva del mundo. Hombros gráciles y curvos embozados en la túnica de lana marrón, rostro diáfano y bondadoso orlado por una barbita blanca y tocado con un turbante gris, y tono benévolo al repetir bebed-que-Dios-sea-con-vosotros-bebed. Pero su invitación era más sombría que los «vivas», que los gritos de italianos-mañana-kaputt, italianos-ladrones-cabrones-maricas y, junto con el estupor Fabio sentía aumentar una indignación que le devolvía las ganas de llorar. Vil chacal, pensaba, brinda por los muertos.

Brinda por la cabeza de John. Y nosotros se lo permitimos, ninguno de nosotros mueve un dedo para echarlo de ahí. Nadie. Ni siquiera Rambo: míralo. Lo llaman Rambo porque se parece al Rambo de las películas, los mismos músculos, la misma dureza en la expresión, pero se queda ahí como si la cosa no fuera con él. Lo soporta con la paciencia de un san Francisco. Es una vileza. Una injusticia, una traición a la memoria de John. Debo hacer algo. Y de pronto se asomó a la pared de sacos de arena, apuntó el fusil.

«¡Mullah de mierda!» gritó. «Vete de aquí, mullah de mierda, go away!»

Como si no hubiera entendido el insulto y con expresión de haber recibido un gran cumplido, el mullah se le acercó. Sonrió una sonrisa de dientes amarillos, llenó la tacita, se la ofreció.

«Eshrab» dijo. «Drink! ¡Bebe!»

«Go away or I shoot you! ¡Vete o te disparo!»

Con actitud apacible y la misma expresión de haber recibido un gran cumplido, el mullah dejó la tacita sobre la pared. Después con las pupilas brillantes de odio, alzó una voz fría.

«Eshrab! Qult eshrab! Bebe, te he dicho. Drink!»

«Vete de aquí o te disparo, ¡vete de aquí!»

«Eshrab! Al-amerikin matu, americanos muertos. Dead, muertos. Al-faransin matu, franceses muertos. Dead, muertos. Eshrab, bebe. Drink, bebe»

«Te disparo, I shoot you, ¡te disparo!»

«El naharda iom aazim, gran día hoy, great day today. Eshrab! ¡Bebe! Drink! ¡Bebe!»

«No le hagas caso» gruñó Rambo.

Pero en el mismo momento el mullah extendió la mano izquierda hacia él. Le cogió de una muñeca, lo miró fijo a los ojos.

«Eshrab enta kaman. Bebe tú también.»

En realidad Rambo no merecía el apodo de Rambo. Nunca se abandonaba a un gesto belicoso o irreflexivo, nunca cedía a un impulso de cólera ni dejaba escapar una palabra dura. Pese a las apariencias, era un tipo afable, bonachón, y si algo le encolerizaba se aplacaba tocando una medallita con el perfil de la Virgen María que llevaba al cuello junto con la chapa de identificación. Pero, ¡ay de quien hiriera su orgullo! Y esa mano que le agarraba la muñeca hería su orgullo más que las palabras «eshrab-enta-kaman.

«Shu hakita, ¿qué has dicho?» respondió en un árabe perfecto.

Después, con lentitud desdeñosa, liberó su muñeca. Dejó el fusil, con pasos de plomo se colocó ante el mullah, agarró la tacita y se la vertió encima: «Kuss inmak, ibn sharmuta. Vete a tomar por culo, hijo de puta.»

Y la imagen de la cabeza decapitada dentro del casco, el recuerdo de John que quería salirse de los Marines y hacerlo salirse a él de la Marina para abrir el restaurante en Cleveland (Ohio), desaparecieron de la mente de Fabio. Y con el recuerdo el desdén, con el desdén los propósitos de belicosidad. Su cerebro se convirtió en un pozo de terror, y mientras el mullah lanzaba furioso frases incomprensibles en su lengua, mientras los estandartes negros y las banderas verdes ondeaban pavorosamente, mientras un grupo de guerrilleros chiítas avanzaban apuntando su Kalashnikov, mientras la multitud bramaba alt-maut-al-talieni, muerte-a-los-italianos, salió de un salto del puesto de guardia. Corrió hacia el mullah, le quitó de las manos la cafetera, se tragó de una vez todo el café que contenía, se la devolvió vacía.

«Jamil! ¡Bueno! Jamil!»

«Jamil? ¿Bueno? Jamil?» exclamó el mullah sorprendido.

«Jamil. Bueno, Jamil. Wa el naharda iom aazim gran día hoy.»

«El naharda iom aazim? ¿Gran día hoy?» repitió el mullah incrédulo.

El naharda iom aazim?» confirmó Fabio. «Y tú mi hermano, wa inta sadiqi.»

«Sadiqi? ¿Hermano?» sonrió el mullah, ahora burlón. «Ba'a koblet el sadaka, entonces el beso de la hermandad.» Y lo besó en ambas mejillas.

El bramido al-maut-al-talieni, muerte-a-los-italianos, se extinguió. Los estandartes negros y las banderas verdes dejaron de ondear amenazantes. Los guerrilleros que avanzaban con los Kalashnikov bajaron los Kalashnikov. Fabio le devolvió el doble beso, y de entre los infantes de marina del Veintiocho partió un coro de insultos.

«¡Cobarde! ¡Vendido!»

«¡Gallina! ¡Miedica!»

«¡Cagueta!»

En cambio Rambo apenas movió los labios.

«Eres algo peor» murmuró. «Eres un Judas, un traidor sin dignidad.»

Claro que lo era, pensó bajando la cabeza. Claro que su beso había sido un beso de Judas, que con él había perdido su dignidad y había traicionado a sus compañeros, los cuatrocientos muertos, la propia memoria de John. Pero de improviso le importaban un comino su dignidad, sus compañeros, los cuatrocientos muertos, la memoria de John. Porque no quería morir. Quería vivir. ¡Vivir, vivir indefinidamente! Y entretanto por caminos totalmente distintos, los caminos indirectos del razonamiento, Angelo estaba llegando a la misma conclusión.

* * *

«Irresponsable, inconsciente. ¡Cómo que no has sacado ni siquiera una fotografía!» se había puesto a gritar Charlie. «Pero, ¡cómo! Desobedeces mis órdenes, te me llevas el jeep y el chófer, te precipitas a donde los americanos, el general te busca, yo te protejo, le digo que te he mandado a fotografiar a los equipos de socorro, él me responde bien-mándelo-también-a-donde-los-franceses, te mando, ¿¡¿y vuelves con las manos vacías?!? Quítate de mi vista, ¡largo!» Había obedecido. Había subido al patio, se había acurrucado en un rincón a sacar las conclusiones de una angustia que ahora rayaba en el delirio. Pietro Micca y el kamikaze que sonreía de felicidad. El otro al que nadie había visto y que en cualquier caso era un hombre como él, un ser con dos brazos y dos piernas y un corazón y un cerebro. Fabio y la cabeza decapitada dentro del casco, aquella cabeza con las pupilas desorbitadas, la boca entreabierta en una expresión de estupor, como si continuara viendo y al ver continuase pensando y al pensar no lograra creer que había perdido su cuerpo. Ferruccio y la niña encajada en el retrete como un tapón de una botella en el cuello de la botella, la horripilante salchicha que salía con el chasquido de un tapón sacado con el sacacorchos y el monólogo desgarrador con el final jura-que-no-matarás-nunca-a-nadie, sargento. Juro-que-no-mataré-nunca-a-nadie. Y Ninette con su belleza innata, su alegría egoísta, su maniático deseo de hacer el amor. Life-goes-on darling, la-vida-continúa. ¿La vida? ¿Era esto la vida? ¡Esto era un caos destructivo, ilógico, carente de sentido! Frunció la frente. ¿Y si la vida fuera de verdad un caos destructivo, ilógico, carente de sentido? Hace cien años, Ludwig Boltzmann, el físico austríaco que al introducir en la termodinámica los métodos de la estadística había logrado traducir en términos matemáticos el concepto de entropía, es decir, de caos, así mismo lo había dicho. El caos, había dicho, es la tendencia ineluctable e irreversible de cualquier cosa: del átomo a la molécula, de los planetas a las galaxias, de lo infinitamente pequeño a lo infinitamente grande. Tiene un fin exclusivamente destructivo, ¡y pobre de ti si intentas combatirlo, poner orden en el desorden, dar un sentido a lo que no tiene sentido!: en lugar de disminuir o debilitarse, aumenta. Porque absorbe la energía que empleas en el esfuerzo, la energía de la vida. Se la come, la utiliza para llegar más rápido a la meta final que es la destrucción o mejor dicho la autodestrucción completa del Universo, y siempre vence. Siempre... Cabía en una ecuación de cinco letras la atroz sentencia: $S = K \ln W$, entropía igual a la constante (de Boltzmann) multiplicada por el logaritmo natural de las probabilidades de distribución. Antes de volverse un árbol enano, un bonsai, la había estudiado y... ¿Y si fuera ésa la fórmula de la Vida? ¡No, ésa era la fórmula de la Muerte! Sostenía que la Vida es instrumento de la Muerte, alimento de la Muerte... ¿Alimento de la Muerte? ¿Era posible que la Vida fuese instrumento de la Muerte, alimento de la Muerte? ¡Debía ser lo contrario! Ah, si un día lograra descubrir lo contrario, demostrar que la Muerte es el instrumento de la Vida, el alimento de la Vida, y morir un simple compás de espera, una pausa para descansar, un breve sueño para prepararse a renacer, a revivir, para volver a morir sí pero para renacer una vez más, revivir una vez más, ¡vivir, vivir, vivir infinitamente!

Se puso en pie de un salto electrizado por una gran ansia de vivir, vivir, vivir, vivir infinitamente. Y aquí comienza nuestra historia.

CAPÍTULO SEGUNDO

–1–

Por un tiempo que a muchos parecía inmemorial y que en cambio se remontaba a un pasado reciente, Beirut había sido uno de los lugares más agradables de nuestro planeta: un lugar comodísimo para vivir y para morir de vejez o enfermedad. Ya fueras rico y corrupto, ya fueras pobre y honrado, allí encontrabas lo mejor que una ciudad puede ofrecer: clima suave en verano y en invierno, mar azul y colinas verdes, trabajo, comida, despreocupación que vendía cualquier placer, y sobre todo una gran tolerancia porque pese a la babel de razas y lenguas y religiones sus habitantes no estaban enfrentados. Los musulmanes chiítas o sunnitas convivían en armonía con los cristianos maronitas u ortodoxos de rito griego o católicos, los unos y los otros con los drusos y los judíos, las letanías del muecín se mezclaban con desenvoltura al sonido de las campanas, en las iglesias no se maldecía a los fieles de las mezquitas, en las mezquitas no se maldecía a los fieles de las iglesias, en las sinagogas no se despreciaba a los fieles de las unas o de las otras, y por doquier se celebraban sin problemas los ritos de los diecinueve cultos permitidos por la Constitución. Existía un régimen más o menos democrático, se respetaban las libertades civiles, se cometían y admitían demasiados pecados incluso. Y la gente se mataba por venganza o por celos, por robo o por asuntos del hampa, no por odio impuesto, ideas preconcebidas, fanatismo o exigencias militares. La guerra no existía. Un vago recuerdo las matanzas con que las dos tribus principales, la cristiana y la musulmana, se habían inmolado hasta pocos años antes. Una historia olvidada las invasiones perpetradas a lo largo de los siglos por los griegos, los romanos, los cruzados, Saladino, otra vez los cruzados, después los turcos, los occidentales, siempre atraídos por su posición geográfica y por las ventajas económicas que de ella obtenían. En 1946 había concluido el mandato francés, y junto con la independencia, había dejado un bienestar que amalgamaba a los diversos grupos. Los incorporaba mediante la fe en el único dios en que los hombres creen sin límites y sin reservas: el dios Dinero.

La llamaban la Suiza del Oriente Medio, en aquella época, y era una ciudad tan hospitalaria que acogía con entusiasmo a todo aquel que solicitase refugio o fortuna: aventureros, perseguidos políticos, estafadores, espías, fracasados, desesperados en busca del Paraíso Terrenal. De los barcos, de las naves, de los aviones, desembarcaban a millares todos los días. Muchos de ellos para quedarse y hacerse ricos. Además era una ciudad hermosa, aunque no poseyera monumentos excelsos, y su belleza no consistía sólo en un paisaje encantador. Quintas espléndidas se alzaban en las colinas embellecidas aún por los cedros del Líbano, y jardines cuidados, miradores embaldosados con soberbios mosaicos alejandrinos. Residencias fastuosas y exquisitas villas art déco alegraban el parque llamado El Pinar, tan exuberante que el olor a resina se sentía a kilómetros de distancia. Junto al parque, un magnífico hipódromo circundado por caballerizas que custodiaban los más preciados purasangres de la época. Cerca del hipódromo, un museo en el que podías admirar los sarcófagos antropomorfos de los antepasados, los fenicios, y los hallazgos arqueológicos de las excavaciones de Biblos. Lujosos hoteles como el mítico Saint George, orlaban el soleado paseo marítimo, y night-clubs exclusivos, restaurantes famosos por sus vinos y su chef. No faltaba miseria, claro está. La opulencia se nutre de la miseria ajena. Pero no había hambre y en todos los barrios encontrabas muestras de prosperidad. En la zona oriental, por ejemplo, había una grandiosa Cité Sportive que albergaba un estadio para cincuenta mil personas, dos piscinas olímpicas, una para las competiciones de natación y otra para las de salto, dos campos de tenis, dos de baloncesto, y alojamientos para los atletas, bar, solárium. En la calle llamada Galerie Semaan tiendas rebosantes de mercancías atraían clientes de todas las partes del mundo y en los bancos se pagaban intereses de vértigo: a quien quería duplicar rápido su dinero le bastaba con depositarlo en Beirut. También había buenas escuelas para combatir el analfabetismo, buenos talleres de artesanía para aprender oficios, una ilustre universidad americana y una no menos ilustre universidad católica proporcionaban excelentes profesores tanto en las materias científicas como en las humanísticas. Los hospitales funcionaban bien. Abundaban los teatros y las salas de conciertos y los cines. El tráfico era rápido y fluido en las amplias avenidas de dos carriles, los sólidos viaductos, las elegantes glorietas es decir las plazas circulares que los franceses habían construido a imagen y semejanza de los ronds-points parisinos, y en la extraordinaria Corniche que subía del este al norte para bordear la costa septentrional y después alcanzar el promontorio nordoccidental y descender hacia el sur en el hermoso litoral acariciado por el viento. La construcción era una industria floreciente. El plan de ordenación territorial no tenía nada que envidiar al de las modernas capitales europeas. Una carretera excelente conducía a Damasco, un eficiente ferrocarril llevaba a Alepo. El puerto, uno de los más equipados y frecuentados del Mediterráneo, dispensaba ganancias fabulosas. El aeropuerto, donde hacían escala diariamente centenares de vuelos con destino a Asia o procedentes de Asia, contribuía en igual medida a llenar los bolsillos de la ciudad. Y, si tanta prosperidad se veía corrompida por un puñado de multimillonarios mafiosos que controlaban la economía, pues paciencia. Si entre ellos se distinguía un tal Pierre Gemayel, es decir, el padre de Bachir y Amin, y un tal Kamal Jumblatt, es decir, el padre de Walid, pues paciencia. Admirador de Mussolini y fundador del cuerpo paramilitar conocido como la Falange, el primero. Precursor del tráfico de hachís que recogía en la Bekaa con su avión personal, el segundo, además de patriarca de los drusos, los de los amplios calzones cerrados en torno a las rodillas para cagar en ellos el Mesías que según sus misterios teológicos será parido o mejor dicho defecado por un hombre. Ningún paraíso terrenal es perfecto, la paz bien vale alguna indecencia, y pese a ello Beirut lograba ser un lugar casi feliz. (El «casi» indica la cautela a la que hay que recurrir cuando se usa el equívoco adjetivo «feliz».)

Pero un día aciago habían llegado los palestinos. Habían llegado con su rabia y su dolor y su dinero. Mucho, muchísimo dinero. Y gracias a aquel dinero, como en Beirut se podía comprar todo menos la inmortalidad, se habían comprado el permiso para establecerse en tres zonas de la periferia musulmana: Sabra y Chatila, dos barrios contiguos a la Cité Sportive, y Bourji el Barajni, un barrio situado hacia la mitad de la Rue de l'Aérodrome. Allí, utilizando la misma lógica que los israelíes que les habían robado la patria, se habían instalado en el lugar de los chiítas que desde siempre habían vivido en Sabra y Chatila y en Bourji el Barajni. Los habían desalojado de sus casas, los habían expulsado, los habían subyugado. Se habían apoderado de sus patios, habían cerrado las calles para construir en ellas nuevos edificios y, no contentos con esos abusos, habían superado los límites del territorio que se les había concedido y se habían instalado en algunos barrios cristianos. Por último, sordos a las disensiones que la nueva invasión provocaba, habían instaurado un Estado dentro del Estado: una nación con sus leyes, sus bancos, sus escuelas, sus clínicas, su ejército. Un auténtico ejército, provisto de uniformes, cuarteles, tanques y cañones de largo alcance. Una máquina militar a la que sólo faltaba la marina y la aviación, pero que, gracias a la mafia local, recibía toda clase de material incluido el necesario para excavar otra ciudad. Porque, poco a poco, bajo el suelo de la ciudad robada habían excavado otra ciudad: invisible e inexpugnable. Un laberinto de catacumbas que custodiaban toneladas de armas y municiones, de galerías que contenían dormitorios para los combatientes y quirófanos y centrales de radio, accesos secretos y túneles bien ventilados que a veces se extendían por kilómetros y kilómetros y desembocaban en la playa del litoral acariciado por el viento. Una inmensa fortaleza subterránea, en una palabra. Una obra maestra de ingeniería. Al mismo tiempo habían reforzado sus campamentos del Líbano meridional, en particular los de la zona fronteriza con Israel, y sin preocuparse de las represalias a menudo feroces con que el gobierno de Jerusalén castigaba al país culpable de albergarlos o sufrirlos, habían intensificado los ataques a los kibbutzim. Entonces Beirut se había rebelado. O mejor dicho, se habían rebelado los grupos que podían permitirse semejante lujo: los cristianos, los falangistas de Gemayel padre. Choques, al comienzo, escaramuzas locales. Pero los choques no habían tardado en degenerar en batallas, las batallas en matanzas como la matanza de Damour, villa cristiano-maronita donde los palestinos habían asesinado por represalia a docenas de viejos y mujeres y niños, las matanzas en una guerra civil propiamente dicha. Y la Suiza del Oriente Medio se había transformado en un lúgubre escenario de casas reducidas al esqueleto, edificios demolidos, paredes agujereadas por millones de proyectiles, montañas de cadáveres que inficionaban el aire que antes olía a resina. Por último, gracias a un armisticio firmado por resignación y cansancio, en un Berlín dividido en dos. En el levante la zona cristiana o Beirut oriental, en el poniente la zona musulmana o Beirut occidental, en medio un límite llamado Línea Verde que dividía la población de norte a sur y concedía el puerto a los cristianos y el aeropuerto a los musulmanes pero que en resumidas cuentas beneficiaba a los segundos es decir a los palestinos. Para ellos la mayor parte de la superficie, la mayor parte de la costa, todo El Pinar, la Ciudad Vieja con los barrios más prósperos, las carreteras de acceso al Líbano meridional. Al beneficiarlos los convertía en dueños absolutos, aumentaba su agresividad y su arrogancia, facilitaba su dominio de la frontera con Israel y los ataques a los kibbutzim. Conque, otro día aciago, habían llegado los israelíes.

Habían acudido con un ejército flanqueado por la marina y la aviación, conocido por la dureza con que siempre había afrontado al enemigo, y en pocos días habían alcanzado la zona oriental de Beirut. Allí habían sido detenidos por los palestinos, que junto con sus aliados sirios defendían la Línea Verde con uñas y dientes. Inútil intentar desbaratarla: penetrarla por ejemplo en el trecho del Pinar, menos difícil porque no estaba tan colmado de casas. Cada árbol ocultaba a un guerrillero decidido a no retroceder un paso, el hipódromo pululaba de tropas selectas y artillería móvil, el museo representaba una trinchera infranqueable. En otras partes, igual. El avance del ejército conocido por la dureza con la que siempre había desbaratado al enemigo se había convertido en un asedio, y el asedio había durado más de dos meses. Durante casi diez semanas, día tras día, noche tras noche, Beirut oriental había sido crucificado por los bombardeos aéreos, los bombardeos navales, los cañonazos. Una orgía de fuego procedente del cielo, de la tierra, del mar. No veías sino llamas, allá abajo, edificios que saltaban en pedazos. Pero también Beirut oriental ardía, machacada sin tregua por los morteros y los cañones y los cohetes de los asediados. Los disparaban desde el norte y desde el sur, y desde la Cité Sportive en cuyo estadio los palestinos habían instalado los Sherman modificados y los M48 del calibre 105. En cambio en los campos de tenis y de baloncesto habían colocado los morteros y los Bm21 para lanzar los Katiushas, en los soláriums las baterías antiaéreas. Y otras sobre los tejados de las embajadas o los hospitales señalados con el símbolo de la Cruz Roja. No se andaban con escrúpulos. Utilizaban con cinismo cualquier cobertura. Y gracias a la ciudad subterránea que encerraba en sus entrañas armas y municiones suficientes para resistir un año, no se rendían. Pero al final se habían rendido. Obligados por la escasez de agua y comida, cansados de vivir en las galerías y en los túneles, doblemente odiados por los chiítas que fuera de las galerías y de los túneles morían como moscas, se habían dirigido a los occidentales para que hicieran gestiones ante Jerusalén y en Jerusalén habían respondido con una disyuntiva irrevocable: o evacuaban Beirut y el resto del país, o se resignaban a un baño de sangre. Habían optado por la evacuación con tal de que se realizase bajo el escudo de las Fuerzas Multinacionales y, tras haber minado algunas galerías de la ciudad subterránea, haber tapiado los accesos principales, casi diez mil de ellos se habían ido para diseminarse por Siria, Túnez, Libia o Yemen del Sur. Sólo se habían quedado los viejos, los mutilados, los niños, las mujeres, y los que se calificaban de no-combatientes: otras diez mil personas bien confinadas ahora dentro de los límites de Sabra, Chatila, Bourji el Barajni. Después también las Fuerzas Multinacionales que habían acudido a proteger la evacuación, un contingente de americanos, uno de italianos, uno de franceses, habían abandonado Beirut. Los israelíes se habían instalado allí como vencedores, con su beneplácito el hijo menor de Gemayel había pasado a ser presidente, y sobre el infierno de aquellos años había descendido una especie de paz. Pero la hermosa ciudad que había sido uno de los lugares más agradables de nuestro planeta, un lugar comodísimo para vivir y morir de vejez o enfermedad, había dejado de existir.

Ruinas las espléndidas quintas en las colinas donde los cedros del Líbano no volverían a crecer nunca más y donde el verde se apagaría en el gris de las piedras. Polvo de mármol los soberbios mosaicos alejandrinos de los miradores, reducidas a escombros o saqueadas las fastuosas residencias y las exquisitas villas art déco, reducidos a meros troncos ennegrecidos o tocones espectrales los árboles del Pinar. Demolido el magnífico hipódromo, derrumbadas las caballerizas, muertos los preciados purasangres, devastado el museo con los hallazgos arqueológicos de Biblos y los sarcófagos antropomorfos de los antepasados fenicios. Irrecuperables los lujosos hoteles que orlaban el paseo marítimo asolado, el mítico Saint George, los night-clubs exclusivos, los restaurantes famosos por sus vinos y por sus chefs. Resquebrajada la grandiosa Cité Sportive, arrasadas las tiendas de la Galerie Saaman, en ruinas las iglesias, las mezquitas, las sinagogas, las oficinas de los bancos que pagaban intereses de vértigo. Intransitables por las simas abiertas por las bombas las amplias avenidas de dos carriles, los sólidos viaductos, las elegantes glorietas construidas a imagen y semejanza de los ronds-points parisinos. Semiinutilizable el puerto, inservible el aeropuerto, llenos de trampas explosivas los edificios que los diez mil evacuados se habían divertido minando junto con la ciudad subterránea. Y, por doquier, escombros, escombros, escombros. Cadáveres, cadáveres, cadáveres. Bourji el Barajni, el barrio más castigado, parecía un desierto de piedras. Allí no distinguías ni siquiera los vestigios de las aceras, de las callejuelas, y afortunado era quien encontraba algún ladrillo o algún trozo de chapa para reconstruirse de cualquier manera una barraca. Menos demolidas estaban Sabra y Chatila donde muchos habían sobrevivido gracias también a los refugios clandestinos excavados bajo las casas. Sin embargo, dos semanas después habían lamentado amargamente no haber muerto durante el asedio. Porque dos semanas después, el joven presidente hijo de Gemayel había sido asesinado con una carga de tritol junto con sesenta de sus partidarios y, no sabiendo con qué grupo o adversario emprenderla, los falangistas habían acometido a los palestinos de Sabra y Chatila a merced ahora de quien quisiese hacerles expiar los años de abusos y la culpa de haber llevado la guerra a Beirut. Una matanza que había horrorizado incluso a quien no comprende que pintar la Capilla Sixtina y escribir *Hamlet* y componer el *Nabucco* y trasplantar corazones e ir a la Luna no nos hace superiores a los animales.

Recordando la matanza sufrida en Damour, los falangistas de Gemayel padre se habían lanzado al ataque a las nueve de la noche de un miércoles. Un caluroso miércoles primero de septiembre por la noche. Y con la complicidad de los israelíes, siempre contentos de satisfacer su inagotable sed de venganza, habían rodeado los dos barrios para bloquear todas las vías de salida. Una maniobra tan veloz, tan perfecta, que pocos habían tenido tiempo de ocultarse o intentar la fuga. Después, orgullosos de su fe en Jesucristo y en san Marón y en la Virgen, protegidos por los hijos de Abraham que les iluminaban el camino con reflectores, habían irrumpido en las casas. Se habían puesto a matar a los desgraciados que a aquella hora estaban cenando, viendo la televisión o durmiendo. Habían continuado toda la noche. Y todo el día siguiente. Y toda la noche siguiente, hasta el viernes por la mañana. Treinta y seis horas seguidas. Sin cansarse, sin detenerse, sin que nadie les dijera «basta». Nadie. Ni los israelíes, naturalmente, ni los chiítas que vivían en los edificios contiguos y desde las ventanas contemplaban aquella ignominia. Y afortunados fueron los hombres asesinados al instante con ráfagas de metralleta o a bayonetazos, afortunados los viejos degollados en la cama para ahorrar municiones. A las mujeres, antes de fusilarlas o degollarlas, las habían violado, sodomizado. Sus cuerpos, panes de mantequilla para diez o veinte violadores por turno. Sus recién nacidos, dianas para el tiro al blanco con armas blancas o de fuego: deporte imperecedero en el que los hombres que se consideran superiores a los animales siempre han sobresalido y que desde hace siglos se llama la matanza-de-Herodes. Un muchacho herido había conseguido escapar pese al bloqueo de las vías de salida y refugiarse en el pequeño hospital que tres médicos suecos regentaban frente a Chatila. Pero los soldados de Herodes lo habían alcanzado y liquidado mientras yacía en el quirófano. Empujón al cirujano que extrae el proyectil, pistoletazo en la sien a la enfermera palestina que intenta oponerse, y listo. Al amanecer del viernes, cansados de darles caza y matarlos uno por uno, habían minado las casas en cuyos sótanos se habían escondido los supervivientes. Casi todas casas de Chatila. Después habían abandonado el barrio cantando, fanfarrones, himnos de guerra y dejando tras sí una carnicería de película de terror. Niños de dos o tres años que pendían de las vigas de las casas dinamitadas como pollos desplumados y colgados de los ganchos de una carnicería. Recién nacidos despachurrados o cortados en dos, madres paralizadas en el inútil gesto de protegerlos. Cadáveres semidesnudos de mujeres con las muñecas atadas y las nalgas manchadas de esperma y estiércol. Pilas de hombres fusilados y cubiertos de ratones que les comían la nariz, los ojos, las orejas. Familias enteras volcadas sobre las mesas puestas, viejos degollados en las camas rojas de sangre coagulada, y un hedor insoportable. El hedor de la descomposición incrementado por el intenso calor de septiembre. Quinientos muertos, se había dicho al principio. Pero pronto los quinientos se habían convertido en seiscientos, los seiscientos se habían convertido en setecientos, los setecientos se habían convertido en ochocientos, novecientos, mil. Habían hecho falta dos bulldozers para excavar la fosa común, casi un día para arrojarlos a todos a ella. Y, presa del pánico, el gobierno había vuelto a llamar a las Fuerzas Multinacionales. «Socorro, venid a traernos un poco de paz, socorro.»

* * *

Cuatro mil entre americanos, italianos, franceses, más los cien de la representación inglesa, que al desembarcar se hacían la ilusión de que permanecerían sólo unas semanas. En cambio llevaban allí más de un año y lejos de haber aportado la paz estaban empantanados en una nueva guerra. En efecto, ahora en la zona occidental mandaban los chiítas. El partido filojomeinista que los reclutaba, el partido Amal, constituía otro Estado dentro del Estado: otra tiranía dentro de la tiranía. El nuevo presidente, hermano del asesinado, administraba sólo la zona oriental y un ejército dividido entre quienes llevaban la cruz al cuello y quienes no la llevaban. Por si fuera poco, el alucinante mosaico de grupos y grupúsculos había parido la secta jomeinista de los Hijos de Dios, que se había dado a conocer con los dos camiones kamikazes. ¿Dos o tres? Ésa era la pregunta que atormentaba al Cóndor, que ahora esperaba en su despacho a saber por Charlie si existía o no el tercer camión.

–2–

Charlie entró, cerró la puerta tras sí, esbozó un saludo distraído y sin esperar la autorización se sentó delante del escritorio. Parecía muy cansado y bajo los mostachos de foca ocultaba una mueca amarga.

«Existe, mi general, existe... Mis informadores sostienen que los camiones no eran dos: eran tres. Uno para nosotros, uno para los franceses y uno para los americanos. Pero en el último momento salieron dos y nada más.»

El Cóndor dio un brinco.

«¿En qué se basan para sostenerlo?»

«Muy sencillo: anoche los Amal recibieron el aviso de que por las calles controladas por ellos pasarían tres camiones que no debían detener, es decir, no registrar. Y al amanecer, en lugar de tres, han pasado dos.»

«¿Y por qué no salió el tercero?»

«Eso no me lo han dicho, mi general, pero por ciertos indicios he comprendido que entre los Hijos de Dios ha habido un conflicto interno, una disputa entre los que querían mandarlo y los que no. Al parecer han vencido los que oponían la tesis de por-el-momento-mejor-tener-a-los-italianos-en-ascuas, ponerlos-nerviosos, inducirlos-a-marcharse... En cualquier caso, de una cosa estoy seguro: el tercer camión está en algún patio, esperando.»

«Hummm... Habría que encontrarlo, descubrir dónde lo han escondido, dónde guardan los explosivos...»

«Imposible, mi general. Tanto más cuanto que...» Le tendió una octavilla ciclostilada con las fotografías de medio busto de dos hombres retratados tras un antepecho de tulipanes negros, el emblema de los Hijos de Dios. El Cóndor la cogió.

«¿Son los kamikazes de esta mañana?»

«Sí.»

«¿Son chiítas?»

«Seguro.»

«¿Los habías visto alguna vez?»

«No.»

«¿Es cierto que ninguno de los dos es ese Mustafá Hash?»

«Absolutamente.»

«Habría que encontrarlo también a él. Mejor dicho, volver a encontrarlo...»

Un par de semanas antes, en el bazar de la Ciudad Vieja, se había acercado a Charlie un individuo extraño: un chiíta con una pierna de madera, ojos febriles y rostro exangüe, desdichado, que expresándose en un inglés perfecto le había dicho: «Capitán, los Hijos de Dios están preparando algo gordo.» Había seguido un diálogo de frases a medias, preguntas breves, respuestas aún más breves: «¿Un atentado?» «Sí, un atentado kamikaze.» «¿Contra quién?» «Contra los extranjeros.» «¿Qué extranjeros?» «Los americanos, los italianos, los franceses.» «¿Quién te envía?» «Nadie.» «Entonces, ¿cómo lo sabes?» «Soy un Hijo de Dios.» Después con voz sorda, la voz de un hombre con la conciencia desasosegada, había añadido que se había hecho de la secta para ganarse el Paraíso, es decir, entrar como mártir en el Jardín de Alá, y que ahora había comprendido que matar no le gustaba. «Matar está mal, capitán. Te lo dice alguien que ha matado varias veces. Te lo dice Mustafá Hash.» Por último, y con expresión de haberse quitado un gran peso de la conciencia, había desaparecido con su pierna de madera en el hervidero del bazar. Y Charlie no había tenido fuerzas siquiera para correr tras él, cogerlo de un brazo, protestar no-majo: no-me-basta, ahora-desembucha. Como un sonámbulo, había regresado al Cuartel General, había contado el episodio al Cóndor, que al instante había ordenado levantar terraplenes y excavar trincheras y erigir barreras en torno a las bases. También había informado a los americanos y a los franceses. Lo malo era que ni unos ni otros lo habían tomado en serio. «Habladurías, general. Si hubiéramos de creer todas las tonterías que se cuentan en esta ciudad... Should we believe all the nonsenses we are told. Si on croyait à toutes les bêtises qu'on raconte...» Sin duda habría sido útil volver a encontrar a Mustafá Hash. No era por nada que lo había intentado varias veces, en esas dos semanas. Para encontrarlo de nuevo había vuelto casi todos los días al bazar, había preguntado a todos los pequeños espías palestinos y chiítas a los que calificaba de mis- informadores, pero de él sólo quedaba el recuerdo de aquellos ojos febriles y aquella voz sorda, angustiada. Así como la noticia de que lo habían matado.

«No volveremos a encontrarlo nunca más, mi general.»

«¿Por qué?»

«Porque lo han matado, mi general.»

«¿Y quién lo ha matado?»

«Quien ha descubierto que nos había avisado, mi general.»

«¿Quién se lo ha dicho?»

«No me lo pregunte, mi general...»

El Cóndor frunció el entrecejo.

«En ese caso la expresión tercer-camión se convierte en un decir, Charlie. Si saben que sabemos, no habrá un tercer camión. Habrá un vehículo que los terraplenes y las trincheras y las barreras y las propias informaciones no puedan detener...»

«Estoy de acuerdo, mi general.»

«Un avión pequeño, por ejemplo, un bimotor tipo Bonanza confiado a un kamikaze que despegue del valle de la Bekaa y volando a baja altura, es decir, eludiendo los radares, sepa dar en el blanco sin dejarse impresionar por las ametralladoras colocadas en los tejados. O, si no, e incluso mejor...»

«Una lancha.»

«Exacto. Una lancha contra el barco que todas las semanas llega y vuelve a partir con las tropas de relevo. Si yo fuera un kamikaze decidido a cometer una matanza espectacular, no me molestaría en lanzarme con un camión o un avión contra las bases o el Cuartel General: cogería una lancha y me arrojaría contra el barco.»

«Estoy de acuerdo, mi general...»

«Un objetivo fácil, seguro, agrupado. Cuatrocientos cadáveres garantizados. Sin contar con que hay muchas lanchas en las ensenadas contiguas al puerto. ¿Cómo distinguir las inofensivas de las kamikazes?»

«Estoy de acuerdo, mi general.»

«Mal asunto. Porque si el tercer camión no es un camión, si es un avión o una lancha, no hay escapatoria.»

«Sí que hay una, mi general.»

«¿Que hay una?»

«Sí, y nada tiene que ver con las ametralladoras en los tejados ni con la vigilancia de la Marina.»

«¿Con qué, entonces?»

«Con Zandra Sadr. Mi general, Zandra Sadr no es sólo el Imán de los chiítas libaneses, es decir, la más alta autoridad religiosa que tienen en Beirut: es un político astuto. Desea dividir definitivamente la ciudad en dos, sabe que para realizar ese ambicioso proyecto debe habérselas con el ejército gubernamental, es decir, aliado de los occidentales, comprende que sus fieles no son aún lo bastante fuertes para doblegar a un ejército aliado de los occidentales, y conoce el arte de la contemporización. Conmigo siempre ha desempeñado el papel de huésped benévolo, de hombre de fe que quiere la paz. Se ha manifestado siempre agradecido por el plasma sanguíneo que regalamos a la población, siempre ha subrayado la esperanza de que la cosa continúe...»

«Ya lo sé, Charlie, ya lo sé. Vaya al grano.»

«El grano es que en Beirut occidental nadie mueve un dedo sin el permiso de Zandra Sadr. Ni siquiera los Hijos de Dios. El grano es que en Beirut occidental las órdenes se difunden mediante los muecines, en las horas de la plegaria, y si Zandra Sadr ordenara a los muecines que difundiesen desde los alminares una llamada... una frase que invita a sus fieles y por tanto a los Hijos de Dios a no tocarnos... una frase en la que he pensado y que ya tengo preparada... al menos por un tiempo podríamos estar tranquilos. O un poco más tranquilos. Mi general, autoríceme a solicitar un encuentro. Autoríceme a entablar el diálogo.»

«¡Charlie! El único diálogo que entablar con el señor Zandra Sadr es para decirle que, si tocan a los italianos, ¡yo lo bombardeo con los barcos!»

«Empezaría precisamente diciéndole eso, mi general.»

«¡Y con eso debería concluir!»

«No, mi general. Porque aquí hay que utilizar la astucia, no la fuerza. No sirve de nada la fuerza. ¿Acaso les ha servido a los americanos y a los franceses?»

«¡Yo no acepto la protección del Jomeini local! ¡Yo no inclino la cabeza ante un tipo del que debo defenderme!»

«No se trata de aceptar protecciones ni de inclinar la cabeza, mi general; se trata de concertar pactos, seguir el sistema del yo-te-doy-una-cosa-a-ti-y-tú-me-das-una-cosa-a-mí.»

«Charlie, ¡yo no bailo al son que me quieran tocar! ¡Yo soy un soldado!»

«Un soldado con la responsabilidad de más de mil seiscientos soldados a los que no debe devolver a casa en ataúdes, mi general.»

Hubo un largo silencio, después un largo suspiro.

«De acuerdo. Solicite el encuentro. Entable el diálogo.»

«En seguida, mi general.»

«Pero, ¡que no ofenda mi dignidad!»

«Evidentemente, mi general.»

Charlie se levantó. Fue hasta la puerta, la abrió, después se volvió presa de un leve embarazo.

«Y ahora, ¿qué pasa?»

«Un pequeño problema, mi general. Se refiere a uno de mis ayudantes, Charlie Dos. En lugar de fotografiar nuestros equipos de socorro, se ha puesto a ayudarlos y...»

«¿Qué pueden importarme a mí las fotografiaaas? Preocúpese más bien de solicitar el maldito encuentro, ¡y váyase! ¡Muévase, antes de que cambie de ideaaa!»

Después dio un puñetazo sobre el escritorio y los ojos se le pusieron rojos. Las pestañas se le humedecieron y sin que intentara contenerse, largas lágrimas le corrieron por las mejillas.

–3–

Sucedía con frecuencia. En cuanto experimentaba una emoción violenta, los ojos se le ponían rojos. Las pestañas se humedecían y sin que intentara contenerse largas lágrimas le corrían por las mejillas. La verdad es que en cada uno de nosotros conviven varios seres contrapuestos, y uno de los seres que convivían en él tenía la debilidad de llorar. En cambio, los otros se distinguían por el arrojo, la altanería, y la capacidad para hacer llorar al prójimo. Los guiaba un orgullo desmesurado, una necesidad exacerbada de sobresalir o mejor dicho de vencer, y la peculiaridad del personaje nacía en parte de esos defectos alimentados por lo demás con los dones con que los dioses lo habían favorecido: la inteligencia, el valor, la salud de quien no envejece nunca. A los cincuenta y cinco años aparentaba apenas cuarenta y en el rostro de facciones armoniosas no se le notaba ni siquiera una arruga. Su cuerpo era esbelto, su paso ágil, su encanto reconocido. Una soubrette que en primavera había acudido a alegrar a la tropa le había gritado desde el escenario: «General, tío bueno, estás para comerte, ¿qué haces esta noche?» También tenía virtudes. Por ejemplo, la pasión que ponía en cualquier cosa que hiciera y la inflexibilidad con que se prohibía privilegios o indolencias. Dormía en un catre igual al de los soldados, no se acostaba nunca antes de medianoche, a las cuatro ya estaba en pie con el rigor de un monje trapense que se despierta para fustigarse y al menos dos veces al día abandonaba el Cuartel General para dirigirse a los puestos. Allí inspeccionaba a todos los soldados, todos los fusiles, todos los vehículos, y si al advertir un casco torcido o un cargador mal metido o un perno mal atornillado se ponía a gritar como un cabo de día, pues paciencia. Si muchos lo odiaban y lo acusaban de protagonismo, autoritarismo, despotismo, exhibicionismo, pues paciencia. A cambio, muchos lo amaban hasta convertirlo en objeto de un culto, y tanto unos como otros convenían en que se trataba de un general digno de ese nombre y capaz de superar cualquier dificultad. También él lo creía, puesto que tenía una ilimitada fe en sí mismo. Pero hoy esa fe vacilaba: si la soubrette que había estado allí en primavera le hubiera gritado de nuevo general-tío-bueno, estás-para-comerte, qué-haces-esta-noche, el homenaje le habría parecido una burla y las lágrimas se habrían multiplicado.

Se secó una con rabia. Cogió el teléfono de circuito interno y llamó a Caballo Loco: su víctima preferida y su jefe de Estado Mayor. Que se pusiera en contacto con los comandantes de las bases, le dijo, que les hiciese instalar dos ametralladoras antiaéreas en el tejado de la Logística, dos en el tejado de la base Águila, dos en la base Rubí, dos o mejor dicho cuatro en los tejados de la base Sierra Mike. Que además los convocara a asamblea para mañana al amanecer y junto con el comandante de los barcos. Después colgó el auricular y consciente de su impotencia y abrumado se cogió la cabeza con las manos. Sí, tenía razón Charlie: la fuerza no servía. El único modo de detener o intentar detener el tercer camión era aceptar que los muecines pidieran desde los alminares que no se tocara a los italianos, es decir, tragarse el sapo. Humillar su profesión, su orgullo, y tragarse el sapo. Que el diálogo no ofenda mi dignidad, había dicho a Charlie. Se tratara de la frase que se tratase, el acuerdo con Zandra Sadr ofendería su dignidad. Humillaría su profesión, su orgullo, constituiría una derrota para él. Se secó otra lágrima, esta vez con resignación. No debes llorar, le decían sus padres cuando era niño. Debes ser fuerte, debes ser duro. Si no eres fuerte, si no eres duro, no puedes sobresalir ni vencer. Y con aquellas palabras, a los cuatro años, lo habían inscrito en una competición de triciclos. Ay-de-ti-si-pierdes. Había vencido. Pero había sido peor que inyectarse un veneno contra el cual no hay antídoto: el veneno llamado afán de victoria e incapacidad para la derrota. A los seis años había vencido en la competición de natación, a los ocho en la competición de ping-pong, a los diez en la carrera a campo traviesa... Se entrenaba en su cuarto, por la noche, para la carrera a campo traviesa: comprobando en el cronómetro el tiempo que empleaba en correr de pared a pared. A los doce había vencido también en la carrera de obstáculos, a los trece en la competición por carretera, a los catorce en el campeonato juvenil de boxeo. Los mecanismos del carácter son bastante sencillos, en el fondo, y el viejo Sigmund tenía razón: el cabo de la madeja se encuentra siempre en la estación verde de la existencia. En determinado momento, hasta el abuelo había contribuido a inocularle el veneno. Debes sobresalir en todo, no debes cansarte nunca, nunca resignarte. Debes ser como un ferroviario que conduce el tren en Nochebuena. Piensa que un ferroviario conduce el tren incluso en Nochebuena, que incluso en Nochebuena los viajeros le confían su vida. ¿O no?

Intentó sonreír, pero no pudo. Su abuelo era ferroviario y tenía el cuerpo lleno de tatuajes. De ser ferroviario se ufanaba, de tener los tatuajes, no: para ocultarlos, no se quitaba nunca la camisa. Sin embargo una tarde de agosto se la había quitado, ¡y qué maravilla! En el pecho destacaba un velero tan grande que la quilla tocaba la base de su estómago y la punta del palo mayor llegaba a la base del cuello. En el antebrazo izquierdo había un corazón que a la mínima contracción de la mano se estremecía y, bajo el corazón, el nombre Maria. En el antebrazo derecho, una lubina azul. En la espalda, un pulpo gigantesco. En un bíceps, una rosa; en el otro, un sombrero. Conque le había preguntado por qué y el abuelo había contestado que a los veintidós años había sido marino en un velero al mando del duque de Génova. Un velero que daba la vuelta al mundo, el *Liguria*, y al llegar a Ceilán, el duque había convocado a los hombres. Les había dicho muchachos, aquí en Ceilán hay un artista de la pictografía, para no olvidar nuestro viaje, nos tatuaremos el *Liguria* en el pecho. A su abuelo no le había hecho ninguna gracia porque al partir la abuela Maria, por entonces su novia, le había impuesto un juramento: nada de tatuajes. Los tatuajes son cosa de presidiarios. Así pues para obtener el perdón había ordenado al artista que le tatuara también el corazón con el nombre de Maria, y la doble obra maestra lo había embriagado. En cada puerto, un tatuaje. La lubina en Singapur, el pulpo en Hong Kong, la rosa en Shanghai, el sombrero en Trinidad. ¡Y qué tragedia al regreso! No quiero un marido pintado como un presidiario, gritaba la abuela Maria. ¡Yo no me acuesto con el pulpo! Entonces su abuelo había entrado en los ferrocarriles. Sin embargo, más que el final de la historia le habían impresionado los nombres de Ceilán Singapur Hong Kong Shanghai Trinidad: símbolos de una fuga muy anhelada. La fuga de la pesadilla de las competiciones, de las victorias, del ferroviario que conduce el tren incluso en Nochebuena. Me haré marino, había decidido, escaparé en un velero. Así que durante el verano había trabajado de mozo en un pesquero. Tres meses pescando sardinas, sufriendo el sarcasmo de la tripulación que te llama señorita porque vomitas hasta que no te queda nada que vomitar excepto el estómago. Tres meses de infierno con tal de aprender lo que necesitas para huir a Ceilán, a Singapur, a Hong Kong, a Shanghai, a Trinidad: a donde te lleve el velero de la libertad. El verano siguiente lo mismo. Sin rendirse y perfeccionando incluso la idea: me-inscribiré-en-la-Academia-Naval. Ahora bien, para ser admitido en la Academia Naval había que haber acabado el bachillerato y él no quería esperar. Habría vendido el alma con tal de no esperar. Y una mañana, mientras caminaba por las calles de Roma, se encontró ante un bando del colegio militar La Nunziatella. Tenía dieciséis años. No sabía cómo se manejaba un fusil. Menos aún sabía que el ejército fuera una tiranía peor que la familia, que atormentaba con la misma cantinela de ay-de-ti-si-pierdes, el mismo rechazo de la derrota, que a ello sumaba incluso los insultos.

Intentó sonreír de nuevo y esta vez lo consiguió, dejó de llorar. En un primer momento el ejército le había gustado. ¡Ya lo creo! Una cosa es volver tarde a casa y encontrarte a tu madre con el índice alzado, a tu papá con mirada glacial, dónde-has-estado-con-quién, y otra muy distinta volver tarde al cuartel y encontrarte a un correcto oficial que te castiga con lenguaje cortés. «Han pasado diez minutos desde el toque de retreta, cadete. Haga el favor de dirigirse a su dormitorio, recoger sus efectos de cama, dejar el cinturón, y la corbata y los cordones de los zapatos, y después instalarse en el calabozo y considerarse arrestado.» Después había comprendido que en los ejércitos la cortesía es un lujo de pocos, que los militares no hacen sino ofender. Cuanto más suben de graduación más ofenden; como si la graduación les concediera una especie de inmunidad, los autorizase al desprecio de quien está un peldaño por debajo. No obstante, poco a poco se había acostumbrado, había aprendido incluso a hacer lo mismo, y así había vuelto a descubrir el veneno que le habían inoculado a los cuatro años con el maldito triciclo. Porque el oficio de militar es una competición continua, una escalada constante hacia niveles cada vez más altos de autoridad, y en el ejército haces carrera aunque seas un imbécil o un cobarde. Si además resulta que no lo eres y una ambición inteligente te impulsa, una sólida vocación de líder, alcanzas notables metas de supremacía: a cada meta conduces un tren más largo y más atestado de gente que incluso en Nochebuena te confía su vida. Sí, la imagen de aquel tren la llevaba en la sangre. Lo había acompañado por las etapas de su vida bastante más que el velero y el corazón tatuados en Ceilán, que la lubina tatuada en Singapur, que el pulpo tatuado en Hong Kong, que la rosa tatuada en Shanghai, que el sombrero tatuado en Trinidad. Había renunciado a la libertad por aquel tren. Y ahora corría el peligro de descarrilar en un túnel que no llevaba a ninguna parte salvo a la ofensa de su dignidad, a la humillación de su orgullo y de su profesión, a su derrota. No había nada en que vencer aquí. Dado que no lo habían mandado a hacer guerras, no había ni siquiera un enemigo que combatir. ¿No lo había? ¡Sí que lo había! Era el tercer camión, el hipotético avión, la hipotética lancha: la Muerte. Por tanto, en una guerra debía combatir. Una guerra paradójica, impensable, desconocida para cualquier soldado de cualquier época y de cualquier país. La guerra con la Muerte. Qué competiciones con triciclo, carreras campo a través, carreras de obstáculos, campeonatos juveniles de boxeo, ni qué niño muerto: aquí había que derrotar a la Muerte. Aun cuando hubiera que avenirse a pactos con ella. O con quien la representaba. Y si los demás no comprendían, paciencia. No debía dar cuenta a nadie de los sistemas que utilizaba para conducir su tren, de las estrategias que seguía para vencer en su guerra. Era él el general.

«Adelante, coronel.»

Monóculo en el ojo izquierdo, pecho fuera y bigotes erguidos por la excitación, Caballo Loco avanzó.

«Mi general, disculpe la molestia pero es menester que le informe de un contratiempo. En la base Águila ya han colocado las ametralladoras en el tejado, y también en la Logística, y en el Rubí. Pero en Sierra Mike no. El comandante de Sierra Mike grita que quiere conocer el motivo de semejante orden y... Mi general, yo soy un caballero y un caballero no puede proferir ciertos vocablos... Quod non vetat lex hoc vetat fieri pudor, lo que no está prohibido por la ley está prohibido por el pudor, nos recuerda Séneca.»

«¡Olvídese de Séneca e informeee!»

«Bueno, pues dice que... en una palabra, que... sea cual fuere el motivo de la orden... las ametralladoras en los tejados no sirven un... un...»

«¿Un quééé?»

«Un pijo, mi general.»

«Respóndale que aquí el único pijo es él y que si no instala las Browning antes de cinco minutos, ¡lo someto a Consejo de Guerra!»

«Sí, mi general. No obstante, perdone el atrevimiento, creo que nosotros los oficiales deberíamos conocer el motivo... Ni siquiera a mí se me ha dicho nada y...»

«¡Coronel! ¡No me toque las narices y obedezcaaa!»

«Hic et nunc, al instante, mi general.»

–4–

Dio un taconazo, salió, obedeció. Correcto, impecable. Después se quitó el monóculo, se dio un masaje en el ojo, y se abandonó al examen de sus tormentos. Dios santo, era el jefe de Estado Mayor y como tal debía ser informado de todo, y en cambio aquel bruto no le decía nunca nada. Ni siquiera le había mencionado nunca a los kamikazes que esperaba. Porque los esperaba, el general, ¡los esperaba! Ése era el motivo por el que a finales de septiembre había convocado a los jefes de batallón, los expertos en explosivos, los oficiales de Ingenieros y la tropa se había puesto a excavar, llenar sacos de arena, levantar baluartes, y al cabo de dos semanas todas las bases habían adquirido el aspecto de una Sebastopol asediada. ¡Qué ingenuo por no haberlo comprendido antes! Y sin embargo la duda le había asaltado, había aventurado una pregunta: «Mi general, ¿espera algo?» Pero el bruto le había respondido: «Espero que usted cierre el pico.» Bruto, sí, bruto. El típico representante de un ejército arruinado por la democracia. Desde que el mundo chachareaba sobre la igualdad, el progreso, la democracia, en el ejército no encontrabas más que oficiales vulgares y zafios: analfabetos que no conocían ni siquiera una máxima de Séneca o una sentencia de Cicerón o un verso de Horacio, patanes que ignoraban incluso lo que había ocurrido el 14 de junio de 1800 en Marengo o el 8 de febrero de 1807 en Preussisch-Eylau, bárbaros que no sentían el menor respeto por los caballeros chapados a la antigua. Bellos tiempos aquéllos en los que tener el grado de oficial equivalía a ser de noble abolengo y disponer de posibilidades financieras por lo que si no eras de clase alta ¡no podías hacer carrera!

Se volvió a colocar el monóculo que centelleó con rayos de desprecio, suspiró con amargura. Lo sabía, sí, lo sabía que aquellos analfabetos, aquellos patanes lo llamaban Caballo Loco, ¡como un jefe piel roja o un night-club de striptease! Y, si bien la primera parte de tal apodo le halagaba, la segunda le indignaba profundamente. ¿Loco por qué? ¿Porque era una persona erudita, meticulosa, elegante y respetuosa de las formas? ¿Porque admiraba a los ingleses y quería parecer un inglés? ¡Lo parecía! Piel rosada y pecosa, mentón largo, nariz fina, bigotes y cabellos color zanahoria, pupilas deslavadas de sajón crecido dentro de la niebla. Se lo decía también Sir Montague, el Chief of Staff de los cien dragones mandados por Gran Bretaña: «Are you sure to be Italian, my friend? ¿Está seguro de ser italiano, amigo mío? *You look one of us*, parece uno de nosotros.» Y la elegante señora que había conocido en Londres el inolvidable año en que gracias a la OTAN había prestado servicio en la Seventh Brigade, se había dignado añadir incluso: «Not a common Englishman, though, ahora, que no un inglés común: a Royal Guard officer serving in India at the time of Queen Victoria, un oficial de la Guardia Real de servicio en la India en tiempos de la reina Victoria.» Pero, ¡vete tú a explicar ciertas cosas a la plebe! Una vez lo había intentado y sólo había servido para alimentar su falta de respeto: desde aquel día no dejaban de torturarlo con llamadas de teléfono falsas, mensajes falsos, maldades. Coronel, mientras-estaba-en-el-retrete-lo-han-llamado-de-Londres, no, de-Ascot, no, de-Edimburgo, no, de-Buckingham-Palace. O le despuntaban los lápices que amaba perfectamente afilados, le manchaban de tinta los inmaculados informes que redactaba para el señor ministro de la Defensa, le substraían la pluma estilográfica con la inscripción God-save-the-Queen, Dios-salve-a-la-reina, y se la devolvían con la inscripción God-save-Lenin, Dios-salve-a-Lenin... En agosto le habían robado incluso la fusta de cuero búlgaro con las iniciales grabadas, y ahora debía contentarse con la de cuero artificial sin iniciales.

Suspiró con mayor amargura. Dios santo, ¡qué ambiente, qué ambiente! Aquí, si querías estar con uno de tu rango, sólo tenías al jefe de la Sala de Operaciones: el eximio colega que los analfabetos patanes y bárbaros habían rebautizado Urogallo por el penacho que caracterizaba su tupida melena. Un digno oficial, uno de los rarísimos aristócratas de que podía gloriarse un ejército arruinado por la democracia. Para comprenderlo bastaba haber sido huésped de su casa solariega de Trieste, más que casa fastuoso castillo con cuatro doncellas, tres ayudas de cámara, dos pinches de cocina, un cocinero, una planchadora, un ama de llaves suiza y un guardabosques: lujos que hoy en día sólo encuentras en las moradas de los patanes enriquecidos. Por algo había decidido compartir el alojamiento con él y el Profesor, el lugarteniente del Cóndor. En fin, en ausencia del eximio colega, podías frecuentar también al Profesor. No estaba adornado con blasones pero ostentaba dos licenciaturas, una en Filosofía y otra en Letras, y lo llamaban así porque había venido a Beirut con un baúl que a la llegada se le había abierto volcando sobre el muelle una lluvia de libros inhabituales en el equipaje de un militar: los *Diálogos* de Platón, el *De Libero Arbitrio* de Erasmo de Rotterdam, la *Crítica de la razón pura* de Kant, así como gruesos volúmenes cuyas arrugadas páginas revelaban las fatigas de una lectura escrupulosa. Sólo tenía un defecto, el Profesor. El de no abrir la boca nunca. Et multas amicitias silentium dirimit, el silencio trunca muchas amistades, nos advierte Aristóteles traducido por Erasmo precisamente. En cuanto a los demás, ¡qué desolación! Águila Uno, el comandante de los bersaglieri, era socialmente aceptable pero carente de clase: el tipo que prefiere la pizza al pudding y el café expreso al té. Halcón, el comandante de los paracaidistas, era un parvenu carente de estilo y de carácter. Sandokan, el comandante de los infantes de marina, un zafio que merecía que lo colgaran del palo mayor por su ordinariez y desaliño. Charlie, un Barrabás que andaba en tratos con los árabes. Pistoia, un palurdo que no habría podido entrar en su club ni para lavar los platos. Ah, qué pena comer con individuos semejantes en la mesa de oficiales, escuchar sus trivialidades, mirarlos mientras echan en el mismo plato la pasta y la tarta y la ensalada, no-se-preocupe-coronel-para-el-caso-es-igual-¡en-el-estómago-se-mezcla-todo! ¡Qué dolor, deber sacar la conclusión de que por eso había dejado a su Speedy, lo había confiado a aquel palurdo de su mozo de cuadra! Cada vez que lo pensaba le entraban ganas de lanzarse a desigual batalla, desenvainar la espada, demostrar de lo que es capaz un aristócrata que conoce todas las máximas de Séneca y todas las sentencias de Cicerón y todos los versos de Horacio, oficial de Caballería que ha tenido el altísimo honor de servir en la Seventh Brigade y que parece un Royal Guard Officer de servicio en la India en tiempos de la reina Victoria, y morir.

Se abandonó sobre su escritorio, precioso recuerdo de familia que había mandado traer desde Italia y del que estaba muy orgulloso por la taracea con el blasón de los Tudor: tres yelmos con su gorguera y veinte abetos en fila dentro de dos bandas en forma de dovela. Morir, sí. Dichosos los que habían muerto esta mañana. ¿Qué sentido tiene vivir entre gente que ya no respeta el refinamiento y los buenos modales, que ya no aprecia a las personas con clase, que substituye la inscripción God-save-the-Queen por la inscripción God-save-Lenin, que por la mañana no se pone bata, no ya la bata de kashmir con rayas rojas y azules o sea los colores de Su Majestad Británica sino una bata cualquiera, que no comprende ni la gloria ni la cultura, que se pone nerviosa porque tu prodigiosa memoria retiene todos los textos de latín estudiados en el bachillerato, todos los libros del arte de la guerra estudiados en la Academia, todos los nombres y apellidos y fechas? Mejor morir, mejor. Y, en vista de que no podía morir de espada, noble arma en desuso como la audacia, una de esas noches subiría a la terraza del Cuartel General para desafiar a los francotiradores: «¡Disparad, canallas, acertadme! Mors malorum finis est, la muerte es el fin de los males, dice Quintiliano.» Porque dejémonos de habladurías, señores: la infelicidad no tiene sólo el rostro del hambre y el frío. Tiene también el de la soledad que hiela cuando perteneces a un mundo desaparecido o incomprendido, cuando te ves obligado a vivir en un ambiente en el que no te reconoces y te ves burlado ridiculizado perseguido por la vulgaridad. ¡Santo cielo, los ingleses! ¡No les había escrito la nota de excusa ni les había telefoneado! ¡Se había lucido! ¡Qué plancha indigna de él! Dio un respingo. Marcó el número del antiguo estanco en el que se alojaban los cien dragones del exiguo contingente inglés. Pero el teléfono no funcionaba y muy desalentado subió a su aposento para cambiarse de uniforme, peinarse los bigotes, ponerse dos gotas de «4711», el agua-de-colonia-preferida-del-emperador, prepararse, en una palabra, para la cena como corresponde a un caballero habituado al refinamiento y a los buenos modales. Muy desalentado se dirigió a la mesa de oficiales donde se sentó junto a un resignadísimo Urogallo para aclararle el asunto de la guerra que es siempre una tortilla y no se puede hacer la tortilla sin romper los huevos. Cosa que lo condujo en seguida a Marengo después a Preussisch-Eylau luego a Wagram y después a las fauces del Cóndor.

* * *

«Eximio colega, yo a las seis y veinticuatro no me he alterado siquiera. He seguido durmiendo, ¿no lo ha notado? Otia corpus alunt et animus quoque pascitur illis, el reposo restaura las fuerzas del cuerpo y del espíritu, nos recuerda Ovidio, y Dios sabe lo exhausto que me sentía en el cuerpo y en el espíritu después de la tragedia de Speedy. Usted no conoció esa maravilla de Speedy, mi hunter gris moteado. Un metro setenta de altura, esbelto, enjuto, brioso. Insuperable en el salto de obstáculos. Todos me lo envidiaban, todos. Con él me sentía un rey en las cacerías de zorros y en las competiciones en la plaza de Siena. Pero para venir a Beirut tuve que confiarlo a un palurdo de mozo de cuadra, cuya incuria le provocó un enfisema y para curarlo fue necesario mandarlo al campo, y precisamente ayer por la tarde me llama el palurdo: "Coronel, ha sucedido una desgracia. Speedy ha sido corneado por una vaca y tiene los intestinos fuera del vientre. Coronel, hay que sacrificarlo. Yo le disparo." De acuerdo, compraré la yegüita que cortejaba desde su box. Aunque un poco baja de estatura y de cuello corto, es bonita y promete grandes cosas. Pero no podrá nunca substituir a Speedy y... Ilustre amigo, estoy intentando decirle que después de un trauma semejante, no te impresionan cuatrocientos muertos. Tienes derecho a afirmar lo que yo he afirmado, y dígame, por favor: ¿Acaso no es cierto lo que he afirmado?»

«Pues sí» respondía, estoico, el Urogallo.

«Pero piense en lo que sucedió el 14 de junio de 1800 en Marengo, cuando Napoleón se dejó sorprender por el general austríaco Melas. Carente de noticias sobre los adversarios a los que había batido el 9 de junio en Montebello, Napoleón creía que Melas aún seguía huyendo y después de haber enviado la columna de Lapoype hacia el norte, la de Desaix o mejor dicho Des Aix hacia el sur, se había acuartelado en Marengo. Pero Melas, enterado de aquella maniobra, había atravesado el Bormida llevando tras sí también la infantería al mando de su lugarteniente Zach y de improviso le saltó encima con treinta y un mil hombres. Treinta y un mil concentrados en el mismo frente, me explico, contra veintiocho mil diseminados en una formación bastante extensa. Napoleón fue casi arrollado, me explico, y, mientras Zach lo hostigaba hubo de retroceder hacia el sudeste: ordenar el regreso de Lapoype y de Desaix o mejor dicho Des Aix. Lapoype no lo logró, pero Desaix o mejor dicho Des Aix, sí. El heroico Louis-Charles-Antoine Desaix o mejor dicho Des Aix caballero de Veygoux que en seguida dijo: "Sire, esta batalla está perdida. Pero son las dos de la tarde y tenemos tiempo de ganar la próxima." Después flanqueado por Kellermann y Marmont duque de Ragusa se personó en el lugar de la contienda, ordenó a Marmont que colocase sus baterías frente al enemigo, a Kellermann que cargara contra un flanco con cuatrocientos sables, embistió a la infantería de Zach, y aquí viene lo bueno. Porque en semejantes casos una carga de caballería acababa con la matanza de los hombres y de los caballos, como usted sabe...»

«Pues sí...»

«Además la infantería de Zach ya estaba desbaratada. Lo estaba por cuanto que Zach se había lanzado a la persecución de los franceses a los que creía haber derrotado y Melas había repetido el error de Napoleón: no prever el contraataque. De modo que Desaix o mejor dicho Des Aix llevaba las de ganar. Cayó, sí, con una bala en el corazón: pero triunfó. Seis mil austríacos murieron aquella tarde, ocho mil cayeron prisioneros. Una tortilla considerable. Y, pese a los siete mil hombres perdidos por Napoleón, el día siguiente Melas se vio obligado a firmar el armisticio de Alejandría con el que se comprometía a retirarse más allá del Ticino y a ceder las fortalezas conquistadas en Piamonte y Lombardía. Una jornada decisiva para la marcha de la segunda campaña de Italia, como usted sabe...»

«Pues sí...»

«Pero, ¿cree usted que la muerte del heroico Desaix o mejor dicho Des Aix enseñó algo a aquel testarudo de Napoleón? Ni pensarlo. Siete años después, el 8 de febrero de 1807 para ser exactos, en la batalla de Preussisch-Eylau que no fue sino la prosecución de la campaña contra Prusia, hizo algo casi peor: lanzó a la niebla al Séptimo Cuerpo de Ejército del mariscal Augereau. Lo que provocó la mayor carga de caballería de todos los tiempos, una carga dirigida por Joaquín Murat con ochenta escuadrones y dos mil quinientos caballos de los que mil quinientos quedaron en el terreno. ¡Y mil quinientos caballos muertos son muchos, eximio colega! De acuerdo, no son los cuatro mil quinientos de Wagram... Porque, como usted sabe, en la batalla de Wagram murieron cuatro mil quinientos caballos y Dios santo... me da un infarto al imaginar cuatro mil quinientos caballos muertos... No obstante, también mil quinientos son muchos, muchos... En cualquier caso, gracias a la niebla, el Séptimo Cuerpo de Ejército quedó destruido. Y Augereau se indignó tanto que increpó a Napoleón con estas palabras: "Sire, os habéis equivocado. Os equivocáis con frecuencia y, siempre que os equivocáis, os equivocáis demasiado." Gran figura, la de Augereau: Pierre-François-Charles Augereau, duque de Castiglione, mariscal y par de Francia. Imagínese qué hombre sería un hombre que siete años después de la batalla de Marengo y once años después de la batalla de Castiglione, porque como usted sabe la batalla de Castiglione tuvo lugar el 5 de agosto de 1796, ¡tiene arrestos para increpar a Napoleón del modo que éste se merece!»

«Pues sí...»

«Entendámonos, yo prefiero a Collinet: Antoine-Charles-Louis Collinet, conde de Lasalle. Es uno de mis modelos preferidos, uno de mis maestros. Técnico de primer orden beau sabreur dotado de un encanto irresistible, marido de una mujer bellísima y fabulosamente rico. Lo que no perjudica nunca. Pero piense en la carrera de Collinet que a los veinte años, digo veinte años, ¡ya era ayudante de campo de Kellermann y a los treinta general de brigada! ¡Piense en las campañas en que participó! La de Italia, la de Polonia, la de Egipto, la de España, la de Austria donde en 1806 combatió a Zhedenick y con sólo tres escuadrones tuvo la audacia de cargar contra catorce, la de Prusia donde el 10 de junio de 1807, es decir, cuatro meses después de Preussisch-Eylau, salvó a Murat en Heilsberg... Murió a los treinta y cuatro años, Collinet, murió en Wagram con una bala en la frente, y lo envidio. Porque aquella bala lo mató antes de que la caballería tan soberbiamente forjada por él fuera destruida en las landas de Rusia y después en Leipzig y más tarde en Waterloo o sea antes de que su mundo se hundiera... Cuando el mundo de uno se hunde, ilustre amigo, cuando el mundo de uno desaparece y cede el paso a la vulgaridad, una bala en la frente es una liberación...»

«Pues sí...»

«Aun cuando seas joven.»

«Pues sí...»

«Por lo demás yo estoy de acuerdo con Plauto quien dice: Quem dei diligunt adolescens moritur, el predilecto de los dioses muere joven.»

Y en aquel momento fue cuando cayó en las fauces del Cóndor.

«¡Coronel!»

«¡A sus órdenes, mi general!» relinchó, contento de haber despertado su interés.

«Si no se calla, ¡esa bala se la meto en el culo!»

Era ya noche avanzada, ya habían recogido a casi todos los cuatrocientos predilectos de los dioses, Charlie había pedido ya la audiencia con Zandra Sadr, y junto al Cuartel General alguien cantaba burlón la cantinela de los hashashín cultivadores de droga.

> «Mi hachís no hace daño.
> Es cosa buena, viene de la Bekaa,
> de los verdes valles de Baalbek.
> Y cuesta poco.
> Cómprate un kilo, soldado, y fúmalo.
> ¡Fúmalo, fúmalo!
> No tienes otra cosa para olvidar
> esta triste historia
> y esta triste ciudad.»

CAPÍTULO TERCERO

–1–

El Cuartel General se encontraba al comienzo de la Rue de l'Aérodrome, la avenida de dos carriles que conducía al aeropuerto, dentro de uno de los pocos edificios no derribados por el asedio israelí: la quinta que un emir de Qatar se había construido en los tiempos felices para habitarla con sus dos mujeres, sus dos favoritas, los doce hijos nacidos de las cuádruples cópulas, pero que después había abandonado a los saqueos para no volver más. Desaparecidos los muebles, las alfombras, las arañas, del antiguo mobiliario sólo quedaba una gran mesa de cerezo que atestaba el antiguo comedor y una horrenda pintura al óleo colgada en el vestíbulo que agredía con el retrato vagamente siniestro del propietario: nariz aguileña y ojos perversos, cejas en media luna y barba bifurcada, boca cruel y en la cabeza un turbante amarillo del que colgaba una perla en forma de gota. En los hombros, una capa azul cerrada con un broche de rubíes y esmeraldas. (Detalle muy admirado por Azúcar quien veía en el cuadro una incomparable obra de arte.) En cambio, de los antiguos fastos quedaban las pomposas boiseries y los no menos pomposos damascos franceses que tapizaban las paredes de todas las salas, los trabajados barrotes de hierro que protegían las ventanas y el jardín en el que los parterres destruidos y los residuos de un estanque con fuente evocaban el recuerdo de nenúfares flotantes, matas de rosas, llamaradas de hibiscos en flor.

La ubicación era cómoda. En efecto, en el lado opuesto de la avenida y apenas doscientos metros más al sur se alzaba el hospital de campaña después la Logística luego la base Águila, y Chatila distaba poco más de quinientos metros al norte. Bourji el Barajni, cerca de un kilómetro al sur. En cambio, el acceso era incómodo porque después de las revelaciones de Mustafá Hash el Cóndor había mandado erigir un sólido terraplén que robaba a la avenida un buen trozo de la calzada oriental y llegaba hasta el borde de la mediana, con lo que desviaba el tráfico por la calzada occidental, y para entrar había que superar grandes obstáculos. En primer lugar los carabinieri que detenían a todo el que se acercase e inspeccionaban con el detector de metales incluso los vehículos del contingente. Después, el pasaje en serpentina que se insinuaba dentro del terraplén, luego, el Leopard que al acabar el pasaje en serpentina bloqueaba el tránsito y sólo después de un segundo control realizado por el jefe del tanque te dejaba pasar: llegaba al patio, es decir, el trozo de calzada substraída a la avenida donde sin embargo sufrías un control ulterior. En el jardín las defensas rayaban en el paroxismo: un sólido muro con troneras reforzaba todo el perímetro, en cada uno de los cuatro ángulos se alzaba un mirador con dos hombres y una ametralladora, en el terraplén festones de alambre de espinos flanqueaban mecanismos electrónicos que al menor contacto daban la alarma y emitían un denso humo color naranja. En cuanto a la quinta, estaba completamente envuelta en sacos de arena por lo que de lejos parecía una mastodóntica fajada de negro y por fuera el Cuartel General ofrecía un espectáculo casi siniestro.

En el interior, no. Si exceptuamos el retrato del emir, en el interior ofrecía un escenario digno de la tragicomedia que en él se desarrollaba. A la derecha del zaguán, un pasillo con el despacho-aposento del Cóndor: pequeño y con el toque dramático de un escritorio atestado de teléfonos y radios y una espartana manta que a modo de biombo ocultaba el catre. Junto al despacho del Cóndor, el despacho del Profesor: lleno de papeles y libros, entre ellos los pesados volúmenes que le habían valido aquel sobrenombre. Después del despacho del Profesor, el baño privado que los dos disfrutaban con gélida cortesía: por-favor-usted-primero-coronel, por-favor-usted-primero-general. A la izquierda del zaguán, en el primer cuarto de la vasta sala de estar dividida en varias salitas con paredes de cartón, el despacho de Caballo Loco: siempre en orden, sin una mota de polvo, y con el toque aristocrático del escritorio con el blasón de los Tudor. En el segundo cuarto, el despacho de Pistoia quien lo utilizaba para atormentar a su vecino y para telefonear a Joséphine, a Caroline, a Geraldine: sus tres novias libanesas. En el tercero, el despacho del Urogallo: impersonal y decoroso. En el cuarto, la Sala de Operaciones que junto con la Sala de Radio ocupaban también el antiguo mirador con cristalera. En el centro, en el antiguo comedor con la gran mesa de cerezo, la sala de los briefing. A la derecha, en la antigua cocina, la oficina postal y después las escaleras. En el primer piso, en las habitaciones que habían sido del emir y de sus dos esposas, las oficinas administrativas. En el segundo y en el tercero, en las alcobas antes reservadas para los dos hijos nacidos de las cuádruples cópulas, los aposentos de los oficiales de servicio en el Cuartel General. En el último, en los dos cuartos que habían pertenecido a las favoritas, el alojamiento de los carabinieri de la guardia y el de un curioso grupito compuesto por Gaspar el conductor del Cóndor, Ugo el conductor de Pistoia, Stefano el conductor de Charlie, el intérprete Martino, el telefonista Fifí. Después la terraza cubierta a la que quería subir Caballo Loco en los momentos de mayor desesperación para desafiar a los francotiradores y demostrar que la infelicidad no tiene sólo el rostro del hambre y del frío: tiene también el de la soledad que oprime cuando estás con los zafios, los vulgares, los analfabetos de un ejército arruinado por la democracia.

Por último, el sótano al que se llegaba desde la escalerita por la que Angelo y Charlie se habían lanzado para salir al patio después del primer estruendo. Ésta, situada en la parte trasera del edificio y por tanto oculta a las miradas de los curiosos y de difícil acceso para los invasores, conducía a una especie de cripta con un par de cuartos a los que se aludía lo menos posible: uno llamado Museo-de-Azúcar y otro sobre cuya puerta un cartel amenazador advertía: «Zona reservada. Prohibido acercarse. Sólo se admite al personal abajo indicado: Charlie-Charlie, Charlie Dos, Charlie Tres, Charlie Cuatro, Charlie Cinco, Charlie Seis, Charlie Siete, Charlie Ocho.» Era el despacho de Charlie y de sus ayudantes llamados como él porque quien trabajaba con Charlie se convertía a su vez en un Charlie, y si un extraño hubiera podido cruzar el umbral con esto es con lo que se habría encontrado. En el piso del vestíbulo, una babel de bombas de mano y latas de sardinas, bengalas y tarros de atún en aceite, fusiles ametralladores M12 y salchichas, cargadores y jamones, cajas de municiones y tabletas de chocolate, chalecos antibalas y botellas de vino, cascos, cervezas, visores nocturnos, pan de pasas, motorolas, medicamentos, las provisiones necesarias, en una palabra, para mantener la autonomía de una república aparte. Frente a la babel, el tabuco de Angelo. Unos pasos más allá, el despacho propiamente dicho: sin ventanas y presa de un desorden aún más entrópico. A la derecha, un catre apoyado a la pared, es decir, la cama de Charlie y una pila que Charlie usaba como sala de baño. Junto a la pila, dos receptores de radio y dos Charlies que escuchaban con los auriculares en los oídos. A la izquierda, un largo fichero con cajones de hierro cerrados con llave y en cada cajón el letrero Top Secret o No tocar. Después del fichero, un gigantesco póster con dos bellísimas piernas femeninas en las que alguien había escrito con grandes letras. «Quien no tiene cabeza tiene que tener piernas.» En medio, una tosca mesa compuesta por un tablero de madera que descansaba sobre caballos de Frisia y un pandemonio de periódicos revistas cuadernos máquinas de escribir interfonos teléfonos que sonaban sin cesar para preguntar por el capitán o dejarle misteriosos mensajes. «Albertine viene a las cinco.» «El electricista puede recibirlo esta noche.» «La abuela ha muerto esta mañana.» En realidad aquel extraño lugar ocultaba un rudimentario servicio de espionaje y Charlie lo usaba para urdir sus tramas de agente secreto improvisado: mantener contactos con los informadores, analizar y catalogar las noticias publicadas por los diarios, captar las transmitidas por la radio gubernamental o de Amal, custodiar los documentos de que lograba apoderarse. Por algo le había dado el nombre del despacho de El Cairo en el que Lawrence de Arabia trabajaba en 1916 como enviado del Military Intelligence Service: Oficina Árabe, Arab Bureau.

* * *

De no conocer a Charlie o ignorar su auténtica actividad en Beirut, te habrías preguntado inútilmente por qué se identificaba con un aristócrata victoriano nacido en Gales y diplomado en Oxford, escritor refinado y arqueólogo apasionado, homosexual incurable y agente secreto sutilísimo. Charlie había nacido en Bari, no tenía dilomas, escribía mal, no distinguía un búcaro etrusco de un papiro egipcio, y le gustaban las mujeres. Pero su gusto por la intriga bizantina y su genio para el doble juego le venían precisamente de un carácter de aventurero con vocación de espía, y Lawrence de Arabia era para él lo que Antoine-Charles-

Louis Collinet conde de Lasalle y Louis-Charles-Antoine Desaix o mejor dicho Des Aix caballero de Veygoux eran para Caballo Loco: un modelo, un maestro. Decía haber conocido a aquel maestro a los dieciocho años, en la oscuridad de una sala cinematográfica, es decir, viendo la película dirigida por David Lean e interpretada por Peter O'Toole, haber leído su libro *Los siete pilares de la sabiduría* hasta quedar aturdido y después haberlo perdido. Ningún amor resiste al tiempo. No obstante, y gracias a un paisaje que seguía siendo el paisaje de Lawrence, rostros que recordaban a los rostros descritos por Lawrence, dramas que repetían los dramas narrados por Lawrence, en Beirut lo había recuperado.

Un amor lúcido, esta vez, y acompañado del descubrimiento de una verdad ya aceptada por Lawrence: cuando estás en casa ajena, debes aceptar las reglas de quien te hospeda, descubrir en qué medida quiere tenerte o no, prevenir su hostilidad, acceder a concertar pactos con él. Y se lo había dicho al Cóndor. Le había explicado que para sobrevivir al absurdo encargo que se les había encomendado había que crear una red de noticias y contactos, es decir, establecer un pequeño Intelligence Service. El Cóndor había asentido, le había concedido el local en el sótano, los teléfonos, las transmisoras, así como la facultad de elegir a los ayudantes que prefiriera, y los había elegido entre los que sabían francés o inglés o árabe: un tal Angelo que en aquel período dependía de Azúcar, un tal Martino, un tal Stefano, un tal Fifí, un tal Bernard le Français, así como un par de radiofonistas. Reclutas carentes de experiencia, salvo Angelo, muchachos que no habían leído nunca *Los siete pilares de la sabiduría* ni habían visto la película de David Lean y que, en la mayoría de los casos, no habrían sospechado siquiera la auténtica naturaleza del trabajo que se les había confiado. Pero con tipos despabilados o adiestrados en el arte del espionaje no habría sabido qué hacer, ya que iba a ser como su maestro el único responsable y protagonista del pequeño Intelligence Service. Pero existía otro motivo por el que Charlie había creado la Oficina Árabe. Y ése se ocultaba en los retorcidos meandros de su complicada personalidad, es decir, en el hecho de que fuera un tipo dado al odio, capaz de matar con la frialdad de un verdugo, y al mismo tiempo un hombre que detestaba la guerra más que los pacifistas de paisano. La guerra no sirve para nada, decía, no resuelve nada. Nada más acabar una guerra, te das cuenta de que los motivos por los que estalló no han desaparecido o se les han sumado otros nuevos a consecuencia de los cuales estallará otra en la que los antiguos enemigos serán los amigos y los antiguos amigos los enemigos. La guerra es hija de la violencia que a su vez es hija de la fuerza física, y ese trinomio no engendra sino iniquidades. Decía también que antes no pensaba así, que en cierta ocasión casi había estrangulado a un chulo que le había quitado el asiento en el tren con la gracia de el-mundo-es-de-los-listos. Con una mano lo había levantado en vilo y: «Te equivocas, idiota. El mundo es de los fuertes.» Pero cuando había comprendido que su fortísimo cuerpo ocultaba una violencia potencial que su carácter poco apacible podía usar mal, le había parecido que cargaba con una maldición. Desde entonces no había vuelto a recurrir a sus mortíferos músculos y sólo si advertía un peligro llevaba un arma: una Browning High Power de nueve milímetros que ocultaba en una funda atada al tobillo izquierdo. De hecho sentía una especie de desprecio por el arsenal de bombas y fusiles y municiones que dejaba en el suelo junto a la comida y las bebidas y los medicamentos: «Consideradlo un buen augurio.» En cambio, sentía una consideración ciega por la intriga y el complot, en caso necesario, el engaño, y los manejaba con una desenvoltura rayana en el cinismo. La misma desenvoltura, el mismo cinismo con que había lanzado la idea de regalar el plasma sanguíneo. Y ahora entramos en materia.

No se encontraba plasma sanguíneo en Beirut, donde hasta los médicos lo vendían en el mercado negro, y una mañana un viejo musulmán se había presentado en el hospital de campaña pidiendo un poco para su mujer herida. En el hospital de campaña le habían respondido lo-sentimos-mucho-pero-no-podemos-quedarnos-sin-él, por pura casualidad Charlie había presenciado la escena y: «Sí que podemos. Esperad.» Después, había corrido a ver al Cóndor y le había dicho: «Mi general, los árabes cumplen con las deudas de gratitud. Déjeme encargarme de este asunto.» De nuevo el Cóndor había asentido, habían entregado el plasma, había corrido la noticia, el Cuartel General se había convertido en un ir y venir de solicitantes que buscaban al capitán. Palestinos, chiítas, sunnitas, guerrilleros, desgraciados que lo necesitaban de verdad, pobres diablos que mentían con el fin de ganar algún dinero vendiéndolo también ellos en el mercado negro. Y después de una cuidadosa investigación para descubrir si mentían o no, si valía la pena contentarlos o no, el capitán se lo suministraba. Incluso solicitando transfusiones a los soldados. Es-una-iniciativa-humanitaria. Pero, en realidad era un cálculo frío, una mercancía de intercambio para utilizarla en las relaciones con sus aliados provisionales, y un persuasivo chantaje que arrojar a la cara de Zandra Sadr. «Parece ser que los italianos están en el punto de mira, Eminencia Reverendísima. ¿Acaso han olvidado sus fieles que por sus venas corre a menudo sangre italiana?» La frase que quería proponerle para que los muecines la difundieran desde los alminares en las horas de la plegaria nacía precisamente de este chantaje.

–2–

Los carabinieri de la garita de la entrada llamaron para decir que una mujer quería hablar con el capitán, y Charlie hizo un gesto de fastidio. Para hablar con ella debería abandonar el despacho, y si lo abandonaba corría el peligro de perderse la llamada del secretario de Zandra Sadr. La audiencia estaba próxima ya, el secretario podía llamarlo de un momento a otro, y Su Eminencia tenía la costumbre de convocarlo en el último instante: nada más colgar el auricular, apenas habría tiempo para correr con el intérprete. Se volvió hacia Angelo que estaba catalogando pensativo algunos documentos, y gruñó:

«Sube a ver quién es y qué quiere.»

«¿Yo?» exclamó Angelo, sorprendido. En árabe sólo conocía seis o siete palabras: na'am, sí; la, no; shukrán, gracias; aamel maaruf, por favor; lesch, por qué; shubaddak, qué quieres; mish fahem, no comprendo... No tenía sentido mandarlo a él.

«Sí, señor, ¡tú!»

«Pero, ¿y si sólo habla árabe...?»

«Si sólo habla árabe, vuelves a bajar y que te ayude Martino.»

«Entonces, igual podría ir Martino.»

«Martino me hace falta. ¡Arrea!»

Arreó. Llegó a la garita de los carabinieri, se acercó a la mujer. Era una mujer muy joven, vestida al estilo árabe con casaca rosa, pantalón rosa, velo rosa, que se retorcía las manos y lloraba desesperadamente.

«Aamel maaruf, aamel maaruf!» La cogió de un brazo, conmovido.

«Parlez-vous français, faransín?»

«La, no, aamel maaruf, la...»

«¿Italiano? Talieni?»

«La, no, aamel maaruf, la...»

«Shubaddak? ¿Qué quiere?»

«Capitán... aamel maaruf, capitán...»

«Lesh? ¿Por qué?»
«Dam! Aamel maaruf, dam!»
¿Dam? ¿Qué significaba dam? Sonaba familiar, aquel dam, pero no sabía lo que significaba.
«Mish fahem, no comprendo.»
«Dam! Waladi biimut! Biimut, ambimut!»
Y waladi, ¿qué significaba? ¿Y ambimut? Bajó a llamar a Martino. Charlie estaba hablando por teléfono con el secretario de Zandra Sadr y ni siquiera se dio cuenta.
«Martino, ¿qué significa dam?»
«Sangre» respondió Martino.
«¿Y waladi biimut, ambimut?»
«Mi hijo se muere, se está muriendo.»
«¡Ven a interrogarla, rápido!»
Martino fue. La interrogó, tradujo.
«Dice que a su hijo lo ha acertado una esquirla y está perdiendo mucha sangre. Dice que lo han llevado a la clínica chiíta y allí no tienen plasma. Dice que para salvarlo hacen falta al menos tres unidades de R negativo. Dice que el niño tiene dos años.»
«¿¡Dos!?»
Volvió a bajar al despacho, precediendo a Martino. Se dirigió a Charlie que había acabado de hablar por teléfono y se disponía a salir presuroso para dirigirse a la cita. Sea-puntual-se-lo-ruego, había dicho el secretario de Su Eminencia.
«Jefe, la mujer pide tres unidades de B negativo. Si no se las damos...»
«...muere desangrado» replicó Charlie al tiempo que se metía la Browning Hig Power en la funda atada al tobillo izquierdo. «Su hijo tiene siete años, no, cinco, no, cuatro, no, tres, no, dos. Lo han herido mientras jugaba en la calle, lo han llevado a la clínica chiíta y allí no tienen plasma. Siempre cuentan la misma historia. Y después lo revenden en el mercado negro.»
«Pero ésta llora, ¡está desesperada!»
«Siempre lloran, siempre están desesperadas. Yo en su lugar haría lo mismo. ¿Quién es?»
«Una musulmana.»
«Musulmana, ¿qué? ¿Chiíta, palestina, sunnita? ¿Y quién la manda? Hay que saber quién la manda. Hay que cerciorarse de que existe el hijo, de que está herido, de que en la clínica chiíta falta el plasma. Ve y busca al médico que habla italiano. ¡Yo tengo que ir a hablar con Zandra Sadr! ¿Es que no sabes que tengo que ir a ver a Zandra Sadr?»

«Sí, pero...»

«Pero, ¿qué? ¡Busca al médico, he dicho! ¡Pregúntale si han ingresado de verdad al niño, si ha enviado él a la mujer! Y si la ha enviado él, mira a ver hasta qué punto vale la pena complacerla o no. Si vale la pena, ve al hospital de campaña y que te entreguen el plasma.»

«¿Y si no vale la pena?»

«Si no vale la pena, te deshaces de ella y se acabó.»

Después se lanzó escaleras arriba con Martino, se puso al volante, y Angelo tuvo apenas tiempo de gritar una pregunta:

«Martino, ¿cómo se dice espera?»

«Intazer!», gritó Martino con su aguda voz.

«Intazer... Espera, intazer.»

* * *

Saltó al primer jeep que encontró. Se peleó con el tanquista del Leopard que tardaba en apartarse, se metió impaciente por el pasaje en serpentina, salió del Cuartel General, se detuvo ante la garita de los carabinieri donde la mujer de la casaca y los pantalones rosa y el velo rosa acunaba su desesperación. «Intazer, espera, intazer.» Volvió a arrancar, giró a la derecha en la Rue de l'Aérodrome, la recorrió hasta la glorieta del viaducto, giró de nuevo a la derecha y en pocos minutos llegó a un edificio deprimente en el límite entre el barrio de Gobeyre y el de Haret Hreik. La clínica chiíta. Buscó jadeante al médico que hablaba italiano. Estaba en el quirófano, le respondió un enfermero. «Asseyez-vous, s'il vous plaît. Siéntese, por favor.» Se sentó en el banco de la entrada y miró la hora. Dios mío, las cinco de la tarde, y él allí perdiendo el tiempo. Pero, ¿cómo? Una madre llora porque su hijo necesita plasma sanguíneo, tres unidades de B negativo, las necesita porque se está muriendo, tiene dos años y se está muriendo. ¿Y tú pierdes el tiempo intentando averiguar quién la envía, si es chiíta o palestina o sunnita, si vale la pena complacerla o no? ¿Y si no la envía nadie? ¿Si, en vez de ser chiíta, palestina o sunnita, es cristiana? ¿Si no vale la pena complacerla? Te-deshaces-de-ella-y-se-acabó, dice él. En otras palabras, le dices distinguida-señora, no-me-sirve-usted, que-la-palme-su-hijo, no-le-doy-la-sangre. Sus grandes ojos azules centellearon con una llamarada de rabia. No le había gustado nunca la historia de la sangre regalada. La había considerado siempre un embrollo, un truco vulgarísimo para comprar los favores de quien quería verlos muertos, una deslealtad. Pero la forma como Charlie administraba todo el asunto le gustaba menos aún. Porque cuando los solicitantes eran chiítas enviados por Zandra Sadr les entregaba el plasma sin rechistar, cuando eran palestinos o sunnitas se abandonaba a un cúmulo de titubeos y cuando eran cristianos respondía casi siempre que no. Al-fin-y-al-cabo-ésos-tienen-el-dinero-para-pagárselo-al-precio-del-mercado-negro. Al-fin-y-al-cabo-ésos-están-en-la-zona-oriental y no nos sirven. El-fin-justifica-los-medios. No, no es cierto que el fin justifique los medios. Si los medios son sucios, hasta el fin más noble se vuelve sucio. En cualquier caso no le gustaban sus maquiavelismos, sus lawrencearabismos, sus cinismos. No le gustaban tampoco los misterios con que se rodeaba. Escucha la radio y calla. Lee los periódicos y no digas nada. Sígueme y no hagas preguntas. ¡Y pobre de ti, si te acercabas a los cajones Top Secret! ¿Qué buscabas? ¿Qué quieres? No mires. De hecho había días en que lamentaba haber dejado la escuadra de Azúcar y... Además, si se hubiera quedado en las dependencias de Azúcar no habría conocido a Ninette. No se habría atormentado por su causa y... Las cinco y media. Se levantó, llamó al enfermero con el que había hablado antes.

«Est-ce qu'ils ont porté un enfant blessé aujourd'hui? ¿Han traído a un niño herido hoy?»

El enfermero sacudió la cabeza.

«Monsieur, chaque jour ils nous portent des enfants blessés, todos los días nos traen a niños heridos.»

Se sentó de nuevo, se puso a cavilar otra vez. Ninette... Qué extraño que de improviso le hubiera venido a la mente Ninette, que pensara en Ninette. No había pensado en ella en ningún momento, durante aquellos días, y de improviso era como si estuviera sentada a su lado en este banco: inasible y sin embargo tangible. Pero no la Ninette habitual, voluptuosa, alegre: una Ninette apática, triste, que nunca había conocido ni sospechado. Una Ninette que quería morir, porque amaba sin ser amada... Rechazó la imagen. Con la imagen, el pensamiento. Volvió a meditar sobre el niño que se estaba muriendo porque en la clínica chiíta no tenían tres unidades de B negativo. Si hubiera tenido el grupo B negativo, se las habría dado él las tres unidades... Lo malo era que él tenía el grupo cero positivo: entropía igual a la constante de Boltzmann multiplicada por el logaritmo natural de las probabilidades de distribución. En el lugar de las probabilidades de distribución, esta vez, los grupos sanguíneos... Grupo A, grupo B, grupo AB, grupo cero, factor Rh positivo, factor Rh negativo y, como en el amor, es improbable que A encuentre a A o B encuentre a B o AB encuentre a AB, etcétera... El Caos, es decir, la Muerte vence siempre, y es inútil negarse a admitirlo en nombre de la Vida. ¿Inútil? Se puso en pie de un salto. Sin hacer caso del enfermero, que corría tras él gritando Monsieur-le-docteur-peut-vous-parler-maintenant, ahora-el-doctor-puede-hablar-con-usted, se precipitó hacia la salida. Volvió a montar en el jeep, arrancó con un chirrido de ruedas, llegó al hospital de campaña, pidió tres unidades de B negativo. Orden del capitán. No tenían, respondió el oficial médico tras haber mirado en el frigorífico en el que guardaban los estuches de plasma. El B negativo, llamado también Grupo Mediterráneo, era muy frecuente entre los árabes y poco frecuente entre los europeos: de Italia recibían poquísimo, y en caso de necesidad el capitán lo pedía a la tropa, solicitaba una transfusión. El sargento debía hacer lo mismo, conque suerte: no sería fácil encontrar un par de soldados que lo tuvieran. «Los encontraré» dijo y volvió a salir hacia el Cuartel General, donde la joven deshecha en lágrimas continuaba esperando. Y apenas la divisó lanzó un grito.

«Dam na'am! ¡Sangre, sí!»

«Na'am? ¿Sí? Na'am?» sollozó ella, aliviada.

«Na'am! ¡Sí! Na'am!» repitió, decidido. Después corrió a la Oficina Árabe para telefonear a la base de los bersaglieri y hablar con Águila Uno.

Sabía muy bien lo que iba a decir. «Mi comandante» le diría, «hay que encontrar inmediatamente a dos voluntarios dispuestos a donar tres unidades de B negativo. Orden del general.»

–3–

Águila Uno se preparó el café con la maquinita napolitana que había traído de Italia junto con la tacita Capodimonte que le había regalado su tía Concetta y la menorah o sea el candelabro de siete brazos que le había regalado su tío Ezechiele, y después fue a sorberlo bajo el baldaquín de madera dorada Luis XVI: tal vez la pieza más valiosa del mobiliario del suntuoso aposento en que se alojaba y en cualquier caso la que más le recordaba a su casa de Nápoles. Le gustaba prepararse el café con estilo, pero sobre todo le gustaba sorberlo bajo el baldaquín de madera dorada Luis XVI.

En efecto, desde allí podía admirar cómodamente las paredes con la imitación del mármol azul, las altas ventanas con los cortinajes de terciopelo carmesí, el armario taraceado de madreperla china con el sistema de los hermanos Piffetti precursores de los Maggiolini, así como la araña compuesta de nueve muchachas de bronce que surgían desnudas de una cesta también de bronce para sostener sendas antorchas de cristal puro: objeto exquisito en el que reconocías la mano de artesanos vieneses y el buen gusto del antiguo propietario de la casa. Para algo era un príncipe de Riad emparentado con Abdal Aziz Ibn Saud, primer soberano de Arabia Saudita. El príncipe, gran vividor y señor de un harén que contaba sus buenas cuatro mujeres y seis favoritas, había hecho las cosas a lo grande. Fastuosa de verdad, la quinta de tres pisos que con sus múltiples entradas y sus escalinatas en semicírculo, sus porches, sus patios, contaba por sí sola las glorias de una Beirut sardanapalesca: ¡los garden-parties en el gran parque verde de árboles centenarios, las cenas a base de caviar y foie-gras en los salones pavimentados con mármol, las orgías en las alcobas con baños siempre provistos de bidé doble! Y, si a la muerte del príncipe, ocurrida antes de la guerra por indigestión de ostras con trufas, el patrimonio había pasado a Su Alteza la Primera Viuda que ahora nonagenaria e inmovilizada dentro de una hiperbólica mole de grasa vivía en el tercer piso con dos de las viudas menores y dos de las favoritas, dos cocineras, dos enfermeras, dos doncellas, dos friegaplatos y un eunuco, es decir, trece personas –número de buena suerte, según algunos, pero, según la Cábala, de mala suerte, de mal de ojo, desventura–, pues paciencia.

Acabó de sorberse el café, se levantó para prepararse otro, y sonrió con tristeza. Era un consuelo aquella base instalada en la quinta del príncipe muerto por indigestión de ostras con trufas, y sólo allí lograba soportar sus desgracias. La desgracia de encontrarse en Beirut, la desgracia de tener que proteger a los peores enemigos de su gente, la desgracia de que lo llamaran con el nombre de un ave tosca y brutal, acostumbrada a raptar recién nacidos y a robar corderos y a excitar a los idiotas que aman la guerra. ¡Águila Uno! No le convenía ni siquiera físicamente el apodo de Águila Uno. Era tan grácil, él. Tenía un tórax tan estrecho que cualquier camisa le quedaba holgada, un cuello tan delgado que a la menor ráfaga de viento parecía romperse, y un rostro tan apacible que de muchacho había posado para un cuadro sobre el martirio de san Sebastián. Con la esperanza de endurecerlo, de adulto se había dejado crecer el bigote hacia arriba: con las puntas rizadas. Pero junto a aquella boca delicada, aquella nariz fina, aquellas mejillas exangües, parecían dos puntos de interrogación colocados allí en broma: una burla. Y además le molestaba que el apodo lo asociara a la retórica de los militares: individuos perniciosamente dados a identificarse con las águilas, los cóndores, los halcones, los gavilanes y nunca con aves civiles como las golondrinas y los pavos, las palomas y los gorriones. No deseaba que lo tomaran por un violento, un guerrero. Los detestaba, a los guerreros. Y con los guerreros los uniformes, las armas. Se sentía ridículo en uniforme. Se ponía el suyo con la incomodidad que produce ponerse un traje de talla equivocada, y sólo aceptaba el sombrero. Por las plumas irisadas. ¿Cómo se va a comparar un traje cruzado gris, una camisa blanca, una corbata a rayas, o incluso un frac, con el uniforme? En cuanto a las armas, las consideraba utensilios incómodos y superfluos. Superfluos, sí: ¿qué necesidad hay de usar las armas, hacer estruendo, matarse? Si las cosas se ponen feas, mejor discutir: buscar un compromiso. ¡Ah! ¡Cuánto le molestaba verse obligado a exhibir la pistola reglamentaria! Además, detestaba mandar. Es algo de mal gusto, mandar, y desagradabilísimo. Porque pone en contacto con los palurdos y los obtusos, obliga a ejercitar la vulgaridad del poder, limita la libertad tanto de quien manda como de quien es mandado, y por último embriaga a los presuntuosos. Y él no era un presuntuoso. Se daba cuenta de que no poseía dotes excelsas ni talentos especiales, de que constituía el típico ejemplo de hombre débil, demasiado educado, de oficial sin pena ni gloria: su vida se había desarrollado siempre bajo el signo de la mediocridad. En consecuencia no se sentía autorizado a pontificar, a berrear órdenes. Podía jurarlo por la menorah, palabra de napolitano.

Lo juró, se sirvió el segundo café. Oh, bien sabía él que no ejercía la profesión idónea. Si alguien le preguntaba por qué motivo había elegido la carrera militar, suspiraba abatido y decía: «Por una broma del Destino, amigo mío. El destino es cruel.» Después le contaba que nada, desde un punto de vista lógico, nada justificaba semejante error: la suya era una familia acomodada de anticuarios y notarios, de adolescente había vacilado entre estas dos pacíficas profesiones y todo hacía prever que elegiría el anticuariado. Sin embargo, a los dieciocho años se había enamorado de una encantadora muchacha de Módena, un mes después había recibido la tarjeta de alistamiento, y ya se sabe: entre las desventajas del servicio militar figura la de ser trasladado a lugares con frecuencia distantes de la muchacha a la que amas. Si ella está en el norte, en nueve casos de diez te mandan al sur. Si ella está en el sur, en nueve casos de diez te mandan al norte. Para no correr ese riesgo, se había inscrito en la Academia Militar de Módena donde, desgracia de desgracias, se había encontrado con Caballo Loco que seguía los mismos cursos y... Desaix o mejor dicho Des Aix, Collinet, Augereau, batalla de Marengo, de Preussisch-Eylau y de Wagram, Cicerón, Séneca, Ovidio. Y sin embargo había resistido hasta el día en que el amor por la encantadora muchacha se había extinguido. Después había decidido volver a Nápoles, al anticuariado. Pero entonces fue e intervino ese desgraciado, aquel pájaro de mal agüero: «Mi querido amigo, ¿qué dices? Ilustre colega, ¿qué mosca te ha picado? Renunciar sería un sacrilegio, un insulto a la patria, una vileza indigna de un caballero. Perfer et obdura, dolor hic tibi proderit olim. Sufre y resiste, en el futuro tu esfuerzo se verá recompensado, nos enseña Ovidio.» Se había quedado. Pero a los cuarenta y seis años, con el grado de coronel, no lograba resignarse. Y haberlo vuelto a encontrar en Beirut le parecía el desaire más cruel que san Genaro podía hacerle. Aparte del de tenerlo allí defendiendo a los palestinos, claro está. Porque era judío, él. Judío por parte de madre, además, y no olvidaba ni mucho menos que el judaísmo se hereda por vía materna. Menos aún lo olvidaba su madre. Pobre mamá. Casi se había desmayado, cuando le había dicho que venía a Beirut para defender a los palestinos. «¡Precisamente allí, hijo mío! ¡Precisamente allí a servir a los peores enemigos de nuestra gente!» Después, a sus protestas se habían sumado las reprobaciones del tío Ezechiele: «¡Piensa en los parientes que tenemos en Jerusalén! ¡Piensa en nuestros primos de Tel Aviv!» De nada había servido hacerlos callar: «Dejadme en paz, guardad silencio, ¡me tenéis harto!» Todos los meses su madre le telefoneaba para lamentarse precisamente-allí, hijo-mío, precisamente-a-servir-a-los-peores-enemigos-de-nuestra-gente-te-han-enviado, y desde hacía unas semanas lo atormentaba también con esta pregunta: «Pero, hijo mío, ¿qué harías, si te cayera un piloto israelí en Chatila?»

Apuró el segundo café. Pregunta paralizante y nada estúpida. Sucedía con frecuencia que aviones israelíes de reconocimiento fueran derribados por la artillería drusa y que el piloto se lanzara en paracaídas. En septiembre uno había descendido a cuatrocientos metros de Bourji el Barajni y por puro milagro una patrulla de Marines lo había rescatado ileso. ¿Qué habría sucedido, si hubiera caído dentro del barrio? Te lo digo yo, lo que habría sucedido: se lo habrían comido crudo. A mordiscos, como perros con un hueso. Sobre todo en Chatila, donde los israelíes habían ayudado a los falangistas con los faros encendidos, etcétera. ¿Qué habría hecho, pues? ¿Habría disparado sobre los palestinos que había venido a defender o les habría dejado comérselo crudo? Se lo había preguntado también a Halcón, que tenía los mismos cometidos en Bourji el Barajni, pero con su aire de Poncio Pilatos que no quiere comprometerse, Halcón había respondido. «Pregúntaselo al Cóndor.» Se lo había preguntado al Cóndor y no había recibido más que gritos. «Coronel, ¡aprenda a tomar sus propias decisiones! Coronel, ¡sea más enérgico! ¡Es usted un blandengue!» Porque no respondía en absoluto, el general. Gritaba, mejor dicho, picoteaba, desgarraba, arañaba. Como corresponde a un cóndor. Por lo demás, a él le gustaba llamarse Cóndor. Es un ave que prefiere las cumbres, aclaraba. Evidentemente nadie le había explicado que, con cumbres o sin ellas, se trata de un ave desagradabilísima: sin plumas en la cabeza y el cuello, es decir, calva, con una cresta carnosa que da asco mirar y acostumbrada a alimentarse sólo de cadáveres putrefactos. Vultur gryphus, buitre rapaz, es su verdadero nombre. Jesús, María y José y los profetas de la Torá, ¡qué antipático le resultaba el general! Era lo único que tenía en común con el pájaro de mal agüero, la antipatía por el Cóndor. Maleducado, grosero, siempre dispuesto a criticar, censurar, perseguir. «Coronel, el tanque del Veintiuno está a treinta centímetros de la acera y usted no se ha dado cuenta.» «Coronel, el puesto de control en el Veintidós es insuficiente y usted no toma medidas.» «Coronel, sus bersaglieri fuman hachís y usted no se lo impide.» «Coronel, usted no sabe imponerse. Los trata como a muchachos y los soldados no son muchachos, son hombres.» Era inútil replicar no, mi general: a los diecinueve o veinte años no eres un hombre, eres un muchacho. No te escuchaba, no te oía. Porque no tenía corazón, no imaginaba siquiera lo que significaba ser soldado de diecinueve o veinte años en Beirut: estar de guardia en Bourji el Barajni o en Chatila doce horas seguidas, de noche muerto de frío y con ratones mordiéndote las piernas, ese día empapado en sudor y con pilluelos tirándote piedras mientras les recoges la basura. Sí, hasta la basura. En efecto, aquellos apestosísimos palestinos dispuestos a comerse crudo al piloto israelí no recogían nunca la basura. La amontonaban delante de sus casas y sus barracas. Cúmulos tan altos que parecían las cimas del Montblanc. O la tiraban encima de la fosa común, es decir, sobre la tumba de sus propios muertos, y si no querías que se declarara una epidemia tenías que retirársela, su mugre. Quemársela. Ofrecerles tus servicios de barrendero.

Se preparó el tercer café, lanzó una ojeada a las nueve muchachas de bronce que surgían desnudas de la araña vienesa. De todos modos no eran sólo los pilluelos los que los molestaban, también las putas. Sí, mi general. Las putas con sus chulos. Esta mañana en el Veinticuatro había pasado una gordinflona con dos jovencitos. Sus hermanos, seguro. Se había colocado delante del tanquista del M113, se había puesto a acariciarse el pubis. Entretanto, los dos rufianes se lamían los labios, se reían burlones: buena-jamila-buena. Después la desvergonzada se había desabrochado el vestido y había sacado un seno monstruoso, una sandía de espanto. «Big! ¡Grande! Big! Judu, take it! ¡Cógelo!» Y como el tanquista se había quedado inmóvil, callado, los dos se habían enfurecido: «Miniuk! ¡Marica! Miniuk!» Él no dejaba de recomendárselo. Muchachos, les decía, no reaccionéis. No desafiéis a la suerte, sed fieles a vuestras novias, resistid. Yo resisto. Soy fiel a mi mujer, no las miro, a éstas de aquí. No las miréis vosotros tampoco o miradlas como si fueran transparentes. «No importa que os llamen maricas. Mejor maricas que muertos.» ¡Menudo! Entre los bersaglieri se había convertido como en un santo y seña lo de mejor-maricas-que-muertos. Nunca caían en las trampas del enamoramiento o el polvito. Los infantes de marina, sí. Un calvario, tenerlos al lado en el presidio de Chatila. Se disputaban a Fatima, la furcia en vaqueros que había dejado el prostíbulo de Gobeyre y se había dedicado al negocio por su cuenta. Cortejaban a Farjane, la picarona que buscaba a un bobo dispuesto a casarse con ella, es decir, a llevarla a Italia. Se les caía la baba detrás de Sheila, la maestrilla que se entregaba gratis a los oficiales. Decían entre silbidos guapa-por-aquí o guapa-por-allá, a cualquier aborto que pasaba ante sus ojos y, si protestabas ante Sandokan, el muy zafio se reía burlón: «El que tiene churro, lo moja. Y a mis marineros no les falta el churro.» Los de la Logística, ídem. Ésos recurrían incluso a la chiíta que acompañada por su padre se prostituía en los almacenes de víveres o en los garajes. Diez dólares el polvo, más unas tabletas de chocolate o unas chuletas. En cuanto a los paracaidistas de Halcón, eran los latin lovers del contingente: Bourji el Barajni parecía una canción cantada por Murolo o Pasquariello. «Nun c'è bisogno 'a zingara p'addivinà, Cuncééé! Comme facette màmmeta 'o saccio meglio 'e teee! ¡No hace falta una gitana para adivinar, Concetta! ¡Mejor que tú sé yo cómo te hizo tu madre!» No comprendían el riesgo. No veían la indecente doblez de estos beduinos que en nombre del pudor cubrían de la cabeza a los pies a sus esposas, hermanas, hijas, y después las vendían como cabras en el mercado. La otra noche, cerca del Veinticuatro, se habían oído aullidos de bajo napolitano. Había corrido con Neblí, su jefe de sector, y se había encontrado a una muchachita atada a una cama y maltratada por un tipo que tras pagar a los padres sus buenos dos mil dólares reclamaba la mercancía. «Saedna, socorro, saedna» gritaba la pobrecilla, que no quería ser desvirgada. Pregunta: ¿Qué habría sucedido, si se hubiera tratado de la novia de un bersagliere, de un infante de marina o de un paracaidista? Respuesta: las Vísperas Sicilianas, y el tercer camión los habría liquidado al cabo de pocos minutos. La verdad es que, lo mires por donde lo mires, descubres que detrás de cada acto de guerra hay una cuestión de faldas. ¡Qué política, qué religión, qué Hijos de Dios ni qué niño muerto! Hembras, hembras, hembras. Si el Cóndor no hubiera sido el Cóndor, le habría hablado de ello. Lo malo es que el Cóndor era el Cóndor y después de aquel berrido no se atrevía a acercársele siquiera. Peor: bastaba que sonase el teléfono para que se pusiera a temblar. De nada servía decirse pero, ¡qué me pasa! Soy un comandante de batallón, un hombre inteligente, un tipo que sabe distinguir una taracea de los hermanos Piffetti de una taracea de Maggiolini, es irracional que me espante por los berridos de un pajarraco: el temblor continuaba y con tal de no alzar el auricular, habría estrechado la mano a un palestino.

* * *

Sonó el teléfono. El grácil cuerpo de Águila Uno pareció sacudido por una descarga eléctrica y con mano temblorosa levantó el auricular.

«Sí, mi general... A sus órdenes, mi general...»

Pero no era el general. Era Charlie Dos, el ayudante de Charlie, que en nombre del general pedía dos o tres voluntarios para una transfusión de B negativo.

«¡Y en seguida, mi coronel!»

«¿En seguida?»

«Eso ha dicho el general, mi coronel.»

«¿Y para quién es ese B negativo?»

«Para un niño, mi coronel.»

«¿Qué niño?»

«Un niño árabe, mi coronel. Palestino, chiíta, no lo sé. ¡Se lo ruego, mi coronel!»

Siguió un silencio cargado de enojo y perplejidad. Enojo porque el niño fuera palestino o chiíta, perplejidad porque la llamada fuese del ayudante de Charlie y no del propio Cóndor. Pero después pudo más el alivio de que no le hubiera llamado el Vultur gryphus en persona.

«De acuerdo, Charlie Dos. Me ocuparé yo mismo de ello» respondió. Y al instante salió al parque, se dirigió hacia el ángulo sudoriental del campamento.

Era una tarde casi tranquila, de la Línea Verde no llegaba sino el eco de alguna ráfaga, y en la tienda del ángulo sudoriental tres bersaglieri llamados Clavo, Nazareno, Cebolla estaban discutiendo animadamente.

–4–

«Yo esta noche no vuelvo a Chatila. Juro que no vuelvo» decía una voz casi infantil. «Antes me finjo enfermo. Les hago creer que tengo dolor de barriga, ¡diarrea!»

«Si te finges enfermo, eres un tramposo y un mierda» protestaba una voz airada. «Y escupo en esa carota amoratada de borracho y te retiro la palabra. ¿Por qué tú sí y nosotros no? ¿Te crees tú que los demás se divierten muriéndose de frío en la oscuridad y esperando una bomba o un tiro de fusil? Y, además, ¡qué hostia! ¿Por qué razón habrías de fingirte enfermo tú?»

«El porqué lo sabemos, Clavo» intervenía una tercera voz, persuasiva. «Tiene miedo. No hay que tratarlo mal. Hay que explicarle lo que no nos explican nunca: la cuestión no es tener miedo. ¡Es reaccionar ante el miedo con inteligencia y dignidad!»

«¡Yo no maltrato a nadie! ¡Yo digo lo que pienso! Y pregunto con qué derecho debe fingirse enfermo este pesado para no ir a Chatila, ¡mientras nosotros sí que vamos! A ver, señor Cebolla, ¡responde!»

«¡Respondo, sí, respondo! El motivo es el que dice éste: tengo miedo. ¡Miedo, miedo! ¡Porque quiero vivir y porque me toca estar junto a la fosa común, que apesta a muerto!»

«¿Que apesta a muerto?»

«¡Sí, apesta a muerto!»

«¡Qué va a apestar a muerto, bobo! No es peste de muerto, ¡es peste de basura! ¿Estás ciego o qué? ¿Es que no ves que esos trogloditas tiran la basura encima de la fosa común? A ver, dinos. ¿Cómo apestan los muertos que llevan un año muertos?»

«Llevarán un año muertos, pero la peste sigue ahí, te digo que sigue ahí. Y siguen los fuegos fatuos.»

«¿Los fuegos fatuos?»

«¡Los fuegos fatuos, sí, los fuegos fatuos!»

«Pero, ¡calla la boca, tontaina! ¡No digas chorradas! ¡Qué sabrás tú lo que son los fuegos fatuos!»

«Pues, ¡lo sé, mira tú por dónde, lo sé! Porque una vez los vi en el cementerio de Caserta: ¡están hechos como las velitas que se ponen sobre la tarta de cumpleaños! La diferencia es que las velitas se encienden con las cerillas y se apagan con la boca, en cambio, los fuegos fatuos se encienden y se apagan por sí solos. Y a veces caminan. O vuelan. Porque son gas. ¡Gas que sale de los muertos!»

«Nazareno, ¡díselo tú que se calle, a este bobalicón! ¡Es que me pone nervioso, de verdad!»

«Pues no, Clavo. ¡No! Primero le preguntas el porqué, después te niegas a escucharlo y lo insultas. ¡No es justo!»

«Pero, ¿qué quieres que escuche? No hay nada que escuchar. Es un cobarde y se acabó. ¿Dónde están los fuegos fatuos en Chatila? ¿Dónde está la peste a muerto?»

«Clavo, yo de fuegos fatuos no entiendo, no los he visto nunca. De olor, en cambio, entiendo, porque tengo buen olfato. Cuando estaba en la India, por ejemplo, ¡a las seis de la mañana sentía el olor a salvia y a jazmín, aunque estuviera en un establo! Y te garantizo que en Chatila la peste de basura parece justamente peste de muerto. Pero, ¿cómo es que no la sientes? ¿Tú, que estás en el Veintiuno?»

«¡Bah! Yo de olores buenos y malos sólo siento los de la comida. El olor a asado que me gusta mucho, el olor a pescado que me gusta mucho menos, y demás. La peste a muerto yo la sentí donde los americanos y nada más.»

Águila Uno aguzó el oído. Los conocía bien, a aquellos tres. Cuando inspeccionaba a la tropa, en Chatila, se quedaba con frecuencia hablando con ellos. La voz casi infantil era la de Cebolla, un chavalote de la provincia de Caserta, que estaba de guardia en el Veintitrés: el puesto situado junto a la fosa común. Lo llamaban Cebolla porque su cara tenía forma de cebolla, ancha en las mandíbulas y estrecha en las sienes, y porque el color de sus redondas mejillas eran cárdeno como el cárdeno de las cebollas rojas. La voz airada era la de Clavo, un cocinero livornés que estaba de guardia en el Veintiuno: en el mirador del límite entre Sabra y Chatila. Lo llamaban Clavo porque era flaco como un clavo, de su esmirriado cuerpo surgía la cabeza como la cabeza de un clavo y porque todas las veces que abría la boca pinchaba como un clavo. La voz persuasiva era la de Nazareno, el estudiante de Chatila situado en la zona encomendada a los infantes de marina. Lo llamaban Nazareno porque parecía un Jesucristo: rostro demacrado, intenso, ojos a un tiempo rebeldes y serenos, cabellos tan largos que Neblí siempre estaba rezongando. «Mi coronel, si el general ve una melena semejante, ¡lo rapa al cero y nos la cargamos nosotros!» Simpático, Nazareno. Había sido un extraparlamentario exaltado, después había ido a la India y se había convertido al jainismo: la religión que prohíbe hacer daño a cualquier ser vivo y predica la paz universal. Seguro que cambiaría de conversación para poner paz, pero después el altercado estallaría de nuevo y... Ya estaba cambiando de conversación.

«Entonces, Clavo, ¿fuiste tú también a excavar donde los americanos?

«¡Claro! ¿No lo sabías? ¡Huy, la hostia! ¡Cinco días sacando a los muertos! Creía que habíamos ido a sacar a los vivos pero no sacábamos sino a los muertos. Vivos sólo había uno, y cuando lo saqué había muerto también él. ¡Me dieron ganas de llorar, de verdad! Porque los quería a aquellos muertos, ¡créeme! Mientras los rescataba no cesaba de arrepentirme de cuando apoyaba a los árabes y en las manifestaciones me desgañitaba contra los americanos. Cerdos por aquí, cerdos por allá, imperialistas por aquí, imperialistas por allá, maricones, go-home. Me decía: eras lo que se dice un idiota, Clavo, no habías entendido siquiera que los americanos son hijos del pueblo como tú. Y me daban unas ganas de escribir una carta a los del Comité Central del PCI, decirles cuatro frescas, decirles: Fanáticos, sectarios, fanáticos, debéis dejar ya de contarnos mentiras a los jóvenes, ¿¡¿entendido?!?»

«Estoy de acuerdo, Clavo. Yo donde los franceses sentí lo mismo. No consigo quitarme de los ojos aquel saco que parecía un saco de patatas, pero goteaba sangre. Desde entonces no he conseguido comer patatas. Yo, que soy vegetariano. Y cuando pienso en el odio que sentía por todos antes de ir a la India... ¿Qué haces, Cebolla?»

«Pues, mira, ¡me rasco los huevos! ¡Hago conjuros! ¿Te parece oportuno nombrar la cuerda en casa del ahorcado? No os comprendo. Me mareáis con prédicas sobre el miedo y después me metéis miedo con lo de las patatas que sueltan sangre. ¡Me vais a provocar un infarto, de verdad!»

«Discúlpame, Cebolla.»

«¿Por qué te disculpas, Nazareno? ¡No debes disculparte! ¡Ya has visto que no se puede hablar de nada con él! Con cualquier tema que saques, ¡este bobo acaba cagándose en los pantalones! ¡Huy, la hostia! También yo, al llegar, tenía un poco de miedo. Me decía: Clavo, aquí te dejas tú el pellejo. Aquí te dejas al menos una pierna. O me decía: Clavo, tú no llegas a acabar los cuatro meses de alistamiento: tú la palmas antes. Pero después me he acostumbrado, y si me pasa rozando una bala ni pestañeo. La miro como si fuera una mosca.»

«¡Mentiroso!»

«¿¡¿Mentiroso?!? ¡Cuidado con lo que dices, Cebolla! ¡No se te ocurra siquiera llamarme mentiroso a mí!»

«Pues, ¡sí que se me ocurre! ¡Porque no es posible quedarse tan tranquilo cuando te pasa rozando una bala! ¡Y los exaltados son los que tienen más miedo que nadie!»

«¿Quiénes son los exaltados? ¡A ver!»

«¡Los tipos como tú! ¡Los voluntarios! ¡Los tipos como el idiota que la otra noche daba puñetazos sobre el tanque y decía llorando por-qué-estamos-aquí. Conque me cabreó y le dije: No, tú esa pregunta no te la debes hacer. No tienes derecho. Ese derecho lo tengo yo que no quería venir aquí y que al llegar sentí que se me congelaba el cerebro y me quedé ocho días idiotizado. Tan idiotizado, que el capitán lo advirtió y me preguntó: Pero, ¿dónde crees tú que estás? Y le respondí: En Spirinbergo, mi capitán. Creía que estaba en Spirinbergo. En el cuartel de Spirinbergo.

«Tú hablas por hablar, Cebolla. Sabes mejor que yo que no soy voluntario.»

«No eres voluntario, pero siempre estás diciendo que, si no te hubieran mandado, te habrías hecho mandar. Siempre estás diciendo que estar aquí nos sienta bien, que esto es para nosotros una reválida.»

«¡Vaya si lo es!»

«¿Te das cuenta? ¡Exaltado, que eres un exaltado! ¡Deberías haberte metido en paracaidismo! ¡En los comandos!»

«Y tú debías haberte quedado entre las faldas de tu mamá y con el chupete en la boca. ¡Gallina!»

Águila Uno, que había olvidado a Charlie Dos, al niño herido y el B negativo, se apoyó en un árbol para escuchar mejor. Ahora Nazareno los separaría por segunda vez pero no tardarían en encontrar modo de pelearse otra vez y... Ya los estaba separando.

«No insultes, Clavo. Y tú no exageres, Cebolla. También yo tenía deseos de venir a Beirut. También yo me convencí de que Beirut nos hacía mucha falta. Porque conociendo la guerra de verdad, no la guerra del cine, ¡es como aprendes a rechazarla! Hay que verla para entender la atracción venenosa que ejerce sobre el hombre. Y si no nos matan a todos, si no me acierta una bala en la cabeza, creo que en Beirut encontraré precisamente lo que deseo. ¿Tú no, Clavo?»

«¡Bah! Yo ya no sé lo que busco, lo que quiero... Yo ya no sé siquiera quién soy políticamente, puesto que me digo comunista, pero los comunistas han dejado de caerme en gracia. Y tú, ¿qué es lo que buscas? ¿Qué es lo que quieres?»

«La confirmación de que hay que amar la vida. La confirmación de que hay que amar el amor. Y que la vida es amor, como dice el jainismo.»

«¿El jai... qué?»

«El jainismo. Es una religión que descubrí en la India después de haber elegido la no violencia. ¿Quieres que te la explique?»

«No, no, por favor. Me soltarás un rollo incomprensible y yo de cosas indias sólo conozco el pollo tanduri. Pero, políticamente, ¿qué eres tú?

«Políticamente, ya no soy nada. No creo en la política. Antes no creía en los partidos. Y por eso me hice extraparlamentario. Ahora no creo ni en los partidos ni en los extrapartidos, y de todas las ideologías sólo respeto la anarquista. ¿Lo entiendes? ¿Y tú, Cebolla?»

«¿Yo? Yo de política sólo sé una cosa: que los ricos son antipáticos, que los pobres son simpáticos, que hay que creer en Dios, en los santos, en los curas, y votar democristiano. Pero, ¿qué fuiste a hacer a la India? ¿A buscar droga?»

«No, a buscarme a mí mismo. Venía de una aventura equivocada y me buscaba a mí mismo. O, mejor dicho, lo que busco aquí: la confirmación de que hay que amar la vida y amar el amor.»

«¡Nazareno! Aquí no hay ni sombra de amor.»

«No hay. Y sin embargo se comprende mejor que en otra parte. Empezando por el amor a las flores y las plantas. Mira a tu alrededor, Cebolla. Flores y plantas hay pocas, en Beirut. Si sales de esta avenida, encontrar una planta es un lujo. Hasta en El Pinar están casi todas quemadas. Y en las colinas están casi todas cortadas. Por ejemplo, ¿has visto alguna vez un cedro del Líbano aquí? Yo siempre he oído hablar, de los cedros del Líbano, incluso en el "Cantar de los Cantares" se habla siempre de cedros del Líbano, y aquí no se ve ni siquiera uno. Muertos, desaparecidos. Pero, precisamente porque una planta es un lujo aquí, las quieres. Y cuando en Chatila encuentras una margarita entre los escombros, la quieres más que la querrías en un campo de margaritas o en tu casa. ¿Sabes por qué? Porque, al nacer entre las basuras, esa margarita demuestra que la vida es fuerte y preciosa.»

«Puede ser, pero yo no veo florecillas en Chatila. Y si hubiese una, no me molestaría en mirarla ni en pensar las cosas que tú dices. Yo en Chatila sólo miro las sombras y pienso sólo en que me pudieran disparar. Y no amo a nadie, yo, odio a todos: grandes y pequeñines. Es más, a los pequeñines es a los que más odio. Siempre tirándome piedras, llamándome hijo de puta. Sciarmuta, talieni-kaputt, talieni-tomorrow-bum-bum. Pero, ¿por qué tengo que estar allí para que me tiren piedras, para que me insulten?»

«Pero, ¿has oído a este comesantos, este meapilas que sólo se quiere a sí mismo? Ni aunque tuviera la cara bonita. ¿Has oído a este analfabeto que no sabe distinguir siquiera el condicional del subjuntivo? Sólo-pienso-en-que-me-pudieran-disparar. ¡Se dice "podrían", ignorante, no "pudieran"! ¿Es que no has oído hablar nunca de la consecutio temporum, burro? ¿Es que no te da vergüenza decir ciertas cosas? ¿No se te ocurre pensar que esos pobres niños se dedican a fastidiarnos porque nadie los ha mandado a la escuela y no tienen qué comer y no saben siquiera lo que es un huevecito batido con marsala? ¿Es que no piensas en que en esa fosa común hay mil palestinos degollados como cerdos?»

«No, yo pienso en mi pellejo. Y se acabó.»

«Entonces, ¿qué tienes tú en el lugar del corazón? ¿Un buñuelo? ¿Qué es lo que te enseñan los curas y los santos? ¿Para qué crees en Dios? ¿A qué viene eso de que los ricos son antipáticos y los pobres son simpáticos? ¡Hipócrita, fariseo! ¿Qué más eres?»

«Alguien que quiere llegar vivo hasta el final. Alguien que no tiene nada en común con los comunistas como tú.»

«¡Ni que lo digas!»

«Pues sí que tenéis una cosa en común» dijo la voz persuasiva.

«¿En común con él?»

«Sí. En común con él.»

«¿El qué?»

«El grupo sanguíneo, el B negativo. Lo he visto esta mañana, en vuestro historial clínico.»

¿El B negativo? ¡Por la barba de Abraham y la reliquia de san Genaro! Había dicho B negativo. Por fin acordándose de Charlie

Dos y la razón por la que había salido al parque, Águila Uno irrumpió en la tienda de Clavo y Nazareno y Cebolla.

«¿Quiénes son los dos que tienen el B negativo?»

«Nosotros dos, mi coronel» respondió Clavo, echando una ojeada a Cebolla que permaneció callado.

«¿Tú también, Cebolla?»

«Pues... yo... la verdad...»

«¡Él también! ¡Él también! ¡No lo dice porque es un avaro egoísta y mezquino!» gritó Clavo.

«No, es que yo...»

«Harían falta tres unidades de B negativo para un niño árabe que ha resultado herido» explicó Águila Uno con su tono amable. «Y, naturalmente, no quiero obligaros, no puedo obligar a nadie. Pero el general en persona ha hecho la petición, y si os sentís con ánimo...»

«Yo estoy a su disposición, mi coronel» respondió Clavo. Después, dirigiéndose a Cebolla, dijo: «Y tú también debes estarlo, ¡avaro, egoísta, mezquino!»

«Pero, ¿yo qué tengo que ver con eso?» protestó Cebolla, muy fastidiado.

«¡Claro que tienes que ver, piojoso!»

«Conviene recordar que quien dona sangre tiene derecho a un día de descanso» encareció Águila Uno.

¡Hombre! Eso era mejor que inventar un dolor de vientre, una diarrea. Cebolla alzó su carota cárdena y carraspeó.

«Si es así, mi coronel...»

«Bien. Id rápido al hospital de campaña y poneos a disposición de quien se ocupa del asunto. Yo, entretanto, voy a informar a quien debo informar...»

* * *

Angelo llevaba casi una hora esperando cuando Águila Uno volvió a llamarlo para decirle que habían encontrado a los dos voluntarios, y en seguida corrió a donde estaba la joven vestida de rosa. La hizo subir al jeep, la llevó con él al hospital de campaña, donde recogió a Clavo y a Cebolla, y después trasladó a los tres a la clínica chiíta. Pero había transcurrido demasiado tiempo y el médico murmuró, lo siento, el niño ha muerto.

CAPÍTULO CUARTO

–1–

Había muerto y la culpa era suya. Charlie se sentó en la mesa de la Oficina Árabe, se cogió la cabeza entre las manos, y cedió al remordimiento que lo roía. De acuerdo: según la reconstrucción de los hechos, Águila Uno había perdido muchísimo tiempo buscando a los dos voluntarios. Una hora, como poco. Pero Angelo se había portado muy bien, y gracias a su iniciativa el niño podría haberse salvado. No se había salvado porque hasta las seis de la tarde se habían cumplido las órdenes del capitán, y en particular porque el capitán no había querido hablar con la mujer. ¡Ah, si hubiera hablado con ella! ¡Si no se hubiese marchado corriendo y tan apresurado! Tenía prisa, eso era lo que pasaba. Temía no llegar a la cita con Zandra Sadr. Era una cita demasiado importante. ¿Demasiado importante? ¿Más importante que un niño de dos años que se está muriendo, que un pozo de esperanza, que una fuente de posibilidades que se extinguen? La noche antes de que los israelíes evacuaran a los guerrilleros palestinos había conocido a un niño. Un hermoso niño de ocho años, con tupidos rizos negros y ojos inmensos, los ojos que tienen todos los niños de Beirut. Se llamaba Salim. Lo había conocido en un búnker de Bourji el Barajni, donde había ido a parlamentar con un grupo que se negaba a abandonar la ciudad, a explicarles que no marcharse sería un suicidio. Salim le hacía de intérprete, a saber por qué circunstancias extrañas hablaba el inglés a la perfección, y mientras traducía el debate manejaba las armas del búnker. Un arsenal de Kalashnikov, M16, Rpg, pistolas de todo tipo. Las desmontaba y las volvía a montar a toda velocidad, se divertía con ellas del mismo modo que los niños normales se divierten con los juguetes. Eran sus juguetes. Lo habían sido siempre. Al amanecer, el grupo se había convencido de la necesidad de partir y en tono grave, en tono de aprobación, Salim le había dicho: «You have been good with us, has sido bueno con nosotros, capitán. You deserve a gift, mereces un regalo.» Después le había ofrecido una bomba, una Rdg8 rusa. Había escurrido el bulto. No-gracias, Salim, quédatela. No-la-quiero. Pero él había insistido, se la había metido en el bolsillo como un caramelo. «Please, por favor, keep it. Cógela. And make good use of it, y úsala bien.» La había usado bien. La había tirado. Al tirarla, se había preguntado si Salim usaría bien las armas que desmontaba y montaba con tanta habilidad, si las habría tirado, en una palabra, y llegó a la conclusión de que no. Era ya un hombre o, mejor dicho, un viejo acostumbrado a matar, un viejo condenado, pobre Salim. Porque en Beirut un niño de ocho años ya no es un niño, es un hombre o, mejor dicho, un viejo acostumbrado a matar. Un viejo condenado. En cambio, un niño de dos años aún es un niño. Es aún un pozo de esperanzas, una fuente de posibilidades. Cuando muere un niño de dos años, no piensas que muere un posible delincuente, un posible tirano. Piensas que muere un posible salvador, un hipotético Jesucristo. Alguien que si hubiera vivido tal vez habría logrado hacer menos asqueroso este asquerosísimo mundo.

Se puso en pie de un salto, irritado consigo mismo. Con gestos de rabia cogió el catre apoyado a la pared, lo colocó junto al archivo secreto, se tendió en él sin apagar la luz. Ya eran las once de la noche, y se sentía bastante cansado. El encuentro con Zandra Sadr lo había dejado deshecho y le habría gustado quedarse dormido en seguida, pero debía comprobar si Su Eminencia había ordenado de verdad a los muecines que difundieran la frase sobre los italianos y debía permanecer bien despierto hasta la medianoche. Es decir, hasta la plegaria nocturna. Gruñó. Sí, alguien que tal vez hubiera logrado hacer menos asqueroso este asquerosísimo mundo: un posible salvador, un hipotético Jesucristo. Por eso amaba tanto a los niños, por eso había amado tanto a la niña a la que veinte años atrás había llamado mi-hija. ¡Veinte años atrás! Tenía veinte años, veinte años atrás. Estudiaba Ciencias Políticas en Roma, vivía en casa de una arpía que alquilaba cuartos a los pobres, y una noche de otoño lo habían despertado los maullidos de un gato en celo. Conque había ido a buscarlo, en lugar de un gato había encontrado un hato de harapos, y entre los harapos dos minúsculas manos tendidas pidiendo ayuda. ¡Buááá! ¡Buááá! ¡Buááá! «Es de una pareja que se ha marchado sin pagar la cuenta» había respondido la arpía «y yo no la recojo, eso desde luego. Usted la ha encontrado, amigo, y debe quedársela». Se la había quedado. Se había convertido en su madre. Sí señor, su madre. Un hijo pertenece a quien lo acepta, a quien lo ama, no a quien lo concibe para deshacerse de él, ¿y quién ha dicho que un hombretón con bigotes no es capaz de hacer de madre? Como una madre había aprendido a cambiarle los pañales, darle el biberón, lavarla, dormirla, aplacarla siempre que estallaba con sus chillidos. «¡Buááá! ¡Buááá! ¡Buááááá!» Como una madre, velaba por ella, la acunaba, la llevaba a los parques y en ellos se mezclaba con las nodrizas que apiadadas o divertidas lo colmaban de consejos. Cuidado-con-la-temperatura-de-la-leche, cuidado-con-la-consistencia-de-la-caca, cuidado-con-las-encías-cuando-sale-el-primer-diente, ¡y-háblele! Le hablaba, le hablaba. Un niño no es sólo un organismo que alimentar y se acabó. Es un cerebro que se abre, una conciencia que nace, te comprende mejor que un adulto si le cuentas que no has aprobado los exámenes o si le explicas que lo necesitas. Se la llevaba también a la universidad, al aula incluso. Se escondía con ella en la última fila, seguía las clases murmurándole calla-duerme-calla, y qué alboroto la tarde en que había estallado con sus buááá-buááá-buááá. «¿¡Quién es la loca que viene a clase con un recién nacido!?» se había puesto a gritar el profesor. Después, convencido de que el hombretón con bigotes pretendía burlarse de él, había puesto el caso en conocimiento del Rector Magnífico. Menos mal que éste era un tipo crédulo y afable. «Justifíquese, hágame el favor. Le escucho.» «Es mi hija, señor Rector, y no tengo a nadie con quien dejarla durante las clases.» «Déjela con su mujer, ¿no?» «Soy un padre soltero, señor Rector. Fui seducido y abandonado.» «Bueno, en tal caso le autorizo y me congratulo. Tiene usted mucho valor. Y ha asumido una buena obligación, una carga.» ¿Carga? No, no era una carga. Era una alegría. Un desafío a las reglas gazmoñas, a los conformismos estúpidos, y una alegría. De hecho, la llamaba Gioia («Alegría»). Y ella lo llamaba Dada. «¡Gioia!» «¡Dada!» El desafío, la alegría, había durado un otoño y un invierno y una primavera y un verano. Pero un día aciago los padres auténticos, es decir, los canallas a los que la ley calificaba de padres habían vuelto, y tras haber pagado la cuenta a la arpía se la habían llevado. Se la habían arrancado incluso de los brazos. «¡Dada, no! ¡Dada, nooo!» gritaba ella. Dios, qué angustia al oír aquel Dada-no, Dada-no.

Carraspeó, miró el reloj. Las once y media. Encendió un puro, se preparó a esperar otra media hora. No la había vuelto a ver. No había sabido nada más de ella. Y nunca había tenido un hijo. Porque de entre todas las mujeres que había coleccionado, tantas que al pensarlo sentía una especie de náusea, no había habido nunca una dispuesta a regalárselo. Si-lo-quieres-cásate-conmigo. Yo-no-soy-una-yegua-de-montar. Lástima que los hombres no sean caracoles, y para reproducirse necesiten el óvulo. Pero el complejo materno no se le había ido, y se veía con sus Charlies. ¡Hostia, cómo quería a sus Charlies! Aparte de los dos radiofonistas que le había endilgado Pistoia, con ellos se sentía una madre enteramente. Una clueca con polluelos. Y por cada polluelo, oleadas de ansiedad. En especial por Angelo, tan duro y sin embargo tan vulnerable, tan inteligente y sin embargo tan capullo. Pretendía descubrir la fórmula de la Vida, el muy capullo, y no tenía la menor idea de lo que significaba vivir en este asquerosísimo mundo. Ayer había exclamado: «En mi opinión, andar trapicheando con Zandra Sadr es incorrecto, desleal.» ¿Incorrecto, desleal? ¿Para con quién? ¿Para con los americamos y los franceses que cuando el Cóndor les había comunicado la información de Mustafá Hash habían sacudido la cabeza y se habían encogido de hombros, bavardages, cháchara, unfounded rumours, rumores sin fundamento? ¿Para con el bribón de Gemayel que ponía el culo a quien se lo pidiese y estaba dispuesto a traicionar a quien lo protegía? «Abre los ojos, muchacho» había respondido. «Aquí cada cual juega pro domo sua: no existen sino mentiras, hipocresías, alianzas que se disfrazan de enemistades, enemistades que se disfrazan de alianzas. En semejante basurero vale la pena vender el alma al diablo, y si el diablo apesta pues mala suerte: cuando la situación se llena de mierda, te tapas la nariz y soportas la peste.» Pero había sido como hablar a la pared. «No estoy de acuerdo, jefe.» Por si fuera poco, atravesaba por una crisis existencial digna de Hamlet. Antes o después se daría cuenta también su Ofelia: aquella espléndida Ninette con la que no se decidía a concederse un poco de felicidad. Son peligrosos, los Hamlet. Acaban siempre haciendo daño a sí mismos y a los que les rodean. Después de Angelo, Martino. Había algo extraño, en Martino: algo que ocultaba un malestar o un secreto angustioso. Su amabilidad excesiva, tal vez, su docilidad excesiva. No se encolerizaba ni aunque lo reprendieras, no se rebelaba ni aunque lo maltrataras. Como si buscase indulgencia o perdón por un defecto o una culpa. ¿Qué defecto? ¿Qué culpa? ¿La culpa de ser un pésimo soldado, un soldado demasiado dócil, demasiado amable, demasiado diligente? «En seguida, jefe. No se preocupe, jefe. Con mucho gusto, jefe.» En cuanto a los otros tres, lo enternecían. Stefano, encuadernador de libros en Trieste, porque a los veinte años no entendía sino de cubiertas de tela o de piel, de costuras y encoladuras y orlas: ignoraba incluso qué sabor tenía el beso de una muchacha. «Capitán, ¿es difícil tener novia?» En una palabra, era virgen. Fifí, un siciliano rico que cargaba con el peso de veranos deprimentes dedicados a broncearse y frecuentar las fiestas de lujo, porque no tenía nada que dar y nunca aprendería a sufrir. Por algo se atiborraba de hachís para soportar Beirut. Y era inútil prohibírselo o amenazarlo. «Para mí es una medicina.» Bernard le Français, ex camarero e hijo de emigrados a Bruselas, porque era el más desgraciado de todos. No poseía nada, pobre Bernard. Lo que se dice nada. Ni siquiera una lengua. El francés lo hablaba pero no lo escribía, el italiano lo escribía pero no lo hablaba, para superar la vergüenza se mantenía aparte y con frecuencia le decía: «Mon capitaine, le problème est que moi je ne sais ni qui je suis ni quel est mon pays, ma patrie. Je me sens vraiment un poisson hors de l'eau. Capitán, mi problema es que no sé quién soy ni cuál es mi patria. Me siento exactamente como un pez fuera del agua. Il faut que je prends racines dans quelque part, et pour les prendre je risque de me repiquer dans l'armée, devenir un militariste. Comprenez-vous, mon capitaine? Tengo que echar raíces en alguna parte, y para echarlas corro el riesgo de trasplantarme en el ejército, volverme un militarista. ¿Comprende, capitán?»

«Allah akbar, Allah akbar, Allah akbar! Wah Muhammad rassullillah! Inna shahada rassullillah! ¡Dios es grande, Dios es grande, Dios es grande! ¡Y Mahoma es su profeta! ¡En verdad os digo que él es su profeta!»

Medianoche. Charlie se sentó de un salto en el catre para escuchar mejor la cantinela que descendía del alminar de la Rue de l'Aérodrome. Ahora el muecín salmodiaría las invitaciones a salvarse orando, después difundiría los mensajes de Amal y las órdenes de Su Eminencia. Entre ellas, la frase sobre los italianos. Pese a su escaso conocimiento del árabe no podía escapársele: con ayuda de Martino la había redactado él, palabra por palabra. Aguzó el oído. A las invitaciones siguieron los mensajes, a los mensajes las órdenes. Pero la frase no llegó y por unos instantes se quedó confuso. Vejestorio cabrón, se dijo, ¿lo habría embaucado? Pero después llegó a la conclusión de que no, la frase llegaría con la plegaria del alba, y resignado a la idea de quedarse despierto toda la noche volvió a cavilar sobre Bernard le Français que temía volverse un militarista. Comprenez-vous, mon capitaine? ¡Vaya si lo comprendía! El ejército es una máquina diabólica, y el militarismo un engranaje mortal. ¿Sabes cuál es la receta para joder a los reclutas desde el momento en que llegan al cuartel, Bernard? Primero se les hace formar con sus trajes de paisano en la explanada para que recuerden que pertenecen a una sociedad carente de igualdad, es decir, un consorcio en el que hay quienes visten bien y quienes visten mal. Después se les hace ponerse el uniforme para que se hagan la ilusión de que entran en una fraternidad de iguales, es decir, un consorcio en el que todos visten con los mismos trajes. Inmediatamente después se les idiotiza con la instrucción y las marchas que te dejan reventado. Y-al-marchar-cantad-así-guardaréis-el-paso. (Pero el paso nada tiene que ver, Bernard. Lo que importa es que al cantar no piensan, y al no pensar no se dan cuenta de que los están jodiendo.) Por último se anula su personalidad, su individualidad. Porque el soldado no debe ser un individuo, una persona: debe ser parte de un núcleo perfecto que actúa al unísono. ¿Y sabes cuál es el ingrediente para obtener un núcleo perfecto o casi perfecto? El odio. El odio colectivo, es decir, dirigido hacia el mismo blanco, y no el blanco representado por el enemigo que la guerra te ofrece o te ofrecerá: el blanco representado por un paria con el grado de sargento. El sargento zafio, ignorante, cuya tiranía padeces, la que le ha delegado el teniente a quien le ha delegado el capitán al que le ha delegado el comandante al cual le ha delegado el coronel a quien le ha delegado el general al que le ha delegado la Máquina, el sargento al que han enseñado a berrear como se enseña a un cantante a gorjear do-re-mi-fa-sol-la. Sí, le han enseñado a usar la voz para mandarte y joderte y humillarte, Bernard. Y él la usa en el modo prescrito. «¿Tú eres licenciado? Muy bien, pues ve a limpiar las letrinas.» En cambio, al campesino y al obrero: «Cacho patán, ¿de qué cloaca vienes? ¿No sabes ni contar, borrico?» Después desprecios, adiestramientos forzosos, canalladas, hasta que licenciados y campesinos y obreros lo odian en igual medida, y se ha conseguido el núcleo casi perfecto. «Casi», porque falta el toque final, el ingrediente decisivo, y adivina cuál es el toque final. El ingrediente decisivo. Es el amor. El amor concentrado en el mismo blanco que esta vez es el teniente o mejor aún el capitán.

En una palabra, el oficial bueno, comprensivo, paternal, que escucha y consuela e incluso te habla de usted. «¿Usted es licenciado? Estupendo, me alegro. ¿Usted es campesino? Estupendo, me complace. ¿Usted es obrero? Estupendo, me congratulo.» O bien: «Sí la reprimenda del sargento ha sido excesiva: se lo reprocharé a mi vez. Quiero ser un amigo, para vosotros, en caso de necesidad dirigíos a mí.» ¿Necesidad? ¿Qué necesidad? Ahora la única necesidad que sienten es la de recibir amor, darlo, y del odio al sargento pasan al amor al teniente o al capitán. Es-mi-capitán. Por su capitán aceptan cualquier sacrificio, cualquier martirio, están dispuestos a palmarla. Con él saltarán fuera de la trinchera, con él se lanzarán contra la ametralladora que siega, con él matarán al enemigo, es decir, al desgraciado que al otro lado de la barricada ha sufrido idéntico tratamiento, con él palmarán como bueyes en el matadero. Y esto, huelga decirlo, sin que sospechen ser víctimas de un sucio embrollo, las ruedas de un engranaje bien engrasado y bien inspeccionado. Perenne.

Volvió a encenderse el puro que se había apagado, se restregó los párpados que empezaban a pesarle de sueño. Entonces, ¿por qué permanecía en la Máquina o, mejor, por qué había entrado en ella? Pues había entrado por náusea, por soledad, por pesimismo. La náusea de vivir como un debilucho burgués que pretende redimirse mediante aventuras mediocres: ora estibador, ora cocinero a bordo de un mercante, ora estudiante de Ciencias Políticas al que las Ciencias Políticas se la sudan y a cambio ofrecen una vía para complacer al padre abogado y la madre dentista que no cesan de gimotear anda-hombre-acaba-la-carrera. La soledad en que se ahogaba pese a su colección de mujeres, el pesimismo en que languidecía con su melancolía de meridional triste e incapaz de abrigar esperanzas optimistas, y por tanto resignado a lo peor. ¿Qué hago yo con la licenciatura en Ciencias Políticas?, se preguntaba, ¿adónde voy después? ¿Me busco un empleo en algún Ministerio, me meto en la carrera diplomática, me hago canciller en una embajada o cónsul en Timbuctú? Y, al final, vencido por su timidez, en lugar de defender la tesis ya lista se había presentado a la oficina de reclutamiento: Academia de Cadetes. Sí, has entendido muy bien en qué clase de trampa has ido a caer, Bernard: el ejército ofrece siempre raíces a quien no las tiene. Es el club más hospitalario del mundo, el refugium peccatorum de todo aquel que busque un albergue en el que alojar sus incertidumbres o sus fracasos, y no rechaza a nadie. Mucho menos a los peces fuera del agua. Les proporciona una cama para dormir, un comedor para comer, un amigo para charlar. Pero sobre todo, Bernard, decide por ti. Administra tu hoy, organiza tu mañana. Haz-esto, haz-lo-otro. Harás-esto, harás-lo-otro. El futuro deja de constituir un dilema, en el ejército, y el cuartel se convierte en tu patria. Tu casa, tu patria. Había sido así también en su caso. Los cuarteles se habían convertido en su casa, su patria. Por eso seguía. ¿En función de qué necesidad salirse, por lo demás? No tenía una esposa, ni una amante fija, ni un vínculo o un objetivo por el que valiera la pena subvertir lo subvertible. Sólo tenía una gran rabia encima. Una rabia que se reavivaba dondequiera que encontrase motivos para demostrarse cuán asqueroso era este asquerosísimo mundo, y que en Beirut se había inflamado gracias al basurero a que había aludido Angelo: las mentiras, las hipocresías, las alianzas disfrazadas de enemistades, las enemistades disfrazadas de alianzas. Por ejemplo la del señor presidente Amin Gemayel y el príncipe socialista-millonario Walid Jumblatt que hasta hacía un par de años habían haraganeado juntos, juntos habían competido con Ferraris y Porsches por la corniche Charles de Gaulle, habían ido de juerga a los caros night-clubs de la costa, habían holgazaneado por las piscinas del Saint George, habían conducido la veloz lancha con la que un verano habían segado la vida de un niño pobre que estaba nadando. «Peor-para-él-debía-saber-que-aquel-trecho-de-mar-es-privado.» Y que después de la expulsión de los guerrilleros palestinos, se habían repartido el botín al que los israelíes habían renunciado inexplicablemente: un caudal de Katiushas, tanques Sherman, cañones rusos D30 de largo alcance...

Tiró el puro. Estaba tan cansado, ahora, que ya no podía fumar siquiera. Se tendió en el catre demasiado corto para su gigantesca estatura, hizo una mueca de disgusto. Ahora guerreaban el uno contra el otro, los dos ex haraganes. Porque, cuando en pleno tumulto habían elegido presidente a Gemayel, Jumblatt se había vuelto loco de envidia. Se había llevado a las montañas del Chouf sus Katiushas y sus Sherman y sus D30 y después se había puesto a bombardear la residencia de su antiguo amigo, es decir, el palacio presidencial de Baabda, que distaba de la base Rubí apenas dos kilómetros en línea recta. Pero al mismo tiempo, farsa de farsas, traficaban juntos para duplicar sus riquezas. Armas, municiones, hachís, Coca-Cola, pasta de huevo, conservas de tomate, medicamentos, bancos y, dulcis in fondo, la industria de la construcción que sacaba provecho de cada bombardeo puesto que sobre los escombros se podía volver a construir y subía el precio del terreno. ¡Qué cuestiones ideológicas y religiosas ni qué niño muerto! A los Gemayel y a los Jumblatt les importaban tres cojones Jesucristo, la Virgen, san Marón, el Mesías por parir o, mejor dicho, defecar en los calzoncillos de un hombre. Disparaban y mataban por sus intereses económicos, sus ávidos racket, los infames. Éste era el país del privilegio más indecente, de la corrupción más vil, de la infamia más degradante. Un no-país en el que las leyes existían sólo para beneficiar a quien las promulgaba: al estilo italiano. De acuerdo, también los musulmanes gestionaban sus racket de armas y de hachís. También los musulmanes hacían dinero con la tragedia de la ciudad, y los chiítas eran cualquier cosa menos unos santos. Se vengaban de modo cruel con los palestinos que los habían oprimido, colaboraban con los Hijos de Dios, les facilitaban los camiones para las matanzas, se los aparcaban en los patios de sus barrios. Barrios en los que los cristianos no podían entrar y en los que no se movía una hoja sin que Amal lo supiera. Pero, en nombre de Jesucristo, de la Virgen, de san Marón, del Mesías por parir o, mejor dicho, defecar en los calzoncillos de un hombre, habían estado oprimidos durante siglos: los eternos siervos de la gleba, el eterno pueblo buey que por una brizna de heno ara la tierra de los demás. Así pues, entre los contendientes él elegía a los eternos siervos de la gleba, el eterno pueblo buey que por una brizna de heno ara la tierra de los demás. Se lo había dicho incluso a Zandra Sadr, durante el encuentro. Y Zandra Sadr se había quedado tan impresionado, que había aceptado al instante la frase, había prometido difundirla como y cuando el capitán deseaba: cinco veces al día, desde lo alto de los alminares, junto con las plegarias... Ah, qué cansancio... qué sueño... No conseguía esperar más al alba... Apagó la luz, volvió a tenderse en el catre. Se quedó dormido.

* * *

Lo despertó la claridad que anuncia la salida del sol y el muecín que salmodiaba la plegaria del alba. Allah-akbar, Allah- akbar, Allah-akbar. Volvió a sentarse en el catre. Volvió a aguzar el oído. Volvió a escuchar los misteriosos preceptos: Las invitaciones, los mensajes, las órdenes. Y esta vez la frase llegó. Diez palabras que en el silencio resonaron con más fuerza que cañonazos.

«Ma'a tezi al-talieni! Al-talieni bayaatuna el dam! Al-talieni ejuaatúna bil dam! ¡No toquéis a los italisnos! ¡Los italianos nos dan sangre! ¡Los italianos son nuestros hermanos de sangre!»

Eran casi las seis y dentro de poco el Cóndor llamaría para preguntar: «¿Qué, Charlie? ¿Lo ha conseguido o no?» Ya estaba en pie, el Cóndor. Se lo oía andar de acá para allá nervioso. Se oía también el elegante trote de Caballo Loco, el ir y venir sereno del Profesor, y por el pasillo del sótano estaba pasando Azúcar. Abría la puerta de su Museo, entraba, y en el escenario del contingente la tragicomedia se enriquecía con personajes que, aunque hasta ahora han permanecido entre bastidores, estaban inevitablemente vinculados entre sí.

–2–

Azúcar entró y su gran nariz en forma de berenjena vibró con un placer casi salvaje, su afable rostro se ensanchó en una sonrisa de felicidad. Siempre hacía lo mismo cuando al amanecer entraba en la gran sala al fondo del pasillo del sótano, es decir, el local que llamaba mi-Museo. Meticulosa colección de armas rusas y americanas, chinas y checoslovacas, suizas y yugoslavas, suecas e israelíes, minuciosa reliquioteca de ametralladoras pesadas y ligeras, pistolas y bazookas, cohetes y misiles, granadas y bengalas, mechas detonantes y deflagrantes, bombas de humo, lacrimógenas, de mano, de relojería, de fusil, de mortero, de avión, de artillería, así como minas contra tanques, contra hombres, contra búnkeres, cartuchos de tritol, cajas de nitroglicerina, dinamita, pentrita, balistita, trampas explosivas, en una palabra, los instrumentos de la muerte distribuida con la guerra. Los amaba. Los coleccionaba como los zares Alejandro III y Nicolás II coleccionaban los huevos de Carl Fabergé, como Jean Duc de Berry coleccionaba manuscritos miniados, y naturalmente entendía de armas como los dos zares entendían de gemas y esmaltes, Jean Duc de Berry de pergaminos y miniaturas. En realidad, era un artificiero, y la infernal reliquioteca era el fruto de haber pasado un año manejando aquel material. «Reúna una escuadra y asegure la viabilidad de las calles, de las callejuelas, de los viaductos. Limpie hasta la última Cluster del sector italiano y los barrios que habremos de proteger» le había ordenado el Cóndor, cuando había visto los artefactos dejados por el asedio israelí y la ocupación palestina. Y había reunido la escuadra, una decena de comandos, entre ellos Angelo y Gino; durante meses había desenterrado minas, había recogido bombas, había neutralizado trampas, había confiscado armas y municiones. Pero, ¿acaso se puede pedir a un experto que tire los Fabergé regalados por Nicolás a Alejandra Feodorovna? ¿Se le puede pedir que queme las páginas del calendario pintado por Paul de Limbourg para las *Très Riches Heures*? Había piezas raras entre las minas y las bombas y las trampas o las armas confiscadas, y en lugar de destruirlas Azúcar se las había llevado al sótano para conseguir lo que a su juicio superaba en valor al tesoro del Kremlin o a las joyas de la Corona custodiadas en la Torre de Londres.

Ahora bien, cumplidas las órdenes del Cóndor, la escuadra no se había disuelto. Habría sido inadmisible en una Beirut donde los bombardeos dejaban siempre cohetes o granadas sin explotar y donde siempre había alguien que llamaba para implorar ayuda, he-encontrado-una-Rdg8-en-el-retrete, un Katiusha-en-el-patio, dos-Cluster-en-el-jardín. Corran-por-el-amor-de-Dios. Conque había seguido incrementando la colección y había añadido una pequeña oficina para desactivar en paz los artefactos más difíciles o más interesantes. «¡Deténte, deténte! ¡Has llegado al detonador! No destornilles la capucha, no la destornilles, ¡que estalla! ¡Estallaaa!» Así que, en teoría, el Museo era un polvorín que en cualquier momento podía saltar en pedazos con el Cuartel General. Bastaría una cerilla, la colilla de un cigarrillo, un gesto equivocado. En la práctica, no, porque Azúcar era un genio en su campo: aun cuando no hubiera visto nunca el objeto que estaba desmontando, lograba hacerlo inofensivo sin cometer errores. Por eso lo estimaban todos. Lo estimaba el Cóndor que además de haberle encomendado el encargo de limpiar el sector italiano y los barrios por proteger le permitía mantener semejante polvorín, lo estimaba el Profesor, lo estimaba Pistoia, lo estimaba incluso Charlie al que desagradaba su amor por las armas y que habría dado cualquier cosa por no compartir el sótano con él. En cuanto a Caballo Loco, lo admiraba hasta el punto de perdonarle el defecto de ser un simple teniente desprovisto de blasones y con escasas posibilidades financieras. «Rara avis est» relinchaba contento. «¿Lo habéis observado alguna vez cuando se inclina sobre esos artilugios y los examina con sus elegantísimas manos? Tiene el toque de un orfebre, de un cirujano.» Después lo comparaba con Jean-Baptiste Bessières, duque de Istria y comandante de la guardia de Napoleón, muerto de un balazo en la cabeza la víspera de la batalla de Lützen: «Bessières no era un maestro de la estrategia y por desgracia no poseía bienes personales, pero sus capacidades y su valor alcanzaban cimas tan altas, que el emperador comentó su desaparición con estas palabras: Vivió como Bayardo, murió como Turenne.» Tanto Caballo Loco como los demás ensalzaban, por último, su mansedumbre, su afabilidad, y sólo quien estaba o había estado a sus órdenes sabía que Azúcar no era exactamente un azúcar.

Lo llamaban así porque de su afable rostro emanaba una dulzura casi azucarada y porque nunca adoptaba poses petulantes ni marciales. Al contrario, se obstinaba en parecer cortés, sosegado, en ofrecer el retrato del buen ciudadano incapaz de matar una mosca. Marido de una mujer muy cabal, y padre de dos hijas muy cabales a las que adoraba, alababa con frecuencia los gozos de la familia en contraposición a los tormentos del cuartel. Católico sincero, iba a misa los domingos y antes de acostarse rezaba al menos un padrenuestro. Según explicaba, de muchacho había acariciado el sueño de abrazar la carrera eclesiástica y a consecuencia de reveses familiares se había visto obligado a renunciar a ella para trabajar en una empresa de Busto Arsizio: la ciudad donde había nacido. Se ruborizaba por nada, le costaba Dios y ayuda berrear del modo sugerido por el Reglamento, pero su auténtico carácter correspondía muy poco a tales características y Caballo Loco no exageraba al compararlo con Jean-Baptiste Bessières: Azúcar era un militar nato. Él no aborrecía, no, la Máquina que te jode con el amor y con el odio. No lanzaba acusaciones contra la fórmula que anula al individuo y lo funde en el núcleo perfecto. Al contrario, se complacía con ser una rueda del engranaje: «Mi profesión es la más hermosa del mundo» afirmaba. «No la cambiaría ni siquiera para ser un rey o un multimillonario.» Y si le preguntabas qué lo había inducido a descubrir aquella vocación, respondía: «Un tric-trac.» Y después contaba que en la empresa de Busto Arsizio estaba contento y satisfecho de sí mismo, del bienestar que aquel tipo de vida le procuraba. Un empleo excelente de perito técnico, un salario adecuado, un futuro sereno por organizar con la que sería su esposa. Pero a la entrada y a la salida debía fichar con una tarjeta que al caer en el dispositivo emitía un sonido irritante, el típico sonido del aburrimiento burgués: ¡tric-trac! Y un día se había rebelado. Había renunciado al empleo excelente, al salario adecuado, al futuro sereno y se había alistado en paracaidismo para pasar muy pronto al batallón de comandos. Ni el menor arrepentimiento, desde entonces. Ni la menor nostalgia. Y si intentabas comprender cómo hacía para conciliar todo esto con su timidez, su alabanza de los gozos de la familia, sus misas dominicales, sus padrenuestros, te perdías en los laberintos del alma humana. Aquellos dos rostros convivían en él con desconcertante desenvoltura y al convivir se revelaban por turno como los dos rostros del buen doctor Jekyll que por la noche se convierte en el pérfido Mr. Hyde, el pérfido Mr. Hyde que por la mañana vuelve a ser el buen doctor Jekyll.

Cerró la puerta tras sí, avanzó entre sus tesoros, y obedeciendo a un ceremonial ya cotidiano se puso a inspeccionarlos uno por uno. Primero los fusiles, después las ametralladoras, las pistolas, los bazookas, los cohetes, los misiles, las granadas, las mechas, los cartuchos, los explosivos, las trampas. Y más que un Alejandro III o un Nicolás II arrobado en la contemplación de un Fabergé, más que un Jean Duc de Berry absorto en el encanto de las *Très Riches Heures*, ahora parecía un floricultor que examinaba cada pétalo y cada pistilo para cerciorarse de que las flores de su invernadero no han sido profanadas por dedos extraños. Muchachos excelentes, los comandos de su escuadra, pero un poco indisciplinados. Decían no-se-preocupe-teniente-no-toco, y luego tocaban siempre. Esa caja de cerillas, por ejemplo. Ayer estaba en el borde del estante, esta mañana dos centímetros más adentro: señal de que alguno de ellos la había tocado. La cogió con delicadeza, la examinó para admirar por enésima vez su primitiva ingeniosidad. La habían inventado los palestinos y era un artefacto tan sencillo que hasta un niño habría podido copiarlo. Bastaba sacar las cerillas, substituirlas por un poco de tritol, meter en el tritol una minúscula mecha conectada con la lengüeta, y si la usabas para encender algo..., ¡bang! Recibías la explosión en la cara. Volvió a dejarla en el estante. Tras pasar de largo ante los juguetes mecánicos, los cochecitos y camioncitos que rellenos de pentrita estallaban cuando les dabas cuerda, se detuvo ante seis gatitos de yeso y seis cabezas de muñeca. Eligió una cabeza de muñeca, acarició su redonda carita, sus mofletudas mejillas, su naricilla respingona. ¡Menudo! Ésta superaba con mucho la eficaz rudeza de los cochecitos y los camioncitos o la primitiva ingeniosidad de las cajas de cerillas. La recogías pensando qué-lástima, una-muñeca-rota, después la tirabas o la volvías a dejar donde estaba y saltabas en pedazos con lo que hubiera en un radio de cinco metros. Los gatitos de yeso, ídem. Los palestinos estaban tan orgullosos de ellos que, aun sin plástico, seguían fabricándolos: para venderlos como souvenirs. Diez dólares la pieza, con el rótulo «Palestinian Revolution». La fábrica estaba en Bourji el Barajni. ¿Y qué decir del Rain Toy, la pistola de agua que en lugar de agua lanzaba un chorro de ácido? Había recogido varias, en los primeros meses. Sin contar las Cluster es decir las pequeñas minas antihombre que los guerrilleros expulsados por los israelíes habían dejado en las aceras, en los prados, a lo largo de los viaductos, en las zonas de aparcamiento, en las casas abandonadas, e incluso en las escuelas desiertas. Quintales de ellas había desenterrado, ¡quintales!

Concluyó la inspección, se desplazó al fondo del local donde una bomba de doscientos kilos descansaba sobre una mesa atestada de sierras, serruchos, barrenos, punzones, destornilladores, pinzas, tenazas, limas, martillos. Era una bomba de avión que había quedado sin explotar en medio de un patio, y se la había llevado allí porque siempre había soñado con estudiar en paz semejante maravilla. Las bombas de avión son las más difíciles, por tanto, las más fascinantes, y se disfruta estudiándolas en paz. Lo malo era que no conocía aquel tipo, no tenía la menor idea de cuál era su estructura interna y, si bien había logrado determinar y desactivar el mecanismo de descarga, aún no había conseguido descebarla. Tocar ciertos materiales es como para cagarse en los pantalones, verdad, ¡y no veas qué canguelo al desmontar una batería en la que basta que pongas los dedos para desintegrarte! De todos modos el problema grave se había planteado a la hora de quitar los cilindros que contienen los detonadores mecánicos. En el choque con el suelo las dos espoletas se habían deformado tanto que las estrías exteriores casi habían desaparecido, e imagínate las consecuencias. En realidad, para quitar los cilindros hay que destornillarlos con mucha cautela, si no los detonadores mecánicos entran en función, para destornillarlos con mucha cautela hay que utilizar una llave inglesa, y en las estrías casi borradas la llave inglesa no aferraba: resbalaba más que un jabón mojado. Así que en un mes sólo había quitado la espoleta de la cola: menos desgastada porque la bomba había caído bien, es decir, cabeza abajo. En cambio, la espoleta de la cabeza no se había movido ni siquiera un milímetro, y era inútil intentarlo con las pinzas u otras herramientas. Resbalaban del mismo modo. Ayer había probado con el punzón y el martillo. Se percibía una pequeña muesca en los residuos de una estría, conque esperaba que apoyando en ella el punzón y golpeando con el martillo se pudiera girar el maldito chisme. Pero con el punzón y el martillo pegas a ciegas, no sientes si hay que girar el cilindro a la derecha o a la izquierda y al menor error... «¡Azúcaaar! ¡Va usted a volar el Cuartel General!» gritaba el Cóndor. Pues sí. Tal vez debería usar las manos y nada más. Pero en un caso así hacen falta manos robustas, junto con ellas un cerebro de calidad, y semejante combinación sólo se encontraba en los dos que ya no le pertenecían: Angelo y Gino. Pues sí: con su fuerza de toro Gino habría podido desplazar una montaña untada de aceite, con su inteligencia Angelo se habría dado cuenta en seguida de si había que girar el puñetero cilindro a la derecha o a la izquierda. Y ninguno de los dos le pertenecían ya. A Angelo se lo había robado Charlie: «Lo siento, Azúcar, pero me hace falta en la Oficina Árabe.» A Gino se lo había robado Halcón: «Lo siento, Azúcar, pero me hace falta en Bourji el Barajni.» De la escuadra que había limpiado el sector italiano y los barrios palestinos ya sólo le quedaban tres o cuatro mediocres, entre ellos Rocco: un tipo que sobresalía tanto por los músculos como por el cerebro. Es decir, poco. Y, encima, enamorado. Siempre deshojando la margarita del me ama, no me ama. ¿Quién iba a confiar una bomba de avión sin explotar a un enamorado que...?

«¡Cóndor Zeta!, ¡aquí Cóndor Uno!»

La motorola chirrió para transmitir la autoritaria voz del Cóndor, y Azúcar pareció ponerse firmes de un salto.

«Cóndor Uno, ¡aquí Cóndor Zeta! ¡A sus órdenes, mi general, a sus órdenes!»

«¡Cóndor Zeta! ¡El jefe de sector de Bourji el Barajni nos informa de que entre el Campo Tres y el Campo Cuatro hay un camión sospechoso que bloquea la entrada!»

«¿Un camión, mi general?»

«¡Un camión, un camión! ¡Vaya inmediatamente! ¡Le sigo!»

«Sí, mi general. En seguida, mi general.»

Y tras coger los instrumentos salió corriendo. Charlie, que salía del sótano, apenas tuvo tiempo de preguntarle adónde corría y después despertar a Angelo. Rápido-muchacho, vamos-nosotros-también-a-ver-qué-sucede.

–3–

Era contrario a todas las reglas separarse de la patrulla, un jefe de escuadra no debe alejarse nunca de sus hombres, y hacerlo en Bourji el Barajni era particularmente peligroso. Siempre se presentaban chiítas que pretendían pasar con las armas, jomeinistas que buscaban bronca, e Hijos de Dios que junto con los mullah atormentaban a los italianos de los tanques. Sin embargo, de improviso Gino se había detenido entre el Campo Tres y el Campo Cuatro, los dos puestos situados a lo largo de la callejuela en la que los palestinos habían erigido un monumento a su Soldado

Desconocido. Con tono categórico había ordenado a sus hombres que fueran a descansar cerca del Campo Cinco, y se había quedado solo. Cuando una poesía te estalla dentro y debes detenerte para liberarla, fijarla en un pedazo de papel, ¡no puedes tener a los demás en torno! Se reirían de ti. Sobre todo si tienes un corpachón de peso pesado y un rostro rubicundo con barba de ogro y dos manos que parecen hechas para dar puñetazos o manejar la pala, los otros no entienden en absoluto que los versos son para ti una necesidad más fuerte que la de comer y beber. No puedes explicárselo, que los versos te sirven para expresar tu tristeza, tus sueños, tus ansias de joven de veinticinco años desilusionado, y hoy el horrendo presentimiento que la doble matanza ha dejado en ti. Se cercioró de que la patrulla se había alejado. Se sentó al pie del monumento, una tosca estatua que representaba a un guerrillero armado con un Kalashnikov. Sin abandonar el M12 se colocó sobre las rodillas el cuaderno que le había regalado sor Françoise, cogió la pluma, y escribió:

Hacía sol aquel domingo.
Un hermoso sol de octubre,
y lo saboreaba con la memoria.
Sorbos de dulzura los recuerdos
de una infancia remota y presente,
cuando el sol de octubre salía
para tocar las campanas
de la primera misa
y traerme los perfumes del bosque
donde corría descalzo y perseguido
por la voz afligida de mi padre:
«Gino, ¡ven a ponerte los zapatos
que vamos a la iglesia!»
Hacía sol y de pronto
dos alas negras lo apagaron.
Las alas de la Muerte que caía
a pico abierto sobre
mis hermanos desconocidos
mis compañeros nunca vistos.
Cayó, los arrebató, se los llevó en la negrura
después los dejó caer
como hojas secas
luego se fue volando sin volverse
pero con la promesa de regresar.

Prometiendo regresar... Volvió a guardar la pluma y el cuaderno en el bolsillo del chaleco antibalas. Reprimió un escalofrío. ¡Y pensar que antes de venir a Beirut esta ciudad no era para él sino un puntito en el mapa! Ni siquiera sabía que los palestinos vivían aquí y no en Palestina, que los israelíes y ellos estaban enfrentados, que además de ellos estaban los Hijos de Dios y los cristianos llamados maronitas en recuerdo de un san Marón muerto quince siglos atrás, que los cristianos tenían ojeriza a los musulmanes, que los musulmanes tenían ojeriza a los cristianos y a varios grupos de todas las formas y colores, que, en una palabra, todos creían en un dios diferente y con la disculpa del dios diferente se degollaban como cerdos. Ciertos detalles los había sabido la víspera de la partida consultando el Atlas De Agostini o leyendo los periódicos y... No pienses en eso, Gino, no pienses en eso. Piensa en tu Toscana, mejor, en los domingos en que el sol salía para tocar las campanas de la primera misa y tú corrías descalzo por el bosque. Piensa en tu papá que te llamaba, Gino-ven-a-ponerte-los-zapatos-que-nos-vamos-a-la-iglesia, en la casa en que habías nacido y crecido... ¡Dios mío, qué casa más hermosa era! Tan grande, que cada habitación parecía una plaza. A veces subías al desván, trepabas hasta el tejado, y robabas los pajaritos que hacían el nido bajo los canalones. Para asarlos a la parrilla. Una crueldad. El caso es que los niños son crueles, inocentes y crueles, dice el poeta Rainer Maria Rilke. Y lo que no mata engorda: en su casa no cenaban filetes precisamente. Cenaban tortillas, patatas, judías. Salvo los días en que su papá compraba mortadela o cobraba un poco de caza. Una vez había ido también él. Y al primer disparo había conseguido un aguzanieves. ¡Pobre aguzanieves! Estaba aún caliente cuando lo había recogido, del pecho le brotaba una gota de sangre, pero en lugar de apiadarse se había excitado y se había puesto a disparar cargadores enteros contra cualquier criatura que volara. Pinzones, paros, agateadores, tordos. Tenía quince años, disparando se sentía un hombre, y nadie le explicaba que cuanto menos disparas más hombre eres. Pero la había pagado. Porque cuando volvía a casa con el morral lleno los carabinieri lo habían pillado, y con aquel aire de superhachas a los que todo está permitido la habían tomado con su padre. Preguntas y más preguntas, hojas y más hojas, advertencias, amenazas. Al final un sargento muy bestia había redactado un informe lleno de errores sintácticos, ni un solo verbo correcto, y le había requisado el permiso de armas con el sello recién renovado y la cuota recién pagada. Le habían dado ganas de llorar, del disgusto. Perdóname, papá, había exclamado. Y su papá había hecho una cosa que no volvería a hacer nunca. Le había dado un beso. ¡En la mejilla!

Cerró los ojos, conmovido. Era aparcero, su papá: uno de los supervivientes de la moda de emigrar a la ciudad para hacerse verdulero. Se llamaba Bighero, que quiere decir Duro, y era bajo de estatura pero fuerte. Levantaba el dornajo de los cerdos como si fuera una escudilla, los troncos de los árboles como si fuesen pajitas, y él se le parecía: a los siete años ya guiaba el arado con los bueyes, a los diez cavaba un campo en media hora, a los catorce levantaba sacos de un quintal. Tal vez porque comía mucho. Comenzaba la jornada con media hogaza de pan, el que su madre hacía todos los sábados, y a mediodía era capaz de meterse entre pecho y espalda todo un perol de polenta dulce. La harina de castañas, verdad, cocida y nada más. ¡Más buena! Sin contar el vino que se trincaba en lugar del café con leche. «No te pongas en camino, si no has bebido el vino», decía el abuelo. Bellos tiempos, bellos lugares. En verano, cuando no trabajaba la tierra, iba a pescar albures en el torrente. Los pescaba con una cañita de bambú secada al sol, un sedal hecho con hilo de coser que robaba en casa, un alfiler doblado de anzuelo, después se los llevaba a su madre que los freía con flores de calabaza. Después de cenar, jubaban a la lotería con los garbanzos. O pelaban las panochas de maíz, mientras escuchaban las historias de su papá. Relatos de brujas y hechiceros porque su papá creía en los encantamientos y en las magias. Incluso el año que habían enfermado los cerdos había creído que se trataba de un encantamiento o una magia, un maleficio, en una palabra, lanzado por los envidiosos, y para anularlo había corrido a casa del brujo de Montevarchi que haciendo oscilar una moneda de Pío IX había sentenciado: «Ahora ve, Bighero, que tus cerdos están curados.» Su papá se había marchado y había encontrado a los cerdos curados de verdad. En cambio a veces contaba los amores del rey de Francia, María Antonieta, la Pompadour, etcétera. Quería participar en un concurso televisivo llamado «¿Lo dobla o lo deja?» y había elegido los reyes de Francia para consolarse de que los de la televisión le hubieran rechazado el de Mussolini, persona por él muy querida. «De acuerdo, cometió algunos errores» decía. «Lo aconsejaban mal. Pero sus trenes llegaban y salían a su hora.» Era el único defecto de su papá, aquella admiración suya por Mussolini. Por lo demás, mira, un santo. Por ejemplo, nunca le daba una bofetada. Sólo patadas en el culo. Y sin hacerle daño. Le pegaba más su madre. Bastonazos en la espalda hasta dejarle señal y de nada servía que el abuelo protestara: «Para, desgraciada, para.» Su madre le pegaba por lo de la escuela. En realidad, en la escuela iba bien en italiano y en gimnasia, escribía redacciones bellísimas que la maestra elogiaba y se sostenía en la barra de equilibrios mejor que un atleta, pero en matemáticas no se aplicaba bastante. Y en conducta menos aún, pues fumaba en clase.

Ofreció al sol los párpados cerrados, bufó divertido. Fumaba papel amarillo enrollado o clemátides que son raíces de plantas trepadoras y se encuentran en el torrente cuando se va a pescar. Primero se secan, después se cortan, y luego se fuman. ¡Más buenas, también éstas, más buenas! Por lo demás, ¿quién le iba a dar los cuartos para comprar cigarrillos de tabaco? Cuartos no tenía ni siquiera para ir a la escuela en autobús. Usaba la bicicleta, para ir a la escuela: doce kilómetros de ida y doce de vuelta, veinticuatro kilómetros al día. Después, a los dieciséis años, trabajando de peón se había ganado dos billetes de cien mil. Y había comprado un televisor, acontecimiento a consecuencia del cual la vida había cambiado para todos y sobre todo para él. Se acabaron la lotería, los relatos de brujas y hechiceros y el rey de Francia, todas las noches cine. En blanco y negro, porque el aparato en color costaba demasiado, pero en blanco y negro te diviertes más porque la fantasía añade los colores que quiere y sueñas mejor. ¿Con qué soñaba? Muy sencillo: con hacerse rico boxeando. Naturalmente habría preferido hacerse rico con las poesías que escribía inspirándose en las de los demás, pero ¿has oído hablar alguna vez de alguien que se haya hecho rico con las poesías? En cambio, con el boxeo sí que te haces rico: mira esos narizotas que no saben limpiarse los mocos siquiera y sin embargo se ven con Mercedes, chalet y mayordomo. Por lo demás, ¿qué camino vas a elegir cuando has nacido en el campo donde el mundo sólo repara en ti si matas a tu mujer y la cueces en el perol? Se lo decía incluso a la maestra que al verlo dejar K.O. a los tirillas de la escuela, se enfurecía y gritaba malo, ¿por-qué-le-has-hecho-daño, malo? «Porque quiero hacerme rico, señora maestra, porque no quiero seguir de campesino.» Bueno, pues había logrado no seguir de campesino. Un verano había ido a Roma a ver a su tía Ermengarda, y su tía Ermengarda tenía un pretendiente de uniforme. Un tipo de Livorno que llevaba una boina roja amaranto, en ésta un distintivo con dos alas y una especie de paraguas. «¿Qué boina es?» le había preguntado. «La boina de paracaidista» había respondido él. «La boina del privilegio.» Conque, impresionado por la palabra «privilegio», se había alistado y se había lanzado en paracaídas. ¡Un miedo, la primera vez! Mientras bajaba a cincuenta metros por segundo, no cesaba de pensar en la desesperación de su papá: «¡Es un chisme peligroso, el paracaídas! Si no se abre, ¡vas a despachurrarte sobre un campo de trigo!» Y, con el corazón en un puño, se preguntaba: ¿Se abrirá?

Sonrió extasiado. Se había abierto. De repente había sentido un tirón, el casquete se había soltado, se había inflado y lo había vuelto a elevar por un instante, ¡y qué maravilla! ¡Qué escalofrío de felicidad! Le parecía que era una pluma llevada por el viento, y mientras fluctuaba en todo aquel cielo gritaba: «¡Estoy volando! Soy yo, Gino, ¡y estoy volando!» Después, gracias a Livorno, había descubierto el mar. Hay un montón de mar en Livorno, ¿y quién habría imaginado tanta agua junta? En el campo sólo había el agua del torrente, que se deslizaba entre los cantos verdes de musgo y la balsa para pescar anguilas y albures. Una balsa chiquita, deslucida por la sombra. En cambio en Livorno el agua estaba por doquier, luminosa, gloriosa, azul: el mar se perdía en el horizonte y de noche tocaba las estrellas. Había aprendido a nadar en él, a bajar a las profundidades, ¡y qué mundo allá abajo! Peces de todas clases y colores, plantas con tentáculos en lugar de ramas, montañas fabulosas, cavernas misteriosas. Cosas como para escribir cien poemas. Después del mar, la satisfacción de ser seleccionado para el cuerpo de los comandos. Y si eso significaba estar en el cuartel con Azúcar y los camorristas que sacan pecho y dicen boberías como ojalá-llegaran-los-rusos, les-daríamos-para-el-pelo-nosotros, pues paciencia. Si de vez en cuando le tocaba llegar a las manos con ellos, dejarlos tendidos como a los tirillas de la escuela, pues paciencia. «¡Qué vais a dar para el pelo, tontainas! ¿Y si os dan ellos a vosotros?» Si a fuerza de dejarlos tendidos se había creado fama de toro que siempre vence, con-Gino-no-hay-quien-pueda, con-Gino-hay-que-andarse-con-ojo, pues paciencia; si en determinado momento se había vuelto un tontaina también él, pues paciencia. Barba de ogro, pelo al estilo mohicano, motocicleta estridente. Pantalones de piel negra, botas con espuelas, chaqueta con el rótulo «Ride the life and the life will ride you» o «Live to love and love to live». Se los cosía su tía Ermengarda que para no perder al pretendiente ahora interesado por una de Viareggio lo había seguido pegada a él como una lapa hasta Livorno. Mientras se los cosía sacudía abatida la cabeza y suspiraba: «Pero, ¿qué lengua es? ¿Qué quieren decir estas palabras, Gino?» «Es inglés, tía, y la primera frase quiere decir

"Cabalga la vida, que la vida te cabalgará". La segunda quiere decir "Vive para amar y ama para vivir". Cose, tía, cose.» Llevaba también camisetas con una calavera fosforescente, brazales con punzones, y un pendiente encendido con pila. Iba de macho californiano, en una palabra, y nada le importaba que Azúcar protestara tienes-que-moderarte-Gino-es-una-afrenta-a-ladignidad-del-batallón. Cuando no estás de servicio, tienes derecho a andar con la pinta que te parezca, ¿y qué gracia tiene pasar inadvertido o mezclarse con los camorristas que fuera del cuartel se olvidan de los rusos y se visten como pijos con corbata de Gucci? El pendiente había durado poco. La pila se descargaba en seguida, apagado no valía un pimiento, conque lo había substituido por las cadenas, que llevaba bien a la vista en el manillar de la motocicleta estridente. Le gustaba tanto que a su paso la gente murmurara: «Es malo, ése. Es-un-gamberro.» Había sido Angelo quien le había hecho comprender que Barbara tenía razón al decirle que se comportaba como un bobo. «Mira, Gino, cuando entras en la pizzería vestido enteramente de negro, con la cresta en el cráneo, las calaveras en el estómago, las espuelas en las botas, etcétera, lo siento por ti.» Era un amigo de verdad, Angelo. Aparte de sor Françoise, el único que había conocido en aquellos años. Y como sor Françoise lo juzgaba por lo que tenía dentro, no por lo que parecía por fuera...

«Dakikatain, dakikatain!»

Volvió a abrir los ojos, turbado por el repentino retumbar de un camión que pasaba delante de él y después por una voz que gritaba deki-katein. Deki-katein? ¿Qué diablos significaba deki-katein? ¿Y de dónde salía aquel camión? ¿Adónde iba? ¡Huy, Dios! A ninguna parte. Tras obstruir el paso completamente se detenía, el conductor saltaba al suelo, alzaba la mano derecha, separaba los dedos índice y medio en forma de V como señal de victoria, y tras repetir deki-katein desaparecía por una callejuela y al instante se cerraban las puertas de las casas. Bajaban los cierres. Se puso en pie de un salto. Se lanzó hacia el vehículo abandonado, lo inspeccionó. Nada, no presentaba nada anormal, sin embargo el conductor había huido y mientras huía había separado los dedos en forma de V como señal de victoria. ¡Lo he logrado, victoria! ¿Por qué? ¡Oh, Dios, el tercer camión! Sin kamikaze esta vez, accionado por una bomba de relojería. Se lanzó sobre la motorola. Llamó al jefe de sector de Bourji el Barajni. «Atención, atención, ¡aquí el comandante de la patrulla!» gritó. «¡Camión sospechoso entre el Campo Tres y el Campo Cuatro! ¡El conductor ha huido y creo que está a punto de explotar! ¡Poneos a cubierto, poneos a cubierto!» Después sin preocuparse de esperar la respuesta, se agazapó al pie de la estatua al guerrillero desconocido, y se dispuso a esperar la explosión. Pero la explosión no llegaba y de repente comprendió. ¡Qué va! ¿Qué sentido tendría desperdiciar el tercer camión para matarlo a él y nada más, a los habitantes del callejón y nada más? Se trataba de un camión inofensivo, ¡qué caramba!: ¡el conductor había bajado presuroso porque tenía necesidad de orinar! Al separar los dedos en forma de V no quería decir victoria, lo he logrado, victoria: quería decir voy-a-orinar, vuelvo-dentro-de-dos-minutos. Dakikatain, dos minutos: ¡ahora lo recordaba! Se lanzó de nuevo sobre la motorola. Volvió a llamar al jefe de sector de Bourji el Barajni para explicar el equívoco, pedir que diera el cese de la alarma. Pero el jefe de sector llegaba ya con seis paracaidistas, y detrás de ellos Azúcar con sus artificieros, detrás de Azúcar el Cóndor con su escolta y Pistoia, detrás del Cóndor Angelo y Charlie. Todos juntos se lanzaban sobre el camión y de nada servía intentar explicarse: no lo escuchaba nadie. Y menos que nadie el Cóndor que guiaba el asalto excitadísimo.

* * *

«¡Silencio, comando, silencio! ¡Después nos lo cuentaaas!»

«Pero, mi general...»

«¡Silencio, he dicho, silenciooo! Y usted, Azúcar, ¡busque bajo la cajaaa!»

«Ya he buscado, mi general, ¡no hay nada! ¡Ahora busco en la cabina!»

«Sí, en la cabina, ¡en la cabinaaa! ¡Bajo los asientos! ¡En el hueco del motor! ¡En los intersticios de las portezuelas! Saque la masonite, ¡sáquelaaa!»

«¡La saco, mi general, la saco!»

«Y en los compartimientos, rápido, ¡en los compartimientos de las herramientaaas!»

«Mi general, los compartimientos están cerrados con candado, ¡ahora vamos a buscar un destornillador!»

«¡Qué destornillador ni qué niño muerto, Pistoia! ¡Hay que romperlos con el pico! ¡Con el picooo!»

«¡Los rompo, mi general, los rompo!»

«Y las ruedas de recambio, ¡rápido! ¡Artificieros, rápidooo!»

«Ya las hemos desinflado, mi general, ¡y están vacías! ¡Ahora vamos a desinflar las del vehículo!»

«¡Cómo que desinflar! ¡Se tarda demasiado en desinflaaar! Rajen las cubiertas, ¡el explosivo puede estar ahí dentrooo!»

«¡Con el pico no se pueden rajar, mi general!»

«¡Rájenlas con la bayonetaaa!»

«¡No, la bayoneta no, mi general! ¡Mejor la pattada sarda!» intervenía Pistoia mostrando un puñal afiladísimo, su pattada sarda, y abalanzándose con él.

«¡La pattada, sí, la pattada!»

Parecían langostas sobre un campo de trigo. Arrancados los asientos, vaciado el hueco del motor, extraída la masonite de las portezuelas, rotos los compartimientos de las herramientas, el camión se deshacía a una rapidez espantosa: sólo Angelo y Charlie, que se mantenían aparte y con los brazos cruzados, no participaban en aquel vandalismo. Así, cuando el conductor volvió, de su vehículo no quedaba sino el armazón. Y en la callejuela se elevó un gemido desgarrador.

«Yahallah! ¡Dios mío! Yahallah! Dakikatain, two minutes, deux minutes, dos minutos, ¡había pedido! Dakikatain farsar, dos minutos para mear...»

Junto al gemido desgarrador, el refunfuñar abatido de Gino.

«¡Lo había comprendido yo! ¡No me habéis dejado abrir la boca!»

Junto al refunfuñar abatido de Gino, el reproche satisfecho del Cóndor.

«¡Hay que dar la alarma aunque se trate del vuelo de un mosquito, comando!»

Junto al reproche satisfecho del Cóndor, la carcajada alegre de Pistoia.

«¡Qué chasco! Pero, ¡nos hemos divertido un poquillo!»

Junto a la carcajada alegre de Pistoia, el comentario amargo de Azúcar.

«No, estas cosas no se hacen así. No ha sido un trabajo de profesionales.»

Junto al comentario amargo de Azúcar, la diplomática voz de Charlie que consolaba al conductor deshecho en lágrimas.

«Sanafta lakom!», ¡te indemnizaremos!»

Angelo se acercó a Gino. Le echó afectuoso el brazo por los hombros.

«No te lo tomes a mal, Gino.»

«¡Sí que me lo tomo a mal!» respondió Gino. «¡Mira cómo le han dejado el camión! Parece el tractor de mi padre, ¡cuando se le cayó rodando al fondo del barranco!»

«Pues sí. S = K ln W...»

«¿Qué es eso?»

«Una ecuación, Gino. Una fórmula...»

«¡Pero bueno! Siempre has sido una tabla de multiplicar, tú. Muchos números y pocas palabras. ¿Para qué sirve esa ecuación, esa fórmula?»

«Para expresar el caos, Gino. Para buscar otra fórmula...»

«¿Qué fórmula?»

«La fórmula de la Vida.»

«¿¡¿Existe acaso?!?»

«Debe existir, existe.»

«Humm... Exista o no, tengo unas ganas inmensas de raparme al cero, cortarme la barba y marcharme con los naranjas. Los monjes tibetanos, ¿verdad?, los que van vestidos de naranja y llevan una campanilla en el pie para decir a las hormigas apartaos-que-si-no-os-aplasto. Mira, estoy lo que se dice harto de nuestro oficio. Creía que me iba a traer a un jardín hermoso y lleno de fuentes, esa boina roja amaranto, pero, por desgracia, el jardín hermoso era un jardín sin agua. Y, estando en él, siento una gran sed. Se lo he dicho también a sor Françoise...»

«¿¡¿Sor Françoise?!?»

«Sí, la monjita del convento que trabaja en el Rizk... Hasta luego, Angelo, vuelvo con la patrulla.»

«Hasta luego, Gino.»

Se separaron y Angelo se fue con Charlie y Gino con su patrulla. Sin embargo, al cabo de poco se detuvo. Volvió a coger la pluma y el cuaderno, se apoyó en la pared de una casucha y escribió muy rápido otra poesía que le había estallado dentro. Una poesía sobre sí mismo:

> Y así vivo en mí, para mí, de día en día,
> cada día esperando un nuevo día:
> descontento, angustiado, siempre solo,
> ante el abismo abierto de un jardín
> que amaba y donde caminaba

para beber en una fuente bien sellada.
Quisiera caer en ella con mi sed.
Pero cuando veo lo que no tengo,
lo que podría tener, lo que me falta,
desafío al abismo y vuelvo a caminar
para escribir mi cuento
sin mañana ni esperanza y sin embargo
lleno de sueños y de fuentes como
si tuviera una cosecha de mañanas.

Entretanto en el patio del Cuartel General Angelo deambulaba como un Hamlet que desvaría en las brumosas explanadas de Elsenor. Y se disponía a saciar la sed entre los brazos de su Ofelia.

–4–

Lo había angustiado mucho, aquella enésima victoria de la entropía boltzmanniana. A cada golpe de pattada o de pico, a cada mordisco de las langostas que devoraban el camión, una especie de náusea y una sensación de derrota. Lo había entristecido mucho el abatimiento de Gino que decepcionado por la boina roja amaranto, soñaba con raparse al cero, cortarse la barba de ogro, vestirse con la túnica de los monjes tibetanos y ponerse una campanilla en el pie para decir a las hormigas apartaos-que-si-no-os-aplasto. Era el único amigo que tenía, Gino, el único que había conseguido penetrar la corteza de su incomunicabilidad. Pero sobre todo le había alterado el sermón que Charlie le había echado antes de encerrarse dentro del despacho del Cóndor. «Ya me imaginaba que se trataba de una falsa alarma. ¿No has oído esta mañana al muecín?» «No, jefe. Estaba durmiendo.» «Si no lo has oído esta mañana, lo oirás a mediodía. Y al atardecer y todas las veces que descienda de los alminares la plegaria. Se te hará el oído a ello, muchacho. Y de ahora en adelante, ¡ay de ti, si hablas de incorrección y deslealtad!» ¿Incorreción, deslealtad? Había bajado en seguida a buscar a Martino, y preguntarle qué había dicho esta mañana el muecín. Martino no estaba, conque se lo había preguntado a los demás: «Fifí, ¿qué ha dicho esta mañana el muecín?» «¡Bah! Habrá dicho que Alá es grande, que Mahoma es su profeta y que no hay que beber vino ni comer carne de cerdo» había respondido Fifí. «Stefano, ¿qué ha dicho esta mañana el muecín?» «¿El muecín? ¿Qué muecín?» había respondido Stefano.

«Bernard, ¿qué ha dicho esta mañana el muecín?» «Bah! Moi je ne parle même pas l'italien, penses-tu si je peux comprendre le muezzin qui parle arabe. Yo no hablo siquiera el italiano, conque imagínate si voy a comprender al muecín, que habla árabe» había respondido Bernard le Français.

Conque en espera de que volviera Martino había subido al patio a deambular como un Hamlet que desvaría por las brumosas explanadas de Elsenor. Suspiró. Sin hacer caso de las dos voces que discutían a poca distancia, la de Azúcar y la de una corresponsal de guerra a la que llamaba la-periodista-de-Saigón porque había estado mucho tiempo en Vietnam, se apoyó en la pared exterior del mirador. Tal vez el muecín no hubiera dicho nada de lo que pudiesen avergonzarse. Tal vez lo que había dicho borrara la vergüenza de la entrega de plasma sanguíneo a quien los mataba, y por eso Charlie le había lanzado a la cara el ay-de-ti-si-de-ahora-en-adelante-hablas-de-incorrección-y-deslealtad. Tal vez estuviera olvidando la sintonía que se había establecido entre ellos o el interminable minuto durante el cual habían esperado la muerte en la parte trasera del patio y mientras la esperaban habían seguido mirándose fijamente a los ojos, como si quisieran entrar el uno en el cerebro del otro y en el corazón del otro: intercambiarse el alma. Tal vez debería intentar comprender sus lawrencearabismos, sus intrigas. Tal vez sus lawrencearabismos y sus intrigas fueran justos y necesarios... Suspiró de nuevo. Se puso a escuchar la discusión que se desarrollaba a poca distancia.

«Pero, ¡yo no me he criado en un monasterio!» protestaba Azúcar. «¡A mí no me han enseñado a ofrecer la otra mejilla y perdonar! ¡A mí me han enseñado a disparar, degollar, matar del modo más eficaz y con las menores pérdidas posibles! ¡Le repito que hay que eliminar al adversario cuando está de rodillas! ¡Ése es el momento en que se le clava el cuchillo en el vientre! Aunque usted se escandalice.»

«No me escandalizo, teniente» replicaba la periodista de Saigón. «Yo llevo años viendo y viviendo las infamias que a usted le enseñaron sobre el papel y en las prácticas en Livorno. De guerra entiendo más que usted, y la ferocidad humana ya no me escandaliza. Ni siquiera me sorprende ya. En cambio, la incoherencia sí. Porque primero me cuenta que cree en un Dios misericordioso, un Dios que predica el deber de ofrecer la otra mejilla y perdonar, y después me repite que hay que eliminar al adversario cuando está de rodillas. Y en ese momento es en el que se le clava el cuchillo en el vientre, me dice. Entonces, ¿cree en ese Dios o no?»

«Desde luego que creo. ¡Desde luego que sí! Pero soy un soldado y el oficio de soldado es el oficio de matar. Es también otras cosas, de hecho no se elige por el gusto de matar, pero su fin último es el de matar. Y creer en Dios no impide ser un soldado que hace bien su oficio, es decir, que sabe matar bien: del modo más eficaz, con las menores pérdidas posibles, y sin discutir. Porque un soldado no debe discutir. Debe obedecer y se acabó.»

«Cualquiera que sea la orden. ¿Verdad, teniente?»

«¡Exacto! Cualquiera que sea la orden, ¡exacto!»

«Así que, si su general le ordena degollarme, usted me degüella. Tal vez a regañadientes, pero me degüella.»

«Desde luego que le degüello. ¡Desde luego que sí! Y, perdone la franqueza, sin desagrado ni complacencia. Cuando mata, un soldado no siente desagrado ni complacencia. Hace su oficio y se acabó. Debería usted saberlo.»

Con un gesto de fastidio se apartó del mirador, se puso a caminar otra vez arriba y abajo en el patio. Precisamente así: no era, desde luego, Azúcar el tipo que se va con los monjes tibetanos, los-que-van-vestidos-de-naranja. Con tal de obedecer y ser obedecido, se habría degollado a sí mismo y habría arrestado a su propio cadáver. Una noche, en Livorno, los había mandado a Gino y a él a hacer prácticas de orientación nocturna. Veinte kilómetros a pie, sin luna ni brújula. Quiero-ver-si-conseguís-arreglároslas-sin-brújula-y-con-el-único-punto-de-referencia-de-la-Estrella-Polar. En seguida se habían perdido en un bosque. Un bosque tan tupido que el cielo parecía hecho de hojas. En realidad, ni siquiera con la luna se reconocía dónde quedaba el norte y dónde el sur. Entonces habían llamado por radio: «Teniente, nos hemos perdido en un bosque, ya no sabemos dónde queda el norte y dónde el sur.» Respuesta: «¡Mirad la Estrella Polar!» «Teniente, no se ve la Estrella Polar.» «¡Cómo que no se ve! La Estrella Polar está a medio camino entre el Carro Mayor y la Cintura de Casiopea, es decir, a cinco largos del varal inferior del Carro Mayor, o sea, de las dos estrellas opuestas a la lanza del carro. ¿¡Es que lo habéis olvidado!?» «No, teniente, es que aquí no se ve el cielo, no se ven las estrellas. Se ven las hojas y nada más.» «Si no se ven, ¡buscadlas!» «¿¡¿En el bosque?!?» «En el bosque, sí, ¡en el bosqueee!» Se habían puesto a buscarlas en el bosque, como si fueran setas, y al alba Gino había encontrado setas de verdad. Un prado entero lleno de níscalos, oronjas, colmenillas. Se había llenado el morral, se las había llevado a Azúcar y: «Mi teniente, no encontramos la Estrella Polar. En el bosque no había estrellas; en cambio, de éstas sí. Son buenas, cocínelas.» Bueno, pues Azúcar había reaccionado imponiéndoles seis días de arresto a los dos. Sentencia: «Culpables de haberse distraído buscando setas durante una práctica de orientación nocturna.» Todo lo contrario que Charlie que no le había castigado ni por la insubordinación cometida el domingo de la doble matanza cuando había escapado a donde los americanos con su jeep y su conductor, ni por el embrollo de ayer por la tarde cuando había embaucado a Águila Uno haciéndole creer que quien exigía las dos transfusiones de B negativo era el Cóndor. Orden-del-general. Qué buen hombre, Charlie. Uno del que te podías fiar, se dijo. Y en aquel preciso instante, allí estaba Martino.

«¿Me buscabas, Angelo? ¿Querías verme?»

«Sí. ¿Qué ha dicho esta mañana el muecín?»

Martino lo miró sorprendido.

«La frase, ¿no?»

«¿Qué frase?»

«¡La frase que Charlie dio a Zandra Sadr!»

«¿¡¿A Zandra Sadr?!?»

«Sí, Charlie se la dio a Zandra Sadr y Zandra Sadr se la dio a los muecines.»

«¿¡¿Qué dice esa frase?!?»

«Dice: Ma'a tezi al-talieni! Al-talieni bayaatúna el dam! Al-talieni ejuaatúna bil dam!»

«¡Traduce!»

«No toquéis a los italianos, los italianos nos dan sangre, los italianos son nuestros hermanos de sangre. Bonita, ¿eh? Mira, hasta en árabe suena bien. Tiene una cadencia de balada popular y cuando Zandra Sadr la oyó...»

Pero Angelo ya no lo escuchaba. Presa del desdén, de la decepción, del dolor impotente que abruma cuando nos damos cuenta de haber sido traicionados precisamente por la persona en la que habíamos puesto nuestra confianza, qué-buen-hombre-Charlie, uno-del-que-te-podías-fiar, había dado media vuelta y se alejaba en silencio. Se acercaba al Leopard, con una seña pedía al jefe del tanque que se apartara, le dejase salir, salía. Cruzaba la Rue de l'Aérodrome, se dirigía desarmado hacia la glorieta del viaducto, y si le hubieran preguntado adónde iba no habría sabido responder. No pensaba sino en la frase de Charlie, en la vergüenza con que los cubría. Ma'a tezi al-talieni. No toquéis a los italianos. Al-talieni bayaatúna el dam.» Los italianos nos dan sangre. Al-talieni ejuaatúna bil dam. Los italianos son nuestros hermanos de sangre.

Y-si-no-lo-has-oído-esta-mañana-lo-oirás-al-mediodía, al-atardecer, todas-las-veces-que-descienda-de-los-alminares-la-plegaria. Ni siquiera veía a la gente que pasaba a su lado, los automóviles que pasaban como flechas por la avenida. Conque no vio el taxi que de repente frenaba para dejar bajar a una espléndida mujer vestida de rojo. No vio a la espléndida mujer que se apeaba ondeando sus largos cabellos castaños con reflejos de oro y llamándolo con un trino de alegría.

«Angel! My angel!»

Sólo la advirtió cuando tuvo encima su atractiva sonrisa, sus increíbles ojos violeta, su sólido y perfumado seno, su contagiosa jovialidad, y como de costumbre no comprendió casi nada de lo que le farfullaba en inglés. ¿Algo sobre los demasiados días transcurridos? Too-many-days, too-many. ¿Algo sobre la ardiente impaciencia por volver a ver? Impatience, tremendous impatience. Pero las cuatro palabras las comprendió bien, las cuatro palabras let-us-make-love, vamos a hacer el amor, let-us-make-love. Y de pronto la deseó como no la había deseado nunca. Más que un deseo, esta vez, una necesidad. La necesidad de unir su cuerpo a su cuerpo pero no para tener un momento de éxtasis sino para volver a saborear la vida que la cabeza decapitada dentro del casco y la niña empotrada de cabeza en el retrete y el niño muerto desangrado y ahora el dolor de descubrirse traicionado por Charlie le habían envenenado. Y oyó su voz responder lo que nunca había querido responder.

«Tonight, esta noche, Ninette.»

El trino de alegría se convirtió en un grito de gozo.

«Tonight!?! Really tonight? ¿De verdad esta noche?»

«Really tonight, de verdad esta noche, Ninette.»

«Promise? ¿Prometido?»

«Promise. Prometido, Ninette.»

«Oh, darling, cielo, darling! I'm so happy! ¿Soy tan feliz! I'll come back at seven. Volveré a las siete. ¿Ok?»

«Ok, Ninette.»

«We will go to a hotel and stay there until morning. Iremos a un hotel y nos quedaremos en él hasta mañana. ¿Ok?»

«Ok, Ninette.»

Después regresó al Cuartel General y tardó unos minutos en sentir que había ocurrido algo importante, muy importante y peligroso. Entonces experimentó un profundo malestar, como el presentimiento de una catástrofe que a continuación del tonight-esta-noche, se abatiría un día sobre ellos dos y sobre los demás. ¿Y si Ninette fuera una agente de los jomeinistas, una añagaza tendida por los Hijos de Dios? En esta ciudad insidiosa y traicionera, esta cueva de celadas y engaños, toda sospecha constituía una hipótesis en los márgenes de la realidad. Puesto que ella no revelaba ni siquiera su nombre y su dirección, esa hipótesis parecía más que legítima. Por lo demás advertías algo extraño en Ninette, algo enigmático, anormal incluso. La obsesiva tenacidad con que lo había cortejado y engatusado en aquellos meses, por ejemplo. Su irrefrenable alegría, su irreprimible euforia. Ambas tenían algo de exagerado, forzado, y a menudo se transformaban en charcas de inercia: sombrías abulias durante las cuales parecía reflexionar sobre un secreto que la atormentaba. Extraño, sí, extraño... Pero después llegó a la conclusión de que se equivocaba, de que en Ninette no existía nada enigmático ni anormal. ¡Qué iba a ser una añagaza tendida por los Hijos de Dios! Era simplemente una mujer que ofrecía demasiado amor. Por tanto, lejos de anunciar una catástrofe que a continuación del tonight-esta-noche se abatiría sobre ellos dos y sobre los demás, el profundo malestar y el casi presentimiento nacían del riesgo de verse arrastrado por aquel demasiado amor... ¿O por su miedo al amor? Un día había consultado la palabra «amor» en el diccionario, y el diccionario daba la siguiente definición: «Sustantivo masculino derivado del latín amor. Significa afecto intenso hacia una persona, arrebato afectivo que hace desear el bien y la compañía de una persona, intensa atracción sentimental o sexual, dedicación total a un principio.» Se lo había enseñado al capellán del batallón, quien había sacudido la cabeza: «Oh, no. El amor es mucho más. Es entregarse a un ser humano, vivir para ese ser humano, renunciar a sí mismo. Es desinterés, generosidad. El máximo de generosidad.» Bueno, pues él no se había entregado nunca a nadie. No había vivido nunca para nadie, y la idea de renunciar a sí mismo le horrorizaba como la idea de ser amado de aquel modo. Si amas o eres amado de ese modo, dependes de la persona que te ama o a la que amas como un recién nacido depende de su madre, como un feto depende de la placenta que lo contiene. Dejas de ser un individuo: eres un apéndice del ser humano al que te entregas o que se te entrega, para el que vives o que vive para ti, y el amor se convierte en la peor de las esclavitudes. No, gracias. Mejor la amistad. Un amigo no exige lo que exige un amante. No pretende contratos exclusivos, entregas totales. No encadena con los perversos grillos del sacrificio. Y debía explicárselo a Ninette: te necesito, te deseo, pero no quiero ni amarte ni ser amado como decía el capellán de mi batallón. ¿¡¿Debía?!? Aquel deber sacaba a relucir el problema a la hora de comunicar, el hecho de que para comunicar hiciera falta una lengua, y en aquellos dos meses la tonta no había aprendido ni una palabra de italiano. Peor aún: en una ciudad donde todos sabían francés, se negaba a susurrar un bonjour, a saber por qué. En cuanto a él, no tenía de verdad tiempo de aprender árabe ni inglés. Y si en árabe no conocía sino las palabras na'am, la, shukrán, aamel maaruf; lesh, shubaddal, mish fahem, en inglés no lograba siquiera emplear el auxiliar do, necesario para poner los verbos en negativo. Para decir Ninette-no-te-amo, por ejemplo, ¿en qué punto intercalas el do? ¿En el punto en que intercalas el pas cuando dices Ninette-moi-je-ne-t'aime-pas, o no? Ninette, I-do-love-you-not... Ninette, I-not-love-you-do... Ninette, I-do-not-love-you... Lo pensó un buen rato, y al final decidió que el problema se resolvía escribiendo una carta y encargando a Martino que se la tradujera. La escribió, se la dio a Martino que se la tradujo un poco violento, la copió escrupulosamente. Pero al copiarla le pareció que el tono era demasiado frío, demasiado racional, que para atenuarlo hacía falta un regalo. Conque salió a buscar una joyería.

La encontró en la Rue Farruk, una callejuela de Gobeyre, a poca distancia de Chatila. Se la indicó un viejo ciego que fumaba el narguile sentado en una silla. Era un viejo muy viejo, tenía dos pupilas tan lechosas que parecían blancas, y captaba los ruidos con tal sensibilidad que adivinaba en seguida a quién tenía delante. Incluso qué quería.

«Cherchez-vouz la bijouterie? ¿Busca la joyería?» le preguntó sin dejar de fumar el narguile. «Oui...» admitió con estupor. «C'est à côté de vous, mon soldat. Está junto a usted, soldado.» Entró en ella presa de una inquietud bastante parecida a la que había experimentado en el banco de la clínica chiíta, cuando había sentido la presencia inasible pero tangible de Ninette, y por unos minutos se quedó examinando indeciso la mercancía que el dependiente le proponía. ¿Qué elegir? Un anillo, símbolo de unión y fidelidad, no, desde luego. Una pulsera, tal vez. Un broche, un collar para el cuello. «Pour une femme musulmane ou chrétienne? ¿Para una mujer musulmana o cristiana?» preguntó en determinado momento el dependiente. «Chrétienne, cristiana» respondió. «Dans ce cas j'ai exactement ce que vous voulez, en ese caso tengo exactamente lo que usted busca.» Y, tras abrir un cajón cerrado con llave, extrajo el último objeto que podías esperarte en el barrio más chiíta de la zona oriental: una cadena de oro de la que colgaba una cruz en forma de ancla o, mejor dicho, un ancla que en realidad era una cruz. En efecto, el asta y la barra formaban una cruz con un pequeño Cristo de cuyo costado caía una minúscula gota de rubí. Una reliquia secreta de la Beirut feliz, pensó, de los bellos tiempos en que la ciudad no estaba dividida en dos partes y en el oeste vivían también los cristianos. Después lo compró sin vacilar y sólo hacia las siete menos cuarto de la tarde se dio cuenta de que entre todos los regalos del mundo un ancla en forma de cruz era el menos idóneo para acompañar una carta que impugnaba los vínculos y rechazaba el amor. Pero ya era demasiado tarde para volver a cambiarla en la Rue Farruk. Ninette llegaba siempre tan puntual.

* * *

También esta vez llegó puntual y rebosante de felicidad. En cambio, él se sentía nervioso, atravesado por inesperados complejos de culpa. «À quel hôtel? ¿A qué hotel?» preguntó violento. «One in Junieh, uno de Junieh» gorjeó Ninette. ¿¡¿Junieh?!? Era otra ciudad, Junieh: a veinte kilómetros del centro de Beirut y cuarenta minutos del Cuartel General. «¡Oh, no!» protestó echando una ojeada al M12 y al uniforme. «Oh, sí» dijo ella, riendo divertida. Después lo empujó al taxi, que en seguida partió hacia la Avenue Nasser, recorrió su trecho inicial, giró a la derecha en la Rue Argan y después a la izquierda en El Pinar, cortó por la rotonda de Sabra donde el casi presentimiento se convirtió en un presentimiento preciso. Pero no quiso escucharlo, su racionalismo se negaba, y mientras pensaba tonterías-tonterías el taxi se internó por el paseo que conducía a la glorieta de Tayoune: el paso más cercano y más cómodo para cruzar la Línea Verde e introducirse en la zona oriental. A este lado del puesto de control, una escuadra de paracaidistas franceses. Al otro lado, una de gubernamentales. «Où allez-vouz?» preguntaron los paracaidistas, sorprendidos de ver a un sargento armado que viajaba en un taxi con una mujer. «À l'hôspital Rizk» los tranquilizó. «Bon. Passez.» Dio la misma explicación a los gubernamentales y cuarenta minutos después estaban en Junieh. «Stop!» dijo Ninette, cuando el taxista estuvo ante un edificio destartalado con el rótulo «Hotel». Entraron, un portero desaliñado y sudoroso los miró con hostilidad. «Sijil, documentos.» Con diestra desenvoltura Ninette le puso en la mano un billete de cincuenta dólares y al instante la hostilidad se transformó en cordialidad. La cordialidad, en una llave con un cartelito: «Chambre Royale, Cámara Real.» ¿¡Real!? Era el cuarto más deprimente que Angelo había visto en su vida. Sólo había una gran cama con la colcha cubierta de manchas inequívocas, una mesita de noche con una lámpara desconchada, dos sillas, un lavabo sucio, y un bidé no menos sucio. Y las paredes estaban cubiertas con azulejos: detalle del que deducías que antes de ser un hotel el miserable lugar había sido un burdel. Se asomó a la ventana. Daba a un patio interior del que subían voces groseras y nauseabundos olores de comida. Se retiró decepcionado.

«¡Ninette!»

«It doesn't matter, darling. No importa, cielo» dijo riendo Ninette. Y encogiéndose de hombros apartó la colcha con manchas inequívocas. Después se cercioró de que las sábanas estaban limpias, se desvistió, se tumbó desnuda en la cama, y tendió los brazos hacia él.

«Please, por favor, darling, cielo.»

Desnuda era bella con una belleza muy distinta. Su cuerpo perdía atrevimiento e inesperadamente evocaba la fragilidad de un vidrio soplado de Murano, de una copa preciosa que hay que sostener en la mano con cautela y elegancia. Delicados los hermosos senos, las hermosas caderas de curvas suaves, transparente la piel surcada aquí y allá por la sombra de venas finísimas. «Please, darling, please» repitió, mientras su encantador rostro de reina bárbara languidecía en una docilidad casi implorante. Pero él permaneció de pie junto a la ventana, sin dejar siquiera el fusil. Por el camino había fantaseado con un acercamiento diferente por parte de los dos, después de la entrega de la carta y del regalo, y aquella prisa le irritaba, le ofendía.

«First my letter and my gift, primero mi carta y mi regalo» dijo recalcando con voz tajante la palabra «first».

Los brazos tendidos cayeron, en los ojos violeta apareció una expresión de estupor.

«What letter, darling, what gift? ¿Qué carta, cielo? ¿Qué regalo?»

En silencio le entregó un sobre y una cajita. Ella cogió el sobre y lo dejó sobre la almohada. Después cogió la cajita, la abrió, miró la cadena con el ancla en forma de cruz. La miró largamente, con una sonrisa misteriosa, acariciando absorta el minúsculo rubí. Por último hizo ademán de bajar de la cama para darle las gracias con un abrazo, pero la voz tajante la detuvo.

«The letter, la carta.»

«Now? ¿Ahora?»

«Now, ahora.»

«Ok, darling.»

Volvió a guardar el ancla en forma de cruz dentro de la cajita, se arrodilló en el centro de la cama, abrió el sobre, se puso a leer la carta. Entretanto, Angelo, superada la irritación se debatía presa de dudas imprevistas. ¿Y si la hacía sufrir demasiado? ¿Y si estallaba en lágrimas? Le parecía tan indefensa, tan vulnerable de repente. Tal vez porque un cuerpo desnudo tiene siempre algo de indefenso, de vulnerable, hasta un insecto puede hacerle daño, o tal vez porque le parecía tan diferente de la muchacha desenvuelta que había acallado al portero con el billete de cincuenta dólares y después había apartado la colcha con las manchas inequívocas. Leía con los labios apretados y la frente fruncida y con frecuencia se estremecía como si la pincharan con un alfiler. De pronto se quitó el fusil, lo dejó en el suelo, se le acercó.

«Ninette...»

Ella dejó de leer, volvió a doblar la carta, se la devolvió. Después alzó su rostro serio, maduro, iluminado por una mirada inteligentísima, y sonrió de nuevo la misteriosa sonrisa.

«You are a very innocent boy, my angel. Maybe because you live too little and you think too much. Think less, and live more.»

¿Qué había dicho? La miró confuso.

«I don't understand. No comprendo, Ninette.»

«Much better, darling, much better... Because if you did, I should tell what I don't want to tell. Then you would run away and he would die again.»

«I don't understand.»

«He would die again, and this time I would die too. And I want to live, instead.»

«I don't understand.»

«I hate death too much... I hate it the way I hate the loneliness, the pain, the sorrow, the grief, and the word good-bye. Help me to live.»

«I don't understand! Parle français, Ninette!»

«Never, darling, never! Come on. Please...»

Y al instante dos manos pequeñas y expertas le quitaron el cinturón que voló hasta el suelo. Le quitaron la chaqueta, la camisa, los pantalones, lo demás. Después dos tiernos brazos lo rodearon para arrastrarlo a un pozo de dulzura, y el deprimente cuarto del antiguo burdel se convirtió de verdad en una Chambre

Royale. En el patio se extinguieron las voces groseras, los nauseabundos olores de comida desaparecieron, y con ellos la imagen del lavabo sucio, del bidé sucio, la pesadilla de la cabeza decapitada dentro del casco, de la niña empotrada de cabeza en el retrete, del niño muerto desangrado, del camión desguazado, de Gino que soñaba con irse con los naranjas, de Azúcar que absolvía el oficio de matar, del muecín que gritaba no-toquéis-a-los-italianos, los-italianos-nos-dan-sangre, los-italianos-son-nuestros-hermanos-de-sangre, de Charlie que lo había decepcionado, del $S = K \ln W$. Entropía igual a la constante de Boltzmann multiplicada por el logaritmo natural de las probabilidades de distribución. Sólo permaneció el presentimiento de una tragedia por venir, de una catástrofe que se abatiría sobre ellos dos y sobre los demás. Pero no tardó en disiparse para abandonarlo a la alegría de vivir. No pensar, vivir. Y amar. Tal vez.

Entretanto, en la calle Sin Nombre un Mercedes verde olivo pasaba y volvía a pasar delante del Veintitrés. Y en Gobeyre dos personajes llamados Rashid y Jalid-Passepartout se disponían a entrar en escena.

CAPÍTULO QUINTO

–1–

El verdadero soldado se miente a sí mismo, cuando dice que detesta la guerra. Ama profundamente la guerra. Y no porque sea un hombre particularmente salvaje, sediento de sangre, sino porque ama la vitalidad que (por paradójico que pueda parecer) entraña la guerra. Y, con la vitalidad, el desafío y la apuesta y el misterio de que se alimenta. En el escenario de la gran comedia llamada «paz» no existe el misterio. Ya sabes que el espectáculo se compone de algunos actos y que después del primer acto verás el segundo, después del segundo verás el tercero: las incógnitas se refieren sólo al desarrollo de la historia narrada y su epílogo. En cambio, en el escenario de la gran tragedia llamada «guerra» nunca sabes qué ocurrirá. Ya seas espectador o intérprete de ella, siempre te preguntas si verás el fin del primer acto. Y el segundo es una posibilidad. El tercero, una esperanza. El futuro, una hipótesis. Puedes morir en cualquier momento, en la guerra, y en cualquier momento puedes resultar herido, es decir, ser eliminado del cast o del recinto del público. Todo es una incógnita en ella, una interrogación que te mantiene en suspenso, pero precisamente por eso vibras con una vitalidad exasperada. Tus ojos están más atentos, en la guerra, tus sentidos más despiertos, tus pensamientos más lúcidos. Adviertes todos los detalles, percibes todos los olores, todos los ruidos, todos los sabores. Y, si tienes inteligencia, puedes estudiar en ella la existencia como ningún filósofo podrá estudiarla nunca: puedes analizar en ella a los hombres como ningún psicólogo podrá analizarlos nunca, comprenderlos como no podrás comprenderlos nunca en un tiempo y en un lugar de paz. Si además eres un cazador, un jugador, te diviertes en ella como no te has divertido ni te divertirás nunca en el bosque o en la tundra o en la mesa de la ruleta. Porque el atroz juego de la guerra es la caza de cazas, el desafío de desafíos, la apuesta de apuestas. La caza al Hombre, el desafío a la Muerte, la apuesta con la Vida. Excesos que el verdadero soldado necesita.

Los necesita porque ve los lados positivos de tales excesos, las ventajas que de ellos saca. Se acabaron los problemas cotidianos, las preocupaciones que en tiempo y lugar de paz le parecían tan graves y acaso lo fueran: los hijos que criar, los impuestos que pagar, las deudas que saldar, el examen que pasar, el empleo que mantener. Se acabaron las necesidades que allá y entonces le parecían insuprimibles: el aire acondicionado que instalar, el automóvil que cambiar, el abrigo que comprar, la muela que empastar, las vacaciones que organizar. Cuando la muerte puede atraparte en cualquier momento y lo único que cuenta es sobrevivir, el resto se convierte en un asunto ridículo. Por consiguiente, el verdadero soldado no sabe estar lejos de la guerra, y apenas encuentra un pretexto corre a su encuentro sin preocuparse de los peligros que deberá afrontar, las incomodidades que deberá sufrir, las penas que deberá padecer, las infamias que deberá cometer. Y si no muere en ella, si no deja en ella un pedazo de su cuerpo, al volver a casa tendrá una nostalgia de ella en la que se consumirá hasta el próximo pretexto y después hasta la tumba. No hablará de otra cosa. Aburrirá a sus parientes y amigos con sus recuerdos de guerra, sus relatos de guerra, sus experiencias de guerra, los hastiará con la historia del día en que un tiro de fusil no lo acertó por un pelo, de la tarde en que casi le cayó una bomba encima, de la noche en que sus compañeros se encontraron encerrados en un círculo de fuego y temían no ver salir el sol: pero lo vieron y se lanzaron al contraataque y dejaron en el campo los cadáveres de trescientos veinte enemigos. Sí, ninguna diversión y ninguna aventura le parecerán nunca comparables a las que conoció en la guerra, y privado de ella se marchitará. Engordará, envejecerá. El verdadero soldado es un masoquista. Es también un egoísta que no se preocupa de lo que hace, de las consecuencias que sus gestos tendrán en él o en su prójimo, y raras veces se formula preguntas morales: mientras el tren o el barco o el avión lo llevan hacia los peligros y las incomodidades y las penas y las infamias que en ella afrontará, sólo piensa que va al encuentro de su liberación. ¡Aleluya! Se han roto las cadenas de la fraternidad social, han quedado atrás las molestias de la familia, se han olvidado los bostezos de hastío, y con ellos las reglas que establecen el bien y el mal. ¡Aleluya! Dentro de poco se encontrará frente a frente con la Muerte, es decir, con la Vida. Y estará en paz consigo mismo.

Lo admitieran o no, éste era el caso de muchos italianos en Beirut. Era el caso del Cóndor, de Charlie, de Azúcar, de Caballo Loco, de Sandokan. (Uno de los personajes que aún no conocemos.) Pero sobre todo era el caso de Pistoia, gran jugador y gran cazador, que estaba en Beirut para su solaz personal, es decir, por un gran deseo de usar los puños. Y eso explica el incidente que esta noche se inscribiría en el mosaico de las casualidades con las que se alimenta el destino.

* * *

Pistoia frunció su flaco y sagaz rostro en una mueca de cólera, abrió de par en par su gran boca, vomitó un par de blasfemias, después se quitó el traje azul que se había puesto para ir a visitar a sus novias y volvió a ponerse el uniforme. ¡Qué faena, la hostia puta, qué faena! ¡Precisamente hoy que tenía cita con Joséphine, Geraldine y Caroline! Lo contrariaba sobre todo por aquella olla a presión de la Joséphine. Una que en la cama no predicaba los evangelios precisamente. La experiencia, ¿verdad?, cuenta. Prolonga la cópula, intensifica el goce. Geraldine, no. Ésa experiencia no tenía. Diecisiete años frente a sus cuarenta y dos, ¿queda claro? De hecho si querías echarle un palete tenías que ajustar cuentas con su progenitora. Adónde-vais, adónde-se-la-lleva. Aquí-a-la-vuelta-de-la-esquina, señora, a-tomar-un-café. Os-lo-preparo-yo-el-café, os-lo-preparo-yo. Tras lo cual te lo preparaba de verdad y adiós palete. Pero cuando conseguías escabullirte para colarte en un hotel, ¡qué lozanía! ¡Qué candor! «¿Te ha gustado, Pistoia? ¿Me he portado bien?» En cuanto a Caroline, ¿cómo explicarlo? El apetito se despierta comiendo, ¿verdad?, las cerezas salen enredadas unas con otras. Y cuando las tienes en el cesto, las cerezas, ¡no las cuentas! Vivían en el mismo edificio, Joséphine y Geraldine y Caroline. La primera en el tercer piso, la segunda en el segundo, la tercera en el primero. De hecho a Geraldine la había conocido en el rellano del segundo piso, cuando bajaba del tercer piso de Joséphine, y a Caroline en el rellano del primer piso. Cuando bajaba del segundo piso de Geraldine. Como era amiga de Joséphine y de Geraldine que le contaban cualquier secreto, lo había detenido con una gran sonrisa y le había dicho: «Venga, siéntese, monsieur le capitaine, le invito a un café...» Después, entre café y café: «¡Ah, dichosas esas dos! Yo tengo un marido que en cuanto ve la cama, ¡se queda dormido! Moriré sin conocer el amor.» Se había ofrecido al instante: «Que no se diga, seña Carolina, ¡de eso me encargo yo! Así me mantengo en forma.» A ver si nos entendemos: mantenerse en forma en cada uno de los pisos era un buen tute. Después le parecía que era un viejo que había hecho a pie el recorrido de las siete iglesias, ¡y el Cóndor estallaba en unos gritos que para qué!: «¡Pistoia! ¡Usted tiene la polla en el lugar de la materia gris!» Casi las palabras que por teléfono chillaba su mujer, mujercita muy guapa, sí, pero más celosa que un Otelo cornificado por Desdémona, y de nada servía decirle tonta, si-yo-te-quiero-a-ti, tontina: ¡tener-tres-novias-en-Beirut-no-es-poner-los-cuernos-ni-mucho-menos! De nada servía tampoco replicar ¡y-qué-le-voy-a-hacer-mi-general-si-soy-romántico-y-generoso! No lo entendía, el Cóndor. Por lo demás tampoco entendía que el triple tute que se daba le divertía como un desafío a la suerte. Porque Joséphine, Geraldine y Caroline eran güelfas, es decir, cristianas, como tales, vivían en la parte de los güelfos, es decir, en la zona oriental, y para ir a su casa había que cruzar la Línea Verde: vérselas con los gibelinos de guardia en los puestos de control, etcétera. Quiero decir: si en esos puestos de control o por el camino te topas con una pandilla de gibelinos más maricones, mierdas y pajilleros que de costumbre, ¡como mínimo te expones a un secuestro!

Refunfuñó sardónico. Güelfos y gibelinos, sí. Por muchas vueltas que le des comprendes que en el mundo nunca sucede nada nuevo: ¿qué otra cosa era Beirut sino una eterna batalla de Montaperti con los cristianos en el lugar de lo güelfos y los musulmanes en el lugar de los gibelinos? Por eso se había sentido renacer al desguazar el camión del gibelino de Bourji el Barajni. ¡Renacer, renacer! Y, si hubiera podido, habría clavado la pattada sarda en el corazón al conductor. ¡Nada de hermanos-de-sangre, al-talieni-ejuaatúna-bil-dam! ¡Una rabia, esta mañana, al sentirse despertar por ese al-talieni-ejuaatúna-bil-dam! Había corrido en seguida a ver al Cóndor. «Mi general» había protestado «follando se aprenden lenguas. Yo el árabe lo entiendo un poco y sé que al-talieni quiere decir los-italianos. Sé que ejuaatúna quiere decir son-hermanos, que bil-dam quiere decir de-sangre, y yo aquí hermanos no tengo. Todos mis hermanos están en Pistoia. ¿A qué estamos jugando?» Pero el Cóndor no se había inmutado: «A un juego inteligente, Pistoia.» ¿Inteligente? ¿Era inteligente responder al hexógeno con los regalos de plasma sanguíneo, a las amenazas con zalemas? ¿Era inteligente sufrir los desprecios de aquellos sarracenos, dejarlos andar por ahí con los Kalashnikov y los Rpg? ¿No dispararles cuando irrumpían en Chatila o en Bourji el Barajni para exasperar a los italianos y atemorizar a los palestinos? No es que a él le importasen los palestinos, claro está. También ellos eran gibelinos y hasta ayer menudas las que habían armado, más que los sarracenos en Livorno: ¡menudo si se habían dado el gusto los falangistas de pagarles con la misma moneda! Ahora bien, con razón o sin ella los italianos estaban allí para protegerlos, y cuando se protege a alguien ¡no se puede aceptar que los enemigos le entren en casa! El caso era que el Cóndor escuchaba demasiado a Charlie. Creía a pie juntillas todo lo que le decía, como María de Médicis creía a pie juntillas, ¡Virgen santa!, todo lo que le decía Richelieu, y Charlie se fiaba demasiado del feroz Saladino. En una palabra, de Zandra Sadr. No le entraba en la cabeza que para los árabes las promesas no tienen importancia, que en el preciso momento en que gimotean hermanos-de-sangre te envían el camión con el kamikaze. Y si se lo explicabas, si le recordabas que el Corán no prohíbe decir mentiras, que alaba y alienta incluso a quien las dice por la gloria del Islam, rezongaba: «Calla, fascista.» O bien: «Cierra el pico, tú que eres amigo del capitán Gassán.» Sí, señor, lo era. Todas las veces que iba a casa de Joséphine y Geraldine y Caroline se detenía en el cuartel de Bodaru, en el cuartel de la Octava Brigada, a charlar. Porque era un tipo listo, Gassán: un supergüelfo espléndido, un verdadero lansquenete. Ante todo hablaba un italiano perfecto. Lo había aprendido en la Escuela de Guerra de Civitavecchia durante un curso para oficiales extranjeros y lo había perfeccionado en la Escuela de Paracaidismo de Pisa donde había sido alumno suyo. Además tenía arrestos y fuera necesario o no liquidaba a los gibelinos sin pensárselo dos veces. Por último sabía lo que Charlie no había intuido siquiera: ¡qué rusos contra americanos ni qué comunistas contra capitalistas ni qué niño muerto! La próxima guerra no sería entre ricos y pobres: sería entre güelfos y gibelinos, es decir, entre quienes comen carne de cerdo y quienes no la comen, quienes beben vino y quienes no lo beben, quienes mascullan el Padre Nuestro y quienes gimotean el Allah russillallah. «Pistoia, volvemos a las Cruzadas, Pistoia» murmuraba siempre Gassán. Y a veces añadía: «¿O hemos vuelto ya?»

Cimbreó su enjuto y larguirucho cuerpo, le brillaron los ojillos ansiosos y alegres. ¡Ojalá! ¡Con esa esperanza había venido a Beirut! Estas Fuerzas Multinacionales me recuerdan a las Cruzadas, se había dicho, los buenos tiempos en que no peleábamos con los moros. Bien, bien, así, con la excusa de los palestinos que proteger, nos vamos a divertir un poco: disparar algún tiro de arcabuz y de espingarda. Y, al partir, se había sentido como Tancredi d'Altavilla. El de la *Jerusalén liberada*, que, junto con su tío Beomondo de Taranto, había seguido a Godofredo de Bouillón y había reconquistado el Santo Sepulcro, había sustraído el tesoro de la mezquita de Umar y había coleccionado gran número de Clorindas y Florindas y Teodolindas que vivían en la misma residencia, es decir, en el harén. Qué chollo, muchachos, qué chollo. En cambio, aparte de Clorinda y Florinda y Teodolinda, allí estaba él haciendo de buen samaritano que regala plasma sanguíneo o se jode y baila en Chatila. Sí, señor, a Chatila le tocaba ir esta noche. ¡A Chatila! Porque como el Cóndor no se fiaba del criterio de Halcón y Águila Uno todas las noches apencaba con los puestos de Bourji el Barajni y Chatila pero esta noche había tenido que correr a Sierra Mike para asegurarse de que Sandokan había instalado bien las ametralladoras antiaéreas en los tejados y, tras haber enviado a Azúcar a Bourji el Barajni, lo había llamado a él que ya se había vestido de azul. Le había endilgado el coñazo de substituirlo en Chatila y de nada había servido replicar mi-general, la-verdad-es-que-tengo-algunas-citas-personales... Un coñazo, sí. Una gran responsabilidad. De hecho no era Bourji el Barajni el problema de los italianos ni mucho menos: era Chatila. La puñetera casbah de Chatila, el puñetero rectángulo de quinientos metros por mil en el que se adensaban las ansias de los chiítas y los gubernamentales. De los chiítas porque los chiítas necesitaban dominar sin oposición en la zona oriental, de los gubernamentales porque los gubernamentales lo necesitaban para mantener el control de toda la ciudad... Para comprenderlo bastaba echar una ojeada al mapa. En efecto, el lado septentrional se superponía con Sabra, que los franceses ya casi no protegían, merde-alors, je-m'en-fiche ¡qué leche, me trae sin cuidado!, conque los beduinos andaban por allí como por el desierto: sólo les faltaban los camellos. El lado meridional bordeaba la calle Sin

Nombre, arteria importantísima que por el este se convertía en la carretera de Damasco y por el oeste confluía en el litoral de Ramlet el Baida. El lado occidental flanqueaba la Avenue Chamoun, avenida bastante cómoda para llegar a la Ciudad Antigua y la costa septentrional. El lado oriental daba a la Avenue Nasser, por lo que tenía enfrente Gobeyre, epicentro de los Amal y punta de diamante de la avanzada chiíta. ¡La Virgen! Para invadir Chatila los gibelinos sólo tenían que pasar desde Sabra o bajar la acera de Gobeyre, atravesar la Avenue Nasser, internarse por cualquier calleja o callejuela o pasaje o sendero. Parecía un queso con los agujeros puestos allí para atraer a los ratones que no comen carne de cerdo, la puñetera casbah, y los puestos de los infantes de marina y de los bersaglieri no bastaban, desde luego, para rechazarlos. ¿Qué vas a rechazar, si andas perdiendo el tiempo con las zalemas, con los ialla-ialla, los atrás, atrás? Pero esta noche les iban a dar por culo, a esos ratones. Al menor intento, ¡tatatá! Pistoia les iba a descerrajar un arcabuzazo, que no veas. Con el Creador, los iba a mandar, con el Creador. También para consolarse de sus citas perdidas, para vengar a Joséphine y Geraldine y Caroline, que se habían quedado en ayunas, ¿queda claro? Por la piedra o por las armas, dice Tancredi d'Altavilla en la *Jerusalén liberada*. ¡Y ay de quien lo olvide!, concluyó. Después cogió el M12 y dos cargadores de 9 milímetros Parabellum, salió y llamó a su conductor, que esperaba junto al jeep.

«¡Mueve el culo, Ugo!»

«¡A sus órdenes, mi capitán» respondió Ugo con su basto vozarrón. «¿Adónde vamos?»

«A cazar, Ugo, a cazar.»

«¿A cazar qué, mi capitán?»

«Ratones, Ugo, ratones.»

«¿Qué ratones, mi capitán?»

«Los gibelinos que entran por los agujeros, ¿no? ¡Córrete, que quiero conducir yo!» Y sin acordarse ya de Joséphine, Geraldine, Caroline, asió el volante. Salió en busca de un apostadero en que detenerse a esperar la presa.

Eran nueve los posibles apostaderos, los puestos, en una palabra, que con los M113 y en un par de casos con los miradores, tapaban los agujeros de Chatila. El Veintiuno, el Veintidós, el Veintitrés, el Veinticuatro, el Veinticinco, ocupados por los bersaglieri. El Veinticino Alfa, el Veintisiete, el Veintiocho, ocupados por los infantes de marina. El Veintisiete Lechuza, ocupado conjuntamente por los infantes de Marina y los bersaglieri. Y el primero que divisabas llegando de la Rue de l'Aérodrome era el Veinticuatro, situado en el ángulo sudoriental del puñetero rectángulo, es decir, en la glorieta del viaducto. (Aquella de la que partía la Avenue Nasser y por la que pasaba la calle Sin Nombre.) Pero el Veinticuatro tapaba el agujero menos utilizado, un sendero que acababa detrás de la fosa común, y no se detuvo en él. Se metió por la Avenue Nasser, recorrió los quinientos metros del lado oriental, giró en la calzada opuesta, y se dirigió al Veintidós: el puesto del ángulo nordoriental.

«¿Qué, chavalones? ¿Todo bien?»

«Sí, mi capitán.»

Estaba en una placita incómoda, el Veintidós, pues había un surtidor de gasolina que daba un pretexto a los Amal para acercarse y enfrente tenía el último trecho de Gobeyre, y la Rue Argan: travesía siempre llena de guerrilleros. En cambio, al norte, las casas de Sabra y la carretera para la Torre: teatro ya de muchos anhelos. Mientras que al este y al sur estaba bordeado por las barracas que formaban un bloque compacto, y el único agujero consistía en un callejón que desembocaba en el Vienticinco. Un apostadero pésimo, pues. Y, conduciendo en sentido contrario al que había seguido al venir, se dirigió al Vienticinco: el puesto situado en el centro del lado oriental y precisamente frente a la acera de Gobeyre.

«¿Y por aquí?»

«Parece tranquilo, mi capitán.»

Buen apostadero, el Veinticinco. Ocupaba un ensanche rodeado a la izquierda por ruinas que ocultaban un antiguo búnker y cerrado a la derecha por un chalet semidestruido que llamaban la casa de Habbash porque en ella había vivido el jefe palestino George Habbash, y tapaba en realidad el agujero más fácil: la estrecha y larga calle que de la Avenue Nasser conducía al corazón del barrio. Se marchó de mala gana y, tras evitar un gran cráter de bomba que se hundía a poca distancia del callejón procedente del Veintidós, se internó por la calle larga y estrecha. Superó el Veinticinco Alfa, un mirador sobre el tejado de la casa que se encontraba casi a mitad de trayecto, continuó otros trescientos metros y se dirigió al Veintiuno: el puesto que guardaba el punto en que la avenida de Sabra se cruzaba con la avenida de Chatila y que tenía un mirador sobre el tejado de la choza situada en el cruce. El mirador de Clavo.

«¿Alguna novedad?»

«Ninguna, mi capitán.»

Un apostadero excelente, el Veintiuno, se dijo. Excelente de verdad. Porque, además de tapar el agujero más grande, ofrecía una visual absolutamente perfecta. Después de concluir la ronda se colocaría ahí. Después giró a la izquierda, se lanzó por la avenida de Chatila, mirando receloso una callejuela que desaparecía dentro de un dédalo de chozas llegó a la fosa común y se dirigió al Veintitrés: el puesto del lado meridional, es decir, situado en el centro de la calle Sin Nombre. Agujero bastante cómodo, éste, para los ratones que entraban con automóviles. Dilató las ventanas de la nariz, como si hubiera captado algo que no estaba y sin embargo estaba o estaba en camino. Vaciló un poco, como si le desagradara volver a encender el motor.

«Ojo a las sombras, ¿eh?»

«Desde luego, mi capitán.»

«Y el dedo en el gatillo.»

Después salió a la calle Sin Nombre. Giró a la derecha, avanzó medio kilómetro, pasó por delante de una callejuela vigilada por dos infantes de marina, el puesto de guardia en que el domingo de la doble matanza Fabio había bebido el café del mullah, y llegó al Veintiocho: el puesto situado en el ángulo sudoccidental, es decir, el cruce de la calle Sin Nombre con la Avenue Chamoun. Sin responder al jefe del tanque que le saludaba y girando de nuevo a la derecha pasó también delante de éste. Entró en la Avenue Chamoun, recorrió los quinientos metros del lado occidental, giró una vez más a la derecha, fue a parar a un descampado con los restos de una piscina: era el Veintisiete, el puesto del ángulo nordoccidental, situado sobre las ruinas de la Cité Sportive. Y allí debería haber continuado hacia una escalinata que se perdía en la obscuridad (el acceso al Veintisiete Lechuza), haber dejado el jeep y haber subido. Pero delante del M113 del Veintisiete volvió atrás: de repente. A una velocidad de locura y repitiendo a la inversa el mismo recorrido se dirigió al Veintiuno, frenó, apagó los faros, se quedó rígido como un perro perdiguero que ha olfateado la caza. Cuello tieso, orejas erguidas, pupilas dilatadas, dientes apretados.

«¿Qué hay, mi capitán?» preguntó Ugo, desconcertado.

«Unos buenas piezas» rezongó.

«¿Qué buenas piezas?»

«Ratones. Gibelinos. Ratones.»

En aquel preciso instante un Mercedes verde olivo irrumpió desde la calle Sin Nombre. Pasó por delante del tanque del Veintitrés, rozó al bersaglieri Cebolla que con el fusil apuntado le daba el alto, prosiguió por un centenar de metros, después se perdió por la callejuela que desaparecía dentro de un dédalo de chozas. Iban dos jóvenes en él.

«¿Ésos, mi capitán?» preguntó Ugo, aún más desconcertado.

«Ésos» gruñó feliz. Y en seguida volvió a arrancar, dio vuelta atrás y se internó por la calle estrecha y larga, llegó al ensanche del Veinticinco, se apeó de un salto, armó el M12, se plantó con las piernas abiertas junto al cercado del tanque. «Y saldrán por aquí.»

«¿Por aquí, mi capitán?»

«Por aquí.»

No tenía sentido afirmarlo. Nada autorizaba a suponer que no se quedarían en el dédalo de las chozas o que no abandonarían Chatila saliendo por el Veinticinco o el Veintiuno o por el sendero del Veinticuatro, en lugar del Veintitrés. Pero el perdiguero cazador, el soldado que amaba profundamente la guerra, el jugador que en la guerra se divertía como nunca se abría divertido en la mesa de la ruleta, sabía que saldrían por allí y que allí debía esperarlos. No esperó mucho. Transcurridos tres o cuatro minutos, el Mercedes verde olivo salió de la obscuridad y llegó al ensanche.

«¡Alto! Stop! ¡Alto!» gritaron los bersaglieri a pie.

«¡Alto! Stop! ¡Alto!» gritaron los bersaglieri sobre el tanque.

«¡Alto! Stop! ¡Alto!» gritó el jefe del tanque.

En cambio él no gritó nada: disparó. Una ráfaga larga, segura, precisa. Una descarga de disparos que fueron a dar en el capó, en el parabrisas, a los dos pasajeros, por lo que el que conducía se abatió sobre el asiento y el auto pasando a un pelo del cráter de bomba fue a chocar contra la casa de Habbash. Después giró sobre sí mismo y se detuvo en la callejuela donde resonó una voz contenta.

«¡Os he atrapado, ratones! Barrah! ¡Fuera! Barrah!»

Salió uno, ensangrentado y aterrado.

«Aamel maaruf, por favor, aamel maaruf...»

El otro se quedó abatido sobre el asiento quejándose.

«Saedna, socorro, saedna...»

«¡Y una leche saedna! ¡Y no empecemos con los lloriqueos, que apenas te he arañado!» aulló la voz satisfecha. «Barrah! ¡Fuera! Barrah!»

«En lugar de gritarles barrah, fuera, barrah, mi capitán» rezongó el jefe del tanque. «¡Hay que llevarlos al hospital de campaña!»

Pero no consiguió nada.

«¡Calma, chaval, calma! Primero tienen que decirme qué querían, estos dos ratones.»

–2–

No querían nada, suspiró Águila Uno apartando la mirada de las nueve muchachas de bronce que surgían desnudas de la araña vienesa, y no eran ratones. Eran dos chavales borrachos de hachís, dos drogados. Pero el Vultus gryphus no había hecho el menor reproche al patán culpable de haber disparado la inútil ráfaga: la había tomado con sus muchachos y con él: «Si esos mantas a los que usted llama mis-muchachos, no se hubieran dejado sorprender, ¡Pistoia no habría disparado! ¡Es culpa suya, coronel! ¡De sus indulgencias, sus deferencias paternales, sus blanduras!» Y entretanto aquellos pobrecillos del Veinticinco soportaban las palabrotas, las provocaciones, los escupitajos de los Amal alineados como cuervos en la acera de Gobeyre. Sí, también los escupitajos. Unos gargajos que parecían huevos fritos: ¡chaf, chaf, chaf! Con lo que los bersaglieri del tanque no cesaban de devolvérselos y aquel trecho de la Avenue Nasser parecía un campo de tenis con los gargajos y los insultos recíprocos en lugar de la pelota. «Joda, ibn sharmuta! ¡Toma, hijo de puta!» ¡Chaf! «Y tú, ¡chúpate éste, muerto de hambre!» ¡Chaf! Sin contar el riesgo de una venganza o una incursión nocturna. Tocó el cuerno de coral que llevaba en el bolsillo para exorcizar el mal de ojo, dirigió una plegaria muda a sus santos y profetas, después abandonó la base y se dirigió a Chatila, donde se detuvo al instante en el Veintitrés para animar a la pequeña sombra de guardia junto a la fosa común.

«Hola, Cebolla. ¿Qué tal?»

«Bien, mi coronel» respondió con voz trémula Cebolla.

«Por favor: no tengas distracciones, esta noche.»

«No, mi coronel...»

«Es un puesto antipático, éste. Lo comprendo.»

«No, mi coronel...»

«¡Sí que lo es, sí que lo es!» Observó el siniestro rectángulo lleno de basura y yerbajos. Jesús, María y José, ¿qué clase de tumba era aquélla? Desde el alba hasta el crepúsculo, cabras que iban a pacer y a sembrar estiércol en ella; del crepúsculo al alba, topos que se daban el festín en ella. Y no habían puesto ni siquiera una lápida, aquellos bárbaros, un epitafio que recordara quiénes estaban enterrados en ellas. Para indicar el contenido, sólo una caña de bambú en la que ondeaba un trapo deshilachado: los restos de una bandera negra que ahora no se sabía si era gris o marrón. La bandera de los palestinos. «Le diré a Neblí que te traslade, chico...» «¡Oh, no, mi coronel! ¡No me traslade, por favor, no! ¡Quiero quedarme aquí!»

«¿¡¿Qué quieres?!? ¿¡¿Desde cuándo?!?»

«Desde esta mañana, mi coronel...»

«¿¡¿Desde esta mañana?!? ¿Y por qué?»

Cebolla se crispó, tosió.

«Porque esta mañana ha estado aquí el general, mi coronel. Y nos ha echado un sermón, a los del Veintitrés, por lo del Mercedes. Nos ha dicho que nos comportamos con debilidad, que no nos comportamos como hombres, que los hombres se tienen que comportar como hombres, etcétera. Y con todo el respeto, mi coronel, la palabra hombres me ha molestado. Me habría gustado responder: mi general, yo tengo diecinueve años, no soy un hombre. ¡Ni siquiera me siento preparado para hecerme un hombre! Después lo he pensado, mi coronel, y he descubierto que me siento preparado para ésta y para muchas otras cosas. No para todas, pero sí para muchas. Conque es mejor que empiece a hacerme un hombre aprendiendo a estar con los muertos. ¿Los ve, mi coronel?»

«¿Qué?»

«Los fuegos fatuos, mi coronel.»

«¡Qué fuegos fatuos ni qué niño muerto, Cebolla!»

«¡Ahí están, mi coronel! ¡Ahí están!»

«Son luciérnagas, Cebolla.»

«¿Luciérnagas en invierno, mi coronel? ¡Mire ahí en el medio, mire!»

Águila Uno miró y se sobresaltó. Pero no porque hubiera visto un fuego fatuo ni una luciérnaga: porque al pie de la caña de bambú con la bandera deshilachada había algo que antes no había visto. Una flor. Un gladiolo amarillo.

«Sólo veo un gladiolo amarillo, Cebolla.»

«He sido yo, mi coronel. Lo he traído yo.»

«¿¡¿Tú?!?»

«Sí... Me daba pena ver solamente la basura, la inmundicia. También son cristianos ellos, ¿no? Cristianos musulmanes, pero, ¡cristianos! Conque lo he robado en la capilla, mi coronel. Espero que el Señor no se ofenda.»

«No se ofenderá, Cebolla.»

Volvió a subir al jeep, recorrió la avenida hasta el Veintiuno donde se apeó para trepar hasta el mirador sobre el tejado de la choza y animar a Clavo. Allí estaba, inclinado sobre el fusil y con una doble ración de rancho sobre un saco de arena.

«Hola, Clavo. Veo que hay apetito.»

«Sí, señor. Comer espabila.»

«¿Estás cansado? ¿Quieres que te releven?»

«No, señor, estoy bien. Si no fuera por esos desgraciados de chavales que viven debajo...»

«¿Por qué? ¿Qué hacen?»

«La tienen tomada conmigo, mi coronel. No cesan de atormentarme con su habitual italianos-tomorrow-kaputt, italianos, ¡bumbum!»

«Humm... ¿Quieres que te traslade, Clavo?»

«¡Oh, no! ¡No! ¡No se moleste, mi coronel!»

«No es molestia, Clavo. Se lo digo a Neblí y...»

«Por favor, mi coronel, ¡no se lo diga!»

«¿Quieres hacerte un hombre también tú, Clavo?»

«¿¡¿Un hombre, mi coronel?!?»

«Sí, como Cebolla. Quería quitarlo del puesto de guardia junto a la fosa común, y no ha aceptado. Me ha dicho que estar con los muertos lo ayuda a hacerse un hombre.»

«Dichoso él, mi coronel. Yo no creo que me haga un hombre porque haya estado con los vivos y con los muertos en Beirut.»

«Y entonces, ¿por qué no quieres que te traslade a un puesto mejor?»

«Porque aquí arriba se respira un aire agradable, mi coronel.»

«¿¡¿Aire agradable?!? Clavo... ¿No será cuestión de mujeres?»

«No, no, mi coronel. Mejor maricas que muertos.»

«Bravo, Clavo. Veo que lo has aprendido.»

«Sí, mi coronel...» Después lo vio bajar del mirador y suspiró aliviado. ¡Me cago en la leche! ¡Qué poco había faltado! ¿Qué habría comido Jamila, si el coronel lo hubiera retirado del mirador? ¿El aire? Estaba tan delgada, la pobre Jamila. Pero no delgada con una delgadez sana, robusta, como la suya: delgada con una delgadez enfermiza, raquítica. Y además era tan buena, no se parecía en nada a sus hermanos. Robaba la comida y se acabó. Porque si se la dabas, no la cogía: se llevaba las manos a la espalda después bajaba los ojos y sacudía la cabeza para decir que no. En cambio si la dejabas sobre un saco de arena sin decir nada, esperaba a que te volvieras de espaldas y se la llevaba para devorarla calladita en un rincón. Como el día que había robado el pollo. Venga buscar el pollo, dónde-está-el-pollo, quién-me-ha-cogido-el-pollo, y se lo había cogido ella. Se lo estaba zampando calladita en un rincón... ¡Pues sí! La llevaba para Jamila, la doble ración. Al fin y al cabo, para él una era más que suficiente. Sólo el otro día no le había bastado. Se las había comido las dos y para comer la pobre Jamila había bajado a la calle a escarbar entre la basura. Se lo había escrito incluso a su hermanita que tenía la misma edad, nueve años, y que derrochaba la comida más que una multimillonaria. La desmenuzaba, la aplastaba, la dejaba en el plato, aunque se tratara de manjares superfinos, es decir, cocinados por él: buñuelos de San José y demás. Le había escrito: «Querida Monica, tú que me desperdicias hasta los buñuelos de San José. ¿Sabes que Jamila roba la comida o va a buscarla a la basura?» Y a sus padres les había escrito: «Querido papá y querida mamá, ya sabéis que yo me hice comunista por los chabolistas de delante de nuestra casa, en una palabra, por los pobres y el hambre. Pero ésos son pobres por llamarlos de algún modo. Siempre con una pizza en la boca o una bomba de nata o un helado. Y gordos. Si conocierais a Jamila, la pobre Jamila, comprenderíais qué razón hay de indignarse por los desgraciados que no comen...»

«¡Clavo!», gritó Águila Uno desde la avenida.

«Sí, mi coronel...»

«Pero no coma demasiado, ¿eh?»

«Quédese tranquilo, mi coronel.»

«Ojalá pudiera...» murmuró para sus adentros mientras volvía a subir al jeep y ordenaba al conductor que lo llevara al Veintisiete Lechuza. Le había vuelto el nerviosismo de antes, el angustioso temor a que esta noche hubiera follón de verdad, y quería estudiar la situación desde lo alto del Veintisiete Lechuza.

* * *

Presa de aquel temor subió por las ruinas de la escalinata que conducía a una tosca plataforma: el resto de un solárium que en los tiempos del Beirut feliz formaba parte de la Cité Sportive. En la tosca plataforma, una garita completamente ceñida de sacos de arena y casi invisible por estar inmersa en la obscuridad. Dentro de la garita, Nazareno y un infante de marina que oteaban desde las troneras. Con Nazareno y el infante de marina un arsenal de visores nocturnos con intensificación de luz y prismáticos, radio, motorolas, mapas para consultar con linternas. Águila Uno entró en ella y alzó una voz insólita en él. Enojada, áspera.

«¿Nazareno, has notado algo inhabitual?»

«No, señor, es una balsa de aceite esta noche. Ni siquiera disparan» respondió Nazareno, sorprendido.

«No hay que fiarse nunca del aceite en Beirut. Tarde o temprano hierve. Dame uno de esos visores.»

Se los llevó a los ojos, impaciente. De tronera en tronera barrió el perímetro de Chatila: primero la Avenue Nasser, después la glorieta del viaducto, luego la calle Sin Nombre, después el cruce con la embajada de Kuwait, luego la Avenue Chamoun, después el lado en común con Sabra. Nada, no se veía nada. Los dirigió al Cuartel General, al hospital de campaña, a la Logística, a la base Águila, después a Bourji el Barajni y al aeropuerto. Nada. Los desvió hacia el sur, hacia el cuartel de la Sexta Brigada, después hacia el oeste, por el litotal de Ramlet el Baida y la base Sierra Mike. Nada. Los orientó hacia el norte, hacia Sabra. Nada. Entonces los dirigió hacia la Avenue Nasser, hacia la placita del Veintidós, hacia el ensanche del Veinticinco, hacia el ángulo del Veinticuatro, por debajo y por encima del viaducto. Nada. Hacia el Veinticinco y en torno al Veinticinco, lo mismo. En medio del ensanche los bersaglieri del tanque parecían tranquilos, en la acera de Gobeyre los Amal parecían charlar entre ellos, y un miliciano sentado en un silloncito de mimbre dormitaba feliz. Esta noche no había ni siquiera intercambio de gargajos. Devolvió los visores a Nazareno que observaba algo en Tayoune.

«¿Qué hay? ¿Qué miras?»

«Una yegua, mi coronel.»

«¿¡¿Una yegua?!?»

«Sí, hay una yegua, en el paso de Tayoune. La vi ayer, cuando cruzaba la rotonda, para acompañar a dos heridos, al Rizk. Una yegua blanca con las crines rubias. Bellísima. A saber de quién será. Tal vez de nadie. Está ahí, siempre en el parterre, solita, comiendo hierba. Y tiene dos ojos que inspiran amor. ¡Un himno a la vida, mi coronel!»

«¡Qué vida ni qué amor ni qué niño muerto! ¿¡¿Te parece que es momento de distraerse con una yegua?!?»

«Discúlpeme, mi coronel..., ha sido un instante de distracción...» balbuceó Nazareno, apesadumbrado. «Siempre he deseado tener un caballo, al no poder tener un caballo me compré un asno y...»

«¡A mí qué me importan tu asno y tu caballo! ¡Córtate el pelo, mejor, y estáte más alerta! ¡Debes estar más alerta!»

«Sí, mi coronel...»

«¡Y vuelve a darme los visores! ¿¡¿Dónde me habéis puesto los visores?!?»

«En ningún sitio, mi coronel. Los tenía usted. Aquí están» respondió el infante de marina, igual de apesadumbrado. Extraño: por lo general Águila Uno era tan amable.

Recogió los visores, volvió a otear el Veintidós, después el Veinticinco, luego el Veinticuatro, después el Veinticinco otra vez y concentró la atención en la silueta del bersagliere que a espaldas del tanque vigilaba la parte trasera de la casa de Habbash, es decir, el callejón que conducía al Veintidós.

Era Ferruccio, y Nazareno habría dado mucho por tener su puesto de guardia. En efecto, se encontraba junto a los escombros de una casa derrumbada por las bombas diez años antes y gracias a una semilla llevada por el viento entre los escombros había nacido una bellísima higuera.

–3–

También Ferruccio estaba nervioso. Lo estaba porque esta mañana Neblí lo había llamado y: «Ponte el uniforme limpio, el pañuelo mejor planchado que tengas, lústrate las botas y vente conmigo.» «¿Para ir adónde, mi capitán?» «A ver al Cóndor, que te va a llevar a donde los franceses. Te van a dar una medalla.» «¿Por qué, mi capitán?» «Por lo de la niña del retrete.» No le había hecho gracia. Le había parecido una ofensa a la niña. No obstante, se había puesto el uniforme limpio, el pañuelo mejor planchado que tenía, se había lustrado las botas y había ido a ver al Cóndor, quien lo había recibido a gritos. Esa-gorra-está-torcida. Ese-pelo-no-está-bastante-corto. Esos-correajes-tienen-polvo. ¡Huy, Dios mío! ¿¡¿Acaso es posible tener los correajes limpios en una ciudad en que hasta el asfalto está cubierto de una pátina de tierra roja?!? Al general no le gustaban los bersaglieri, eso era lo que pasaba, los trataba peor que a los infantes de marina. Para él sólo existían los paracaidistas. Lo contrario precisamente de Águila Uno que los quería a todos y a todos se dirigía con amabilidad. Ten-cuidado-de-no-apretar-por-error-el-gatillo. No-vayas-a-coger-frío. ¿Tienes-hambre, tienes-sueño, te-has-puesto-los-calcetines-de-lana? Y además con Águila Uno podías confiarte. Podías decirle: «Mi coronel, no quiero esta medalla. Me parece una ofensa a la niña...» Ayer le había pedido incluso que lo relevara un poco del

Veinticinco. «Mi coronel, ya no puedo más de estar aquí quieto bajo la higuera. Mándeme unas horas de patrulla, por favor.» Lo había mandado y por fin había visto algo: las mujeres que iban al mercado, los niños que jugaban a la pelota, los viejos que estaban a la puerta de su casa tomando el sol, y el mullah del café. Había conocido también a Farjane, la linda muchacha que con la esperanza de escapar a Italia se vestía de fiesta con sandalias doradas y vestido de organdí, después hacía la ronda de los puestos y preguntaba a todos los soldados: «Will you please marry me? ¿Quieres casarte conmigo, por favor?» Si no hubiera estado chaladísimo por su Daniela, le habría dicho: «Yo me caso contigo, Farjane.» Y después había conocido a Fatima, la prostituta de los infantes de marina. Fea, ésa, fea. Un trasero que en tejanos parecía un colchón. ¡Qué capullos, los infantes de marina, por gastar los cuartos follando con ella en el jeep del fondo de la piscina! Durante el asedio israelí una explosión había arrojado un jeep dentro de la piscina para las competiciones de salto de trampolín, en lugar de espachurrarse o volcarse el jeep se había posado correctamente en el fondo y ahora los infantes de marina lo usaban como garçonnière con Fatima... Oteó mejor en la obscuridad, se colocó mejor el fusil. Le había parecido oír un crujido, como un paso de gato, y después vislumbrar una sombra que avanzaba para confundirse con la sombra de la higuera.

«¡Mahoma! ¿Eres tú, Mahoma?»

No le respondió nadie, pero no se preocupó más de la cuenta. Por lo general, esto sucedía cuando Mahoma venía a verlo. Se arrastraba hasta allí a hurtadillas, a veces desde la calle larga y estrecha que partía del Veintiuno, a veces girando detrás de la casa destruida entre cuyos escombros había nacido la higuera, y después se acurrucaba a sus pies y de nada servía protestar: «Mahoma, debes dejar de hacerlo. Mahoma, júrame que no lo volverás a hacer.» Mahoma juraba y lo olvidaba. Es que no tenía miedo de nada. Ni de los disparos de fusil. A los once años estaba tan acostumbrado que los consideraba un ruido como tantos otros, una cosa normal como la lluvia. ¿Quién tiene miedo de la lluvia?

«¡Mahoma! ¡Responde, Mahoma!»

De nuevo no le respondió nadie, y esta vez se asustó. Tuvo casi la tentación de disparar a la sombra que había vuelto a aparecer por un instante. ¿Y si tuviera razón Neblí? Ayer Neblí le había echado la bronca. «Ferruccio, ¿¡¿cuándo vas a entender que recibir a extraños en el puesto está prohibido?!?» «Sí, mi capitán.»

«¿Vas a convencerte de una vez de que aquí los niños no son inofensivos?» «Sí, mi capitán.»

«¿No sabes que los adiestran como a los militares y que a los doce años ya son soldados?»

«Sí, mi capitán.»

«¿No te das cuenta de que alguien podría enviarlo a propósito para distraerte, para atacarnos?» «Sí, mi capitán.» «Y si una sombra no reacciona al quién-va, ¡se dispara! ¡Se dispara, se dispara!» «Sí, mi capián.» Había respondido sí, sí, sí, sí, sí, pero a Mahoma no le habría disparado en realidad. ¡Huy, Dios mío! Él no disparaba a los niños. Habría preferido palmarla antes que disparar a un niño. Dejó el fusil.

«¡Mahoma!, sal de ahí. ¡Sé que eres tú!»

«¡Soy mí, soy mí!» respondió una vocecita alegre. Y al instante la sombra se materializó para convertirse en un hermoso niño limpio, camisa limpia, pantaloncitos limpios, cabellos limpios, que se acurrucaba a sus pies y le tendía un cucurucho de pipas de calabaza. «¡Yo traído ti pipas de calabaza!»

Las rechazó fingiéndose irritado.

«¡Qué pipas ni qué nada! ¡Estaba a punto de dispararte! Debes dejar de hacerlo, ¿entendido?»

«Sí, Ferruccio. Perdona, Ferruccio, afuán.»

«¡No, no te disculpes! Dices afuán, afuán, ¡y después lo vuelves a hacer! ¡Vete! Esta noche, ¡no te quiero aquí!»

«Ferruccio... Aamel maaruf, por favor, Ferruccio...» La vocecita alegre empezaba a romperse. «Yo quedarme callado, quieto, pero tú no echar, no...»

«¡He dicho que fuera! Ialla! ¡Fuera!»

Mahoma, llorando, dejó en el suelo el cucurucho con pipas de calabaza. Se levantó, se fue, volvió a ser una sombra que se confundía con la sombra de la higuera, una hoja que se disipa en la noche. Y Ferruccio dio un patadón a los sacos de arena, arrepentido. ¡Echarlo de ese modo! ¡No debería haberlo echado de ese modo! En lugar de responder a Neblí todos aquellos sí-mi-capitán debería haberle explicado que Mahoma no venía para ayudar a los Hijos de Dios a matar a los italianos: venía a traerle pipas de calabaza, ¡a mantenerlo despierto con su compañía! Es duro, verdad, el turno de noche: estar doce horas solo aguzando el oído y oteando en la obscuridad. En determinado momento te entra sueño, te desplomas. En cambio si tienes al lado a alguien que charla, el tiempo pasa volando. No es que tuviese cosas alegres que contarle, el pobre Mahoma. En la matanza de Sabra y

Chatila habían matado a su padre y a su abuelo y a su tío y a su hermana, de toda su familia sólo le quedaba su madre, conque en su gracioso italiano con los verbos en infinitivo hablaba exclusivamente de aquello. «Yo y mi mamá vivos porque esconder nosotros bajo los muertos. Mi hermana no esconder ella bajo los muertos, decir que muertos pesar mucho, pesar demasiado. Y antes de matar ella, ellos coger ella, hacer cosas feas. ¡Feas! Visto con mis ojos. Mi hermana catorce años. Ahora ella y papá mío y abuelo mío y tío mío en fosa común que cerca casa mía, pero yo no mirar nunca. Mi mamá no querer. Decir que si yo mirar yo volver como Kadijia.» «¿Y quién es Kadijia?» «Kadijia ser loca de Chatila, ¿tú no concer? Ser loca que siempre reír cantar bailar. Volver loca porque siempre ir a mirar fosa común donde su marido y cinco hijos asesinados.» A veces, para no escuchar aquellos horrores, hablaba él. Le contaba cosas de sus padres, su novia, su ciudad, que era una ciudad sin mar ni escombros. O lo mandaba a donde el sirio que tenía la tienda de ultramarinos junto al Veintiuno pero que además de los comestibles vendía hachís, conque no cerraba ni siquiera de noche. «Ve a comprarme un poco de hachís, anda, y no te dejes engañar con el precio.» Recomendación superflua pues no era fácil engañar a Mahoma. Si el sirio lo intentaba, Mahoma se ponía a chillar akrut, ladrón, akrut, y exigía que lo resarciera con pipas de calabaza y pistachos. O se los robaba. Los de esta noche seguramente se los habría robado al sirio. Era un niño inteligente, Mahoma. Un niño especial. Si no hubiera conocido a Mahoma, no habría superado nunca el trauma de la salchicha extraída del retrete. También por esto le quería tanto. Y no hace falta decir que en Beirut casi todos los niños eran niños inteligentes, niños especiales. Aprendían las lenguas a una velocidad pasmosa, resolvían cualquier problema en un santiamén, y no dormían nunca. Despiertos hasta las dos, las tres de la mañana, y al alba de nuevo en la calle. ¡Señor, qué sueño! Le estaba invadiendo un gran sueño, y apenas era medianoche: aún le quedaban seis horas que pasar bajo la higuera... Si al menos hubiese sido una higuera con higos... Se habría puesto a contar los higos... Pero aquélla era una higuera estéril, una higuera sin higos. Una verdadera higuera de Beirut.

Se encendió un cigarrillo de hachís. Procurando ocultar el débil resplandor se lo fumó con voluptuosas chupadas que lo aturdieron aún más, y el miedo a dormirse aumentó. Despierto, empezó a decirse, debes mantenerte despierto. Debo hacer guardia al callejón del Veintidós, vigilar la casa de Habbash. Ofrece demasiados agujeros a quien quiera entrar. Paredes llenas de brechas, ventanas resquebrajadas y la puerta que da al callejón ni siquiera tiene batientes. Si aprovechando la obscuridad un Amal se introduce en ella desde la acera de enfrente, los del tanque de en medio del ensanche no lo advertirán. Y una vez dentro de la casa, basta con que salga de repente por el callejón para cogerme por sorpresa. Me lo ha dicho y repetido, Neblí: «Después de lo del Mercedes querrán vengarse. No cierres los ojos, Ferruccio, no te quedes dormido.» Despierto, debes mantenerte despierto. Debo estar listo para detenerlos, si vienen. Debo estar listo para disparar, si no se detienen, para usar mi Fal. ¿¡¿Mi Fal?!? ¡Qué tonto eres, Ferruccio, qué tonto! Venga a hablar con el sargento que te ayudó a extraer la salchicha del retrete. A mí no me gustan los ejércitos, no me gustan los uniformes, no me gustan las armas, no comprendo por qué puede querer alguien aprender cosas así y después dices mi-Fal. Mi Fal. Lo dices y reconócelo: lo quieres. Lo limpias, lo vuelves a limpiar, lo desmontas, lo vuelves a montar, te lo llevas incluso a la cama. Duermes con él. Crees en él. De hecho, no lo cambiarías por el Sc de los infantes de marina ni por el M12 de los paracaidistas... Demasiado pesado el Sc, demasiado ligero el M12... Pero tal vez a los infantes de marina les parezca mejor el Sc, a los paracaidistas les parezca mejor el M12... Todo soldado cree en su fusil... ¡Señor, qué sueño! No consigo permanecer despierto, no lo consigo... No consigo siquiera pensar... Qué tonto por haber echado a Mahoma, haber perdido su compañía... Necesito compañía... Ahora se la pido a mi Fal, hablo con él... Le doy golpecitos con las uñas, le hablo... Toc-toc-toc: tú eres un amigo... Toc-toc, toc-toc-toc-toc-toc-toc: después de Mahoma, el mejor amigo que tengo en Beirut... Toc-toc-toc, toc-toc-toc-toc: tú me defiendes, me ayudas a estar despierto... Toc, toc-toc-toc-toc: no, no me ayudas... Toc-toc-toc: estoy demasiado solo... Toc-toc-toc: hay demasiado silencio... Toc-toc: tengo sueño... Toc-toc: Mucho sueño... Toc: sueño... Toc: sueño... Y en ese momento los párpados se le volvieron de plomo. Los cerró, apoyó la cabeza en el fusil, por lo que no vio a los ocho Amal que gracias a la obscuridad se habían introducido por las brechas de las paredes y por las ventanas resquebrajadas en la casa de Habbash, después habían salido por la puerta al callejón y ahora avanzaban para irrumpir en el ensanche y reunirse en él con otro grupo que atravesaba la avenida. O mejor, los vio cuando ya habían rodeado el tanque.

Más o menos cuando los advirtió Águila Uno que con sus

visores continuaba oteando los puestos de la Avenue Nasser, buscando las causas de su nerviosismo.

* * *

«Nazareno, me parece que sucede algo en el Veinticinco. Echa un vistazo, dime qué ves. Tú también, marinero.»

Tanto Nazareno como el infante de marina apuntaron los visores nocturnos al Veinticinco y se sobresaltaron.

«Veo una gran barahúnda, mi coronel.»

«Sí, un gran follón, mi coronel.»

¡Por la barba de Abraham y la reliquia de san Genaro, por todos los santos del calendario y todos los profetas de la Torá! Con los bigotes enhiestos y el corazón latiéndole con cañonazos de consternación, Águila Uno se lanzó a la motorola y llamó a Neblí.

«¡Neblí, atención, Neblí! Aquí Águila Uno, ¡responde!»

«Águila Uno, ¡aquí Neblííí!» respondió una voz estremecida.

«Neblí, ¿qué sucede en el Veinticinco?»

«Sucede que un grupito de beduinos han rodeado el tanque, mi coronel. El jefe del tanque acaba de comunicármelo y estaba a punto de llamarle para decirle que ahora voy para allá con una patrulla de refuerzo. Y si no desalojan en un dos por tres, esta vez les disparo una ráfaga.»

¡Menos mal! Se trataba sólo de un grupito de beduinos, de chusma inofensiva. Los bigotes de Águila Uno volvieron a relajarse y su corazón volvió a latir con normalidad.

«Tú no vas a disparar ninguna ráfaga, Neblí. Tú me vas a esperar con la patrulla al comienzo de la avenida, ¿entendido? ¡Vamos a ir juntos a donde los beduinos!» Después, echando una ojeada cargada de ya-lo-decía-yo-que-en-Beirut-no-hay-que-fiarse-del-aceite, bajó del Veintisiete Lechuza para correr a la avenida. Eran las doce y diez de la noche, del alminar de la mezquita de Sabra descendía el embarazoso «ma'a-tezi-al-talieni, al-talieni-bayaatúna-el-dam, al-talieni-ejuaatúna-bil-dam», no toquéis a los italianos, los italianos nos dan sangre, los italianos son nuestros hermanos de sangre. Y en el Veinticinco los bersaglieri se desgañitaban para echar a los intrusos que les respondían de un modo que Charlie no habría sospechado.

«Go back, en arrière! ¡Atrás!»

«Al-talieni ejuaatúna bil jara! ¡Italianos, hermanos de mierda!»

«¡Perderos de vista, leche! Get off, allez-vous en!»
«Bil jara! ¡De mierda! Bil jara!»
«Ialla ruha! ¡Largaos de una puta vez! Ialla ruha!»
«Jara! ¡Mierda! Jara! Jara, jara!»

–4–

Los guiaba un barbudo enjuto, escoltado por un rubito de unos catorce años con tres bombas de mano colgándole del cinturón, y no se trataba de chusma inofensiva. Se trataba de guerrilleros armados de Kalashnikov último modelo, Rpg, ristras de municiones: pese a sus gastados vaqueros, sus uniformes a medias robados o comprados quién sabe dónde, era gente que parecía conocer su oficio. Y no eran un grupito y nada más: doce habían cruzado la Avenue Nasser para unirse a los ocho que habían pasado por la casa de Habbash para coger por sorpresa a Ferruccio. Veinte personas, pues. El comando más sólido que había osado en los últimos tiempos asaltar Chatila con una maniobra bien coordinada. En efecto, habían llegado de las dos direcciones y habían encerrado a los cinco bersaglieri dentro de un círculo tan sólido que para romperlo habría que recurrir a un tiroteo. Ahora bien, lo más desconcertante no era su superioridad numérica y su profesionalidad. Era que no se sabía qué querían. ¿Matar a aquel puñado de italianos para vengar a los dos del Mercedes verde olivo? ¿Introducirse en la calle larga y estrecha que conducía al Veintiuno para situarse en el centro de Chatila? No tocaban las armas que llevaban al hombro o en el cinturón, no daban un paso, no hacían gestos alarmantes. Insultaban y se acabó. Italianos-hermanos-de-mierda, italianos-de-mierda, mierda, jara, mierda. El único que no se contentaba con insultar era el rubito de unos catorce años. Con una colilla de cigarrillo pegada a los labios y una mueca de desprecio en su carucha feroz, palpaba las bombas de mano que le colgaban del cinturón, tres Rdg8 rusas, y sin que se le cayera la colilla amenazaba en varias lenguas con matar.

«I kill you. Yo vosotros matar, tuer.»

Con el tácito asentimiento del barbudo que claramente le concedía privilegios especiales, fastidiaba incluso a Ferruccio: el único que se encontraba fuera del círculo y no se desgañitaba para echarlos. Superada la vergüenza de haber cedido al sueño y haberse dejado sorprender, Ferruccio había comprendido que le convenía permanecer callado: aprovechar los diez metros que lo separaban del carro y la higuera que lo ocultaba bajo sus hojas. Pero el rubito había reparado en él, y en determinado momento sacó una bomba del cinturón. Aunque sin quitarle el seguro, hizo ademán de lanzársela.

«I kill you first. Yo a ti matar primero, premier.»

El jeep de Neblí, el de Águila Uno, y el de la patrulla de refuerzo llegaron de improviso al ensanche precisamente cuando hacía el gesto de lanzarla. Y al instante la patrulla se puso en posición de ataque junto a la escolta de Neblí y de Águila Uno, en torno al círculo se formó otro círculo que aprisionó a su vez a los Amal anulando su ventaja. En el mismo instante, Neblí se arrojó sobre el rubito, le quitó de las manos la Rdg8, la arrojó lejos como si fuera una piedra. Después le sujetó ambas muñecas y estaba a punto de desarmarlo del todo cuando intervino Águila Uno con sonrisa amable.

«Calma, Neblí, calma. Calma todos. Las cosas se discuten, se resuelven con el diálogo y con la razón, ¿no? ¡Preguntémosles mejor qué quieren, por qué están aquí!» Y dirigiéndose al rubito que buscaba desconcertado su bomba, dijo: «Buenas noches, good evening. ¿Qué deseas? What do you wish?»

«Jara!» respondió el rubito sin dejar de buscar su bomba.

«I don't understand, no entiendo. What did you say? ¿Qué has dicho?»

«Ha dicho mierda, mi coronel» tradujo Neblí, aún jadeante.

«¡Qué mal educado! Pero tal vez no entienda el inglés. ¿Quién manda a estos señores?»

«Por lo que se ve, ese de la jeta con barba, mi coronel. El flaco.»

«Bien.» Y sin abandonar la sonrisa amable Águila Uno se dirigió hacia el flaco que ahora callaba desdeñoso. «Buenas noches, good evening, do you speak English, parlez-vouz français?»

«Talieni jara» respondió él escupiendo al suelo.

«¡Ha dicho italianos de mierda!» tradujo Neblí furioso ya.

«A nosotros nos lo están diciendo desde que han llegado» gritó el jefe del tanque. «Pero, ¿¡¿qué esperamos para responderles con unas balas en el vientre?!?»

«¡Calma, muchacho, calma! No hay nada que no se pueda resolver con el diálogo y el razonamiento» repitió, obstinado, Águila Uno. «Intentemos ganar tiempo, que voy a llamar a la Sala de Operaciones.»

Respondió a la llamada el Urogallo que en seguida fue a buscar al Cóndor. Pero el Cóndor había ido a la base Rubí y lo había sustituido el Profesor que al instante encomendó a Charlie la misión de resolver aquel lío.

«Y llévese la escolta con el intérprete, capitán.»

* * *

Qué escolta ni qué intérprete ni qué nada, se dijo Charlie metiendo en la funda atada al tobillo izquierdo la Browning High Power: en circunstancias semejantes las escoltas y los intérpretes sólo sirven de estorbo, mejor ir solo y arreglarse con el poco árabe que se sabe. Después subió al patio, cogió el jeep, y partió contrariado. Todo culpa de Pistoia y su belicosa soberbia: en el frágil puente que Zandra Sadr había aceptado construir, aquella ráfaga de M12 había causado más daños que un cañonazo. ¿O no? Tal vez no. Tal vez Pistoia no tuviera nada que ver, tal vez su ráfaga de M12 fuese el pretexto que los extremistas de Gobeyre habían elegido para responder a la frase de los muecines: impugnar la orden dada por Su Eminencia Reverendísima. Era evidente que en el gran follón de facciones, grupos, grupúsculos, antagonismos, luchas intestinas, alguien no aceptaba el al-talieni-ejuaatúna-bil-dam y se rebelaba incluso. Pero, ¿¡¿quién podía haber enviado a aquellos veinte Amal con los Kalashnikov, los Rpg, las Rdg8 y las ristras de municiones?!? ¿Uno que actuaba por su cuenta o un tipo con las ideas claras? ¡Humm! A primera vista, un tipo con las ideas claras y... ¡Maldición! ¿¡¿Y si los había enviado Bilal el Barrendero?!? Nada más fácil: desde hacía algunos días corría el rumor de que Bilal se había convertido en un jefe muy importante, más aún, un líder respetado por todos los Amal de la zona occidental, y que adoptaba iniciativas bastante audaces... En cualquier caso, debería ir a buscarlo, reanudar los hilos de una amistad interrumpida por la doble matanza: pedirle que interviniese. Además, Bilal hablaba bien italiano. Era el único con el que se podía sostener una conversación cara a cara. Y con estas cavilaciones llegó al Veinticinco, se detuvo a contemplar el absurdo espectáculo de los asaltantes asaltados, es decir, de los veinte Amal rodeados que rodeaban a los italianos. Al-talieni-bil-jara, al-talieni-bil-jara. Después se acercó para ver quién era el barbudo flaco que los mandaba y se estremeció. ¡Rashid! Era Rashid: el jomeinista más jomeinista que existía en Gobeyre, un aliado feroz de los Hijos de Dios, una fiera que habría merecido de verdad las ráfagas de Pistoia. Lo había conocido en setiembre, lo había vuelto a ver varias veces los días en que intentaba localizar a Mustafá Hash, y una mañana lo había sorprendido golpeando a un miliciano culpable de a saber qué desobediencia. Golpes en la cabeza, rodillazos en los dientes, patadas en los genitales, y amenazas de algo peor. «¿¡¿Algo peor, Rashid?!?» «Sí, capitán. Cuando uno de mis hombres comete alguna infracción, la muerte es el castigo más leve.» También conocía al rubito que lo escoltaba: un briboncete neurótico, y vil, un personaje despreciable. En cierta ocasión había apuntado el Kalashnikov contra Azúcar que estaba en Chyah desactivando un cohete sin explotar: «Darte prisa, espagueti, darte prisa o yo disparar a ti con mi fusil...» Y cuando el amigo de Angelo, Gino, se había puesto a darle tortazos había empezado a lloriquear socorro-que-me-matan-socorro. Aunque su verdadero nombre era Jalid, lo llamaban Passepartout, y era el amante de la fiera. Su furcia. Como tal se permitía cualquier abuso, cualquier infamia, e inspiraba odio a sus propios compañeros. Los miró fijamente y con indiferencia. No hizo caso de los otros dieciocho, ejecutores disciplinados y, por eso, indignos de consideración, después lanzó una mirada de entendimiento a Águila Uno, y con expresión de fastidio se plantó delante de Rashid.

«Shubaddak? ¿Qué quieres, Rashid?»

«Badi iba bibati, estar en mi casa» respondió Rashid, torvo.

«Heida eno bitak, ésta no es tu casa, Rashid.»

«Heida bitak, heida bitak! ¡Es mi casa, es mi casa!»

«Bitak bi Gobeyre, tu casa está en Gobeyre.»

«Bitak bi Gobeyre, bi Sabra, bi Chatila, wa bi sha'obi mahal badi. Mahal Badi! Mi casa está en Gobeyre, en Sabra, en Chatila, y donde me plazca. ¡Donde me plazca!»

«Enta rhaltan, te equivocas.»

Rashid sonrió burlón.

«Min rhaltan, no me equivoco.»

«Enta rhaltan, te equivocas» repitió Charlie dando un paso al frente. «Taala, Rashid, ven.»

«Enruhe? ¿Para ir adónde?»

«Enda Bilal, adonde Bilal.»

La sonrisa burlona se extinguió en una exclamación sofocada.

«Enda Bilal?!? ¿¡¿Adonde Bilal?!?»

«Enda Bilal.»

«Tares minno Bilal?!? ¿¡¿Sabes quién es Bilal?!?»

«Ana minno, ana minno. Lo sé, lo sé. Bilal i sadiqi, Bilal es amigo mío, Rashid.»

«Sadiqi kum?!? ¿¡¿Amigo tuyo?!?»

«I sadiqi, amigo mío.»

«Amma, pero...»

«Taal, ven, Rashid» repitió. Después con aire casi distraído se puso a su lado, le echó el brazo por los hombros, le cogió la mano derecha, es decir, la mano que sostenía la correa del Kalashnikov, y aprisionándolo en una tenaza que a los otros les pareció un abrazo fraternal lo empujó fuera del círculo formado por la patrulla de Neblí. Lo dirigió hacia el borde de la Avenue Nasser. Aquí se detuvo, con falsa suavidad lo obligó a dar media vuelta sobre sí mismo, le indicó los dieciocho hombres a los que ni siquiera había mirado.

«Ull lahkni, diles que te sigan, Rashid.»

Indeciso entre intentar liberarse con riesgo de no lograrlo y quedar en vergüenza o soportar la tenaza y dejar que todos creyeran que se trataba de un abrazo fraternal, Rashid lo dijo. Entonces Neblí ordenó a la patrulla que dejara pasar a los asaltantes asaltados, el círculo se abrió, precedidos por un Passepartout despechado los dieciocho se dirigieron también al borde de la avenida. Siguiendo a los dos que aún iban abrazados la cruzaron, subieron a la acera de los Amal, entraron en la callejuela guardada por el miliciano sentado en un silloncito de mimbre, desaparecieron en ella junto con la voz de Charlie que tranquilizaba a Águila Uno.

«Vuelvo en seguida, mi coronel. No se preocupe.»

Se sentía tranquilo de improviso, aunque la obscuridad se podía cortar con cuchillo y ni siquiera la reverberación de un farol o una lámpara de gas iluminaba el trayecto. Había vencido y podía permitirse aquel lujo. Pero la callejuela no tardó en convertirse en un pasaje desierto, el pasaje desierto en una serie de callejones silenciosos, los callejones silenciosos en un corredor recorrido por una cloaca llena de aguas negras que al reducir el espacio sólo permitía el paso de una persona: hubieron de proseguir en fila india, y tras soltar la tenaza terrible se encontró encerrado entre Rashid que guiaba el pequeño cortejo y Passepartout que canturreaba detrás jara-talieni-jara, y fue presa del miedo. Un miedo desproporcionado, inexplicable, porque no se refería al peligro que estaba corriendo, es decir, el riesgo de que Rashid se vengara de la humillación sufrida conduciéndolo a una de sus guaridas donde la muerte era el castigo más leve. Se refería a un peligro por venir, una amenaza proyectada en el futuro, en el mañana que el compromiso con Zandra Sadr iba encaminado a evitar y más que miedo era angustia: una inquietud que aumentaba al mirar los hombros de Rashid y sentir el aliento de Passepartout en la espalda. Sobre todo al sentir aquel aliento. Había algo tremendamente insidioso en aquel mozalbete, algo que multiplicaba la conocida perfidia de su amante, y encerrado entre ellos dos advertías una especie de corriente eléctrica: una descarga que te paralizaba. Con la descarga una especie de olor funesto, letal. Llegó así al fondo del corredor recorrido por la cloaca. Después Rashid se internó en otro callejón y desembocó en una placita bordeada de chozas, una de ellas con las luces encendidas.

«Bitak Bilal, la casa de Bilal» dijo indicándola. Después, dirigiéndose a Passepartout: «Affettasciak, regístralo.»

Y muy excitado con la idea de exhibirse en el papel de esbirro, Passepartout se adelantó. Miró fijamente al gran cuerpo que lo superaba al menos en treinta centímetros.

«Down, en bas, ¡abajo!»

«Haqqan, desde luego, muchacho» respondió Charlie, muy contento de retrasar el momento en que el briboncete palparía los tobillos y encontraría la Browning High Power. Después se puso en cuclillas, con ademán de ayudarlo le ofreció la parte superior del cuerpo, y los dedos de Passepartout se pusieron a palparlo, registrarlo, buscar con pericia. Hombros, sobacos, espalda, tórax. Estómago, bolsillos de la chaqueta. Ahí se detuvieron, decepcionados.

«Up! Leve-toi, ahora tú levantar.»

Se volvió a poner en pie. Los dedos volvieron a palpar, registrar, buscar con pericia. Cinturón. Bolsillos de los pantalones. Cadera. Pelvis. Pronto los dedos iban a bajar a las piernas. Y una cosa es portar un arma bien a la vista y otra ocultarla en el tobillo. Había que interrumpirlo. Pero, ¿cómo? Tal vez llamando a gritos a Bilal. Lo llamó.

«¡Bilal! ¡Bilal!»

«¡Bilal! ¿Me oyes, Bilal?»

«¡Responde, Bilal!»

Muslos. Rodillas. Pantorrillas. Los dedos habían bajado a las pantorrillas cuando la puerta de la choza de las luces encendidas se abrió. Y en el umbral se perfiló la silueta de una mujer muy alta, muy gruesa, muy encinta.

«Min waes Bilal? ¿Quién busca a Bilal?»

Detrás de la mujer muy alta, muy gruesa y muy encinta, un hombre pequeñísimo y enfundado en una chaqueta llena de remiendos. Bilal el Barrendero.

«Uskut! ¡Silencio!» le ordenó. Después con pasos acompasados, solemnes, extrañamente largos para una persona de estatura tan baja, avanzó hacia el grupo. Lanzó una mirada de asombro a Charlie, dio un brusco empujón a Passepartout que al aparecer él había interrumpido el registro para correr a su encuentro, miró a los dieciocho guerrilleros que se pusieron firmes de un respingo, hizo un aparte con Rashid. Conversó con él unos instantes, enojado. Por último despidió a todos, ialla-ialla, y se acercó a Charlie.

«Afuán, por favor, capitán» respondió Bilal. Y tras indicar la puerta abierta de par en par, añadió en un italiano perfecto: «Entra en mi casa.»

CAPÍTULO SEXTO

–1–

Es un oficio noble, el oficio de barrendero. Consiste en limpiar las casas y las calles de la suciedad que producimos, en volver menos sucia e infecta nuestra existencia. Estúpidos e ingratos los que usan en sentido despreciativo la palabra barrendero, los que no comprenden cuán extraordinarios y preciosos son los barrenderos. Moriríamos de hedor y vergüenza y pestilencia sin los barrenderos: una ciudad sin barrenderos o con pocos y malos barrenderos es un agujero de veneno y muerte, una barbarie física y moral. Y en Beirut nadie quería hacer de barrendero. Los pocos que aceptaban lo hacían para alegría de los ratones, las moscas, los perros vagabundos. Recogían la suciedad sin orden ni concierto, rompiendo las bolsas en que estaba guardada y vaciando mal los bidones. La arrojaban de mala gana en los camiones dejando la mitad tirada por la calzada, la volcaban en fosas excavadas a flor de tierra donde la dejaban para que inficionase el aire ya pútrido de miasmas, y no desatrancaban nunca los albañales, no barrían nunca los callejones y las aceras. En una palabra eran malos barrenderos, los peores barrenderos del mundo. Bilal, no. Barría siempre los callejones y las aceras, desatrancaba siempre los albañales, no rompía nunca las bolsas. Vaciaba hasta el fondo los bidones y no perdía la suciedad por la calzada: la volcaba en fosas prufundas y si podía la quemaba. En una palabra era un buen barrendero, un barrendero que hace su oficio con orgullo y con escrúpulo. Porque haciéndolo con orgullo, con escrúpulo, le parecía ser un doctor que cura las enfermedades y porque consideraba que su escoba era una de las dos medicinas necesarias para curar a Beirut. La otra era el Kalashnikov.

Manejaba el Kalashnikov con la misma habilidad con la que manejaba la escoba, sin desperdiciar municiones y sin fallar un disparo. Lo exhibía con el mismo orgullo, y si en sus manos aquellos dos objetos se convertían en instrumentos desproporcionados, pues paciencia. En realidad era poco más alto que un enano: medía apenas un metro cuarenta de altura. También era bastante delgado, tan delgado que al mirarlo te preguntabas si pesaría más de treinta kilos, y muy pobre. Tan pobre que para vestirse sólo tenía un par de zapatos con la suela rota, un par de pantaloncitos, aquella chaqueta llena de remiendos. Y para consolarse sólo tenía a Zeinab: la mujer muy alta, muy gruesa, muy encinta, a la que había ordenado uskut, silencio. Pero era muy inteligente. Sabía leer, escribir, aprendía las lenguas con gran facilidad, y desde su metro cuarenta veía más cosas que los altos. Charlie lo había conocido por casualidad, en una calle de la Ciudad Vieja. Mira con qué cuidado barre ese muchacho la acera, había pensado, después se había acercado y había advertido que no era un muchacho: era un hombre, el epítome de lo que él llamaba el eterno siervo de la gleba, el eterno pueblo buey que por una brizna de heno ara la tierra de los demás. En seguida había hecho amistad con él, y Bilal había dicho: «Capitán, a los cuarenta años yo no conozco sino mi escoba y mi Kalashnikov. Con la escoba mantengo a ocho hijos, a una mujer que espera al noveno y a un padre enfermo. Con el Kalashnikov defiendo mi barrio y a Alá. Capitán, yo no consigo expresarme con palabras hermosas, pero puedo decirte que por esta parte de la ciudad no quiero a los cristianos. Tampoco os quiero a los extranjeros que habéis venido a Beirut a tomar y no a dar. Me lo ha explicado el mullah. Conque, si el mullah me pide que os mate, os mato.» Amenaza a la que Charlie había reaccionado con estas palabras: «El mullah te ha contado una mentira, Bilal, no hay que tomar por verdades sacrosantas las mentiras que nos cuentan desde los alminares y en las mezquitas. Esta vez hemos venido a dar, no a tomar, y tus enemigos no somos nosotros. Tampoco lo son los cristianos en cuanto tales: entre los cristianos puedes encontrar a un montón de Bilal, y un cristiano pobre te comprendería mejor que un musulmán rico. Tus enemigos son los ricos y los curas,

Bilal. Los ricos que al explotarte se aprovechan de tu miseria y los curas que al contarte mentiras se aprovechan de tu ignorancia. Hay dos tipos de desnutrición, Bilal: la del cuerpo, es decir, la que resulta de no comer, y la del alma, es decir, la que resulta de no saber. Y como las dos impiden crecer, además de comer hay que saber. ¿Has leído un libro alguna vez, Bilal?» «No, capitán. Los libros cuestan caros. Más caros que los filetes» había respondido Bilal. «Pero, ¡ahora comprendo por qué tengo hambre incluso cuando como! No es hambre de comida, la mía: ¡es hambre de saber cosas! Me gustaría tanto saber las cosas: descubrir por qué gira el mundo, por qué a veces gira al derecho y a veces gira al revés, por qué hay quien tiene cinco o seis chaquetas y quien tiene sólo una. ¡Jura que me traerás un libro, capitán!» Charlie lo había jurado. Pero después había habido la doble matanza y, por lo demás, ¿qué libro se lleva a un hombre que nunca ha leído un libro?

* * *

Lo siguió ensanchando los pulmones en un suspiro de alivio. Echó una ojeada al reloj para ver qué hora era y se dijo caramba, habían pasado casi veinte minutos desde que Rashid y él habían cruzado la Avenue Nasser: entretanto seguro que el Cóndor había corrido al Veinticinco y ahora esperaba con un espumear de acusaciones contra el pobre Águila Uno. Le parecía estarlo oyendo. «¿Cómo que se-ha-ido-con-ellos, mi-generaaal? ¿Quién lo escoltaba, quién lo acompañabaaa?» «Nadie, mi general.» «¿Y usted le ha dejado ir sin nadieee?» «Parecían amigos, mi general. Caminaban abrazados.» «¡Cómo que amigos! ¡Cómo que abrazados! ¿¡¿No se da cuenta de que para sacarlo a usted del apuro se ha entregado como rehén a los Amal?!?» «Voy inmediatamente a buscarlo, mi general.» «¿¡¿Qué va a buscar usted que no sabría encontrar su nariz?!? ¿¡¿Acaso no sabe lo grande que es Gobeyre?!?» Había que actuar con rapidez, resolver el asunto y volver atrás en seguida. Y pensando en eso cruzó el umbral, entró en la choza que Bilal definía como mi-casa: un gran cuarto mal iluminado por un par de lámparas de gas, ensombrecido por un gran retrato de Jomeini, y dividido en dos por una cortina. A este lado de la cortina, una mesa, un hornillo con brasas, diez sillas, un sillón, un escaño, la escoba, el Kalashnikov, y en el ángulo más oscuro un diván sobre el que reposaba un largo bulto cubierto de harapos. Al otro lado, un tintineo de risas infantiles y el rezongar catarroso de un viejo que protestaba porque quería silencio. Los ocho hijos y el padre enfermo, seguro.

«Bilal...»

En silencio Bilal cogió una silla, se la ofreció colocándola con el respaldo vuelto hacia el diván. Después se subió al sillón, se sentó con los pies en el aire y los brazos cruzados sobre el pecho, y alzando su huesudo rostro lanzó una mirada soberbia.

«¿Por qué estás aquí, capitán?»

«Para hablar, Bilal...» balbuceó Charlie, violento. Dada la cortesía con que lo había invitado a entrar, se esperaba cualquier cosa menos una acogida tan fría.

«¿Hablar de qué, capitán?»

«De lo que ha ocurrido esta noche en Chatila, Bilal, y como tú y yo nos entendíamos bien...»

«Eso era hace mil años, capitán. Muchas cosas han cambiado desde entonces, capitán.»

«Sí, Bilal, muchas. Cuatrocientos entre americanos y franceses han muerto, Bilal.»

«Nosotros morimos todos los días, capitán. Dime para qué estás aquí.»

«Porque no quiero que sucedan episodios como el de esta noche, Bilal, porque necesito tu ayuda. Tú no lo sabes, pero esta noche veinte Amal han irrumpido en el Veinticinco y...»

«Lo sé, capitán.»

«¿¡¿Lo sabes?!?

«Sí, capitán. Los he mandado yo.»

«¿¡¿Tú?!?

«Yo.»

Charlie observó incrédulo al hombrecillo sentado en el sillón con los pies en el aire y los brazos cruzados sobre el pecho. Volvió a verlo cuando le decía cuánto le gustaría saber cosas, descubrir por qué gira el mundo, por qué a veces gira al derecho y a veces al revés, por qué hay quien tiene cinco o seis chaquetas y quien tiene sólo una, jura-que-me-traerás-un-libro-capitán, y se preguntó qué le habría sucedido.

«¿Qué te ha sucedido, Bilal? ¿No escuchas al muecín?»

«Sí que lo escucho, capitán.»

«¿No has oído la frase que Su Eminencia ordena decir a las horas de la plegaria?»

«Sí que la he oído, capitán.»

«¿Entonces, Bilal?»

«Entonces no hay que tomar por verdades sacrosantas las mentiras que nos cuentan desde los alminares y en las mezquitas: me lo dijiste tú, capitán. Los curas se aprovechan de tu ignorancia, me dijiste, y he comprendido que es exactamente así. Antes nos contaban que erais enemigos venidos a tomar y no a dar, ahora nos cuentan que sois amigos venidos a dar y a no tomar, que sois hermanos de sangre. No sois hermanos de sangre. Sois hermanos de mierda, capitán. Disparáis contra los nuestros. Casi habéis matado a uno.»

Charlie lo miró como antes y se preguntó qué lo había hecho cambiar.

«No se detuvieron al darles el alto, Bilal. No podíamos saber que estaban borrachos de hachís y que...»

«Eran nuestros, capitán.»

«Correteaban por Chatila, entraban y salían cuando les apetecía, Bilal...»

«Chatila es nuestra casa, capitán. Nos la han robado pero sigue siendo nuestra casa. Como Sabra. Y yo he mandado a mis hombres para recordaros a vosotros y a los muecines que es nuestra casa, que en ella entramos cuando nos viene en gana.»

«Nos has mandado a gente del hampa, Bilal. El barbudo flaco que los mandaba es un verdugo y un sádico: tú lo sabes. Y su amiguito es un camorrista, un personaje despreciable. Los conozco, Bilal. Puedo decirte incluso cómo se llaman: Rashid y Jalid alias Passepartout...»

«Son los tipos que necesito, capitán.»

Al otro lado de la cortina un niño se echó a llorar y el viejo se puso a protestar otra vez con su rezongar catarroso. Zeinab los regañó a los dos y al dúo se sumaron sus gritos y después un gemido que sin embargo parecía proceder de otra parte. Charlie echó una segunda ojeada al reloj y esta vez se preguntó qué se puede responder a un hombre que ha aprendido la lección hasta el punto de rebelarse contra su maestro. ¿Le respondes no, querido amigo, estaba bromeando, hay que escuchar a los curas, tú eres un pobre ignorante y debes obedecerlos, aunque disparemos contra ti debes agradecérnoslo, o te congratulas de ello? ¿Le dices: bien, eres un alumno perfecto, la próxima vez aumenta la dosis o, mejor, mátame también a mí? De una cosa estaba seguro: lo había perdido. Perdido de verdad. Y sin embargo habría dado mucho por reconquistarlo. Buscó las palabras para reconquistarlo. Las encontró en la única pregunta posible.

«¿Ya no somos amigos, Bilal?»

Bilal meció los pies en el aire, separó los brazos y se apoyó mejor en el sillón que pareció tragarlo.

«Capitán... Tú no eres un hermano de mierda, pero la amistad es un lujo en la guerra.»

«¿Quién dice eso, Bilal?»

«El libro.»

«¿¡¿El libro?!? ¿Qué libro?»

«El libro que tú no me trajiste nunca, capitán.»

«No sabía qué libro elegir, Bilal...»

«Pero yo lo he encontrado, capitán.»

«¿¡¿Dónde?!?

«En la basura.»

«¿Has leído un libro encontrado en la basura, Bilal?»

«Sí. Lo he leído y he crecido.»

«¿Cómo se llama ese libro? ¿Qué título tiene?»

«No lo sé.»

«¿¡¿No lo sabes?!?»

«No, porque...»

Con hierática solemnidad Bilal bajó del sillón. Fue hasta el escaño, cogió un legajo de papeles manchados de grasa y de barro, los restos de un libro, volvió a donde Charlie.

«No lo sé porque había perdido la cubierta con el título y también las primeras y las últimas páginas. Pero las que quedan explican por qué gira el mundo, por qué a veces gira al derecho y a veces al revés, por qué hay quien tiene cinco chaquetas y quién sólo tiene una, y qué hay que hacer para que el mundo gire un poco mejor.»

«¿Qué hay que hacer, Bilal?»

«Combatir. De hecho dice que cuando te roban la casa debes recuperarla y defenderla con uñas y dientes si no te la roban otra vez. Mira.» Lo abrió por una página señalada con un bramante. Se aclaró la garganta, se puso a leer: «Beasnani saudafeh haza al bitak, beasnani! Beasnani saudafeh haza al quariatna, beasnani! Beasnani oudamiro ainai wa lisan iza iktarabbom menni, beasnani... Bueno, te lo voy a traducir: Con uñas y dientes defenderé mi casa, ¡con uñas y dientes! Con uñas y dientes defenderé mi barrio, ¡con uñas y dientes! Con uñas y dientes os arrancaré los ojos y la lengua si os acercáis, ¡con uñas y dientes! Hermoso, ¿eh?»

«Sí...» murmuró Charlie. «Hermoso...» Después se dijo que tal vez hubiera crecido demasiado: no podía reconquistarlo. Y se levantó para marcharse. Pero en ese preciso momento se repitió el gemido que no procedía de detrás de la cortina: distinto.

«Yahallah... Yahallah...!»

Qué extraño. ¿Quién se lamentaba? ¿El viejo? No, no era una voz de viejo. ¿Un niño? No, no era una voz de niño. ¿Zeinab? No, no era una voz de mujer. Y procedía, ahora se daba cuenta, del bulto que reposaba sobre el diván, a sus espaldas. Se volvió. Aguzó la vista, comprendió. Se dirigió a Bilal.

«¿Hay un herido, Bilal?»

«Sí...» reconoció Bilal con un suspiro. Había esperado que el capitán no lo advirtiese y le incomodaba que lo hubiera advertido.

«¿Dónde está herido?»

«En la pierna...»

Sin pedirle permiso, Charlie se acercó al diván. Quitó los harapos que cubrían el bulto, miró al herido. Era un hombre de unos treinta años, un guerrillero sin duda, y su rostro ardía rojo de fiebre. Le tocó la frente. Abrasaba. Le tomó el pulso. Latía muy rápido. Lo descubrió hasta los pies para examinar el resto del cuerpo. En la pierna derecha aún tenía alojada una bala y en la izquierda una herida negra y purulenta, señal de una infección muy avanzada que se estaba gangrenando. Lo volvió a cubrir con delicadeza.

«Es grave, Bilal.»

«Lo sé, capitán.»

«Corre el riesgo de morir, o al menos perder una pierna.»

«Lo sé, capitán.»

«¿Por qué no lo has llevado a la clínica chiíta?»

«Porque los gubernamentales van a inspeccionar tambien allí. Y los gubernamentales saben quién es. Lo detendrían.»

«¿Quién es, Bilal?»

«No puedo decírtelo, capitán.»

«No me lo digas. Lo internaremos en el hospital de campaña con nombre falso.»

Los duros ojos de Bilal se ablandaron. Su huesudo rostro se ruborizó. La voz se le volvió trémula.

«¿¡¿De verdad, capitán?!? ¿Cuándo?»

«Esta noche, Bilal. En seguida. Te mando una ambulancia.»

Se miraron fijamente en silencio. Charlie con la cabeza inclinada porque Bilal no le llegaba al estómago siquiera, Bilal con la cabeza casi caída hacia atrás porque el rostro de Charlie estaba tan lejano para él como el techo. Después Bilal tendió una mano.

«Capitán, ahora somos amigos para siempre. Si un día me pides que haga algo, lo haré aun cuando el libro diga que no lo haga. Te lo prometo. ¿Y tú?»

«Yo también» respondió Charlie. Y cogiéndolo por los sobacos lo levantó en vilo, lo besó en una mejilla. Después lo volvió a dejar en el suelo y con un nudo en la garganta se fue para volver a Chatila donde las cosas estaban como él había imaginado.

* * *

Exactamente así. En efecto, nada más ser avisado el Cóndor había corrido hasta allí y se había enojado con Águila Uno. Pero –y esto Charlie no lo había imaginado en absoluto– con el Cóndor había llegado también Pistoia. Y se había empezado a agitar con la idea de ir a buscarlo. «Mi general, siento que los gibelinos se lo han quedado.» «Mi general, siento que se ha metido en un lío.» «Mi general, yo no me quedo aquí rascándome los cojones y preguntándome estará-vivo-estará-muerto. Mi general, yo voy allí y les digo sacadlo de ahí al instante, sarracenos de mierda, u os dejo tiesos.» Después, con el M12 al hombro y la boina ladeada, había cruzado la Avenue Nasser. Había subido a la acera de los Amal, había entrado en la callejuela guardada por el miliciano sentado en el silloncito de mimbre, y gritando intentad-detenerme-intentadlo se había internado también él en la obscuridad.

«¡Charlie! ¿¡¿Dónde estás, Charlie?!?»

«Y tú, ¿qué haces aquí? ¿Qué quieres?» exclamó Charlie cuando se lo encontró en el corredor a lo largo del cual se le había declarado el miedo inexplicable.

«¿¡¿Que qué hago?!? ¿¡¿Que qué quiero?!? Vengo a buscarte, ¿no? Pero, ¿tú te crees que no iba a venir a buscarte, so huraño? ¿Tú te crees que te iba a dejar en las garras de esos maricones? ¡Antes me hago cura, antes me la corto! ¡Ah, qué placer encontrarte sano y salvo y más antipático que nunca!» respondió Pistoia.

Era una respuesta hermosa, y se merecía un agradecimiento semejante. Pero en lugar de pronunciarlo Charlie gruñó un frío podías-ahorrarte-la-molestia. Después llegó al Veinticinco, contó al Cóndor lo que había sucedido, llamó a la ambulancia para el herido de Bilal, y con aire distraído recogió la Rdg8 que Neblí le había arrancado de las manos a Passepartout. Se la metió en el bolsillo para regalársela a Azúcar.

–2–

«Martino, ¿qué hace esta bomba aquí?» preguntó Angelo indicando la Rdg8 que descansaba sobre la mesa de la Oficina Árabe.

«La ha dejado Charlie. Creo que quiere dársela a Azúcar para su Museo» respondió Martino.

«¿Y dónde la ha encontrado?»

«En el Veinticinco. La llevaba un Amal. Ese jovencito rubio que quería tirársela al soldado de guardia bajo la higuera.»

«Humm...»

«Qué canalla, ¿eh?»

«Humm...»

La cogió en la mano, la examinó. Extraña coincidencia: en el seguro de vuelo, la lengüeta metálica que salta en el momento de lanzarla, había un número de fabricación grabado que correspondía a las coordenadas del Cuartel General: 316492.

«Y qué valor Charlie, al alejarse con ellos, ¿verdad?»

«Humm...»

Volvió a dejarla sobre la mesa, fingió leer uno de los periódicos que estaba catalogando. Pensaba en Junieh, en el mal sabor de boca que Junieh le había dejado junto con el recuerdo del lavabo sucio, del bidé sucio, de las inequívocas manchas de la colcha, de los nauseabundos olores a comida que con las voces groseras subían por la ventana, y el Amal que quería tirar la Rdg8 al bersagliere de guardia bajo la higuera del Veinticinco no le interesaba en absoluto. Suspiró. Pues sí: había durado poco la ilusión de encontrarse de verdad en una Chambre Royale, abandonarse a la alegría de vivir, no pensar, amar tal vez. Cuando Ninette se había quedado dormida, saciada y exhausta, las angustias habituales habían vuelto a aflorar. Al aflorar habían multiplicado la necesidad de saber quién era, y en determinado momento había hurgado en su bolso. Despacito, con la cautela de un ladrón. Esperaba encontrar un documento que la arrancara al anonimato, algún papel con su nombre, un apellido, una fecha de nacimiento, un número de teléfono, una dirección. Pero el bolso no contenía sino el monedero con dólares y liras libanesas, un peine, una polvera, una estampa con el perfil de la Virgen María, y dos anillos de matrimonio. Uno pequeño, apropiado para la circunferencia de su anular, y otro mayor. De hombre. Entonces, presa de la ira que nace de la impotencia, la había despertado de improviso: «¿Quién eres? Who are you?» Y ella había sonreído con inesperada tristeza y había respondido: «I am Ninette and I love you. Soy Ninette y te amo.» Después había vuelto a dormirse.

«¡Menos mal que Charlie encontró a Bilal! Y menos mal que estaba ese herido en casa de Bilal.»

«Humm...»

En el momento no lo había creído. Con demasiada frecuencia la gente dice te-amo por decir me-gustas, te-deseo, y hasta ese día nada lo había inducido a sospechar que la pasión de Ninette ocultara un amor. Esta mañana en cambio lo creía, y lejos de sentirse halagado o conmovido experimentaba tormento y malestar. El malestar que te desasosiega, verdad, cuando te sientes en deuda o culpable para con alguien que te ama y al que no amas, el tormento que te destroza, cuando tienes miedo a amar. Peor aún, cuando eres capaz de amar. En la carta que acompañaba al absurdo regalo del ancla con la cruz le había escrito que no quería vínculos sentimentales porque estaba viviendo una crisis que debía afrontar y resolver solo, y desde luego no se trataba de una mentira. Pero tal vez la verdad entera estaba en un motivo nunca explorado ni analizado, la naturaleza de la crisis en que se debatía desde que estaba en Beirut, y había llegado el momento de explorarlo un poco. Analizarlo un poco... ¿Serían los ladridos de los perros vagabundos y los quiquiriquíes de los gallos enloquecidos el reflejo de un descontento que no era descontento del prójimo sino de sí mismo? ¿Ocultarían la búsqueda de la fórmula, la fórmula de la Vida, y la pesadilla de la entropía una angustia causada por su miedo o, mejor dicho, su incapacidad de amar? Se mordió una uña. Se preguntó si a los veintiséis años había amado alguna vez a alguien, sus padres, por ejemplo, o la muchacha de Milán. Y llegó a la conclusión de que no. Lo que sentía por sus padres no era amor. Era obligación de amor, deber impuesto por el vínculo llamado familia: nosotros-te-hemos-engendrado, con-que-tienes-la-obligación-y-el-deber-de-amarnos. Lo que había sentido por la muchacha de Milán, tampoco. Más que amor, el amor al que se refería el capellán del batallón, había sido una euforia: un entusiasmo debido al encanto de superar juntos el escollo de la virginidad, descubrir juntos los misteriosos placeres de la sensualidad, las misteriosas dulzuras de la costumbre. De hecho al dejarla se había sentido más bien solo y bastante vacío. Pero muy pronto había transferido los misteriosos placeres y las misteriosas dulzuras a mujeres con las que no había superado escollo alguno ni había hecho descubrimiento alguno, y poco a poco la había olvidado.

«Charlie aprovechó la oportunidad al vuelo, ofreció la ambulancia que se presentó en seguida, y en una palabra lo arregló todo.»

«Sí...»

Olvidada como se olvida a un extraño visto en el autobús: al volver a verla por la calle, casi no la había reconocido. ¡Humm! Probablemente la única persona a cuyo amor hubiera respondido con un poco de amor había sido la abuela... «Recuerda que nadie te quiere tanto como la abuela, que a la abuela puedes contárselo todo, pedírselo todo, hasta una bicicleta» le decía, al tiempo que le acariciaba los cabellos. Y él sentía una especie de fuego dentro. Con aquel fuego dentro le respondía: «¡No te mueras, abuela!» No había hablado ni comido durante días enteros cuando había muerto la abuela, y había odiado a sus padres que seguían hablando y comiendo. Pero poco a poco la había olvidado también a ella, y ahora le parecía que siempre hubiera estado muerta. Si pensaba en el recuerda-que-nadie-te-quiere-tanto no sentía ni siquiera un poco de nostalgia. ¿Necesitaría simplemente, para curar la crisis, vencer la pesadilla de los perros vagabundos y los gallos enloquecidos, entregarse a un ser humano, vivir para aquel ser humano, renunciar a sí mismo, es decir, aceptar la esclavitud del amor que le ofrecía Ninette? Tal vez sí. El caso es que la cura parecía tan difícil, tan exigente, tan contraria a su carácter y a lo que buscaba, que para llevarlo a cabo debería haberlo obligado a ello un milagro o un cataclismo.

«En cuanto a Bilal, ha pagado en seguida la deuda. ¿Sabes cómo la ha pagado?»

«No...»

«Ha mandado decir a Charlie que once jomeinistas han llegado de la Bekaa con una monstruosa cantidad de explosivo destinado a nosotros los italianos y que se han escondido en el barrio de Harek Hreik.»

Se sobresaltó.

«¿¡¿Y tú cómo lo sabes?!?»

«Lo sé porque estaba con Charlie mientras el miliciano de Bilal desembuchaba, ¿no? Porque iba traduciendo lo que desembuchaba, ¿no? Resultado: Charlie ha pedido otra audiencia con Zandra Sadr y la ha obtenido para esta noche. En este momento está comentando con el Cóndor las cosas que le echará en cara y...»

«Martino, cierra el pico y prepárate» ordenó Charlie irrumpiendo en el despacho. «Y tú también, Hamlet. También tú, Stefano.»

Abandonaron el Cuartel General. Con los faros apagados se dirigieron hacia el barrio de Haret Hreik, llegaron a una calle a la que no habían afectado los bombardeos, se detuvieron ante un elegante edificio protegido por una docena de milicianos y una ametralladora.

«¿Voy yo también, jefe?» preguntó Angelo haciendo ademán de apearse del jeep.

«No, tú no. Quédate aquí esperándome con Stefano» gruñó Charlie en tono brusco.

Se lo dijo en tono brusco porque la noche anterior lo había visto salir a hurtadillas para escapar con su Ofelia, y al diablo la disciplina, al diablo el engranaje que aspira al núcleo perfecto, al diablo lo de es-el-capitán, es-mi-capitán: nada le importaba que hubiera salido sin autorización. En cambio le importaba muchísimo que no se hubiera confiado a él. Le habría gustado susurrarle ve, muchacho, ve: no es necesario un milagro o un cataclismo para aprender a amar y a ser amado.

Pero Angelo no pestañeó.

«Con mucho gusto» respondió.

* * *

Al fin y al cabo no le interesaba, se dijo, ser testigo del espectáculo que también hoy se pondría en escena. Se lo conocía tan bien ya que sin bajarse del jeep podía contárselo hasta con los menores detalles. Precedido de tres tiarrones armados de Kalashnikov y seguido por un educadísimo Martino, Charlie subía al tercer piso y allí lo introducían en una sala amueblada exclusivamente con una gran alfombra de Bujara, una mesita de taracea y muchos cojines. En los cojines mejores, con las piernas cruzadas y de espaldas a la pared, Su Eminencia: más inmóvil que un buitre que espera apostado en un árbol a los cadáveres que devorar. Capa negra, turbante negro, larga y blanca barba de profeta. A sus lados, y en la misma posición, sus dos hijos. Uno seco y moreno, barbudo, que se le parecía como un ave rapaz se parece a otra ave rapaz; otro atlético y rubio, sin barba, que en cambio parecía un haragán con vaqueros. Estudiante de teología en la escuela de Qom e impaciente por heredar el cetro paterno, el primero. Estudiante de economía en la Universidad Americana de Beirut y deseoso de emigrar a los despreciadísimos Estados Unidos, el segundo. Después los tres tiarrones armados de Kalashnikov se retiraban, Charlie y Martino avanzaban. Saludaban a Su Eminencia que con la cabeza gacha, tan gacha que sólo se le veían las cejas blancas y pobladas, los invitaba a sentarse en la alfombra de Bujara. Martino obedecía solícito, Charlie con lentitud y atento a no enseñar la Browning High Power atada al tobillo izquierdo. Inmediatamente después entraba una mujer con chador, y llevaba una bandeja con cinco vasos de té caliente y espeso. Humilde, espantada, la dejaba sobre la mesita de taracea y Su Eminencia interrumpía su inmovilidad de buitre apostado en un árbol y en espera de los cadáveres que devorar. Alzando la cabeza y mostrando una mastodóntica nariz verrugosa, desfigurada por costras, indicaba los vasos y Charlie tomaba uno. Después de Charlie, Martino. Después de Martino, los dos hijos. Seguía un pesado silencio durante el cual sólo se oía el borboteo de las gargantas entregadas a la deglución, y con ello se consumía la obertura que precede al alzamiento del telón.

El telón se alzaba con la suave cabaletta que Charlie interpretaba sin cambiar una sola de las notas escritas con el Cóndor. Arpas y violas, laúdes y clavicémbalos, pífanos e hipocresías como para poner la piel de gallina. «Eminencia Reverendísima, espero que goce de excelente salud y me excuso por haber pedido audiencia a una hora casi nocturna. Martino, traduce.» Martino traducía y el carcamal respondía con voz débil. «Sí, capitán, Nuestra salud es excelente y Nos alegramos de recibirlo a cualquier hora. Pero, ¿cuál es esta vez el motivo de su visita?» «El motivo es bastante grave, Eminencia Reverendísima, pero antes de exponerlo debo agradecerle que haya transmitido a los muecines la frase que acordamos. Martino, traduce.» Martino traducía y el carcamal respondía: «Sí, capitán, hemos mantenido la promesa y deseamos que Alá misericordioso y omnisciente y omnividente siga protegiendo a los hermanos italianos.» Entonces Charlie adoptaba un tono menos meloso y renunciando a las arpas y las violas, a los laúdes y los clavicémbalos, a los pífanos y las hipocresías soplaba las trompas. «Número uno» decía, «Alá misericordioso y omnisciente y omnividente nos protege poco y mal: no todos los fieles respetan las órdenes de su Imán e incluso las deforman con un insulto que se refiere a las funciones corporales. Con el debido respeto, Eminencia Reverendísima, talieni jara: italianos de mierda. Para tal fin, la noche pasada, una manada de bribones invadió el Veinticinco, etcétera.» En una palabra, y aunque sin citar su nombre, denunciaba a su amigo Bilal. Lo hacía para demostrar al carcamal que su autoridad se estaba resquebrajando, ponerlo incómodo y obligarlo a importantes concesiones. Número dos, añadía, precisamente uno de los disidentes le había informado de que once terroristas procedentes de la Bekaa habían llegado a Beirut con una monstruosa cantidad de explosivo destinado a los italianos, etcétera. Los once estaban escondidos en Haret Hriek, es decir, en un barrio en el que no se movía una hoja sin que Su Eminencia Reverendísima lo supiera. Martino, traduce. Martino traducía y, con la mastodóntica nariz verrugosa vibrándole, el carcamal contraatacaba a toques de trombón. «Capitán, lo que usted declara Nos apena profundamente. Muy indigno es no obedecer las órdenes de un mensajero de Alá y no Nos consuela recordar que los sordos son una hierba mala sembrada en los campos de cualquier iglesia. No obstante, capitán, tampoco Nuestros hermanos de sangre han cumplido los pactos: grave error fue disparar sobre el automóvil que entró en Chatila.» Y Charlie guardaba las trombas. Pasaba a los tambores o, mejor dicho, al tam-tam de guerra. «Eminencia» tronaba evitando a propósito el «Reverendísima», «los italianos han cumplido hasta tal punto los pactos que han ingresado en su hospital de campaña a un guerrillero que de lo contrario habría caído en manos de los gubernamentales.» ¡Bum! «Han seguido donando plasma, Eminencia, soportando con paciencia los esputos y las ofensas, comportándose como amigos.» ¡Bum, bum! «Pero ahora están hartos y quien se harta acaba cambiando de actitud.» ¡Bum, bum, bum! «Que Alá misericordioso y omnisciente no los obligue a defenderse con medios más eficaces que una ráfaga: sería muy triste, Eminencia, que los amigos se volvieran enemigos y los hermanos mataran a los hermanos. Tal es el mensaje de mi general, hombre poco acostumbrado a ofrecer la otra mejilla.» ¡Bum, bum, bum, bum!

Suspiró con amargura. No lo pienses, se dijo. Lávate las meninges, mejor, desinféctalas con tu antiséptico. Mira si sabes aún recoger las estupendas flores de la abstracción compuesta de concreción, de la fantasía compuesta de realidad, piensa en el problema de la gota de lluvia o en la integral indefinida de una constante. ¿Recuerdas cuál es? Es el producto de la propia constante multiplicada por la variante, todo ello aumentado en una constante arbitraria... ¿Y la integral indefinida de una variable elevada a una potencia? Bueno, para eso hacía falta una pluma y un poco de papel y un poco de luz. Se hurgó en los bolsillos, buscó la pluma y la libreta que llevaba siempre consigo, se sacó del cinturón la linterna. La encendió y se puso a escribir murmurando para sus adentros, veamos: la integral de x elevado a n multiplicado por dx es igual a x elevado a $n + 1$ dividido por $n + 1$, todo ello aumentado en c. Por tanto, la integral indefinida de una variable elevada a una potencia es igual a una fracción con, en el numerador, la variable elevada a la potencia originaria más una unidad y, en el denominador, el exponente de la potencia más una unidad. Todo ello aumentado en una constante arbitraria... ¿Y la integral definida en un intervalo? Veamos: la integral definida en el intervalo entre a y b de $f(x)$ por dx es igual a la diferencia de $f(b)$ y $f(a)$. Por tanto, la integral definida en un intervalo equivale a la diferencia entre el valor de la integral indefinida calculado en el extremo mayor y el valor de la integral indefinida calculado en el extremo menor... Sí, ¡aún sabía recoger las estupendas flores de la abstracción compuesta de concreción, de la fantasía compuesta de realidad! Aún sabía nadar en las aguas del pensamiento puro. Sonrió. Apagó la linterna, volvió a colgársela del cinturón. Volvió a guardar en el bolsillo la pluma y la libreta, se volvió a mirar a Stefano, que callaba intimidado por aquel borbotar de siglas misteriosas, se preguntó si era oportuno cambiar algunas palabras con él. Pero no tuvo tiempo, porque Charlie volvía con Martino y saltaba al jeep, insólitamente alegre.

«¡A casa, muchachos, a casa! ¡Ponte detrás, Stefano, que conduce el jefe!»

¿Alegre? Se chupaba el bigote, estaba radiante. Parecía un gato que se ha comido un ratón.

«¿Y yo dónde me pongo, jefe?» le preguntó.

El gato ronroneó, cordial, sin recordar ya el tono brusco con que había gruñido no-tú-no.

«¡Delante conmigo, Hamlet! ¡Ánimo!» Después accionó la motorola y: «Cóndor Uno, Cóndor Uno, aquí ¡Charlie-Charlie!»

«Charlie-Charlie, aquí Cóndor Uno» respondió la voz sonora del general. «¿Lo ha conseguido?»

«¡Totalmente, Cóndor Uno, totalmente! ¡Volvemos a toda vela!»

En cambio, Martino gemía, deshecho.

«¡Oh! ¡Oh, oh!»

–3–

¡Qué trabajo traducir esta tarde! ¡Qué responsabilidad, qué emoción! Cuando Charlie había tronado la amenaza que-Alámisericordioso-y-omnisciente-y-omnividente-no-nos-obligue-a-defendernos-con-medios-más-eficaces-que-una-ráfaga etcétera, tal-es-el-mensaje-de-mi-general etcétera, se había sentido morir. De aquí no salimos vivos, había pensado, aquí nos cortan el cuello. ¡Estaba tan ofendido, el viejo! ¡Estaban tan ofendidos sus hijos! Los tres jadeaban como enfermos de asma. Pero, transcurridos unos minutos, se habían calmado. Su Eminencia Reverendísima había vuelto a adoptar la voz débil y: «Capitán, diga a su general que los amigos no deberán volverse enemigos y los hermanos no deberán matar a los hermanos. Descubriremos dónde están escondidos esos once portadores de mal, arrancaremos de nuestro jardín la hierba mala que daña.» Respuesta que en palabras llanas significaba de acuerdo, compadre, daré orden de eliminarlos. Conque Charlie había vuelto a sacar las arpas y las violas, los laúdes y los clavicémbalos, los pífanos y las hipocresías, así como el Eminencia Reverendísima, y: «Estoy seguro de ello, Eminencia Reverendísima. Por lo demás, ¿qué ojos ven mejor que los ojos del amo de una casa, qué oídos oyen mejor que sus oídos?» Por último se había levantado para despedirse y en aquel momento había sucedido lo peor: el viejo los había besado. A los dos, en la boca, ¡restregándoles la nariz con su narizota verrugosa y deformada por costras! Santo Dios, qué asco. Le habría disparado.

«¡Oh! ¡Oh, oh!»

Martino gimió de nuevo. ¡Disparado, sí, disparado! Y sin embargo, no había nada que detestara tanto como aquel artefacto que debía llevar siempre consigo como un bolso, y no sabía disparar. Lo había confesado incluso al Cóndor, la otra mañana, y no veas qué escándalo. Había ido a Bourji el Barajni con Charlie y el Cóndor, en determinado momento había oído una explosión, se había tirado bajo el jeep, y: «Soldado, ¿¡¿qué haces?!?» «Me resguardo, mi general.» «¿¡¿Te resguardas?!? Y tu fusil, ¿dónde está?» «Lo he dejado sobre el asiento, mi general.» «¿¡¿Sobre el asiento?!? ¿¡¿Y por qué?!?» «Porque no sé disparar, mi general.» Gritos, aullidos, rugidos. «¡Esto es demasiado! ¡Esto pasa de castaño obscuro! ¡Lleváoslo inmediatamente al polígonooo!» Lo habían llevado, creyendo que lo iban a fusilar había pedido un cura, pero en lugar del cura se había presentado un comando simpatiquísimo: un tal Gino que vencía en todas las competiciones de tiro. «No te preocupes, vas a ver cómo conmigo aprendes.» Después y sin preocuparse de que el polígono fuese un mar de fango le había dicho que se tirara al suelo y mirara al blanco. «¿Ves el punto de mira? ¿Lo ves? Debe coincidir con el blanco que al recibir el proyectil se enciende.» Se había tendido en el mar de fango, había apuntado, y no se había encendido nada de nada. Treinta y dos veces había apuntado, treinta y dos, y treinta y dos veces no se había encendido nada de nada. El comando simpatiquísimo se retorcía las manos. «No comprendo» repetía, «no comprendo. Lo embrazas bien y sin embargo ¡no das en el blanco!» Y cuando se había dado cuenta de que no daba porque en el momento de apretar el gatillo cerraba los ojos, había renunciado a enseñarle. Entonces se habían irritado todos. Coroneles, tenientes, sargentos. Filípicas sobre el honor del ejército, sobre el Piave, sobre Giarabub, sobre los mártires de Cefalonia y: «¿¡¿Eres marica o qué?!?» Menos mal que Charlie lo había defendido: «No es marica, es intérprete. Y un intérprete no debe disparar. Debe traducir. Dejadlo en paz.» ¡Ah, qué tonto por haberse metido a soldado! ¡Qué capullo por haberse presentado en aquel cuartel!

«Martino, ¿por qué te lamentas?» susurró Stefano.

«Porque soy desgraciado, majo.»

«¿Y por qué eres desgraciado?»

«Porque soy soldado, majo.»

Lo primero lo habían rapado a lo Yul Brynner. Él, que llevaba los cabellos hasta los hombros. «¿¡¿Y esta melena de Berenice?!? Ven aquí, Berenice, que te la vamos a arreglar.»

Después de raparlo a lo Yul Brynner, le habían puesto el uniforme: indumento inadecuado a su cuerpo menudo, apto para ser moldeado con trajes estrechos y colores vivos, no para ser empaquetado con pingajos burdos y verdosos, es decir, de un color que no sentaba bien a su tez. Junto con el uniforme le habían impuesto dos instrumentos de tortura llamados botas. Y con ellos lo habían obligado a caminar, dar taconazos, marchar, uno-dos, uno-dos, hasta que en lugar del talón se había encontrado con una llaga: él, que adoraba los mocasines de piel suave y que para no estropearse los pies iba siempre en taxi. El tercer día había gritado basta, matadme, soy partidario de la eutanasia. Después se había sentado en el suelo a mirar a sus compañeros de escuadra que continuaban caminando obedientes, dando taconazos, marchando, uno-dos, uno-dos, y lo habían castigado. ¿Sabes cómo? Mandándolo a limpiar las letrinas y las duchas. Las letrinas eran algo tremendo por la peste, la orina salpicada en la pared, los excrementos que flotaban dentro del retrete atascado por el papel. Las duchas estaban asquerosísimas porque como aquellos brutos se lavaban con jabón barato y no con jabón de tocador a base de leche o glicerina perdían los pelos, los pelos se mezclaban con la espuma, la espuma se quedaba allí y había que quitarla con las manos, y a él le había dado un ataque de llanto. ¡Imponer semejante cosa a un licenciado, una persona culta, un joven refinado y de buen gusto! Se había presentado llorando al teniente y le había dicho mi teniente, en lugar de desmontar y volver a montar el fusil, disparar, marchar, dar taconazos y venga hablar del Piave y Giarabub y los mártires de Cefalonia, el ejército haría mejor en enseñar un poco de urbanidad: explicar a los soldados que hay que tirar de la cadena y quitar la espuma con pelos. Deme al menos guantes de goma para limpiar las duchas y una máscara antigás para limpiar los retretes. El teniente, un tipo amable y educado, lo había envuelto en una mirada cómplice y: «Te entiendo, te entiendo.» Después le había dado los guantes y la máscara, no una máscara antigás pero una máscara, y le había sugerido que se escaqueara pidiendo el traslado a Beirut. «Tú hablas bien el árabe y el francés y el inglés, ¿verdad?» «Sí, mi teniente. Soy licenciado en lenguas y he presentado la tesis sobre la literatura popular árabe. Sobresaliente cum laude.» «Entonces, ¿qué haces aquí limpiando retretes? Tienen hambre de intérpretes en Beirut.» ¡Ah, qué error haber escuchado su sugerencia! ¡Qué error haber venido aquí!

«¿No te gusta ser soldado, Martino?» susurró Stefano.

«No, majo. No me gusta.»

«¿Y por qué no te gusta?»

«Porque los soldados son guarros, no tiran de la cadena, dejan la espuma con pelos, y además van a la guerra, majo.»

Nunca le había interesado la guerra. Ni siquiera en sentido intelectual. Nunca había leído un libro sobre la guerra, nunca había visto una película de guerra, e ignoraba hasta tal punto las consecuencias de la guerra que al desembarcar en Beirut había creído que había llegado a una ciudad devastada por un huracán. Y sin embargo lo que lo hacía desgraciado aquí no era la guerra: era el machismo idiota, presuntuoso, aberrante, que se había apoderado de todos. Era la glorificación o, mejor dicho, la deificación del testículo, la exaltación o, mejor dicho, la apoteosis de la polla como símbolo de virilidad. Era tener que demostrar con cualquier pretexto que eres más macho que los machos, que disparas más rápido, que pegas fuerte, que bebes más vino y más cerveza, que no te tambaleas nunca. Tener que hablar siempre de mujeres, de follar, de joder, elogiar incluso las hazañas de Pistoia, su archiconocida capacidad para seducir simultáneamente a tres cristianas llamadas Joséphine, Caroline, Geraldine. Tener que tomar como ejemplo al Cóndor, apuesto y valeroso, brillante y famoso, macho de machos y por tanto supermacho que dispara mejor que los demás, pega mejor que los demás, bebe mejor que los demás, jode mejor que los demás aunque no se sepa a quién se jode, tal vez a nadie, y que incluso abre de modo especial las botellas de espumoso, no destapándolas, sino decapitándolas con un bayonetazo en el cuello. ¡Ñac! Y el cuello sale despedido y deja la botella guillotinada y salpicando espumoso en lugar de sangre. Se lo había visto hacer docenas de veces, todas ellas había sentido escalofríos porque en lugar del cuello de la botella le había parecido ver saltar una cabeza humana, en lugar del espumoso le había parecido ver salpicar sangre. No era un gesto inofensivo, no. Era un rito macabro, un rito de verdugo que se deleita blandiendo el hacha, ajusticiando. Pero naturalmente los idiotas se esforzaban en imitarlo. ¿Sabes con qué? Con los botellines de vino que en vez de tapón de corcho tenían tapón de metal. Y si protestabas porque el tapón de metal se quita con los dedos no con la bayoneta, se ofendían mortalmente. La bayoneta era el apéndice de sus genitales, verdad, su auténtico falo. Para darte cuenta no tenías más que echar una ojeada a la Cámara Rosa.

«¿Piensas en la guerra, Martino?» susurró Stefano.

«No, majo, no.»

«Entonces, ¿en qué piensas?»

«En nosotros, majo, en la Cámara Rosa.»

La Cámara Rosa se encontraba en el último piso, junto a la de los carabinieri de servicio en el Cuartel General, y la llamaban así porque estaba tapizada de terciopelo rosa: puertas y armarios incluidos. En cambio, la de los carabinieri la llamaban la Cámara Azul porque estaba tapizada del mismo modo con terciopelo azul y tanto la una como la otra habían pertenecido a las favoritas del emir al que gustaba hacer el amor rodeado de rosa o azul. Claro que el terciopelo rosa ya no existía. A fuerza de lanzarse la bayoneta, Gaspare y Ugo y Stefano y Fifí lo habían destruido completamente. Falo igual a símbolo de destrucción, comprendes, y ese principio se extendía al cuarto de baño: lugar que en tiempos de las favoritas debía de haber sido estupendo. Suelo de mármol negro, grifos dorados en forma de cisne, bidé y ducha de chorro variable, bañera redonda. Claro que sus contubernales habían ensuciado hasta tal punto la bañera que a duras penas podías usar la ducha. Habían desquiciado o arrancado los grifos, y habían arañado todo el suelo... Sin contar las imágenes obscenas que tenían a la cabecera del catre. Una orgía de senos, vaginas, traseros, muslos achabacanados con los ligueros, morenazas o leonas rubias con la bata medio abierta para excitar con el pezón o el pubis. Y el espectro de Lady Godiva. Sí, el último producto del machismo en uniforme se llamaba Lady Godiva. Hojeando una revistilla pornográfica de Cinisello Balsamo, ciudad lombarda, Gaspare había encontrado la fotogafía de una muñeca erótica y el siguiente texto publicitario: «Lady Godiva, compañera ideal de sus noches solitarias. Dimensiones humanas y perfectas: 99-69-96. Sistema térmico-sonoro. Ríe, llora, estimula. Precio, ochenta mil liras. Envío rápido por correo. Máxima discreción.» Resultado, había enloquecido de alegría. Y los otros deificadores del testículo, es decir, Ugo y Stefano y Fifí habían enloquecido con él. «¡Sesenta y nueve, sesenta y nueve! ¡Qué chollo!» gritaban. «¡Noventa y nueve de tetas, noventa y seis de culo!» vociferaban. «¡Qué tía más buena, chicos!» Fifí sostenía incluso que la había probado en Nueva York y: «Funciona. Os lo aseguro, ¡funciona!» Los incitaba incluso el nombre de Godiva. Creían que Godiva venía del verbo italiano godere («gozar»): ¡analfabetos! Así, con la esperanza de desanimarlos, les había explicado que el verbo godere nada tenía que ver, que Lady Godiva era una heroína de la leyenda medieval inglesa: una señora que para protestar por los tributos impuestos a sus súbditos por su marido Leofric conde de Mercia y señor de Coventry había cruzado la ciudad a caballo y vestida sólo con sus largos cabellos de oro. Pero se habían entusiasmado aún más: «¿¡¿Desnuda?!? ¿¡¿Completamente desnuda?!?» Después, tras meter las ochenta mil liras en un sobre, la habían pedido. Y ahora él vivía con la pesadilla de que llegara el juguete indecente. ¡Ah, si hubiera podido confiar aquella angustia a un amigo, preguntarle por qué no había pronunciado las dos palabritas! A Charlie, por ejemplo. Lo malo era que Charlie no era un amigo: era una mamá. ¿Y cómo vas a confiar ciertos secretos a una mamá? Sería como partirle el corazón de una cuchillada.

«Vamos, ¡a la cama, muchachos!» bramó la mamá irrumpiendo en el patio del Cuartel General. Y sin dejar de lamerse el bigote, sin dejar de sentir la alegría de un gato que se ha comido un ratón, abandonó el jeep para correr a donde el Cóndor: contarle los detalles del encuentro con Zandra Sadr.

Charlie no habría estado tan alegre si hubiera imaginado los recónditos hilos que un día ligarían a Lady Godiva con el destino de Bilal. Pero, ¿quién puede imaginar lo inimaginable? Aquella noche no imaginaba siquiera lo que sucedería el día siguiente.

* * *

El día siguiente Radio Amal difundió un comunicado lleno de elogios para los italianos y en el barrio de Haret Hreik se encontraron once cuerpos acribillados de 7,62: la bala del Kalashnikov. Un ajuste de cuentas entre facciones opuestas, comentaron los periódicos. Inmediatamente después siete notables de Gobeyre se presentaron en la garita de los carabinieri con un manojo de rosas y pidieron a Charlie los recibiera para transmitirle un mensaje de paz. Charlie los recibió, inspeccionó a ellos y las rosas, después los condujo al antiguo comedor e improvisó una ceremonia en presencia del Cóndor, el Profesor, Caballo Loco y muchos otros oficiales excluido Pistoia. Con traducción de Martino, los seis agradecieron al Cóndor la amabilidad demostrada durante el deplorable asalto al Veinticinco y el ingreso en el hospital de campaña de un apacible ciudadano herido en las piernas cuando cruzaba la calle. Después lo besaron en las mejillas uno por uno, tres veces cada uno, y el Cóndor se sintió tan conmovido que las inevitables lágrimas en equilibrio sobre sus pestañas cayeron rodando como bolas de granizo. No sabiendo que se trataba de una simple alergia emotiva los seis se consideraron obligados a imitarlo e incluso superarlo, estallaron en un concierto de sollozos desgarradores, y acabaron por conmoverse de verdad.

Todos menos el Profesor, es decir, el único que sabía mirar con indiferencia este extraño mundo en el que los hombres hacen reír y llorar a un tiempo.

–4–

El Profesor cerró la puerta del despacho, se sentó ante el escritorio y, contento de poder por fin redactar la carta que los dramas de las últimas semanas no le habían permitido esbozar siquiera, metió un folio en la máquina de escribir: objeto tan precioso para él como los *Diálogos* de Platón, el *De Libero Arbitrio* de Erasmo de Rotterdam, la *Crítica de la razón pura* de Kant, los demás enjundiosos volúmenes guardados en el baúl que a la llegada se había volcado en el muelle provocando estupor e incredulidad. Le gustaba plasmar sus pensamientos en el papel, profesaba un culto casi maníaco por la página elaborada, y una hoja colgada de la pared a su espalda decía: «El lenguaje hablado es por naturaleza descuidado e impreciso. No concede tiempo para reflexionar, para usar las palabras con elegancia y raciocinio, induce a juicios precipitados y no hace compañía porque requiere la presencia de los otros. El lenguaje escrito, por el contrario, concede tiempo para reflexionar y elegir las palabras. Facilita el ejercicio de la lógica, obliga a juicios ponderados, y hace compañía porque se ejercita en soledad. Sobre todo cuando se escribe, la soledad es una gran compañía.» Detalle que explica la sonrisita irónica como una mueca en los labios de su rostro ni joven ni viejo, ni hermoso ni feo, la aplicación con la que desempeñaba el papel de protagonista o mejor de testigo que gusta de permanecer entre bastidores, y el encargo que había aceptado en Beirut. (Ser el lugarteniente del Cóndor significaba, de hecho, vivir en la sombra como un doble que no enseña nunca la cara, mantenerse alejado como un sustituto que sabe de memoria el papel de primer actor y no lo representa nunca, y para aceptar semejante cosa hay que ser muy estúpido o muy inteligente.) Explica además por qué hablaba muy poco y por qué quería escribir un libro sobre la tragicomedia que sucedía ante sus ojos. La novela que estamos leyendo.

Pero más que un personaje el Profesor era, o mejor es, una charada, un juego de espejos, una mise en abîme. Así que de él nos ocuparemos sólo mediante tres cartas dirigidas a una mujer que no existía. Ésta es la primera, aquélla para cuya redacción se había encerrado en el despacho y se había sentado ante el escritorio.

* * *

Me has preguntado cómo van las cosas en Beirut. Te he respondido que van como siempre, y desde luego has intuido que se trataba de una escapatoria para eludir asuntos que por teléfono no quería tratar. Ya sabes cuánto detesto ese instrumento bárbaro y primitivo, ese antipatiquísimo utensilio que no permite mirar a la cara de la persona con la que se habla, y así mismo sabes que no soy un gran conversador: hablando no logro nunca decir bien lo que quiero decir. Por carta en cambio me resulta fácil, la verdad es ésta: las cosas no podrían ir peor, la tragedia se ha vuelto una farsa y la farsa convive con la locura. Nos degradamos con compromisos discuti-

bles, jugamos a los dados con la astucia y el engaño, nos compramos la salvación con chantajes y plasma y mentiras. No es casualidad que hoy hayamos intercambiado lágrimas y besos con los mismos a quienes les gustaría enviarnos al cementerio, y cinco veces al día los muecines cantan desde los alminares: «No toquéis a los italianos, los italianos nos dan sangre, los italianos son nuestros hermanos de sangre.» No obstante, seguimos viviendo en espera de la muerte, y todo gesto nuestro está en función del duelo que antes o después tendremos con ella. Qué tipo de duelo no lo sé, pese a que el tercer camión siga siendo el rostro que ofrece, y no hace falta añadir que ninguno de nosotros ha superado el trauma del horrendo domingo. Yo menos que los demás. ¡Ah, aquellos hermosos muchachos descuartizados! ¡Aquellos hermosos jóvenes que habrían podido ser hijos nuestros! Llegaban al hospital de campaña sin piernas, sin brazos, con los intestinos fuera... Sólo vi uno intacto: un robusto veinteañero negro que en lugar de las extremidades había perdido el cerebro y tragaba ansioso el agua destilada de una garrafa jadeando: «Vino, italianos, vino.» Pero a lo que me refiero no es a esto: es a lo que pensaba al verlos. Pensaba: ¿qué me distingue, en el fondo, de un kamikaze de paisano? También los militares de uniforme son capaces de cometer, o mejor dicho, cometen matanzas idénticas a la suya. Y en un proceso lógico, y, por tanto, extraño a las llamadas de la ira o del dolor, me identificaba con la ferocidad del kamikaze de paisano: dirigía mi barca hacia el cómodo puerto del cinismo. ¿O de la coherencia? Conozco tu tesis: «Eres un intelectual, y un intelectual no puede permitirse las parcialidades de la fe o la pasión o la moral. Un intelectual debe identificarse con todos, comprender todo y a todos.» De acuerdo. Pero quien comprende todo y a todos acaba por absolver todo y a todos. Quien absuelve todo y a todos acaba por perdonar todo y a todos. Quien perdona todo y a todos no cree en nada. Y quien no cree en nada, querida mía, es un cínico. Tout court.

Con coherencia o sin ella, y a costa de ceder a las parcialiades de la fe o la pasión o la moral, pretendo mantenerme alejado del cómodo puerto del cinismo. Y si me replicas que no necesitaba venir a Beirut para descubrir que el uniforme no es un hábito, que en los cuarteles no se enseña a cazar faisanes, que los militares cometen matanzas idénticas a las que hemos sufrido, me defiendo afirmando que cada cual juzga su oficio por el modo en que lo hace. Yo no lo he hecho nunca con el fin de matar. Para mí, el uniforme no ha sido nunca un símbolo de soberbia y violencia: siempre ha sido un concepto franciscano, un acto de humildad. Un hábito, en verdad. Para mí, el cuartel no ha sido nunca una fábrica de homicidios y suicidios: siempre ha sido una estructura humana, social, una abadía en la que se alojan individuos a los que educar para que lleguen a ser hombres. Detesto el martirio impuesto y recibido en la misma medida en que detesto las cornetas, las banderas al viento, la autoridad que considero un principio perjudicial: una trampa que conduce a la violencia por silogismo. Autoridad igual a brazo armado, brazo armado igual a fuerza, fuerza igual a opresión, opresión igual a violencia. Y, has de reconocerlo, a mis soldados no les enseño a cometer violencias: les enseño a crecer, es decir, a usar la vida con la cabeza, con dignidad y posiblemente sin miedo. El servicio militar obligatorio no debe ser un abuso que sufrir: es y debe ser un privilegio que gozar, una escuela que corta el cordón umbilical a los jóvenes aún ligados al pequeño cosmos de la familia, a la madre que mima con el café con leche preparado y el botón cosido, al padre que debilita con lo de ten-cuidado-al-cruzar-la-calle. En efecto, me desagrada que las mujeres estéis excluidas de él, que debáis cortar solas ese cordón umbilical. Y si me equivoco dime por qué el servicio militar no se olvida nunca, por qué de viejos se habla de él con mal disimulada nostalgia, con la inconfesada añoranza que se siente por una experiencia provechosa. De acuerdo, en algunos casos se conserva el recuerdo o, mejor dicho, la pesadilla de violencias y abusos y crueldades: nadie puede negar que el cuartel recurre con frecuencia a sistemas demasiado coercitivos y que ciertos oficiales tratan a los soldados como cuerpos acéfalos o víctimas con las que ensañarse. El ejército es un potaje que mezcla toda clase de verduras, refleja la sociedad a la que pertenece y la sociedad está llena de imbéciles: es inevitable que también entre nosotros haya muchos imbéciles. Pero juzgarnos desde esa perspectiva o sólo desde esa perspectiva no es correcto, y quien lo hace no tiene en cuenta un detalle importante: pese a nuestros muchos defectos y nuestros muchos imbéciles, somos indispensables.

Una vez hablamos de ello, tú y yo. Y reconociste, si bien con un suspiro de reprobación, que en toda la historia de este planeta ninguna sociedad ha logrado existir sin soldados. El reconocimiento me alegró tanto como me entristeció el suspiro. Cariño, ninguna sociedad ha logrado nunca existir sin soldados por la sencilla razón de que ninguna sociedad puede existir sin soldados. El protoantropo que con el bastón en la mano impedía a las fieras entrar en la caverna dentro de la cual dormía su tribu era un soldado. Y como es lícito suponer que se elegiría a los soldados de entre los más robustos, los más avezados a las fatigas, igualmente lícito es deducir que a ellos se confiarían otros cometidos ingratos. Por ejemplo el de retirar el peñasco que obstruía la entrada de la caverna, o el de capturar el jabalí para asarlo a la estaca, o el de encender el fuego bajo la lluvia. ¿Te parece poco? La condesa de Castiglione gustaba de sostener que los militares son niños. Si me lo hubiera dicho a mí, le habría replicado: Madame la Contesse, ¿cómo es que en cuanto surge una necesidad excepcional se recurre a esos niños? Se rompe un dique, se inunda un valle, y nos llaman a nosotros. Se desencadena un terremoto, se deshace una ciudad, y nos llaman a nosotros. Estalla una rebelión, se desata un saqueo, y nos llaman a nosotros. Estalla una guerra, ya sea justa o inicua, y nos llaman a nosotros. Nos mandan a morir en el Piave, en Cefalonia, en Stalingrado, en Giarabub, en Normandía, en Iwo Jima, en Corea, en Vietnam, en Afganistán, dondequiera que haga falta carne de cañón. Ayer, hoy, mañana, en cualquier época, con cualquier régimen. Madame la Contesse, yo me indigno cuando sus émulos, es decir, los antimilitaristas por principio nos ponen en la picota con las acusaciones de belicistas-obtusos-ignorantes, como si los belicistas, los obtusos y los ignorantes se encontraran sólo entre los ciudadanos de uniforme, como si los ciudadanos de paisano fueran por antonomasia casta de santos y mentes excelsas y pozos de sabiduría. Me indigno y respondo: no, señores, no soy un niño. No soy un belicista, no soy un obtuso. No soy un ignorante. El uniforme no me pone vendas en los ojos, no provoca en mí cerrazones humanas ni intelectuales. No me veda el amor a la cultura, la lectura de Platón y Erasmo y Kant. No me impide estar de parte del Hombre, comprender que pese a su perfidia y su estupidez es en verdad la medida de todo, la única balanza, en cualquier caso, que tenemos para pesar la vida: la única referencia de que disponemos para intentar explicarla. Así pues, es justo que siga creyendo en mi profesión, y sin embargo...

Y sin embargo, desde que las cosas van como van en Beirut, desde que vi a aquellos hermosos muchachos descuartizados y a aquel robusto veinteañero negro que en lugar de las extremidades había perdido el cerebro y tragaba agua destilada jadeando vino-italianos-vino, la profesión en que creo me da como una insatisfacción. Me queda estrecho como un par de zapatos estrechos, como un amor que ya no te basta y al no bastarte te arroja en brazos de otro amor... Cariño, sobre esta tragedia que a veces degenera en tragicomedia y a veces en farsa quiero escribir un libro: una novela. Ya sabes que siempre me ha seducido la novela porque es un recipiente en que puedes verter al mismo tiempo realidad y fantasía, dialéctica y poesía, ideas y sentimientos. Sabes que me seduce porque su mezcla de realidad y fantasía, dialéctica y poesía, ideas y sentimientos, permite ofrecer una verdad más verdadera que la verdad verdadera. Una verdad reinventada, universalizada, en la que cada cual se identifica y se reconoce. La novela no prescinde nunca del Hombre. Cualquiera que sea la historia que cuente y la parte del tiempo o del espacio en que se desarrolle la historia, la novela cuenta los hombres. Los seres humanos. Y yo quiero contar los hombres, los seres humanos. Hace años que lo deseo, que espero la ocasión de hacerlo, y la ocasión es ésta. Cariño, una pequeña Ilíada se mueve en torno a mí: una moderna Ilíada en treintaidosavo en la que con un poco de humor se encuentran casi todos los héroes del divino poema. No falta ni siquiera Helena, ya que Helena es la propia Beirut. No faltan tampoco Paris y Menelao, ya que Paris y Menelao son las dos secciones de la ciudad disputada. Y naturalmente también están los otros reyes y guerreros, las mujeres, los sacerdotes, los dioses antojadizos y enfrentados entre sí. Está Agamenón, aquí un general con la vehemente energía de un león que al no poder reinar en la selva la toma con nosotros, nos tiraniza, nos da dentelladas, nos ensordece. Está Ulises, aquí un gigante bigotudo que a las tosquedades de la ciencia bélica prefiere los sofismas de la intriga y todos los días inventa uno nuevo: su Ítaca es el sueño de imitar a Lawrence de Arabia, arquetipo al que se parece como un lobo a un lebrel, y a él se debe lo de no-toquéis-a-los-italianos-etcétera. Están Aquiles, aquí un pirata inofensivo al que nunca se ve porque está a orillas del mar soñando con combates, y Filoctetes al que se ve aún menos porque está en una colina conjurándolos. Está Ayax, aquí un astuto Don Juan en cuya tienda hormiguean las Briseidas y Criseidas y cuya manía de recurrir a los golpes nos ha causado un grave perjuicio. Está Néstor, aquí un aristocrático jinete de escasa sabiduría pero indudable elocuencia que nos persigue con los proverbios latinos y las anécdotas napoleónicas. Está Antenor, aquí un judío napolitano que con tal de no guerrear vendería el Vesubio y el Muro de las Lamentaciones. Está Diomedes, aquí un concienzudo tecnócrata que vive para el Reglamento y colecciona artefactos con el escrúpulo de un filatélico. Está incluso Héctor, aquí un magnífico enano que armado de Kalashnikov y vestido con una chaqueta remendada barre las calles de la Ciudad Antigua.

¿Parangones ficticios, sutilezas bizantinas? Tal vez. De hecho el personaje que más me intriga nada tiene que ver con los modelos

ofrecidos por el divino poema. Es el hamlético escudero de Ulises, un apuesto sargento meditabundo y que se hace ilusiones de poder resolver con las matemáticas dos problemas reducibles a un único problema: el amor que una espléndida y misteriosa libanesa derrama sobre él y la crisis existencial que las teorías de Ludwig Boltzmann alimentan en él. Una noche le pregunté qué buscaba y me respondió serio: «La fórmula de la Vida.» Después trazó una ecuación compuesta de cinco símbolos, $S = K \ln W$, dijo que aquélla era la fórmula de la Muerte, es decir, de la entropía, que siempre vence, y: «Pero debe haber una forma de demostrar lo contrario, de probar que la que vence siempre es la Vida.» Pero me fascina casi tanto su espléndida y misteriosa libanesa, explosión de deseos tras los cuales intuyo un secreto desgarrador y una heroica infelicidad. Con la espléndida libanesa, la multitud que languidece dentro de las murallas de Troya. Con la multitud, los arqueros que sufren en los campamentos de los aqueos. Los arqueros de que Homero no habla. ¡Pues sí! Al estudiar la Ilíada me he preguntado con frecuencia quiénes serían los soldados que Agamenón y Ulises y Ayax y Néstor y Aquiles en una palabra sus reyes habían llevado a morir en una guerra que no les incumbía. Ahora ya no me lo pregunto. Eran los muchachos que en Beirut ves en los miradores o los despachos o los puestos, los infantes de marina, los bersaglieri, los paracaidistas y los comandos que van en patrulla, que todos los días corren peligro de ser asesinados, a los que el ejército se refiere en plural con el vocablo tropa. Uno se llamaba Fabio y un horrendo domingo había traicionado por miedo a su amigo muerto. Otro se llamaba Ferruccio y para olvidar que había perdido sus diecinueve años pasaba las noches charlando con un pequeño palestino escapado de la matanza de Sabra y Chatila. Otro se llamaba Cebolla y temblaba de terror por estar de guardia al borde de una fosa llena de muertos. Otro se llamaba Clavo y regalaba su comida a una niña hambrienta, otro se llamaba Nazareno y predicaba la paz, otro se llamaba Gino y componiendo delicadas poesías soñaba con retirarse a un monasterio en las montañas del Himalaya, otro se llamaba Martino y se atormentaba con un drama insospechado por todos... Con o sin parangones ficticios, bizantinos, la historia no cambia. La eterna historia, la eterna novela del Hombre que en la guerra se manifiesta en toda su verdad. Porque, desgraciadamente, nada lo revela como la guerra. Nada exacerba con tal fuerza su belleza y su fealdad, su inteligencia y su estupidez, su bestialidad y su humanidad, su valor y su cobardía, su enigma. De hecho el peligro es narrar una historia ya narrada, escribir una novela ya *escrita. Pero no me preocupa. El arte de escribir consiste en repetir cosas ya dichas y en repetirlas de modo que la gente crea leerlas por primera vez, nos recuerda Rémy de Gourmont. Y yo sé cómo repetir las cosas ya dichas de forma que parezcan dichas por primera vez: escribiendo a mi modo, es decir, sin ceder a las añagazas de las prédicas o las condenas, en ambos casos mercancía falsa y expuesta a las intemperies de las modas y el tiempo y por tanto perecedera. Cariño, para contar los hombres, estos extraños animales que hacen reír y llorar a un tiempo, bastan dos sentimientos que en el fondo son dos razonamientos: la piedad y la ironía. En otras palabras, basta con tener la sonrisa en los labios y las lágrimas en los ojos.*

Lo sostiene también la periodista de Saigón, fantasmagórica comparsa que desde el día de la doble matanza merodea entre nosotros con el oído aguzado y los ojos desorbitados y un lápiz en la mano. Porque, ¿sabes cómo define, ella, a los hombres? Al gélido modo como los define la enciclopedia, pero añadiendo una apostilla a un tiempo afectuosa y despreciativa: «Mamíferos bimanos de posición erecta, capaces de usar el lenguaje articulado, caracterizados por un volumen craneano y una masa cerebral que en comparación con la porción facial del propio cráneo es muy superior a la de los demás mamíferos. Y por eso mismo, bastante más cómicos que los demás mamíferos y más conmovedores que cualquier otro animal.» (¿Y si ella fuese mi alter ego y pretendiese escribir mi libro?)

ACTO SEGUNDO

CAPÍTULO PRIMERO

–1–

Ahora que el relato se amplía para darnos personajes que hasta este momento han permanecido en la sombra, otros intérpretes de la tragicomedia de la que el Profesor quisiera sacar su pequeña Ilíada, la sonrisa en los labios nos sirve más que las lágrimas en los ojos. En efecto, sin esa sonrisa no lograríamos soportar el escenario en que se desarrolla el relato: la orgía de estulticia que ahora favorece a la sádica inteligencia del Caos, el triunfo del masoquismo que ahora alimenta la locura de la triste ciudad. Todos disparan contra todos, cada miembro de cada grupo o grupúsculo dispone de un Kalashnikov o un M16 o un Rpg. Lo lleva encima como la gente normal lleva el paraguas los días de lluvia, y cuando menos te lo esperas: ta-ta-ta, ¡bang! Para desentumecer los dedos, acaso, y matar a quien se ponga a tiro: una vieja que cruza la calle, un niño que juega en el patio, un recién nacido que duerme en los brazos de su madre. Al fin y al cabo las municiones no faltan. Vienen de todas las partes del mundo, en el puerto hay siempre un barco que las descarga en el muelle, en las bahías hay siempre una barca que las descarga en la playa, y cuestan poco. Padre nuestro y Alá nuestro que estáis en los Cielos, nuestras 7,62 y nuestras 5,56 y nuestras bombas de cada día dádnoslas hoy, y no nos dejéis caer en la tentación de soñar con la paz, mas libradnos del Bien, amén. Tampoco debes hacerte la ilusión de que comprendes. El proceso de comprensión requiere un mínimo de lógica, y aquí la lógica no existe. Los palestinos, por ejemplo, están divididos en dos sectas, una fiel a Abu Mussa y otra fiel a Arafat, y se están matando entre sí. En la cercana Trípoli, es decir, en la única aglomeración urbana de la que no han sido desalojados, a cañonazos. En Bourji el Barajni, en Sabra, en Chatila, a tiros de revólver. Para darse el gusto de verlos muertos, los enemigos de los palestinos ya no necesitan realizar matanzas: basta con que por la mañana echen una ojeada a los callejones y a los montones de la basura. En nueve de cada diez casos hay en ellos el cadáver fresco de un abumussiano eliminado por un arafatiano, o de un arafatiano eliminado por un abumussiano. En substancia es lo que ocurre entre los Amal y los Hijos de Dios, unidos antes por una santa alianza y cómplices de infamias. No es casualidad que hayan sido los Amal los que han cumplido la orden de Zandra Sadr y han liquidado a los once jomeinistas llegados de la Bekaa con una monstruosa cantidad de explosivo para desintegrar a los italianos. (Pero no te preocupes: mañana se pondrán de acuerdo otra vez.) También se pelean entre falangistas y kataeb, ambos devotos de la Virgen y de Gemayel, y en las montañas del Chouf los drusos crucifican a los maronitas. O les cortan los brazos y las piernas para dejarlos morir desangrados. Como si eso no bastara, desavenencias susceptibles de graves consecuencias resquebrajan el ejército gubernamental en el que la Octava Brigada, es decir, la constituida por soldados y oficiales cristianos mira torva a la Sexta Brigada, es decir, la constituida por soldados chiítas y oficiales con frecuencia cristianos: los soldados chiítas de la Sexta sabotean las órdenes de sus oficiales y todas las veces que deben bombardear Haret Hreik con los morteros situados en la Galerie Semaan bajan el tiro, aciertan en la colina más allá de la cual se extiende el barrio. Una bella colina de la zona oriental, ya maltratada por los artilleros del príncipe socialista-multimillonario Jumblatt que quisiera acertar al palacio presidencial de Baabda, es decir, a su rival Gemayel, y ya martirizada por los combates que destrozan el trecho más caliente de la Línea Verde: trescientos metros comprendidos entre la iglesia de Saint-Michel y la Galerie Semaan. Atención, atención: la iglesia de Saint-Michel es el último puesto avanzado de Gobeyre, el lugar en que los Amal se concentran para defender los barrios chiítas e intentar invadir la zona oriental, y la Galerie Semaan es el último puesto avanzado de Hazmiye. El lugar en que los gubernamentales se concentran para defender los barrios cristianos e intentar invadir la zona occidental. La bella colina domina los trescientos metros, al dominarlo recibe buena parte del fuego, ¿y sabes qué hay en su cima? Un convento. ¿Sabes quién está en el convento? Los paracaidistas, los carabinieri paracaidistas, los comandos de la base Rubí. Por consiguiente el batallón mandado por Halcón recibe todos los días su porción de granadas, Katiushas, balas perdidas, ráfagas, esquirlas, heridos.

Y sin embargo los dramas que caracterizan el Rubí son totalmente extraños a ese suplicio: allí uno se desespera, suspira, sufre por motivos muy distintos. Veamos cuáles, ahora que el relato se amplía para darnos personajes que hasta ahora han permanecido en la sombra, y confirmarnos cuán cómico, cómico y conmovedor, es el mamífero bimano de posición erecta, capaz de usar el lenguaje articulado y caracterizado por un volumen craneano etcétera. Es un día de finales de noviembre, ha transcurrido un mes desde el domingo de la doble matanza, y nos encontramos precisamente en el Rubí donde el Cóndor mide a grandes pasos el despacho de Halcón que se acaba de escabullir con la excusa de ir al retrete.

* * *

No, no le gustaba la incompetencia con que los drusos de Jumblatt erraban el blanco del palacio presidencial de Baabda y acertaban en el Rubí. No le gustaba el cinismo con que los artilleros chiítas alteraban la trayectoria y en lugar de sobrepasar la cima de la colina dirigían a ella los disparos destinados a Haret Hreik. Y sobre todo no le gustaba la fricción que aumentaba entre la Sexta y la Octava. Si la grieta se transformaba en ruptura, el ejército gubernamental se dividiría en dos y la Línea Verde resultaría infranqueable. Pero lo que había descubierto accidentalmente le gustaba aún menos. Accidentalmente, ¿entiendes? Gracias a un comando panoli que aprovechando su visita ¡había pedido una entrevista con él para una cuestión-de-vida-o-muerte! Se le subía la sangre a la cabeza si volvía a pensar en aquel diálogo absurdo. «Adelante, expónme la cuestión-de-vida-o-muerte. ¿La típica historia de la madre enferma o el tío moribundo que sirven para conseguir el permiso, para regresar a Italia?» «No, mi general. Yo no quiero volver a Italia, quiero quedarme en Beirut y casarme.» «¿¡¿Casarte, quieres casarte?!? ¿¡¿Qué significa estoooo?!?» «Significa que estoy enamorado, mi general.» «¿¡¿Enamorado?!? ¿¡¿Y vienes a verme a mí, tu general, para decirme que estás enamorado?!?» «Sí, mi general. Vengo a pedirle un préstamo.» «¿¡¿Un préstamo?!?» «Sí, mi general, de seis mil dólares.» «¿¡¿Seis mil dólares?!?» «Sí, mi general, los que me faltan para llegar a ocho mil. Como sólo llevo aquí seis semanas, he recibido dos mil dólares de retribución y...» «¿¡¿Ocho mil dólares?!? ¿¡¿Y para qué necesitas ocho mil dólares?!?» «Para pagar el rescate, mi general.» «¿¡¿Qué rescateee?!? ¿¡¿A quién han raptadooo?!?» «A nadie, mi general: me refiero al rescate por rescatar a la futura madre de mis hijos. Según las usanzas locales los padres la han vendido a un tipo que para cederla quiere ocho mil dólares. Si no se los doy, se casa él con ella y yo me mato.» «¿¡¿Te mataaas?!?» «Sí, mi general. El corazón no acepta órdenes.» Se lo había comido vivo. Le había gritado: cacho sinvergüenza, yo te mando de vuelta a Italia a patadas en el culo. Y adivina lo que le había respondido: «Mi general, si me envía a mí, deberá enviar a todo el batallón. En el Rubí casi todos están en mi situación, casi todos están enamorados de una libanesa y quieren casarse con ella y para casarse tiene que pagar el rescate.» Entonces lo había echado, en un dos por tres había hecho una pequeña encuesta y... sí, era cierto, por Dios. Sacrosantamente cierto. Los mandabas de patrulla y se enamoraban, los colocabas en un puesto de control y se enamoraban, los ponías en lo alto de un mirador y se enamoraban, los encerrabas en un tanque y se enamoraban. El Rubí era un banco de amor o, mejor dicho, de mal de amores. Consumía amor como un panadero consume harina, lo esparcía como una fábrica de perfumes esparce fragancia de lavanda o de bergamoto. Pero no el amor ficticio y goliárdico que Pistoia aplacaba con la Joséphine y la Geraldine y la Caroline, no el amor carnal y lascivo que los otros satisfacían con las Sheilas y las Fatimas y las diversas prostitutas de Chatila: el amor empalagoso, lánguido, romántico de los Pierrot que suspiran al claro de luna y anhelan bodas con flores de azahar y la marcha de Mendelssohn. El amor que debilita, idiotiza, distrae e induce a decir gilipolleces como el-corazón-no-acepta-órdenes. ¡Sus paracaidistas! ¡Sus comandos! ¡El batallón que estaba considerado el más viril y más macho, el devorahembras por excelencia!

Dejó de caminar arriba y abajo, se sentó ante el escritorio, se cogió la cabeza entre las manos. ¡Puñetera colina! Ya sólo le daba preocupaciones y decepciones, la puñetera colina. ¡Y pensar que cuando el gobierno de Gemayel le había ofrecido aquel convento abandonado y la propiedad que lo circundaba le había parecido un premio de la lotería! No le había molestado ni siquiera la cercanía de Baabda, ya en aquel tiempo blanco de los drusos de los calzones anchos para cagar en ellos al Mesías. No le había desanimado tampoco ver a qué estado lo habían reducido los sirios aliados de los palestinos que durante el asedio habían instalado en él su cuartel general: puertas y ventanas desvencijadas, cuartos saqueados e inhabitables a causa de las trampas explosivas, paredes manchadas de sangre, y en los sótanos destinados a celdas de tortura para interrogar a los prisioneros algún dedo momificado. Esto es un paraíso terrenal, se había dicho enumerando las ventajas que semejante situación ofrecía a una base. La ventaja de encontrarse en la zona oriental, para empezar, y en la cima de una altura que dominaba el trecho más delicado de la Línea Verde. Además, la de ser un lugar salubre y la de tener lo necesario para alojar a un batallón: hermosos campos de olivos y bosquecillos para dar sombra a las tiendas de la tropa, explanadas para los aparcamientos, descampados para los garajes y los talleres, cabañas para los depósitos de municiones... En cuanto al edificio del convento, construido al abrigo de una sólida roca y con una gran explanada delante que dominaba la iglesia de Saint-Michel y la Galerie Semaan, era lo mejor que se podía desear: paredes de cemento armado, subterráneos profundos para transformarlos en refugios, y espacio de sobra. En la planta baja un inmenso salón, seis salitas y una capilla que en la guerra siempre viene bien. En el primer piso, unido al inmenso salón por una escalerita, salas grandes y cuartos amplios. En el segundo, una bonita cocina y agradables alcobas con baño. La propiedad pertenecía, en realidad, a veinte monjas de una orden francesa que antes del avance israelí tenían en ella una escuela elemental, y tenía dos entradas. Una principal, por detrás, y otra secundaria: cerrada por una verjita que daba a la explanada y que se abría de lado, en la calle procedente del barrio de Hazmiye. Además, en la parte opuesta de la calle, veinte metros más abajo, había un rascacielos inacabado que parecía puesto allí para albergar Ost Ten: el observatorio internacional que ocuparían una escuadra de italianos y otra de americanos. Conque, tras retirar las trampas explosivas, lavar las paredes manchadas de sangre, recoger los dedos momificados, arreglar las puertas y las ventanas, había aceptado la oferta y había instalado el Rubí. A la sombra de los olivos, las tiendas de la tropa. En los descampados, los aparcamientos. En los claros, los garajes y los talleres. En las cabañas, los depósitos de municiones. En el salón de la planta baja, el comedor. En las salitas contiguas, las oficinas operativas. En las salas y en los cuartos del primer piso, las oficinas administrativas. En las alcobas del segundo piso, los alojamientos de los oficiales. Al fin y al cabo no había riesgo de que volvieran las monjas: quince habían regresado a Francia y cinco habían muerto. En un bombardeo mientras huían, pobrecillas. Desintegradas junto a un cargamento de abecedarios, vocabularios, cuadernos, objetos sagrados incluidos el Misal y las vinajeras y el Santísimo. ¡Imbécil! Debería haber comprendido por su resurrección que aquél no era el Paraíso Terrenal ni mucho menos. Resurrección, sí. Porque un mes después Halcón le había telefoneado lleno de perplejidad y: «Mi general, ¡han vuelto!» «¿Quién?» «Las dueñas de la casa, ¡las monjas muertas! ¡Corra, mi general, corra!»

Apretó los dientes, furioso. Había corrido y allí las tenía: en óptima salud y en fila con el cargamento de abecedarios, vocabularios, cuadernos, objetos sagrados incluidos el Misal y las vinajeras y el Santísimo. Cuatro monjas con hábito gris, velo gris y toca; una novicia con hábito negro, velo blanco y sin toca. Las dirigía sor Espérance: una normanda alta y enjuta, de unos cincuenta años, que lanzándote a la cara una mirada firme y celeste, te trataba con la soberbia de un soberano sentado en el trono. «Ça c'est notre maison, Messieurs, et nous sommes ici pour la reprendre. Ésta es nuestra casa, señores, y estamos aquí para recuperarla. Déménagez immédiatement, desocúpenla inmediatamente.» Junto a la normanda, sor George: una parisina minúscula y despectiva, de unos cuarenta años, con nariz en punta muy arrogante y pupilas agigantadas por las lentes bifocales de sus gafas. «Etes-vous sourds, ¿están sordos, Messieurs? N'avez-vous pas entendu ce que la Mère Supérieure vient de vous dire? ¿No han oído lo que la Madre Superiora acaba de decirles? Bougez, ¡Muévanse! allez hop!» Junto a la parisina, sor Madeleine: una marsellesa de unos sesenta años y rostro rubicundo, senos de nodriza lista para amamantar a dos recién nacidos a la vez, y un culo más macizo que un tanque. «Déménager, uoi, bouger! ¡Desocupar, sí, moverse! Nous n'avons pas de temps à perdre avec vous! ¡No nos sobra tiempo que perder con ustedes!» Junto a la marsellesa, sor Françoise: una nizarda de unos treinta años, triste y feílla, que nunca abría la boca pero te miraba con tal reprobación que te sentías culpable de cualquier delito. La última, sor Milady: la novicia. Libanesa, ella, de unos veinticinco años y hermosa. Lo que se dice hermosa. Cuerpo sinuoso y delgado, de modelo, realzado por el hábito negro que le llegaba hasta media pantorrilla y revelaba unos tobillos que quitaban el hipo. Facciones exquisitas, de Virgen gótica, y mala suerte si una inoportuna pelusa le obscurecía las comisuras de los labios y se convertía a la luz del sol en dos ligeros bigotes: se distinguía de las demás como un cisne se distingue de una nidada de patos. Eso, sí, ¡qué bruja, qué víbora! No te dejaba ni hablar. «Taisez-vous! ¡Silencio! Sonnez la retraite, plutôt! Mejor, ¡toquen a retreta! Y de nada servía objetar hermanas, no-estamos-aquí-ilegalmente: su-Gobierno-nos-asignó-esta-residencia.» «Notre gouvernement n'a aucun droit de vous assigner ce qu'il ne lui appartient pas! ¡Nuestro Gobierno no tiene el menor derecho a asignarles lo que no le pertenece! Allez-vous en! Allez-vous en! ¡Márchense!» Menos mal que en determinado momento la normanda la había hecho callar y con el aire de un rey que se digna perdonar a un súbdito pícaro había accedido a una componenda: «Je veux être clémente, seré clemente, Messieurs. Débarrassez tout de suite le premier et le deuxème étage, l'entrée principale, les caves, et tenez le rez-de-chaussée avec l'esplanade et le reste. La chapelle, en commun. Desalojen en seguida el primero y el segundo piso, la entrada principal, los sótanos, y quédense con la planta baja la explanada y el resto. La capilla, en común.» Menos mal que la convivencia funcionaba. Sí, funcionaba. Pero el presunto Paraíso Terrenal seguía siendo un pozo de engorros, y este del mal de amores los superaba todos. Pero, ¿¡¿de dónde venía, ese virus, por Dios?!? ¿Quién lo había traído? ¿Quién lo mantenía vivo? ¿Quién lo difundía? El diablo, el Padre Eterno, las...

Y en ese momento se puso en pie de un salto, aguijoneado por una intuición que era un descubrimiento. Las monjas. Lo habían traído las cinco monjas. Lo mantenían vivo las cinco monjas. Lo difundían las cinco monjas. Cinco, sólo cinco, y dos algo maduras. Pero mujeres. Cubiertas de vestiduras inviolables, estranguladas por la toca, desmedradas por el velo. Pero mujeres. Inaccesibles, incorruptibles, asexuadas, castas. Pero mujeres. Mujeres que vivían bajo el mismo techo, respiraban el mismo aire, sufrían los mismos riesgos con una presencia remota pero constante, una intimidad sutil pero inquietante, un atractivo ilusorio pero concreto. Sus ventanas se abrían precisamente sobre la explanada, comprendes, y las salas del primer piso estaban precisamente sobre el salón donde había sido ubicado el comedor. Esto significaba oír sus pasos, captar sus voces, imaginar sus movimientos... Parece cosa de nada un paso, una voz, un movimiento. Pero si el paso es un paso de mujer, si la voz es una voz de mujer, si el movimiento es un movimiento de mujer, si todo eso excita la fantasía de cuatrocientos hombres sanos y obligados a la abstinencia de los sentidos y los sentimientos, el efecto puede ser catastrófico. Puede desencadenar una psicosis amorosa que muy pronto te resulta incontrolable, transformar en lánguidos Pierrot a los devorahembras más devorahembras del mundo y vaciarles los bolsillos de ocho mil dólares de una vez. ¿¡¿Cómo no se le había ocurrido al instante?!?

–2–

La pregunta era pertinente, el análisis también. Pero la realidad era más complicada, porque abarcaba un fenómeno que caracteriza al mamífero bimano en posición erecta más que el lenguaje articulado, el volumen craneano, la masa cerebral etcétera: el impulso autodestructivo o, mejor dicho, el masoquismo con que se esfuerza en ser aceptado por quien no lo quiere, amado por quien no lo ama, y en la mayor parte de los casos se enamora precisamente de quien lo rechaza. Pobres devorahembras: ¡lo que habían sufrido antes de establecer el idilio, y cómo los habían subyugado las dueñas de la casa! Excluida sor Françoise a la que no se veía casi nunca en el convento porque trabajaba de la mañana a la noche en el Rizk de enfermera y en cualquier caso no hostigaba a nadie, cada una de ellas había elegido a una víctima con la que ensañarse. Sor Espérance, por ejemplo, había elegido a Halcón. Dos o tres veces por semana lo convocaba a la capilla y: «Monsieur, je suis dégoûtée. Estoy asqueada. Vos grossiers ne font que gueuler des vulgarités et s'exhiber en caleçons. Esos groseros de usted no cesan de gritar vulgaridades y exhibirse en calzoncillos. J'exige qu'ils se taisent et qu'ils s'habillent dans une manière convenable. Exijo que se callen y se vistan de forma decente.» De nada servía responderle que los groseros eran muchachos de veinte años a los que no se podían cortar las cuerdas vocales, que las vulgaridades eran simples canciones de amor, que los calzoncillos eran los previstos por el equipo militar, que en el cuartel los soldados necesitan relajarse. Se volvía una estatua de hielo, empuñaba el crucifijo de zafiros que embellecía su impecable hábito gris, lo alzaba a modo de espada y: «Monsieur! Mon couvent n'est pas une caserne! ¡Mi convento no es un cuartel! Le manque de pudeur est une atteinte à ma personne, à mes consoeurs, et à ce saint lieu. La falta de pudor es un ultraje a mi persona, a mis hermanas en el Señor, y a este santo lugar. Dieu ne veut pas! ¡Dios no quiere!» En cambio sor George centraba sus censuras y sus diatribas en Gigi el Cándido. Al menor pretexto le caía encima con sus antiparras y le decía: «Monsieur! Qu'est-ce que c'est que ce chahut sur l'explanade? ¿¡¿Qué es ese escándalo en la explanada?!? Ne savez-vous même pas vous imposer a vos hommes? ¿¡¿Es que no sabe siquiera imponer respeto a sus hombres?!? Chassez-les immédiatement! ¡Échelos inmediatamente!» Conque los dos vivían en la pesadilla de encontrarse con su tormento, y se consumían con el sueño de recibir al menos una sonrisa. «¡Una sonrisa! ¡Al menos una sonrisa! Y ella, por el contrario, te fulmina con ese crucifijo de zafiros. Te pone contra la pared con esa mirada celeste, te mata. No es una monja, ¡es una guerrera! ¡Un general, un Gengis Kan!» «¡Ah, sor George es peor! Por lo demás, ¿qué clase de monja es una monja que lleva nombre de hombre? George quiere decir Jorge, ¿no? ¡Es nombre de hombre! ¡La leche! Daría un dedo por recibir de ella un gesto amable, y hasta hoy me ha susurrado un assez-basta que parecía el silbido de un Katiusha. Conque, ¡mejor sor Madeleine!» Sor Madeleine había elegido a los groseros a los que no podían cortar las cuerdas vocales y los atormentaba con una perfidia sutil. Mientras abría las ventanas, por la mañana, gorjeaba una carcajada tan visceral que habría despertado los deseos de un santo. Pero un instante después alzaba una voz malvada y gritaba: «Un peu d'air, un peu de soleil, pour oublier que les brutes sont ici! ¡Un poco de aire, un poco de sol, para olvidar que están aquí los brutos!»

En cuanto a sor Milady, la hermosa novicia a la que el Cóndor había calificado de cisne entre los patos pero también de bruja o, mejor, víbora, constituía un caso especial. De hecho había sido ella, no sor Espérance ni sor George ni sor Madeleine, quien había asumido la dirección de las hostilidades. Y para víctima había elegido al brigada de los carabinieri al que Gigi el Cándido tenía a su órdenes directas: un robusto cuarentón de ojos de fuego y rostro excavado a hachazos que hablaba muy bien el francés porque, mira por dónde, había pasado su infancia en un colegio de monjas francesas. Y al que por su habilidad para resolver los problemas de tipo práctico llamaban Armando Manos de Oro.

* * *

Basta un disparo de fusil para iniciar una guerra, y por espacio de pocos días sor Milady había disparado dos. El primero había sido un cartel que había escrito y colgado en el comedor: «Les hôtes réunis dans ce salon sont invités à limiter leurs tapages bestiaux de façon à ne pas trop troubler le travail et la prière des religieuses qui ont le malheur de les loger. Se ruega a los huéspedes reunidos en este salón que reduzcan su bestial alboroto a fin de no perturbar demasiado el trabajo y la oración de las religiosas que tienen la desgracia de alojarlos.» El segundo, la escalerita de dieciséis escalones que conducía del comedor a los pisos superiores, es decir, a los aposentos de las propietarias y que concluía en un rellano y después una puerta cerrada por dentro con un sólido pestillo. No contenta con el pestillo había pedido que el hipotético acceso fuera reforzado con obstáculos, y Armando Manos de Oro había aceptado el encargo de contentarla. «Dejadme que me encargue yo del asunto, que entiendo de monjas. Son mujeres particulares, mujeres-soldado. De nada sirve afrontarlas con puño de hierro: con ellas se requiere guante blanco.» Después, apilando sillas, sillones, colchones, había obstruido los siete últimos escalones y: «Ça vous plaît? ¿Le gusta, hermana?» Respuesta: «Non. Neuf restent vides. Nueve quedan libres.» Había obstruido cinco más. «Maintenant ça va? ¿Está bien ahora?» «Non. Ils es restent quatre. Quedan cuatro.» Había obstruido también aquellos cuatro. Le había mostrado el resultado de sus esfuerzos exclamando mire-qué-Línea-Maginot, como-para-desanimar-a-hordas-de-violadores, si-tampoco-ahora-le-parece-bien, basta-con-añadir-un-cable-de-alta-tensión, y ella se había ofendido mortalmente. «Impudent, insolent, effronté! ¡Desvergonzado, insolente, descarado!» De nada había servido pedirle disculpas, balbucear bromeaba-sor-Milady-bromeaba. Menos aún buscar su perdón con mil servicios, arreglos en la capilla o en el sótano o en las cañerías del convento: desde aquel día no le había vuelto a dar tregua. Se había puesto a reprocharle hasta las cortesías, a transformarlas en culpas para echarle en cara unos j'accuse en comparación con los cuales las diatribas de sor Espérance y sor George o las sutiles perfidias de sor Madeleine resultaban zalemas. «Vous nous avez coupé l'électricité dans la cave! ¡Nos ha cortado la electricidad en el sótano!» «No, no, sor Milady, ¡al contrario! Se la he vuelto a conectar.» «Vous nous avez engorgé la bouche d'égout! ¡Nos ha atascado el sumidero!» «No, no, sor Milady, al contrario: ¡se lo he desatascado!» «Vous nous avez décollé l'agenouilloir de la chapelle! ¡Nos ha despegado el reclinatorio de la capilla!» «¡Qué va, Milady! ¿Qué dice? ¡Se lo he vuelto a encolar!» Y entre tales tormentos había transcurrido la primavera, había llegado la tarde en que la novicia había agredido al pobrecillo mientras interrumpía el paso del agua que subía del comedor al segundo piso. Drama sucedido, por lo demás, delante de un montón de oficiales entre ellos Halcón.

«Voleur! ¡Ladrón! Bandit! ¡Bandido!»

«¡Sor Milady...!»

«Vous volez notre eau! ¡Nos roba el agua! Voyou! ¡Gamberro!»

«Sor Milady, ¡la he cerrado para localizar una fuga que si no me equivoco procede de su cuarto de baño!»

«Menteur, hypocrite! ¡Mentiroso, hipócrita! Dans ma salle de bain il n'y a pas d'eau car vous la détournez pour la passer à vos militaires! ¡En mi cuarto de baño no hay agua porque usted la desvía para pasársela a sus militares!»

«¡No me insulte, sor Milady, no me maltrate! En cuanto haya localizado la fuga y haya arreglado el tubo, lo vuelvo a abrir y se podrá usted dar una ducha magnífica.»

«Misérable! ¡Miserable! Comment osez-vous parler de ma douche?!? ¿¡¿Cómo se atreve a hablar de mi ducha?!? Moi j'en ai par-dessus la tête de vous! ¡Estoy hasta la coronilla de usted! Et je ne vous supporte plus. Y no lo soporto más. Est-ce clair? ¿Está claro?»

Y esa vez el bueno de Armando Manos de Oro había perdido los estribos. Después de tirar al suelo la llave inglesa había cogido de un brazo a su perseguidora, la había empujado contra la pared y: «Escúcheme bien, pequeña arpía. Porque soy yo el que está harto, soy yo el que no la soporta más. Pero, ¿¡¿cómo?!? Hace meses que me desvivo por servirla, complacerla, arrancarle una sonrisa, ¡y usted no hace sino darme patadas en la boca! Me humilla delante del batallón, me llama ladrón, bandido, gamberro, mentiroso, hipócrita, miserable... Sor Milady, estoy hasta los cojones. ¿Comprende la palabra cojones? Bueno, pues hasta ahí estoy. Conque una de dos: o abandona o continúa. Si abandona, puedo intentar concederle un armisticio. Si continúa, le juro que le devolveré todos los tormentos que me ha impuesto y me impone. Juro que la haré enloquecer, llorar hasta que no le queden lágrimas. Y para empezar la puñetera agua del puñetero baño se la corto de verdad, conque ahora ya no va a poder lavarse ese precioso palmito.» Después había dado un patadón a la tubería, se había marchado dejando la caja de las herramientas, y tras superar el estupor también ella se había marchado: vibrante de desdén. Pero el día siguiente allí estaba otra vez con una sonrisa encantadora y una vocecita que parecía tomada en préstamo a los ángeles del Paraíso.

«Armandóoo...»

¡Dios, qué emoción oírle pronunciar su nombre! ¡Y cómo lo embellecía al desplazar el acento a la tercera vocal, alargar la *o*, mantenerla entre los labios entornados! Dicho por ella parecía una caricia, un beso...

«Sí, sor Milady.»

«Armandóoo, voulons-nous signer l'armistice? ¿Firmamos el armisticio?»

Lo había firmado al instante. Y, cinco minutos después, Halcón lo había firmado con sor Espérance. Gigi el Cándido, con sor George. Ambos, con sor Madeleine. Después para sellar el acontecimiento, transformar el armisticio en tratado de paz, las habían invitado a cenar con la tropa y el día siguiente las cinco habían bajado al comedor. Alzando graciosos ramitos de olivo habían respondido a los aplausos vivan-las-hermanas-vivan, difundiendo un perfume hechizador que era simple olor a mujer se habían sentado a la mesa de los oficiales a la que Armando Manos de Oro había sido admitido excepcionalmente, ¿y quién olvidaría nunca aquella increíble velada? Halcón que pálido de emoción se dedicaba a sor Espérance y le pasaba la sal, le servía el vino, le ofrecía los bocados mejores. Sor Espérance que sin altanería aceptaba sus atenciones y contaba las peripecias de la fuga a Sidón, explicaba los motivos por los que se había difundido la falsa noticia de su muerte, y en determinado momento se inclinaba a susurrar algo al oído de Halcón por lo que Halcón exclamaba encantado: «Madame!» Gigi el Cándido que coqueteaba con sor George y le preguntaba si era un hombre o una mujer. Sor George que lejos de escandalizarse le colocaba en la nariz sus gafas y le reprendía: «Monsieur Gigi, vous en avez plus besoin que moi! ¡Las necesita usted más que yo!» Después le reprochaba que hablara mal el francés y le proponía que fuera a estudiarlo con los niños de la escuela que acababan de abrir de nuevo. Armando Manos de Oro que paralizado por el éxtasis no apartaba los ojos de sor Milady, sor Milady que halagada se ajustaba el velo o se pellizcaba los bigotillos como si quisiera arrancárselos. Sor Madeleine que nada celosa de encontrarse sin pretendiente lanzaba sus viscerales carcajadas y sacudía sus grandes senos de nodriza en brincos que atraían secretas miradas codiciosas o bromas pesadas. «¡Gallina vieja hace buen caldo!» Sor Françoise que seguía escrutando en silencio el ángulo en que estaba sentado Gino y que de repente se dirigía hacia él, le ofrecía un cuaderno, decía en perfecto italiano una frase extrañísima: «Voilà, señor sargento. Le deseo muchos estornudos de Dios.» De hecho se elevaban susurros, qué-le-ha-dado, qué-ha-dicho, qué-son-los-estornudos-de-Dios, y Gino enrojecía hasta las orejas. Las consecuencias habían sido fatales sobre todo para Halcón, Gigi el Cándido, y Armando Manos de Oro. Porque, antes de despedirse, sor Espérance les había pedido a los tres que representaran al batallón en una cenita informal que quería ofrecer en el segundo piso. Los tres habían respondido sí, oh, sí, y el jueves siguiente habían subido a donde las antiguas enemigas. Tête-à-tête habían comido couscous y habían bebido Kzara, vino que sabe a resina y embriaga, habían decidido repetir la hermosa velada el jueves siguiente, y desde aquel día las cenas en el segundo piso se habían convertido en una costumbre que se repetía todos los jueves. Sólo durante dos meses, los que Halcón y Gigi el Cándido habían pasado como veremos en Italia, se habían interrumpido. En una palabra, ¡nada de presencia remota! ¡Nada de intimidad reducida, atractivo ilusorio! El virus que caracterizaba al Rubí se debía de verdad a las monjas. Y lo que es peor, no era inocuo en absoluto. En el caso de Halcón, Gigi el Cándido, Armando Manitas de Oro, contenía ya el germen de la tragedia. Pero eso el Cóndor no podía saberlo, nadie podía saberlo aquella mañana de finales de noviembre, mientras un grito desgarraba el despacho del primer enfermo.

«¡Llámenme a Halcóoon!»

–3–

Entretanto, Halcón cruzaba a largos pasos la explanada para bajar a las letrinas de los oficiales, y su agudo rostro de cincuentón descontento de sí mismo aparecía chupado por una mueca de angustia. Detestaba aquellas letrinas instaladas en la pendiente de la colina. Cada vez que tenía necesidad de ir a ellas se contenía hasta el límite de lo imposible, y sólo cuando no conseguía contenerse más se decidía a trasladarse a las malditas casetas expuestas como un blanco de tiro al fuego procedente de la iglesia de Saint-Michel o de la Galerie Semaan. De hecho les caían encima tantas balas perdidas y esquirlas que las paredes de chapa parecían un colador, y desde los agujeros se podía mirar el paisaje. Por lo demás sucedía con frecuencia que alguien resultara herido. Ayer un comandante se había ganado una 7,62 en la nalga derecha, un capitán había recibido una esquirla en el costado, y la semana pasada un teniente había salvado los genitales por un pelo. Al escapar gritaba: «¡De ahora en adelante uso el retrete de los soldados!» Una noche lo había usado él. Pero a la salida le había parecido captar miradas irónicas y había sentido tal vergüenza que se había dicho: Nunca más. Era el comandante de la base, por desgracia, coronel de carabinieri paracaidistas, y debía dar ejemplo. Debía exhibir lo que el ejército llama desprecio-del-peligro. ¿¡¿Desprecio del peligro?!? Una cosa es morir con la pistola apuntada al lanzarte al asalto, y otra morir con los calzoncillos bajados mientras cagas. Imagínate los comentarios después: «¿Cómo murió Halcón?» «Pobrecillo, con el culo al aire en las letrinas de los oficiales. ¡Qué fin más triste!» Triste, sí, humillante, pensó. Le recordaba el de un subalterno suyo que al descubrir que su mujer lo traicionaba se había pegado un tiro en un retrete de Livorno. Los otros se preguntaban por qué no había matado a su mujer; en cambio él se preguntaba por qué se había matado en un cagadero, y le habría gustado fusilar el cadáver gritando: «¡Bribón, cornudo! Se ha cubierto de gloria por doquier, el Arma de los carabinieri, la Benemérita: en el Podgora, en Gorizia, en el frente greco-albanés, en el África septentrional, en la Resistencia a los nazifascistas, ¡y tú la desacreditas suicidándote en un cagadero!» No, no toleraba la idea de morir en un cagadero. Y dado que a la muerte no se puede escapar, que ésta es la gran injusticia de la Naturaleza, tenía el sacrosanto derecho de desearse un fin menos embarazoso. En combate, pongamos, o en el acto de realizar un gesto noble. Y, mejor que en ninguna otra parte en un campo de tenis, empuñando la raqueta. Sí, en un campo de tenis habría muerto con gusto: hasta tal punto amaba ese civilizadísimo deporte. Lo amaba en la medida en que no había amado nunca a una mujer, y para creerlo bastaba con contar los trofeos conseguidos en treinta años o escuchar a quien decía usted-es-mejor-que-un-profesional. Lo era. Para ejecutar mejor el top-spin y el drop-shot había inventado incluso el movimiento llamado talón-de-Aquiles: movimiento que consistía en desplazar el peso del cuerpo sobre el talón derecho. Y sin embargo había elegido una profesión que podía hacerle palmarla en un cagadero y que en el fondo de su corazón aborrecía.

Aguzó el oído al eco de los disparos de fusil que los cristianos y los Amal continuaban intercambiando a lo largo de los trescientos metros disputados, irguió su alto cuerpo enjuto que el uniforme desmejoraba y que el blanco traje de tenis favorecía subrayando su indiscutible elegancia. Llegó a las casetas de las letrinas, eligió una central, es decir, al abrigo de los tiros que caían de lado, entró en ella, y se bajó rápido los pantalones. Debía liberarse a toda prisa, y por desgracia pertenecía a la categoría de quienes gustan tomárselo con calma: defecar leyendo el periódico o fantaseando sobre los problemas de la humanidad. Además si algo lo ponía nervioso tardaba el doble, y la visita del Cóndor lo había puesto muy nervioso. Se sentó en la taza, intentó relajarse. Ánimo, se dijo, intenta calmarte. Concédete el tiempo necesario. Pero pronto sacudió la cabeza. ¿Tiempo? No era cuestión de tiempo: era cuestión de mala pata. Porque no es seguro que la bala te dé y te mate. Puede darte y destrozarte un pie, por ejemplo, y en ese caso adiós talón de Aquiles. Adiós movimiento para ejecutar mejor el top-spin y el drop-shot, adiós tenis. ¡Maldita guerra! Dolor y sufrimiento, sufrimiento y miedo: en eso consistía la guerra. Y él miedo tenía para parar un tren. Tenía tanto que a veces se preguntaba si por sus venas corría sangre o miedo, si su cerebro contenía materia gris o miedo. Por lo demás eran viejos amigos, el miedo y él. Amigos fieles, amigos que también en Italia se encontraban con frecuencia. Cuando con las fuerzas del orden había que afrontar las plazas encolerizadas, por ejemplo: los manifestantes que atacan con barras de hierro y piedras de un kilo y cócteles Molotov por lo que los carabinieri retroceden y si los miras bien adviertes que bajo las máscaras de plexiglás tienen las pupilas nubladas, los labios exangües. O cuando había que detener a una banda peligrosa, a un bribón que no se lo piensa demasiado a la hora de apretar el gatillo, cuando había que sufrir las diatribas de los generales que ensordecían con sus gritos, cuando había que tirarse en paracaídas... ¿Me-romperé-la-crisma, no-me-la-romperé? De hecho podía describir cualquier síntoma o indicio, la garganta que se cierra, la nuca que se pone rígida, el vientre que se paraliza, el esfínter que se relaja, el orgullo que se va para dejarte un gran cansancio, y había acuñado su retrato: «El miedo es una cosa que te roba el orgullo y te lo substituye por un gran cansancio.» ¿Sería un cobarde? No, cobarde no, dado que se tiraba en paracaídas, respondía a las diatribas de los generales que ensordecían con sus gritos, detenía a la banda peligrosa y al bribón que no se lo pensaba demasiado a la hora de apretar el gatillo, afrontaba las plazas encolerizadas. Tener miedo no significa en absoluto ser cobarde. Pero habría dado mucho por ser un poco más valiente, por parecerse, por ejemplo, a Gigi el Cándido que entraba silbando a las malditas letrinas y durante los tiroteos se reía. «¡Dale! ¡Duro ahí! ¡Con ganas!» No tenía miedo de nada, aquel temerario. ¿De nada de nada? En fin... La otra noche se había oído un grito de espanto, habían acudido los centinelas, y allí estaba sin sentido. Qué ha sido, qué no ha sido y: «Un sapo, mi comandante.» «¿¡¿Un sapo?!?» «Sí, un sapo. Una vez, de niño, me quedé dormido junto a una laguna y me desperté con un sapo en el estómago. No hacía nada malo, pobre animal. Me miraba y nada más. Aun así sentí tal espanto que al ver un sapo me desmayo.» Evidentemente hasta quien no tiene miedo de nada tiene miedo de algo: además de ser una cosa que te roba el orgullo y te lo substituye por un gran cansancio, el miedo es un sapo que no perdona a nadie. Y Beirut es el último lugar del mundo para escapar de él.

Contrajo los músculos del abdomen, trató de iniciar una perístole en las vísceras inertes. No lo logró y sonrió sarcástico. Entonces, ¿por qué, tras haber tenido la fortuna de volver a Italia con un relevo de oficiales y de tropa, había regresado? ¿Por qué, en cuanto le habían preguntado si aceptaba asumir de nuevo el mando del Rubí, había respondido al instante que sí? ¿Por qué había vuelto a partir casi con impaciencia y sin lamentarse se había puesto a sufrir de nuevo los cohetes de los drusos, las granadas de los militares chiítas, las balas de todos y los despotismos del Cóndor que a cada momento se presentaba allí para aumentarle el estreñimiento? Para favorecer ambiciones profesionales o para escapar a infelicidades conyugales, no, desde luego: Podgora y Gorizia y frente greco-albanés y África septentrional y Resistencia a los nazifascistas aparte, un coronel de la Benemérita sacaba mayor provecho esposando a algún mafioso patrio que dirigiendo una base en Beirut. Y con su mujer no era infeliz ni mucho menos: aquella pobre mujer ni siquiera le reprochaba los domingos que pasaba con la raqueta en la mano. Se estremeció. Una bala perdida había agujereado la caseta contigua. Tragó saliva, se quedó un poco escuchando el corazón que latía como un loco, después se puso otra vez a contraer los músculos del abdomen. ¡Humm! Tal vez hubiera vuelto por las oportunidades que la guerra ofrece a los hombres descontentos de sí mismos y ansiosos por procesarse, juzgarse. La guerra es un gran examen. Es el más extraordinario banco de pruebas al que un hombre puede recurrir para medirse con el miedo y descubrir de lo que es capaz en el momento de la verdad, en una palabra, juzgarse. ¿Y qué sabía él de sí mismo antes de venir a Beirut? ¿Qué riesgos había afrontado excepto los que representaban la banda peligrosa o las plazas encolerizadas donde pese a las barras de hierro y las piedras de un kilo y los cócteles Molotov tienes la ventaja de representar al que manda y acabas siempre batiendo al enemigo? ¿Qué otra cosa había hecho excepto el oficio de policía, de guripa que detiene e intimida y castiga? De acuerdo, gracias a aquel oficio había conocido manadas de sapos, pero nunca se había medido consigo mismo. Nunca se había sometido a la prueba que cuenta, nunca había afrontado el examen que concluye con el veredicto lo-he-logrado o no-lo-he-logrado. Y no había medias tintas ni avenencias ni llamamientos a la misericordia del jurado, dado que eres el único juez de tu victoria o tu derrota. ¡Ah, qué alivio poderse decir lo-he-logrado, he-vencido-el-miedo, lo-he-vencido! ¡Qué consuelo, qué orgullo! Sí, debía de haber regresado por esto. Por tanto, no tenía razón en detestar aquellas letrinas en que se arriesgaba a la muerte más triste y menos gloriosa del mundo o al menos a recibir una bala que te destroza un pie para que no puedas jugar nunca más al tenis: sentarse en la taza, estremecerse con cualquier estallido, tragar saliva, escuchar el corazón que late como un loco mientras fuerzas las vísceras inertes era ya un modo de prepararse para el examen. Un ejercicio como el de desentumecer los dedos sobre las teclas del piano antes de tocar un fragmento difícil, es decir, antes de someterse a la Gran Prueba y demostrarse a sí mismo que no era un cobarde. Y después de semejante análisis, exacto y sin embargo ajeno a los auténticos motivos por los que había acudido y sobre todo regresado a Beirut, Halcón logró la ansiada perístole. Ensanchó el esfínter, concluyó lo que debía concluir, después se volvió a abrochar los pantalones y salió del retrete de sus penas. Subió hacia el talud.

Estaba muy lejos del punto en que comenzaría a sentirse a salvo: para llegar al edificio del convento se tardaban tres minutos. Pero la victoria que había logrado sobre su intestino lo henchía de orgullo, y casi con euforia llegó a la explanada donde se detuvo paralizado por una repentina perplejidad. Allá al fondo estaban sor Milady y Armando Manos de Oro, justo delante de la puerta del comedor: en el punto en que había tenido lugar la airada pelea. Una silueta delicada y deliciosamente cubierta de negro, ella, que apretaba entre los dedos el rosario, un perfil sólido y atractivamente bronceado, él, que sostenía la hubitual caja de herramientas. Estaban absortos en la conversación, mirándose a los ojos, y como si proyectara una película nunca borrada de la memoria Halcón volvió a ver a Armando Manos de Oro tirar al suelo la llave inglesa después sujetar por un brazo a su perseguidora y gritarle escúcheme-bien-pequeña-arpía-porque-soy-yo-quien-está-harto-y-no-la-soporto-más. Volvió a ver a Milady marcharse vibrante de desdén pero el día siguiente volver y con la vocecita prestada por los ángeles del Paraíso pedir el armisticio. Volvió a ver la cena que había transformado el armisticio en tratado de paz, a las antiguas enemigas que entraban en el comedor alzando los graciosos ramitos de olivo, la tropa que aplaudía, gritaba vivan-las-hermanas-vivan. Volvió a ver a sor Espérace que con su pálido rostro engastado en la toca y el velo gris, el impecable hábito, el precioso crucifijo de zafiros, avanzaba solemne hacia la mesa de los oficiales para sentarse junto a él y olvidar su soberbia regia: disolver el hielo de la estatua de hielo, contar las peripecias de la fuga a Sidón, hacerlo entrar en éxtasis con aquella revelación inesperada y mal correspondida por sus torpes Madame-Madame-Madame. «Il paraît que nous deux nous avons quelque chose en commun. Parece que nosotros dos tenemos algo en común, mon colonel.» «¿Qué, Madame?» «La passion pour le smash, le lob, le drop-shop et le top-spin, mon colonel.» «Madame!» «Eh, oui! Avant d'être une religieuse moi j'étais une championne de tennis. Antes de hacerme monja yo era campeona de tenis.» «Madame!» «Savez-vous ce qu'il me manque sur cette colline? ¿Sabe lo que me falta en esta colina? Une raquette et un court de tennis. Una raqueta y una pista de tenis.» «Madame!» Volvió a verse a sí mismo cogiéndole una mano y ella retirándola, posándola sobre el crucifijo de zafiros y después pensándoselo mejor y dejándosela estrechar, mientras se la dejaba estrechar contaba cosas que llevaban su excitación hasta el paroxismo: que pertenecía a una familia aristocrática emparentada con los Orleáns y poseedora de un castillo en Normandía con puente levadizo, por ejemplo, o que había sufrido mucho para imponer a sus parientes la decisión de tomar los hábitos y abandonar Francia, con lo que él la miraba fijamente y hechizado y con un nudo en la garganta se decía: ¡qué mujer! ¡Qué señora, qué valor, qué clase! Hay que tener clase para mandar a paseo ciertos privilegios, hay que tener valor para renunciar a los torneos y venir a Beirut, afrontar la guerra y aceptar a cuatrocientos militares que te han envadido el convento...

Pero sobre todo volvió a ver las cenas de los jueves, la impaciencia con que todas las semanas esperaba el jueves para subir al segundo piso con Gigi el Cándido y Armando Manos de Oro, la indulgencia con que asistía al coqueteo de su lugarteniente y del ayudante de su lugarteniente, el enojo con que había reaccionado ante la noticia del relevo, la inconfesada melancolía con que había regresado a Livorno, la rapidez con que había aceptado la propuesta de volver a asumir el mando de la base. Y la perplejidad que lo había paralizado en la explanada se convirtió en una sospecha que le dobló las piernas, para no caer al suelo hubo de apoyarse en la barandilla. ¿Sería que el motivo por el que había regresado a Beirut no era la necesidad de medirse con el miedo, descubrir de qué era capaz en el momento de la verdad? ¿Se llamaría sor Espérance la verdadera razón? Se enjugó una gota de sudor que le afloraba en la frente, suspiró profundamente, miró en derredor con ojos extraviados. Pobre Halcón. Pese a la honradez y las buenas intenciones, no era del todo capaz de sumirse en las profundidades del alma: adentrarse en los obscuros meandros de la psique. Tampoco cuando en Italia detenía a la gente conseguía nunca identificar los motivos auténticos por los que un crimen o un supuesto crimen había sido cometido, por los que un criminal o un supuesto criminal había actuado del modo como había actuado. Fiel a su papel de policía o, mejor dicho, de justiciero, se preocupaba sólo de determinar qué artículo del Código Penal había sido trasgredido, y la sospecha de que la vida superara con creces los angostos límites de la Ley y los enrevesados principios que ésta impone siempre había permanecido sepultada bajo la losa de un cementerio llamado Rechazo de los Sentimientos. Así pues, hacerse aquella pregunta lo aterraba más que las balas, más que la idea de morir en un cagadero o de perder un pie y no jugar nunca más al tenis, no ejecutar nunca más el drop-shot o el top-spin desplazando el peso del cuerpo sobre el talón derecho. ¿¡¿Sor Espérance?!? ¡Imposible! Pues, sí: posible. ¡No, sí, no, sí! Tardó mucho en llegar a ese sí. Tardó al menos una docena de miradas extraviadas y de suspiros profundos, además de muchas gotas de sudor. Muchas. ¡Haber vuelto por ella! ¡Por una monja de su edad, una incorruptible madre abadesa, una mujer inalcanzable que lo invitaba a cenar y nada más, que nunca le concedería otra cosa que un apretón de mano y una simpatía dosificada! Peor aún: haber contribuido a esparcir lo que con impúdica desenvoltura su ayudante llamaba el-virus-del-Rubí, ¡el-contagio-de-esta-base! ¡El amor es de verdad ciego, carente de sentido común! ¿Amor? ¿¡¿El amor es de verdad ciego, carente de sentido común?!? ¿Amor? ¿¡¿Había dicho amor?!? ¿¡¿Se trataba claramente de amor?!? Sí, señor, de amor. Platónico, tal vez, cerebral, y tan reprimido que debía considerarlo más bien un deseo de amor: una fiebrecilla. Pero un deseo de amor que había bastado para volverlo a traer aquí, una fiebrecilla suficiente para denunciar la presencia de la enfermedad. Debía curarse. Debía procurar no encontrarse con sor Espérance, rechazar las cenas de los jueves. Y, sobre todo, redimirse transformando el motivo por el que había regresado en el motivo por el que debería haber regresado: el de prepararse y después someterse a la Gran Prueba, demostrarse a sí mismo que no era un cobarde.

Se separó de la barandilla, cruzó velozmente la explanada. Tras pasar ante sor Milady y Armando Manos de Oro que seguían hablando absortos, mirándose a los ojos, irrumpió en el pasillo que conducía a su despacho y casi arrolló al cabo interino que lo esperaba junto a la puerta: un muchachito de aspecto obtuso y rostro tan aplastado que parecía un bajorrelieve cerrado en un círculo. En la base del círculo, una boquita trémula. En el centro, una naricilla invisible. En lo alto, dos ojillos de ratón atrapado en una trampa. Le preguntó con fastidio: «¿Quién eres? ¿Qué quieres?» Le respondió una especie de pío pío: «¡Se presenta el cabo interino Salvatore Bellezza hijo del difunto Onofrio!» «¡Ah, tú!» gruñó recordando que lo había convocado para reprocharle las tonterías a las que anoche se había abandonado por amor de una picaruela. «¡Pronto ajustaremos cuentas tú y yo!» Después llamó, entró, y el grito del Cóndor estalló para desgarrar los oídos a quienquiera que se encontrase a cien metros a la redonda.

«¡Halcóoon! ¿¡¿Qué cojones sucede en el Rubí?!?

El escándalo duró treinta minutos, adobado con las palabras no-estará-enamorado-también-usted, y devolvió a Halcón a su papel de justiciero que considera la vida un código en cuyo cumplimiento no debe intervenir el corazón. En efecto, lo convenció de que hacía falta un chivo expiatorio en seguida, una víctima que colgar de la horca para dar ejemplo. Y entretanto Salvatore Bellezza hijo del difunto Onofrio esperaba. Esperaba y su pequeña mente loca de amor iba a la deriva como una barca sin remos. Fantasías insensatas y verdades desconcertantes eran las olas que la azotaban en la niebla del desamparo y contra los escollos de la desesperación.

–4–

Lo fusilarían. Lo pondrían en un poste, con la cabeza cubierta con un trapo, y lo fusilarían como al pintor Mario Cavaradossi que en la ópera *Tosca* se prepara para morir cantando oh-dulces-besos-y-lánguidas-caricias, la-hora-ha-huido-y-muero-desesperado. O bien como a los militares que en las películas sobre la primera guerra mundial acaban en el paredón porque han escapado de las trincheras para irse a casa: estaba seguro. Gritaba demasiado, el general. «¡Esta historia debe acabarse» gritaba. Y el coronel respondía: «Se acabará, mi general, se acabará.» Bueno, que lo fusilaran. No le importaba. Le gustaba incluso porque, al leer la noticia en los periódicos Sanaan acabaría como Tosca que se mata saltando de los bastiones del Castillo de Sant'Angelo, y se arrepentiría de las cosas horribles que le había dicho. Go-to-hell, vete-al-infierno, le había dicho. Y con eso se había retractado de todo: los dulces besos, las lánguidas caricias, el fatal día en la Plage Hollywood... Todo. Se había olvidado incluso de los hermosos regalos que él había hecho a Alí, y de la piedra en forma de corazón sobre la que había grabado las iniciales SS. ¡Menudo trabajo grabarlas con la navaja! Sin contar los comentarios malévolos de quien lo miraba. «¿Idiota? ¿Es que no sabes quiénes eran los SS?» Lo sabía, sí. Lo había visto en el cine. Eran soldados alemanes vestidos de negro, con la esvástica en la manga izquierda y en la solapa. Junto con la esvástica, dos signos que querían decir Schutz Staffeln, Escuadra de Protección. Policías militarizados, carabinieri de Hitler, en una palabra, que no se distinguían por su amabilidad precisamente: pegaban, torturaban, mataban, y sólo se casaban con rubias. Pero, ¿qué iba a hacer él si los nombres Salvatore y Sanaan comenzaban con la S y si grabarlos enteros era demasiado difícil? En la medalla de oro, la que había comprado después del primer beso, el joyero se los había grabado enteros. Y con el lema Joined Forever, Unidos para Siempre. ¡Para siempre! Mujer cruel, ingrata. O quizá no conocía bien el inglés, no había comprendido el concepto de joined. Es un verbo complicado, el verbo to join. A veces quiere decir llegar, alcanzar y a veces pegar, encolar. Tal vez habría sido mejor poner united, unidos, del verbo unite. América se llama United States, Estados Unidos, no Joined States. Pero con Sanaan él no se sentía sólo unido: se sentía pegado, encolado. Así pues, tenía que volver a verla, explicarle el concepto de joined. Pero, ¿cómo iba a volver a verla si lo fusilaban? Bueno, a lo mejor no lo fusilaban: la pena de muerte no existe en Italia. Sí que existe: por espionaje, sabotaje, deserción. Y a fin de cuentas el suyo era un delito de deserción. Por eso el general y el coronel gritaban de aquel modo. Fíjate qué berridos.

«Coronel, ¡quiero un castigo ejemplaaaar!»

«Lo será, mi general, lo será.»

Salvatore Bellezza hijo del difunto Onofrio reprimió un sollozo. Todo culpa de Ojo de Vidrio, es decir, Su Excelencia el

Embajador que lo había enemistado con el sargento, ¡por lo que la cosa había llegado a Halcón! Si se hubiera callado, la cosa habría quedado entre unos pocos íntimos y se acabó. En cambio:

«¿Usted por qué no interviene? ¿Por qué consiente semejantes cosas? Yo me sacrifico por el país y por la noche no puedo dormir por culpa de un cabo primero que alborota en el tejado.» En casos así, ya se sabe, el sargento debe informar al sargento primero que debe informar al brigada que debe informar al subteniente que debe informar al teniente y así hasta el coronel que va a ver al general. Y entre todos te condenan a muerte. Pero antes de acabar delante del pelotón de ejecución se vengaría: contaría a todo el mundo que Ojo de Vidrio tenía el ojo de vidrio porque antes de venir a Beirut se divertía imitando a James Dean con otro embajador. Uno que había estado en Cuba y al que habían acusado de pertenecer a la logia mafio-masónica P-2, famoso por su idiotez y por su insoportable mujer: una multimillonaria vulgar y palurda, enamorada de Fidel Castro que decía a-mí-un-feto-así-no-me-interesa, y conocida en los ambientes diplomáticos como la Lavandera. Eran muy amigos, Ojo de Vidrio y el marido de la Lavandera, y celebraban juntos competiciones con los automóviles. Se lanzaban a gran velocidad uno contra el otro en un juego similar al que practica James Dean en la película *Rebelde sin causa*, cosa muy difícil pues en los últimos metros hay que girar o tirarse fuera, y James Dean lo hacía muy bien. Era joven, comprendes, tenía buenos reflejos. En cambio, ellos dos los tenían lentos por culpa de la barriga, y un día: ¡bang! Habían chocado con tal violencia que el marido de la Lavandera se había partido la cabeza y se había vuelto aún más idiota, la Lavandera había enloquecido de rabia y se había vuelto aún más vulgar, y Ojo de Vidrio se había roto la cara y había perdido el ojo ahora substituido por el de vidrio. Lo contaría, sí. Y además contaría que tenía mucho miedo de ser raptado y crucificado por los drusos, que por eso el abajo firmante Salvatore Bellezza hijo del difunto Onofrio había acabado haciendo guardia en el tejado de la embajada: un lugar donde con buen tiempo te deshacías de sudor, con mal tiempo te empapaba la lluvia, y donde de estar inclinado sobre la ametralladora doce horas seguidas acababas deshecho. Y sin embargo si Ojo de Vidrio se hubiera dignado saludarlo tan sólo una vez, decirle gracias-Salvatore-Bellezza-hijo-del-difunto-Onofrio-por-acabar-deshecho-por-mí, le habría respondido: ¡gracias a usted, Excelencia! Gracias porque sin Su Excelencia no habría conocido a la muchacha que vive en la casa de enfrente. ¿La ha visto con el ojo bueno alguna vez, Excelencia? Cuerpo juncal, facciones de hada, piel color ámbar. Y cabellos negros, el negro del ébano, que le llegan hasta la cintura. Vive en el sexto piso, Excelencia, justo delante de la embajada, y su cuarto da a un balcón de hierro forjado. Cuando se asoma al balcón, parece Julieta esperando a Romeo, y yo Romeo admirándola con la cabeza hacia arriba.

Reprimió un segundo sollozo. Exactamente así. La embajada sólo tenía tres pisos, y para admirar a Sanaan que se asomaba al balcón del sexto piso tenía que mirar hacia lo alto, como Romeo. No se había fijado en ella, al principio. Sólo se preocupaba de vigilar la calle para impedir que los drusos raptaran a Ojo de Vidrio y lo crucificasen, pero una mañana había alzado la vista y allí estaba ella. Por la tarde, ídem. La mañana siguiente y la tarde siguiente, lo mismo. De hecho se había preguntado: ¿se asomará para que yo le hable? Después lo habían jodido con el turno de noche, y se había dicho: no la volveré a ver. En cambio, en cuanto llegaba él Sanaan encendía la luz y se ponía a leer un libro en el umbral del balcón: en silencio. No se iba ni aun cuando llovía a cántaros. Parecía que dijese: «Si te mojas tú, amado mío, yo también me mojo.» Conque la cuarta noche se había dirigido a ella. En inglés, lengua que había estudiado para hacerse guardacoches y recibir magníficas propinas de los turistas americanos que gustan de confiar el coche a quien habla inglés. «Hallo!» le había gritado. Y ella: «Hallo!» «Me llamo Salvatore Bellezza hijo del difunto Onofrio. Do you speak English? ¿Hablas inglés?» Y ella: «Yes, sí.» «What is your name? ¿Cómo te llamas?» Y ella: «Sanaan.» «What do you read? ¿Qué lees?» Y ella: «I study. Estudio.» «What do you study? ¿Qué estudias?» Y ella: «Architecture, arquitectura.» Se había quedado de piedra. Porque una cosa es abordar a una marmotilla cualquiera, comprendes, y otra abordar a una intelectual. Una que estudia arquitectura. No obstante, sin mostrarse intimidado, le había preguntado: «Would you like to go out with me? ¿Te gustaría salir conmigo?» Y ella: «Are you married? Are you engaged? ¿Estás casado? ¿Estás comprometido?» Palabras que lo habían dejado sin respiración. ¿¡¿Casado, prometido?!? Él no tenía a nadie. No había tenido nunca a nadie. Con los guapos mozos que andan por ahí, nacidos y crecidos en la ciudad, ¿quién se va a fijar en un zagal nacido y crecido entre las ovejas de los Abruzos, es decir, alguien que sobre el amor del cuerpo sabe menos que la Virgen María? La gente cree que hoy en día todos saben todo de todo. Pero no. Sobre el amor del cuerpo alguien nacido y crecido entre las ovejas de los Abruzos sólo sabe lo que ve en las revistas de mujeres desnudas o en las películas de la tele con amantes que se desnudan para revolcarse en la cama. Y además ¡es que saber no significa en absoluto hacer! A los veinte años él no había recibido sino un beso, el de Nidal el callo aquel de Rue Hamra que a la mañana siguiente lo había dejado por el americano del jeep, y en cualquier caso ¿qué se hace después del beso? ¿Cuándo se desnuda uno para revolcarse en la cama? ¿Qué se siente durante la operación? ¿En qué consiste? A juzgar por las palabras de quienes hablaban de eso en el cuartel, consistía en un metisaca que acababa en un estremecimiento: una especie de estornudo que parte de abajo y deja muy satisfecho. ¿Verdad o mentira? Para descubrirlo, había pasado un permiso en Chipre, isla cercana a Beirut y llena de burdeles. Había entrado en un night-club lleno de muchachas impúdicas y había pagado siete whiskies a la griega que le tocaba los pantalones y decía vamos-arriba, anda. Arriba estaban los cuartos para los clientes, comprendes. Pero en el último momento no había ido.

El sollozo dos veces reprimido estalló y de los ojillos de ratón cogido en la trampa brotó un borbotón de lágrimas. Con qué ímpetu, una vez recuperada la respiración, había respondido ¡no-Sanaan-no-estoy-ni-casado-ni-comprometido! Entonces ella se había metido en su cuarto, había cerrado la ventana, había apagado la luz, hasta la noche siguiente no había vuelto a aparecer. Adivina para qué. Para lanzarle la siguiente cartita en inglés: «Querido Salvatore: con mucho gusto saldría contigo. El problema es que soy muy virtuosa y si no me acompaña alguien no voy. Tu Sanaan.» ¡*Tu* Sanaan! Había sentido que se desmayaba y se había puesto a balbucear: me ama, me ama, me ama a mí, Salvatore Bellezza, hijo del difunto Onofrio, zagal nacido y crecido entre las ovejas de los Abruzos, es decir, ¡alguien que sobre el amor del cuerpo sabe menos que la Virgen María! De la emoción no lograba siquiera responderle: Sanaan, no necesitas acompañante, ¡me encargo yo de proteger tu virtud! Pero, hacia el alba, se le había ocurrido una idea. Había recogido un trozo de carbón caído de una chimenea, había limpiado la pared del edificio contiguo a la embajada, y en grandes caracteres había escrito: «Sanaan, I live at the Rubino. If you do not come today, I kill myself. Sanaan, vivo en el Rubí y si no vienes hoy me mato.» Bueno, pues había funcionado: a la una de la tarde, mientras dormía en su tienda, le había llegado un grito despierta-Bellezza-despierta-que-ha-venido-a-verte-tu-chavala. ¡*Tu* chavala! Había corrido al puesto de control, ¡y qué sueño vista de cerca! Vestido blanco, de mangas largas y cerrado hasta el cuello, cabellos recogidos en dos trenzas de colegiala, y nada de maquillaje. «He venido porque no quiero que tú te mates» le había dicho, después lo había metido en un automóvil y le había presentado al tipo que iba al volante. Un joven bigotudo, bien parecido, con la cara semicubierta por las gafas de sol. «Mi primo Alí.» Habían partido, Alí al volante y ellos dos detrás: separados, ¡ay!, por un cojín. Lo había puesto Alí, el muy cerdo, y no contento con eso había situado el espejo retrovisor para poder espiarlos. Si Sanaan o él quitaban el cojín, ¿sabes lo que hacía? Tocaba el claxon: ¡pi, pi, pi! Sanaan estaba tan furiosa que fumaba como un carretero. ¡Causaba impresión ver a aquella colegiala con trenzas y vestida de blanco fumar como un carretero! De todos modos había sido una tarde hermosa, y al despedirse de él Sanaan le había jurado que volvería también el día siguiente. «Siempre y cuando borres la frase que escribiste con carbón en la pared, Salvatore.»

Se enjugó las lágrimas, se sonó la nariz. Había borrado la frase, y ella había vuelto todos los días: siempre con la escolta de Alí. Venían a la hora de la comida, por desgracia, y tan hambrientos que había que llevarlos al restaurante. ¡Les importaba poco que él no tuviera apetito porque a causa del turno de noche dormía poco! «Dormir demasiado atonta» decían riendo, después el habitual paseo con el cojín y el espejo retrovisor y el claxon. ¡Pi, pi, pi! No podías darle siquiera un beso o echarle el brazo por los hombros. Tenías que contentarte con rozarle una mano o susurrarle: «Te adoro.» Y no hace falta decir que su amor era espiritual, casto, en Sanaan él veía a santa Rita de Casia: la santa, verdad, que si le rezas los Salve Regina y los Requiem Aeternam te concede gracias imposibles. Ni el menor vicio en ella, ni el menor defecto. En fin, sí, un vicio sí que tenía: el de fumar un cigarrillo tras otro. Unas humaredas como para dejarte en el sitio. Y además, el defecto de no responder nunca a las preguntas. Por ejemplo la pregunta sobre su modo de estudiar arquitectura: para hacerse arquitecto ¿hay que ir a la universidad o basta con leer un libro en el balcón? Ella a la universidad no iba; si le preguntabas por qué cambiaba de conversación, y la cosa infundía sospechas. ¿Le habría hecho tragar una mentira? Pero tal vez también santa Rita de Casia tenía el vicio de fumar o de contar alguna mentira, y en cualquier caso con Sanaan se sentía feliz: ya no quería morirse a los veinte años. Antes quería morirse a los veinte años. Pensaba: ¿qué hago yo en este mundo? Nadie me quiere, mi padre murió tirándose por el precipicio para no pagar las deudas, mi madre me grita siempre cierra-el-pico, los otros me dicen siempre silencio-imbécil-que-no-llegarás-ni-siquiera-a-guardacoches y acaso suceda exactamente así: acabaré quedándome en la Benemérita que es el refugium peccatorum de los desgraciados sin oficio ni beneficio. Así que mejor morirme a los veinte años. Ahora en cambio estaba feliz de vivir aun con Alí por medio, y por otro lado, ¿cómo iba a oponerme a su presencia? Las muchachas virtuosas no pueden en modo alguno salir solas con su novio, ¡y pobre de él si Alí no hubiese escoltado a Sanaan!: Sanaan no habría vuelto a venir. Lo comprendía tan bien, ¡qué caramba!, que para no perderlo lo colmaba de regalos. Hoy una corbata, mañana una camisa, pasado mañana un reloj de cuarzo. Sin contar las comidas cotidianas. Le soltaba también mucho dinero. Historia que había comenzado el día en que el hipócrita había dicho hoy-te-invito-yo pero en el momento de pagar: «Perdona, me he olvidado la cartera. Préstame cincuenta dólares.» Después, en lugar de devolvérselos: «Préstame otros cincuenta, así te los devuelvo todos juntos.» Desde entonces no cesaba de repetir he-olvidado-la-cartera, dame-cincuenta-dólares, dame-cien, así-te-los-devuelvo-todos-juntos. Como para quitarle las gafas negras y mirar lo que había detrás: ¿¡¿una hucha, un banco?!? ¡Oh, cuánto le habría gustado recuperar los dólares, las corbatas, las camisas, el reloj de cuarzo, las comidas que el hipócrita le había gorroneado! Hipócrita, sí, y traidor. Porque había hecho algo peor. Mucho peor... El cabo interino Salvatore Bellezza hijo del difunto Onofrio se cubrió con ambas manos su estúpido rostro en bajorrelieve y en aquel preciso momento se abrió la puerta, apareció Halcón junto con el Cóndor que regresaba al Cuartel General.

«Tomaré medidas, mi general.»

«Repito. ¡Un castigo ejemplar!»

«Sí, mi general.»

«¡Hoy mismo!»

«Sí, mi general.»

«¡Y sea enérgico, por una vez!»

«Sí, mi general.»

Después Halcón carraspeó, adoptó la voz del policía que detiene intimida castiga, el tono del justiciero que considera la vida un código en cuyo cumplimiento no debe intervenir el corazón, y echando un vistazo distraído a la posible víctima del castigo-ejemplar, soltó el primer zurriagazo.

«Entra, sinvergüenza. Entra, que te torquemado.»

–5–

Entró con el paso vacilante del condenado que se entrega al verdugo. Aquellos métodos se los conocía ya tan bien que sabía de antemano todas sus fases. Primer zurriagazo, segundo zurriagazo, tono dulzón. Tercer zurriagazo, cuarto zurriagazo, tono almibarado. Quinto zurriagazo, sexto zurriagazo, muerte. Su sargento, en Livorno, lo llamaba ducha-escocesa. «La ducha escocesa facilita el flujo de sangre al cerebro, por lo que viene bien a los imbéciles como tú», decía. En cambio, Halcón la llamaba técnica-de-Torquemada, al parecer un cura de la Inquisición que quemaba a los herejes pero antes de quemarlos los torturaba, y decía: «Ahora te arrepientes, porque te voy a torquemadar.» Tosió. Sin dejar de vacilar llegó hasta el escritorio del que había vuelto a apoderarse Halcón. Probó a adoptar la posición de firmes.

«A sus órdenes, mi coronel.»

Le respondió el segundo zurriagazo.

«¡La cabeza alta, por Dios! ¡Pecho afuera, panza adentro, los brazos pegados a los costados! ¿¡¿Es ésta forma de presentarse a tu comandante?!?»

«No, mi coronel.»

Y, después de alzar la cabeza, sacar el pecho, retirar la panza, y pegar los brazos a los costados, Salvatore Bellezza hijo del difunto Onofrio esperó el tono dulzón que tras una breve pausa llegó: inexorable.

«Bien, Bellezza. Ahora que estás firmes, como Dios manda, hablemos de hombre a hombre. Pero, ¿eres un hombre, tú, Bellezza?»

«Sí, mi coronel.»

«Te equivocas, Bellezza, te equivocas. No es hombre quien se comporta como tú te comportas. ¡Y yo quiero hombres en mi batallón! Hombres con cojones, carabinieri con cojones. ¿Entendidooo?»

«Sí, mi coronel.»

«¿Entendido qué? ¿Qué he dicho?»

«Los cojones, mi coronel.»

«¿Los cojones de quién?»

«Los cojones de los carabinieri, mi coronel.»

«No he dicho los cojones de los carabinieri, Bellezza. He

dicho carabinieri con cojones. Es distinto. No me escuchas, Bellezza.»

«Sí que le escucho, mi coronel.»

Le escuchaba, sí, pero a la técnica de Torquemada se superponía el recuerdo del inolvidable día en que Sanaan había venido sin el hipócrita traidor, es decir, escoltada por su hermana. ¿¡¿Y sabes cómo iba vestida?!? Con unos vaqueros tan estrechos que parecían leotardos, una camiseta tan ceñida, que se le rasgaba. También se había soltado los cabellos, ¡y no veas qué hormigueo! Nada de restaurantes, aquel día. Nada de cojines ni de espejos retrovisores ni de pi-pi-pi. Habían tomado un taxi y habían ido a una playa cristiana llamada Plage Hollywood donde la hermana, una gordota taciturna y distraída, se había quedado dormida en seguida como diciendo haceos-cuenta-de-que-no-estoy. Conque para no empañar el amor espiritual y casto se habían puesto a buscar conchas, pero, en lugar de conchas habían encontrado la piedra en forma de corazón, y mientras admiraban la piedra en forma de corazón una ola había embestido a Sanaan y le había empapado toda la camiseta. Jesús. Madre mía, Jesús. No llevaba nada bajo la camiseta, comprendes. Ni siquiera sostén. Y al ver aquellos bellísimos senos con los pezones erizados por el agua helada, nada de hormigueos: entre las piernas le había crecido una especie de bayoneta. Mejor dicho, una verdadera bayoneta. Hasta el punto de que no sabía ya qué hacer, hacia dónde dirigir los ojos, y pensaba: ¡esperemos que Sanaan no se dé cuenta! Pero bien que se había dado cuenta, ¿y sabes lo que había hecho? Poquito a poco se había tumbado a su lado, lo había atraído hacia sí y le había besado dentro de la boca. ¡Dentro! A él no se lo había dicho nadie nunca que se podía besar dentro de la boca. ¡Nadie! Ni la griega de Chipre, ni Nidal el callo aquel que lo había dejado por el americano del jeep, ni quien en el cuartel hablaba de esas cosas. Siempre había creído que para besar había que dar un chasquido en los labios cerrados y listo. En cambio Sanaan los labios te los abría. Con la lengua. Después, con la lengua, te abría los dientes y te buscaba la lengua. Te la mordía, te la sobaba, te la trabajaba, y entretando se ocupaba de la bayoneta hasta dejarte sin respiración. No, el seso. Porque de repente había cortado, y diciendo entre risas dejémoslo-vamos-dejémoslo había corrido a despertar a su hermana. Lo había acompañado hasta la base, y el día siguiente allí estaba otra vez con Alí y el vestido blanco y las trenzas de colegiala. Se puede perder también el seso, ¿no? Tanto más cuanto que había vuelto a empezar el cuento del cojín, el espejo retrovisor, el pi-pi-pi. Y aquel beso no se lo había vuelto a dar nunca. Nunca, pese a que se lo había pedido mil veces. Nunca, pese a que le había grabado las SS en la piedra en forma de corazón. Nunca, pese a que le había comprado la medalla de oro con el lema Salvatore-Sanaan-Joined-Forever. Nunca, pese a que había aumentado los préstamos y regalos a Alí. «Olvida, Salvatore, olvida.» ¿¡¿Olvidar?!? Cuando recibes un beso semejante, no lo olvidas ya nunca. El amor espiritual, casto, ya no te basta y...

«Conque abre bien los oídos, Bellezza. O, mejor, Bruttezza.» *

«Sí, mi coronel.»

«Tú cojones no tienes. Entre tus piernas no hay ni siquiera una cabeza de alfiler: se comprende sólo con mirarte a la cara. Eres un castrado, Bellezza, un eunuco sin orgullo ni dignidad. Por lo demás está escrito en este informe. ¿Ves este informe, Bruttezza?»

«Sí, mi coronel.»

«Es la lista de tus delitos, Bruttezza, y callo los que has cometido en el pasado: las paredes ensuciadas con mensajes amorosos, las negligencias, las insubordinaciones. Me refiero a lo que hiciste anoche.»

«Sí, mi coronel.»

«Número uno, abandonaste el puesto de guardia y la ametralladora. ¡El-puesto-de-guardia! ¡La-ametralladora!»

«Sí, mi coronel.»

«Tú eres un loco, Bruttezza. Además de ser un castrado, un eunuco sin orgullo ni dignidad, eres un loco. Un paranoico delirante, mejor dicho, un esquizofrénico.»

«Sí, mi coronel.»

¿Acaso podía negarlo? Así se había vuelto al no recibir más aquel beso, y al ver lo que sucedía en el cuarto de Sanaan. En el mes de octubre la familia de Sanaan se había trasladado del sexto piso al cuarto, y el cuarto quedaba justo a la altura del tejado de la embajada. El cuarto de Sanaan, justo delante del puesto de guardia en el tejado, por lo que desde el puesto de guardia se veía todo. ¡Todo! También a ella que se desvestía y se quedaba desnuda. No veas qué hormigueo al verla desnuda, qué bayoneta. Si en aquel momento hubieran llegado los drusos para raptar y crucificar a Ojo de Vidrio, Su Excelencia el Embajador, en una palabra, él no habría podido mover un dedo. De todos modos lo peor no era verla a ella desvestirse y quedarse desnuda. Era ver a Alí que a

* *Bruttezza:* «fealdad.»

determinada hora iba a verla: que entraba despacito, como a hurtadillas, apagaba la luz y amén. Sí, Alí. Entendámonos: no es que dudara de su santa Rita de Casia. Por Sanaan habría puesto la mano en el fuego. Pero, ¿con qué derecho un primo, un simple primo, entraba despacito en su cuarto? ¿Para qué apagaba la luz? ¿Para ahorrar luz eléctrica? ¿Para hablar en la obscuridad? ¿Y hablar de qué, de quién? No cesaba de preguntárselo, de-qué-hablarán, de-quién-hablarán, y todas las veces le entraban ganas de llorar. Le aumentaba la locura. Así, anoche... Bueno, anoche no se había visto a Alí. En cambio, había sucedido algo peor. Porque quién sabe por qué motivo Sanaan había tenido un ataque de nervios y había roto sillas, objetos de adorno, espejos. Luego se había derrumbado en el suelo y un instante después habían aparecido el padre, la madre, el abuelo, la abuela, la hermana y el cuñado. Y se habían lanzado sobre ella para abofetearla, golpearla, reprenderla. «Miha, mala, miha! Sharmuta, puta, sharmuta!» Y él no había podido resistirlo. Había abandonado el puesto de guardia, la ametralladora, el tejado, la embajada, y tras pasar ante el centinela que gritaba imbécil-dónde-vas-imbécil, se había metido en el edificio de enfrente. Había subido al cuarto piso, había abierto la puerta de la casa a patadas, había irrumpido en el cuarto de Sanaan. «Sanaan, amor mío, ¿¡¿qué te hacen?!?» Tenía los ojos cerrados, comprendes, parecía muerta. Pero oyendo su voz había alzado un párpado, lo había mirado con una pupila de hielo y: «Mind your own business, fucking meddler. Ocúpate de tus asuntos, entrometido de los cojones.» Después: «Go to hell, vete al infierno.» Entonces el padre, la madre, el abuelo, la abuela, la hermana, el cuñado se habían lanzado sobre él, a patadas codazos zapatillazos en la cabeza lo habían empujado escaleras abajo, y se había vuelto a encontrar en el tejado deseándose la muerte: disparándose con la ametralladora. Con la ametralladora, sí. Lo malo es que para dispararse con la ametralladora hacen falta brazos muy largos, y él los tenía cortos como Marco Antonio al que en la película *Cleopatra* le cuesta mucho meterse la espada en el vientre porque tiene los brazos cortos y...

«¿Y por quién? ¡Por una engañabobos, una putilla que se está burlando de ti, Bruttezza!»

«¡No, mi coronel!»

«¿¡¿No, mi coronel?!? ¿Te atreves a negar lo que digo?»

«¡Sí, mi coronel! ¡Mi novia no es una engañabobos, una putilla!

¡Es una muchacha virtuosa, una santa! ¡Mi santa Rita de Casia! ¡No se está burlando de mí!»

«Y tú además de ser lo que he dicho eres un bobo, Bruttezza. El bobo más bobo que haya habido jamás en un batallón. Eres tan idiota que merecerías las circunstancias atenuantes o, mejor dicho, la absolución por incapacidad de entendimiento y voluntad. Pero no te la voy a conceder y tú lo sabes.»

«Sí, mi coronel.»

«Número dos. Al regreso te pusiste a gritar necedades y despertaste al embajador, a los vecinos, a todo el barrio. Ridiculizaste a la patria, al contingente, a la Benemérita, ¡que se cubrió de gloria en Podgora y en Gorizia y en el frente greco-albanés y en el África septentrional y en la Resistencia a los nazifascistas!»

«Sí, mi coronel.»

«Número tres, diste de puñetazos al jefe de la escuadra. Le rompiste los dos premolares superiores y los dos premolares inferiores: un total de cuatro dientes que ahora tendrán que ponerle postizos. ¿Sí o no?»

«Sí, mi coronel.»

No podía negar tampoco eso. «¡Sanaan! Perdóname, amor mío, ¡asómate a la ventana!» había gritado durante al menos veinte minutos. Sanaan no se había asomado ni mucho menos pero los otros sí. En cada balcón había alguien que protestaba cierra-el-pico-cacho-cabrón-déjanos-dormir, y precisamente a causa de aquel escándalo Su Excelencia el Embajador Ojo de Vidrio lo había indispuesto con el sargento que había mandado a ese paleto del jefe de la escuadra. «¿¡¿Estás borracho, Bellezza?!?» «No, mi sargento, es que Sanaan me ha dicho vete-al-infierno.» «Si te ha dicho vete-al-infierno es una zorra que sabe lo que se hace y la felicito y le alabo el gusto.» ¿¡¿Zorra?!? De acuerdo, un instante antes el coronel la había llamado engañabobos y putilla, pero entre engañabobos y zorra o, mejor dicho, entre putilla y zorra hay una gran diferencia. Le había saltado encima. Le había tirado unos reveses que el paleto había escupido los cuatro dientes como huesos de cerezas. «¡Para que aprendas a llamar zorra a mi Sanaan, a mi santa Rita de Casia!» Un momento... También su padre, su madre, su abuelo, su abuela, su hermana y su cuñado la habían llamado zorra. Sharmuta significa puta, es decir, zorra. ¿Se habrían enterado de lo del beso? ¿Sería que el fatal día de la Plage Hollywood la hermana no dormía en realidad y había visto aquel beso? ¿¡¿O se había equivocado él al confiarse a su cuñado Bachir?!? Sí, quizás había sido Bachir. Y eso que Sanaan se lo había advertido: «Si te encuentras con una víbora con barbita de cabra que habla italiano, es mi cuñado Bachir. Cuidado.» El caso es que cuando las cosas deben suceder, suceden. Precisamente el otro día el sargento lo había trasladado unas horas a la puerta y la víbora se había acercado en seguida. «Hola, yo hablar italiano, mi nombre Bachir.» «El mío, Salvatore Bellezza, hijo del difunto Onofrio.» «¿Te gusta Beirut, Salvatore Bellezza, hijo del difunto Onofrio?» «Sí, sí, tengo novia en Beirut.» «¿Novia? ¿Y quién ser tu novia?» «Una que conoces: tu cuñada Sanaan.» Estupor, sorpresa, después un interrogatorio a fondo. Qué tipo de relación hay entre Sanaan y tú, qué propiedades tiene tu padre, cuánto ganas, cómo te propones garantizar una vida holgada a tu esposa, y cosas por el estilo. Le había respondido la verdad: que la relación era seria porque en la Plage Hollywood Sanaan le había dado un beso dentro de la boca, es decir, con la lengua y que mientras tanto se había ocupado de la bayoneta hasta dejarlo sin respiración, que su padre sólo tenía deudas y que, por no poder pagarlas se había tirado por el barranco, que su sueldo era el sueldo de un carabiniere más una prima mensual de dos mil dólares que los militares del contingente recibían en Beirut, que en los últimos tiempos había despilfarrado un montón de dinero en invitaciones y préstamos y regalos al primo Alí, pero que para garantizar una vida holgada a Sanaan sería capaz de asaltar bancos. «¡Humm! Y para pagar el contrato matrimonial, ¿tú qué suma ofrecer?» «No sé, pero tal vez pueda juntar tres o cuatro mil dólares.» Bueno, pues se había marchado diciendo que Sanaan valía al menos diez mil, que por Sanaan muchos habrían desembolsado incluso veinte mil, que en cualquier caso no hay que asaltar bancos... No cabía duda de que había sido Bachir quien había puesto contra él a la familia. Sanaan-besa-con-la-lengua-a-muertos-de-hambre, tipos-que-serían-capaces-de-asaltar-bancos, Sanaan-es-una-desvergonzada, una-indecente, y la familia había perdido la cabeza. Sharmuta, puta, sharmuta.

«Y naturalmente tendrás que pagar los cuatro dientes falsos.»

«Sí, mi coronel.»

«El que rompe paga, Bruttezza, y la ley es la ley. No concede descuentos.»

«Sí, mi coronel.»

«Y después de la premisa, paso a la sentencia.»

«Sí, mi coronel.»

«Una sentencia que te va a hacer caer de culo tieso, Bruttezza, que servirá de ejemplo a todo aquel que desacredite a la Benemérita y al batallón con una putilla.»

«¡Oh, mi coronel! ¡Mi coronel!»

Abrumado por la impotencia, Salvatore Bellezza hijo del difunto Onofrio se puso a sollozar de nuevo y por un instante Halcón tuvo la tentación de consolarlo. Anda-hombre, no-llores, no-te-desesperes, que-no-te-voy-a-matar. De hecho comprendía que había exagerado, que había estado cruel hasta los límites del sadismo. Pero después volvió a ver el rostro de sor Espérance, su pálido rostro engastado en la toca y el velo gris, su impecable hábito embellecido por el crucifijo de zafiros, volvió a oír los berridos del Cóndor, el escándalo que le había armado y lo de no-estará-enamorado-usted-también, volvió a oír su respuesta tomaré-medidas-mi-general, y tras reprimir la tentación asestó los tres últimos zurriagazos.

«Llora, delincuente, llora.»

«Sí, mi coronel.»

«Ahóganos con las lágrimas, ahóganos, que no vas a poder gozar más de la putilla. Te mando de vuelta a Italia, Bruttezza.»

«¿¡¿A... I...ta...lia, mi... co...ro..nel?!?»

«A Italia, a Italia. Y arrestado. Sales con el barco de mañana. Allí se encargarán de meterte treinta años de cárcel. Ahora quítate de mi vista. Media vuelta, ¡ar!»

* * *

Dio media vuelta. Con paso de autómata abandonó el despacho de Halcón, atravesó la explanada, llegó a la tienda, se tiró en el catre y ahora sí que su pequeña mente loca de amor iba a la deriva como una barca sin remos. ¡Italia! ¡Con el barco de mañana y para consumirse treinta años en la cárcel! Entonces no moriría fusilado como Cavaradossi y cantando ¡oh-dulces-besos-y-lánguidas-caricias! ¡Sanaan no acabaría como Tosca que de amargura se mata saltando de los bastiones del Castillo de Sant'Angelo! ¡Qué desgracia, Jesús, qué desgracia! Ah, si hubiera podido hablar con ella por última vez: ¡Pedirle de nuevo perdón, reconquistarla, informarla! Si hubiese podido decirle Sanaan, por tu culpa me han condenado a una pena peor que el fusilamiento: treinta años de cárcel en Italia. Pero yo sé que tú me amas, que me has mandado al infierno en broma, y no me enfado. Cuando se ama de verdad, ¿qué son treinta años? Treinta días, treinta minutos. Espérame, Sanaan, y dentro de treinta años nos casaremos.

«¡Bellezza! ¡Tienes visita, Bellezza!» gritó alguien.

No se movió. ¡Qué visita ni qué niño muerto! ¿Quién podía visitarlo, ya?

«¡Bellezza! ¡Te llaman del puesto de control, Bellezza!»

Bajó sin ganas del catre, sin ganas salió de la tienda, respondió al carabiniere que lo llamaba.

«¿A mí?»

«¡Sí, a ti, bobalicón!»

«¿De verdad a mí?»

«¡De verdad a ti, tontorrón!»

«¿Y quién me llama?»

«¡Tu chavala, me parece, y ese del bigote y las gafas!»

Palideció. ¡Sanaan! ¡Su santa Rita de Casia, su Sanaan, lo había perdonado! Había vuelto para decirle Salvatore te amo, no he cesado de amarte, anoche bromeaba, no soy yo quien debe perdonarte, ¡eres tú quien debes perdonarme a mí, amor mío!

«¿¡¿De verdad?!?»

«¡Sí, de verdad! ¡Muévete, tontaina!»

Saltó hacia delante. Echó a correr, a correr. En pocos instantes estaba en la explanada, en la verjita, en la calle que bajaba hacia Ost Ten, en el puesto de control donde se detuvo confuso porque no se veía a santa Rita de Casia. Pero después la vio, la reconoció. Se había oxigenado el pelo. ¡Jesús, se había teñido de rubia! Se había pintado los ojos de negro, los labios de rojo, y así de transformada iba en el automóvil con Alí: abrazada a Alí. Le acariciaba una oreja.

«¡Sanaan!»

Sanaan no se apeó siquiera. Siguió acariciando la oreja de Alí.

«He venido a decirte que, si te atreves a volver a poner los pies en mi casa, si te atreves a romperme de nuevo la puerta, si te atreves de nuevo a gritar gilipolleces y a escribir mi nombre en las paredes, Alí te romperá los huesos. He venido a decirte que ya no nos diviertes, ya no nos sirves. Mi novio es Alí. Estoy embarazada de él y me voy a casar con él.»

Después Alí soltó una gran carcajada, se la llevó y Salvatore Bellezza, hijo del difunto Onofrio, gimiendo sonidos incomprensibles cayó sin sentido ante el puesto de control. Aquí lo recogieron el carabinieri encargado de vigilarlo y un paracaidista que pasaba por allí. Más que un ser vivo, un cadáver al que había que sostener por los sobacos y los tobillos: una frágil larva de este pobre mundo que es de verdad un valle de lágrimas y desengaños.

CAPÍTULO SEGUNDO

–1–

Este pobre mundo es de verdad un valle de lágrimas y desengaños, y para olvidarlo Gino quería emborracharse. Decidido a emborracharse se dirigía a la cantina de la base y refunfuñaba, refunfuñaba. ¡Tener que obedecer a Azúcar que el día del camión destruido lo había puesto de vuelta y media, lo había acusado de confundir la gimnasia con la magnesia, lo había amenazado con volver a destinarlo a su escuadra de artificieros, encerrarlo en su Museo sin pluma ni cuaderno para anotar los versos! ¡Tener que someterse porque las-órdenes-son-las-órdenes, el-Reglamento-es-el-Reglamento, después-de-lo-que-sucedió-con-Pistoia-en-Chatila-hace-falta-mucha-diplomacia! ¡Tener que soportar las amenazas y las ofensas de un provocador como Passepartout, de un puto en venta por una bomba de mano o cuatro balas, amante de ese cerdo jomeinista de Rashid y canalla entre los canallas! ¡Tener que encontrártelo precisamente en Bourji el Barajni mientras piensas en una poesía sobre la felicidad en pareja que no existe! Estaba patrullando esos callejones de mierda, esta mañana, y de repente allí estaba Passepartout avanzando con su pelambrera amarilla y su colilleja en la boca y el Kalashnikov en bandolera. Petición amable: «¡Me cago en la leche, Passepartout! ¡Al menos procura no ostentar ese fusil! Déjalo en casa, ¿no?» Respuesta a la petición amable:

«Why? Pourquoi? ¿Por qué, espagueti? ¿Tú no gusta mi fusil, gordinflón? ¿Tú miedo que yo te matar?» Al instante había sentido que se le hinchaban los cojones. Lo había apuntado con el M12, y estaba a punto de disparar una ráfaga de advertencia cuando le había llegado la voz de Azúcar que pasaba casualmente por allí. «¡Gino, no te atrevas a hacerlo, Gino!» Y otra vez la cháchara habitual que si las órdenes son las órdenes, que si el Reglamento es el Reglamento, que si la diplomacia después de la ráfaga de Pistoia se ha convertido en un género de primera necesidad. Como si un comando capaz de disparar y arrastrarse en la obscuridad con la jeta manchada de negro debiera hacer también de funcionario del Ministerio de Asuntos Exteriores. Resultado, hacia mediodía Passepartout había reaparecido con su pelambrera amarilla y su colilleja en la boca y su Kalashnikov más un montón de Rdg8 rusas en el cinturón. Se las había mostrado y le había dicho: «Tú no poder tocarme, espagueti. Tu jefe no quiere, gordinflón. Yo pasear con éstas y con éstas yo te matar pronto. ¿¡¿Entendido?!?»

«Tres cervezas» rezongó al entrar en la cantina y sentarse a una mesita que daba a la explanada.

«¿Tres?» exclamó el camarero, perplejo.

«Tres o, mejor dicho, cuatro.»

«¿¡¿Cuatro?!?»

«Cuatro. Y otros tantos coñacs.»

«Pero, sargento...»

Se los alineó en la mesa, en fila como gavillas de trigo. Se puso a beber de forma científica. Un trago de cerveza, un sorbo de coñac, pausa. Otro trago de cerveza, otro sorbo de coñac, pausa. La técnica de quien conoce el arte de emborracharse sin prisas, total las próximas veinticuatro horas le toca descanso y dispone del tiempo necesario, cuanto más tiempo tarda más piensa, cuanto más piensa más comprende que en realidad no sufre a causa de Azúcar y Passepartout. Sufre porque la humanidad es una especie antipatiquísima, una congregación de ignorantes que no enseñan a un joven ni siquiera un poco de educación sentimental. Le enseñan que dos más dos son cuatro, que París se encuentra en Francia, que Cleopatra vivía en Egipto, pero no qué es el amor. Como máximo le hablan del sexo: como si una relación se midiera con el sexo o se expresase con el sexo y nada más. ¡Mecachis en la mar! Había tenido que comprenderlo por sí solo que con una mujer también hay que razonar, que encontrar el alma gemela significa encontrar a alguien que va por tu camino, que en una palabra un culito hermoso no basta. Aquella del valle de Aosta tenía el culito hermoso. Una muñeca de la cabeza a los pies. Pero era una juguetona sin remedio con la que no lograbas entablar una conversación ni leer una poesía: quería que la besuqueasen y nada más, que se la tiraran y nada más, y se drogaba más aún que Jumblatt. Heroína, cocaína, lo que pillara. No iba por tu camino, no. Incluso cuando la besuqueabas y te la tirabas te sentías solo. Te quedabas pensando que el amor debería ser una compañía, que debería hacer compañía incluso cuando no está contigo la persona a la que quieres. Por eso había empezado a salir con la de Livorno que no tenía un hermoso culito precisamente. Era flaca, la de Livorno, mayorcita. Llevaba el pelo corto, como un hombre, a primera vista parecía recién salida de un campo de exterminio. Pero entendía de cualquier problema o de cualquier argumento, te explicaba por qué pintaba Picasso tres narices y tres orejas, te ilustraba la teoría de la plusvalía, te ponía en el tocadiscos la Tercera de Brahms. Era inteligente, en una palabra, y no fumaba ni siquiera un porrito. La había conocido en una pizzería, en la época en que se disfrazaba de malo, con calaveras fosforescentes y peinado de mohicano, y lo primero que le había oído decir había sido: «Pero, ¿usted qué es? ¿Un hombre o una caricatura?» Pregunta que lo había ofendido lo suyo y le había hecho ponerse colorado. No obstante, había tenido fuerzas para levantarse, esbozar una reverencia, responder: «Un hombre que quiere invitarla a un aperitivo, señorita. Siéntese, por favor.» Se había sentado, ¡y qué labia! En diez minutos lo había informado de que se llamaba Bárbara aunque su nombre de pila era Agnese, odiaba a los militares, detestaba a los paracaidistas, no creía en Dios y quería destruir el capitalismo aunque era hija de un capitalista. La había invitado a la pizza. Y después de la pizza a un pastel, después del pastel a un café. Luego la había acompañado a su casa con la moto estridente, le había recitado un par de poesías y ella había dicho: «¡No están mal!»

Vació sus potentes pulmones con una bocanada de nostalgia. Había sido Bárbara quien le había regalado las obras de Rimbaud y Verlaine: él no sabía que existieran poetas tan buenos. Al principio pasaban veladas enteras hablando de aquellas obras maestras y en cuanto él escribía un verso: «Ten, léelo. Dime si te gusta.» El amor es también eso. Es la impaciencia por mostrar tus versos a una que los lee y los aprecia, es la alegría de producir cosas por las que recibirás elogios no de las multitudes sino de la persona que te interesa y a la que interesas. Y no cabía la menor duda de que Bárbara le interesaba a él en la misma medida en que él le interesaba a ella: cuando Angelo le había dicho que si quería conservarla debía dejar de disfrazarse de malo, en seguida se había deshecho de los brazales con pinchos y las calaveras fosforescentes y las cazadoras con el «Ride the life and the life will ride you, cabalga la vida y la vida te cabalgará». Había conservado sólo el de «Live to love and love to live, vive para amar y ama para vivir». Entretanto se dejaba crecer el pelo en torno a la cresta de mohicano y ella se lo dejaba más largo. Cosas de alma gemela, ¿queda claro? Lo malo es que durante la operación peluqueril habían acabado en la cama, y desde aquel momento no habían vuelto a hablar nunca más de las narices y las orejas de Picasso, de la teoría de la plusvalía, de la Tercera de Brahms: igual que la del valle de Aosta quería que la besuqueasen y nada más, que se la tiraran y nada más, y cualquier pretexto era bueno para discutir. Que se diese aires de barricadista extraparlamentaria de tipo comunista anarquizante con particular desprecio hacia las señoras con perfume y abrigo de pieles, por ejemplo, pero que también ella quisiera tener abrigo de pieles: de visón con cuello de cebellina. O que no pudiera ver a los militares y no cesara de llamarlo reaccionario. Tú-calla-que-estás-al-servicio-del-Poder-y-dispuesto-a-detener-a-los-sindicalistas. Por algo quería que se saliera del ejército y que abriese una escuela de judo o de karate. Peor aún: ya no quería leer sus poesías. Ni leerlas ni escucharlas: «¡Uf!» Ya no contaban nada sus poesías, ya no contaba nada su mente: en él ya no veía sino la polla y los músculos, los músculos y la polla. Y a él le hacía sufrir mucho. No cesaba de decirse: las feministas gritan hasta desgañitarse que una mujer no es un objeto sexual y es verdad. Es justo. Pero, ¡mecachis en la mar! ¡Tampoco un hombre lo es! También un hombre sufre despertando deseos físicos y nada más! Si uno tiene que despertar deseos físicos y nada más, ¡lo mismo da que vuelva con la del valle de Aosta que no desprecia su profesión y tiene un hermoso culito y una gran necesidad de alguien que la ayude a desintoxicarse! Había vuelto y la había desintoxicado un poco, pero de nada había servido. Mientras la besuqueaba y se la tiraba, no pensaba sino en las narices y las orejas de Picasso, en la teoría de la plusvalía, en la Tercera de Brahms, y ya no sabía si amaba a una o a la otra. Conque un día le había dicho mira, me voy a Beirut para aclararme las ideas, y por toda respuesta ella se había puesto a pincharse otra vez. Se había presentado en el puerto para despedirlo ciega de coca, y la habían pillado los carabinieri que estaban allí para controlar todo: quién venía a despedirte, quién no venía, quién te deseaba buen viaje, quién no te lo deseaba. Tomaban fotos incluso, los guripas, y al ver a aquella desgraciada que escupía droga como una fuente escupe agua... Se la habían detenido ante sus propios ojos, ¡jolines!

Se bebió de un trago la cuarta cerveza y el cuarto coñac. Se habían acercado y: «Y en el bolso, ¿qué llevas, guapa?» Por desgracia, llevaba una esnifada. Detención, llamada a los colegas del servicio de estupas, las esposas, y de nada había servido protestar guripas-sois-y-como-guripas-os-comportáis-hasta-con-vuestros-compañeros-de-armas: se la habían llevado y él había partido con aquella carga en la conciencia. La carga de ser la causa de su detención. ¡Jo, cuánto odiaba a los carabinieri! Aparte de la historia de la prohibición de portar armas a su papá que acababa de renovar el permiso, los odiaba por un montón de cosas. Por su arrogancia, ante todo, su desprecio de las leyes: si ves un automóvil que se salta un semáforo en rojo a doscientos por hora y atropella a un ciudadano que cruza con verde, puedes estar seguro de que al volante va un carabiniere. Y si le gritas miserable-¿dónde-te-crees-que-estás?, no-estás-en-el-cine-con-la-policía-de-Los-Ángeles, ¿es-que-no-has-visto-el-semáforo-en-rojo? ¿No-has-visto-al-ciudadano-que-cruzaba-con-verde?, te denuncia por desacato a la autoridad. Lo mismo si discutes con una de paisano o en traje de baño en la playa. Y digo yo: cuando un guripa va de paisano o en traje de baño en la playa, ¿lleva escrita en la frente su condición de representante de la autoridad? Y además no saben lo que es la amistad, vamos. No invites nunca a cenar a un carabiniere. Es capaz de ponerte las esposas mientras te gorronea una pizza y un vaso de vino. Una noche, en Livorno, había invitado a uno del cuartel. Iba siempre solo, ni un perro se acercaba a él, conque: ven, vamos-a-comernos-una-pizza-y-a-bebernos-un-vaso-de-vino. Bueno, pizzas había devorado dos, una de anchoas y otra de alcachofas, vino se había trincado no un vaso, sino un litro, al llegar la cuenta había mirado al techo y no se le había ocurrido decir siquiera paguemos-a-medias, y la mañana siguiente se lo había agradecido poniéndole una multa porque había dejado un poco torcida la moto estridente. ¿Es eso cortesía? ¿Es eso humanidad? Y además los odiaba por el modo como resolvían sus problemas amorosos. Se cogen unas chifladuras tremendas, los carabinieri. Y si la mujer que se ha dejado engatusar corta con ellos, sacan el revólver reglamentario. Mira-que-te-mato-y-me-mato. Después, con la excusa de veámonos-una-última-vez, se la llevan de paseo con el coche y nueve de cada diez veces encuentras a la pareja muerta: él de bruces sobre el volante y ella en el asiento. ¿Es eso cortesía? ¿Es eso humanidad? De todos modos lo peor era tenerlos por en medio en la misma base, en el mismo comedor, y puntualmente traspasados por la flecha de Cupido. Incluidos los oficiales. No pensaban sino en enamorarse, esos meamonjas. Al que no le tenía sorbido el seso la madre superiora, se lo tenía sorbido la adjunta de la madre superiora o una monja o una casi monja... De hecho, y pensaran lo que pensasen esos gilipollas después de que sor Françoise le había dado el cuaderno, el único que había conservado el corazón intacto había sido Gino. Porque sobre la categoría del velo y la toca Gino pensaba como su padre que era supersticioso y decía: «Una monja trae suspiros, dos traen desgracia, tres traen calamidad, y en cualquier caso al encontrarlas por la calle más vale tocar madera.» Jolines, se había acabado el coñac y la cerveza y aún no estaba borracho.

«¡Camarero! ¡Cuatro cervezas más!»

«¿¡¿Cuatro más?!?»

«Cuatro. Y cuatro coñacs.»

Alineó las latas y las botellitas de la segunda ronda, se puso a beber otra vez de forma científica. Sí, pero sor Françoise era su amiga. La amiga o, mejor dicho, el amigo más amigo que, aparte de Angelo, había tenido nunca. Mira, es muy difícil la amistad entre un hombre y una mujer. Lo es porque tú tienes polla y ella no: si lo olvidas o intentas olvidarlo, siempre llega el momento en que un contacto de piel o una mirada te recuerda que tú tienes polla y ella no. Y sin embargo con sor Françoise eso no sucedía. Y no porque fuera feílla, como sostenían esos gilipollas, no. Tenía unos maravillosos ojos negros, unas maravillosas manos de marfil, una voz de terciopelo que hipnotizaba y, en resumidas cuentas estaba mejor que Bárbara. Si se la hubiera encontrado vestida de mujer y no de monja, no le habría desagradado la idea. Además era inteligente con una inteligencia con la que Bárbara no podía soñar siquiera, ¿y quién ha dicho que ser hermoso sea tener facciones hermosas? A veces significa tener inteligencia, elegancia, dignidad. ¡Humm! Tal vez con sor Françoise olvidaba que un hombre tiene polla y una mujer no porque en lugar de conocerla en Livorno la había conocido en Beirut, es decir, cuando ya la polla le importaba tres cojones y el amor aún menos. El amor que necesita la polla, digamos, el amor que busca el alma gemela en la cama. ¡Humm! Que el alma gemela no se encontraba en la cama él lo había comprendido aquel día en el puesto de control. Llovía, aquel día, y se había detenido en el puesto de control para escribir dos versos que le estallaban en la cabeza. Mientras lo escribía había sentido dos ojos que le taladraban la espalda, se había vuelto, y allí estaba sor Françoise esperando inmóvil bajo la lluvia para poder pasar. Farfullando pardonnez-moi-j'écrivais-des-vers se había apartado, y ella en un italiano perfecto le había respondido: «No debe justificarse, señor sargento. La poesía es un estornudo de Dios. Si no se retiene rápido ese estornudo para fijarlo en un pedazo de papel, se disipa en el aire.» Después había mirado la hoja con los versos y: «Señor sargento. Necesita un cuaderno.» La noche de la cena en el comedor se lo había traído, ¡y jolines! No se lo había dicho nadie nunca que la poesía es un estornudo de Dios, que si no retienes rápido ese estornudo para fijarlo en un pedazo de papel se disipa en el aire. No se lo había regalado nunca nadie un cuaderno en el que fijar los estornudos de Dios. ¿Y qué otra cosa necesitaba para comprender que sor Françoise era su alma gemela? ¡Qué iba a ser tímida ni arisca! De la vida entendía más que quien no lleva velo. «Sor Françoise» le había dicho ayer, «¿sabe que nunca he logrado escribir una poesía sobre la felicidad en pareja?» «Porque la felicidad en pareja no existe, sargento» le había respondido ella. «La felicidad es solitaria. Yo sólo la he encontrado en la soledad de la vida monástica, en la paz que excluye el amor de los sentidos.» Así que le había hablado de su sueño de irse con los naranjas al Tíbet y... ¡Jolines! ¡Dios estaba a punto de estornudar! Muy excitado, Gino apartó las cervezas y los coñacs y escribió la poesía.

La felicidad en pareja no existe.
La felicidad es solitaria.
Es un sueño que va
por los senderos de un mundo
desconocido y lejano:
allá donde se alzan las cimas del Himalaya.
Es un monje que va solo
deleitándose con su silencio
y con el silencio que lo circunda.
Es el bastón en que el monje se apoya
un bastón inocuo, no un bastón que mata,
es la campanilla atada a su pie
para decir a las hormigas:
cuidado, no os quiero aplastar.
Árboles amarillos de mango,
llameantes matas de hibiscus
bordean la tácita vía:

cuando tiene hambre de alimentos él come
un mango maduro,
cuando tiene hambre de belleza él toca
un hibiscus en flor,
luego reanuda el camino y llega
al monasterio que está en las cimas del Himalaya.
La felicidad es un monasterio que está
en las cimas del Himalaya.
Blancos glaciares y monjes mudos,
larguísimas trompas que a la salida del sol
exhalan un toque purísimo
siempre repetido e igual a sí mismo.
Y él,
sin añorar las melodías
de un tiempo enterrado con los deseos y los recuerdos,
escucha y sonríe feliz porque
se sabe en paz, comprende
que por fin ha encontrado
la paz.

La releyó satisfecho, volvió a beber con avidez. Y de pronto la borrachera explotó disolviendo el espejismo, informándolo de que nunca iría con los naranjas a encontrar la paz en el Tíbet. No era un hombre libre de ir a donde quisiese. Era un pájaro enjaulado, un mirlo destinado a dejarse atrapar como el aguzanieves y los pinzones y los agateadores y los tordos que había matado la primera vez que su papá lo había llevado de caza, y preso de una ciudad que sentía una antipatía profunda por la paz. Una ciudad que al final lo jodería. De qué modo lo iba a joder no lo sabía. Pero sabía que lo iba a joder, que no se deleitaría nunca con el silencio en que viven los monjes tibetanos, no se saciaría nunca con los mangos y los hibiscus de la tácita vía, no llegaría nunca al monasterio que está en las cimas del Himalaya, no escucharía nunca el toque purísimo de las larguísimas trompas. Se miró las pesadas manos que con una pluma y un pedazo de papel se volvían tan delicadas, ligeras. Sintió un nauseabundo olor a carnero asado, el olor de los callejones de Bourji el Barajni, y la certeza de una desgracia indeterminada pero muy precisa le retorció su carota barbuda. Entonces se trincó de un trago la última cerveza, el último coñac, y salió furioso de la cantina. Irrumpió en la explanada donde Armando Manos de Oro estaba trabajando en la misma tubería de siempre, le volcó la caja de las herramientas, pisoteó la imagen sagrada que las bendecía, siguió su camino tropezando.

«¡Bestia! Ten cuidado dónde pones los pies, ¡bestia!» protestó Armando Manos de Oro.

«Calla la boca, meamonjas, guripa, que no es momento de provocar. ¡Te lo dice Gino!» respondió. Después soltó un gran eructo y farfullando jolines, jolines, llegó a su tienda.

–2–

¡Meamonjas! ¡Guripa! Armando Manos de Oro recogió la sagrada imagen pisoteada, una santa Lucía que presentaba una bandeja sobre la que flotaban sus ojos como dos huevos fritos, le quitó el polvo con cuidado, y tras encogerse de hombros la volvió a meter en la caja con las herramientas. Total no valía la pena discutir con un borracho, y encima comando, refunfuñó para sus adentros. Son unos pendencieros llenos de jactancia, los comandos, tienen una ojeriza especial hacia cualquiera que pertenezca a la Benemérita, y de todos modos ¿quién estima a los carabinieri? La gente los mira siempre de reojo, vete tú a saber por qué. Los llama siempre guripas. Y si no se lo dice, lo piensa. Pero no deja de recurrir a ellos cuando los necesita. Han-venido-los-ladrones-llama-a-los-carabinieri. Me-han-atracado, voy-a-denunciarlo-a-los-carabinieri. Cuéntaselo-a-los-carabinieri, vete-a-los-carabinieri. Si-no-para-llamo-a-los-carabinieri. En cuanto a lo de meamonjas, ¡qué valor tenía ese bestia! ¿Acaso no estaba él enamorado de sor Françoise? Nada más acabar su turno en Bourji el Barajni se plantaba allí en la verja a esperar que volviera del Rizk, cosa con frecuencia inútil porque en este período ella se quedaba en el quirófano hasta las tantas de la noche, y no se movía de ella ni aunque cayera una tormenta de esquirlas. Así-si-llega-corro-a-su-encuentro-y-la-pongo-al-abrigo. ¡Ya, ya! Tal vez hubiera bebido por el disgusto de verla tan de tarde en tarde, el pobrecillo. ¡No es agradable querer a alguien a quien no se ve nunca o con quien no se puede intercambiar sino unas palabras en la verja!

Lanzó una mirada indulgente a la tienda dentro de la cual se había metido el bestia eructando. Sonrió, y por su duro rostro recortado a hachazos pasó un relámpago de autoironía. Porque hoy podía concederse el lujo de la comprensión: era jueves y esta noche cenaría con Milady. Con ella, con sor Espérance, sor George, sor Madeleine, Gigi el Cándido... Halcón no, no iba a venir. Hacía poco le había encargado que se lo comunicara a sus amigas, y de nada había servido rogarle que cambiara de idea. «¡Al menos para el brindis, mi coronel!» «Lo siento, no insista, no puedo.» Qué extraño. No había sucedido nunca que Halcón renunciara a la cena del jueves, y sabía perfectamente que se iba a celebrar el cumpleaños de Milady: ¿acaso no había encargado él el espumoso para el brindis? También sabía que sor Espérance quería prepararle su plato preferido, es decir, el soufflé aux épinards. Mejor que hubiera faltado Gigi el Cándido. Era tan malicioso con él y con Milady, Gigi el Cándido. Siempre provocándolos con bromas molestas y chistes. Cuando Milady venía a buscarlo aquí, en la explanada, por ejemplo: «¡Armandó! ¡Adivina quién ha venido, quién te busca, Armandóoo!» O: «¡Ahí está, hermana, ya viene! ¡Corriendo, hermana, corriendo!» Pues sí: corría. Dondequiera que estuviese y fuera cual fuese el trabajo que estuviera haciendo. No podía resistirse al sonido de aquellas erres arrastradas y aquellas oes alargadas, al encanto de aquel rostro perfecto. Tan perfecto que no entendías por qué todos veían en él los bigotes. Lástima-que-tenga-bigotes, debería-quitarse-los-bigotes. ¿¡¿Qué bigotes?!? ¡No eran bigotes! Eran pelillos apenas bosquejados, y en absoluto alteraban su belleza de orquídea. Sí, de orquídea. Hasta en el período de las hostilidades pensaba: parece una orquídea. Son flores fascinantes, las orquídeas. Misteriosas, orgullosas. Y si pensaba en el papel definitivo que por una broma del destino habían desempeñado las orquídeas en su relación con Milady... Después de la cena ofrecida por Halcón para sellar el armisticio, había decidido ofrecer a las cinco una orquídea. Había ido a la Ciudad Antigua a buscarlas, no las había encontrado, y entonces había hecho una cosa... Había telefoneado a su mujer a Italia. «Querida, mándame cinco orquídeas.» «¿¡¿Cinco orquídeas?!? ¿Y para quién?» «Para las monjas cuyo convento hemos invadido. No se encuentran en Beirut.» «Comprendo, pero para las monjas, ¿no sería mejor un hermoso ramo de azucenas.» «Las orquídeas duran más», le había respondido. Después le había dado vergüenza. Qué cínico, qué bribón, se había dicho, y había estado a punto de volver a llamar: anular la petición. Pero no había vuelto a llamar, y las orquídeas habían llegado con el C-130 que el miércoles por la mañana traía el correo. Bien preparadas dentro de un estuche de celuloide guardado a su vez dentro de una caja de poliestireno, con el rótulo Frágil-Cuidado-Flores y... «Des fleurs pour vous», había murmurado. Y ni siquiera por un instante se había percatado de la ambigüedad del «vous», ni siquiera por un instante había tenido en cuenta el peligro de que aquella frase pudiese entenderse tanto en singular como en plural: flores-para-usted, flores-para-ustedes. Ella le había entendido en singular. «Pour moi?!? ¿¡¿Para mí?!? Des orchidées, mes fleurs préférées? ¿Orquídeas, mis flores preferidas? ¡Oh, Armando, Armando! Je devrai dire à soeur Espérance qu'elles sont pour nous cinq ou plutôt pour le Petit Jésus qui est sur l'autel de la chapelle! ¡Tendré que decir a sor Espérance que son para las cinco o, mejor dicho, para el Niño Jesús que está en el altar de la capilla!» Después se había marchado corriendo y apretando contra el pecho el estuche de celuloide.

Volvió a trabajar en la tubería. Las cinco orquídeas habían sido para el Niño Jesús de terracota que dormía en el altar de la capilla, y el equívoco había tenido el mismo efecto que un bidón de gasolina sobre el fuego: con el pretexto de transmitirle las gracias de sus hermanas, por la tarde había ido a buscarlo. «Armandó, vous êtes un homme exquis, es usted un hombre exquisito. Je veux savoir tout de vous, tout. Quiero saberlo todo sobre usted, todo.» Se había excusado. Le había respondido que el todo era nada, que su vida se resumía en pocas palabras. Vivía en Livorno, tenía esposa y dos hijos a los que amaba. Había nacido en Anzio, la ciudad en la que durante la Segunda Guerra Mundial habían desembarcado los americanos, había perdido a sus padres en un bombardeo y había pasado la infancia en un orfelinato regentado por monjas francesas que sólo hablaban francés. Por eso sabía bien francés. En cambio la adolescencia la había vivido con una banda de ladrones que lo mandaban a robar la cartera a los turistas y a los veinte años se había alistado en el Arma de los carabinieri para no convertirse en un desecho de la sociedad. Pero en lugar de horrorizarla la había conmovido. «¡Oh, Armandó! Quelle histoire exceptionnelle! ¡Qué historia tan excepcional! Quel courage extraordinaire! ¡Qué valor tan extraordinario! Un voleur à la tire qui devient guardien de la loi! ¡Un carterista que se convierte en custodio de la ley!» Después le había hablado de ella, de su familia rica, de su vocación manifestada de improviso leyendo a santa Teresa de Ávila, del día en que había informado de ello a su familia y su madre había soltado una carcajada. «Toi, religieuse?!? ¿¡¿Tú, monja?!? Même si tu t'enfermeras dans une cellule de clôture, moi je ne te croirais pas. Aunque te encerraras en una celda de clausura, yo no te creería.» Su padre, al contrario, se había alarmado y se había opuesto igual que el padre de santa Teresa de Ávila. «Hija mía, no puedo siquiera imaginarte presa de un velo. Para ti quiero una existencia cómoda, alegre: ya sabes que a mi muerte heredarás una fortuna. Mejor será que estudies

Derecho. Te será útil para administrar tus bienes.» Se había licenciado en Derecho. Pero el día siguiente había entrado en el convento y desde entonces el pobrecillo, que se había refugiado en Rodas, vivía con la esperanza de que cambiara de idea. «Sólo tengo un consuelo», le escribía. «Saber que el noviciado es una prueba y que no resistirás la prueba. Eres demasiado impetuosa, demasiado propensa a las pasiones, y pronto lo comprenderás.» Sí, se habían quedado mucho tiempo charlando, intercambiando confidencias, y el miércoles siguiente el C-130 había desembarcado otras cinco orquídeas. ¡Otras cinco! Porque al comprar las cinco primeras su mujer había contado al florista que el regalo era para las monjas de Beirut cuyo convento habían invadido los italianos, y el florista se había conmovido: «Esta vez se las regalo yo.» Había lanzado un suspiro. Menos mal, así-se-las-entrego-a-sor- Espérance-y-aclaro-el-equívoco. Lo malo es que había aparecido Milady y: «¡Armandó! De nouveau! ¡De nuevo, Armandó!» El miércoles siguiente, lo mismo. Y de nada servía telefonear a su mujer, repetirle explícale-al-florista-que-no-debe-molestarse-más. Inexorable como el destino, todas las semanas el C-130 había seguido trayendo la caja de poliestireno Frágil-Cuidado-Flores: y entonces, ¿¡¿quién habría sido capaz de reconocer la verdad?!? «¡Armandó, Armandó! Est-ce que vous avez reçu mes orchidées? ¿Ha recibido mis orquídeas?» preguntaba todos los miércoles. Después, radiante de alegría, las cogía gorjeando: «Elles-sont-à-moi-cependant-je-les-donne-à-toi», son-mías-pero-te-las-doy-a-ti, y se las pasaba al Niño Jesús. Y el idilio crecía.

Asestó un martillazo rabioso a la tubería en la que estaba trabajando. El idilio más inocente del mundo, ¡diantre! No había sucedido nunca nada, nunca sucedía nada, entre Milady y él. Charlaban y se acabó. Hablaban de la guerra, de la paz, de Beirut, del creer y el no creer, es decir, de que él fuera anticlerical y ateo... Sí, señor, anticlerical y ateo. No le había servido criarse con las monjas... Y si él hubiera querido rozarle una muñeca o aludir a sus sentimientos, ella no se lo habría permitido: ¡con tal fuerza defendía sus opciones y su fe! «Mon père se trompe s'il espère que je ne resiste pas au noviciat, mi padre se equivoca esperando que yo no resista el noviciado. Les plaisirs terrestres ne m'intéressent pas, los placeres terrenales no me interesan. Moi je crois à l'Église et à la soutane bien plus que vous croyez à l'Arme des Carabinieri et à l'uniforme, yo creo en la Iglesia y en el hábito más que usted en el Arma de los carabinieri y en el uniforme, Armandó.» Y al decirlo lo inundaba de medallitas, crucecitas, imágenes de santa Teresa de Ávila, de santa Ana, de santa Ágata, de santa Lucía incluida la santa Lucía que ofrecía sus ojos como dos huevos fritos. Pero entonces, ¿por qué había momentos en que aquel hábito parecía pesarle y aflojando el velo o el alzacuello resoplaba quel-ennui-ces-trucs, ¡qué-pesadez-esta-cosa! ¿Por qué le perdonaba que no creyera en Dios y que no pudiera soportar a quien lo representaba? ¿Por qué lo buscaba siempre y se alegraba de verlo? ¿Por qué cuando salía el tema de su mujer y sus hijos se ponía triste? ¿Por qué la noche que había dicho que su mujer era bella y buena e inteligente había añadido con un suspiro «y afortunada»? Porque estaba enamorada también ella, por eso. Sin saberlo, tal vez, sin darse cuenta, sin... Él se daba cuenta. Se había dado cuenta desde el principio, y tan bien que durante meses le habían reconcomido los escrúpulos, los remordimientos, las autocríticas. No soy un niño, me cago en la leche, soy un hombre de cuarenta años. No soy un mujeriego, soy un padre de familia. ¿Es posible que corra tras una monja o casi monja? ¿¡¿Es posible que vaya por ahí cargado de medallitas, crucecitas e imágenes de santa Teresa santa Ana santa Ágata santa Lucía?!? Y al abandonar Beirut para volver a Livorno con Halcón y Gigi el Cándido había sentido un extraño alivio. Había conseguido incluso responder secamente a la pregunta ¿volverá-Armandó-volverá? «Lo descarto.» Lo descartaba de verdad, convencido de que la lejanía serviría para reducir el enamoramiento. El tiempo para anularlo. Ojos-que-no-ven-corazón-que-no-siente, dice el refrán, y en un primer momento le había parecido que funcionaba: vacaciones en el mar con su mujer seductoramente bronceada, noches cargadas de deseo encendido por la larga abstinencia. Pero un día se había sorprendido entrando en un cine en el que proyectaban una antigua película con Ingrid Bergman vestida de monja, *Las campanas de Santa María*, otro día casi se había desmayado al ver por la calle a una monja que de espaldas parecía Milady, otro se había peleado con un amigo que sostenía que las monjas no se bañan, y sin motivo había dado una bofetada a su hijo mayor que había escapado gritando: «Papá, ¿¡¿añoras Beirut?!?» Entonces había comprendido que corazón que no siente... ¡y una leche!, que el tiempo borra... ¡y un cuerno!, que los refranes son tonterías, y había ido a comprar cinco orquídeas. Las había enviado con el C-130 y acompañadas de una nota ambigua: «Une pur chacune et toutes pour vous. Una para cada una y todas para ustedes. Es decir, para usted. Posdata: Beyrouth me manque. Añoro Beirut.» Un mes después

Gigi el Cándido le había preguntado si estaba dispuesto a volver y había respondido con un sí que habría despertado a un ejército entero de muertos.

Acabó de arreglar la avería, se dispuso a guardar las herramientas en la caja con la santa Lucía. Qué viaje más horrible, el viaje de regreso. Siempre en el puente del barco mirando las olas fijamente, cavilando sobre sus hijos que se lo habían tomado mal y sobre su mujer que ante la noticia de la nueva partida había llorado. «¿¡¿Has respondido que sí?!? ¿¡¿Acabas apenas de regresar y has respondido que sí?!? ¡Ya no me quieres, ya no nos quieres!» Se preguntaba también qué era lo que lo había embrujado además de aquel rostro perfecto, aquella figurita encantadora, y por qué motivo Milady se sentía atraída por él: un simple sargento de carabinieri, un cuarentón sin clase ni cultura, un tipo que sólo sabía arreglar las tuberías, empalmar los cables de la electricidad, cambiar las cerraduras, y encima anticlerical y ateo. Pero sobre todo se consumía con la impaciencia de volver a verla, volver a oír sus erres arrastradas, sus oes alargadas, y con el temor de no volver a encontrarla. ¿No volver a encontrarla? Lo estaba esperando en medio de la explanada como Madame Butterfly al ver por fin alzarse el hilo de humo del barco de Pinkerton. Trémula, feliz, y cargada de preguntas en apariencia inofensivas pero en esencia peligrosísimas. «Qu'est-ce que vous manquait le plus de Beyrouth? ¿Qué era lo que más añoraba de Beirut, Armandó?» «Qu'est-ce que vous vouliez dire avec votre carte une-pour-chacune-et-tutes-pour-vous? ¿Qué quería decir con su nota una-para-cada-una-y-todas-para-ustedes, Armandó?» Y el idilio había vuelto a comenzar para crecer, crecer... Había un metro para medir su crecimiento: la progresiva disminución de la barricada sobre la escalerita que conducía del comedor a los pisos superiores. En efecto, la mañana siguiente al día del regreso un comando se había destrozado una rodilla al chocar con los objetos apilados en el primer escalón. Y Halcón lo había responsabilizado a él. Culpa-tuya, Armando. Culpa-tuya. Milady había corrido a justificarlo, non-non, c'est-ma-faute, es culpa mía, después le había aconsejado que quitara los trastos contra los que el comando se había destrozado la rodilla, ¿y ves lo que pasa con un collar de perlas que se desgrana? A la desocupación del primer escalón había seguido la del segundo. A la del segundo, la del tercero. A la del tercero, la del cuarto, el quinto, el sexto, el séptimo... Cada vez que hacía falta una silla o un sillón o un banco lo quitaba de allí y al cabo de dos meses lo que había calificado de Línea Maginot se había reducido hasta convertirse en un exiguo baluarte: una mampara simbólica que sólo obstruía los cuatro o cinco últimos escalones y que Milady comentaba riendo: «Inversement proportionnel! ¡Inversamente proporcional!» ¿¡¿Milady?!? ¿Estaba diciendo Milady, no sor Milady? Caramba, debía estar alerta esta noche: para no cometer ese error delante de las otras. Armando Manos de Oro cerró la caja de las herramientas. Alzó su robusta figura, se quitó la máscara tras la cual se ocultaban los sencillos motivos por los que sor Milady se había enamorado de él, y estaba a punto de marcharse cuando la figurita encantadora se presentó de improviso en la explanada como una golondrina que desciende del cielo para traerte la primavera.

«¡Armandó, Armandó! Est-il vrai que Monsieur le colonel ne vient pas ce soir? ¿Es cierto que el señor coronel no viene esta noche?» «Sí, Milady... sor Milady.» «Mais pourquoi? ¿Por qué?» «No lo sé... sor Milady.» «Quel dommage! ¡Qué lástima, Armandó! Soeur Espérance en est si désolée! ¡Lo siente muchísimo! Aucun espoir qu'il vienne à boire au moins un peu de vin mousseux pour fêter mes vingt-six ans? ¿No hay ninguna esperanza de que venga a beber al menos un poco de vino espumoso para celebrar mis veintiséis años?»

«Me temo que no, Milady.»

Resultaba difícil hoy dejar de lado ese «sor». Tan difícil como impedirse cogerle las manos y exclamar yo-no-resisto-más: al diablo tu velo de novicia, al diablo los escrúpulos, los remordimientos, las autocríticas, la familia, la Iglesia, la Benemérita, todo. Dime que tú piensas lo mismo, que tu padre tiene razón de escribirte ¡no-resistirás-la-prueba, eres-demasiado-impetuosa, demasiado-propensa-a-las-pasiones! Y por un instante que le pareció larguísimo estuvo a punto de hacerlo. Pero, como si el Señor la hubiese advertido y encargado que interviniera, en ese preciso momento el regio perfil de sor Espérance se delineó en una ventana del segundo piso.

«Soeur Milady! Qu'est-ce que vous faites là-bas? ¿Qué hace usted ahí, sor Milady?»

«J'étais venue vérifier si vraiment Monsieur le colonel ne vient pas ce soir, ma Mère! ¡He venido a comprobar si era verdad que el coronel no viene esta noche, Madre!» respondió sor Milady ruborizada.

«Soeur Milady! Personne ne vous a demandé de vérifier quoi que ce soit! ¡Nadie le ha pedido que compruebe nada!»

«Oui, mais puisque je sais que ça vous peine beaucoup... Pero como sé que eso la apena mucho a usted...»

«Soeur Milady! Ça ne vous regarde pas! ¡Eso no es asunto suyo! Rentrez inmédiatement! ¡Vuelva inmediatamente!»

«Oui, ma Mère! Tout de suite! ¡En seguida!» Y dirigiéndose a Armando Manos de Oro: «Étiez-vous en train de me dire quelque chose, Armando? ¿Estaba usted diciéndome algo, Armandó?»

«No, sor Milady, no.»

«À ce soir, donc! ¡Hasta la noche, entonces!»

«À ce soir.»

La golondrina se fue aleteando y un tiarrón de pelo blanco, rostro anguloso y aire de soldadote que lanza a los cristianos en pasto a las fieras en el Coliseo, avanzó burlón.

«No se preocupe, hermana, ¡irá! ¡Sin falta, irá! Se lo llevaré yo, ¡lo arrastraré hasta allí de las orejas!»

Era Gigi el Cándido que, abrazado a un librote tan grande como un tomo de enciclopedia, se dirigía hacia la verjita de la salida lateral para dirigirse al rascacielos de Ost Ten.

–3–

Ya arrepentido de la ocurrencia maliciosa abrió la verjita y se volvió para llamar a Armando Manos de Oro, para disculparse. No lo vio y entonces continuó entristecido: si existía un tipo sensible, allí arriba en la cima de la colina, era precisamente el extravagante personaje que no tenía miedo a nada salvo a los sapos y se desmayaba a la vista de un lagarto. Lástima que los demás no lo comprendieran, pero, ¿cómo habrían podido hacerlo? El niño que junto con nuestra perdida inocencia duerme dentro de nosotros raras veces se despierta, por desgracia, y el que estaba encerrado en el corazón de Gigi el Cándido no dormía nunca. Una pureza impoluta se ocultaba detrás de aquel pelo blanco de viejo y ese aire de soldadote que lanza a los cristianos a la arena para que sean pasto de las fieras del Coliseo, una sencillez casi infantil. No era casualidad que siempre fuera descuidado, con la camisa desabrochada y un increíble foulard rojo que según decía lo protegía del mal de ojo y las enfermedades, al revólver y al fusil prefería el cuchillo de caza, al jeep la motocicleta, y tenía una costumbre bastante desconcertante para un teniente coronel adjunto al comandante de un batallón: cuando necesitaba un objeto cualquiera, no se molestaba en comprarlo u obtenerlo por medios legítimos. Lo robaba. Las diversas instalaciones hidráulicas y eléctricas, los muros de refuerzo, las obras con que su ayudante Armando Manos de Oro había mejorado el Rubí, se debían precisamente a los robos cometidos por Gigi el Cándido: raíles substraídos al ex ferrocarril de Beirut, tubos y pilares birlados en las zonas de obras de la parte oriental, ladrillos saqueados a los palestinos de Bourji el Barajni donde ya no podía adentrarse sin ser seguido por hordas de muchachos que le gritaban akrut-ladrón-akrut. Y de nada servía que Halcón se angustiara, Caballo Loco se desesperase, el Cóndor se indignara y vociferase que semejantes papelones manchaban el honor de la bandera y su propio buen nombre: ¿acaso tienen los niños sentido de lo lícito y lo ilícito? Sin embargo la particularidad que mejor caracterizaba a su personaje era otra: la aversión hacia la lectura y el empeño intelectual. Entre el estudio, el papel impreso y él había una incompatibilidad tan patológica que sólo de ver un libro, un periódico, un planfleto, era presa de hemicráneas dolorosísimas. Y sin embargo, para que veas cuán imprevisibles son los milagros del amor, ahora se iba abrazado a aquel librote tan grande como un tomo de enciclopedia. Título: *Mot à mot, sept cents leçons de Français*. Palabra por palabra, setecientas lecciones de francés.

Se lo había dado sor George después de la cena fatal celebrada abajo, en el comedor. Seducido por el gesto con que se había quitado las gafas y se las había puesto en la nariz a él diciendo Monsieur-Gigi-usted-las-necesita-más-que-yo, el muchacho eterno había perdido el freno, en efecto, y con ayuda de Armando Manos de Oro que hacía de intérprete se había puesto a cortejarla descaradamente. Qué-mujer-más-chistosa, qué-mujer-más-inteligente, dile-que-por-ella-me-tiraría-a-un-estanque-lleno-de-sapos-o-iguanas-con-lóbulos-en-forma-de-hoz. Conmovida por el homenaje sor George había respondido que en lugar de tirarse a un estanque lleno de sapos o de iguanas en forma de hoz mejor sería que aprendiera francés, él había respondido enséñemelo-usted-hermana, y el día siguiente allí estaba con la monstruosa gramática titulada *Mot à mot, sept cents leçons de Français*. «Voilà, Monsieur Gigi. Au rythme d'une leçon par jour, sept cents leçons demanderaient deux ans. Al ritmo de una lección al día, setecientas lecciones requerirían casi dos años. Puisque je pense qu'ils ne vont pas vous tenir ici si long-temps, je vous ordonne d'étudier quatre leçons par jour.» Como no creo que lo retengan tanto tiempo en Beirut, le ordeno que estudie cuatro lecciones al día. «¿¡¿Cuatro, hermana?!?» «Quatre. Et ne vous faîtes pas d'illusions: je n'aurai aucune indulgence ni pour vos grades ni pour vos vénérables cheveux blancs. Cuatro. Y no se haga ilusiones: no voy a tener la menor indulgencia ni por su graduación ni por sus venerables cabellos blancos. Allez, hop! Je vous attends en classe demain matin à neuf heures. Lo espero en clase mañana a las nueve de la mañana.» Había obedecido. La mañana siguiente se había presentado a las nueve y se había sentado en un banco entre los niños. Pero era un banco demasiado pequeño para su gran cuerpo, los otros niños se distraían demasiado al ver a aquel hombretón sentado entre ellos, y sor Madeleine había sugerido a sor George que le dejara subir al segundo piso. Sor George había pedido permiso a sor Espérance, sor Espérance lo había concedido, y la escuela se había desplazado para él al salón. Verbos regulares e irregulares, acentos agudos y graves y circunflejos, treinta palabras que aprender de memoria cada día y reproches. «Monsieur Gigi, vous ne vous appliquez pas!, ¡no se aplica usted! Vous n'étudiez pas! ¡No estudia!» «Estudio, sor George, estudio. Pero, ¡tiene usted que comprender que el ejército no me ha traído a Beirut a estudiar francés! Soy un oficial, ¡debo ocuparme de la tropa!» «Cela ne m'intéresse pas, eso no me interesa. Étudiez la nuit, estudie por la noche.» Lo hacía. Habría soportado cualquier sacrificio con tal de complacerla. Estaba tan graciosa cuando decía Monsieur Gigi disolviendo la «g» como si quisiera saborearla. Bastante más graciosa que Milady cuando arrastraba las erres y alargaba las oes de Armandó. Además, cuando te dirigía un elogio... Bueno, tenía un modo extraño de elogiarte. Te daba un golpe seco en el brazo y decía: «Très bien. Muy bien, Monsieur Gigi. Aujourd'hui les ânes volent, hoy los burros vuelan.» Pero dicha por ella la palabra burro no era ofensiva. Tampoco la forma como lo premiaba era ofensiva. Para premiarlo le ofrecía el petit déjeuner con los dulces que le chiflaban; las bolitas de mazapán, verdad, cubiertas de chocolate en polvo. Las preparaba la noche anterior, las envolvía en papel de estaño amarillo o verde o violeta, y cada vez que le respondía bien a las preguntas le metía una en la boca: «Une petite carotte pour les ânes, une petite carotte! Una zanahorita para los burros, ¡una zanahorita!»

Llegó resoplando al rascacielos de Ost Ten. Ahora tenía que subir a pie hasta el piso decimocuarto, el edificio inacabado no tenía ascensor, y eso era un gran coñazo. Pero al mismo tiempo era un gran placer porque le recordaba la tarde en que sor George había ido a pedir uno de los bancos apilados en la barricada antiviolación, y al ver todos aquellos escalones despejados había exclamado: «Je dois dire qu'il ne reste pas beaucoup pour défendre notre vertu! ¡La verdad es que no queda gran cosa para defender nuestra virtud!» ¡Qué simpática! ¿Quién había conocido nunca a una mujer tan simpática? Y no hace falta decir que había algo, en sor George, que superaba el hechizo de la simpatía. La desenvoltura tal vez, el brío con que llevaba su estatura infinitesimal y las gafas bifocales. ¿O la erudición que él había rechazado siempre? ¡La leche, qué erudición tenía aquel ratón de biblioteca! Historia y filosofía de Mahoma, de Buda, de aquel otro sabio al que rezan en China, es decir, Confucio, capítulos enteros de san Marcos, de san Mateo, de san Lucas y de san Juan. Aventuras y desventuras de uno que se llamaba Lutero y que había enfurecido al Papa... Un diccionario, la verdad, una enciclopedia. Y sin embargo no se jactaba de ello, no se daba tono. La verdadera sabiduría procede de la intuición y del corazón, no de las noticias que se encuentran en los libros, decía. Yo estoy bien con los asnos y con los niños porque comprenden la vida mejor que las personas cultas, y nunca me permitiría echar a perder su deliciosa ignorancia enseñándole otras cosas aparte del francés. Como si eso no bastara, podías contarle todo sin miedo a verte despreciado. Le había contado muchas cosas. Devorando los dulces de mazapán de los que cuanto más comes más comerías, le había contado secretos que no revelaría nunca a nadie. Que en vez de la tropa habría preferido ocuparse de árboles y plantas, por ejemplo, que la agronomía había sido siempre su pasión, que no había podido matricularse en la universidad porque no había conseguido nunca un título para entrar en ella, en todos los exámenes a que se presentaba lo suspendían sin esperanza, que para consolarse de no haber estudiado los árboles los dibujaba... A la tierna edad de cuarenta años se había descubierto pintor y mirando sus cuadros la gente decía: «¡No están nada mal!»

Le había pintado uno incluso que reproducía el campo de olivos bajo las letrinas de los oficiales, letrinas aparte le había gustado mucho. «Il est plein de tendresse, está lleno de ternura, Monsieur Gigi. Je le tiendrai dans ma chambre, lo colgaré en mi cuarto.» Por último le había contado la historia del sapo y por qué tenía el pelo blanco. Porque durante un viaje al Caribe se había encontrado frente a frente con dos iguanas en forma de hoz, animales semejantes a los sapos pero bastante más aterradores. Y ella, seducida, había pasado del Monsieur Gigi al Gigi. Lástima que una semana después lo hubiera mandado de vuelta a Italia.

Se detuvo en el décimo piso para recuperar el aliento, se preguntó qué había sentido el día en que había hecho las maletas para volver a Italia. Una sensación de vacío, concluyó, un desconsuelo semejante al que se siente cuando te suspenden en los exámenes. Con aquella sensación de vacío, aquel desconsuelo, había ido a despedirse de ella y le había devuelto *Mot à mot*. Pero ella no lo había aceptado. «Quédeselo como recuerdo de su maestra, Gigi.» Se lo había quedado. Se lo había llevado a Livorno y lo había colocado sobre la mesita de noche, con lo que había dejado asombrada a su mujer. «¿¡¿Una gramática, un libro, tú?!?» Lo había tenido allí un par de semanas, sobre la mesita de noche, después lo había guardado con llave dentro de un cajón y hasta antes de regresar a Beirut no había vuelto a abrir el cajón. En efecto había regresado al Rubí con aquel librote bajo el brazo y... ¡Qué bobo! ¿Acaso creía que ella lo esperaría en la explanada como sor Milady? Al cabo de cuatro horas había bajado, ¡cuatro! Y ni siquiera conmovida. «Tiens, qui revois-je! ¡Hombre, mira quién está aquí otra vez!» Pero habían reanudado las lecciones en el salón, los tirones de orejas, las zanahoritas: «Vous ne la mériteriez pas la petite carotte, no merecería la zanahorita, Gigi. Vous avez tout oublié! ¡Lo ha olvidado todo!» Lo había olvidado, en verdad. Confundía incluso la conjugación del verbo amar, que desde el punto de vista gramatical es un verbo sencillísimo, pero desde el punto de vista sentimental es el más complicado del mundo: ¿¡¿qué significa amar?!? De joven había perdido la cabeza por una grandísima idiota, una leona que se aprovechaba de él, lo engañaba, le ponía los cuernos con todo el mundo, y en el momento de cortar con ella la había odiado con todas las fibras de su cuerpo. Y sin embargo aun odiándola había seguido deseándola con un deseo que todo el mundo habría calificado de amor, y durante un montón de meses había seguido preguntándose si se habría liado con otro, etcétera. A su mujer hacía siglos que no la deseaba. No era atractiva, la pobrecilla, estaba tan gorda que cuando se echaba en la cama rompía los muelles, y hacía siglos que ni siquiera le parecía una mujer. Le parecía una tutora, una mamá. Y sin embargo formaba parte de él como sus ojos, perderla habría sido como perder sus ojos, y la quería muchísimo: de no dormir con ella, de no sentir la rotura de los muelles en la cama, a veces se sentía huérfano. En cuanto a sor George, ¡bah! No se parecía ni al sentimiento que experimentaba por su mujer ni al que había experimentado por la grandísima idiota, lo que sentía por sor George. Y sin embargo al verla era presa de un estremecimiento casi igual al que le provocaba la grandísima idiota y, aunque no formara parte de él como su mujer y sus ojos, la idea de perderla le crispaba los nervios. ¿Era amor, eso? Y si no lo era, ¿por qué iba ahora a Ost Ten? Te lo voy a decir yo por qué. En el Rubí no podías abrir *Mot à mot*: a cada minuto te llamaban, te buscaban, te interrumpían. En Ost Ten, en cambio, no te molestaba nadie. Tendido dentro de la tina de un cuarto de baño situado en el ángulo sudoriental te estudiabas las conjugaciones de los verbos, y el día siguiente ella se alegraba. «¡Bien, Gigi, bien! Aujourd'hui la petite carotte vous la méritez, vraiment! ¡Hoy sí que se merece la zanahorita!»

Reanudó el ascenso por las escaleras. No, para ser sinceros, otra razón tenía para ir a Ost Ten: visitar a Rocco y a los cinco americanos que junto con los cinco encargados de morteros del Rubí ocupaban el observatorio, y que desde el domingo de la doble matanza no salían de allí. El Cóndor temía que si los trasladaba a la zona oriental, es decir, si les hacía cruzar la Línea Verde los ofrecería en pasto a los Amal que con tal de matar a un americano se habrían convertido al cristianismo y... El caso es que el Lieutenant Joe Balducci era hijo de emigrados de Lucca. Tenía la piel blanca, el pelo rubio, y con el uniforme italiano habría dado el pego. En cambio sus cuatro Marines eran más negros que la pez, y tenían una nariz tan ancha, tal físico de jugadores de rugby, ¡que los habrías reconocido aun bajo un chador! Pobrecillos. En fin, no es que fueran demasiado simpáticos: a ver si nos entendemos. No sonreían ni aunque les hicieses cosquillas en los sobacos, en todo aquel tiempo no habían aprendido ni siquiere a chapurrear los buenos días, y sólo movían los labios para gruñir las palabrotas de los Marines que quién sabe por qué motivo no pueden abrir la boca sin citar las trivialidades relacionadas con las partes bajas del cuerpo: fucking, fucked, fuck-you, mother-fucker, cocks-sucker, asshole». Joder, jodido, que te den por culo, jodedor de madre, chupapollas, culo agujereado. En el caso de que quieran mostrarse corteses, hacerte un cumplido: old-fart, pedo viejo. En cuanto a Joe Balducci, que en el campo de los tacos se limitaba a una granizada de shit-mierda-shit y conocía bastante bien el italiano, no cesaba de rezongar en las dos lenguas o hablar de Vietnam donde había estado dos años pasándolas canutas. Milay por aquí, Pleiku por allá, Saigón por un lado, Da Nang por el otro. ¡Un rollo! Con la esperanza de animarlos un poco, el martes les había llevado una olla de spaghetti alla pommarola. Calientes, ¡eh!, y cubiertos de parmesano fresco y albahaca recién cortada. Como para relamerse el bigote. Y, mientras Joe asentía, ¿sabes lo que le habían dicho? «Sir, what about a fucking hamburger whit the fucking chips and the fucking ketchup? Oiga, ¿por qué no trae una jodida hamburguesa con las jodidas patatas fritas y el jodido ketchup?» De acuerdo, no es alegre pudrirse en lo alto de un rascacielos dejado de la mano de Dios y de los hombres: presos de sí mismos, de sus compañeros muertos, y de la idea de acabar siendo pasto de quienes con tal de matar a un americano se convertirían al cristianismo. Pero un poco de cortesía no está de más y, fastidio aparte, él no veía la hora de devolverlos a su Cuartel General o, mejor dicho, a lo que ahora era su Cuartel General: una serie de trincheras excavadas bajo los escombros del edificio volado. Fastidio, sí, fastidio. Imagínate qué fastidio, aquel día, qué responsabilidad. Llegó al último piso. Entró en una gran sala con el techo apenas cubierto por un desván carente de vigas y las paredes forradas de sacos de arena. Por el suelo, un arsenal de armas: lanzagranadas, ametralladoras, bazookas, bombas de mano, cintas de balas, cargadores, fusiles. En las troneras situadas en los cuatro lados, los observadores con prismáticos y con visores. En el centro, las transmisoras con los radiofonistas. Por doquier, mesas atestadas de mapas topográficos o diagramas. E, inclinado sobre el plano de Beirut, un joven oficial de los Marines que murmuraba para sus adentros.

«Shit! ¡Mierda! Shit!»

«¡Hola, Joe!» dijo Gigi el Cándido, dándole una palmada afectuosa en el hombro.

«Hey, sir» respondió Joe Balducci intentando sonreír sin conseguirlo. «¿Nos traes hamburguesas con chips y ketchup?»

«No, señor. Para que aprendas a despreciarme los spaghetti alla pommarola» replicó, ofendido aún. Después se dirigió al italiano que estaba en la tronera nordoriental: un muchacho flaco y desesperadamente feo.

«Hola, Rocco. ¿Sigues castigado?»

«Sí, mi coronel» respondió Rocco, abatido.

Pobre Rocco. No pertenecía a la escuadra de Ost Ten. Era un comando alumno de Azúcar y solía estar destinado en Bourji el Barajni. Lo habían exiliado allá arriba y le denegaban el traslado para que dejara de abandonar el tanque a fin de ir a buscar a la novia que había perdido cuando estaba en Italia reponiéndose de un ataque de rubéola, y que a su vez lo buscaba a él. Había que ayudarlo, pensó mientras se dirigía al cuarto de baño para estudiar en *Mot à mot* el condicional y el subjuntivo del verbo más sencillo y más complicado del mundo. Porque si existía un lugar en que dos enamorados no podían encontrarse, era precisamente la cima de un rascacielos dejado de la mano de Dios y de los hombres.

–4–

«Doscientos noventa y cinco grados, altura iglesia de Saint-Michel, disparos de salida.»

«Trescientos cinco grados, altura Galerie Semaan, disparos de llegada.»

«Doscientos noventa y cinco grados, altura iglesia de Saint-Michel, disparos de llegada.»

«Trescientos cinco grados, altura Galerie Semaan, disparos de salida.»

Pegado a los visores, Rocco registraba escrupulosamente el ping-pong de los disparos que los Amal y los gubernamentales intercambiaban a lo largo de los trescientos metros bajo la colina, pero su mente estaba muy lejos y su alma sudaba toda la infelicidad de sus infelices veinticuatro años. ¿Y si en ese momemto se hubiera encontrado Imaam en las cercanías de Saint-Michel o de la Galerie Semaan? ¿Y si uno de aquellos disparos la hubiese matado o herido? No habría podido trasladarse siquiera al hospital para visitarla ni al cementerio para llevarle una flor. Dios, ¿por qué no había intentado nunca tener su dirección? ¿Por qué desde el primer día había aceptado el pacto de no pedírsela nunca? El primer día... Era primavera, aquel día, y él ya no estaba destinado en la escuadra de Azúcar: a las cinco de la tarde podía salir, pasear por la Rue Hamra, entablar conversación con las muchachas. Total, bastaba conocer un poco de francés, bonyur, bonsuar, comansavá. Aunque fuera de oído lo conocía, y de repente se había encontrado con tres muchachas que venían hacia él por la acera. Dos del montón, una hermosa. No hermosa en el sentido cinematográfico: hermosa para su gusto. Morena, llenita, bajita. ¡Y una sonrisa, una boca! Llena de estrellas como las noches de agosto. Bonsuar, buenas tardes. Comansavá, ¿qué tal? Las dos del montón se echan a reír, ella lo mira seria y responde: «Italién u sirién, ¿italiano o sirio?» Por su tez obscura y sus ojos pequeños, le explicaría después. Las había invitado a tomar un café. Las dos del montón no habían aceptado, ella en cambio sí, y al café había seguido una naranjada. A la naranjada una bandeja de pastelillos y la presentación: «Ye mappel Imaam, me llamo Imaam. Ye sui né dan la plas de Canon e yé vendé an, nací en la plaza de los Cañones y tengo veintidós años. Ye sui musulmán e yabit dan la Cité Sportif, soy musulmana y vivo en la Cité Sportive.» Y en el momento de despedirse: «No, l'adrés ye te le don pa, la dirección no te la doy: mon per e tré sever e tu viandré me shershé, mi padre es muy severo y vendría a buscarme. Si tu ve me revuar tu dua yuré que tu ne me le demanderá yamé. Si quieres volver a verme tienes que jurar que no me la pedirás nunca.» Lo había jurado, trastornado porque una muchacha semejante lo prefiriera a los buenos mozos del Rubí. ¡Menudo si había buenos mozos en el Rubí! Altos, robustos, con facciones de actores. En cambio él tenía un cuerpecín mínimo de campesino mal alimentado, y facciones que sólo de mirarse le daba complejo de inferioridad: sienes estrechas, frente baja, nariz de apagavelas, ojillos minúsculos y muy juntos... y, lo que es peor, hundidos bajo unas cejas pobladísimas que se juntaban en el extremo de la nariz para convertirse en una única faja negra. Feo, era feo. La había vuelto a ver el día siguiente, a la misma hora y en el mismo sitio. Pero no había sido un flechazo como en las películas en que él y ella se besan al instante: al principio no se fiaba. Desde luego, sale conmigo por curiosidad, decía, o porque ve en mí un pollo que desplumar. Todo el mundo sabe que en Beirut los militares italianos ganan un montón de dinero. Y, para evitar malentendidos, una tarde le había soltado la verdad: que pese al salario de Beirut era pobre, que no era de Roma ni de Milán sino de provincias de una ciudad de Calabria llamada Diamante, que sus padres trabajaban de aparceros. Pero en lugar de dejarlo plantado ella se había conmovido y cogiéndole de la muñeca le había susurrado: «Dimuá, dimuá. Dime, dime.»

«Quince grados, altura cuartel Octava Brigada, disparos de llegada.»

«Trescientos diez grados, altura barrio de Chyah, disparos de llegada.»

«Trescientos veinte grados, altura pasaje Tayoune, disparos de llegada.»

Se lo había dicho. Consuela tanto hablar a alguien que susurra conmovido dimuá-dimuá. Le había dicho que, miseria aparte, los años de su infancia habían sido los mejores porque habían sido los más libres: siempre en la calle como los niños de Beirut. Después lo habían mandado a la escuela, de la escuela al campo a recoger la aceituna, y se había olvidado de lo que significa ser libre. Vete-ahí, vete-allá, obedece-estúpido. Lo mismo de joven, cuando, para escapar a la recolección de la aceituna, quería hacerse camarero y en cambio se había hecho pinche en una casa de comidas de la costa. No es mal trabajo, sabes, el trabajo de camarero. Sacas propinas y comes lo mismo que los clientes. Lástima que para ejercerlo haya que tener el título de la Escuela de Hostelería. Él no tenía título, por lo que había acabado de pinche en la cocina de una casa de comidas de la costa. La cocina estaba en un semisótano que recibía la luz de un ventanuco al nivel de la playa, y era un tormento. Porque por el ventanuco se veían desfilar los pies de la gente de vacaciones y habrías dado el alma por ser un pie entre aquellos pies. En cuanto el cocinero decía chicos, hace falta agua salada para limpiar las almejas, cogías el cubo y gritabas yo-voy-yo. Para mojarse los brazos y las piernas, comprendes, para sentirse salpicar encima las olas etcétera. Lo malo era que para sentirse salpicar encima las olas etcétera había que cruzar la playa, pasar por encima de la gente que estaba bronceándose, morirse de envidia, y un día había tirado el cubo: había vuelto a recoger aceitunas. La tarjeta de alistamiento había llegado durante la recolección de la aceituna. Qué alegría. Muchos se desesperan al recibir la tarjeta: no quieren perder el empleo o el curso en la universidad, y tienen ojeriza a los militares. Él no tenía empleo que perder, ni curso de universidad, y los militares siempre le habían gustado porque los identificaba con los bersaglieri que corren con las plumas al viento y tocando la corneta. «Cuando pasan por la calleee / los gloriosos bersaglieeeris, / ¡siento afecto y simpatííia / por los valientes militares!» De hecho había corrido a la caja de reclutamiento y había pedido: mándenme-a-los-bersaglieri. Pero lo habían mandado a paracaidismo, y allí se había quedado pasando al cuerpo supercuerpo de los comandos. Su padre no quería. Decía: «¡Cárcel y cuartel son la misma cosa!» No es cierto. La cocina es una cárcel, el olivar es una cárcel. El cuartel es una libertad como la infancia. Además, de soldado, viajas. Vas a Beirut. Si no hubiese sido por el oficio de soldado, nunca habría venido a Beirut: ciudad en la que antes incluso de conocer a Imaam se encontraba muy a gusto por los árabes. Sí, los árabes a los que sus compañeros miraban por encima del hombro y llamaban beduinos, gañanes. Él no. Era un gañán también él, un beduino también él, y en Beirut se sentía como un gañán entre gañanes. Un beduino entre beduinos.

«Trescientos cinco grados, altura Galerie Semaan, disparos de salida.»

«Doscientos noventa y cinco grados, altura iglesia de Saint-Michel, disparos de llegada.»

«Ciento diez grados, altura palacio presidencial, explosión de Katiusha...»

Imaam se había alegrado mucho de saber que iba de acuerdo con los árabes, que con ellos se sentía un gañán entre gañanes, un beduino entre beduinos. Y había pedido que volvieran a verse una tercera, una cuarta, una quinta vez. En una palabra, todas las tardes. Se daban cita en el centro, a la hora del paseo, y para evitar que la gente pensara sharmuta, es decir, puta, utilizaban este sistema: ella pasaba por el punto establecido fingiendo no conocerlo, él la seguía a unos pasos de distancia. Después se encontraban en el bar del Bristol que es un hotel de ricos en el que nadie se escandaliza si un joven y una muchacha beben juntos una naranjada o un café, allí pasaban el tiempo bebiendo naranjadas o cafés, y entre una naranjada y otra, un café y otro, habían llegado a la tarde de julio en que ella había susurrado: «Tesié adorable de sirién. Tus adorables ojos de sirio.» Después le había acariciado los párpados, muy despacito, y: «Tu ne pa led mon amur, tu e bo car tu e bo dedán. No eres feo, amor mío, eres hermoso, porque eres hermoso por dentro.» ¡Oh! No se lo había dicho nadie nunca que era hermoso por dentro ni por fuera, nadie le había acariciado los párpados nunca. ¿Y quién iba a imaginar que los ojos pequeñitos y juntos y hundidos eran ojos de sirio, que los ojos de sirio eran adorables? De la alegría se le habían saltado las lágrimas. Y el día siguiente había descubierto el oasis. Iba caminando por una callejuela que lindaba con la granja contigua a la propiedad del convento, y de repente se había encontrado con una glorieta bordeada de tilos tupidísimos. Una especie de claro, de oasis, al que se podía llegar saltando el muro del recinto. En medio, una docena de camiones sin motor ni ruedas: el aparcamiento de los vehículos inutilizables. Se lo había contado en seguida a Imaam, Imaam había respondido quel-boté-se-vuar-labâ-o-lié-du-Bristol-mon-amur, qué-maravilla-verse-allí-en-lugar-de--en-el-Bristol-amor-mío. ¿¡¿Y qué más se podía pedir a la vida?!? Para colmo de fortuna, en aquel período tenía turno de noche. Eso le permitía citarse con ella por la mañana. Se encontraban en la granja contigua al claro, y ella lo esperaba siempre con la cesta de la comida. Con un poco de esfuerzo porque era un poco pesadita la ayudaba a saltar el muro del recinto, después llegaban al oasis y trepaban a la caja de un camión. Si llovía elegían uno con el toldo bajado, si no llovía elegían uno descubierto, y podían gozar de los tilos que con las ramas cruzadas formaban un techo de hojas. Era tan dulce hacer el amor bajo el techo de hojas. Hacían el amor en seguida, sí. No como debe ser, es decir, hasta el final porque si no estás casado el Corán no lo permite, pero él se contentaba con lo que el Corán permite y después se dormía en sus brazos. Al despertar se tomaban la comida de la cesta, y mientras comían hablaban como marido y mujer. Cuánto-te-ha-costado-este-pollo, el-pollo-está-múy-caro, no-debes-comprarlo, etcétera. Por lo demás eran como marido y mujer a esas alturas. Su casa, un camión roto. Su lecho, la caja de un camión roto. Su dirección, el oasis bordeado de tilos.

«Ciento diez grados, altura palacio presidencial, explosión de Katiusha.»

«Ciento cuarenta grados, montañas del Chouf, serie de disparos de llegada.»

«Ciento treinta grados, montaña del Chouf, serie de disparos de salida.»

Después de haber comido, Imaam le enseñaba árabe: habibi que quiere decir tesoro, si es ella la que se dirige a él, habibati si es él el que se dirige a ella, ana-behebbak, que quiere decir te-amo si es ella la que se dirige a él, ana-behebbeki si es él el que se dirige a ella. Y él le enseñaba italiano con esta frase: «¿Quieres casarte conmigo? ¡Sí!» Habían decidido casarse de verdad. La única incertidumbre se refería al rito con el que celebrarían la boda: ¿musulmán o católico? Para resolver el dilema, querían intercambiar la Biblia y el Corán. «Uno lee el Corán, una lee la Biblia. Si nos parece que es mejor la Biblia, nos casamos en la iglesia católica. Si nos parece que es mejor el Corán, nos casamos en la mezquita.» Lo malo era que en septiembre había cogido la rubéola, maldita rubéola. Pero, ¿¡¿no es una enfermedad de la infancia, la rubéola?!? El caso es que la había cogido igual. Fiebre de cuarenta, cara reducida a un bordado de ampollitas rojas, hospital de campaña. Y ella que iba todos los días a visitarlo para decirle mon-amur, tu-e-bo-mem-comsá, amor mío, eres hermoso incluso así. Había tardado dos semanas en curar, y cuando estaba curado lo habían mandado de convalecencia a Italia. ¡A Italia! ¡Y se lo habían anunciado en el último momento, es decir, la noche antes de su partida! Rápido-prepara- el-equipaje, que-el-barco-sale-al-mediodía. ¡Mediodía, la hora en que había quedado con Imaam! Y no había modo de avisarla porque además de callar su dirección ¡se había negado siempre a darle su número de teléfono! Si-túllamaras-mi-padre-entendería, me-encerraría-en-casa, me-pegaría. No había tenido fuerza siquiera para balbucir no, os lo suplico, no me mandéis a Italia, ¡yo estoy bien aquí! Había vuelto a su tienda mudo, mudo había preparado el equipaje, y todos creían que no hablaba porque la alegría lo sofocaba. Peor aún. Se reían: «¡Dichoso tú! ¡Ojalá pillara yo la rubéola!» O bien: «Rocco, ¿me regalas un poco de rubéola?» Es increíble que no se comprenda el dolor del alma. Si te ganas una bala o una esquirla se ponen al instante a gritar rápido-camilleros-el-plasma, si te rompes una pierna te la escayolan, si tienes la garganta inflamada te dan medicinas. En cambio si tienes el corazón roto y estás tan desesperado que no consigues abrir la boca ni siquiera lo notan. Y sin embargo el dolor del alma es una enfermedad mucho más grave que una pierna rota o la garganta inflamada, sus heridas son bastante más profundas y peligrosas que las que produce una bala o una esquirla. Son heridas que no curan, ésas, heridas que con cualquier pretexto empiezan de nuevo a sangrar. Lo demostraba el hecho de que él no se hubiera curado nunca de los disgustos sufridos en el pasado, de los vete-ahí, vete-allá, estúpido, de los pies que desfilaban por la playa mientras lavaba los platos en el semisótano... En fin, a cambio había conseguido dejar un mensaje a los del puesto de control: «Al mediodía vendrá una hermosa muchacha morena, llenita, bajita. La habéis visto otras veces, se llama Imaam y habla francés. Por favor, decidle que venga al puerto: si el barco sale con retraso, al menos podremos despedirnos.» El barco salía siempre con retraso. Aquel día había zarpado puntual.

«Ciento cincuenta grados...»

Apartó los visores. Tenía los ojos cubiertos de lágrimas y en lugar de las explosiones veía una cortina de agua. Pues sí, también en el barco había llorado. Y al desembarcar, y en Livorno. En el cuartel, al verle los ojos rojos, siempre le preguntaban si la rubéola ataca a los ojos. No podía escribirle. La única dirección de que disponía era una escuela de costura que frecuentaba en abril pero que en verano estaba cerrada, y para consolarse no cesaba de comprarle regalos. Hoy un pañuelo de Gucci, que cuesta un ojo de la cara, mañana el Chanel Número Cinco que es el perfume de Marilyn Monroe y cuesta lo que dos pañuelos, pasado mañana una pulsera de amatistas que aunque no tanto como las esmeraldas o los rubíes, también cuestan lo suyo, y por último zapatos. ¡Le gustaban tanto los zapatos italianos! En el oasis no cesaba de repetir: «Pur cadó de nos ye ve de shosur italién!, ¡para regalo de boda quiero zapatos italianos!» Se los había comprado en Diamante, cuando había ido a anunciar a sus padres que estaba prometido: de lagarto marrón, con un lazo de terciopelo negro, y sin tacones porque si no junto a él parecía más alta. Los había pagado muy caros. Doscientas mil liras. Pero el zapatero le había prometido que se los cambiaría si no era su número, y al volver a Beirut... ¡Dios, lo que había sufrido por volver a Beirut! Pero-cómo-que-a-Beirut, has-estado-mucho-tiempo-en-Beirut, mereces-un-largo-reposo. Por último se había dirigido al capitán. «Le ruego, mi capitán, que si ama a alguien se ponga en mi lugar. Envíeme de vuelta a Beirut.» Lo había enviado. Y en seguida había corrido a la escuela de costura que volvía a abrir en otoño, le había dejado una nota bajo el portón. «Imaam, ye sui rentré e ye tatán she le Rubino. Ton Rocco.» Imaam, he vuelto y te espero en el Rubí. Tu Rocco. Después se había enterado de que no habían vuelto a abrir la escuela, que la nota había quedado bajo el portón y se le había metido en la cabeza que Imaam estaba muerta o herida. Pero no estaba muerta, no. Tampoco estaba herida. Y seguía amándolo, según se había enterado por mediación de un comando. «Rocco, si no estás de servicio el domingo vamos a la playita de Ramlet el Baida. Allí los disparos no llegan y hay chicas. El domingo pasado, tú fíjate, había una que te buscaba a ti.» «¿¡¿A mí?!?» «Sí, una tal Imaam. Preguntaba a todos: "¿Conocéis a Rocco? ¿Ha vuelto Rocco? ¿Cuándo vuelve Rocco?"» Había sentido que se desmayaba. «¿¡¿Y qué le habéis respondido?!?» «Que no te conocíamos. Por si acaso la habías dejado plantada, comprendes.» ¡Plantada! Había gritado desgraciados, malvados, había pasado el domingo entero en la playita. Pero Imaam no había acudido y quién sabe por qué Halcón lo había vuelto a poner bajo el mando de Azúcar.

«Doscientos veinte grados...»

Volvió a llevarse los visores a los ojos. Un duro golpe, sí, verse poner bajo el mando de alguien que está encima de ti hasta cuando vas al retrete y te castiga por nada. Tan duro como el disgusto de haber pasado aquel domingo en vano en la playita. Conque se había apresurado a buscar una solución y se había dicho: si Imaam me busca en Ramlet el Baida significa que no puede cruzar la Línea Verde, que desde la Cité Sportive no puede llegar al Rubí. En cambio puede venir a Bourji el Barajni, y antes o después lo hará. Tengo que pedir a Azúcar, con la excusa de la readaptación, que me destine al tanque del puesto Uno que está justo en la Rue de l'Aérodrome y resulta por tanto inmejorable para comprobar quién entra y quién sale del barrio. Se lo había pedido, y Azúcar había caído en el garlito: «De acuerdo.» Lo malo es que raras veces estaba en el tanque. A cada diez minuto se salía para ir a pedir ayuda a los compañeros de turno en los otros puestos. Por-favor-si-veis-a-Imaam-decidle-que-estoy-en-el-Uno. Por-favor, si-veis-a-Imaam-enviádmela-al-Uno. O se alejaba para movilizar a los niños, enseñarles la fotografía de Imaam, darles instrucciones: «Miradla bien, niños. Es una hermosa muchacha morena, llenita, bajita, y se llama Imaam. Si la veis, debéis decirle: "¡Rocco ha vuelto! ¡Ha vuelto con los zapatos italianos! ¡Está en el tanque del Uno!"» Y al final Azúcar se había dado cuenta. Por tener que desactivar tres bombas precisamente en Bourji el Barajni había ido a buscarlo y: «¿Dónde está Rocco? ¿¡¿Por qué no está aquí Rocco?!?» «Ha ido a orinar, ahora vuelve» le habían respondido los compañeros del tanque. Pero en ese momento había ido a pasar Gino con su cabeza en las nubes, es decir, en las poesías: «No se preocupe, teniente. Lo he visto con los niños en el Siete. Es que ha perdido a su chavala y a veces va a buscarla.»

Después se había mordido la lengua, claro está. Había comprendido que había metido la pata pero bien, había intentado remediarlo. Lo malo es que Azúcar había gritado no-cambies-de-versión, que-tengo-buenos-oídos, había ido al Siete. Lo había sorprendido en fragante delito y lo había trasladado a Ost Ten. «Desde hoy te quedas aquí, Rocco. Aquí comes, aquí duermes, aquí vives sin bajar las escaleras, como los cinco americanos. ¿¡¿Entendidooo?!?» Conque, aun cuando fuera al Rubí, Imaam no lo encontraría.

«¡Dios míooo!»

Desde el ángulo nordoriental del salón se elevó un lamento tan largo que llegó hasta el baño situado en el ángulo sudoccidental. Y en seguida Gigi el Cándido salió de la tina dentro de la cual se había instalado para estudiar el verbo más sencillo y más complicado del mundo. Dejó a un lado *Mot à mot*, corrió a donde Rocco para consolarlo.

«Vamos, muchacho, ánimo. No te lo tomes así. Ahora digo a Joe Balducci que te releve. Me lo cuentas todo y buscamos la forma de remediarlo.» Pero en vez de agradecérselo Rocco lo llevó hacia la tronera.

«¡Mire, mi coronel, mire!»

* * *

En realidad, Imaam no era el motivo por el que había lanzado el lamento. Era el volcán de llamas, humo negro, pavesas, que se elevaba a trescientos diez grados coma diez, es decir, del depósito de municiones de Sierra Mike. La base de Sandokan.

CAPÍTULO TERCERO

–1–

La base de Sandokan estaba situada en el punto más agradable y tranquilo de la costa occidental: el litoral llamado Avenue Ramlet el Baida que por el sur se juntaba con la calle Sin Nombre, y por el norte confluía en la Avenue De Gaulle para subir al promontorio nordoccidental y después a la costa septentrional. Allí el mar acariciaba atractivas rocas de granito color arrayán, playitas de guijarros rosas como la que había visto la inútil búsqueda de Rocco por parte de Imaam y la inútil espera de Imaam por parte de Rocco, pequeñas bahías que en los tiempos de la Beirut feliz llamaban Anse Montecarlo o Crique Costa Azul o Baie Cap-Ferrat, y pese a los escombros que atestiguaban la violencia del asedio israelí las señales de la guerra eran pocas. Casas bastante intactas, hoteles bastante frecuentados, tiendas bastante provistas de artículos. Y, precisamente en la confluencia de la Avenue Ramlet el Baida y la Avenue De Gaulle, un parque de atracciones. Un auténtico parque de atracciones con sus carruseles, montañas rusas, casetas de tiro al blanco o juego de los cubiletes, así como una gigantesca noria semejante a la del Prater: el parque de atracciones de Viena. Imagen paradójica que para los optimistas simbolizaba el triunfo de la Vida sobre la Muerte y para los pesimistas la infamia de una ciudad incapaz de distinguir lo lícito de lo ilícito, para los estetas o los cínicos una pincelada rayana en el surrealismo, la noria rodaba al ritmo del vals *An der schönen blauen Donau*, Por el Danubio Azul, e incluso si un barrio contiguo ardía veías grupos de parejas que no temían recibir una bomba o una bala. En efecto el litoral no ofrecía blancos que atrajeran las ráfagas de fusil o los cañonazos, la Línea Verde distaba sus buenos tres kilómetros, las balas perdidas no llegaban o llegaban cansadas como aves que han volado demasiado, y los Amal de Gobeyre raras veces se presentaban porque por allí no tenían ni madrigueras ni apoyos. En cuanto a la sede del batallón, dos edificios de seis pisos que Sandokan había alquilado a un rico diputado sunnita, gozaba de la ventaja añadida de encontrarse casi a la orilla del mar y por tanto de estar protegida por los barcos que patrullaban la costa. Naturalmente la pesadilla del tercer camión se materializaba también allí con barreras, terraplenes, sacos de arena, ametralladoras antiaéreas que después de la doble matanza de octubre el Cóndor había mandado instalar en el tejado de los dos edificios, pero en comparación con las otras bases Sierra Mike parecía un Eldorado de seguridad. Lo demostraba el detalle de que el rico diputado sunnita continuara viviendo con su mujer y su hija y los criados en su hotelito situado dentro del recinto, de que el campo para el despegue y el aterrizaje de los helicópteros quedara a menos de cien metros, y el depósito de municiones a apenas ciento cincuenta. Dulcis in fundo: situado dentro de una fosa bien oculta y bien protegida por un sólido muro de cemento y por las rocas de granito color arrayán, el depósito estaba considerado el más inaccesible e inatacable del contingente. Tan inaccesible e inatacable que casi no había necesidad de vigilarlo. Y sin embargo alguien lo había acertado de lleno y con una precisión de profesional. ¿Por qué? ¿Y quién había sido? ¿Quién?

Se lo preguntaban todos. Con la esperanza de dar una respuesta Charlie había movilizado a sus mejores informadores, Pistoia había iniciado una investigación, Azúcar había pasado horas buscando indicios. Pero no había descubierto sino los fragmentos de tres granadas de mortero: material ya utilizado tanto por los Amal como por los gubernamentales. Y el Cóndor echaba espuma, furioso, echaba espuma. «¡Quiero saber quién ha sidooo!»

* * *

Sandokan se asomó a la fosa vacía y ennegrecida, aspiró con voluptuosidad el olor a cenizas y explosivo aún estancado en el aire, y una sonrisa de felicidad iluminó su cara de pirata contento de parecerlo: barbaza hirsuta y descuidada, de un rubio apagado por el sol, bigotazos largos y colgantes, patillas de cabra, cejas enmarañadas y piel quemada por el viento. ¿Quién? ¡Coño, recoño!: a él le tenía sin cuidado saber quién había sido. Y hubiera sido quien hubiese sido, se lo agradecía con el corazón en la mano. Al fin y al cabo no había muerto nadie, los centinelas se habían chamuscado el culo y nada más, y, coño, recoño: ¿¡¿debía tocar siempre a los demás el papel de protagonistas?!? Tenía los cojones hinchados él de permanecer al margen de la guerra, en una base en la que nunca caía un cañonazo ni una Rpg, es decir, una base en la que la palmabas hasta tal punto de aburrimiento que para oír silbar una bala ¡tenías que irte a Chatila! La guerra era su trabajo, ¡coño, recoño! Le pertenecía como los incendios pertenecen a un bombero, ¿y qué clase de vida es la de un bombero que nunca apaga nada? La vida de un parado, eso es lo que es. Un militar sin guerra es un parado, un frustrado, y cuando adopta la actitud de paloma con la ramita de olivo en la boca es además un puñetero mentiroso. Un hipócrita, un lacayo al servicio de los blandengues que predican el pacifismo. Si odia la guerra, ¿por qué ha seguido la opción de manejar las armas? ¿Por qué no cambia de profesión? Que se vaya a hacer de misionero, que se vaya, o de hortelano o de empleado de banco. ¡Coño, recoño! Estaba de moda, hoy en día, hablar mal de ella, insultarla y difamarla con eso de que debemos querernos, pero Sandokan no tragaba. No olvidaba, no, que la guerra es la linfa de la vida: vida que nace con la vida, que corre por las venas del hombre junto con su sangre. No olvidaba, no, que todo ser vivo la hace. Todo elemento de la Naturaleza. Y no se avergonzaba de amarla, respetarla, invocarla, sentir envidia de quien tiene el privilegio de combatir en ella. ¡Ah, cuánto envidiaba a los rusos en Afganistán! ¡Cuantó había envidiado a los americanos en Vietnam! Si hubiera sido posible, habría corrido a Saigón y les habría implorado: ¡aceptadme por favor! Soy un capitán de fragata, un profesional que sabe lanzarse al asalto, sabe tomar una posición y defenderla, sabe hacer rastreos, represalias, sabe cortar gargantas: ¡ponedme a prueba, por Dios! ¡Y cuánto había deseado que Italia se viese implicada en un conflicto cualquiera, una guerrita cualquiera de seis semanas con Yugoslavia o con Albania o al menos con Malta, al menos con el Principado de Mónaco, al menos con la República de San Marino! Pero, ¡qué va! Después de haber abrazado la democracia los italianos se habían vuelto menos guerreros que los suizos. Paz por aquí, paz por allá.

Y gracias a Dios que habían enviado un cuerpo expedicionario a Beirut. Ah, había visto el cielo abierto cuando lo había incluido en él. Con tal de venir había superado el fastidio de tener que proteger a esos zafios de los palestinos y comprometerse a disparar sólo en caso de necesidad. En cualquier caso se había roto el hielo, y ahora se sentía como agraciado por un milagro de Lourdes.

Bajó del terraplén, llegó a su alojamiento: una antigua alcoba situada en el segundo piso de uno de los edificios, y caracterizada por una moqueta que era un arco iris de suciedad. Manchas de café, lamparones de grasa, marcas de barro. Se sentó al escritorio atestado de cargadores, bombas de mano, revólveres, otros instrumentos guerreros entre los cuales un gran cuchillo Camillus que le había conseguido Gigi el Cándido quien lo había robado a Joe Balducci y del que estaba muy orgulloso porque Balducci lo había usado en Vietnam, sonrió contento. Pero en el mismo instante su mirada fue a caer en las huellas de hollín que las botas habían añadido al arco iris de suciedad y la sonrisa se extinguió en una mueca de desolación. ¡Coño, recoño! Al firmar el contrato, ¡el diputado sunnita se lo había rogado con tanta insistencia! «Je vous en prie, comandante, se lo ruego: cuide mis propiedades. Sobre todo no estropee esta moqueta que es blanca, verdad, delicada.» Le había dado incluso un aspirador, úselo-con-frecuencia-comandante, y él lo usaba todas las noches. O lo mandaba usar a su conductor. Pero, ¿¡¿acaso es posible caminar por una moqueta blanca sin dejar el hollín recogido en un terraplén ennegrecido por una explosión y un incendio?!? Volvió a levantarse, cogió el aspirador que dejaba detrás de su escritorio para tenerlo siempre al alcance de la mano, se puso a pasarlo con celo y por unos minutos el pirata se convirtió en lo que era en realidad: un bonachón de treinta y nueve años, un buen hombre aún no puesto a prueba por el momento de la verdad, y cuya belicosidad recordaba a la inofensiva agitación de los niños que juegan con fusiles de hojalata. No era casualidad que contara haber descubierto su vocación (o lo que creía que era su vocación) gracias a su padre, abogado pacifista y antimilitarista, ciego admirador de Bertrand Russell, distinguidísimo miembro de Amnistía Internacional y presidente de la Asociación contra la Caza, gracias a la tranquila ciudad en que había nacido, Vicenza, y a las estribaciones de los Alpes a donde su padre lo llevaba a recoger edelweis o a pescar truchas. Y no era casualidad que hubiese salido así: ¿quién ha dicho que el ambiente determina siempre la naturaleza de un individuo con el paisaje y el sistema de vida que le ofrece? ¿Quién ha dicho que un padre puede siempre forjarlo con su moral y su ejemplo? No es infrecuente, ya se sabe, que quien nace o crece en un lugar áspero y entre gente agresiva se convierta en una persona afable y sedienta de tolerancia, que quien nace o crece en un lugar pacífico o entre gente tranquila se convierta en una persona agresiva y deseosa de hacer las cosas a golpes. Si además la fisonomía que ha elegido no corresponde a su auténtica naturaleza, es necesario un gran trauma y un examen de conciencia aún mayor para aclarar el equívoco.

Repasó terco un manchón negro pringoso que en lugar de desaparecer se extendía y se juntaba con las manchas de café y los lamparones de grasa y las marcas de barro. Hermosa ciudad, Vicenza. ¿Quién podría negarlo? Hermosas iglesias, hermosos palacios diseñados por Palladio, hermosos torreones. Pero qué horizontes tan cerrados. En cuanto a las estribaciones de los Alpes, siempre que ibas con tu padre a recoger edelweis o a pescar truchas en las lagunas y por consiguiente a escuchar sus discursos sobre el encanto de la Naturaleza o la armonía entre los pueblos, te consumías de aburrimiento e impaciencia. «Qué eurrítmico esplendor el de estas montañas, qué sensación de paz, ¿verdad, hijo?» «Sí, papá.» «No renuncies nunca a la paz, hijo.» «No, papá.» «Como dice Bertrand Russell, hay que vencer con la tolerancia el viejo mecanismo del odio que induce a agredir a las otras tribus. Lo heredamos de instintos ancestrales y salvajes, por eso es malsano y dañino para nuestro equilibrio mental. ¿Me sigues, hijo?» «Sí, papá.» «La tolerancia es inteligencia. No lo olvides, hijo.» «No, papá.» Sí-papá, no-papá: pero más allá de aquellas lagunas con truchas, de aquellos montes cubiertos de edelweis, de aquellas nobles enseñanzas, ¿qué había? Un domingo llovía. Ni truchas, ni edelweis, ni nobles enseñanzas. «¿Puedo ir al cine, papá?» «Claro que sí, hijo.» Había elegido uno al azar y había visto a John Wayne, que al mando del acorazado *West Virginia* bombardeaba las costas de las Filipinas para preparar el terreno a MacArthur. ¡Coño, recoño, qué película! Océano enfurecido, espumoso, marineros que en un santiamén alcanzaban los puestos de combate, cañones que desgarraban el azul con doradas llamaradas de muerte, y por último la bandera que abofeteaba el cielo azul para confirmar la victoria sobre los pérfidos japoneses. Había vuelto a casa presa de una excitación desconocida y el domingo siguiente: «¿Puedo volver al cine, papá?» «Claro que sí, hijo.» Era Henry Fonda quien a bordo del submarino *Seahorse* apresaba al almirante Yamamoto esa vez. Y le había gustado casi más que John Wayne: arriba el periscopio, abajo el periscopio, coordenadas de lanzamiento, preparar el lanzamiento, fuera el torpedo, ¡bang! A Henry Fonda había seguido Robert Mitchum que con vehículos anfibios y una música muy exaltante desembarcaba en Normandía para establecer sólidas cabezas de puente en la playa de Omaha, es decir, en Saint-Laurent-sur-Mer. A Robert Mitchum, cualquier película de guerra que se proyectara en los cines de Vicenza. Una fijación. Y mientras la fijación cubría las paredes de su cuarto con fotografías de cazatorpedos, lanchas cañoneras, cruceros, fragatas, corbetas, siembraminas, submarinos, el muchacho educado en el pacifismo se transformaba cada vez más en un militarista. Su padre pacifista y antimilitarista, admirador ciego de Bertrand Russell y distinguidísimo miembro de Amnistía Internacional así como presidente de la Asociación contra la Caza, sonreía. Pensaba que se trataba de una enfermedad transitoria, una amigdalitis moral, y decía moviendo la cabeza: «Te buscas a ti mismo y por eso te opones a mis principios, hijo. Ya pasará, ya pasará. Te licenciarás en Derecho, entrarás en mi bufete, te harás un príncipe del foro con reloj en el chaleco y carnet del Rotary Club en el bolsillo, y hablarás como yo.» En cambio al cumplir los diecinueve años el futuro príncipe del foro le había dicho: papá, yo no me licencio en Derecho, no quiero tu bufete tan próspero, no me interesa llegar a ser un príncipe del foro con reloj de oro en el chaleco y carnet del Rotary Club, y Vicenza me resulta pequeña. Las lagunas están cerradas, papá, tienen las aguas tranquilas, y las montañas cubren el cielo. Yo amo el océano enfurecido, espumoso, los espacios abiertos, la guerra. Y el día siguiente había solicitado el ingreso en la Academia Naval donde la amigdalitis moral había cristalizado para dar a luz al curioso personaje que en Beirut se sentía como agraciado por un milagro de Lourdes pero temblaba ante la idea de que lo regañaran por una moqueta.

No, el puñetero hollín no se quitaba. Al contrario, cuanto más intentabas eliminarlo, más penetraba en la moqueta ya afeada por una nueva mancha. Y lanzando imprecaciones dejó el aspirador, volvió al escritorio. ¡Para qué desperdiciar el tiempo en deprimentes tareas femeninas! Debía reparar el hoyo para volver a instalar en él el depósito de municiones, telefonear al Cuartel General para pedir que le enviaran los suministros antes de la noche, y desgracia de desgracias mandar un informe al Cóndor que desde ayer le daba el coñazo pidiéndole la lista exacta del material que había saltado por el aire. Cuántos kilos de tritol, cuántos obuses, cuántos proyectiles de bazooka, cuántos de ametralladora, cuántos de fusil... «Todo, ¿entendido? ¡Todo! ¡Sea serio por una vez! ¡Sea-serio!» No cesaba de criticarlo, provocarlo, insultarlo, ¡qué víbora! «Sandokan es un fascista, un tipo ridículo.» «Parece el capataz de los anuncios de atún en conserva.» «Desacredita al contingente.» O bien: «¿Qué clase de oficial es el que se deja llamar por el nombre de un corsario de Malasia, una caricatura inventada por Salgari para los niños?» Tampoco le sentaba bien su manía de expresarse al estilo americano con sus roger, right, over, go ahead, Sierra Mike One. «Aquí no estamos en Vietnam, ¡estamos en Beirut! No estamos en el ejército americano, ¡estamos en el ejército italiano! ¡En italiano se dice de acuerdo y no roger! ¡Se dice exacto y no right! ¡Se dice acabado y no over! ¡Se dice adelante y no go ahead! ¡Se dice uno y no uan! ¿No quiero oír su uan!» La tenía tomada también con los infantes de marina. Desde que aquel pobrecillo de Fabio había bebido el café del mullah, los difamaba en todos los sentidos. Corte-de-los-milagros. Fumadores de hachís. Zafios, desaliñados, miedicas. ¿¡¿Miedicas?!? Bastaba tomar el ejemplo de Rambo para comprender lo valientes que eran los infantes de marina. Rambo casi había estrangulado al mullah del café. ¿¡¿Desaliñados?!? Bastaba echar una ojeada a Roberto, su limpísimo y ordenadísimo conductor, para desmentir semejante acusación. ¿¡¿Zafios?!? Bueno, en fin, un poco zafios sí: gracias a Dios. A los marineros les trae sin cuidado la etiqueta. No están habituados a ponerse firmes, a dar taconazos por cualquier chorrada. Los barcos se bambolean, poniéndose firmes o dando taconazos se corre el riesgo de acabar con el culo al aire, además los marineros no tienen las estrecheces mentales de los militares verde olivo: el mar abierto les ensancha la mente. En cuanto al hachís, lo fumaban todos. Incluidos los paracaidistas. Pero, ¡vete a explicárselo a ese víbora del Cóndor! Odiaba tanto a los infantes de marina que no había querido que estuvieran en Bourji el Barajni y en Chatila les había dado sólo tres puestos: el Veintisiete, el Veintiocho, y el Veintisiete Camuflado compartido con los bersaglieri, ¡coño, recoño!

Cogió un folio resoplando. Resoplando se puso a redactar la lista del material que había saltado por el aire. «Cien mil cartuchos de 5,56... Treinta mil de 7,62 Nato... Mil doscientos obuses de 120... Mil doscientas cintas de proyectiles para ametralladora pesada... Dos mil trescientos proyectiles de 88 para bazooka... Mil ochocientos kilos de tritol...» Pero aquí se interrumpió, preocupado, consciente por fin de que el Cóndor tenía razón en querer saber quién había sido: tal vez hubiera algo gordo tras este asunto.

Algo que poco a poco iba madurando para saciar sus deseos de guerra, se dijo. Y mientras se lo decía experimentó una extraña nostalgia de Vicenza, de las lagunas con truchas, de los precipicios con edelwies, de las nobles enseñanzas paternas: por un instante infinitesimal pero tan intenso que lo dejó turbado sintió un gran deseo de cortarse aquella barbaza descuidada, aquellos bigotazos largos y colgantes, aquellas patillas de cabra, y recuperar su rostro de bonachón de treinta y nueve años, de buen hombre aún no puesto a prueba por el momento de la verdad. Entonces se levantó, furioso. Tiró el folio con la lista recién comenzada, y como si quisiera desmentir el presentimiento que había tenido, defenderse de sí mismo, se vistió de matasiete. Metió en la funda una Beretta del calibre nueve milímetros, se colgó del cinturón un par de bombas de mano, enfundó en la vaina el cuchillazo Camillus que había estado en Vietnam, tomó un Sc, por último lanzó un grito a su conductor.

«¡Robertooo!»

«Aquí estoy, señor Sandokan.»

Un hermoso joven mofletudo con camisa bien planchada y uniforme que parecía recién salido de la lavandería entró en el cuarto.

«Llévame a Chatila, Roberto, que estoy hasta los cojones.»

«Sí, señor Sandokan.»

Diez minutos después estaban en el Veintiocho donde Fabio estaba de guardia tras el habitual muro del Campo Tres. Y donde por vías imprevisibles se disponía a descubrir lo que desde hacía algunos minutos Sandokan hubiera querido saber.

–2–

Fabio no lograba recuperarse del trauma de la cabeza cortada de John y del café que había bebido para no morir. Desaparecida la masculina vitalidad que hasta el domingo de la doble matanza lo había distinguido, vegetaba en una especie de abulia que había pasado a ser la comidilla de Sierra Mike. «¿Recuerdas cuando cantaba a voz en grito y había que decirle cierra-el-pico?» «¿Recuerdas cuando nos obsesionaba con los relatos de sus hazañas y había que taparle la boca para que se callara?» Siempre con la cara larga y los labios apretados, ahora, siempre con los ojos bajos y distraídos para desanimar a quien intentara entablar conversación. Y sin embargo ya no hacía guardias con él Rambo, es decir, uno que le había retirado el saludo y que a su vez usaba muy poquito las cuerdas vocales. Ascendido a comandante de patrulla, Rambo recorría los callejones de Chatila y en el Campo Tres estaba Matteo: un tipo locuaz que ofrecía porritos y con el que se podía uno desahogar. Sin embargo lo verdaderamente desconcertante era otra cosa: la indiferencia que Fabio demostraba hacia las mujeres. ¡Fabio! ¡El gallito de la base, el latin lover al que bastaba divisar unas faldas para desgañitarse a quiquiriquíes! Ya no las miraba, ya no hablaba de ellas, y fíjate en esto. Delante del Campo Tres había algunas chabolas que pertenecían al baranda del barrio, un chiíta llamado Ahmed, y en la chabola central vivía una rubia que quitaba el hipo. Rubia auténtica, ¿eh? Tan auténtica que en lugar de libanesa parecía sueca. Por no hablar de sus largos muslos y sus andares de señora que vive en la zona oriental. Bueno, pues todas las mañanas la susodicha salía de su casa y recorría la acera meridional de la calle Sin Nombre para dirigirse a la embajada de Kuwait, evidentemente su lugar de trabajo, al atardecer volvía y puedes creerlo: tanto a la ida como a la vuelta los gritos de entusiasmo rompían los tímpanos. «¡Diosa! ¡Princesa! ¡Tía buena!» Todos la deseaban, todos. Fabio no. Frío y callado como si estuviera ciego. Por lo demás tampoco miraba a ese bombón de Sheila, la maestrilla que se entregaba gratis a los oficiales pero que tenía debilidad por él. Hola-Fabio, hallo-Fabio, how-do-you-do, gorjeaba todas las veces que pasaba delante del Veintiocho. Y el ingrato volvía la cabeza o gruñía vete-Sheila-go-away.

«Fabio, ¿te sientes bien?» preguntó Matteo.

«¿Por qué?» farfulló Fabio.

«Porque sigues callado, ¡por qué va a ser!»

«Sí.»

«¿Quieres un porrito?»

«No.»

«Una calada, anda. Venga.»

«No.»

«Fabio, no debes seguir así. La guerra es la guerra: si por cada uno de los muertos debiéramos enfermarnos, ¡los ejércitos se convertirían en hospitales! ¿Estás de acuerdo?»

«No.»

«Te doy un consejo, Fabio. Cuando venga Sheila, no la eches. En ciertos casos no hay nada mejor que un buen polvo y... ¿Me escuchas, Fabio?»

«Sí.»

Lo escuchaba, lo escuchaba. Pero no quería el porrito, no quería a Sheila, no quería sus consejos, ¿¡¿y qué sabía Matteo de lo que se sufre en ciertos casos?!? ¿Había recogido alguna vez la cabeza cortada de un amigo? ¿Es que había traicionado a un amigo muerto y se había comportado como un Judas bebiendo un café? El domingo de la doble matanza ni siquiera estaba en Beirut. Había llegado después, la historia de John y del mullah la conocía de oídas, ¿y se cura con hachís la pena que te destroza? ¿Se cura con las mujeres la vergüenza que te roe por dentro? No le gustaban los porritos. Ya no le interesaban las mujeres. Y cuando se volvía a ver todo musculoso y bronceado en las playas o por las calles de Brindisi, en las playas con un tanga, por las calles con la camisa abierta para enseñar el pecho y seducir mejor a las extranjeras que te ofrecen un viaje a Frankfurt o a Estocolmo y dar celos a Mirella, sentía una gran sensación de culpa. Aquel cuerpo musculoso y bronceado le parecía otra traición a John que había muerto dividido en dos, por una parte la cabeza y por la otra el resto. No, le importaba tres cojones Sheila. Y también Mirella, ya: todas las veces que leía sus melosas cartas, amor-mío-te-añoro, me-dan-escalofríos-de-pensar-cuánto-te-añoro, sentía una especie de náusea. Como si en lugar de corazón tuviera un zapato, y en lugar de pene un pingajo blando. Sólo una cosa lograba hacerlo estremecer ya: el terror de oír que le repetían lo que Rambo le había susurrado en el momento de retirarle el saludo, y los otros antes que Rambo. «Cobarde, vendido, miedica, gallina, cagueta, traidor, debería-escupirte-encima, Judas.» No se lo había vuelto a decir nadie, es verdad, pero en sus oídos aquellas palabras retumbaban aún como redobles de tambor. Pero era él quien se las decía, ahora.

«La, la, la! ¡No, no, no!»

Una voz femenina se elevó en la obscuridad, un lamento de animal herido, y junto con la voz una serie de golpes sordos. Como cuando se azota un colchón, verdad. Después una voz masculina y ronca, aviesa.

«Sharmuta! ¡Puta! Sharmuta!»

Procedía de la otra parte de la calle, de la acera meridional de la calle Sin Nombre, y Matteo se sobresaltó.

«¡Fabio!»

«Sí» respondió Fabio sin inmutarse.

«Están pegando a una mujer.»

«Sí.»

«¡En las chabolas de Ahmed!»

«Sí.»

«Pero, ¿quién puede ser? ¿Quién?»

«Ahmed.»

No podía ser sino Ahmed. Lo conocía bien, a aquel cerdo, e igual de bien conocía su voz. De hecho en verano se ponía allí y sentado a horcajadas en una silla, con una botella de whisky en la mano derecha y un vaso en la izquierda, bebía pese a que Alá sólo permite a sus fieles té o café o naranjada. O cruzaba la calle con su obeso corpachón, su grasienta carota, su bigotito de marica, y venía a atormentar con los relatos de sus infamias. Que si había vivido en Irán donde poseía un baño turco y un burdel, que si allí había aprendido el arte del amor, que si para hacer el amor bien hay que estar circuncidado... Una noche quería circuncidarlo a él. Blandiendo un cuchillito afilado repetía: «Let me do it! ¡Déjame hacerlo! Let me do it! It lasts one minute and it does not hurt, dura un minuto y no duele.» Para liberarse, había tenido que apuntarlo con el fusil: «Como te atrevas a tocarme la polla, beduino de mierda, te mando con el Creador.» En cambio a veces venía a ofrecer las muchachas. Tenía cinco, en aquella época. Las tenía en la chabola contigua a la suya, todas juntas, y con frecuencia las pegaba. ¡Unos chillidos! Ahora sólo le había quedado Fatima, la fea de los vaqueros que usaba de garçonnière el jeep que había volado hasta el fondo de la antigua piscina del trampolín. Tal vez estuviera pegándole a ella, esta noche. Pobrecilla. Se lamentaba de forma cada vez más débil, ya casi no se oía el *la*-no-*la*. En cambio, los golpes sordos aumentaban. ¡Ah, si no hubiera sido un cobarde! ¡Si hubiese tenido valor para cruzar la calle, irrumpir en la chabola, y hacerlo parar!

«La está haciendo papilla, ¡la va a matar!» exclamó Matteo.

«Sí.»

«¿Es posible que nadie intervenga?»

«Lo es.»

«Pero ¡si vive mucha gente en esas chabolas! ¿Es que están todos sordos?»

«No. Están acostumbrados.»

«Entonces, ¡intervengamos nosotros!»

«No podemos.»

«¡Sí que podemos! ¡Basta ir allí y apuntarle con el fusil!»

«Está prohibido abandonar el puesto.»

«Ya lo sé que está prohibido, pero, ¿quién se va a dar cuenta? Ya es de noche. ¡Voy yo, Fabio!»

«No es asunto tuyo.»

«¡Lo es porque no lo soporto!»

«Intenta soportarlo.»

«Pero una vez sucedió cerca de un puesto de los bersaglieri, ¡y Águila Uno intervino!»

«¡Águila Uno es comandante!»

Y Ahmed es un tipo peligroso, le habría gustado añadir. Uno que en el momento obedece, te lame los pies, y veinticuatro horas después se venga. Te manda a los jomeinistas, te liquida, y yo no quiero morir. Soy un cobarde, soy un vendido, un miedica, un gallina, un cagueta, un traidor, un Judas, y no me meto. Pero de repente le dio un impulso que ni siquiera él habría sabido explicar porque, aun teniendo que ver con el café del mullah, nacía de una vergüenza más lejana y más complicada: tal vez el recuerdo de los días en que se pavoneaba en Brindisi con un tanga o con la camisa abierta para enseñar el pecho y seducir a las extranjeras que te ofrecen un viaje a Frankfurt o a Estocolmo, tal vez la conciencia de no haber dado nunca nada a nadie salvo un poco de amistad a un Marine con el que quería abrir un pequeño restaurante en Cleveland (Ohio). Y se separó del muro. Cruzó la calle, llegó hasta la chabola de la que procedían los lamentos y los golpes y los gritos, abrió la puerta de par en par de una patada, irrumpió en un cuarto en el que Ahmed apaleaba un bulto en forma de mujer, apuntó el fusil.

«Ahmed, son of a bitch, hijo de puta, ¿no te has cansado ya de pegar? Stop it or I shoot you, para o te disparo. Te disparo, ¿entendidooo?»

El bulto refunfuñó débilmente y escondió la cabeza bajo un cojín. Ahmed soltó el bastón y sudoroso, jadeante, alzó los brazos en señal de rendición.

«Ok, Fabio, Ok! Don't shoot! ¡No dispares! Me and you brothers! ¡Tú y yo, hermanos! Brothers!»

«No brothers! Yo no soy hermano de nadie y menos aún de ti, understand? ¿Entendido? Understand?»

«Understand, Fabio, Understand! You can take hert! ¡Puedes quedártela! Hadeja, gift! ¡Regalo!»

«No hadeja, no gift! No quiero regalos. Y si vuelves a empezar, if you start again, I kill you, te mato.»

Después volvió junto a Matteo que lo miraba mudo de estupor.

«Ya está, ha parado. ¿Estás contento ya?»

«Sí, Fabio, pero...»

«Pero, ¿qué?»

«¿Quién era la mujer a la que pegaba?»

«No lo sé.»

«¿¡¿No lo sabes?!? ¿¡¿No la has visto?!?»
«No, no la he mirado» respondió encogiéndose de hombros.

* * *

Era verdad que no la había mirado. No había tenido siquiera la curiosidad instintiva de atisbar en la penumbra para cerciorarse de que el largo bulto con la cabeza escondida bajo el cojín era Fatima, la prostituta fea. Total, fuera quien fuese, ¿qué más daba? Pero hacia el amanecer una alta figura femenina envuelta en un abaja negro, la capa de las musulmanas, se había perfilado de pronto en la acera de enfrente, y Matteo lanzó una exclamación ahogada.
«¡Huy, la leche! ¡Es ella!»
«¿Quién?»
«¡La diosa! ¡La princesa, la tía buena rubia!»
Era precisamente ella. Inmóvil en la acera los observaba como si aún no hubiera decidido si avanzar o volver atrás y con la mano derecha se sostenía el brazo izquierdo colgado del cuello, con la punta de los dedos se lo tocaba como si le hiciera mucho daño e intentara aliviar el dolor.
«¿La que trabaja en la embajada de Kuwait?» murmuró con indiferencia.
«¡Sí, Fabio, sí!»
Vaciló aún un poco, como si bajar de la acera le costase un esfuerzo inmenso, después bajó y a pasos muy lentos cruzó la calle. Sin dejar de sostenerse y tocarse el brazo colgado del cuello llegó hasta el muro del Campo Tres y se detuvo para ofrecer a la débil luz del crepúsculo un dulcísimo rostro desfigurado. Un ojo semicerrado, el otro rodeado de un lívido cardenal. Un pómulo arañado y manchado de sangre coagulada, los labios tumefactos. Los movió para alzar una voz débil.
«Who is Fabio? ¿Quién es Fabio?»
«It's me, soy yo», respondió Fabio sin interés.
«My name is Jasmine, me llamo Jasmine. And I come to thank you, Y vengo a darte las gracias.»
«De nada...»
«You are a very brave man, eres un hombre muy valiente, Fabio. What does Fabio mean? ¿Qué significa Fabio?»
«No lo sé, Idon't know...»
«I think it means courage, creo que significa valor.»

«No, no...»

«Yes, it does. Pues sí. How do you say courage in Italian? ¿Cómo se dice en italiano valor?»

«Coraggio. Valor», intervino Matteo.

«¿Valor? Good, bien, good. I will call you Mister Coraggio, te llamaré Míster Valor.»

Intentó ensanchar la sonrisa que los labios tumefactos frenaron, esbozó una breve inclinación educada.

«Now I must go, ahora tengo que marcharme. But I will be back, pero volveré. And may I will have an important news to give you. Y tal vez tenga una noticia importante que daros.»

Fabio y Matteo se miraron con expresión interrogativa. Después Matteo dijo que en la guerra las noticias importantes siempre son malas noticias, ¡maldita guerra y maldito el día en que había decidido licenciarse con una tesis sobre el Líbano y sobre los problemas internacionales del Oriente Medio! Y para olvidarlo ahora se fumaba un porrito de hachís.

–3–

Lo encendió, dio una calada ávida, y su rostro de veinteañero despierto pero no habituado a sufrir se retorció en una mueca de resentimiento. ¡Qué tesis sobre el Líbano y sobre los problemas internacionales del Oriente Medio ni qué niño muerto! El auténtico motivo por el que había cometido la gilipollez de venir a Beirut no era ése. Era que no podía soportar más Palermo y su apática existencia. No resistía más vivir como un pequeño parásito que desde septiembre a junio bosteza en las aulas universitarias, facultad de Ciencias Políticas porque Ciencias Políticas es menos larga y menos difícil que Medicina o Ingeniería y ofrece salidas laborales menos fatigosas, y de junio a septiembre vegeta en los típicos ocios del burgués siciliano. Despertarte al mediodía para ir a la playa, broncearse con Rosaria que aun siendo bellísima inteligente elegante corresponde a tu pasión y por ti ha rechazado a un acaudalado duque y después a un célebre futbolista. Matteo-eres-demasiado-sexy-Matteo. Permanecer en ella hasta la caída del sol, volver a casa para darte una ducha y mendigar el dinero de papá que responde indignado yo-te-pago-los-estudios-no-los-caprichos, si-quieres-divertirte-busca-un-trabajo, cacho-holgazán. Aceptar las cien mil de mamá que suspira escóndetelas-en-el-bolsillo-escóndetelas, llevar con ellas a cenar a Rosaria a un restaurante barato o a un night-club de pobretones, y en el fondo del corazón avergonzarse de sí mismo. En determinado momento le había dado náusea y se había preguntado: ¿y si pidiera que me enviaran a Beirut? Resolvería por fin el fastidio del servicio militar, tendría una aventura fuera de lo común, y al mismo tiempo recogería material para la tesis sobre el Líbano y los problemas internacionales del Oriente Medio. Después se lo había comentado a Rosaria que en vez de desanimarlo había exclamado: «Márchate, Matteo, márchate. Me parece una idea excelente. Para llevarla a la práctica, te basta una libreta, una grabadora, algunas cintas vírgenes, una máquina fotográfica y una provisión de carretes.» ¡Me cago en diez! Si la chica de la que estás locamente enamorado te dice eso, te importa tres cojones que mamá llore y papá grite estúpido-has-bebido-esta-noche. Compras la libreta, la grabadora, las cintas vírgenes, la máquina fotográfica, los carretes, y te presentas voluntario. Más aún: en vista de que en Italia sin recomendación no puedes ir ni siquiera a Beirut, ruegas a Rosaria que se dirija al coronel amigo del mafioso que conoce al primo de la tía de su cuñada. «¡Por favor, Rosaria!» «Con mucho gusto, Matteo!»

Aspiró una segunda calada. ¡Con qué impaciencia había esperado que la recomendación diera resultado! ¡Con qué entusiasmo había partido y desembarcado! En el muelle le habría gustado besar el suelo como hace el Papa cuando va de viaje al extranjero. Todo le parecía extraordinario, todo: los montones de basura, los retratos de Jomeini, los feos alminares, las mujeres con pijama rosa, las viejas con chador, los jóvenes con Kalashnikov y vaqueros, los niños descalzos, las casas destrozadas, los árboles quemados, las terrazas con ropa tendida, los escombros, los mullah con turbante sucio, e incluso los incendios, incluso las ambulancias que pasaban en un ensordecer de sirenas. En el trayecto desde el puerto hasta Sierra Mike había sacado tantas fotografías que casi se había quedado sin carretes, y en los tres primeros días había grabado tantas entrevistas que casi se había quedado sin cintas. Preguntas sobre Gemayel, sobre Jumblatt, sobre los drusos, sobre los maronitas, sobre los sunnitas, sobre los chiítas, sobre los Amal, sobre los Hijos de Dios, sobre la matanza de los franceses y los americanos que por desgracia había sucedido antes de su llegada. Le interesaban en particular los dos kamikazes, por lo que intentaba construir un retrato robot imaginario y cada poco tiempo lo enriquecía con nuevas suposiciones. Qué edad tenían, su educación, dónde habían pasado la última noche, con quién, y si para subir al camión se habían drogado o no. Se sentía feliz, al principio. Qué más puedo pedir a la vida, pensaba. Soy testigo de cosas que en Palermo no habría podido sospechar siquiera, recojo material precioso, y por ello me pagan un sueldo de dos mil dólares al mes: al regreso podré llevar con ellos a Rosaria a los restaurantes chic y a los night-clubs de lujo. Sin embargo, al cabo de unos días había abierto los ojos. Porque, entre otras cosas, había comprendido que haciendo la mili en Beirut nunca podría preparar la tesis sobre el Líbano y los problemas internacionales del Oriente Medio. Estando de guardia detrás de un muro o dentro de un tanque o sobre un mirador, no puedes usar la máquina fotográfica ni la grabadora, desde luego: ciertos instrumentos sólo sirven para contentar al idiota que quiere enviar una instantánea a su madre y a su novia, para grabar los Allah-akbar de los muecines y las charlas que tus compañeros intercambian en el comedor o en el dormitorio. En cuanto a lo de tomar apuntes en la libreta, olvídalo. Concluidas las doce horas de guardia, sólo piensas en tenderte en el catre o fumarte un porrito a despecho de la autoridad del cabo primero que grita ¿quién-fuma-quién? Y, como máximo, meditas sobre las verdades que has descubierto.

¿Cuáles verdades? ¡Menudo! Que Beirut es una Palermo multiplicada por mil: un estercolero en comparación con el cual tu ciudad parece Zurich o Lausana. ¡Qué heroica resistencia palestina ni qué heroico resurgimiento chiíta ni qué lucha para conquistar una patria o una independencia ni qué niño muerto! Sea cual sea el grupo al que pertenezca, sea cual sea la facción o la religión, sólo combaten por los intereses de su 'ndrangheta. Sólo creen en la venganza, en el odio, en el fanatismo. Se matan exactamente igual que en Palermo donde los Caruso se la tienen jurada a los Badalamenti porque los Badalamenti controlan la construcción, los Badalamenti se la tienen jurada a los Caruso porque los Caruso controlan el mercado del pescado, conque si naces Caruso te pasas los días esperando que un Badalamenti venga a la plaza y te dispare, si naces Badalamenti te pasas las noches esperando que un Caruso venga al café y te deje tieso. No, no era una guerra, aquélla: era una rencilla de mafiosos que se eliminaban con morteros y cañones en lugar de escopetas de cañones recortados, y por los mismos motivos que los Caruso y los Badalamenti. La construcción-la-quiero-para-mí, el-mercado-de-pescado-lo-quiero-para-mí, como-tú-me-has-matado-a-mi-padre-yo-te-mato-a-tu-hijo. O a tu madre o a tu sobrino o a tu abuelo. El oficio de vengarse se lo enseñaban a los seis años. En lugar del abecedario les ponían en las manos un fusil y en quinto de primaria eran ya matones de barrio. Como matones hablaban, niños y adultos, como matones caminaban, disparaban, provocaban, y de sus compadres sicilianos se distinguían por una cosa y nada más: el desprecio de la vida. Porque, pese a todo, los Caruso y los Badalamenti de Palermo la vida la respetan. Al muerto lo lloran. Le envían flores, le regalan un entierro magnífico, hijo-mío, hermano-mío, esposo-mío. Los Caruso y los Badalamenti de Beirut, no. Algún alarido para salvar la cara y después, ¡hala!: a una fosa común, a un hoyo cualquiera, con basura y estiércol de cabra en lugar de una lápida con el nombre y el apellido. Les daba gusto morir. Les gustaba en la misma medida que les gustaba matar. Cuando te tropezabas con un cadáver aquí, podías jurar que en casi ocho de cada diez casos se trataba de uno al que le había gustado morir en la misma medida en que le había gustado matar. Pero entonces lo mismo le daba prepararla en Palermo, la tesis sobre el Líbano y sobre los problemas internacionales del Oriente Medio. Lo mismo le daba hacerla sobre la mafia de su tierra sin molestar al coronel amigo del mafioso que conoce al primo de la tía de la cuñada de Rosaria, sin renunciar a tus ocios de burgués siciliano y a tus veranos de haragán mantenido por tus padres. Y sin «aprender a usar el hachís».

Pues sí: el hachís. No lo conocía en absoluto, antes de venir a Beirut, el hachís. Si le ofrecían un cigarrillo de marihuana, se daba por ofendido: corta-ya-yo-no-la-toco. Sólo una vez la había probado. Con Rosaria, en broma, y se había sentido mal. Vahídos, dolor de estómago, vómitos. En cambio, en Beirut se alimentaba de hachís. Lo compraba al sirio de la tienda contigua al Veintiuno: ochenta dólares la tableta, y gratis el papel de fumar para liar el porro. Un papel gracioso, que reproducía el estampillado del dólar de cinco dólares: por una parte Abraham Lincoln con barba corta y por la otra el Lincoln Memorial con el lema «In God We Trust. En Dios confiamos». De hecho muchos decían dólar, no porro. Dolarón si el porro era largo y grueso, dolarín, si era corto y delgado. «¿Tienes un dolarín?» «Préstame un dólar.» «Déjame dar una calada a tu dolarón.» Astuto, el sirio. El palestino que tenía el distribuidor de gasolina en la placita del Veintidós no te daba el papel gratis con el Lincoln y el Lincoln Memorial. El chiíta que tenía la farmacia en la Avenue Nasser, delante del Veinticinco, tampoco. También ellos vendían hachís. Y los niños, los viejos, las mujeres, los guerrilleros, y siempre a bajo precio. Aquí se producía como en Italia se produce el aceite de oliva o el vino o el parmesano, comprendes. El valle de la Bekaa era un inmenso campo de hachís. Hachís rubio, hachís rojo, hachís negro. Según los expertos, mejor que el afgano o el marroquí o el nepalés. Más fragante, más sabroso. Las había aprendido pronto esas cosas. Porque había empezado pronto a fumar hachís. No por curiosidad, que quede claro: por necesidad. La gente cree que uno empieza por curiosidad. No señor, empieza por necesidad. Porque tiene miedo de ir de patrulla, por ejemplo, porque no soporta las bombas. O porque ha comprendido que Beirut es una Palermo multiplicada por mil, que dondequiera que vaya para escapar de Palermo se vuelve a encontrar en Palermo, que no puede escapar a su destino, en una palabra. Es duro comprender a los veinte años que no se puede escapar al propio destino. Para consolarse uno dice: vamos adonde el sirio, probemos con el hachís. Va, prueba y nada de vahídos: qué extraño. Nada de dolor de estómago, nada de vómitos. En lugar de eso una embriaguez que el alcohol no da, una felicidad que ni siquiera el sueño concede. Entonces prueba una segunda vez, una tercera, una cuarta y en determinado momento se da cuenta de que no puede prescindir de él. Se jode. De nada sirve gritarle mira-que-si-fumas-hachís-te-doy-de-patadas-en-el-culo, te-meto-en-el-calabozo, te-mando-a-la-cárcel. De nada sirve enviarle todas las noches los médicos del hospital de campaña a recoger la orina para analizarla. Si no puedes prescindir del hachís, engañas a los médicos del hospital de campaña. ¿Sabes cómo? Dándoles la orina de uno que no fuma. Él les daba la de Fabio. La guardaba en un frasquito bien lavado y cuando el teniente médico venía con el frasco vacío: «En seguida, mi teniente.» Después se volvía contra la pared, fingía orinar y vertía rápido en él la de Fabio: «Aquí la tiene, mi teniente.» Lo hacían muchos y muchos otros cedían la orina buena a cambio de dinero. En el tanque del Veintisiete por ejemplo había un marinero genovés que la vendía ya envasada en frascos birlados en el Servicio de Urgencias. Cincuenta mil liras por frasco, el asqueroso usurero.

Dio otra calada ávida al porro. En fin, miedo y Palermo aparte, en estos días tenía una razón excelente para hincharse de hachís: el embrollo sentimental en el que había ido a meterse con Dalilah, la hija del diputado sunnita que había cedido a Sandokan los dos edificios de Sierra Mike y que vivía dentro del recinto. Un embrollo, sí. En efecto al embarcarse Rosaria le había dicho: «Matteo, yo no te pido que me seas fiel porque sea una chica muy hermosa, porque podría casarme con quien quisiera, porque por ti haya rechazado a un acaudalado duque y después a un célebre futbolista. Te lo pido porque la lealtad es la lealtad y la coherencia es la coherencia.» Sacrosantas palabras a las que había respondido: «Rosaria, ni lo pienses siquiera. Tú eres mi reina de Saba.» Por si fuera poco, y aunque no le había perdonado lo de márchate-Matteo-márchate con la consiguiente recomendación del coronel amigo del mafioso etcétera, aún estaba locamente enamorado de ella. Lo demostraba el detalle de que no hubiera intentado nunca tirarse a Sheila ni hubiera dirigido un cumplido a la diosa de esta noche, es decir, a Jasmine ni hubiera cedido a las idiotas que en Chatila te rondaban prometiendo mil voluptuosidades y exigiendo el anticipo en comida como si fueras una tienda de comestibles. «Tomorrow you and me nika-nika your way, mañana tú y yo follar a tu estilo. Give me chocolate, give me condensed milk, give me cans of meat. Dame chocolate, dame leche condensada, dame carne de lata.» Rosaria es única e insustituible, pensaba, ¿dónde voy a encontrar yo una reina de Saba como Rosaria? Pero hacía dos semanas había conocido a Dalilah y... Había sucedido el día en que lo habían trasladado del Veintiocho a la entrada de la base con el encargo de registrar a todo el que entrara o saliera, y ella había llegado con sus padres a bordo del Mercedes 3000 conducido por un chófer en librea. Como buen novato había registrado con detenimiento el maletero, la guantera, bajo los asientos, y ni el diputado sunnita ni su esposa se habían enfadado. «Bien-sûr, je-comprends, vou-devez-suivre-les-ordres.» «Claro, claro, lo-comprendo, debe-usted-cumplir-órdenes.» En cambio ella se había sentido mortalmente ofendida, y lo había atacado con una curiosa mezcla de inglés y francés. «Nous sommes chez nous, jeune homme! ¡Estamos en nuestra casa, joven! Oubliez-vous that this property is ours?!? ¿¡¿Olvida usted que esta propiedad es nuestra?!?» Pero un par de horas después había reaparecido. «Forgive me, perdóneme, Monsieur. J'ai été irrational, me he comportado irracionalmente.» Después se había acuclillado junto a la barra y de nada servía decirle señorita, aquí-en-el-puesto-de-control-no-se-puede-quedar. «Please, Monsieur, be kind. Por favor, señor, sea amable. Je n'ai rien à faire, je m'ennui, and I wish to chat a little. No tengo nada que hacer, me aburro, y tengo ganas de charlar un poco.» Simpática. Aun no siendo hermosa como Rosaria, tenía un encanto del que carecía Rosaria. El que da la desenvoltura y la arrogancia, tal vez. La desenvoltura y arrogancia de los ricos, verdad, que son desenvueltos hasta cuando te piden disculpas, arrogantes incluso cuando se encuentran en una situación incómoda, y que con una o con otra siempre consiguen lo que quieren. «Let me see you, déjeme mirarlo. Vous êtes un beau garçon, es usted un buen mozo. Pas grand mais athlétique, no alto pero atlético. Et vous avez something familiar, y tiene algo que me resulta familiar. The olive complexion, I guess, or les yeux ronds et noirs. La tez aceitunada, supongo, o los ojos negros y redondos. You look a Lebanese, parece libanés. Dans quelle région d'Italie were you born? ¿En qué región de Italia nació usted? Avez-vous a sweetheart? ¿tiene novia?» Por último, las noticias sobre ella. Veintitrés años. Hija única. Prometida a un musulmán sunnita actualmente en Francia, Jamaal. Estudiante en la Universidad Americana de Beirut. ¿De qué? «Political Sciences.» «¿¡¿Ciencias políticas?!?» «Oui, et très proche à la maîtrise. Sí y me falta muy poco para licenciarme. I'm preparing a graduation thesis on Lebanon and the international problems in the Middle East. Estoy preparando una tesis de licenciatura sobre el Líbano y los problemas internacionales del Oriente Medio.» ¡Coño! Se habían hecho amigos.

Suspiró desconsolado. ¿Amigos? Alguien debería aclarar bien el significado de esa palabra, explicar bien dónde acaba la amistad y empieza el amor, y establecer de una vez por todas en qué consiste la traición. Porque si tienes novia o esposa y te acuestas con otra, te dicen que eres un traidor; en cambio si a la otra no la tocas y te limitas a frecuentarla con amistad, te dicen que eres un tipo fiel. De todo eso se deriva que en las relaciones entre un hombre y una mujer la traición es una cuestión de piel, de contacto físico, no de pensamientos y sentimientos. Pero, ¿no se traiciona también con el pensamiento, con el sentimiento? Y con traición o sin ella, ¿es posible amar a dos personas a la vez? No lograba encontrar una respuesta. Pero sabía que después del encuentro que había culminado en el descubrimiento de que preparaban la misma tesis había esperado volver a ver a Dalilah con una impaciencia muy semejante a la impaciencia que sentía esperando a Rosaria, y cuando lo habían trasladado del puesto de control en la entrada había hecho algo más grave que acostarse con ella. Había corrido a buscarla con desesperación. «¡Dalilah! ¡Nada debe cambiar, Dalilah! En cuanto acabe el turno, ¡vendré a llamar a los cristales de tu ventana!» La ventana era la de la esquina, en la planta baja del hotelito, y muchas veces ni siquiera tenía que llamar a los cristales. Dalilah estaba ya en el balcón y decía: «Je viens, I am coming! ¡Ya voy!» Después se reunía con él y se apartaban a fumar y charlar sobre cualquier tema que surgiera en algún rincón del recinto. Los lugares donde los dos soñaban con ir y donde habían estado varias veces con la imaginación, por ejemplo. Los pubs de Londres, las tascas de París, las iglesias de Roma, los museos de Florencia, los canales de Venecia, los rascacielos de Nueva York, las estepas de Rusia, los fiordos de Noruega, los bosques del Brasil, los mares de Indonesia, los glaciares de Alaska... El mundo bello, el mundo en colores que se ve en los anuncios turísticos. O bien hablaban de las dudas e incertidumbres en que te ahogas a los veinte años, la eterna sensación de no ser comprendido o no ser tomado en serio por los que tienen más edad: calla-charlatán, silencio-chismosa, qué-cosas-quieres-saber-a-tu-edad. El detalle de la misma tesis de licenciatura no constituía, en una palabra, sino un aspecto de su entendimiento: los conducía a aquellos rincones del recinto también la semejanza de los problemas, los gustos, los sueños. Algo que en la relación amorosa con Rosaria siempre le había faltado. ¡Me cago en la leche! Si querías follar, Rosaria quería bailar. Si querías bailar, ella quería follar. Si decías me-gustaría-viajar, decía yo-no, estoy-bien-aquí. Además, adoraba Palermo. «¡Es mi ciudad!» En cambio a Dalilah no le importaba nada que Beirut fuera su ciudad. Decía: «Tout est laid ici, even the air. Aquí todo es feo, hasta el aire. I hate, je déteste, Beyrouth!» ¡Pues sí! Sólo había un tema que Dalilah y él nunca tocaban: el de Rosaria-Jamaal. Giraban en torno a él, aludían a él, lo rozaban con vagas referencias, pero en el momento de pronunciar los nombres Rosaria o Jamaal, se echaban atrás. «¿Te ha escrito...?» «Sí, una postal.» «¿Te ha telefoneado...?» «Sí, hace unos días.» Con palabras distintas, y aun no habiendo intercambiado nunca un beso, una caricia o una mirada de más, se daban perfecta cuenta de que su amistad era una historia de amor. Para convencerse de ello, por lo demás, bastaba pensar en el ímpetu con que habían corrido a buscarse mutuamente después de que las misteriosas granadas destruyeran el depósito de municiones. «¡Dalilah! ¿De verdad estás ilesa, Dalilah?» «¡Matteo, Matteo! J'ai eu such a fear that you would be mort ou blessé! ¡He tenido tanto miedo de que estuvieras muerto o herido!» Mirándose a los ojos: si hubiese estado en el lugar de Rosaria, Dalilah nunca habría dicho márchate-Matteo-márchate. No le habría conseguido nunca la recomendación del coronel amigo del mafioso etcétera. No lo habría mandado nunca aquí a arriesgar la piel y joderse a sí mismo con el hachís. Y si hubiera estado en el lugar de Jamaal, él ya se habría casado con ella. Y sin embargo, si pensaba en su reina de Saba, la polla se le subía hasta las estrellas.

«¡Moveos, chicos, moveos!»

Las seis de la mañana. El cambio de turno. Matteo apagó la colilla, echó una ojeada inquisitiva a Fabio que callaba encerrado en un silencio nuevo, y deseó que Jasmine volviera de verdad con la noticia importante. De repente eso le urgía más que ninguna otra cosa: ¿por qué? ¡Psé! Tal vez porque le gustaba la idea de dar una lección a los oficiales que cuentan mentiras. No-os-preocupéis, a-los-italianos-no-los-toca-nadie, contra-nosotros-nadie-tiene-nada. ¿Nadie? ¿Acaso creían que los jóvenes de hoy se parecían a sus bisabuelos, a los gilipollas que en la Primera Guerra Mundial se dejaban sacrificar como reses sin abrir la boca o abriéndola sólo para decir viva-Italia? Pues, no, señores míos. No. Aun cuando en el montón aún se encuentre a algún incauto, a algún tontaina dispuesto a dejarse sacrificar como una res diciendo viva-Italia o viva-Francia o viva- Inglaterra o viva-el-Gran-Ducado-de-Luxemburgo, los jóvenes de hoy no se parecen en nada a sus bisabuelos. Son hijos del progreso y la opulencia, van a la universidad. Leen libros, leen los periódicos, y razonan con su cabeza. A los jóvenes de hoy, señores míos, no se les cuentan mentiras. Ni siquiera en los casos en que se joden a sí mismos con el hachís y no comprenden dónde acaba la fidelidad, dónde empieza la traición, y si se puede amar a dos personas a la vez.

* * *

Era un poco presuntuoso, Matteo, y menos sagaz de lo que parecía cuando comparaba a Beirut con una 'ndrangheta de mafiosos que se matan con morteros y cañones en lugar de escopetas de cañones recortados. No comprendía (un día lo comprendería) que el progreso cambia muy poco a los hombres, que la opulencia los debilita, que lejos de ser gilipollas sus bisabuelos eran más inteligentes que él, es decir, que quien se engaña creyendo que razona con su cabeza porque va a la universidad o lee libros y periódicos. Pero no era tonto y tenía razón en querer saber lo que gracias a Jasmine iba a saber aquella noche misma. Se trataba en efecto de un detalle importante: de una enésima prueba de que el caos subía, subía, avanzaba como una serpiente que se arrastra en la obscuridad.

–4–

Una noche difícil en la calle Sin Nombre. A saber por qué capricho los drusos de Jumblatt se habían puesto a bombardear el cuartel de la Sexta Brigada y la calle Sin Nombre estaba pagando las consecuencias: en el lapso de pocos minutos dos granadas de 130 no habían acertado por un pelo al Veintitrés y una tercera había pasado sobre el Veintiocho para explotar junto a la embajada de Kuwait. Caían también disparos de 106 procedentes de la Línea Verde, balas procedentes de Gobeyre, ráfagas disparadas a ciegas y agazapado tras el muro del puesto de guardia Matteo parecía un pajarito que se protege del granizo cerrando los ojos. En cambio Fabio seguía de pie, impertérrito, y no apartaba la mirada de la chabola en que veinticuatro horas antes había irrumpido con el fusil apuntado hacia Ahmed.

«Esperemos que no nos manden refugiarnos en el tanque» farfulló de repente.

«¿¡¿Y por qué no?!?» protestó Matteo acurrucado mejor tras el muro.

«Porque si viene mientras estamos en el tanque, no nos encuentra.»

«Si no nos encuentra, ¡ya regresará! Y, si no regresa, ¡mala suerte! Pero, ¡por Dios! ¿¡¿Es que no piensas en nuestro pellejo?!?»

Sí que pensaba, sí. Pero más que en su pellejo pensaba en el bulto que ese cerdo de Ahmed le había regalado, en la alta figura envuelta en el abaja negro que con el brazo izquierdo colgado del cuello y el rostro desfigurado había cruzado la calle para decirle que era un hombre muy valiente. Un hombre que merecía el apodo de Míster Valor. Y quería volver a verla. Pero no para recibir la noticia importante que urgía a Matteo: para cerciorarse de que el cerdo no le había pegado de nuevo, para preguntarle si estaba mejor. Le había descongelado el corazón aquella pobre criatura apaleada, le había enseñado un sentimiento del que nunca se había considerado capaz: la piedad. Miró el reloj. Las diez y cinco. Aún podía venir. Si viniera ahora, aun cuando el jefe del sector decidiese mandarlos a refugiarse en el tanque, habría tiempo para cambiar algunas palabras: ¡es tan larga la retahíla que precede a la orden de ponerse al abrigo! El jefe del sector debe llamar a la Sala de Operaciones, la Sala de Operaciones debe llamar al comandante de la base, el comandante de la base debe decidir si dar o no la autorización, después Sala de Operaciones debe volver a llamar al jefe del sector, quien debe volver a llamar al jefe del tanque, que debe...

«¡A refugiarse en el tanque! ¡A refugiarseee!»

Llegó la orden, Matteo saltó.

«¡Menos mal! ¡Vamos, Fabio, rápido!»

«Pero...»

«¡Corre, hombre! ¡Han abierto la trampilla!»

Suspiró, resignado. Cogió el fusil, se separó del muro, empezó a trepar por el declive que subía hasta el tanque del Veintiocho. Y estaba a mitad de trayecto cuando de la acera de enfrente se elevó la débil voz.

«¡Míster Valor, Míster Valor!»

Se detuvo al instante.

«Adelántate», dijo a Matteo.

«¡Cómo que me adelante! ¿¡¿Te has vuelto loco?!?» gritó Matteo.

«Adelántate» repitió. «Después me reúno contigo.» Y bajó corriendo el declive, llegó hasta el puesto de guardia, donde Jasmine lo estaba esperando.

«I am back, he vuelto, Míster Valor.»

Se había endomingado, para volver. Se había puesto una lujosa chilaba azul adornada con bordados de oro y plata, y ya no llevaba el brazo colgado del cuello. Pero el ojo ayer semicerrado hoy aparecía totalmente cerrado, el rodeado por el lívido cardenal se había vuelto negro, el pómulo arañado y manchado de sangre se había coloreado de verde, y los labios tumefactos parecían aún más tumefactos.

«¡Jasmine! Did he hurt you again? ¿Te ha vuelto a pegar?»

Sonrió.

«No, Míster Valor, no. I am much better tonight, estoy mucho mejor esta noche.»

«Where is he? ¿Dónde está?»

«To sleep, durmiendo. Very, very drunk. Muy, pero que muy borracho.»

«Then go home, entonces vete a casa, Jasmine. It's too dangerous here, esto está demasiado peligroso.»

Sacudió la cabeza.

«I don't want to go home, no quiero irme a casa, Míster Valor. I want to stay with you, quiero estar contigo.»

«With me?!? ¿¡¿Conmigo?!?»

«Yes. I want to thank you, quiero darte las gracias.»

Un cañonazo pasó a poca distancia para caer Dios sabe dónde.

Silbó una bala perdida. De la cima del declive llovió un concierto de protestas.

«¡Fabiooo! ¿¡¿Qué cojones haces ahí abajo?!?»

«¡Sube, no seas capullo!»

«¡Corre, imbécil, que hay que cerrar la trampillaaa!»

La miró confuso, sin comprender.

«¡Ya me has dado las gracias, Jasmine! ¡Tengo que irme al tanque!»

Sacudió la cabeza por segunda vez. Después alargó el brazo bueno, le cogió la mano, y con firmeza se puso a arrastrarlo hacia el callejón al que daba el shelter abandonado.

«Tanque no goog, el tanque no conviene, Míster Valor. Shelter much stronger, el shelter es más resistente. Follow me, sígueme, Míster Valor.»

A los cañonazos de los drusos se estaban sumando los cohetes de los gubernamentales y en la glorieta del viaducto ardía una casa a la que habían acertado.

* * *

Nunca había puesto los pies en el shelter abandonado. Muchos, incluido Matteo, iban a él para usarlo de letrina. Él no. Apestaba demasiado a estiércol, al acercarte ya sentías unas tufaradas que te cortaban la respiración, y él no soportaba los malos olores. Además estaba obscuro y soportaba peor la obscuridad que las bombas o la multitud que brama muerte-a-los-italianos. De niño, si entraba en un cuarto obscuro, lloraba. Le parecía que cien bocas le soplaban en la nuca para engullirlo, que cien dedos lo buscaban para aferrarlo, y lloraba. «¡Mamá, mamá!» De modo que cuando estuvo en el umbral se sintió presa del pánico, de un terror que superaba incluso el terror del domingo en que Rambo había volcado la tacita de café en la cara del mullah. ¿La habrá enviado Ahmed para vengarse de la humillación sufrida?, se preguntó, ¿me habrá tendido una celada Ahmed? En lugar de estar durmiendo borracho en su cama, ¿estará aquí esperando para cortarme el cuello o raptarme o entregarme a los Hijos de Dios? ¿Cómo lo voy a ver, si está? No tengo siquiera la linterna para hacer un poco de luz, se me ha olvidado cogerla. ¿Quién va a defenderme si me ataca? ¿Quién va a oírme si pido ayuda? El tanque está lejos, el estruendo es infernal. Apaga cualquier otro ruido. No, no, yo no sigo adelante. Yo me voy. Y olvidando que era joven y robusto y estaba armado, se debatió para zafarse. «I cannot, no puedo. I must go, debo marcharme.» Jasmine hubo de usar toda la fuerza de su brazo sano para contenerlo, toda la suavidad de su voz para repetirle sígueme-Míster-Valor y convencerlo para que traspasara el umbral. Lo traspasó temblando, deseándose desesperado que de verdad quisiera conducirlo a un refugio más seguro que el tanque para agradecerle la cortesía, la siguió movido por otro miedo. El miedo a que advirtiera su miedo. Juntos se sumergieron en la obscuridad, se abismaron en la peste a estiércol, ¡y qué espectáculo tan absurdo si alguien hubiera podido contemplarlo! Aturdido por las tufaradas que dentro se volvían insoportables y abrumado por el peso del fusil, el casco, el chaleco antibalas, él avanzaba con la incertidumbre de un ciego que se deja guiar pero al no fiarse palpa el aire en busca de obstáculos; ella, en cambio, indiferente al hedor y libre de estorbos avanzaba con la seguridad de un murciélago que para volar en las tinieblas no necesita ojos, la desenvoltura de un topo que distingue en la obscuridad todos los rinconcitos de su cloaca. En realidad antes de trabajar en la embajada de Kuwait llevaba allí a los clientes que no podía llevar a la chabola, si no Ahmed le requisaba las ganancias, y se conocía aquel lugar mejor que un murciélago las tinieblas o un topo su cloaca. Sabía por ejemplo que después de la entrada venía un pasilllo, que el pasillo tenía doce pasos de largo, que después de los doce pasos venía una escalerita de veinte peldaños, que en el vigésimo peldaño comenzaba una galería de otros treinta pasos, que al final de la galería había un paquete de velas y cerillas para encenderlas. De modo que, sin aflojar en ningún momento la presión con que lo sujetaba llegó con facilidad hasta allí, y tras encontrar las velas encendió una. La depositó sobre una piedra que sobresalía a modo de repisa, ahuyentó a dos ratones que la miraban inmóviles, apoyó la espalda en la pared húmeda, e hizo lo que creía que se debe hacer para dar las gracias a alguien que ha sido bueno contigo. Separó las piernas, alzó la chilaba azul.

«Take, toma, Míster Valor. Take.»

Bajo la chilaba azul no llevaba nada pese a que la noche era muy fría y aquella galería aún más fría. Nada salvo su hermoso cuerpo marcado con cardenales, arañazos, cicatrices de antiguos golpes. Las marcas de la vileza más vil que existe: la vileza de los abyectos que pegan a los niños, a los viejos, a las mujeres incapaces de defenderse, a los débiles. Horrorizado y al mismo tiempo confuso, Fabio dio un paso atrás. Así pues ¡no la había enviado Ahmed oculto en la obscuridad para cortarle el cuello o raptarlo o entregarlo a los Hijos de Dios! No había venido para resarcirlo conduciéndolo a un refugio más seguro que el tanque. ¡Había venido para regalarse como un vaso de cerveza o un bocadillo! ¿¡¿Qué responderle, ahora?!? ¿¡¿Qué hacer?!? ¿¡¿Cómo comportarse?!? Nunca le había sucedido que una mujer se le regalase como un vaso de cerveza o un bocadillo, no se lo había dicho nunca nadie que una mujer pueda regalarse como un vaso de cerveza o un bocadillo, y no se sentía con ánimo para aceptar su invitación: «Take, toma-Míster-Valor, take.» No se habría sentido con ánimo ni siquiera cuando se pavoneaba por las playas en tanga y por las calles con la camisa abierta para enseñar el pecho y seducir a las extranjeras que te pagan un viaje a Frankfurt o a Estocolmo. Era un inútil, de acuerdo, un blandengue que se cagaba en los pantalones al oír el bramido muerte-a-los-italianos, un mandria cuya máxima aspiración había sido la de abrir un pequeño restaurante en Cleveland (Ohio), pero no era un bestia que con tal de joder se tira en el fondo de una galería a una pobre mujer apaleada: cuanto más fijamente miraba el hermoso cuerpo marcado con cardenales, arañazos, cicatrices, menos lo deseaba. Con menos ánimo se sentía para aceptar su invitación. Pero en determinado momento su mirada recayó en los labios tumefactos, en el pómulo coloreado de verde, en el ojo cerrado, a la luz de la vela se encontró con la pupila del ojo rodeado de negro, y todo cambió. Porque por entre las nieblas de su ignorancia y su escasa perspicacia, intuyó lo que probablemente un hombre culto y perspicaz no hubiera intuido: contra aquella pared no estaba sólo una mujer que se alzaba la chilaba azul con las piernas separadas, una esclava que intentaba darle las gracias de la única forma que sabía. Estaba la imagen misma del dolor, de la soledad, del infortunio, el símbolo mismo de una humanidad desdichada e infeliz que cuanto más desdichada e infeliz es más necesidad tiene de dar y recibir amor. Comprendió que se le entregaba para recibir lo que nunca había tenido: un poco de amor hecho con amor. Así pues tomarla y entregarse a ella bajo tierra, en un retrete fétido e infecto y con ratones, constituía un deber al que no podía substraerse: una ocasión para hacerse perdonar sus miserias, redimirse, perdonarse aquella tacita de café. Y la piedad con que la había esperado murmurando esperemos-que-no-nos-manden-refugiarnos-en-el-tanque se transformó en ternura, la ternura en deseo, el deseo en algo que aun no siendo amor se parecía mucho al amor. Se liberó del fusil, se quitó el casco, el chaleco antibalas, se soltó los pantalones, y con cuidado para no hacer presión sobre los cardenales, arañazos y cicatrices la tomó. Se entregó. Largo rato, mientras la débil voz le daba las gracias.

«Thank you, Míster Valor. Thank you.»

Después volvieron a subir. Abrazados como dos náufragos a los que el mar ha arrojado sobre la misma balsa se sentaron en el umbral a respirar un poco de aire fresco, contarse quiénes eran. Él le habló de Brindisi, de Mirella, de John, del mullah, de las acusaciones de cobarde vendido miedica gallina cagueta traidor judas, ella le habló de su pobre vida nunca agraciada con la alegría ni la dignidad. Le dijo que procedía de una familia de campesinos cultivadores de hachís, que de muchachita la habían vendido a Ahmed, que Ahmed la había elegido reina de su burdel porque los árabes ricos prefieren a las rubias: pagan el doble por ellas y con frecuencia las alquilan a mil dólares a la semana, incluidas las comidas. Le dijo que al principio ser prostituta no le molestaba. Porque no sabía que se podía hacer el amor como esta noche y porque sus clientes se alojaban en hoteles de lujo o quintas del Chouf: en los hoteles de lujo y en las quintas del Chouf se come bien, las camas están limpias, en los baños encuentras agua caliente y toallas de felpa y jabón gratis. Que su oficio era un oficio asqueroso lo había comprendido el día en que la habían alquilado para una fiesta y en el lapso de pocas horas había tenido que servir a sus buenos treinta businessmen. Uno tras otro. En efecto se había sentido mal y el dueño de la casa, un emir de Arabia Saudita, había llamado al médico que quería llevarla al hospital. Le dijo que había continuado así hasta el asedio israelí, es decir, hasta que la guerra había destruido los hoteles de lujo y las quintas del Chouf y había alejado a los árabes ricos, y que el asedio había sido un alivio para ella: durante el asedio había descansado. Pero después había vuelto a empezar con los árabes locales, y a Ahmed le había dado por pegarla. Total-los-gañanes-de-aquí-te-toman-con-o-sin-señales, decía. Era tan malvado Ahmed. Malvado con todos. El segundo día de la matanza de Sabra y Chatila se había negado a abrir la puerta a un palestino que había huido con su hijo y, al ver que se habían escondido en una zanja, los había señalado a los falangistas: ahí-están, ahí-están. Le dijo también que en la embajada de Kuwait había entrado con la ayuda de un cliente amable, un comerciante de Bahrein al que le gustaban las poesías de un tal Omar Khayyam, que en la embajada trabajaba de telefonista para redondear el sueldo y abordar a tipos educados a escondidas de Ahmed. Diplomáticos occidentales, oficiales gubernamentales. Y por uno de éstos había sabido que quienes habían disparado contra el depósito de municiones de Sierra Mike habían sido los de la Octava Brigada. Pero, trastornado por la historia de los treinta businessmen que la habían usado uno tras otro, consumido por algo que aun no siendo amor se parecía mucho al amor y estaba convirtiéndose en amor, Fabio reaccionó ante la noticia con desinterés. Es decir, sin darse cuenta de que tenía una patata caliente en las manos. Fue Matteo quien se lo explicó cuando, tras cesar los cañonazos y habérsele pasado el arrebato al jefe de escuadra, se lo volvió a encontrar en el Campo Tres.

«¿Qué te ha dicho, Fabio, qué te ha dicho?»

«Que quienes dispararon contra el depósito fueron los de la Octava Brigada.

«¿¡¿Los de la Octava?!? ¿¡¿Los gubernamentales de la cruz al cuello, los cristianos?!?»

«Sí.»

«¿¡¿Te das cuenta de lo que siginifica eso?!?»

«No.»

«¿¡¿No?!? Despierta, Fabio. En Palermo ciertas cosas se llaman advertencias, la 'ndrangheta las hace para dar un tirón de orejas a quien se descarría. Hay que informar en seguida a Sandokan y averiguar si es verdad o no.»

* * *

Era verdad. Se trataba excatamente de un tirón de orejas o mejor dicho de una advertencia al estilo de la 'ndrangheta lanzada por un capitán de la Octava Brigada, el capitán Gassán, para gritar a los italianos lo que el gobierno-desgobierno de Gemayel no se atrevía siquiera a susurrarles: «Basta de concertar alianzas con Zandra Sadr. Basta de regalar plasma a nuestros enemigos. Basta de hacerse llamar por ellos hermanos-de-sagre. Basta de jugar con dos barajas. Basta de impedir la entrada a Chatila. Pronto habremos de entrar, ¡y ay de quien intente impedírnoslo!» En otras palabras, el contingente estaba ahora entre dos fuegos. Y eso sucedía mientras los hilos de nuestros personajes empezaban a entrelazarse para tejer poco a poco la trama de los episodios que conducirían al acontecimiento a que se refería Gassán.

CAPÍTULO CUARTO

–1–

Cuando sucede algo grande, algo que cambia el statu quo de una situación o incluso provoca una tragedia, no nos preguntamos qué trama de episodios marginales y en apariencia carentes de importancia ha facilitado o determinado su realización. No tenemos en cuenta a los individuos y las pequeñas cosas que formaban el tejido de dicha trama: lo miramos de lejos, como se mira un bosque que arde, sin ver los árboles en particular y sin ocuparnos de la rama o mejor dicho de la hoja sobre la que cayó la primera chispa. Un árbol tiene muy poca importancia, pensamos. Una rama o una hoja, ninguna. Y al decirlo olvidamos que fue precisamente esa hoja, esa rama, ese árbol, lo que inició el incendio: lo que lo propagó a las demás hojas y las demás ramas, a los árboles del bosque. Menos aún nos preguntamos si la trama de los episodios marginales y en apariencia carentes de importancia pertenece a una cadena de acontecimientos autoproliferantes con la mecánica inexplicable de A que produce B y entonces B produce C y entonces C produce D y así sucesivamente. Hoja por hoja, rama por rama, árbol por árbol. Nos guste o no, quieras o no: ésa es la cuestión. Envanecidos por los presuntuosos esquemas de una cultura que en nombre del racionalismo se jacta y se hace la falsa ilusión de explicarlo todo, distraídos por la sacrosanta necesidad de sentirnos dueños de nosotros mismos, no nos damos cuenta de que estamos a merced de una lógica ajena e incomprensible para nosotros. En una palabra, rechazamos el misterio que los antiguos llamaban Hado o Destino, nos decimos que no existe, y con toda razón: la palabra destino es odiosa. Es el símbolo de una impotencia que ofende al concepto de responsabilidad, la libertad de decidir según nuestro criterio o nuestros deseos, el derecho a escoger nuestra vida. Además oculta dentro de sí el riesgo de la renuncia, de la resignación. Hágase-la-voluntad-de-Dios, amén. Pero sí que existe el destino, por desgracia. Está en lo que llamamos Azar, coincidencias fortuitas, y para usarnos a su arbitrio utiliza los instrumentos más insospechables. Una frase insignificante, un encuentro trivial, un juguete inofensivo. Una alegría, un disgusto, una amistad, un amor, una bomba. Y al final nos convenceremos de ello hasta el estremecimiento. Angelo, convencido a su vez, nos lo demostrará. Pero la cadena de los acontecimientos autoproliferantes con la mecánica inexplicable de A que produce B etcétera estaba ya delineada la noche en que Matteo había comprendido el significado de la noticia transmitida por Jasmine, y dos semanas después quedó claro que las cosas iban empeorando: la mañana en que Caballo Loco entretuvo en su despacho a Angelo.

«Adelante, sargento. Siéntese, por favor.»

«No quiero molestar, mi coronel.»

«No molesta en absoluto, sargento. ¿Por qué no habría de dialogar un militar de graduación inferior con un coronel? Se lo digo yo que me atengo a la forma en la medida en que me atengo a la jerarquía, yo que si veo un uniforme colgado en el perchero lo saludo llevándome la mano a la gorra y si veo a un general desnudo bajo la ducha ¡no lo saludo ni aunque sea Napoleón! Santo cielo, ¡un joven se forma también en la relación coloquial con sus superiores! Siempre que merezca ese honor, evidentemente. Y si no me equivoco, usted lo merece. Percibo cierta clase en usted, una elegancia que no depende de la estatura alta ni del físico esbelto sino de una teutónica compostura que en otros no advierto. Es extraño que en este lugar donde reina la grosería no lo hayan apodado el Prusiano. ¿Le molesta la comparación?»

«No, mi coronel, es que...»

Angelo se agitó inquieto. Al tiempo que lo de siéntese-por-favor había oído una agitación procedente de la Sala de Operaciones, un intercambio de gritos alarmados, y ahora éstos aumentaban junto con la palabra ambulancias y una voz que parecía la voz de Azúcar.

«¡Las ambulancias, por Dios, las ambulancias!»

«¡Ya las hemos enviado! Han salido a las nueve en punto, ¡ya hace casi diez minutos que las hemos enviado! ¡Les hemos dicho que entren por el Campo Seis!»

«¡No, por el Campo Seis, nooo! ¡Allí el callejón está bloqueado también por un automóvil! ¡Hay que entrar por la parte del Campo Siete donde hay un poco de espacio para pasar con las camillas! ¿¡¿Entendidooo?!?»

«¡Entendido! ¡Ahora les avisamos, entendido!»

«¡No es necesario, no es necesario! Han desbloqueado el callejón, están llegando, ¡ya han llegadooo!»

«Es que los apodos pesan y yo debería saberlo, le gustaría a usted responderme. Exacto, querido sargento, exacto. Caballo Loco me llaman. El hecho es que no me molesta. Al contrario. El caballo es el animal más noble que existe, el más generoso, el más inteligente, y en algunos momentos me gustaría ser de verdad un caballo. En cuanto al adjetivo loco, pues mire: le recuerdo que Don Quijote estaba loco y que, mutatis mutandis, yo me parezco a él. También yo vivo añorando un pasado heroico, también yo quisiera renovar las gestas de mis modelos, también yo vivo en un mundo que ha cambiado monstruosamente y ya no me pertenece. De hecho, a quien no lo comprende, a quien me cree loco en el sentido clínico y vulgar, le declaro con desprecio: Honi soit qui mal y pense. Lema célebre que, como usted sabe, fue pronunciado por Su Majestad Eduardo III de Inglaterra en 1347 y para ser exactos con ocasión de un torneo durante el cual la condesa de Salisbury, su amante, perdió la liga de una media. Eduardo III recogió la liga diciendo Honi soit qui mal y pense, maldito sea quien piense mal, e instituyó la Orden de la Jarretera que es una liga de terciopelo azul obscuro con listas de oro y se lleva bajo la rodilla izquierda si bien Su Majestad la reina Isabel II acostumbra a llevarla por encima del codo. ¡Qué humour, el de esa soberana! Querido sargento, en la vida hace falta sentido del humour. El humour es un mérito demasiado vinculado a la cortesía, y la cortesía es una virtud demasiado vinculada a la disciplina. Disciplina en la cortesía, como digo yo, y cortesía en la disciplina. ¿Conoce la definición de la disciplina, sargento?»

«Sí, mi coronel, pero...»

En la Sala de Operaciones continuaba la agitación, menos dramática pero intensa.

«¿Se los han llevado?»

«¡Sí, ahora están en el hospital de campaña!»

«¿Y han apartado los automóviles?»

«¡Sí, con los M113!»

«¿De quién son?»

«¡Bah! ¡Tal vez de dos que pasaban por casualiad y que, presas del pánico, han huido con las llaves!»

«Y Azúcar, ¿dónde está?»

«Está aquí, recogiendo los fragmentos. ¡Dentro de unos minutos regresará a informar al Cóndor!»

Había agitación también en el pasillo del Cóndor, y Charlie corría hacia su despacho. Pero a Caballo Loco le traía sin cuidado. Quería charlar y se acabó.

«Pero, ¡diga, sargento, diga!»

«En la Sala de Operaciones están gritando, mi coronel. Hablan de ambulancias, de un callejón entre el Campo Seis y el Campo Siete, de un automóvil que bloqueaba el paso... Quisiera saber qué ha sucedido, mi coronel.»

«¡Menudencias, amigo mío, menudencias! Un incidente. Respóndame más bien: ¿la conoce o no, esa definición?»

«La conozco, mi coronel... ¿Ha dicho un incidente?»

«Sí, un obús: ¡no divague! Y, si de verdad la conoce, ¡dígamela! ¡Es una orden!»

«Sí, mi coronel... La disciplina militar es una norma de vida práctica que define los límites de la libertad personal. Se basa en el principio de la obediencia y la subordinación. Consiste en el cumplimiento exacto y concienzudo de los deberes propios por íntimo convencimiento de su intrínseca necesidad. Es indispensable para educar y formar el ambiente en el que vive el soldado. Su objetivo es realizar la transformación del ciudadano en soldado, permitir el ejercicio de la autoridad, promover el respeto hacia los superiores así como elevar la dignidad del individuo.»

«¡Irreprochable! ¡Intachable! ¡Perfecto! ¡Piense que pese a mi memoria yo no recordaba la última frase! Y usted, en cambio, ¡me la ha declamado sin fallar ni una coma! Me ha superado, sargento, ¡superado! Eso evoca en mí la comparación con Courelie, atractivo personaje del que se habla en un libro que narra la vida del general Antoine-Charles-Louis Collinet conde de Lasalle. Sí, Lasalle: el ayudante de campo de Kellermann que, corríjame si me equivoco, se distinguió en la campaña de Prusia y el 10 de junio de 1807 salvó a Murat en la batalla de Heilsberg. En efecto Lasalle tenía a un amigo, el valeroso Pierre-Édouard Colbert conde de Colbert-Chabanis, y Colbert tenía a su servicio a Courelie: un suboficial bastante despierto y bastante audaz. ¡Menudo! Adivine qué bravade cometió Courelie durante la carga de caballería que aproximadamente un año antes de Heilsberg, el 28 de octubre de 1806 exactamente, provocó la caída de Prenzlau donde, como también usted sabe, el príncipe Hohenlohe se rindió ante Joaquín Murat ¡con diez mil hombres y sesenta y cuatro cañones! Adivine cuál fue su atrevimiento: el de...»

«Mi coronel, disculpe que le interrumpa. Pero, ¿quién ha resultado herido por el obús?»

«Quien haya resultado ha resultado, querido sargento. La guerra es la guerra. Y a quien le toque le ha tocado. En cualquier caso, decía, Courelie tuvo la osadía de superar con su caballo a Pierre-Édouard Colbert conde de Colbert-Chabanis que dirigía en persona la carga y que en aquel tiempo era coronel... Cosa que un militar de graduación inferior no hace nunca y no puede hacer, usted me entiende... ¡Nunca! Y Colbert se ofendió tanto, que después de la victoria lo arrestó con estas palabras: "Joven, yo lo elogio. No obstante lo arresto para que aprenda a superar a su coronel." Castigo, por lo demás, que no impidió a Courelie llegar a general a los treinta años. Pues bien, querido sargento: lejos de sentirme ofendido como Pierre-Édouard Colbert conde de Colbert-Chabanis que dicho sea de paso fue nombrado par de Francia en 1832, es decir, durante la Restauración, lejos de arrestarlo porque me haya superado con el caballo de la memoria, yo lo elogio y basta. Le anuncio que llegará a general a los treinta años y en posición de firmes le expreso mi estima sincera.»

«¡Susto!»

Sólo Azúcar lo llamaba Susto. Sin hacer caso de Caballo Loco que en posición de firmes le expresaba su estima sincera, Angelo se lanzó fuera del cuarto. Se precipitó a la entrada y casi cayó encima de Azúcar que, con el traje de camuflaje manchado de sangre, lo miraba con expresión de quien está a punto de decir algo muy difícil de decir. Lo miró a su vez asustado.

«¡Mi teniente! ¿¡¿Qué es esa sangre, mi teniente?!?»

«Vengo de Bourji el Barajni, Susto» respondió Azúcar sonándose su gran nariz que chorreaba las lágrimas contenidas por los ojos. «Yo estaba allí por casualidad y... ¿Sabes que han atacado a una patrulla de comandos?»

Se puso tenso.

«No, no lo sabía.»

«En el callejón entre el Campo Seis y el Campo Siete. Los cinco gravemente heridos.»

«¿¡¿Por el obús?!?»

«No, no ha sido un obús: he recogido los fragmentos aún

calientes de dos Rdg8... Ha sido una emboscada, Susto. Una emboscada pura y simple. Y el comandante de la patrulla...»

Frunció la frente.

«¿Quién era el comandante de la patrulla?»

Pero Azúcar hizo una pausa.

«El comandante de la patrulla ha salido mal parado, Susto, mal parado... La cara destrozada, el cuello dislocado, un fémur fracturado, las piernas y los brazos deshechos por las esquirlas, y las manos... Prácticamente hechas papilla... Del hospital de campaña lo han trasladado al Rizk y... Entiéndeme, lo más seguro es que se salve... Es tan fuerte... Un auténtico toro... Pero no será nunca más el hombre que conocíamos, Susto... No podrá nunca más conducir su motocicleta... No podrá escribir nunca más sus poesías...»

«¡Mi teniente!»

«Sí, Susto. El comandante de la patrulla era Gino.»

Y la trama de los episodios marginales, en apariencia carentes de importancia, empezó a consolidarse. Mejor dicho se enriqueció con el hilo que necesitaba.

* * *

Sólo los fragmentos recogidos por Azúcar aún calientes autorizaban el uso de la palabra emboscada. En efecto el testimonio de Gino no existía porque a Gino lo habían encontrado sin sentido y tanto al hospital de campaña como al Rizk había llegado en estado de inconsciencia. El de los otros cuatro heridos tampoco porque dos no podían hablar y dos no podían recordar nada. Qué-ha-sucedido, no-recuerdo, qué-ha-sucedido. El de los habitantes del callejón lo mismo porque, atrincherados tras el muro del miedo y la complicidad del silencio, se encogían de hombros. «Yo no he visto nada, yo no he oído nada.» O bien: «Ha sido un obús.» En cuanto a los dos automóviles retirados con el M113, no se los podía considerar un indicio porque era verosímil que sus propietarios hubieran huido presas del pánico y con las llaves. Por consiguiente por muchas horas no se utilizó la palabra emboscada, y se siguió dando la versión de Caballo Loco. Un-obús, un incidente. Pero por la tarde uno de los heridos que no podían hablar empezó a hablar, uno de los que no podían recordar empezó a recordar, y hubo razones legítimas para usar la palabra emboscada. Estaban patrullando el callejón extrañamente desierto y se encontraban a unos veinte metros del cruce con la calle que conduce al Campo Seis, según dijeron los dos, cuando un automóvil se había detenido para cerrarles el paso como un tapón. Inmediatamente después el conductor se había alejado, y en el lado opuesto del callejón, es decir, por el lado del Campo Siete había aparecido otro automóvil que había hecho lo mismo. Un individuo de baja estatura y con el Kalashnikov en bandolera se había apeado, había trepado rápido como una lagartija por una escalerita que conducía a una terraza, por allí había desaparecido, y Gino había tenido un instante de perplejidad. Como si quisiera dispararles. Pero en lugar de disparar había dicho: «Me parece conocerlo, a ése. Voy tras él. Vosotros id a registrar los automóviles, entretanto.» Las dos bombas habían caído del cielo mientras Gino se acercaba a la escalerita y ellos a los automóviles. Precisas, seguras. Sobre todo la bomba destinada a Gino. Una emboscada pura y simple, sí: Azúcar tenía razón. Después repitieron la historia al Cóndor y el Cóndor sacó las conclusiones con Charlie.

«Esta vez nada de la Octava Brigada, Charlie... Esta vez se trata de Amal.»

«Sin duda, mi general. Lo malo es que no podemos admitirlo. Sería como declarar que la frase de los muecines no sirve, que no nos quieren, que es fácil eliminarnos.»

«Estoy de acuerdo, Charlie. Por otra parte tampoco se puede negar lo que todo el mundo sabe.»

«No, pero se puede difundir el rumor de que los cinco resultaron heridos por un obús, y sostenerlo con un comunicado de prensa. Déjeme redactarlo y distribuirlo, mi general.»

«De acuerdo.»

Así fue como Charlie redactó un comunicado de prensa en el que se decía que en Bourji el Barajni una patrulla había resultado herida por un obús, después encomendó a Angelo el encargo de distribuirlo. Lo que provocó una discusión que concluyó con una observación inoportuna y... (Parece un episodio insignificante, ¿verdad? Y sin embargo si Charlie no hubiese encargado a Angelo distribuir el comunicado, y no hubiera provocado con ello la discusión que había concluido con la observación inoportuna, aquella tarde Angelo no habría ido a ver a Gino. Si no hubiera ido a ver a Gino, no habría recibido de regalo cierta poesía. Si no hubiera recibido de Angelo cierta poesía, aquella noche no se habría comportado con Ninette como se comportó. Si no se hubiera comportado con Ninette como se comportó, la cadena de los acontecimientos habría seguido otro curso y...)

«Ten. Haz varias copias y vete a distribuirlas con Stefano. Empieza por los periodistas que se alojan en la Ciudad Antigua y no añadas nada a lo que he escrito. ¿Entendido?»

«No, jefe.»

«¿¡¿Que no?!?»

«No, porque este comunicado es una mentira.»

«¿¡¿Una mentira?!?»

«Sí, una mentira. No ha sido un obús. Ha sido una emboscada.»

«¡Qué va a ser una emboscada!»

«Una emboscada con dos Rdg8.»

«Escúchame bien, muchacho. Si yo digo un-obús, tú debes decir un-obús. Si yo digo un-tiesto-de-geranios, tú debes decir un-tiesto-de-geranios. Y no me toques los cojones. Ya sé que sufres, ya sé que Gino es amigo tuyo. Pero ¡no ha muerto! Sólo está herido.»

–2–

Sólo herido, sólo herido, pensaba con el mayor desprecio mientras se ponía al volante del jeep para ir con Stefano a distribuir el comunicado-mentira. ¡Sólo herido! En la guerra la gente no se impresiona al oír la palabra herido, heridos. Reaciona con indiferencia o alivio, como si resultar herido fuese una suerte o una enfermedad: una bronquitis, una pulmonía que se cura con antibióticos. No piensa que resultar herido significa con frecuencia perder una mano o ambas manos, un pie o ambos pies, un brazo o ambos brazos, una pierna o ambas piernas, un ojo o ambos ojos y no poder ver nunca más. No poder caminar nunca más. No poder agarrar los objetos nunca más. No ser nunca más una persona entera, convertirse en una persona mutilada, incompleta. Desear la muerte y maldecir a quien te ha salvado. Una vez, en la televisión, había visto a un veterano del Vietnam: un Marine herido por el estallido de una trampa en Da Nang. Sólo herido. Y como la pantalla lo encuadraba de la cabeza al estómago, parecía un hombre entero. Completo. Hombros robustos, tórax potente, bíceps macizos, y una hermosa cara rolliza. Pero en determinado momento la cámara lo había encuadrado del estómago para abajo y... No era un hombre entero, un hombre completo: era un hombre cortado por la mitad. Sólo tenía la parte superior del cuerpo, comprendes: del estómago para abajo no había nada. De hecho estaba sobre una mesa como un objeto de adorno, una estatua de medio busto clavada a un pedestal. Dentro del pedestal estaban los mecanismos gracias a los cuales ejercía las funciones fisiológicas: sus intestinos artificiales. Él parecía no darle importancia. Contaba que para mantenerse en forma hacía gimnasia, levantaba pesas, jugaba al ping-pong, seguía una dieta sin grasa. Pero después el entrevistador le había preguntado si en vista de que no había muerto se consideraba un hombre afortunado, y estallando en una carcajada terrorífica había respondido: «Do you think I am alive? ¿Usted cree que estoy vivo? Eighteen times I committed suicide, eighteen I died. Dieciocho veces he cometido suicidio, dieciocho veces he muerto.» Gino no había muerto, no. Y no había quedado transformado tampoco en un objeto de adorno, una estatua de medio busto clavada a un pedestal que contiene los mecanismos para ejercer las funciones fisiológicas. A cambio y aparte de la cara destrozada, el cuello dislocado, el fémur fracturado, las piernas y los brazos deshechos por las esquirlas, había perdido las manos. No se vive sin manos. Sin intestinos al parecer se vive, sin pies y sin piernas se vive, e incluso sin ojos. Sin manos no. No puedes siquiera llevarte un vaso de agua a la boca, sin las manos no puedes siquiera lavarte la cara, desabrocharte los pantalones para orinar, acariciar a una mujer, escribir una poesía. Estás más mutilado que un hombre cortado por la mitad. Lloraba, Azúcar. El impasible Azúcar que en nombre del Reglamento no vacilaba en maltratarte delante de extraños, el implacable Azúcar que te mandaba a buscar estrellas en medio del bosque, el inexorable Azúcar que te endilgaba seis días de arresto si, en vez de buscar las estrellas, le llevabas níscalos y oronjas y colmenillas. Mal-parado, no-será-nunca-más-el-Gino-que-conocíamos, lloraba. Y Charlie refunfuñaba sólo-herido. Sólo-herido... Llegó a la Avenue Nasser. La recorrió hasta el Boulevard Saeb Salaam, entró en la Rue Bechara, estaba en el comienzo de la Ciudad Antigua. Y allí, de golpe, se desvió por la calle que conducía al pasaje de Sodeco. Stefano se sobresaltó sorprendido.

«Angelo, ¿no debíamos comenzar con los periodistas de la Ciudad Antigua?»

«Sí.»

«Pero, ¡esta calle conduce al pasaje de Sodeco, en la zona oriental!»

«Sí.»

«Entonces, ¿adónde vas?»

«Al Rizk, al hospital Rizk.»

«¿Por qué?»

Porque no era Courelie, por eso. Ese idiota de Courelie que

superaba al idiota de Colbert conde de Colbert-Chabanis, y llegaba a general a los treinta años. Porque no quería llegar a general a los treinta años. Ni a coronel, ni a capitán. Porque estaba harto de la disciplina, de la obediencia, de la subordinación, del cumplimiento de los deberes por íntimo convencimiento de su intrínseca necesidad. Porque quería ir a ver a Gino, hacerle comprender que si hubiera sido posible transplantar una mano como se transplanta un riñón le habría dado una de las suyas. Y pensando eso apretaba el acelerador impaciente por llegar. Llegó en pocos minutos. Frenó dando un bandazo, saltó del jeep, y al tiempo que gritaba a Stefano espérame-ahí entró en el Rizk.

«Où est-il? ¿Dónde está? Où est-il?»

Estaba en una habitación de la planta baja y desde el umbral no veía más que una momia fajada con gasa: una silueta blanca con la cabeza inmovilizada por un rígido alzacuello y los brazos alargados a los lados del cuerpo. A la altura de las manos, dos cortas paletas. Y junto a la cabecera, una monja joven que le murmuraba:

«¡No, Gino, no! No puede dictármela ahora. Si se disipa en el aire, paciencia: ¡el buen Dios le mandará otro estornudo! ¡No para de estornudarle encima, el buen Dios!» La reconoció, la llamó. También ella lo reconoció. Y al instante fue a su encuentro. Lo llevó suavemente hacia el pasillo.

«Usted es Angelo, ¿verdad?»

«Sí, sor Françoise...»

«Me ha hablado tanto de usted, que lo habría reconocido entre mil.»

«¿Cuál es la gravedad, sor Françoise?»

Bajó su dulce carita enmarcada por la toca y el velo gris, la volvió a levantar para dirigir hacia el cielo sus grandes ojos negros y henchidos de tristeza.

«Mucha, Angelo, mucha. He asistido a la intervención quirúrgica y... La pierna tal vez se salve, el cuello volverá a su sitio, el rostro en cierto modo se arreglará. En cambio las manos... Como máximo podrán intentar remendarle los restos de algunos dedos: los anulares y los meñiques... Los pulgares y los índices no existen ya y un dedo medio está cortado casi de raíz... De todos modos los médicos esperan embarcarlo en el buque hospital la próxima semana, enviarlo de vuelta a Italia.»

«¿Habla?»

«Oh, sí. Pese a los sedantes no consigo hacerlo callar y lleva unos minutos intentando dictarme una poesía.»

«Déjeme entrar, sor Françoise.»

«De acuerdo, se lo encomiendo por un rato. Pero no le diga nada de las manos. Aún no lo sabe y me corresponde a mí comunicárselo» respondió decidida. Después lo acompañó hasta la cama, se alejó con un apesadumbrado fluctuar de velos y en la momia centellearon dos pupilas febriles. A la altura de la boca se abrió una rendija de gasas.

«Has venido, mecachis en la mar, has venido...»

«He venido, sí... ¿Cómo te sientes?»

«Como un imbécil, Angelo, como un imbécil. Porque en un primer momento pensé: ya está, el clásico gilipollas que aparca de través y me bloquea el paso. Y no comprendí. Después vi a aquel cerdo que trepaba por la escalerita y comprendí. Pero en lugar de dispararle... ¡Qué imbécil fui, qué imbécil!»

«¡Cómo qué imbécil, Gino! Yo habría hecho lo mismo.»

«No. Te conozco: tú habrías disparado. No te habrías olvidado de las cosas que te había dicho y habrías disparado.»

«Dicho, ¿quién? ¿De quién hablas, Gino?»

«¡De Passepartout! ¿De quién quieres que hable?»

«¿Y quién es Passepartout?»

«Un Amal de Gobeyre, un mariquita de pelo rubio y con la colilla pegada a los labios al que llaman Passepartout porque se cuela por todas partes. ¿No lo conoces?»

«No.»

«Apenas tiene catorce años pero es más cerdo que los adultos con los que se prostituye. Es uno de esos que entran en los barrios palestinos para provocar. ¿Nadie te ha hablado nunca de él?»

«No, me parece que no...»

«Me tiene ojeriza, verdad. No le gusta mi cara, no le gusta mi barba, no le gusta mi barriga, siempre me canturrea barbudo-espagueti-gordinflón... Hace tiempo tuve un enfrentamiento con él por lo del Kalashnikov. Le dije me cago en diez, Passepartout, al menos procura no exhibirlo, e hice ademán de apuntarle con el M12. Lo malo es que Azúcar me detuvo con el cuento de la diplomacia y poco después el cerdo reapareció con dos Rdg8 en el cinturón. Me dijo: "Con estas dos yo pasear y con éstas yo te pronto matar..." Tal vez yo confunda la gimnasia con la magnesia como dice Azúcar, pero el individuo de baja estatura que se apeó del segundo automóvil y trepó por la escalerita era él...»

«¡Ah!»

«Por eso lo perseguí. Y me apuesto algo a que las dos Rdg8 nos las tiró él. ¡Oh, qué dolor, mecachis en la mar! ¡Qué dolor!»

«¿Dónde...?»

«Por todo el cuerpo. En las manos, en los pies, en la cabeza. Soy un dolor de la cabeza a los pies...»

«¿Por qué te agitas, Gino? ¿Por qué hablas? No hables.»

«Pues sí que hablo. Las cuerdas vocales todavía las tengo. El resto... ¡Bah! Ni siquiera puedo girar la cabeza para ver lo que hay y lo que no hay. No consigo siquiera mover los pies. Mírame los pies. Dime si están ahí.»

«Están, Gino, están...»

«¿Los dos?»

«Los dos...»

«¡Alabado sea Dios! Se lo había preguntado también a sor Françoise pero temía que hubiera respondido que sí para consolarme. ¡Humm! Si están los pies, están también las piernas. Luego no me han cortado una pierna. Claro que podrían cortármela después. A veces esperan para cortarla después.»

«No te la cortarán, Gino...»

«Esperemos que no. Si no adiós al Tíbet. Adiós al Himalaya, adiós a los naranjas. Imagínate si un naranja iba a poder subir al Himalaya con una sola pierna.»

«No te fatigues, Gino. Sor Françoise ha dicho que no debes fatigarte.»

«¡Huy! Me tiene afecto. Y yo también a ella. Porque me comprende. Me ha comprendido hasta cuando le he dicho si-me-quedo-cojo, paciencia, mejor-una-pierna-que-una-mano. Son lo más importante, las manos. Por los dedos. ¡Ay! ¡Mecachis en la mar! Me duelen también los dedos. Deben de estar llenos de esquirlas. Me gustaría echarles una ojeada y no puedo.»

«No te muevas, Gino.»

«No me muevo, no. Este trasto en el cuello me lo impide. Pero me gustaría porque... ¿Sabes qué distingue al hombre de los monos que tanto se le parecen? Los dedos, o mejor dicho el pulgar y el índice por su disposición. Porque con el pulgar y el índice, gracias a su disposición, un hombre hace cosas que un mono no puede hacer. Sujeta en la mano una pluma para escribir poesías, por ejemplo, y... ¡Qué dolor, Angelo, qué dolor!»

«Gino...»

«No hago más que pensar en eso, ¿sabes?, y me digo: entre tantos monos habrá al menos uno con una poesía que le estalle dentro. Una poesía sobre los plátanos, por ejemplo, o sobre la jungla... O incluso sobre la amistad y el amor. Pero con su disposición del pulgar y del índice no puede sujetar la pluma en la mano y...»

«Calla, Gino, calla...»

«Angelo, estoy intentando decirte que con las manos vendadas me siento peor que un mono. Tengo una poesía que me estalla dentro y no puedo escribirla. Sor Françoise no quiere que se la dicte, rezonga si-se-disipa-en-el-aire-paciencia, y... ¿Puedo dictártela a ti?»

«Claro que sí, Gino...»

«¿Tienes una pluma?»

«Sí...»

«¿Y papel?»

«Sí.»

Sacó una copia del comunicado-mentira.

«Para separar los versos haré una pausa. ¿Vale?»

«Vale.»

«Aquí está: "Háblame y deja que hable, amiga mía... explícame y deja que explique... por qué... sangrado por mil navajas... ahorcado por mil sogas... suspendido sobre el abismo... de una obscuridad que ciega... de un silencio que ensordece... puedo soñar aún mi cuento... sin mañana y sin embargo... lleno de esperanzas como... si tuviera una cosecha de mañanas." Pon un punto. "Porque un día me diste un cuaderno." Pon un punto. "Y, con el cuaderno, tu amistad, tu amor." Pon un punto. "Amor y amistad son la misma cosa, amiga mía... los dos rostros de la misma necesidad... de la misma hambre insaciable... de la misma sed inextinguible." Pon un punto. "Y si me dices que son dos cosas distintas... yo te respondo que en la amistad... hay más amor que en el amor." Reléemela.»

Angelo carraspeó y conteniendo a duras penas un sollozo se la releyó.

Háblame y deja que hable, amiga mía,
explícame y deja que explique
por qué,
sangrado por mil navajas,
ahorcado por mil sogas,
suspendido sobre el abismo
de una obscuridad que ciega,
de un silencio que ensordece,
puedo soñar aún mi cuento
sin mañana y, sin embargo,
lleno de esperanzas como
si tuviera una cosecha de mañanas.

Porque un día me diste un cuaderno.
Y, con el cuaderno, tu amistad, tu amor.
Amor y amistad son la misma cosa, amiga mía,
los dos rostros de la misma necesidad
de la misma hambre insaciable
de la misma sed inextinguible.
Y si me dices que son dos cosas distintas,
yo te respondo que en la amistad
hay más amor que en el amor.

«¿Está bien, Gino?»

La momia calló un instante. Después la rendija a la altura de la boca se abrió de nuevo.

«No, debes corregir una palabra. En lugar de amiga, debes escribir amigo. Porque quería dársela a sor Françoise, esta poesía. Me había estallado dentro para ella. Pero te la doy a ti.»

«¿¡¿A mí?!? Yo no te he regalado ningún cuaderno, Gino.»

«Oh, sí. Me lo has regalado. Cien veces me lo has regalado. También hoy, en ese sollozo. Lo he comprendido, ¿sabes?, que si las manos pudieran transplantarse como los riñones tú me regalarías una de las tuyas.»

«¡Gino!»

«Las he perdido, ¿verdad?»

«No, Gino, no...»

«Las he perdido. Por eso contenías el sollozo. Lo siento. Lo sé.»

«No, Gino, es que...»

«Estoy manco. Bastante peor que un mono con su disposición del pulgar y el índice. Estoy manco.»

«Gino...»

«Me ha cortado las manos, ese criminal. Me ha matado.»

«Gino...»

«Vete, Angelo, vete. Vuelve, pero ahora vete.»

«Vuelvo el domingo, Gino...»

«Sí... Ese criminal... Me las ha cortado, me ha matado, ese criminal... Criminal... Criminal...»

–3–

Salió temblando. Y no tanto por la torpeza con que había reaccionado ante la afirmación estoy-manco, las-he-perdido, estoy-manco, no tanto por la sensación de culpa que eso le daba respecto a sor Françoise, cuanto por el atroz dolor que le producían las palabras me-ha-matado. Me-las-ha-cortado, me-ha-matado. Temblando volvió a montar en el jeep, ordenó a Stefano que comenzara la ronda por el hotel de los periodistas que se alojaban en la zona oriental, después releyó la poesía y la ira substituyó al temblor. Una ira sorda, lúcida, racional, una ira que contenía ya el germen de la venganza. Un Amal de Gobeyre. Un mariquita con pelo rubio y una colilla siempre pegada a los labios al que llamaban Passepartout porque se colaba por todas partes. Un muchacho de catorce años más cerdo que los adultos con los que se prostituía, uno de los que entraban en los barrios palestinos para provocar y si lo reprendías se volvía a presentar con dos Rdg8. Con-éstas-yo-pasear-y-con-éstas-yo-te-pronto-matar. «Tal vez confunda yo la gimnasia con la magnesia como dice Azúcar, pero el individuo de baja estatura que se apeó del segundo automóvil y trepó por la escalerita era él. Por eso lo perseguí. Y me apuesto algo a que las dos Rdg8 nos las tiró él.» Bueno, pues ¿no era una Rdg8 la bomba con el número 316492, correspondiente a las coordenadas del Cuartel General, en una palabra la bomba que estaba sobre la mesa de la Oficina Árabe el día en que Martino le había contado el drama sucedido la noche anterior en el Veinticinco de Chatila? ¿No la había encontrado Charlie en el Veinticinco donde un Amal muy joven y rubio quería tirársela al bersagliere de guardia bajo la higuera? No recordaba casi nada de aquel relato: mientras Martino hablaba, pensaba en algo muy distinto. Pensaba en Junieh, en Ninette que le había parecido tan indefensa y vulnerable mientras dormía en el bolso dentro del cual había hurgado con la esperanza de encontrar algún papel que revelara su enigma, se preguntaba si de verdad había amado a quienes creía haber amado, en una palabra lo escuchaba sin escucharlo. No obstante, las palabras muy-joven-y-rubio se le habían quedado grabadas en la memoria como el 316492, y cuanto más pensaba en ello más sospechaba que el Amal muy joven y rubio era Passepartout. Por tanto era necesario cerciorarse de ello, preguntar al bersagliere de guardia bajo la higuera del Veinticinco, preguntarle si su agresor llevaba una colilla pegada a los labios. Y antes aún era necesario introducirse en el Museo de Azúcar, examinar los fragmentos que Azúcar había recogido en el callejón de la emboscada, ver si entre ellos estaba una de las lengüetas metálicas en las que se graba el número de fabricación. Si estaba, y si llevaba un número cercano o incluso consecutivo al 316492 de la bomba encontrada por Charlie en el Veinticinco, la sospecha se convertía en certeza. Y como beirut era pequeña, como el triángulo Gobeyre-Chatila-Bourji el Barajni era pequeñísimo y la gente se reencontraba en él con facilidad, como el amor y la amistad son la misma cosa, los dos rostros de la misma necesidad...

«¿Voy yo a entregar los comunicados?» preguntó Stefano frenando ante el hotel de los periodistas que se alojaban en la zona oriental.

«Sí.»

«¿Y si me preguntan por los detalles?»

«Tú los detalles no los sabes. Muévete.»

La-misma-cosa. Los-dos-rostros-de-la-misma-necesidad. Pero si la amistad era amor, una forma de amor, si como amigo amaba hasta el punto de desear venganzas, entonces se había equivocado al preguntarse si había amado a quien creía haber amado y sacar la conclusión de que nunca había amado a nadie: ni siquiera a su abuela, su dulce abuela del recuerda-que-nadie-te-quiere-tanto-como-la-abuela... Se había equivocado al creer que la búsqueda de la fórmula y la pesadilla de la entropía se debían al sufrimiento causado por su miedo a amar o mejor dicho su incapacidad para amar. Se debían a algo muy distinto: a la falta de amistad que siempre había empobrecido sus relaciones amorosas, y que erosionaba o mejor dicho envilecía su relación con Ninette. Sí, ya eran amantes Ninette y él. Habían descubierto un hotelito cerca del Museo, es decir, en el límite de la zona occidental y la zona oriental, un lugar limpio y agradable cuyas ventanas daban al Pinar, y al menos dos veces a la semana pasaban la noche en él: su cómplice era Charlie que lejos de regañarlo gruñía corre-Hamlet-corre-a-ver-a-tu-Ofelia, la aventura se había transformado en un vínculo al que se entregaba todas las veces como un fumador de hachís se entrega al hachís. Todas las veces lagos de olvido, ríos de éxtasis. Pero disipado el olvido, disipado el éxtasis, el malestar que había notado después de Junieh volvía a aparecer: agravado por una insatisfacción que hasta ahora no había sido capaz de identificar y que de repente, gracias a la poesía de Gino, identificaba. Ninette, no era una amiga, no era un compañero que te siente dispuesto a regalarle una mano y que por un sollozo contenido comprende la verdad. Era sólo una encantadora estatua de carne. No calmaba el hambre insaciable, no mitigaba la sed inextinguible. Te embriagaba y se acabó, te daba una indigestión temporal y se acabó. «Let-us-make-love, vamos-a-hacer-el-amor, let-us-make-love.» ¿Amor o contacto epidérmico, sexo que se consume en el sexo, gimnasia placentera al ritmo de uno-dos, uno-dos? No podías abrir la boca, con ella, no podías intercambiar una idea. «I don't speak French, no hablo francés.» ¿¡¿Era posible que en una ciudad en que cualquier analfabeta sabía el francés no pronunciara siquiera un oui o un bonjour o un merci?!? «I cannot, no puedo.» «Mais pourquoi? ¿Por qué?» «I don't want, no quiero.» ¡Estúpida! Por lo demás era una excusa, la historia del francés. De hecho para hablar con ella se había puesto a estudiar inglés, y ahora chapurreaba un poco de inglés. Pero poco, a ver si nos entendemos, y de oído: una carta, por ejemplo, no habría estado en condiciones de leerla. Pero apenas intentaba usar ese poco para trabar una conversación, ella lo hacía callar: «Please, darling, let us make love.» ¡La Virgen! Aunque la persona que tienes entre los brazos sea una encantadora estatua de carne y te fascine, aunque sea una fábrica de placer y te drogue, siempre llega el momento en que en lugar de hacer el amor quisieras hablar. Hablar y confesarle que te sientes un árbol enano, un bonsai con las hojas podadas y las raíces comprimidas. Hablar y contarle que sueñas con dejar el ejército y volver a las matemáticas, al cartel con la expresiva cara de Einstein y su $E = mc^2$. Hablar y confiarle que al oír los ladridos de los perros vagabundos y los quiquiriquíes de los gallos enloquecidos aumenta tu desaliento, se intensifica tu crisis. Hablar y revelarle lo que fue para ti la doble matanza de octubre, el espectáculo de los cuerpos descuartizados, la cabeza decapitada dentro del casco y el infante de marina que lloraba John-John, la salchicha sanguinolenta y el bersagliere que vomitaba mientras aullaba Cristo-cabrón.

«¡Misión cumplida!», canturreó Stefano volviendo a montar en el jeep.

«Bien. Ahora vamos a ver a los periodistas que viven en la Ciudad Antigua.»

Una noche lo había intentado. Mezclando el inglés con el francés y el italiano le había hablado de eso y de Boltzmann: le había explicado por qué según Boltzmann la entropía, es decir, el caos es la tendencia ineluctable de todo lo que existe, del átomo a la molécula, de los planetas a las galaxias, que vence siempre y cuando se intenta combatirlo, es decir, poner orden en el desorden aumenta, absorbe la energía que empleas en el esfuerzo, se la come, la utiliza para llegar más rápido a la meta final que es la destrucción o mejor dicho la autodestrucción del universo. Le había dicho que por esa razón veía en $S = K \ln W$ la fórmula de la

Muerte, que por eso buscaba la fórmula de la Vida, y esta vez la encantadora estatua de carne había escuchado. Le había respondido incluso. Algo que se refería a su padre y los franceses o la lengua francesa: «My father... the French.» Después algo que se refería a un gran amor y a un gran hombre: «A great love... a great man.» Después algo que se refería a un automóvil y una clínica: «The car... the clinic.» Tal vez la historia de un accidente automovilístico por el que su padre, un gran hombre al que había querido mucho, había muerto en una clínica francesa. Y aunque había conseguido captar sólo algunos vocablos dispersos, lo había conmovido. Había creído que estrechaba entre sus brazos a una compañera, una amiga. Pero no. En efecto, de improviso había soltado una carcajada salvaje, riendo a carcajadas salvajes se le había echado encima, se había puesto a besarlo con su voracidad de gata hambrienta y: «Stop! We think too much. Pensamos demasiado. Thinking is bad! ¡Pensar no es bueno!» ¿Estaría loca? Pero no, era estúpida. Tan estúpida que ya no le interesaba saber quién era, dónde vivía, por qué motivo ocultaba su nombre y apellido auténticos y su dirección y muchas cosas empezaban a molestarle. Sus vestidos demasiado cortos y demasiado escotados, sus paquetitos de dulces, sus atenciones desmedidas, su costumbre de acudir al Cuartel General con mil pretextos, por ejemplo el pretexto de concertar una cita que habría podido fijar con una llamada de teléfono, e incluso el detalle de que no se quitara nunca del cuello la cadena con la maldita ancla en forma de cruz. ¡Nunca! La llevaba como si fuera un anillo de matrimonio. «It is my omen. Es mi omen.» ¿¡¿Qué significa omen?!? Se lo había preguntado a Martino y Martino: «Pronóstico, auspicio, augurio bueno o malo. Es una palabra intraducible, una palabra antipática.»

Le irritaba también el hecho de que desde hacía algunos días se abandonara a bruscos cambios de humor, repentinos pasos de la alegría a la melancolía, ella que siempre se había mostrado alegre y jubilosa. ¿Habría intuido su malestar, su insatisfacción o mejor dicho su propósito de librarse de ella? Sí, librarse de ella. Y cuanto antes. Una de estas noches. El viernes, por ejemplo. Darle una última cita y de algún modo decirle Ninette, nuestra relación no es sino un contacto epidérmico, un ejercicio sexual, una gimnasia placentera, en una palabra un diálogo de sordomudos. No te amo y no te amaré nunca. ¡Nunca! Me he dado cuenta al comprender que amor y amistad son la misma cosa, que entre nosotros la amistad no existe, que por ti no me preocuparía de cerciorarme si el Amal muy joven y rubio llevaba una colilla pegada a los labios, si era Passepartout, no me molestaría en examinar un montoncito de esquirlas para ver si las Rdg8 tiradas en el callejón de Bourji el Barajni tenían un número cercano o consecutivo al 316492 de la Rdg8 encontrada por Charlie en el Veinticinco. Charlie dice siempre corre-Hamlet-corre-a-ver-a-tu-Ofelia. Pero son fugas que no sirven, Ninette. Y si tú supieras italiano o francés, si yo supiera árabe o un poco más de inglés, la conversación no cambiaría porque nosotros dos no tendríamos nunca nada que decirnos. Conque adiós, Ninette. No quiero verte más. Good-bye.

«¿Quién va esta vez?» preguntó Stefano frenando ante el hotel de los periodistas que se alojaban en la Ciudad Antigua.

«Tú, ve tú» murmuró. Después su mirada recayó sobre un arbolito que centelleaba en el foyer con los rótulos Happy Christmas, Bon Noël, Aid Milad Mubarik, Feliz Navidad. Y el murmullo se convirtió en una exclamación. «¡Stefano! ¿Cuándo es Navidad?»

«El domingo» respondió Stefano.

«¿¡¿El domingo?!?»

«El domingo, sí. Dentro de una semana. ¿No has visto que esta mañana se han ido por lo menos quinientos de permiso?»

¡Dentro de una semana! ¡Y no se había enterado! ¿No se habría enterado porque en la zona occidental la Navidad no tenía el menor significado? Tonterías. No se había enterado porque este año no lo celebraba nadie, no importaba a nadie. El año pasado importaba a todo el mundo. Todas las bases rebosaban de bombillitas, banderitas, cintas, y una semana antes los de Ingenieros ya habían levantado en la explanada del hospital de campaña el mastodóntico abeto llegado de Italia por mar. En la Logística la gran tienda de campaña reservada a los espectáculos ya estaba preparada para la llegada de las Cheer Girls, las Ragazze Tiramisù que debían alegrar a la tropa con el concierto de rock, y en el Cuartel General ya había aire de fiesta. Este año, nada de nada. ¿Con quién pasaría aquella Navidad que nadie celebraba y que a nadie importaba? Desde luego no en la Oficina Árabe comiendo un trozo de panettone y bebiendo un vaso de espumoso con Charlie y sus Charlies. Y mucho menos junto a ella en el hotelito cuyas ventanas daban al Pinar... Tal vez lo pasara a la cabecera de Gino. El sábado por la noche iría al Rizk, se sentaría a la cabecera de Gino y... Pero tenía que informarla, decirle aquel good-bye cuanto antes. Hoy mismo, acaso, esta noche. Si al volver se la encontrara delante de la garita de los carabinieri... No, esta noche no. Esta noche debía ocuparse de las Rdg8 que habían explotado en el callejón de Bourji el Barajni, buscar el seguro de vuelo, cerciorarse de que quien había preparado la emboscada había sido precisamente el mariquita de pelo rubio y con la colilla pegada a los labios, concluyó al tiempo que se deseaba que Ninette no estuviera esperándolo delante del Cuartel General.

* * *

Pero sí que estaba. Espléndida como siempre, y sin embargo distinta. Sus largos cabellos con reflejos de oro echados hacia atrás y recogidos en la nuca con lo que quedaban desprotegidas y a un tiempo exaltadas sus orgullosas facciones de reina bárbara. Su rostro pálido y tenso, el cuerpo encerrado dentro de un abrigo negro que la envaraba y la cubría hasta los tobillos, estaba esperándolo con la espalda apoyada en el ángulo del terraplén. Parecía ensimismada, preocupada, y de su aspecto insólito emanaba una asexualidad casi monjil. De su comedimiento, una determinación nueva: melancólica y al tiempo orgullosa. De hecho al contemplarla sintió un respeto instintivo, con el respeto un tipo de pasión que nunca había sentido por ella, y con la pasión un estupor colmado de dudas. En efecto su primer pensamiento fue: tal vez no sea una encantadora estatua de carne y nada más, una fábrica de placer y nada más. Tal vez sea una mujer a la que amar. El segundo fue: tal vez no sea cierto que amor y amistad son la misma cosa, tal vez el amor sea un sentimiento totalmente opuesto a la amistad, una incoherencia que puede abarcar y acaso abarque la hostilidad e incluso el odio. El tercero fue: tal vez se pueda amar sin saberlo, sin quererlo. Tal vez la ame. Pero el tercero lo molestó hasta tal punto que se negó a sacar sus consecuencias. Y haciendo a un lado a Stefano la afrontó sin cortesía.

«Shubaddak? ¿Qué quieres, Ninette?»

Sus inmensos ojos violeta centellearon para lanzar una chispa de dolorosa sorpresa, y el cuerpo encerrado dentro del abrigo negro pareció estremecerse.

«Well... I came to ask if we stay together on Christmas night and if I should reserve a room at the hotel, darling.»

«Dice que ha venido a preguntarte si pasáis juntos la Nochebuena y si debe reservar vuestra habitación en el hotel», tradujo

Stefano acercándose de nuevo y recordando el papel de intérprete que había desempeñado el día de la doble matanza.

Lo hizo callar con un gélido no-te-metas-en-esto, me-las-arreglo-yo-solo, y sacudió la cabeza.

«No, Ninette.»

«¿No...?»

«No. On Christmas night I want to stay with a friend. La Nochebuena quiero pasarla con un amigo.»

«A friend?!? ¿¡¿Un amigo?!?»

«Yes, Ninette. A friend, un amigo, my friend Gino, mi amigo Gino.»

Sus inmensos ojos violeta centellearon para lanzar esta vez una chispa de presunción mezclada con indulgencia.

«Is this friend so important for you? ¿Tan importante es ese amigo para ti?»

«Yes. Very important. Muy importante.»

«More important than me, than us? ¿Más importante que yo, que nosotros?»

«Yes, more important than you, than us, más importante que tú, que nosotros.»

Los inmensos ojos violeta se nublaron misteriosamente. El rostro pálido y tenso enrojeció después se relajó en una sonrisa de afectuosa ironía.

«I understand, darling, comprendo. Friendship is sacred, la amistad es sagrada. Love is not, el amor no. And when shall we stay togheter, ¿y cuándo nos veremos?»

«Friday night, el viernes por la noche, Ninette. But only to talk, pero sólo para hablar. We must talk, tenemos que hablar. ¿Entendido? ¡Hablar!»

Bajo el abrigo negro, el cuerpo se sacudió esta vez con un largo estremecimiento. Y del rostro de nuevo pálido, tenso, desapareció todo rastro de ironía.

«I do, darling, I do... Comprendo, comprendo. I'll reserve the room for friday night, reservaré la habitación para el viernes por la noche. Same time, eight o'clock. A la misma hora, a las ocho.»

Y sin decir nada más, sin extender siquiera la mano derecha para un apretón de manos, se marchó con la cabeza alta. Se alejó con su comedimiento, su asexualidad casi monjil, y lo dejó con Stefano que suspiraba.

«¡El que no tiene no aprecia! ¡El que no aprecia no tiene! ¡Qué injusticia, madre mía, qué injusticia!»

Suspiraba pensando en Lady Godiva, compañera ideal para vuestras noches solitarias, dimensiones humanas y perfectas. 99-69-96, sistema térmico y sonoro, ríe llora etcétera, precio ochenta mil liras abonables por giro postal. Pobre Stefano: la muñeca no había llegado. Y aunque Gaspare y Ugo y Fifí se habían resignado a la idea de haber perdido los billetes de diez mil metidos en el sobre, él seguía esperándola: acariciando espejismos de deleites desconocidos.

«Calla y arranca» replicó Angelo mirando de nuevo el reloj.

Eran las seis en punto y desde el fondo de la Rue de l'Aérodrome llegaba el eco de un estruendo infernal. Un coro de voces furiosas y un fragor de camiones que aumentaba cada vez más.

–4–

¿Una manifestación? Imposible, Beirut no era una ciudad para protestas verbales, y las manifestaciones no se hacen con camiones. Después de algunos minutos el Cóndor aguzó el oído, perplejo, y llamó a Caballo Loco.

«Coronel, ¿qué sucede ahí fuera?»

«¡Una manifestación, mi general, una manifestación!» respondió Caballo Loco muy excitado. «Individuos vulgarísimos y extraños montados en camiones desfilan por delante del Cuartel General y gritan como si estuvieran enojados con nosotros. Quod Deus avertat, no lo permita Dios.»

«¿Qué gritan?»

«No lo sé, mi general, ¡no lo entiendo! Ahora bien, de nihilo nihil, de la nada nada nace. Et mala tempora currunt, ¡corren malos tiempos, nos advierte Virgilio!»

«¡No me toque las narices con el latín, coronel! ¿De dónde vienen? ¿Adónde se dirigen?»

«Vienen del sur, mi general, y se dirigen al norte: hacia Sabra. La cabeza de la manifestación ha llegado ya a la glorieta del viaducto y la cola se acerca al aeropuerto. Eso significa que bordean Bourji el Barajni o Chatila, y por desgracia ¡dentro de unos minutos tanto en Bourji el Barajni como en Chatila habrá el cambio de turno!»

«Ya lo sé. Diga a los puestos que no lo hagan. Diga a nuestros vehículos que eviten ese trayecto y no reaccionen ante posibles gestos provocadores. Que disparen sólo en respuesta a disparos.» Después fue a ver y palideció.

Eran al menos mil. Hombres, mujeres, niños. Las mujeres con chador, cosa rara en Beirut, los hombres con la faja verde de los Amal o con la cintita obscura de los Hijos de Dios, y casi siempre armados de Kalashnikov o de Rpg. Los que no iban armados de Kalashnikov o de Rpg alzaban carteles con la imagen de Jomeini, fotografías de los dos kamikazes muertos en la doble matanza de octubre, banderas negras. Una selva de banderas negras que a la incierta luz del crepúsculo fluctuaban en oleadas de un negro como la pez y bajo la pez rostros deformados por el odio, ojos desorbitados por la ira, bocas que escupían incomprensibles frases ritmadas: sin duda vituperios y promesas de desgracias. Sin embargo lo más estremecedor eran los camiones. Docenas y docenas de camiones descubiertos, en los cuales las mil personas iban comprimidas unas contra otras como los murciélagos en sus nidos. ¿Quién se los había dado? ¿Dónde los habían tomado? ¿Qué querían demostrar? ¿Que quienes se los habían suministrado a los dos kamikazes habían sido ellos? ¿Que tenían gran cantidad de ellos y podían emplearlos en nuevas matanzas? Avanzaban con tétrica lentitud, el avance lento pero inexorable, verdad, de una serpiente que avanza hacia la presa para engullirla, y unos metros antes del Cuartel General desaceleraban. Desacelerando se acercaban al descampado externo y allí la serpiente erizaba aún más amenazante sus escamas, las banderas negras multiplicaban las oleadas de un negro como la pez, las incomprensibles frases ritmadas aumentaban de volumen e intensidad, y las bocas escupían un vocablo bastante familiar: Talieni, talieni, talieni. Para contenerlos, para impedir el asalto, sólo una escuadra de carabinieri que corrieron a apoyar a sus compañeros de la garita y cinco o seis oficiales con la mano en el revólver. Entre los oficiales, Pistoia y Charlie que sin embargo mantenían los brazos cruzados. Junto a Charlie, Martino que escribía en una agenda las incomprensibles frases ritmadas.

«¡Traed otra escuadra y apostadla junto al terraplééén!» gritó el Cóndor. Después, en voz baja y en tono de reproche: «No oigo himnos de fraternidad, Charlie. ¿O me equivoco?»

«No se equivoca, mi general» respondió Charlie con los dientes apretados.

«Parecen enojados con nosotros...»

«También con nosotros, mi general.»

«¿También?»

«También, mi general. En efecto los americanos nos ganan por cuatro a dos y los franceses por tres a dos. Pero nosotros ganamos a los ingleses por dos a uno y somos los terceros en la clasificación.»

«¡Déjese de adivinanzas! ¿¡¿Qué dicen?!?»

Sin dejar de apretar los dientes, Charlie llamó a Martino.

«Martino, traduce al general lo que dicen.»

«¡Al instante, jefe! Dicen: muerte-a-los-americanos, muerte-a-los-franceses, muerte-a-los-italianos, muerte-a-los-ingleses» recitó Martino con su diligencia habitual. «Pero muerte-a-los-americanos lo dicen cuatro veces, muerte-a-los-franceses lo dicen tres veces, muerte-a-los-italianos lo dicen dos veces, muerte-a-los-ingleses una sola vez... ¡Mire, mi general, mire!»

De uno de los camiones había saltado un muchacho con las fotografías de los dos kamikazes. Escurriéndose entre los carabinieri había llegado a la garita y ahora las pegaba con un chillido feliz.

«Tawaffi! ¡A muerte! Tawaffi!»

«¡Quitadlas inmediatamente!» bramó el Cóndor. Después, sin esperar a que cumplieran la orden, se les echó encima. Las arrancó. Pero ya otros muchachos se apeaban de los otros camiones, con los muchachos las mujeres en chador, con las mujeres en chador algún joven armado de Kalashnikov o Rpg: todos los muchachos y todas las mujeres con las mismas fotografías. Y al tiempo que las pegaban a los caballos de Frisia, a los rollos de alambre de espino, a los bidones de los puestos de control, a cualquier objeto que ofreciera un soporte, gritaban la misma amenaza e intercalaban una frase nueva.

«Talieni go home!, marchaos a casa. Go home!»

Era inútil oponerse como había hecho el Cóndor. Por cada atacante rechazado llegaba uno nuevo, por cada fotografía arrancada aparecía otra intacta y con el añadido de un cartel de Jomeini, y la grotesca pantomima resultaba doblemente grotesca por los gritos de quien como Pistoia enloquecía por la rabia de no poder disparar.

«¡Vete tú a tu casa, zorra!»

«¡Pálmala tú, cretino!»

«¡Tawaffi para ti, sarraceno de mierda!»

Continuó así hasta que la procesión desapareció por Sabra dejando en el suelo un estanque de papel arrancado: barbas y turbantes de Jomeini, narices y orejas de kamikaze, residuos torvos que Charlie miraba fijamente herido aún por el reproche del Cóndor. No-oigo-himnos-de-fraternidad-Charlie. Ellos y sus falsas promesas, se decía con amargura. Ellos y sus hipocresías, sus mentiras, sus engaños. He olvidado que Lawrence de Arabia los calificaba de desleales, más inestables que el agua, de mente cerrada y corazón vacío, productores de religiones y nada más. Lo he olvidado porque me he dejado conmover por los niños que mueren desangrados, por los Bilal, por el pueblo buey que por una brizna de hierba ara o escarda la tierra de los otros, porque creí que podía jugar al ajedrez con los Zandra Sadr: ¡ingenuo, iluso, imbécil! El juego del ajedrez tiene unas reglas férreas: los peones no pueden retroceder, los caballos deben saltar en forma de L, los alfiles deben moverse en diagonal, las torres en vertical o en horizontal, el rey puede avanzar o retroceder y la reina va adonde quiere. En cambio con los Zandra Sadr la reina no va a ninguna parte, el rey baila el minué, las torres se desplazan en diagonal, los alfiles en vertical u horizontal, los peones retroceden. Y cuando crees haber descubierto el truco te lo cambian en tus narices con una mueca de burla. El juego da un vuelco y Su Eminencia Reverendísima te da jaque mate. No-oigo-himnos-de-fraternidad, Charlie. Tampoco yo, mi general. Su Eminencia Reverendísima me ha dado jaque mate: he perdido la partida hasta tal punto, que ya no comprendo lo que está sucediendo. Verdaderamente no lo comprendía. Estaba demasiado decepcionado para poder utilizar su perspicacia, analizar con distanciamiento la situación, captar el significado y el objetivo de aquella manifestación. Pero de repente lo captó. Y como picado por una avispa dio un salto hacia atrás, se alejó del estanque de papel arrancado, corrió al despacho del Cóndor.

«¡Mi general!»

«¿Qué hay?» rezongó el Cóndor mirando el teléfono con la expresión meditabunda de quien acaba de recibir una pésima noticia.

«Se dirigía a Sabra, la manifestación. Ha desaparecido en el interior de Sabra...»

«Ya lo sé, Charlie, ya lo sé.»

«Y aunque las amenazas se refirieran también a los otros, mejor dicho aunque fuéramos los terceros en la clasificación, recorría un trayecto elegido para nosotros. Bourji el Barajni, Cuartel General, Chatila.»

«Ya lo sé, Charlie, ya lo sé.»

«Así que no se trataba de una provocación casual o gratuita. Se trataba de una advertencia semejante a la que nos dieron los gubernamentales con las tres granadas en el depósito de Sierra Mike.»

«Ya lo sé, Charlie, ya lo sé.»

«Pero si molestamos a los dos, si los dos nos consideran un obstáculo, talieni-go-home, quiere decir que se está cociendo algo gordo.»

«Sí, Charlie, se está cociendo.» Indicó el teléfono. «Los franceses me acaban de informar de que están desmovilizando los últimos puestos de Sabra, que a partir de mañana sólo mantendrán una presencia simbólica en Sabra. El observatorio, la Torre.»

«¿¡¿Sólo la Torre?!?»

«Sólo la Torre, Charlie, y me pregunto por cuánto tiempo. ¿Quince días? No creo que consigan resistir más de quince días, y una cosa es segura: el día en que los franceses renuncien también a ella, el maldito edificio se convertirá en el pretexto que los Amal y los gubernamentales buscan para ponerse a combatir y...»

«Y el maldito edificio está a pocos metros de Chatila, en la callejuela que desemboca en la placita del Veintidós... Y la placita del Veintidós está casi enfrente de Gobeyre, así que para llegar a la Torre los Amal de Gobeyre no tienen más que cruzar la Avenue Nasser después pasar por el Veintidós...

«Exacto, Charlie, exacto.»

«Y una tercera parte del contingente se ha marchado ya para las vacaciones de Navidad. Quinientos treinta entre bersaglieri e infantes de marina y paracaidistas están en camino hacia Italia, no vuelven antes de Año Nuevo... Y si los franceses no consiguiesen mantenerse en la Torre ni siquiera quince días, si la abandonaran bastante antes y estallase el incendio, digamos, antes de Año Nuevo, nosotros no podríamos reforzar ni el Veintidós ni los demás puestos de la Avenue Nasser o a lo largo del límite con Sabra...»

«Exacto, Charlie, exacto. Deberíamos dar las gracias al Cielo si los franceses consiguieran mantenerse en la Torre quince días, digamos hasta el día de Año Nuevo, es decir, hasta el regreso de los quinientos treinta que he mandado de permiso... Si estalla el incendio antes, estamos perdidos.»

«Entonces, ¿qué hacemos, mi general? ¿Qué piensa usted hacer?»

«Demostrar que no acepto a nadie lo de go-home. No moverme ni un milímetro, mantener los puestos. Mantenerlos, mantenerlos, defenderme» respondió el Cóndor. «Y como la defensa incluye el ataque, ahora convoco un briefing y pongo en estado de alerta a los barcos.»

* * *

El briefing se celebró la mañana siguiente y en él participaron los diecisiete oficiales que debían recibir instrucciones para el caso de que estallara el incendio antes de Año Nuevo: los miembros del Estado Mayor, los hombres de confianza del Cóndor, y el comandante de los barcos. Tras cruzar presurosos la entrada, donde con su turbante amarillo y su capa azul los miraba el retrato del emir más pájaro de mal agüero que nunca los diecisiete entraron en el antiguo comedor e, impacientes por conocer el motivo por el que se los había convocado con tanta prisa, se sentaron en seguida a la gran mesa de cerezo en la que la disposición de los puestos obedecía a un ceremonial preciso: establecido según los cometidos y los deberes de cada cual. En uno de los extremos de la mesa, el Cóndor. En el otro, el comandante de los barcos llegado al amanecer en un helicóptero de la nave almiranta. A la derecha del Cóndor, el Profesor. A su izquierda, Caballo Loco. Después del Profesor, Águila Uno luego Halcón después el jefe del sector de Bourji el Barajni luego el jefe del sector de Chatila, es decir, Neblí después el director del hospital de campaña luego el jefe del Departamento de Municiones después el jefe del Departamento de Transmisiones que se encontraba, por tanto, a la izquierda del comandante de los barcos. Después de Caballo Loco, el Urogallo luego el jefe de la Logística después Charlie luego Pistoia después Azúcar luego el jefe de la Informática después Sandokan que se encontraba, por tanto, a la derecha del comandante de los barcos.

El Cóndor no perdió tiempo en preámbulos y fue muy conciso. «Ya vieron ustedes la manifestación de ayer» dijo «o están al corriente de ella. Ya oyeron lo que gritaban los manifestantes o han oído hablar de ello. Ya conocen los atentados que hemos sufrido en Sierra Mike y en Bourji el Barajni, y saben que esta noche los franceses han desmovilizado los últimos puestos de Sabra excepto el observatorio llamado la Torre. Lo que no saben, lo que ninguno de nosotros sabe, es cuándo desmovilizarán también éste. Pues bien, está claro que el abandono de la Torre amenaza con desencadenar el ataque tanto de los gubernamentales como de los Amal de Gobeyre: hace mucho tiempo que los Amal acarician el sueño de irrumpir desde Gobeyre, llegar al litoral de Ramlet el Baida, bajar de Ramlet el Baida hacia el sur y subir hacia el norte, apoderarse de toda la zona occidental. Y desde hace mucho tiempo los gubernamentales se proponen restablecer en la zona occidental el control que han perdido. Hasta hoy hemos podido contenerlos a los dos porque la barrera que oponíamos desde Bourji el Barajni a Chatila se extendía hasta Sabra, es decir, porque en Sabra estaban los franceses. Pero sin los franceses la barrera queda dividida, la Torre se convierte en la manzana de la discordia, los dos contendientes pueden entrar en batalla. Y si eso sucede nosotros seremos los primeros en pagar las consecuencias. Así pues debemos prepararnos para afrontarla y, recordando que la defensa incluye el ataque, poner en estado de alerta los barcos: tenerlos listos para disparar contra quien nos dispare intencionadamente. Los he convocado para esto y para comunicarles el procedimiento que deben seguir.» Entonces expuso el procedimiento que debían seguir: un plan redactado por el Urogallo sobre informaciones proporcionadas por Charlie después de la doble matanza de octubre conservado en una carpeta llena de mapas y diagramas que señalaban todos los puntos de partida del fuego en acción en Beirut. Artillerías drusas y gubernamentales, baterías de Amal, madrigueras jomeinistas, cuarteles. Cada punto de partida de fuego era un blanco al que acertar como defensa o represalia, y cada blanco iba indicado con las coordenadas exactas y un número a partir de 100. En cambio las bases del contingente estaban indicadas con letras que correspondían a la inicial de su nombre: A de Águila, C de Cuartel General, H de hospital de campaña, L de Logística, R de Rubí, S de Sierra Mike. Los barcos, por su parte, con los nombres de aves acuáticas: Pelícano, Gaviota, Albatros, Golondrina de Mar. De modo que la sigla R110 significaba que la base Rubí había sido alcanzada por la batería número 110, Albatros 110 que el acorazado Albatros estaba a punto de hacer fuego contra la batería que había alcanzado al Rubí, S120 significaba que Sierra Mike había sido alcanzado por la batería número 120...

Y entretanto Angelo interrogaba al bersagliere de guardia bajo la higuera del Veinticinco, tarea facilitada por el hecho de que el bersagliere era el mismo con el que había sacado a la niña del retrete y al que había dicho juro-que-no-mataré-nunca-a-nadie. Sí, le respondía Ferruccio, el Amal que un mes antes lo había atacado con la Rdg8 era precisamente uno de catorce años de edad y pelo rubio y con una colilla siempre pegada a los labios: un joven prostituto que vivía en Gobeyre y venía a Chatila a provocar. No, no sabía si se llamaba Passepartout: alguien le había contado que el barbudo flaco lo llamaba Jalid. Pero, ¿por qué tenía tanto interés el sargento en identificarlo? Porque anoche fui al Museo de Azúcar, le habría gustado gritar a Angelo, examiné los fragmentos recogidos en el callejón de Bourji el Barajni, y entre ellos había uno de los dos seguros de vuelo. En la lengüeta metálica de dicho seguro de vuelo estaba el 316495, es decir, un número casi consecutivo al 316492 de la bomba que te quería tirar a ti. Señal de que las tres procedían del mismo lote de fabricación, de la misma caja, de la misma persona y tengo que ajustar cuentas con esa persona: necesito saber adónde va, dónde para, dónde puedo encontrarla, matarla. En cambio murmuró que se trataba de simple curiosidad. Y con aire de no dar excesiva importancia a la cosa se reunió con Stefano que al volante del jeep seguía soñando esperanzado con la llegada de Lady Godiva.

«¡Ah, si llegara, Dios mío, si llegara! Aún podría llegar. ¿Crees que llegará?»

CAPÍTULO QUINTO

–1–

Llegó, más incongruente que una gaita tocada por los Hijos de Dios, el jueves siguiente, es decir, dos días antes de que los franceses desmovilizaran el observatorio llamado la Torre, y en el escenario de la comedia humana cayó como un figurante que escapa al anonimato para traer zozobra a los protagonistas. Aparte de Stefano, cogió por sorpresa incluso al zafio grupito que la había pedido. De hecho Gaspare, el conductor del Cóndor, no recordaba siquiera el entusiasmo con que había señalado el anuncio de la revista pornográfica. Era un muchacho distraído y nervioso, aún más nervioso por la tensión de un trabajo que habría destruido la psique de un adulto con los nervios de acero, y con lo que de verdad soñaba no era con un juguete para hacer el amor, sino con un patrón menos despótico. Ugo, el conductor de Pistoia, ya había aceptado la tesis de que el dinero metido en el sobre había sido robado. Y no le importaba. Era un joven rudo y vivaracho, influido por el ejemplo de su capitán, y hacía un mes que compensaba la ausencia del juguete con la promesa de una muñeca de carne y hueso: Sheila, la bella palestina que lo hacía gratis con los oficiales. «Dès que je peux, avec plaisir. En cuanto pueda, con mucho gusto» le había dicho, amable. En cuanto a Fifí, se había asociado a la compra por aburrimiento: a la homónima de la señora de Coventry prefería el hachís y el recuerdo de sus tiempos de haragán. Así se esperaba cualquier cosa menos el grito que hacia el anochecer atronó en la Cámara Rosa. Estando ausente, gracias a Dios, Martino.

«¡Chicos, hay un paquete para vosotros!»

«¿¡¿Para nosotros?!?» Palpitante de esperanza Stefano miró a Ugo que miró a Gaspare quien miró a Fifí, y de golpe la renuncia y el olvido se disiparon en un magma de agitación.

«Sí, para nosotros. ¡Ha dicho nosotros!»

«¿¡¿De verdad nosotros?!?»

«De verdad.»

Se lanzaron escaleras abajo, se precipitaron a la Oficina de Correos, y allí estaba el paquete. Cincuenta centímetros por sesenta, mal atado con un bramante, detalle compensado por un remite que conocían bien. En silencio lo cogieron, se lo llevaron al cuarto, lo abrieron, y se quedaron inmóviles mirando fijamente lo que contenía: un chisme aplastado de plástico color carne, plegado como una camisa en su estuche de celofán, y pegado a una frondosa peluca de rizos amarillos.

«Pero, ¿será de verdad ella?»

«¡Claro que lo es!»

«No lo creo. Está demasiado plana.»

«Está plana porque está desinflada, ¿no?»

«¡Saquémosla!»

La sacó Ugo, ya olvidado de Sheila y jadeante de deseo. La sujetó por la peluca y el chisme se extendió exactamente como una camisa plegada cuando la levantas por el cuello. Al extenderse reveló dos largos apéndices que podían ser las piernas, otros dos que podían ser los brazos, y una sartén que podía ser el rostro.

«¡Parece un pijama con cabellos!» comentó decepcionado.

«Un mono de obrero» corrigió Gaspare, perplejo.

«¿Y qué os creíais?» sentenció con calma Fifí.

Stefano no dijo nada. Estaba demasiado emocionado, no podía hablar.

«¡Inflémosla!»

«¿Y dónde está el agujero para inflarla?»

El agujero para inflarla estaba en el ombligo. Ugo apoyó en él la boca, se puso a soplar, y al instante el mono de obrero comenzó a cobrar forma, a volverse un esbozo de maniquí femenino: en un crescendo de promesas delineó las caderas, los hombros, dos senos como dos calabazas, dos nalgas desproporcionadamente macizas, después materializó las piernas, los brazos, una bola que podía ser un rostro y que pronto lo fue. Coquetón, atractivo, con una nariz minúscula y una gran boca color púrpura abierta sobre un orificio obsceno y profundo. Los ojos estaban dibujados y nada más. Los dedos de las manos y de los pies, lo mismo. Pero el bajo vientre abundaba en matices y, maravilla de maravillas, por último aparecieron otros dos orificios obscenos y profundos: el ano y la vagina.

«¡La Virgen!» balbuceó Stefano recuperando la voz.

«Si no los tuviera, no serviría para lo que debe servir, ¿no?» rió burlón y contento Ugo.

La pusieron de pie. Era muy ligera pero podía estar derecha por sí sola. La observaron en silencio por unos minutos, después emitieron sus veredictos.

«No sé» dijo Gaspare. «Las proporciones son correctas, la altura y la consistencia también, y tiene lo que debe tener. Pero, ¿por qué no le han puesto los ojos? Bastaban dos botones. A las muñecas siempre les ponen los ojos, e incluso párpados que suben y bajan.»

«También les ponen dedos y orejas. A ella no le han puesto tampoco dedos ni orejas, de acuerdo, pero, ¿qué más te da?» replicó Ugo.

«A mí me parece hermosa» dijo Stefano. «Bien hecha y hermosa. Me gusta.»

«Porque en tu puta vida has visto nada y te contentas con poco» dijo Fifí. «Las de Nueva York tienen ojos, orejas, dedos, y hasta extremidades articuladas. Desde luego, no se parecen en nada a semejante aborto. Es un aborto.» Y tras encogerse de hombros se fue dando un portazo.

Sin embargo ellos no se dejaron influir.

«¿Dónde está el sistema térmico-sonoro?»

«¡Aquí, mira, aquí! ¡Hay una jeringuilla y un pito!»

«Y las instrucciones, ¿dónde están?»

Las instrucciones estaban con la jeringuilla y el pito. La primera servía para inyectar agua caliente en la capa doble de plástico que se encontraba en el interior de los senos y de la vagina para imitar el calor humano, el segundo para obtener gemidos o risitas de felicidad siempre que se penetraban los orificios. Bastaba con atornillárselo a la nunca. Fueron al baño, inyectaron el agua caliente, atornillaron el pito, y Lady Godiva estuvo lista para el uso.

«Bueno, ¿quién la prueba?» preguntó Gaspare intentando aparentar indiferencia.

«¡Tú! Tú fuiste el que la descubriste» dijo Stefano con una mezcla de prudencia y generosidad.

«Puedes usar mi picadero» añadió Ugo en el mismo tono. E indicó el catre que por encontrarse en un rincón contaba con una cortina por los dos lados exteriores para atenuar la luz cuando se dormía de día.

«Si os empeñáis...»

Sin entusiasmo pero seducido por el honor, Gaspare tomó a Lady Godiva y la colocó sobre el catre de Ugo. Después cerró bien la cortina, se desabrochó los pantalones, y se dispuso a consumar aquella especie de ius primae noctis. Pero habían pasado pocos segundos cuando al otro lado de la puerta de la Cámara Rosa se elevó un alboroto de voces excitadas.

«Conque ha llegado, ¡ha llegado!»

«¡Dichosos vosotros que habéis resuelto el problema!»

«Dejadnos entrar, ¡queremos verla!»

«¡Abrid, egoístas! Total, ¡ya sabemos que la tenéis! Nos lo ha dicho Fifí.»

Y Gaspare salió del picadero, derrotado.

«Demasiado alboroto, no lo consigo. Y además es tan tonta, inerte. Ugo, prueba tú.»

«No, no. Que pruebe Stefano» respondió Ugo, prudente.

«¿¡¿Yo?!?» balbució Stefano, enrojeciendo hasta el cuello.

«Sí, tú.»

Con paso inseguro Stefano se acercó a Lady Godiva. Alargó una mano, la retiró espantado, se la apoyó en el corazón que latía como loco. ¡La Virgen! Una cosa era mirarla mientras estaba derecha en medio del cuarto como un maniquí, y otra verla tendida en el catre como una mujer de verdad. Tendida en el catre parecía una mujer de verdad. ¡De verdad! Y le recordaba a Lorena, la hija del hortelano que tenía una tienda junto a su casa. La misma naricita, la misma boca color púrpura, los mismos ojazos. Siempre lo había intimidado, Lorena. De hecho y aunque no cesaba de ir a la tienda a comprar fruta y verdura, nunca había logrado decirle Lorena-me-gustas y sólo una vez le había hablado: el día en que la había sorprendido cruzando en rojo. «¡Cuidado, señorita, cuidado! ¡Podría venir un coche!» Pero ella lo había rechazado con una ojeada despectiva, tócate-los-cojones-mocosín-yo-cruzo-cuando-me-parece, y de nada servía volver a probar comprando fruta y verdura que además su madre no quería. Una semana después aquella perversa se había hecho novia del hermano del zapatero.

«Bueno, ¿a qué esperas?» lo incitó Ugo.

«¡Que no muerde!» lo animó Gaspare.

Stefano se acercó un poco más. De nuevo alargó la mano, de nuevo la retiró espantado. No mordía, no, pero todos los miedos que había sentido con Lorena reaparecían intensificados y no sabía por dónde empezar. Aunque la mujer sea de plástico, aunque con ella no corras el riesgo de recibir ojeadas despectivas y planchas, ¿qué haces en ciertos casos? ¿Te desabrochas los pantalones como Gaspare o te demoras con algún preámbulo tipo beso o caricia? No tenía la menor idea.

«En una palabra, ¿pruebas o no?»

«No sé...»

«¡No sabes, no sabes! ¡Móntale encima y cierra la cortina!»

«No, es que...»

«Entonces pruebo yo.»

Impaciente, Ugo volvió a tomar posesión de su picadero. En un santiamén se deshizo de lo superfluo, cerró la cortina, se introdujo en Lady Godiva, y apenas había empezado a crujir el catre cuando la puerta del cuarto se abrió de par en par. Una voz nasal resonó desde el umbral.

«¡Señores! ¿¡¿Qué sucede aquí dentro, señores?!?»

Era Caballo Loco. Al oír el alboroto y captar la frase dichosos-vosotros-que-habéis-resuelto-el-problema, había parado a uno que volvía a bajar la escalera y: «Facta non verba, hechos y no palabras, ¿a qué problema aludís?» «Al problema de la jodienda, mi coronel» había respondido el incauto. ¿¡¿Jodienda?!? Santo Cielo, ¿¡¿qué lenguaje era ése?!? ¡Que se explicara! Y el incauto: «Mi coronel, los de la Cámara Rosa han recibido el sucedáneo.» «¿¡¿El sucedáneo?!? ¿¡¿Qué sucedáneo?!?» «No se sabe, mi coronel. No nos han dejado entrar, no nos lo han enseñado.» Nada más. Pero la denuncia parcial había sido suficiente para llenarlo de curiosidad morbosa y preocupación. ¡Se los conocía pero que muy bien, por desgracia, a los tunantes de la Cámara Rosa! Siempre alborotando, fumando hachís, burlándose de los carabinieri de la Cámara Azul, ensuciando las paredes con fotografías o dibujos de chicas con poca ropa, y de acuerdo: para soportar la abstinencia a todos no les basta con leer el *Ars Amatoria* de Ovidio y las novelas de Donatien-Alphonse-François marqués de Sade, pero un jefe de Estado Mayor debe tener los ojos abiertos. ¡Debe velar por la conducta moral de la tropa, Dios santo, impedir que se abandone a prácticas ilícitas y licenciosas, a perversidades que lesionen el honor del ejército! Y sobre todo no debe olvidar que los jóvenes son como los potrillos mal adiestrados y los caballos de segunda clase: si cometen una incorrección grave hay que castigarlos a latigazos, si cometen una chiquillada hay que reconvenirlos con un golpe en el hocico, y en ambos casos nada de aflojar las riendas, es decir, dejarles escurrir el bulto. Pierden el respeto a quien los monta, dejándoles escurrir el bulto, y a la primera ocasión lo arrojan de la silla. Después había subido al último piso, había abierto la puerta de par en par, había entrado relinchando señores-qué-sucede-aquí-dentro-señores, y ahí lo tenían en medio del cuarto.

«Nada, mi coronel» balbució Gaspare.

«¿Y ese griterío? ¿Esas idas y venidas por las escaleras?»

«Nosotros no sabemos nada, mi coronel.»

«¿Nada de nada, señores? ¿Ni siquiera de un sucedáneo que, al parecer, tienen ustedes en sus manos?»

Ugo, tenso por el esfuerzo de alcanzar las cálidas profundidades de Lady Godiva, no había reconocido en seguida la voz nasal de Caballo Loco, pero a la tercera pregunta la reconoció y su vigor decayó como un soufflé no logrado. ¡Maldito chismoso, ese Fifí, que había corrido la voz! ¡Malditos los fisgones que habían acudido a armar follón! ¡Imagínate que ese palizas hubiera descubierto que él estaba en el sucedáneo! No había que moverse, la leche puta, ni respirar, y sobre todo había que desear que Gaspare continuara capeando el temporal. Pese al balbuceo inicial, ¡se estaba dando buena maña!

«¿Un sucedáneo? ¿Qué sucedáneo, mi coronel?»

«Un artilugio indecoroso, señores. Un utensilio licencioso, dicen los rumores. Et vox populi vox Dei, la voz del pueblo es la voz de Dios, nos advierte el proverbio.»

«No, mi coronel. Aquí no tenemos utensilios. Ni siquiera un par de tijeras ni un martillito.»

«¿Ni siquiera?»

«Ni siquiera. Palabra de honor, mi coronel.»

«¿Palabra de honor?»

«De honor, mi coronel.»

«En tal caso es válida la máxima de Diocleciano: Vanae voces populi non sunt audiendae, no hay que prestar oído a las habladurías del pueblo. Y también la de Cicerón, que advierte: Nihil est tam volucre quam maledictum, nihil facilius emittitur, nihil citius excipitur, latius dissipatur, nada es más rápido que la calumnia, nada se pronuncia más fácilmente, nada se acoge más prontamente, nada alcanza mayor difusión.»

«Usted lo ha dicho, mi coronel.»

«Y detrás de esa cortina, ¿qué hay?»

«¡El picadero de Ugo, mi coronel!» intervino Stefano metiendo la pata hasta dentro.

«El picadero, ¿eh?»

«Sí, señor. ¡Y no se puede entrar porque Ugo está durmiendo!»

No era necesario nada más para comprender que el utensilio licencioso estaba detrás de la cortina. Y si Caballo Loco la hubiera abierto, si hubiera requisado al instante Lady Godiva, muchas cosas habrían ido de otro modo. Pero abrirla le pareció un gesto indigno de un caballero de su especie, y con mucho estilo renunció al castigo que se prometía.

«Comprendo, señores, comprendo... Vayan a dormir también ustedes. Pero durmiendo no olviden el aforismo de Fedro: Solent mendaces luere poenas malefici, los mentirosos pagan siempre el castigo de las malas acciones. Hasta la vista, señores. Hasta mañana.»

Caía la noche, Martino se disponía a convertirse en un personaje clave del episodio, y en el despacho del Cóndor se estaba desarrollando un diálogo bastante preocupante.

* * *

«Mi general, parece que los franceses han decidido ya abandonar la Torre.»

«Imposible, Charlie.»

«Bien posible. Y antes de lo que usted había previsto: dentro de cuarenta y ocho horas. Lo he sabido por una sunnita de Sabra que está liada con un paraca del observatorio.»

«Imposible. Acabo de hablar con los franceses. Me lo habrían dicho.»

«Mi general, sabe usted mejor que yo que no están obligados a decírselo, que las Fuerzas Multinacionales no tienen un mando conjunto, que las relaciones entre los contingentes funcionan a la buena de dios, que cada uno de nosotros procura defenderse a sí mismo. Y una operación como el desalojo de la Torre es delicadísima. Debe realizarse a hurtadillas y esperar que nos informen es una utopía...»

«No exageremos. Me dijeron que desmovilizaban los últimos puestos.»

«Se lo dijeron en el momento de desmovilizarlos, mi general. Y no me extrañaría que esta vez no dijeran absolutamente nada.»

«Imposible. No lo creo. Imposible.»

«En cambio me extrañaría que no informaran a los gubernamentales. Y que el domingo por la mañana no descubriéramos al despertar que en la cima de la Torre ondea la bandera libanesa, no la francesa...»

«Humm... ¿Y en qué se puede basar el soplo de la sunnita de Sabra?»

«En que el paraca había prometido pasar por ella el día de Navidad y ha anulado el rendez-vous con palabras muy precisas. Le jour de Noël je ne serais pas ici, el día de Navidad no estaré aquí. La nuit de Noël nous quitterons la Tou, en Nochebuena abandonaremos la Torre.»

«La típica mentira para librarse de una mujer, Charlie. Un chisme.»

«Tal vez. Pero en Beirut las cosas se saben gracias a los chismes. También el soplo de la prostituta que trabaja en la embajada de Kuwait parecía un chisme... Mi general, en vista de la incertidumbre habría que apresurarse a hacer algo.»

«Pero, ¿qué? ¡Yo no puedo impedir a los franceses que se vayan! ¡No puedo impedir a los gubernamentales que ocupen su lugar! ¡Están en su derecho!»

«Sí, pero los Amal no opinan lo mismo. Y si los gubernamentales ocupan el lugar de los franceses, es decir, se instalan en la Torre, el puñetero edificio se convertirá en la manzana de la discordia a que aludía usted el lunes pasado. Estalla el incendio de que hablaba usted el lunes pasado.»

«Ya lo sé. Entonces, ¿qué?»

«Pues que habría que garantizar la neutralidad de la Torre. Cuando se hayan marchado los franceses, deberíamos ir nosotros a la Torre.»

«¡Charlie! ¡Yo no puedo rebasar los límites de mi territoriooo! ¡No puedo substituir a los franceseees!»

«Mi general, en semejante caos se puede hacer cualquier cosa.»

«¡Existen acuerdos internacionales!»

«Aquí los acuerdos duran lo que un estornudo.»

«¡Charlie! ¡Para mantenerse en la Torre hacen falta treinta hombres! ¡Y con el cambio de turno treinta hombres se transforman en sesenta! ¡Con el grupo de reserva hacen noventa! ¡Toda una compañía! ¡Charlie! ¡Olvida usted que quinientos treinta hombres están de permiso, están en Italia! ¡Olvida que no puedo reforzar siquiera el Veintidós y el Veinticinco y el Veintiuno, es decir, los puestos más cercanos a Sabra! ¡Olvida que no tengo una compañía para trasladarla a la Torreee!»

«No lo olvido, mi general. Pero no hay otro modo de detener el incendio.»

«En la guerra los incendios no se detienen, Charlie.»

«Se detienen, mi general. Interviniendo en el momento oportuno se detienen. O mejor, se previenen.»

«En tal caso volveremos a hablar de ello en el momento oportuno, es decir, cuando los franceses me digan que abandonan la Torre. Porque me lo dirán, ¡ya verá cómo me lo dirán!»

Y con esto pasamos a ocuparnos de Martino.

–2–

«¡Oh, no!»

Martino había dejado escapar un gorgoteo de horror cuando, al regresar a la Cámara Rosa, había visto a Ugo salir del picadero sosteniendo entre las manos el extraño pijama pegado a la peluca de rizos amarillos. Después se había tapado los ojos y ahora, tendido en su catre, miraba a Lady Godiva con una aprensión semejante al rencor que sentía hacia sus compañeros ya dormidos. Con qué ansiedad la había puesto en pie ese mamón de Stefano para presentársela, ¡mira-qué-hermosa! Con qué alegría le había enseñado ese bruto de Ugo los obscenos orificios, observa-éste, observa-este-otro, ¡lo tiene-hasta-en-la-boca! Con qué desenvoltura se la había ofrecido ese histérico de Gaspare, te-la-prestamos-con-mucho-gusto-¡pruébala! Después había venido Fifí. Lo habían desafiado a triunfar donde dos de ellos habían fracasado, y Fifí había respondido si-tengo-ganas. Menos mal que no tenía ganas. Pues sí, sí que tenía. Listo: ya se levantaba. La cogía en brazos, se la llevaba al baño, la dejaba en el suelo, cerraba la puerta, abría el grifo del agua caliente para llenar la doble capa de plástico en torno a los senos y la vagina... ¿Era posible que desearan poseer a una mujer hasta el punto de substituirla con un globo lleno de aire? No entendía. Tal vez porque no había conocido nunca la posesión de una mujer: siempre habían sido las mujeres las que lo habían poseído a él. «¡Martino, te deseo, Martino!» Todas. Empezando por Brunella, es decir, en los tiempos del instituto. Con la disculpa de estudiar juntos a Kant Brunella se lo había llevado a su casa y, mientras intentaba explicarle el significado del imperativo categórico, se la había encontrado encima. Martino-te-deseo-Martino. Después lo había arrastrado a su cuarto y no le había dejado siquiera tiempo de decir: «Mira que yo...»

Lanzó un largo suspiro. Con Lucía igual. ¿Y quién iba a sospechar que Lucía quisiera saltarle encima? Querían cambiar el mundo, Lucía y él. Juntos disertaban sobre el capitalismo, sobre el comunismo, sobre el imperialismo, juntos iban a las manifestaciones, gritaban Americans-go-home, juntos frecuentaban la Universidad de Padua para entrar en contacto con los brigadistas... Pero un día se había encontrado tirado en el suelo y: Martino-te-deseo-Martino. Sin dejarle tiempo tampoco ella para decir mira-que-yo. Adilé, la turca a la que había conocido en Estambul cuando había ido a estudiar con una beca, no: no le había saltado encima. Le había dado tiempo de decir mira-que-yo. Sólo después del mira-que-yo, se habían ido a vivir juntos en el ático del viejo edificio cercano a la Nueva Mezquita. Un lugar bellísimo, con ventanas que daban al Bósforo, donde no te cansabas nunca de mirar aquel mar celeste y aquel cielo tachonado de estrellas, aquellos barcos anclados en el puerto, aquellos yates con guirnaldas de bombillas encendidas, y sobre todo a ella: sus cabellos negros que le llegaban hasta la cintura, sus ojos verdes, sus dientecitos de ardilla. Era bonita, Adilé, e inteligente. Trabajaba de restauradora de manuscritos antiguos en la Biblioteca Nacional y sabía ver la belleza, enseñarla y comunicarla junto con el buen gusto. Por ejemplo, cuando restauraba una miniatura particularmente preciosa, se la llevaba y: «La he traído diciendo que quería trabajar en casa, pero no es cierto. Quería enseñártela a ti. Observa la delicadeza de esta lámina, la armonía de estos colores, la luz del oro.» O le traía un pergamino, un antiguo bordado, un libro de poesías que leía por la noche mientras lo estrechaba entre sus brazos como a un osito. Dormían juntos, Adilé y él, se amaban, y cuando se separaba de ella para ir a Italia no veía la hora de regresar a Estambul. En el aeropuerto de Estambul corría impaciente a besarla a través del cristal de la aduana y la gente sonreía conmovida: «¡Qué majos!» Pero un día se había quedado embarazada: «¿Un hijo tuyo? Martino, ya hemos jugado bastante. Ya no te quiero.» Después se había deshecho de él y de su hijo.

Aguzó el oído hacia el cuarto de baño donde se prolongaba inesperadamente el silencio. Se preguntó si Fifí habría concluido la operación del agua caliente y se preparó resignado para oír el pito, los gemidos y las risitas de que le habían hablado, por último el grito lo-he-logrado, lo-he-logrado que no tardaría en elevarse a través de la puerta cerrada. Bueno, pues con él lo había logrado Giovanna. Porque después de Adilé había jurado que ninguna mujer lo poseería de nuevo, y se lo había dicho a Giovanna que había respondido riendo: «Yo te poseeré.» Después lo había emborrachado muy bien, se lo había llevado a la cama, y al primer mira-que-yo: «Ya lo sé, Martino, ya lo sé.» Era del tipo aguerrido, Giovanna. También estéticamente, un marimacho: acostándote con ella tenías siempre la impresión de ser violado. «Bésame y calla. Abrázame y calla.» Aun así no era mala, no pocas veces se abandonaba a dulzuras femeninas como plancharle las camisas o regalarle flores, y por la calle lo llevaba de la mano sin regañarle porque se contoneara moviendo orgulloso su culo bien formado. Sí, también con Giovanna estaba bien. No tanto como con Adilé pero casi. Pero no se había dado cuenta de que lo tenía como a un cortesano, un muñeco al que traicionar con todo el mundo, y el día en que le habían contado que lo traicionaba con todo el mundo en vano se había echado a sus pies para suplicar ¡Giovanna-júrame-que-no-es-cierto, Giovanna! Le había respondido: «Ya está bien, Martino, ¡no te los robo a ti precisamente!» Dios, qué dolor. Habría preferido morir, y en cierto sentido había muerto de verdad. Muerto para las mujeres, para la esperanza de poder amarlas y ser amado por ellas, de poder vencer a través de ellas su homosexualidad siempre rechazada y nunca superada. Por eso había dejado escapar aquel gorgoteo de horror cuando Ugo había salido del picadero con el extraño pijama pegado a la peluca de rizos amarillos en las manos, por eso había sentido espanto cuando aquel mamón de Stefano se la había presentado, cuando aquel bruto de Ugo le había enseñado los obscenos orificios, y cuando aquel histérico de Gaspare se la había ofrecido. Por eso le molestaba imaginar a Fifí metiendo el agua caliente en la doble capa en torno a los senos y la vagina, por eso sufría ante la idea de tener que escuchar los suspiros y los gemidos y las risitas del maldito pito. Sin contar con que su homosexualidad había estallado precisamente en un cuarto de baño y...

Se lamió una lágrima que le corría por los labios. Lo habían mandado al campo a pasar las vacaciones con sus abuelos y con su primo Beppe, y era una tarde bochornosa de agosto. Una de esas tardes, verdad, que te dejan deshecho de sudor y sueño. Los abuelos estaban durmiendo, aparte de sus ronquidos sólo se oía el chirriar de las cigarras, y él se había echado con Beppe en el mirador en busca de un poco de brisa. Pero la brisa no venía y Beppe había dicho vamos-a-darnos-una-ducha-Martino. Habían ido al baño, se habían dado la ducha, y... Era un chico hermoso, Beppe. Tenía el cuerpo liso y dorado por el sol, nalgas redondas, ojos maliciosos y lo miraba como las mujeres miran a los hombres. Le había acariciado una mejilla. Después de la mejilla, un hombro. Después del hombro, el vientre. Nada más. Pero durante la noche se había colado en su cama y había sucedido lo demás. La noche siguiente, también. Y cada noche durante muchas noches. ¿Quién iba a pensar que era pecado? Sólo tenía trece años, nadie le había dicho nunca que el curioso cilindro de carne con el que hacía pipí servía también para eso, y según el cura el pecado consistía en no ir a misa o en beber el café con leche antes de la comunión. Después la abuela había notado que una de las dos camas permanecía intacta y había preguntado: «¿No dormiréis juntos vosotros dos?» Lo había preguntado con tal indignación que le habían respondido que no, y gracias a aquel no se habían dado cuenta de que estaban cometiendo un pecado bastante más grave que el de no ir a misa o beber el café con leche antes de la comunión. Pero, pese al miedo de ser descubiertos, un miedo bastante excitante, habían seguido durmiendo juntos: haciendo eso. Lo llamaban «eso». Y «eso» había durado tres años: hasta el día en que Beppe había cambiado de ciudad y él se había dejado tomar por Brunella después por Lucía luego por Adilé después por Giovanna. Había empezado a amar otra vez a los hombres después de Giovanna, el verano en que había conseguido la beca de estudios en El Cairo y en El Cairo había conocido a Albert: un francés que vivía un drama idéntico al suyo. Coinquilinos y nada más, al principio. Amigos que se consolaban mutuamente de sus desgracias o, mejor dicho, de su desgracia. Porque tanto Albert como él se avergonzaban tremendamente de ser maricas. Les parecía tener una enfermedad por ser maricas, una infección que debían curar con el antibiótico llamado Mujer. Y habiendo comprendido que no la podían curar con el antibiótico llamado Mujer, procuraban no agravarla cayendo uno en brazos del otro. Lo malo es que un sarasa de embajada, uno de esos diplomáticos muy perfumados y muy elegantes que hablan con la erre gutural y no se pierden un party, se había puesto a camelarlos. Cuándo-vienes-a-verme, Martino, quand-viens-tu-chez-moi-Albert. Para burlarse de él habían empezado a llevar camisas estilo Pierrot, a pavonearse con jerseys rosa-shocking, a coquetear entre ellos, y el juego había acabado echando a uno en brazos del otro, es decir, exasperando la verdad. Junto con la verdad, la negativa a aceptarla: a no considerarla una enfermedad, una característica impura, una culpa que corregir o perdonar.

Sonrió con amargura. Por eso había ido a hacer el servicio militar siempre eludido con la disculpa de la universidad. Lo había dejado por eso, a Albert. «Adieu, chéri. Je vais essayer l'Armée, voy a probar con el ejército.» Y hasta la víspera de la partida para Beirut el ejército había funcionado. No le gustaba ninguno en el cuartel, odiaba a todo aquel que llevase un uniforme, las duchas con el jabón lleno de pelos y los excrementos que flotaban en los retretes atascados apagaban cualquier deseo. Pero la víspera de la partida para Beirut había vuelto a ver a Beppe. Se lo había encontrado por casualidad, en una calle cercana al cuartel, mientras bajaba de un automóvil junto con una antipaticona gruesa y dos niños feos. «¡Bep... pe...!» había tartamudeado. Y por un instante había sentido que se desmayaba. En cambio Beppe no se había inmutado. Qué-sorpresa, Martino, te-presento-a-mi-mujer, te-presento-a-mis-hijos. Como si la tarde de las cigarras nunca hubiera existido. Ni la noche siguiente, ni los tres años posteriores. Había cambiado mucho. Mucho. Se había vuelto un soso, sus ojos ya no eran maliciosos y hablaba con el tono de los bienpensantes que se preocupan por estar en regla con la sociedad. «Sí, gracias a Dios, ahora tengo familia. He sentado cabeza. ¿Y tú?» «Yo, no.» «¿Aún soltero?» «Sí.» «Mal hecho, Martino, mal hecho. El matrimonio sienta bien al cuerpo y al espíritu, y los hijos son una bendición: ¿no lo sabes?» «Sí...» «Bueno, ahora tengo que dejarte. Es que he aparcado en zona prohibida. No querría que me pusieran una multa. Adiós, Martino.» «Adiós, Beppe. Mucho gusto, señora, la felicito por los niños.» Un encuentro deprimente, triste. Y sin embargo aquel encuentro deprimente, triste, había vuelto a encender un fuego de nostalgias. Con esas nostalgias había partido, con esas nostalgias había desembarcado, y aquí... Le gustaban todos, aquí. ¡Todos! Le gustaba el Cóndor, tan gallardo y seguro de sí mismo, inalcanzable. Le gustaba Charlie, tan sólido, fuerte, inquebrantable. Le gustaba Angelo, tan hermoso, serio, misterioso. Le gustaba Bernard le Français, tan rudo, tan receloso. Le gustaba Stefano, tan lozano, tan inmaduro. Y sobre todo le gustaba Fifí. Se parecía al Beppe de su adolescencia. El Beppe que por tres años se le había metido en la cama. La misma cara lisa, las mismas nalgas llenas, el mismo atractivo perverso. Siempre estaba hablando de mujeres, Fifí. El gigantesco póster con las dos bellísimas piernas femeninas lo había traído él. Aun así emanaba el mismo atractivo perverso con el que Beppe lo había atraído bajo la ducha, y había momentos en que tenías que apretar los puños para no ceder al deseo de alargar una mano: tocarlo. ¿¡¿Te imaginas el escándalo si alguien lo hubiese advertido?!? Como para que lo pusieran en la picota, se convirtiese en el hazmerreír del contingente, lo trataran peor que a un criminal. Martino parpadeó repetidamente, contuvo un deseo aún mayor de llorar, y se sobresaltó. Junto a su catre estaba Fifí inclinado para ver si dormía.

«¡Martino! ¿Duermes, Martino?»

«No... ¿Qué pasa?»

«Pasa que tiene razón Gaspare. Es lo que se dice inerte, tonta. Tampoco yo lo consigo. Prueba tú.»

«¿Yo...?»

«Sí, tú. ¿Qué importa que no la hayas pagado? Te cedo mi parte.»

«No, gracias, no...»

«Anda, ve, Martino, anda.»

«Pero es que yo, Fifí, yo...»

«Anda, te digo. ¡Ve!»

No había remedio. Tenía que fingir que lo hacía. Y se levantó resignado, fue al baño donde Lady Godiva yacía boca arriba en la penumbra: con las piernas separadas y los brazos abiertos como pidiendo piedad. Menos compacta, parecía, y empequeñecida. ¿Estaría flojo el tapón? ¿Le habría dado demasiados achuchones Fifí? La recogió con cuidado. La puso sentada contra la pared, y al instante la cabeza se reclinó con un movimiento tan humano que en lugar de darle la espalda se quedó inmóvil observándola. Qué extraño, en la penumbra y en aquella posición no parecía en absoluto un globo lleno de aire, una muñeca. Parecía una mujer de verdad, una mujer que respira: ¿Por qué? Tal vez porque a lo largo de la Línea Verde estaban disparando cañonazos y las explosiones proyectaban destellos de luz que vibraban sobre ella con el ritmo de un cuerpo que respira. ¿O porque un mechón de la peluca se le había deslizado sobre la cara y bajo el mechón los ojos dibujados de cualquier manera parecían ojos de verdad, la minúscula protuberancia de la nariz una nariz de verdad, el obsceno orificio de la boca una boca de verdad? Sacudió la cabeza. No, le parecía una mujer de verdad porque necesitaba hablar con una persona que lo escuchara sin burlarse de él y sin reconvenirle: porque necesitaba creer que era de verdad. Y con tiernos gestos le cruzó las piernas, le colocó los brazos sobre el regazo. Después se sentó junto a ella y con un susurro inaudible se puso a hablar.

«Ya ves, ni siquiera Fifí lo ha comprendido. Anda-te-digo-ve, me ha dicho. No lo ha comprendido nadie aquí, no lo sospecha nadie, y a veces quisiera gritarlo hasta romperme las cuerdas vocales: ¡soy maricaaa! Hoy quería confesárselo a Charlie. Estábamos en el jeep, y en determinado momento ha rezongado. "¡Martino! Si tienes un problema, cuéntamelo a mí.” Quería confesárselo, sí, y estaba seguro de que me absolvería: pese a esos bigotazos y a esa apariencia ruda Charlie es una especie de mamá. Nos quiere como una mamá. Pero no he tenido valor. He farfullado no-jefe-ningún-problema, gracias, y he fingido mirar a una muchacha que pasaba. Finjo siempre, aquí. Finjo, finjo, finjo... No, no por miedo a encontrarme en la picota, a verme transformado en el hazmerreír del contingente y tratado peor que un criminal: por el simple hecho de que yo a los maricas los detesto, los odio. Sí, los odio. Todo me molesta en ellos, todo. Todo me irrita, me repugna, todo. Su tipo de voz, su modo de moverse y de caminar, su manía de exhibir lo que para mí es una desgracia, una característica impura, una enfermedad. Son arrogantes los maricas, verdad. Son petulantes, presuntuosos. No la ocultan, no, la característica impura. No se avergüenzan, no, de la enfermedad. Al contrario: la exhiben en las manifestaciones, la imponen con las leyes, la administran con las mafias, la ennoblecen con las ideologías, le hacen propaganda con el cine y la televisión, la explotan en los burdeles masculinos. Y si se lo dices, arman un escándalo. Se hacen las víctimas, te llaman mojigato, se aferran al nombre de Miguel Ángel. Como si el David lo hubieran esculpido ellos, la Capilla Sixtina la hubiesen pintado ellos, y la homosexualidad fuera una patente de genialidad. La normalidad, una patente de mediocridad. Tienen el culto al falo, decía Albert. En nombre del falo piensan, actúan, viven... ¡Oh, Godiva, Godiva! No puedes imaginarte qué duro es ser un marica que detesta a los maricas. Intenté explicárselo también a Adilé, cuando se deshizo de mí y de su hijo. Y, sin embargo, hay algo peor que ser un marica que detesta a los maricas, ¿y sabes qué es? Ser un marica vestido de soldado. ¿Y sabes por qué? Porque hacia el falo los militares tienen un culto casi más profundo que los maricas. Así mismo, Godiva. Es la bandera de los militares ese curioso cilindro de carne que a los trece años pensaba que servía para hacer pipí y nada más. Es su dios, el dios Falo: el emblema de su arrogancia, su petulancia, su presunción, su machismo. Lo citan con cualquier pretexto. Lo invocan con cualquier motivo. En cualquier ejército, en cualquier lengua. La polla por aquí, la polla por allá, el capullo, no me sale de la polla, estoy hasta la punta del capullo, lo hago con la polla. O bien cojones, cojonudo, cojonazos, descojonarse. Los cojones vistos como símbolo del valor, virilidad-igual-a-valor, los cojones del entimema que considera el valor una virtud exclusivamente masculina. Y el uniforme, el instrumento de dicha virtud. Un-hombre-debe-ir-a-la-mili, para-hacerse-un-hombre-hay-que-ir-a-la-mili. Etcétera. ¡Mentiras! Dicen hombre, pero no quieren decir hombre: quieren decir macho. Prometen hacerte un hombre, pero no les interesa nada hacerte un hombre: lo que les interesa es hacerte un macho. Pues, mira, Godiva, yo no puedo hacerme un macho, no me interesa hacerme un macho, no quiero ser un macho. ¡Quiero ser un hombre! Y lo soy. Ser marica no significa no ser hombre. Significa no ser macho. Yo no soy un macho, Lady Godiva, soy un hombre. Un hombre que comprende la belleza, la bondad, el valor. Un hombre que detesta la brutalidad, la maldad, la vileza. Un hombre que sabe pensar, sentir, gozar, sufrir. Por tanto un hombre más hombre que los machos que no consiguen hacer el amor contigo. ¡Oh, yo lo conseguiría! Te lo aseguro. Me bastaría con ver en ti al Beppe de la tarde de las chicharras, o al Albert que se avergonzaba de ser marica, o a la Adilé que en el ático del viejo edificio cercano a la Nueva Mezquita me enseñaba las miniaturas de la Biblioteca Nacional. Observa-la-delicadeza-de-esta-lámina, la-armonía-de-estos-colores, la-luz-del-oro. Más aún: ¿sabes lo que te digo? A esos cultivadores de la polla, a esos secuaces del dios Falo, deberíamos darles una buena lección tú y yo. Despertarlos, ensordecerlos con tu pito. ¡Ánimo, hagámoslo!» Y lleno de ardor, Martino se volvió hacia Lady Godiva. Le tendió los brazos.

«¡Querida!»

Pero no encontró nada, pobre Martino. En efecto, mientras él hablaba, el tapón del ombligo había seguido perdiendo aire. Y en lugar del globo en que había visto o había querido ver a una mujer de verdad, una mujer que respira, no había sino una peluca de rizos amarillos pegada al pijama de plástico.

* * *

«Has fracasado también tú, ¿eh?» se rió burlón Fifí que llevaba al menos cuarenta minutos despierto e impaciente por comentar el cuarto fracaso.

«Sí» mintió Martino, cortés.

«¡Ah! ¡Era gilipollas! Mañana le toca a Stefano, ¡y él sí que hará un agujero en el agua!»

Conque, acompañado también de estas pequeñas crueldades de la existencia, llegó el viernes. Aquel difícil viernes que iba a influir en el incendio a punto de estallar como un bidón abierto de gasolina. Y en el destino de todos como una mecha que espera que la enciendan.

–3–

Llevaba horas lloviendo. Una lluvia insistente, densa, que empapaba la tierra roja para volverla un morado lago de fango y que también extendía alfombras de légamo escurridizo y purpúreo sobre las carreteras asfaltadas. Acurrucado en el taxi que dando bandazos en todas las curvas lo llevaba al hotelito junto al Museo, Angelo se mordía las uñas y pensaba: ¿La amaré de verdad sin saberlo, sin quererlo? Tal vez sí. Sentí cosas que no había sentido nunca por nadie cuando la vi con aquellos cabellos estirados, aquel rostro pálido y tenso, aquel abrigo negro. Me costó un esfuerzo tremendo no ceder cuando me preguntó si Gino era más importante que ella, que nosotros. Y cuando se marchó con la cabeza erguida, tuve la tentación de correr tras ella, pedirle disculpas, decirle que pasaría la Nochebuena con ella. ¿La habré amado siempre? ¿Me habré contado hasta hoy un montón de mentiras para defenderme de un amor que me espanta, que me robaría a mi mismo? Tal vez sí. No se explicaría si no por qué hasta hoy no he logrado liberarme de ella, y por qué no estoy dispuesto a hacerlo ni siquiera esta noche. No, no estoy dispuesto. Pese a todos los razonamientos que me he dado, no me siento con ánimo de pronunciar ese good-bye. La verdad es que... ¿Qué verdad? La verdad es una hipótesis, una opinión compuesta de muchas verdades, la verdad no existe ni siquiera en matemáticas donde dos más dos no son necesariamente cuatro y cuatro más cuatro no son necesariamente ocho y cinco más cinco son diez sólo si has aprendido a contar con diez dedos, es decir, si utilizas el sistema decimal. Un marciano que tenga seis dedos como Gino, tres en una mano y tres en la otra, puede contar hasta seis y se acabó. El siete para él no existe, o existe sólo como múltiplo de seis. El ocho, el nueve, el diez, y los múltiples de diez, igual. Así que para él dos más dos siguen siendo cuatro, tres más tres siguen siendo seis, pero cuatro más cuatro no son ocho: son algo que equivale a nuestro doce. Y cinco más cinco no son diez sino algo que equivale a nuestro catorce. De hecho el seis es para él lo que el diez es para nosotros, y después del seis debe utilizar un múltiplo que equivale a nuestro doce. Llamémoslo onséis... Pero,

¿¡¿qué digo?!? Estoy desvariando. No, estoy intentando apartar mis pensamientos de ella: callar que no estoy dispuesto a liberarme de ella, que no estoy dispuesto a pronunciar ese good-bye. Estoy ganando tiempo, estoy buscando mi verdad... Es un problema matemático, este del marciano con seis dedos. Lo dimos hace años en la Normal de Pisa. Un hermoso problema. Debería contárselo a Gino, mañana. Me lo conozco, a Gino: primero se irritaría, después se divertiría y en cierto modo se consolaría...

«Conque yo sería un marciano con cola, ¿eh? Bonita forma de consolar a un manco.»

«No, Gino. No con cola: con seis dedos que para él son diez. Lo mismo que diez.»

«¿¡¿Lo mismo?!? ¿Qué tontería es ésa, Angelo? ¿Has venido a tomarme el pelo?»

«No te tomo el pelo y no es una tontería, Gino: es un problema matemático. Para comprenderlo debes recordar que nuestro sistema numérico está basado en el diez porque hemos aprendido, digamos, a contar con diez dedos. Pero ese diez no corresponde a una verdad absoluta: es una hipótesis, una opinión. Y si en lugar de diez dedos el marciano tiene seis, las cuentas no cambian. Basta con pasar del seis al once, es decir, el equivalente de nuestro once, y así sucesivamente.»

«Si no hay diez, tampoco hay once, ¿no? ¡Ni doce, ni trece, etcétera!»

«No los hay y sin embargo los hay, Gino. Yo digo once, doce, trece por comodidad. Acaso el marciano diga onséis, doséis, treséis, etcétera. O bien onsece, dosece, tresece...»

«Mira, eres un buen tipo. No comprendo por qué Azúcar te llama Susto. Debería llamarte doctor Spock, el de las películas de ciencia-ficción que tiene la sangre verde y las orejas en punta y resuelve todo con la lógica. Pero esta historieta empieza a gustarme. Catorsece por catorce... quinsece por quince... diecisece por dieciséis... Seis más seis para el marciano son diecisece, es decir, dieciséis, ¿sí o no?»

«¡Bien, Gino, has comprendido!»

«¡He comprendido, sí! También he comprendido que si me compras a mí una docena de huevos, yo te entrego dieciocho. Y tú me pagas doce. Por consiguiente, además de haber perdido cuatro dedos, me pierdo también seis huevos. Doble putada.»

Sacudió la cabeza. Pero, ¡qué historia del marciano ni qué niño muerto! Mañana por la noche debía contarle que el seguro de vuelo de una de las Rdg8 que estallaron en la callejuela de Bourji el Barajni llevaba legible el número de fabricación 316495, que dicho número era muy próximo al 316492 de la Rdg8 recogida en el Veinticinco de Chatila la noche en que el Amal quería tirársela a un bersagliere llamado Ferruccio, que quien le había cortado las manos había sido precisamente Passepartout. Además debía decirle que no era difícil ajustar cuentas con él, volver a encontrarlo. También en Chatila lo conocía todo el mundo al pequeño criminal con la colilla siempre pegada a los labios que el barbudo flaco llamaba Jalid, y... ¿Y si en vez de estar con Gino, mañana por la noche, estuviera con Ninette? Sí, estaría con Ninette. Porque cuando la viera, dentro de poco, no sería capaz de pronunciar el good-bye: echarle el discurso sobre el contacto epidérmico, la gimnasia placentera, el diálogo entre sordomudos. Ahora lo sabía con absoluta certeza. Sabía muchas otras cosas, ahora: que amor y amistad no son la misma cosa, que el amor es un sentimiento totalmente opuesto a la amistad, una incoherencia que puede entrañar y con frecuencia entraña hostilidad o incluso odio, que él no necesitaba eso, necesitaba amistad, y que sin embargo no podía renunciar a esa incoherencia. No lograba vivir sin ese embrollo masoquista de repulsión y atracción, acritud y ternura, antipatía y simpatía que poco a poco se había apoderado de él. No podía porque la amaba de verdad a aquella estúpida mujer espléndida que sólo abría la boca para gorjear let-us-make-love, let-us-make-love, aquella absurda criatura misteriosa que le ocultaba incluso su identidad y en plena conversación seria estallaba en una carcajada salvaje, una carcajada de loca. Stop-we-think-too-much, pensamos-demasiado. Thinking-is-bad, pensar-no-es-bueno. Significara lo que significase el verbo amar, la amaba: sí. La amaba con un amor que aun naciendo del deseo iba más allá del deseo, un amor que en ciertos momentos y pese a la falta de amistad se parecía al que sentía por Gino y por la abuela del recuerda que nadie te quiere tanto como la abuela, o mejor dicho a aquel del que hablaba el capellán del batallón... Por tanto nada de good-bye, nada de adiós: en lugar de liberarse de ella esta noche, se le rendiría completamente. Y al llegar al hotel no preguntó siquiera si había llegado. Cogió la llave que el portero le ofrecía, se precipitó hacia el ascensor, irrumpió en la habitación con una ráfaga de viento.

«¡Ninette!»

Le respondió el silencio. No había llegado. Sin embargo no se alarmó y tras vencer el instante de decepción se puso a esperarla, seguro de que dentro de cinco minutos aparecería con su gorjeo gozoso. «Angel, my Angel!» Sin embargo pasados los cinco minutos no apareció, pasados media hora y después tres cuartos de hora lo mismo, y comenzó a preocuparse. ¿Habría tenido un accidente? ¿Habría resultado herida? Pero, no: nadie disparaba, hoy. No sonaba siquiera el eco de disparos de fusil. ¿No vendría, entonces? Imposible. Antes de marcharse con la cabeza erguida había dicho reservaré-nuestra-habitación-para-el-viernes-por-la-noche. Same-time, eight-o'-clock. Miró el reloj. Las ocho y tres cuartos, casi las nueve. Saltó de la cama, se puso a caminar de un extremo a otro de la habitación. Se detuvo, se sentó, se volvió a levantar, se sentó de nuevo, se levantó de nuevo, y con la esperanza de verla llegar se acercó a la ventana. Se asomó al balcón. No, no se la veía. No llegaba. En la obscuridad sólo se divisaba una columna de tanques y vehículos gubernamentales procedentes del nordeste y con dirección a la Avenue Abdallah Aei, la avenida que bordeando el Museo y el Hipódromo, es decir, el lado septentrional del Pinar desembocaba en el cruce con la Avenue 22 Novembre, es decir, el apéndice de la Avenue Nasser. ¿Un ejercicio nocturno? ¿Un traslado de fuerzas de cuartel a cuartel? Reflexionó sobre ello unos segundos, después se alejó del balcón y volvió a caminar de un extremo a otro del cuarto. Las nueve. Las nueve y diez. Las nueve y veinte. Las nueve y treinta. A las nueve y treinta la ansiedad se hizo insoportable. No sabiendo qué otra cosa hacer bajó a preguntar si había algún mensaje para él, y el portero se dio una palmada en la frente. Lo miró desolado.

«Oh, Monsieur! Pardonnez-moi, ¡perdóneme, Monsieur! J'ai oublié de vous rapporter que Madame est venue pour vous laisser une lettre, he olvidado comunicarle que la señora ha venido a dejarle una carta.»

«Venue?!?, ¿¡¿que ha venido?!?»

«Oui, Monsieur... Tout de suite après vous, justo después que usted... Mais en grande vitesse, con mucha prisa... Voilà la lettre, aquí tiene la carta, Monsieur.»

La cogió turbado, incrédulo. Incrédulo abrió el sobre, sacó dos hojas de color marfil. Era muy larga, estaba escrita con caligrafía elegante y segura, y comenzaba con un «Darling, somebody will translate for you, cielo, alguien te la traducirá». Intentó leer el resto. Pero no lograba captar sino fragmentos de frase, palabras dispersas, por lo que renunció y encolerizado atacó al pobrecillo que continuaba mirándolo desolado.

«N'avez-vous pas informé Madame que j'étais dans ma chambre?!?, ¿¡¿no ha informado usted a la señora de que yo estaba en la habitación?!?»

«Oui, Monsieur, bien sûr!, ¡desde luego! C'est que Madame a répondu: ana araf!, es que la señora ha respondido: ¡ya lo sé!»

«Vous auriez dû m'appeler quand même, tout de suite!, ¡debería haberme llamado igual, en seguida!»

«Je voulais, quería hacerlo, Monsieur. Pourtant elle m'a imposé de ne pas le faire avant qu'elle ne soit sortie!, pero, ¡ella me impuso la obligación de no hacerlo hasta que se hubiera marchado!»

«Quoi d'autre a-t-elle dit?, ¿ha dicho algo más?»

«Rien, nada, Monsieur. Elle pleurait, estaba llorando.»

«Elle pleurait?!?»

«Oui, Monsieur.»

Abandonó el hotel como un borracho que no consigue mantenerse en equilibrio. La lluvia había dejado de caer y la columna gubernamental se había detenido en la Avenue Abdallah Aei: una docena de M48 con cañones de 105, otros tantos jeeps con cañones de 106 sin retroceso, y una decena de vehículos blindados que debían de ir llenos de tropas. Apuntaban el hocico con los motores apagados hacia la Avenue 22 Novembre, el apéndice de la Avenue Nasser, y ni una sombra ni un crujido interrumpía la silenciosa inmovilidad. ¿En vez de un ejercicio nocturno o un desplazamiento de fuerzas de cuartel a cuartel se trataría de una maniobra relacionada con el problema de la Torre? ¿Estaría la Octava Brigada a punto de entrar en Sabra e instalarse en el observatorio que los franceses se disponían a abandonar? Al salir anoche del despacho del Cóndor Charlie parecía tan nervioso. «No le avisarán, no le avisarán» refunfuñaba en voz baja. Y cuando le había preguntado de qué hablaba, de quién, había explotado: «¡De los franceses, hablo, de la Torre, del Cóndor! ¡Él cree que antes de abandonarla le avisarán! ¡Se engaña, se engaña, se angaña! Avisarán sólo a los gubernamentales ¡y vas a ver tú qué pitote antes de Navidad!» Lanzó una mirada perpleja a los cañones que pese a tener las bocas tapadas parecían listos para disparar, instintivamente sacó la conclusión de que la Octava se preparaba a invadir Sabra, tomar la Torre, y por un instante sintió la tentación de quedarse allí mirando lo que sucedía, pero después pudo más la impaciencia por que le tradujeran la carta, saber por qué se la había confiado Ninette al portero llorando e imponiéndole la obligación de no llamarlo en seguida. Llamó a un taxi que pasaba, montó en él para regresar al Cuartel General.

«Ialla, rápido, ialla.»

«Very dangerous night, tonight, muy peligrosa esta noche»

respondió el taxista al tiempo que arrancaba dando bandazos. Y no estaba claro si se refería a las calles que la lluvia había reducido a alfombras de barro morado o a los M48 con cañones de 105 y a los jeeps con cañones de 106.

* * *

«¡Angelo! ¿¡¿Qué has hecho, Angelo?!?» exclamó Martino, cuando lo vio aparecer en la Cámara Rosa.

«Necesito que me traduzcas una carta» respondió con voz ronca.

«¿Qué carta?»

«Una carta en inglés.»

«Voy en seguida.»

Bajaron a la sala de los briefings, único lugar en que nadie los molestaría a aquella hora. Se sentaron en la gran mesa de cerezo y Martino cogió las dos hojas color marfil. Lanzó una mirada a la elegante y segura caligrafía después a las primeras líneas luego a la firma, enrojeció y alzó los ojos para decir no: es algo demasiado personal, no puedo. Pero intervino la voz ronca.

«Palabra por palabra, Martino.»

Entonces obedeció, leyó lo que sigue.

«Cariño: alguien te la traducirá. Y naturalmente siento que para conocer su contenido debas recurrir a un intérprete, es decir, a un testigo o, mejor dicho, a un juez, de nuestra historia. Si pudiera, la escribiría en francés: lengua que conozco a la perfección. Pero no puedo. No quiero, no debo, y no es culpa mía que el caos del señor Boltzmann abarque también la babel de las lenguas: el desorden que mejor que ninguna otra cosa expresa la exactitud de su S=K ln W. Como ves, lo he conservado en la memoria, te escuché bien la noche en que me hablaste de ella. Se me quedó todo grabado: desde la angustia que te causan los ladridos de los perros vagabundos y los quiquiriquíes de los gallos enloquecidos hasta la pesadilla de la cabeza decapitada dentro del casco y de la niña empotrada de cabeza en el retrete; desde la crisis en la que te revuelcas con el temor de haber quedado reducido a un árbol enano hasta el sueño de reanudar el estudio de las matemáticas y encontrar en ellas la receta para vivir, comprender lo incomprensible, explicar lo inexplicable, en una palabra la respuesta al S= K ln W. La Fórmula de la Vida. Aquel largo discurso forma parte de mí, ahora, y diré más: celosa de la fascinación que el señor Boltzmann ejerce sobre tu mente, he intentado descubrir quién era. He estado en la biblioteca y entre las noticias biográficas, nacido en Viena en 1844, profesor de física y matemáticas en la Universidad de Graz después en la de Munich etcétera, he encontrado un detalle desconcertante: no murió de vejez ni de enfermedad. Se suicidó. (En Italia, fíjate qué coincidencia. En el castillo de Duino, cerca de Trieste.) Pobre Boltzmann. Tal vez no soportaba el malestar de haber demostrado lo que hasta los recién nacidos intuyen, la invencibilidad de la Muerte, y con coherencia se entregó a ella antes de lo necesario. O tal vez llegara a la conclusión de que además de constituir la meta inevitable de cualquier cosa o criatura la Muerte es un alivio, un reposo, y fue a su encuentro por impaciencia. Cansancio. Me pregunto si podría yo imitarlo. Y aunque no excluyo que en algunos casos la Muerte pueda ofrecer reposo y alivio, aunque lo que pensamos o deseamos hoy muchas veces no corresponde a lo que pensamos o deseamos mañana y todo mañana es una trampa de malas sorpresas, me respondo que no. No creo que pudiera imitarlo, ir al encuentro de la Muerte por impaciencia y cansancio. A no ser que... No, no. Yo no me rendiré nunca, no me doblegaré nunca, a su invencibilidad. Estoy demasiado segura de que la Vida es la medida de todas las cosas, el resorte de todo, el objeto de todo, y odio demasiado a la Muerte. La odio en la medida en que odio la soledad, el sufrimiento, el dolor, la palabra adiós... Sí, la palabra adiós. Hay algo pérfido en la palabra adiós, algo siniestro, irreparable. Por algo la dice quien muere, se dice a quien muere. Por eso no quiero oír las palabras adiós-Ninette que pronunciarías si subiera a la habitación cuyas ventanas dan al Pinar. Por eso te dejo esta carta y no subo a esa habitación. Por eso renuncio a pasar una última noche contigo y con las ilusiones, los equívocos, que el amor físico entraña.

«El amor físico me gusta, te habrás dado cuenta. Pero el motivo por el que me gusta no radica en el estremecimiento con que nos embriaga y nos entrega al olvido. Radica en la compañía que nos regala y con la cual nos consuela, en el alivio que sentimos al poseer un cuerpo que nos atrae: unir nuestro cuerpo a ese cuerpo, sentirnos dentro y encima. Hay quienes sostienen que el amor físico no es sino un medio para procrear, continuar la especie, pero se equivocan garrafalmente. Si sólo fuera eso, los seres humanos copularían sólo cuando tienen un huevo que fecundar, es decir, como los animales. (Suponiendo que los animales copulen de verdad para fecundar el huevo y nada más.) No, el amor físico es bastante más que un medio para continuar la especie. Es un medio para hablar, comunicar, hacerse compañía. Es una conversación hecha con la piel en lugar de con las palabras. Y, mientras dura, nada aleja de la soledad como su materialidad. Nada llena y enriquece como su tangibilidad. Pero también es la droga más potente que existe, la mayor fábrica de ilusiones y equívocos que la Naturaleza nos ha proporcionado. La droga del olvido precisamente. La ilusión de que el olvido dure para siempre. El equívoco de ser amado con el alma por quien ama exclusivamente con el cuerpo, por quien por egoísmo o miedo rechaza los absolutos del amor, prefiere el falso sucedáneo de la amistad. Tu caso. ¿Cómo me he dado cuenta? Cariño, exceptuada la noche en que me explicaste que el universo acabará autodestruyéndose porque la entropía es igual a la constante de Boltzmann multiplicada por el logaritmo natural de las probabilidades de distribución, con las palabras nos hemos dicho bastante poco tú y yo. En cambio con el cuerpo nos hemos dicho mucho, y yo no me he perdido ni una sílaba de lo que tú decías. El nuestro no es sino un contacto epidérmico, decías, un ejercicio sexual, una gimnasia placentera, un diálogo entre sordomudos. No me basta, decías, prefiero la amistad. Lástima que tú no hayas oído ni una sílaba de lo que te decía yo. La amistad no puede substituir al amor, decía yo. La amistad es un remedio efímero, artificioso, y con frecuencia una mentira. No esperes nunca de la amistad los milagros que el amor produce: los amigos no pueden substituir al amor. No pueden arrancarte a la soledad, llenar el vacío, ofrecer ese tipo de compañía. Los amigos tienen su propia vida, sus propios amores. Son una entidad independiente, ajena, una presencia transitoria y sobre todo carente de obligaciones. Los amigos consiguen ser amigos de tus enemigos. Van y vienen cuando les parece o lo necesitan, y se olvidan fácilmente de ti: ¿no te has dado cuenta? O en el momento prometen montañas. Con buena fe acaso. Cuenta-conmigo, recurre-a-mí, llámame-a-mí. Pero, si los llamas, en la mayoría de los casos no los encuentras. Si los encuentras, tienen algún compromiso ineludible y no acuden. Si acuden, en lugar de las montañas te traen un puñado de piedras: los restos, las migajas de sí mismos. Y tú haces lo mismo con ellos. No, a mí no me basta la amistad. Yo necesito amor. Necesito amar y ser amada con las obligaciones del amor, las incomodidades del amor, los absolutos y las tiranías del amor: el amor del cuerpo y del alma. Lo necesito como necesito comer y beber, decía, lo necesito para sobrevivir. Y después decía: ámame y déjate amar, cariño. No soy una encantadora estatua de carne y nada más, no soy una estúpida que abre la boca sólo para balbucear let-us-make-love. Soy...

«¿Quién soy? Al principio querías saberlo. Lo deseabas con tal vehemencia que, para saberlo, en Junieh me hurgaste en el bolso. (Lo vi, cariño, lo vi.) Y la noche en que me hablaste de Boltzmann te contenté. Te conté quién era mi padre y por qué no puedo no quiero no debo hablar francés. Te revelé quién era el hombre a quien amaba y que me amaba con el cuerpo y con el alma. Te confesé las razones por las que oculto mi identidad y en los hoteles substituyo los documentos por propinas espléndidas. Después me estalló una atroz jaqueca, al tratar de ciertos temas me estalla una atroz jaqueca, e interrumpí aquella conversación. No recuerdo si la interrumpí con una carcajada o con un sollozo, pero recuerdo que la interrumpí refugiándome en tus brazos y que ese gesto te molestó. Te ofendió. Bueno, pues si tú quisieras aún saberlo, reanudaría aquella conversación. Te dejaría incluso copia de los papeles que buscabas en mi bolso. Papeles que llevan mi nombre y apellido verdaderos, mi fecha de nacimiento, mi dirección, y que en cierto sentido reflejan la historia de esta ciudad: pasado feliz, presente desesperado, futuro muy incierto. Añadiría que en el pasado feliz tenía todo lo que una mujer privilegiada puede desear, que en el presente desesperado no tengo nada excepto una absurda ancla en forma de cruz y las demasiadas cosas que poseo pero desprecio. (Ingratitud de los ricos, lo reconozco... Sé muy bien que llorar con el estómago lleno y en una casa hermosa es mejor que llorar con el estómago vacío y en una chabola.... Pero a riesgo de parecer trivial te recuerdo que ser rico no significa ser afortunado. Y mucho menos feliz.) Pero tu curiosidad por mí se ha agotado, el lunes por la noche tuve la prueba definitiva, y eso me autoriza a resumir mi retrato en una observación: yo soy Beirut. Soy una derrotada que se niega a rendirse, una moribunda que se niega a morir, soy un gallo enloquecido que canta a horas equivocadas, un perro vagabundo que ladra en la noche. No me avergüenzo de ello. Hay tanta infelicidad en los quiquiriquíes de esos gallos, hay tanta vitalidad en los ladridos de esos perros, y créelo: no ladran sólo para descuartizarse, para conquistar la acera llena de basura. A veces ladran para conseguir un compañero al que amar y por el que ser amados, y si lo logran se convierten en los perros más mansos del mundo. En cambio si no lo logran y se ven rechazados, vuelven a su cubil y en él se quedan. Si no se quedan en él, es para volver atrás un instante: dirigir a quien no los ha querido un meneo de la cola en señal de suave reproche. En efecto se dan cuenta perfectamente de que la necesidad de amar es una necesidad que hay que satisfacer en pareja pero que su cantidad o calidad casi nunca está equilibrada, en los dos, por simetría y sincronismo: cuando está disponible él, no está disponible ella; cuando está disponible ella, no está disponible él... O bien están disponibles los dos pero para satisfacer la necesidad de él basta con un sorbo, para satisfacer la necesidad de ella no basta un río, y viceversa. En mi opinión el anatema que Dios lanzó contra Adán y Eva al expulsarlos del Paraíso Terrenal no fue tú-parirás-con-dolor, tú-te-ganarás-el-pan-con-el-sudor-de-tu-frente. Fue: cuando-él-te-quiera, tú-no-lo-querrás; cuando-ella-te-quiera, tú-no-la-querrás.

«Dulcis in fundo. Te habrás preguntado por qué te elegí a ti huésped desconocido, extranjero encontrado por un empujón accidental, para satisfacer mi necesidad de amor. Y la respuesta te herirá. No, cariño, no te elegí porque tienes unos grandes ojos azules y un hermoso rostro pensativo y un cuerpo que atrae: te elegí porque esos ojos y ese rostro y ese cuerpo resucitaron en mí los ojos y el rostro y el cuerpo de alguien que está muerto y al que amé mucho. Te preguntarás también por qué, pese a tus tozudos rechazos, en vez de volver a amarlo a través de ti te amé a ti. Y la respuesta te consolará. Porque no se puede amar a un muerto eternamente, la Vida lo impide o mejor dicho lo prohíbe, y porque en tu cerebral frialdad todo en ti está muy vivo. Está viva tu crisis, están vivas tus rebeliones, tus desobediencias. Están vivas tus dudas, tus lacerantes esfuerzos por entender lo incomprensible, explicar lo inexplicable, está vivo tu esfuerzo por negar el $S = K \ln W$, que te obsesiona. Pero del mismo modo que no se puede amar a un muerto eternamente, no se puede amar eternamente a quien no nos ama. Y desde hoy ya no te amo, ya no te quiero. No te querría ni siquiera aunque tú me amases, aunque hubieras venido a la cita para decirme que has descubierto que me amas. Cosa que me sorprendería, entendámonos: el señor Boltzmann te ha influido hasta tal punto que para ser amada de verdad por ti debería morir como... Hace años leí un libro que me enfureció: la novela de un hombre no amado que una noche de mayo muere en una autopista. Muere y, arrepentida de no haberlo amado, toda la ciudad corre a su entierro. Llorando tras su ataúd de cristal, grita: "¡Vive! No está muerto, ¡vive! ¡Vive, vive, vive!" Entonces él sonríe con una extraña sonrisa, ¿y sabes qué quiere decir su extraña sonrisa? Quiere decir que a veces para ser amado hay que morir. No, gracias. Pese a esta inmensa necesidad de amar yo no estoy dispuesta a morir para ser amada por ti: sólo si anhelase el alivio y el reposo que en algunos casos puede ofrecer la Muerte podría imitar al señor Boltzmann, ir a su encuentro, entregarme a ella. Pero en ese caso estaría loca. Más loca que la loca que en Chatila canta y baila en torno a la fosa común... Te digo adiós, mi hermoso italiano, mi ex compañero de soledad. Te doy la espalda y te deseo que encuentres la fórmula que buscas. La fórmula de la Vida. Existe, cariño, existe. Yo la conozco. Y no está en un término matemático, ni en una sigla ni en una receta de laboratorio: es una palabra. Una simple palabra que aquí se pronuncia con cualquier pretexto. No promete nada, te aviso. A cambio lo explica todo y ayuda. Tuya, o mejor dicho ya no tuya, Ninette.»

Siguió un pesado silencio. Después Martino le devolvió la carta, y se dirigió hacia la puerta donde se detuvo un instante.

«¡Qué afortunado eras, Angelo!» dijo con voz cargada de reproche. «Y no lo sabías...»

Era casi medianoche, en la Cámara Rosa tanto Gaspare como Ugo y Fifí dormían exhaustos por las emociones de un día difícil, y en la terraza del techo Stefano se consumía de amor por Lady Godiva: otro hilo de la trama de los episodios marginales y en apariencia carentes de importancia que a través de la cadena de los acontecimientos compone el misterio llamado por los antiguos Hado o Destino.

–4–

En efecto la farsa había engendrado lo inevitable. Decidido a descubrir en qué consistía el sucedáneo que los cuatro tunantes negaban haber recibido, por la tarde Caballo Loco se había dirigido al Cóndor: «Temo que se trate de un artilugio indecoroso y licencioso, de un utensilio ilícito que dañe el honor del contingente, mi general. Pidiendo perdón por el atrevimiento, le sugiero que interrogue a su conductor, es decir, uno de los propietarios.» Herido en su orgullo el Cóndor lo había interrogado, presa del pánico Gaspare había cantado, por lo que se había oído un grito atronador: «¡Traedla a mi despacho, imbéciles!» Y antes de la cena se la habían llevado. Pero en ese preciso momento había llamado Águila Uno para decir que en el veintidós Neblí estaba discutiendo con los franceses, deseoso de acudir el Cóndor había delegado en Charlie y Pistoia la tarea de examinar el utensilio ilícito, y el proceso había cobrado un cariz muy distinto del que lo habría caracterizado en circunstancias normales. «Niñerías» había gruñido Charlie, sin apenas mirarla. «¡Está como un tren!» había dicho riendo burlón Pistoia al tiempo que la palpaba de pies a cabeza e inspeccionaba con el índice los diversos orificios. Después habían emitido el veredicto, podéis-quedárosla, y alborozados de agradecimiento Gaspare y Ugo y Fifí se la habían llevado. Gracias-jefe-gracias, gracias-mi-capitán-gracias, que-Dios-se-lo-pague. Stefano, en cambio, había guardado silencio. En silencio había subido la escalera, había llegado a la terraza del techo, y en ella se lo había encontrado Martino cuando había vuelto a subir para volver a la Cámara Rosa.

«¡Stefano! ¿¡¿Qué haces aquí al aire libre?!?»

«Nada...»

«Es peligroso, ¡puedes recibir un tiro!»

«No me importa...»

«¡Ven adentro, anda!»

«No...»

«¿Qué te pasa? ¿Qué te ha sucedido?»

«¿No lo sabes...?»

«¿El qué?»

«Gaspare se ha chivado...»

«¿A quién?»

«¡Al Cóndor! ¡Le ha contado lo de Lady Godiva! Entonces el Cóndor se ha enfadado, nos ha hecho bajársela, ha ordenado a Pistoia y a Charlie que la inspeccionaran y...»

«Os la han confiscado.»

«No... Confiscarla, no... Pero Pistoia se ha puesto a palparla, a reír y a meterle los dedos por todas partes... ¡Oh, Martino! ¡He sufrido tanto! ¡Me hubiera gustado darle de bofetadas!, ¡de bofetadas! Y gritarle ¡asqueroso, no tienes corazón, asqueroso!»

«Olvídalo, majo. Sólo es una muñeca, majo.»

«Para mí no. ¡Para mí no! ¡Debes creerme!»

Martino se permitió una sonrisa, la primera sonrisa desde que había cogido la carta de Ninette y había contemplado su elegante y segura caligrafía. Con los ojos nublados se volvió a ver mientras recogía con cuidado a Lady Godiva, la ponía sentada contra la pared, la observaba pensando que bajo los destellos de luz proyectados por las explosiones parecía una mujer, una mujer de verdad, por lo que, aun comprendiendo que le parecía una mujer de verdad sólo porque estaba solo y era desgraciado, se sentó junto a ella: le hablaba, le decía lo que no había dicho nunca a nadie, y en determinado momento sentía incluso el impulso de tenderle los brazos y poseerla como las mujeres de verdad lo habían poseído a él...

«Te creo, majo. Te creo.»

«¿¡¿De verdad?!?»

«De verdad, majo. De verdad.»

«Mira, para mí no es una muñeca hinchable y siento mucho haberla comprado con ellos. Cuando pienso que Ugo la toca, que Gaspare la toca, que Fifí la toca, que los tres pueden darle achuchones cuando les plazca, me dan ganas de llorar: ¡Ya ves!»

«No lo pienses, majo. No lo pienses.»

«Martino, yo me he..., me he enamorado de ella. ¿Lo crees esto?»

«Lo creo, majo, lo creo.»

Se permitió otra sonrisa. Esta noche él se había enamorado de Ninette. No conocía a Ninette. Ni siquiera en el período en que venía todos los días al Cuartel General se había tropezado nunca con ella, no había tenido oportunidad de verla ni siquiera de lejos delante de la garita de los carabinieri. Y sin embargo al traducir la carta se había enamorado de ella como de una persona a la que conociera o hubiese visto muchas veces. Y aunque se daba cuenta que ese arrebato era en realidad envidia, añoranza del amor que no había sentido por Brunella o Lucia o Giovanna o Adilé, esta noche la amaba más de lo que había amado a Beppe o a Albert.

«Total, ¡las mujeres de verdad sólo dan disgustos!»

«Dan y reciben, majo.»

«Pues a mí Lorena sólo me ha dado disgustos. En cambio, Lady Godiva... ¡Oh, Martino! ¡Pagaría tres meses de sueldo por decirle que la quiero!»

«Entonces debes decírselo, majo.»

«Pero, ¡es que yo no he estado nunca con una mujer, Martino! ¡No sé cómo se hace!»

«No hace falta saberlo, majo.»

«¿¡¿En serio?!?»

«En serio, majo, en serio.»

«De todos modos una idea tengo. Porque una vez vi una película en que el actor lo hacía con la actriz dentro de una bañera llena de agua, tan grande como la nuestra y tan redonda como la nuestra. Lo hacía en la obscuridad, enjabonándole todo el cuerpo. después ella se sentaba en el agua y... ¿Es posible, Martino?»

«Sí, majo... Es posible.»

«Pero, ¡es que estoy igual de preocupado! Porque Gaspare ha

fracasado, Ugo ha fracasado, Fifí ha fracasado... Y si han fracasado ellos que saben cómo se hace...»

«Tú lo lograrás, majo. Estoy seguro de ello.»

«¿Por qué estás seguro de ello, Martino?»

«Porque tú la quieres, majo.»

Hubo un breve silencio, después un grito jubiloso.

«¡Voy para allá, Martinooo!»

Y disipado el miedo, vencido el dolor, Stefano corrió derecho hacia el cuarto de baño.

* * *

Le parecía que era el hombre más afortunado del mundo mientras se encerraba en el cuarto de baño, con decisión sacó a Lady Godiva de la caja. Con vigor la infló hasta casi hacerla estallar. Con desenvoltura se desnudó y se sintió satisfecho de su pequeño pene ya turgente. Con atrevimiento apagó la luz, llenó de agua caliente la bañera redonda, se metió con ella, y a partir de ahí empezaron los problemas: en efecto el jabón la volvía tan resbaladiza que se escurría como una anguila, y no había modo de abrazarla como abrazaba el actor de la película. Peor aún. Rígida y aligerada por el exceso de aire, se negaba a quedarse sentada, es decir, a adoptar la posición en que estaba la actriz de la película: después de cada intento, volvía a flote para extenderse y, con los brazos abiertos, las piernas separadas, se quedaba cabeceando y escapándose como una balsa neumática. Así pues renunció al sistema cinematográfico y la puso de pie, manteniéndola sujeta se dispuso a llevar a cabo la empresa en línea vertical, pero en aquel preciso instante notó que los rizos de la nuca se habían empapado o, mejor dicho, se habían deshecho y se detuvo desalentado. Desalentado salió de la bañera, volvió a encender la luz, examinó el daño: ¡huy, la Virgen! ¡Cómo que los rizos de la nuca! Todos se habían empapado y deshecho: ¡todos! En el lugar de la ensortijada peluca había una melenucha de mechones lisos, ¿¡¿imagínate los insultos, los gritos y los golpes si Gaspare y Ugo y Fifí vieran el desastre?!? «¡Bobalicón, tontaina, majadero!» Volvió a vestirse aprisa. Sin preocuparse de que hubiera desaparecido la turgencia, fue a buscar el secador de Martino. Desgarró varios metros de papel higiénico, construyó una veintena de bigudíes iguales a los bigudíes que usaba su madre, rizó los mechones, los secó, los arregló. Pero cuando estuvo listo para reanudar la conversación interrumpida, para intentar de nuevo la empresa, se dio cuenta de que ella lo miraba con un solo ojo: al andarle en el fleco había descortezado la pupila izquierda. Entonces estalló en desconsolados sollozos y pasando revista a sus infinitas desgracias, la desgracia de encontrarse en Beirut, la desgracia de tener que disculparse con Gaspare y Ugo y Fifí, que por el menor motivo lo trataban mal, la desgracia de no tener experiencia a causa de una Lorena que además de arrojarle a la cara lo de tócate-los-cojones-mocosín se había prometido con el hermano del zapatero, la desgracia de querer a una que en cuanto le mojaba los cabellos perdía los rizos y en cuanto se los secabas perdía una pupila, se dejó caer a su lado. Destruido por una infelicidad que (él no podía saberlo) era la soledad a que se refería Ninette, la soledad de la que nace cualquier amor auténtico o imaginario, apoyó la cabeza en su vientre. Le pidió ayuda. «¡Oh, Godiva, Godiva! ¡Qué desgraciado soy, Godiva! Soy el hombre más desgraciado del mundo!» Sintió mucho alivio y, sorprendido, alargó una mano: acarició los senos en forma de calabaza. El alivio aumentó y, doblemente sorprendido, le acarició el vientre después las caderas luego las piernas y después lo primero que encontraba. El alivio llegó a ser inmenso, lo envolvió en llamaradas de dulzura le devolvió la turgencia desaparecida: sin darse cuenta de lo que hacía, volvió a desnudarse. Se le montó encima, la besó en el obsceno orificio que substituía a la boca, y beso tras beso olvidó las infinitas desgracias. Olvidó Beirut, las excusas que tendría que dar a Gaspare y Ugo y Fifí que lo trataban mal por el menor motivo, olvidó a Lorena, al hermano del zapatero, la frase tócate-los-cojones-mocosín, los rizos deshechos, la pupila desaparecida. Olvidó su propia inexperiencia y abrumado por la gratitud, el entusiasmo, el descubrimiento de ser el hombre más afortunado del mundo, se lanzó a la conquista de su primera mujer. Esa mujer de plástico que lo miraba con un solo ojo pero que a través de manantiales desconocidos lo conducía a lugares de hechizo. Esa mujer de aire que nadie había poseído nunca aparte de él y que por tanto pertenecía sólo a él. Esa mujer no verdadera y sin embargo tan verdadera que se dejaba amar mejor que una mujer de verdad. Ese espejismo cargado de fascinante realidad. Y despertando a Gaspare, Ugo, Fifí, al propio Martino, el pito que había permanecido siempre mudo empezó a sonar. A sonar, sonar, sonar.

«¡Ah! ¡Eh! ¡Ih! ¡Oh! ¡Uh!»

La ininterrumpida serie de gemidos y risitas y suspiros tardó un tiempo interminable, o que a ellos les pareció interminable, en cesar. Y un lapso igualmente interminable transcurrió hasta que se abrió la puerta y delirante, extático, rojo como un tomate, Stefano volvió a la Cámara Rosa.

«Martino...»

«Sí, majo» respondió Martino, triste.

«Tenías razón, Martino...»

«Me alegro, majo.»

«Y también ella me quiere, ¿sabes? Muchísimo.» Después, dirigiéndose a Gaspare y Ugo y Fifí que lo miraban perplejos desde sus respectivos catres: «El pito se ha roto en el momento mejor, pero...»

«¿¡¿En el momento mejor?!?» gritó Fifí, ofendido.

«Sí, pero mañana os devuelvo las sesenta mil liras de vuestra parte y...»

«¡Yo no vendo!» gritó Ugo, lívido de rabia.

«¡Yo antes la mato!» vociferó Gaspare enfurecido.

«¡Eso sí! ¡La matamos juntos!»

Stefano roncaba, Martino dormitaba, Fifí se desentendía cuando dos sombras silenciosas se deslizaron hasta el baño donde Lady Godiva reposaba a su vez cuidadosamente cubierta por una toalla e inútilmente protegida por una notita que decía: «¡Pobre de quien le haga daño! ¡Pobre de quien me la estropee!»

CAPÍTULO SEXTO

–1–

Navidad, a medianoche sería Navidad, y la Navidad es tal burla en la guerra. Tal crueldad. Para exacerbar la burla, agravar la crueldad, hoy llegarían de Roma también un generalote de tres estrellas y el Ordinario Militar, es decir, el gran capellán. Protegidos por una fuerte escolta, impacientes por volver a marcharse, el primero parlotearía sobre el honor y el sacrificio, el segundo sobre el amor y la misericordia, y naturalmente nadie se atrevería a responderles largaos-mentirosos-largaos. Él menos que ninguno. Al contrario ya se veía poniéndose firmes, respetuoso, sumiso, ¡e imponiendo el presenten-armas a aquellos pobres muchachos que llevaban ocho días sufriendo un turno prolongado de dieciocho horas! Sacudido por una cólera insólita Águila Uno dio un puñetazo en la almohada y miró el reloj. Casi las cinco de la mañana, maldita sea, y se había despertado a las dos. Había sido aquel sueño lo que lo había despertado, él creía en los sueños, por desgracia, y nunca venían para regalarle el número de la suerte en la lotería. Venían siempre a anunciarle tribulaciones, catástrofes, calamidades, y el que lo había despertado a las dos era el más horrible que había tenido en Beirut: tú fijate. Se encontraba en el Veintidós de Chatila con sus bersaglieri y una escuadra de infantes de marina que a saber por qué extravío habían acabado allí, cuando en el cielo lívido y agorero había aparecido el cometa de los Reyes Magos. Dejando tras sí una cola de refulgente luz anaranjada y avanzando de levante a poniente había bajado del cielo para desintegrarse en un abanico de llamaradas argénteas, pajitas de oro, humo negro, y al instante el Veintidós se había visto asediado como las caravanas de los pioneros se ven rodeadas por los pieles rojas en las películas del Oeste. Había estallado una batalla tremenda. Ráfagas de ametralladora, cañonazos, cohetes. Cadáveres que se amontonaban a docenas por doquier. Sin embargo lo peor no era el diluvio de fuego: era que no hubiese enemigo contra el que defenderse. En efecto aunque giraban en torno al carro los pieles rojas no atacaban al Veintidós: en un paradójico suicidio se atacaban a sí mismos, se disparaban a sí mismos. Y para romper el insensato asedio, escapar del cerco, hacía falta la autorización del Cóndor, quien en lugar de concederla gritaba por radio: «¡Mantener los puestos! ¡Mantener los puestos pero disparar sólo si nos disparan a nosotrooos!» Así pues se sentía abandonado, paralizado por la impotencia, y mirando a los infantes de marina se decía: no puedo encerrarlos en el carro que ya está lleno, no puedo dejarlos fuera, debo meterlos en un refugio y aquí no hay refugio. ¿Qué hago, san Genaro, qué hago? Después los infantes de marina habían desaparecido dentro de una casucha. Había ido a buscarlos y dentro de la casucha había encontrado un belén con un Niño Jesús que era una niña ya grandecita, una vaca que era una cabra, un asno que era un perro y un pesebre que era un colchón. En cambio san José parecía enteramente san José, tenía tanto la barba como el kaffiah, y la Virgen una Virgen enteramente. Vestida de azul lo acogía con una dulce sonrisa y decía: «Et faddal, colunel, et faddal. Venga, coronel, venga. Huna el hami Allah, nos protege Alá, coronel.» Pero, ¡qué cojones iba a protegerlos, qué cojones! Al cabo de un rato la choza, es decir, el belén se había derrumbado sobre ella, sobre san José, sobre el Niño Jesús que era una niña, sobre la vaca que era una cabra, sobre el asno que era un perro, sobre los infantes de marina que habían buscado refugio allí dentro, y él se había despertado presa de tal agitación que ya no había logrado conciliar el sueño otra vez.

Bajó de la cama con baldaquín, se puso a caminar cada vez más agitado de un extremo a otro de la habitación Luis XVI. Pero, ¿había sido un sueño de verdad o la conciencia de una amenaza real? Los sueños no son sino el fruto de los pensamientos reprimidos por nuestra conciencia, fantasías que reflejan temores o inquietudes concretos, sostenía el difunto, ¡y lo que había sucedido anoche lo había traumatizado demasiado! Pues, sí, porque anoche los franceses habían rebasado los límites del Veintidós. Al mando de un teniente muy arrogante diez paracas habían aparcado un vehículo blindado en la desembocadura de la callejuela que conduce de la placita del Veintidós a Sabra y, cuando Neblí había ejercido su autoridad de jefe de sector, es decir, que les había pedido que volvieran a su territorio, el teniente había respondido que ni hablar. «Moi je reste ici autant que je veux, yo me quedo aquí el tiempo que quiera, merde. Moi j'ai une manoeuvre à couvrir et je la couvrirai, tengo una maniobra que cubrir y la cubriré, merde.» Se había producido un altercado y, con ayuda del Cóndor, que había acudido en seguida, Neblí había conseguido rechazar a los intrusos y después cerrar la desembocadura con bidones llenos de arena. Pero el incidente había dado pie a una pregunta angustiosa: ¿qué maniobra? En Sabra ya sólo había una maniobra que cubrir: la evacuación de la Torre. Y si los diez paracas habían aparcado el vehículo blindado para eso, perdía todo sentido la cháchara del gran capellán y del generalote de tres estrellas: ¡la Santa Navidad traería un choque entre los gubernamentales y los Amal! Después el choque degeneraría en una batalla, la batalla afectaría sobre todo al Veintidós y al Veinticinco y al Veinticuatro y al Veintiuno... Al Veintidós porque, teniendo la desgracia de encontrarse a pocos metros de la Torre, se convertiría en el paso obligado de los Amal y atraería el fuego de los gubernamentales. Al Veinticinco porque, teniendo la mala suerte de estar justo enfrente de Gobeyre, atraería el fuego de ambos. Al Veinticuatro porque, teniendo la desventura de encontrarse delante del viaducto y en la esquina entre la Avenue Nasser y la calle Sin Nombre, recibiría al menos los residuos. Al Veintiuno porque, teniendo la desdicha de encontrarse en la avenida que unía Sabra y Chatila, constituiría una puerta abierta de par en par a quien quisiera invadir Chatila desde Sabra. Y todo eso con la ausencia de un centenar de hombres: ¡maldita Navidad! ¡Como para volver a dormirse! Tenía que mantenerse despierto, listo para afrontar las tribulaciones y las catástrofes y las calamidades, y en primer lugar debía cerciorarse de que la bandera francesa ondeaba aún en lo alto del asta del antiguo depósito de agua situado sobre la Torre. Era una bandera muy pequeña. Tan pequeña que con la neblina se veía mal incluso de día, y de noche sólo se divisaba desde el Veinticinco Alfa: el mirador situado entre el Veinticinco y el Veintiuno, en la mitad de la calle que de la Avenue Nasser conducía a la avenida de Chatila. De hecho en línea recta el

Veinticinco Alfa se encontraba muy cercano a la Torre: la tenía casi delante. Pero en vez de aclarar el cielo la lluvia de anoche había dejado una neblina que espesaba la oscuridad, y en el Veinticinco Alfa hacían guardia dos infantes de marina recién llegados: uno de Rávena que aún no había comprendido que estaba en Beirut y otro de Venecia que lo había entendido demasiado bien incluso. Y él de los del norte no se fiaba demasiado: ¿¡¿cómo se va a comparar la velocidad mental de un pilluelo nacido a la sombra del Vesubio con la de un zampapolenta nacido en Venecia o Rávena?!? «Vigílalos, Neblí, le había pedido. Estáte atento a que no se duerman, no se distraigan, no metan la pata. Y si arrían la bandera francesa, llámame inmediatamente.» Neblí no lo había llamado, y sin embargo no se sentía tranquilo. Abrió el circuito de la motorola.

«¡Neblí! ¡Águila Uno llamando a Neblí!»

«Águila Uno, ¡aquí Neblí! ¡Aquí estoy, mi coronel!» respondió una voz un poco preocupada.

«¿Nada nuevo, Neblí?»

«No, mi coronel. Sólo algunos problemillas con esos dos novatos del Veinticinco Alfa!»

«¿Qué problemillas, Neblí?»

«¡Nada grave, mi coronel, nada grave! ¡No se preocupe! Ya he ido a verlos un par de veces, ¡y ahora mando a Rambo!»

«¿A Rambo?»

«Sí, el comandante de la patrulla de infantes de marina. ¡Lo mando para que eche otro vistazo!»

«¿Otro vistazo? ¡Explícate, Neblí!»

«¡Nada, mi coronel, nada! Es que con esta neblina no se ve ni pizca y esos dos son nuevos. Son jóvenes, parecen un poco aturdidos. Pero, en fin, mirar miran.»

«Neblí, ¡hay que preguntar a qué hora sale el sol!»

«Ya me he informado, mi coronel. Sale a las seis y treinta y siete. Y a las siete es de día.»

«Muy bien... Dentro de poco voy a echar un vistazo yo también.»

Después rezó un fervoroso Padre Nuestro que dedicó a san Genaro y san Gerardo y san Guillermo, santos especializados en milagros, para no pecar de parcialidad y para mayor seguridad, recitó también un Shemà Israel que dedicó a Abraham e Isaac y Jacob, profetas competentes en materia de teúrgias, y tranquilizado por todas aquellas relaciones con Dios Nuestro Señor se preparó un buen café a la napolitana. Se lo sirvió con cuidado en la tacita Capodimonte. Pero ni san Genaro ni san Gerardo ni san Guillermo ni Abraham ni Isaac ni Jacob deseaban favorecerlo por lo que la preciosa tacita se le escapó de la mano para romperse contra el suelo y formar con la salpicadura una aterradora mancha en forma de I: la inicial de Iella Iettatura Iattura, mal de ojo.

Eso retrasó mucho su llegada a Chatila donde Luca y Nicola, los dos del Veinticinco Alfa, no miraban en absoluto a la Torre sino a una ventana de Sabra. Y de nada servía repetirles no-debéis-distraeros, debéis-mirar-la-bandera-francesa-y-nada-más, ver-si-está-o-no-está.

–2–

Luca lanzó un profundo suspiro y su agradable carita se torció en una mueca de exasperación. Pero, ¿qué forma de crecer era ésta, qué manera de hacerse hombre? Si hacerse hombre significa transformarse en una persona cansada y desengañada, mejor seguir siendo un niño para siempre: un Peter Pan que juega en los jardines de Kensington en busca de Never Never Never Land, el País Inexistente. Todo culpa de Hemingway, maldito Hemingway, de sus fanfarronadas sobre la virilidad y el valor, y de su abuelo que por haber sido amigo suyo no cesaba de inducir a la gente a leer sus libros, es decir, a tomarlo en serio. «¡Aprende, aprende!» Aprende, ¿a qué? ¿¡¿A estar en el mirador del Veinticinco Alfa y mirar una bandera que quieres ver pero no ves y una ventana que no quieres ver pero ves?!? No se debería nunca tomar en serio a los escritores, nunca. Hablan por hablar, para juntar palabras hermosas, se aprovechan del papel impreso sabiendo que en él cualquier patraña parece verdad sacrosanta. Hacerse hombre, conocer la guerra, afrontar el miedo y la muerte, gilipolleces por el estilo. ¡Maldito, maldito! ¡Cerdo, imbécil, maricón! ¡Si no hubiera sido por ese maldito, ese cerdo, ese imbécil, ese maricón, él no estaría aquí en el mirador! ¡Estaría en su hermosa casa de Campo San Samuele, tumbado en su hermosa cama estilo Imperio con columnitas y encajes de Burano! Dormiría el sueño de los justos, es decir, de los muchachos de diecinueve años que no han cometido nunca otro pecado que el de leer los libros de Hemingway y no comprender la suerte de haber nacido ricos en Venecia, se despertaría a las nueve con el petit déjeuner que le traería Ines la doncella, se daría una ducha caliente en el cuarto de baño tapizado con damiselas bailando el minué y después se pondría los vaqueros desteñidos y el jersey de Hermès e iría a la plaza de San Marcos a tomar el aperitivo u holgazanear con sus amigos en el Florian, ¡qué caramba! ¡Y pensar que antes de venir a Beirut no le gustaba la hermosa cama estilo Imperio con las columnitas y los encajes de Burano! Parece un sarcófago de cortesana, protestaba, ¡vendedlo a un anticuario y compradme una normal! No le gustaba tampoco despertarse con el petit déjeuner de Ines ni lavarse en el cuarto de baño de las damiselas, y Venecia había llegado a aburrirle. Estoy harto de las góndolas negras, la peste a pescado, los encajes exquisitos, los cristales soberbios, los turistas y las palomas, gritaba. Quiero ir a África, a Cuba, a Pamplona. Quiero cazar leones, pescar peces-espada, desafiar a los toros, trabajar como corresponsal de guerra, conocer la guerra, afrontar el miedo y la muerte, hacerme un hombre. «¡Idiota, tonto, idiota!» Y gracias al Cielo que pese a todo había seguido siendo un buen chico temeroso de Dios, no uno que esnifa coca o combate el aburrimiento con los que matan a jueces y a sindicalistas... Dios, qué cansancio. No podía mirar más la maldita bandera en la maldita asta de la maldita Torre... Apoyó los visores nocturnos en los sacos de arena del mirador. Se dio masajes en los párpados doloridos.

« No puedo más, Nicolin.»

«¡A quién se lo dices!» respondió Nicola.

«Y cuando pienso que esta noche es Nochebuena, me dan ganas de llorar.»

«A mí también.»

«¡Cojones! ¡Cojones, cojones!»

Cojones, sí. Porque esta noche, Nochebuena, no habría estado ni siquiera en Venecia. Habría estado en Cortina, esquiando con Donatella que era un poco esnob pero le quería. La habría invitado a organizar algo nuevo para escapar de la habitual comilona con langosta a la Newburg y Dom Pérignon, tal vez una cenita a base de polenta y Tokai, habría comido en platos de cartón y habría escuchado el disco de Steve Wonder, I-just-called-to-say-I-love-you habría bailado hasta el amanecer para volver al hotel feliz como un Peter Pan en los jardines de Kensington, y lo habría pasado de miedo, en una palabra. En cambio ahí estaba en un mirador con la vista fija en una bandera que quería ver pero no veía y en una ventana que no quería ver pero veía. Ahí estaba sufriendo y maldiciendo el día en que se había presentado a la caja de reclutamiento pese a que su padre repetía Luca, mira que si te vas a la mili te mandan a Beirut. Es mejor que llame a mi amigo el ministro para que puedas librarte. ¡Maldito Hemingway! Llevaba cinco horas y pico allí, en aquel puñetero mirador. Aún debía estar en él trece horas más y ya le dolían las piernas. Le dolían los brazos, le dolían las sienes, le dolía todo. Y no tanto por la fatiga de no apartar la mirada de la maldita bandera que era pequeñísima por lo que el blanco y el rojo y el azul se confundían con la obscuridad y con la niebla, cuanto por el esfuerzo de obligarse a no mirar aquella maldita ventana. Neblí les había reprendido: «No debéis distraeros, ¿¡¿entendido?!? Debéis ocuparos sólo de la puñetera Torre, de la puñetera bandera sobre la Torre, ¿¡¿entendido?!? Estáis aquí para eso, ¿¡¿entendido?!?» Entendido, entendido. Pero cuando la ventana se iluminaba, los ojos se apartaban solos. Más aún, a la espera de que se iluminara, acababas fijándolos allí la mayor parte del tiempo.

«Yo es que la mataría» refunfuñó.

«Yo también» respondió Nicola.

«Es mala intención. ¡Es mala! ¡Más malo no se puede ser, vamos!»

«No, no es posible...»

«¡Si al menos pudiera cerrar los ojos! Pero si cierro los ojos no veo tampoco si está o no está la bandera.»

«¡Yo creo que es eso lo que quiere!»

«Sí, pero, ¿quién se lo ha ordenado? Yo pagaría por saber quién se lo ha ordenado. ¿¡¿Los Amal, los gubernamentales, los Hijos de Dios?!?»

«No lo sé, Luca. Yo de política no entiendo nada. No comprendo siquiera por qué estamos aquí. ¿Por qué estamos aquí?»

«Neblí dice que para tener los ojos puestos en la bandera.»

«No, por qué estamos en Beirut. ¿Tú sabes por qué estás?»

«¡Coño, que si lo sé.»

«Dímelo.»

«Por Hemingway, Nicolin. Estoy aquí por culpa de Hemingway.»

«¿Hemingway? ¿El de los toros que se pegó un tiro en la boca?»

«Ése, ése.»

«Pero, ¿qué tiene que ver Hemingway?»

«¡Ya lo creo que tiene que ver! Mi abuelo era amigo suyo, y cuando venía a Venecia iba a verlo siempre. Conque no paraba de hablar de él, de sus toros, de sus leones, de sus guerras. Y ya sabes lo que pasa. ¡Ya lo creo que ha sido Hemingway el que me ha enviado!»

«Pero, ¡si ya ha muerto!»

«¿Qué tiene que ver que haya muerto? Me ha mandado con sus libros, ¿no? Cuando llegó la tarjeta, estaba leyendo *Por quién doblan las campanas*. ¡Maldito sea! Y maldito yo, que debería haber escuchado a mi padre. Mi padre decía: Luca, mira que si te vas a la mili te mandan a Beirut. Y como conoce al ministro que habría podido ayudarme a librarme, quería llamarlo. Yo no quise, por culpa de Hemingway. ¡Qué idiota que soy, qué idiota!»

«Pues sí.»

«Pero, ¿tú lo has leído a Ernest Hemingway?»

«No, yo leo los periódicos. ¿Te he contado que mi madre vende periódicos en el quiosco de mi tía Liliana, junto al mausoleo de Gala Placidia? Yo de Hemingway he visto una película y nada más. ¿Qué dice en *Por quién doblan las campanas*?»

«Dice lo que siempre dice. Total, siempre dice lo mismo. Dice que en la guerra un hombre se hace hombre aunque no lo sea. Porque en la guerra hay que sufrir y afrontar el miedo y la muerte, confrontar en ella la virilidad... Y yo quería saber si era verdad. Entonces dije a mi padre: no, no andes pidiendo nada al ministro. Hemingway fue a la guerra a los dieciocho años: yo tengo diecinueve y quiero ir. Me apetece afrontarlo, papá, me apetece comprender quién soy.»

«Dichoso tú. ¿Y qué has comprendido?»

«He comprendido que no me gusta sufrir. He comprendido que estoy bien en mi casa de Campo San Samuele. He comprendido que no hay nada malo en tener miedo y seguir siendo niño en los jardines de Kensington.»

«¿¡¿Dónde?!?»

«En los jardines de Kensington. Los de Londres, de Peter Pan.»

«Peter, ¿¡¿quién?!?»

«Peter Pan: el niño que quiere seguir siendo niño. Y para seguir siendo niño buscar Never Never Never Land en los jardines de Kensington.»

«¿¡¿Busca qué?!?»

«Never Never Never Land la tierra de nunca jamás el País Inexistente.»

«Pero, si no existe, ¿por qué lo busca?»

«Porque es un niño.»

«¿¡¿Lo dice el amigo de tu abuelo, Hemingway?!?»

—No, lo dice el escritor James Mathew Barrie que conocía a los niños mejor que Hemingway y al que yo leía antes de leer a

Hemingway. ¡La leche puta! ¡La ha vuelto a encender! ¡Mira! ¡Es como para dispararle!»

«No la mires, Luca, no la mires» murmuró Nicola apartando de golpe su carita imberbe y pecosa.

Pobre Nicola. Decía no-la-mires-Luca-no-la-mires, pero la miraba igual que su compañero: ¿quién había visto nunca cosa semejante, una mujerona desnuda en la ventana? Sí, desnuda. Y apoyada en los cristales de una ventana que distaba del Veinticinco Alfa apenas treinta metros, una ventana de Sabra, ¿¡¿sabes lo que hacía?!? A intervalos precisos encendía una lámpara, y manteniendo la cara en la sombra se acariciaba por todo el cuerpo. ¡Por todo el cuerpo! Y era tan fea. Tenía unos senos tan largos y fláccidos, muslos tan hinchados y deformes, y una barrigaza tan adiposa que sólo de mirarla se te revolvía el estómago. Y sin embargo se acariciaba por todo el cuerpo como si se sintiera hermosa. ¿Tendría razón Luca? ¿Le habrían ordenado distraerlos a ellos dos los gubernamentales y los Amal o los Hijos de Dios? En tal caso lo lograba totalmente porque la Torre se encontraba en la misma dirección que la ventana, un centenar de metros detrás, y cuando ella encendía la lámpara te quedabas como cegado: dejabas de ver la bandera francesa. En cambio cuando la apagaba tenías que volver a adaptar los ojos a la obscuridad, y tardabas mucho tiempo en identificar de nuevo la mancha blanca roja y azul en lo alto del asta del antiguo depósito de agua. Peor aún, inconscientemente esperabas que el tormento volviera a comenzar y en la espera te ponías nervioso: en lugar de concentrarte en la mancha blanca roja y azul, escudriñabas en busca de la ventana inmersa ahora en la obscuridad.

«¡Pero, si es que no se puede dejar de mirarla, Nicolin!»

No, no era posible. Lo sabía mejor que Luca. Y todas las veces se ruborizaba porque le parecía que aquella asquerosa se exhibía para él, para burlarse de él que deseaba hacerse hombre menos que aquel Peter Pan de los jardines de Kensington y que para comprender quién-soy no necesitaba desde luego venir a Beirut, ¡por Dios! Era alguien que casa de lujo en Campo San Samuele no tenía precisamente ni la tendría nunca, eso es lo que era. Y mucho menos aún tenía una cama estilo Imperio, un cuarto de baño tapizado con damiselas bailando el minué, una doncella que te despierta con el petit déjeuner, dinero para tomar un aperitivo en el Florian y pasar la Navidad con Donatella en Cortina, un abuelo amigo de escritores famosos, y un padre que conoce a ministros dispuestos a librarlo de la mili. Él vivía en un piso de cuatro habitaciones en la periferia de Rávena. Dormía en una cama cualquiera, el petit-déjeuner, es decir, el café con leche se lo preparaba él mismo, el aperitivo lo tomaba en el bar de la esquina si alguien invitaba, y en Navidad no iba a ninguna parte. En cuanto a su padre, no conocía a ministros, la verdad. Trabajaba de obrero en una fábrica de fertilizantes, y con los obreros los ministros sólo hablan en las elecciones para pedirles el voto. Aunque sean socialistas o se digan socialistas, por Dios. Conque, si estaba en ese mirador para que una mujerona desnuda se burlara de él, la culpa no era de Hemingway: era de la mala sombra que jode a los hijos de los obreros que no conocen a ministros dispuestos a librarlos de la mili, ¡por Dios! Por Dios, por Dios. Debería habérselo imaginado aquella mañana que estaba substituyendo a su madre en el quiosco, ¡debería habérselo imaginado! Porque ahí aparecía de repente su tía Liliana, muy pálida, muy temblorosa, y le entregaba la tarjeta azul. Su padre decía siempre que la tarjeta con la que el ejército te jode es rosa, en cambio la suya era azul. «¿Sabes lo que significa, Nicola? ¿Lo sabes?» «Sí, tía Liliana. Significa la mili.»

«No, hijo mío. Significa Beirut.» No se lo había creído. La había consolado.

«¡Qué va a ser Beirut, tía Liliana! A Beirut mandan sólo a los voluntarios. ¡Lo dicen los periódicos!» Y en el cuartel se había convencido. Marcello, su vecino de catre, se había presentado voluntario para ir y no cesaba de repetir: «Yo voy y tú no, porque yo tengo cojones y tú no.» Pero Marcello se había quedado en Italia y quien había ido a Beirut había sido él que no tenía cojones, por Dios.

«Ya ha parado. Menos mal que ha parado: demos gracias al Señor. Pero la bandera, ¿está o no está, Nicolin?»

«Está, Luca, está.»

Había partido en el mismo barco que Luca, un mes después de las matanzas de los franceses y los americanos, y a la mitad del viaje había tenido una crisis. ¿Por qué me ha tocado precisamente a mí, que no tengo cojones y no quería venir? sollozaba. ¿Por qué no han mandado a Marcello, que tiene cojones y quería venir? Y la mayoría se descojonaban de él: «¡El biberón! ¡Dadle el biberón!» Luca, no. Lo había cogido de un brazo y: «No te lo tomes tan a pecho, Nicolin. No te ha tocado sólo a ti. Nos ha tocado a todos. Mira cuántos somos. Después había dado un empujón al malicioso que se chupaba un dedo a modo de biberón y: «Lárgate y calla.» Simpático, Luca. Los ricos suelen ser antipáticos. Y maleducados. No les importan nada los demás, los tratan con indiferencia o con suficiencia. Pero, si encuentras a uno simpático, es simpático de verdad. Si encuentras a uno educado, es educado de verdad. Te consuela, te habla de su familia y de la cama estilo Imperio que no le gusta, de Ines que lo llama señorito, de un tal James Matthew Barrie que comprendía a los niños. En una palabra te ayuda más que un pobre. También en el desembarco Luca lo había ayudado más que un pobre. «Anímate, Nicolin, ya verás cómo te encuentras bien» repetía. O bien: «Vamos a rezar juntos la Salve Regina, Nicolin.» Era un poco santurrón, Luca, tenía la manía de recitar la Salve Regina, pero aquel día la Salve Regina era necesaria: ¡disparaban unos cañonazos, en el puerto! Disparaban tanto que el comandante del barco no quería abrir la portezuela, y todos deseaban que la mantuviera cerrada para siempre. Pero después la había abierto y en el muelle había un capitán de paracaidistas llamado Pistoia que se reía y gritaba: «¡Vamos, hijitos, vamos! ¡Que os pesa el culo! ¿Qué os creéis? ¡No son fuegos de artificio para la fiesta de la Virgen, estos pedos! Son bombas. Aquí estamos en la guerra.» ¡En la guerra! Le había parecido tan irreal la frase aquí-estamos-en-la-guerra. Porque, pese a las películas sobre el Vietnam y los periódicos y los meses de instrucción en el cuartel, no lograba comprender el significado de la palabra guerra. No lograba comprender qué era. En cambio esta noche sí. Podía decir qué es. Es una enfermedad que desgasta por dentro, un cáncer que se come el corazón, una lepra que pudre el alma e induce a la gente a hacer cosas que en la paz no haría nunca. La guerra es una puta. Una zorra. Una mujerzuela desnuda en la ventana. Oh, Dios, allí estaba otra vez. Había encendido de nuevo la lámpara. Y ahora la apagaba de nuevo, la volvía a encender, a intervalos brevísimos, con el sistema de los anuncios luminosos que centellean intermitentes para anunciar un producto o un local. ¡Huy, por Dios, por Dios, por Dios! Desalentado, Nicola se volvió a mirar a Luca. Pero Luca había dejado los visores y apuntando el fusil contra la ventana gritaba, gritaba...

«¡Oye, puta! ¡Oye! ¡Basta! ¡Me cago en tu puta madre, zorra! Te pego un tiro de verdad, ¡maldito Hemingway! ¡Te meto una bala no te digo dónde!»

Después se inclinó sobre el fusil para apuntar y en ese preciso instante se perfiló en el mirador la sólida silueta de Rambo.

«Calma, marinero, calma. Tú estás aquí para mirar la Torre y no para disparar a las putas.»

«¡Ya lo sé, mi sargento, ya lo sé! Pero, ¿¡¿sabe usted cuánto dura esta historia?!? ¡Por lo menos dos horas!»

«¿Ah, sí?»

Rambo lanzó una ojeada bonachona al centellear de la luz y movió su cabezón. Si hubiera sido uno a quien le gustaba hablar, habría respondido: Muchacho, ¡no es más que una vieja furcia cachonda! ¡Se ven unas cosas de patrulla! Ayer vi a un niño que buscaba comida en el basurero de Sierra Mike, el de detrás de la enfermería. Deja eso, le dije en árabe, te doy yo la comida. Toma estas tabletas de chocolate. Él las cogió pero siguió hurgando y entre las gasas infectas encontró un trozo de pollo asado. Lo limpió restregándoselo en la camisa y se lo comió. Muy poco después vi a otro que se había tirado encima una cazuela de aceite hirviendo. Estaba cubierto de ampollas de la cabeza a los pies, ¿y sabes cómo se las había curado su madre? Untándole dentífrico y zumo de limón. El médico que el hospital de campaña tiene con una ambulancia en Chatila estaba furioso. «¿Quién ha sido?» gritaba. Y la madre decía: «Ana, yo. Toothpaste good, lemon good. Disinfect. Dentífrico bueno, limón bueno. Desinfecta.» Al quitar la porquería, una ampolla había reventado. Junto con el pus había brotado tal hedor que aún lo llevo en la nariz. Sí, muchacho. ¡Se ven unas cosas de patrulla! Cuando estás en un puesto parece que la fealdad está solo junto a ti, en cambio cuando vas de patrulla te das cuenta de que la fealdad está en todas partes. Yo aquí lo único hermoso que he encontrado es Leyda: la niña que vive en la placita del Veintidós. Tiene cinco años, me recuerda a mi hermana Mariuccia que murió a los cinco años, y en cuanto me ve corre hacia mí gritando: «¡Rambo! Jidni maak! ¡Quiero ir contigo, Rambo!» Después se aferra a mis pantalones, trota detrás de mí, y yo la quiero tanto que hasta he aprendido el árabe para hablar con ella... Sí, aparte de Leyda, todo es feo aquí. Y esa vieja furcia cachonda no es más fea que los demás.

«¡Sí, mi sargento, sí!»

«¿Cree que lo hace para distraernos, mi sargento?» intervino Nicola.

«No.»

«Pero nos distrae igual.»

«¡A veces no logramos identificar la bandera francesa, mi sargento!»

«Si está, debéis identificarla. ¿Está o no está?»

«Está, mi sargento, está.»

«Dame los visores.»

Rambo tomó los visores, los dirigió hacia la Torre y sin dejar de pensar en Leyda escrutó largo rato para identificar en la obscuridad la mancha blanca roja y azul. Después se los devolvió a Nicola que solicitaba la confirmación de su tesis.

«Está, mi sargento, ¿verdad?»

«No sé... Algo se mueve, veo un reflejo blanco, pero podría ser una nubecilla» respondió Rambo, perplejo.

«¡Cómo va a ser una nubecilla, mi sargento! ¡Es el blanco de la bandera! ¿Verdad, Luca?»

«No sé» dijo Luca, aún más perplejo. «Podría ser la bandera y podría ser la nubecilla. También una nubecilla se mueve. Para estar seguro hay que verlo cuando se haga de día. ¿Cuándo se hace de día, mi sargento?»

«A las seis y treinta y siete. Y antes de esa hora vuelvo aquí porque de vosotros dos no me fío» concluyó Rambo. Después bajó del mirador para ir a donde Neblí, decirle que según él no estaba la bandera francesa: sólo había un reflejo blanco que podría ser una nubecilla.

Faltaban cuarenta y cinco minutos para las seis y treinta y siete, la ventana de la vieja furcia cachonda seguía centelleando como los anuncios luminosos que centellean intermitentes para anunciar un producto o un local, y en la Cámara Rosa Stefano llamaba a Martino con un sollozo.

«¡Martino, Martino! ¡Me la han matado, Martino!»

* * *

No se la habían matado pero casi. En efecto yacía en el suelo completamente desinflada y desgarrada por un gran bayonetazo en el corazón que se extendía desde el gran pectoral de la izquierda hasta la zona intercostal derecha donde los muy perversos habían introducido la nota que decía ¡ay-de-quien-le-haga-daño!, ¡ay-de quien-me-la-estropee! «No te desesperes, majo, con un parche de goma y un poco de masilla estará como nueva» lo animó Martino. Después colocó la muñeca dentro del morral y: «Vamos a llevarla al hospital.» De puntillas, para no despertar a Fifí y a los dos responsables del delito, abandonaron la Cámara Rosa. De puntillas bajaron las escaleras, pasaron por delante de la Sala de Operaciones, de los despachos aún vacíos del Urogallo y Pistoia y Caballo Loco, llegaron al patio.

«¿Adónde vais?» preguntó el tanquista del Leopard, sorprendido de verlos con un morral y sin fusil.

«Al hospital» lloriqueó Stefano.

«¿Adónde vais?» preguntaron igualmente sorprendidos los carabinieri de la garita de la entrada.

«Al hospital» repitió Martino.

El hospital era una oficina de la Logística, el doctor un mecánico que comenzaba su turno a las seis. No iba a ser fácil convencerlo para que hiciera en seguida la operación de cirugía estética en el gran pectoral y en la zona intercostal de Lady Godiva, observó Martino, pero con un poco de suerte lo lograrían antes de las siete. Después aguzó el oído a la plegaria que bajaba del alminar de la mezquita de Rue de l'Aérodrome y pensó: Menos mal que a esta hora Charlie está durmiendo.

–3–

Sin embargo no dormía. Reflexionaba sobre el altercado habido en el Veintidós, y sacaba una conclusión idéntica a la de Águila Uno: ¡era evidente que la maniobra a que se refería el teniente consistía en el abandono de la Torre o en el preludio del abandono! ¿Acaso no se preparan ciertas operaciones en la obscuridad, mientras la ciudad descansa? Y sin embargo, al volver a Chatila, el Cóndor había sostenido lo contrario. «No, Charlie, excluyo la posibilidad de que se dispusieran a evacuar la Torre. No es posible que se vayan sin avisarme. Ya verá cómo me avisarán.» De nada servía oponer dudas o replicar: «Mi general, si no me cree, ¡telefonee a los franceses! Pregúnteles bien claro: ¿cuándo-os-vais?» «¡Yo no telefoneo a nadie! ¡Yo no pregunto nada a nadie! ¡Yo no me humillo con preguntas semejantes!» Excepto llamar a Neblí, un instante después, y: «Neblí, hágame el favor. Cerciórese de que los dos del Veinticinco Alfa no pierden de vista la bandera.» ¡Pero bueno! Se comporta como las esposas que saben que les ponen los cuernos pero por orgullo fingen no saberlo. De todos modos en vista de que no podía garantizar la neutralidad de la Torre, de que hasta primeros de año no tenía los noventa hombres para protegerla en lugar de los franceses, el problema ya no era el de saber el día o el momento en que los franceses la evacuarían: era el de prevenir o al menos retrasar el incendio, impedir que los Amal de Gobeyre reaccionaran con gestos insensatos a la posible llegada de los gubernamentales. Y para eso había que adoctrinar a Bilal. Adoctrinarlo, sí: ¡precisamente ayer los informadores habituales le habían dicho cosas muy preocupantes sobre el enano que había crecido demasiado gracias a un medio libro encontrado en la basura! «Capitán» le habían dicho, «Bilal está disparatando. No cesa de predicar, de explicar a la gente por qué gira el mundo al derecho y al revés, por qué tienen algunos tantas chaquetas y otros una sola con remiendos. Además sostiene que Sabra es su casa, Chatila es su casa, toda la zona occidental es su casa, que cuando te roban la casa debes recuperarla con tus propias manos. Y se ha inventado un himno de guerra. Un himno que dice así: "Con uñas y dientes defenderé mi casa, ¡con uñas y dientes! Con uñas y dientes defenderé mi barrio, ¡con uñas y dientes! Con uñas y dientes os arrancaré los ojos y la lengua si os acercáis, ¡con uñas y dientes!" Peor aún, capitán: la gente lo escucha, lo sigue.» Miró el reloj. Las seis. Y a las siete Bilal abandonaba Gobeyre para dirigirse a la Ciudad Antigua a barrer las calles. Había que actuar rápido. Se levantó, llamó a la Sala de Operaciones.

«¿Ondea o no la bandera francesa?»

Le respondió una voz alegre.

«¡Ondea, ondea! ¡Nos lo ha confirmado Neblí!»

Lanzó un suspiro de alivio, llamó a Angelo.

«En pie, muchacho.»

Le respondió una voz apagada.

«A sus órdenes, jefe.» Y ya vestido, pálido por haber pasado la noche releyendo la carta de Ninette, Angelo avanzó.

Lo escrutó frunciendo la frente.

«¿Te sientes mal, muchacho?»

«No, jefe.»

«Despierta también a Stefano y Martino, entonces. Vamos a Gobeyre.»

«Sí, jefe.» Pero, al cabo de unos minutos, volvía alarmado: «En la Cámara Rosa no están, jefe.»

«¿¡¿Que no están?!?»

«No. Y ni Gaspare ni Ugo ni Fifí saben nada.»

«¡En alguna parte del Cuartel estarán! ¡Búscalos!»

«Sí, jefe.» Pero ahí volvía al cabo de otros pocos minutos, doblemente alarmado: «Están en el hospital, jefe.»

«¿¡¿En el hospital?!?»

«Sí, el tanquista del Leopard los ha visto salir a las seis menos cuarto. Les ha preguntado a dónde iban y uno ha murmurado: al hospital.»

«¿¡¿Al hospital de campaña?!?»

«Así parece.»

«Voy a buscarlos.»

En el hospital de campaña no estaban. Aquí-no-han-venido, aquí-no-los-hemos-visto, os-han-contado-un-cuento. Así que con la esperanza de que hubieran contado un cuento para ir a telefonear a Italia, volvió a montar en el jeep y corrió a las cabinas telefónicas. Pero tampoco en las cabinas telefónicas los habían visto y entonces, ciego de angustia, olvidando a Bilal, se puso a buscarlos como una mamá que ha perdido a sus hijos. Dada-no, Dada-no. Los buscó en el comedor, en el economato, en la Logística, en la base Águila, en los almacenes, en todas partes menos en el garaje donde un mecánico divertido estaba poniendo un parche en el gran pectoral y la zona intercostal de Lady Godiva. Entretanto, el amanecer avanzaba, las seis y media, las siete menos cuarto, las siete, el día aparecía, aclaraba un poco la neblina... Eran las siete y se veía bastante bien, cuando la motorola chirrió para transmitir la rabia del Cóndor.

«¡Charlie, vuelva en seguida, maldicióóón!»

Volvió en seguida y nada más llegar comprendió el error que había cometido al malgastar aquel tiempo precioso con sus instintos maternales. Dada-no, Dada-no. Distraídos por una ventana de Sabra que se encendía y se apagaba para enseñar a una mujer desnuda, dijo el Cóndor, los dos idiotas de la Veinticinco Alfa no se habían dado cuenta de que durante la noche habían arriado la bandera francesa. Sólo Rambo había tenido la sospecha hacia las seis de que la mancha en lo alto del asta del antiguo depósito de agua no fuera el blanco rojo y azul de la bandera francesa, y temiendo que se tratara de una nubecilla había subido de nuevo al mirador. Allí había esperado a la salida del sol y había descubierto que no era la bandera francesa: era la que llevaba el cedro del Líbano sobre campo blanco, es decir, la bandera de los gubernamentales. Más aún: guiados por un loco que cantaba Dios sabe qué y blandía un Kalashnikov más grande que él, a las siete y cinco los Amal habían cruzado la Avenue Nasser. Habían irrumpido en el Veintidós, habían comenzado a levantar una barricada, y de nada servía que los bersaglieri los rechazaran a patadas y empujones. Menos aún servía que Neblí gritara ialla, atrás, ialla, hijos-de-puta o que Rambo los arengase en árabe no-podéis-estar-aquí-no-podéis. «Podemos, podemos» replicaba, impertérrito, el loco.»

«Un individuo pequeñísimo, Charlie.»

«Sí, mi general...»

«Un enano con la chaqueta llena de remiendos que habla un italiano casi perfecto.»

«Sí, mi general...»

«¿Lo conoce?»

«Sí, mi general... Es Bilal.»

«¿¡¿El del guerrillero herido?!?»

«Sí, mi general.»

«En ese caso, ¡muévase! ¡Vaya a hacerlo entrar en razón!»

«Sí, mi general, pero...»

«Pero, ¿¡¿qué?!?»

«Sólo lo conseguiré si le garantizo la neutralidad de la Torre.»

«¡Qué neutralidad ni qué nada, Charlie! En la Torre están ya los gubernamentales!»

«Hay que convencerlos para que se vayan, mi general...»

«¡Qué van a irse! Aunque los convenciera, yo no tengo hombres para destinarlos a la Torre: ¿¡¿cuántas veces tengo que decirlooo?!?»

«Mi general... Dígaselo de todos modos a los gubernamentales, mientras yo hablo con Bilal.»

Y olvidándose esta vez de Stefano y de Martino, se precipitó al Veintidós, donde las cosas iban mucho peor de lo que el Cóndor creía.

Pero que mucho peor. Como perros furiosos que salen ladrando de la perrera, los Amal seguían cruzando la avenida e inundando el Veintidós para construir la barricada. Y unos traían sillas, otros mesas, otros colchones, otros pretendían derribar las barreras del puesto para coger los sacos de arena, ponerlos encima de los muebles, otros disparaban al aire para que los oyeran los gubernamentales de la Torre, otros gritaban extasiados neha-hunna, aquí estamos, neha-hunna... En medio de la confusión estaba Águila Uno que, tras superar la consternación por la tragedia de la tacita Capodimonte que le había regalado su tía Conceta, después por la mancha en forma de I igual a Iella, Iettatura, Iattura, mal de ojo, había acudido a inspeccionar a los dos zampapolenta del Veinticinco Alfa. «¡San Genaro, san Gerardo, san Guillermo!» repetía monótono. «¡Abraham, Isaac, Jacob, profetas míos y de mi madre!» Y parecía un náufrago en busca de un salvavidas al que aferrarse. El salvavidas era Charlie. Se aferró a él señalando al enano de la chaqueta llena de remiendos, que subido a la barricada cantaba el himno copiado del medio libro.

«Beasnani saudafeh haza al bitak, beasnani! Beasnani saudafeh al quariatna, beasnani!»

«¿Qué dice, Charlie, qué dice?»

«Dice que defenderá su casa y su barrio con uñas y dientes, mi coronel» respondió Charlie. Después se dirigió a Bilal que en seguida bajó de la pila de sillas, mesas, colchones, y alzó su duro rostro.

«¿Qué quieres, capitán?»

«Conversar, Bilal.»

«No tengo tiempo para conversar, capitán. Debo ocuparme de mis hombres, capitán.»

Y le dio la espalda para volver a subir a la pila de sillas, mesas, colchones. Pero Charlie lo retuvo por un brazo.

«¿Para qué sirve esta barricada, Bilal?»

«No es una barricada. Es una cabeza de puente, capitán.»

«¿Para qué sirve esta cabeza de puente, Bilal?»

«Para contraatacar si me rechazan. Y para reforzarme si lo consigo, capitán.»

«Si consigues hacer qué, Bilal.»

«Recuperar lo que es mío, capitán. Lo que me han robado. Porque la Torre es mía, capitán. Es de mi gente. Sabra es mía. Es de mi gente. Y quiero recuperarla. Suéltame, capitán.»

«No, Bilal. Porque debes escucharme, Bilal.»

Y sin soltarle el brazo, Charlie se lo llevó hacia el muro occidental de la placita: en un punto menos perturbado por el alboroto. Se acurrucó delante de él como se hace cuando se quiere hablar de tú a tú con los niños, mirarlos bien a la cara, y buscó sus ojos. Eran durísimos. Bastante más duros que la noche en que Rashid lo había llevado a su casa y Passepartout lo había registrado canturreando. Conducían al fondo de un pozo de determinación.

«Bilal...»

«¡He dicho que me sueltes, capitán!»

«Y yo he respondido que debes escucharme, Bilal. Escúchame. Escúchame bien. No te han robado nada, Bilal. La Torre no es tuya, no es vuestra. Sabra no es tuya, no es vuestra. Es de todos, es de la ciudad, y quien la ha tomado representa al gobierno de la ciudad. Si atacas, das a los gubernamentales el pretexto que están esperando. El pretexto para desencadenar la batalla. ¿Comprendes la palabra pretexto?»

«Sí. Prétexte en francés y pretext en inglés. Pero eso que dices no me gusta, capitán.»

«Lo creo, Bilal, y lo que te voy a decir te gustará aún menos. No podrías ganar una batalla, Bilal. Son soldados, ésos. Soldados de verdad.»

«Yo también, capitán, yo también.»

«Sí, pero ellos son más fuertes. Tienen cañones, Bilal. Tienen tanques, radios para comunicar...»

«Yo tengo mi Kalashnikov, capitán, y al final venceré. Está escrito en el libro.»

«No, Bilal, morirás. No hagas caso a ese libro: muerto no se gana nada. Vuelve a Gobeyre, Bilal. Si no vuelves a Gobeyre, os destrozarán. Y con vosotros destrozarán a tus ocho hijos, a tu mujer que espera el noveno, a tu anciano padre, así como a nosotros, los italianos, que nada tenemos que ver con vuestras pendencias. ¿Quieres que muera también yo, Bilal?»

Los durísimos ojos se volvieron un poco menos duros. En el fondo del pozo de determinación centelleó un débil brillo de ternura.

«Has llegado demasiado tarde, capitán. Debías haber llegado hace una hora, antes de que cruzara la avenida. ¿Dónde estabas hace una hora, capitán?»

Charlie apartó la vista para mirar un jeep que llegaba, el jeep del Cóndor, y en lugar de responder apretó con mayor fuerza el brazo de Bilal.

«Nunca es demasiado tarde para poner remedio, Bilal. Y si no has olvidado lo que me dijiste la noche en que llevé a aquel guerrillero herido al hospital de campaña... ¿Lo has olvidado, Bilal?»

«No, capitán, lo recuerdo bien. Te dije: Ahora somos amigos para siempre. Si un día me pides algo, lo haré aunque el libro diga que no lo haga.»

«Exacto. Y ese día ha llegado, Bilal. Te pido que desmanteles la barricada. Te pido que abandones el Veintidós. Te pido que vuelvas a Gobeyre con tus hombres.»

En el fondo del pozo, el brillo de ternura se apagó y los ojos de nuevo durísimos miraron fijamente a los ojos de Charlie.

«¿Lo pides por mí y mi gente o por ti y tu gente, capitán?»

«Por los dos, Bilal...»

«No lo creo, capitán, pero mantendré la promesa. Con una condición: que los gubernamentales se vayan y que suban a la Torre los italianos.»

«De acuerdo, Bilal.»

Y tras soltar por fin el brazo, Charlie volvió a ponerse en pie. Se reunió con el Cóndor que tras apearse del jeep estaba vapuleando verbalmente a Águila Uno.

«¡Un poco de energía, coronel! ¡Le aseguro que a sus santos y sus profetas les trae sin cuidado el Veintidós!»

Lo interrumpió.

«Mi general, Bilal se irá si los gubernamentales se van. Y con la condición de que se instalen en la Torre los italianos en su lugar.»

El Cóndor se puso tenso.

«También los otros. He hablado con ellos. Y como yo no tengo a los hombres para sustituirlos, se acabó la conversación.»

«Si se acabó, reanudémosla, mi general... Quiero decir... Podríamos mandar a la patrulla de Rambo, a la Torre...»

Estalló el inevitable grito.

«¡Se trata de cinco hombres, incluido Rambo, Charlieee! ¡No diga tonteríaaas!»

«Podríamos duplicarla, mi general... Podríamos incluir a cinco infantes de marina de otra patrulla...»

El grito se repitió.

«¡No multiplique las tonterías, Charlieee! ¡Sabe usted tan bien como yo que entre cinco y diez no hay diferenciaaa! ¡Sabe usted tan bien como yo que en un edificio vacío y en un barrio abandonado a sí mismo diez hombres son diez rehenes ofrecidos en pasto a los Hijos de Diooos!»

«Son un modo de ganar tiempo, mi general.»

«Y de despejar la placita» intervino esperanzado Águila Uno.

Esta vez el Cóndor pareció vacilar.

«Eso es verdad...»

Después miró la barricada que ya había adquirido las dimensiones de un camión muy alto, miró a los Amal que seguían amontonando muebles, a los bersaglieri que impotentes habían dejado de rechazarlos a patadas y empujones, a Rambo que resignado había dejado de arengarles en árabe, a Neblí que desalentado había dejado de gritarles ialla-atrás-ialla, hijos-de-puta... Y pareció cambiar de idea.

«¿Tenemos otros cinco infantes de marina?»

«¡Sí, cinco, sí!» respondió Águila Uno más esperanzado que nunca.

«¿A qué hora comienza el crepúsculo?»

«A las dieciséis y cincuenta y seis, mi general. Y a las dieciocho y veintidós es de noche.»

«Bien, decidido. Duplique la patrulla de Rambo y téngala lista para ocupar la Torre hasta las dieciséis y cincuenta y seis. Mejor dicho hasta las diecisiete.

«¿Las diecisiete? ¿¡¿Sólo las diecisiete?!?» exclamó Charlie, alarmado.

«Las diecisiete, Charlie, las diecisiete. Yo no dejo que mis hombres sean pasto de los Hijos de Dios. Informe de ello al enano mientras yo informo a los gubernamentales.»

«Pero si le digo que nos quedamos sólo hasta las diecisiete, ¡no se irá, mi general!»

«No se lo diga.»

«Si no se lo digo, ¡lo engaño! ¡Lo traiciono!»

«El dilema le incumbe a usted, Charlie, no a mí. Yo quiero despejar la placita y se acabó.»

«Sí, mi general...»

Y con la cabeza baja Charlie volvió a acercarse a Bilal.

«Mi general acepta, Bilal.»

«¿Se van los gubernamentales?» preguntó, desconfiado, Bilal.

«Se van. Han puesto la misma condición que tú, y dentro de poco subiremos nosotros a la Torre.»

«¿Hasta cuándo, capitán?»

«No lo sé... Hasta que sea necesario, supongo.»

«¿Estás seguro, capitán?»

«Confía en mí, Bilal.»

«Voy a probar, capitán» dijo. Y al instante le volvió la espalda, regresó a la barricada que calificaba de cabeza de puente, ordenó a sus hombres deshacerla y volver a Gobeyre. Después, cuando hubieron deshecho la barricada y el último de los Amal hubo cruzado de nuevo la Avenue Nasser, volvió junto a Charlie. Con un gesto muy, muy triste, le tendió la mano.

«Es muy difícil mantener una promesa difícil, capitán. Pero yo la he mantenido. ¿Y tú? ¿La mantendrás, tú?»

Charlie se ruborizó imperceptiblemente.

«¿Por qué me haces esta pregunta, Bilal?»

«Porque la amistad es un lujo en la guerra, capitán. Y porque hay un proverbio que dice: O tú o yo.»

El rubor de Charlie aumentó. Se volvió violáceo.

«Bilal...»

«Adiós, capitán. Y si no volvemos a vernos más, recuerda que mi libro no yerra: venceré. Vivo o muerto venceré.»

* * *

Hacía frío, aquella mañana. Junto con el fango y la neblina, la lluvia había dejado el aire gélido del invierno. Pero el escalofrío que sacudió a Charlie no era de frío, y abrumado por un sentimiento que se parecía mucho a la vergüenza abandonó el Veintidós. Volvió al Cuartel General donde Stefano y Martino reían contentos de haber curado a Lady Godiva y donde Caballo Loco se desesperaba porque se había enterado de que el proceso a los tunantes de la Cámara Rosa había acabado con un veredicto de absolución.

«Quod non vetat lex, hoc vetat fieri pudor! ¡Lo que no prohíbe la ley lo prohíbe el pudor, nos advierte Séneca!»

Había llegado también el generalote de tres estrellas, y con él el Ordinario Militar, es decir, el gran capellán. Uno con el pecho cubierto de injustificadas medallas de oro y plata y bronce, el otro con la solapa del uniforme santificada por dos minúsculos pero centelleantes crucifijos, se desahogaban de verdad con su cháchara sobre el sacrificio el honor la paz la misericordia. Por su parte el Profesor añadía en su despacho una amarga apostilla a la carta escrita durante la noche a la esposa que no existía.

–4–

Qué don extraordinario, insubstituible, es la imaginación. ¡Y qué desafortunados son quienes no la poseen! ¡Qué pobres son! Puedes ir adonde quieras, con la imaginación, ser lo que quieras, tener lo que quieras. Puedes inventar lo que no existe. Y el Profesor, ya lo sabemos, se había inventado a una mujer que no existía: una esposa a la que amar, una compañera a la que dirigir las cartas que se escribía a sí mismo para reflexionar y para construir en su mente la novela que estamos leyendo. Pero sobre todo, con la imaginación puedes inventar la realidad: demostrar que realidad e imaginación son la misma cosa, las dos caras del mismo sueño, y prever el futuro que a nosotros nos parece una hipótesis pero en realidad es una certeza ya establecida por la lógica inescrutable del destino.

Nos lo dice la segunda carta del Profesor.

* * *

Tengo una gran necesidad de escribirte, cariño, y me pregunto por qué. Tal vez porque mañana es Navidad, y aunque no me gustan las fiestas vinculadas a espejismos extraterrenales no puedo substraerme a la fascinación de ese día. Es el día en que se celebra el nacimiento de un hombre que creía ciegamente en el amor y en la inmortalidad de la Vida: pasarlo en una orgía de odio y muerte me aflige, me hace sentir más sólo que nunca. No te imaginas cuánto daría por pasarlo contigo, en una cama cálida de ti, teniéndote entre mis brazos y escuchando las campanadas que invitan a la alegría. (¿Será que ya no me basta con imaginarte?) O tal vez nada tenga que ver la Navidad ni tampoco mi insuficiencia a la hora de imaginarte. Tengo una gran necesidad de escribirte porque tengo una gran necesidad de conversar conmigo mismo, hacerme compañía, superar la inquietud que de improviso me pone nervioso. ¡Pues sí! No es un estado de ánimo injustificado, el mío: cuántos cataclismos han sucedido en estas últimas semanas y en estas últimas horas. Los gubernamentales, es decir, nuestros supuestos aliados nos han atacado con morteros y nos han destruido un depósito de municiones, los chiitas nos han destrozado con Rdg8 una patrulla de comandos y nos han dedicado una manifestación grávida de amenazas, los franceses han abandonado el barrio de Sabra, y dulcis in fondo, si estalla la bomba que dicho abandono ha activado, no podemos defendernos. Aparte de la escasez de municiones, nos faltan hombres: el lunes pasado Agamenón mandó de permiso a un tercio del contingente. «¡Estaba todo organizado!» responde si observo que ha cometido un error. Todo organizado... Existe un aforismo genial sobre el sentido organizativo de mis compatriotas, como sabes, y éste es momento oportuno para recordarlo: «El paraíso es un lugar en el que los policías son ingleses, los cocineros son franceses, los fabricantes de cerveza son alemanes, los amantes son italianos (sic), y todo está organizado por los suizos. El infierno es un lugar en el que los policías son alemanes, los cocineros son ingleses, los fabricantes de cerveza son franceses, los amantes suizos y todo está organizado por los italianos.» Pero hablemos de otra cosa. Hablemos de mi pequeña Ilíada, mi novela que he de escribir con la sonrisa en los labios y las lágrimas en los ojos.

La he comenzado, cariño, ¡estoy trabajando en ella! Todas las noches me encierro en mi despacho y trabajo, trabajo, trabajo: navego por las difíciles aguas de la novela anhelada. No sé a qué puerto me conducirá. Ni siquiera a quien la escribe confiesa en seguida una novela sus muchos secretos, revela en seguida su auténtica identidad. Como un feto carente de facciones precisas, al comienzo encierra en sí una mina de hipótesis: tiene en reserva una miríada de sorpresas buenas o malas. Y todo es posible. Incluso lo peor. Pero el cuerpo ya está delineado, el corazón late, los pulmones respiran, las uñas y los cabellos crecen, en el rostro incierto distingues con claridad los ojos y la nariz y la boca: puedo presentártela. Puedo incluso adelantarte que la historia se desarrolla en el lapso de tres meses, noventa días que van de un domingo de finales de octubre a un domingo de finales de enero, comienza con los perros de Beirut, alegoría rayana en la crónica, parte de la doble matanza, sigue el hilo conductor de una ecuación matemática, es decir, del S = K ln W de Boltzmann, y para desarrollar su trama utilizo al hamletiano escudero de Ulises. El que busca la fórmula de la Vida. (Lo he bautizado Angelo, elección que me ha parecido conforme a su aséptico raciocinio, y por lo demás a ninguno he impuesto los nombres del divino poema. Con la esperanza de evitar que el habitual imbécil al acecho me tache de presuntuoso y se burle de mi esfuerzo, a los jefes aqueos les he impuesto inmerecidos nombres de aves guerreras o bien apodos de caricatura. A los demás, el que se presentaba o me parecía idóneo para el personaje.) Los personajes son imaginarios. Lo son incluso en los casos en que se inspiran en supuestos modelos. En efecto con frecuencia escapo al exilio del papeleo e inobservado observo. Escucho, espío, robo a la realidad. Después la corrijo, la realidad, la reinvento, la recreo, y junto con el hamletiano escudero (reinventado hasta tal punto que muchas veces ya no recuerdo quién era el original) ahí está el despótico general que cree que puede derrotar a la Muerte, ahí está su desencantado y caprichoso consejero, ahí está su erudito y extravagante jefe de Estado Mayor, ahí están sus oficiales ora belicosos ora pacíficos, ahí está la variopinta multitud de su tropa. Los soldados a los que me refería en la carta anterior, los muchachos a los que en toda civilización o incivilización Agamenón y Menelao y Ulises y Aquiles y Néstor y Áyax llevan a sufrir y morir bajo los muros de Troya. Los he incluido, sí, los arquetipos que te enumeré. Y representan apenas un segmento del muestrario humano que el libro ofrecerá: el calabrés pobre y feo, el sardo taciturno y orgulloso, el siciliano entremetido y vivaz, el veneciano rico y desengañado, el toscano zafio y astuto, el romañolo ingenuo y atemorizado, el turinés educado y optimista... He incluido también a la espléndida y misteriosa libanesa a la que llamo Ninette, e incluso le he atribuido un papel decisivo, y los símbolos de la triste ciudad: el eterno paria al que el

Padre Eterno engaña con medio libro encontrado en la basura, el eterno patrón al que Dios Nuestro Señor inviste con poderes celestiales, el eterno instrumento del Mal que con su omnipresencia puede adoptar las facciones de un joven de catorce años pérfido y obtuso. He incluido a los niños a los que la guerra mata, los rufianes a los que la guerra favorece, los bandidos a los que la guerra protege, muchas mujeres entre las cuales un sucedáneo de mujer llamado Lady Godiva, así como cinco monjas que me seducen y a las que tengo intención de implicar en la tragedia. Entre protagonistas y comparsas, unos sesenta personajes. Pero de día en día el reparto se enriquece, el escenario se llena, y pronto llegarán otros nuevos. Que Dios me ayude... ¡No te imaginas el trabajo que es dosificarlos, insertarlos en la estructura del relato, moverlos en el momento apropiado y del modo apropiado, es decir, para los fines de la trama! Ciertas noches me siento peor que un incauto titiritero que no tiene dedos suficientes para dirigir los hilos de todos sus títeres. Y tiemblo.

Lo malo es que no logro limitarlos, reducirlos. Me parecería que mutilaba la novela si los redujera, que retrataba la vida como la retrataban las películas mudas o en blanco y negro. No me gustan las películas mudas ni en blanco y negro. No comprendo a los estetas que prefieren las películas mudas o en blanco y negro, que ebrios de éxtasis por el silencio y la monocromía que las caracteriza exaltan su «inimitable intensidad» o «esencialidad». Faltan los sonidos de la Vida en esa intensidad, faltan los colores de la Vida en esa esencialidad. La Vida no es un espectáculo mudo ni en blanco y negro. Es un arco iris inagotable de colores, un concierto interminable de sonidos, un caos fantasmagórico de voces y rostros, de criaturas cuyas acciones se entrelazan o se superponen para tejer la cadena de acontecimientos que determinan nuestro destino personal. Cariño, una de las cosas que me interesaría decir en mi pequeña Ilíada es precisamente que nuestro destino personal va siempre determinado por una cadena de acontecimientos tejidos por el entrelazamiento y la superposición de acciones no realizadas por nosotros. Por ejemplo por el simple gesto de una persona cuyo destino personal se verá determinado a su vez por el simple gesto de otra persona, hasta el infinito, con una dinámica ajena a nuestra voluntad, es decir, a nuestro libre albedrío. Y para decirlo o intentar decirlo debo utilizar el mayor número posible de títeres. Cosa que me divierte, además, porque gracias a ellos puedo expresarme a mí mismo. Mis muchos yo mismo, todos los yo mismo que no sabía que era y he descubierto que era... Flaubert decía

Madame-Bovary-c'est-moi, soy yo. Bueno, pues yo soy Angelo, soy Ninette, soy el Cóndor, soy Charlie, soy Caballo Loco, soy el Urogallo, soy Azúcar, soy Pistoia, soy Águila Uno... Soy Neblí, soy Sandokan, soy Halcón, soy Gigi el Cándido, soy Armando Manos de Oro, soy Gino, soy Martino, soy Fabio, soy Matteo, soy Clavo, soy Cebolla, soy Nazareno, soy Rambo, soy Ferruccio, soy Stefano, soy Fifí, soy Gaspare, soy Bernard le Français... Soy Rocco, soy Luca, soy Nicola, soy Salvatore Belleza hijo del difunto Onofrio, soy Jasmine, soy Imaam, soy Sanaan, soy Dalilah, soy sor Espérance, soy sor George, soy sor Milady, soy sor Françoise, soy sor Madeleine... Soy Bilal el Barrendero, soy su mujer Zeinab y sus ocho hijos, soy Su Eminencia Reverendísima Zandra Sadr, soy Passepartout, soy su amante Rashid, soy Alí el Tragón, soy Ahmed el Rufián, soy el niño Mahoma, soy la niña Leyda... Y pronto seré el capitán Gassán, seré Roberto el Lavandero, seré Calogero el Pescador, seré el sargento Natale, seré Rocky, seré la madre de Mahoma, seré la madre de Leyda: seré y soy cualquier criatura que nazca de mi imaginación, que more entre los pliegues de mi cerebro, que exista gracias a mis pensamientos y a mis sentimientos, que me los chupe como un vampiro chupa la sangre. La simbiosis es tan completa que ya no me es posible diferenciarme de ellos. Cuando lloran, lloro con ellos. Cuando se ríen, río con ellos. Cuando tienen miedo, tengo miedo con ellos. Cuando mueren, muero con ellos. Y no me separo nunca de ellos. ¡Nunca! Agamenón se dio cuenta, anoche. Estaba examinando el problema de la Torre, el edificio que en Sabra amenaza con encender la mecha, y como yo callaba me preguntó sobre qué estaba cavilando. Cavilaba sobre la forma de utilizar ese problema y esa torre en mi historia, sobre la forma de desencadenar una batalla que dé un cambio definitivo a la novela y se convierta en su nudo. Podría arrojar a ese nudo al menos a dos tercios de los personajes, matar a algunos, custodiar al otro tercio entre bastidores para emplearlo fresco en la última parte, me decía, después con la batalla concluida desarrollar el tema de la inevitabilidad del destino, exhumar el tercer camión, sacar las conclusiones del $S = K \ln W$, a través de la Muerte facilitar la fórmula de la Vida... Y me sentía Zeus que desde la cima del Olimpo mueve los hilos de sus títeres, de los hombres, selecciona a capricho a los que salvar y a los que sacrificar, crea y destruye a su antojo los colores del arco iris inagotable, los sonidos del concierto interminable. En una palabra domina el Universo. Así le respondí mirándolo con la expresión de alguien que se despierta sobresaltado, y él se encolerizó. «¡Deje de vagar siempre por la estratosfera!» ¿Qué podía repli-

car? Era cierto, es cierto. Vago siempre por la estratosfera. Fluctúo en una especie de lúcida locura. Cariño, para escribir hay que ser a un tiempo lúcido y loco.

Pero, ¡qué maravilla esa unión monstruosa! ¡Qué privilegio fluctuar en ella, qué sublime responsabilidad! Te lo demostraré con ayuda de un argumento que hoy es objeto de ensayos académicos y polémicas intrincadas, discusiones de salón y best-sellers, pero que casi todos afrontan eludiendo el aspecto que importa. Aquí lo tienes. Pertenecemos a una época en la que el cine y la TV substituyen a la palabra escrita, al relato escrito, y en el diálogo con el mundo los directores o mejor dicho los actores substituyen a los escritores. En efecto nadie, ni siquiera yo, resiste a la narcótica tentación de la pantalla, a la perpetua distracción ofrecida por un sistema de comunicación que transforma en diversión pública hasta la sagrada intimidad del sexo y la inviolable solemnidad de la muerte. Subyugados, hipnotizados por la Medusa moderna, pasamos horas mirando sus imágenes y escuchando sus sonidos. Por consiguiente leemos bastante menos, y muchos ya no leen. Consideran que se puede vivir sin leer, es decir, sin la palabra escrita, sin el relato escrito, sin los escritores. Pero, no. No, y no tanto porque el propio cine y la propia TV no prescindan de la palabra escrita, del relato escrito, de los escritores, cuanto porque la pantalla no permite ni permitirá nunca pensar como se piensa leyendo: sus imágenes y sus sonidos distraen demasiado, impiden concentrarse. O sugieren reflexiones demasiado superficiales y pasajeras. Además se preocupa demasiado de aturdir y divertir, la pantalla divierte y aturde con medios demasiado rudimentarios y juguetones: le traen sin cuidado tus meninges. No hace falta recordar que para leer es necesario un mínimo de meninges, es decir, de inteligencia y cultura, no hace falta subrayar que cualquier idiota o cualquier analfabeto con dos ojos y dos oídos puede mirar las imágenes y escuchar los sonidos de la Medusa moderna. Pero para vivir, para sobrevivir, ¡es necesario pensar! Para pensar es necesario producir ideas, ¡aportarlas! ¿Y quién produce más ideas que el escritor? ¿Quién aporta más que él? El escritor es una esponja que absorbe la vida para devolverla en forma de ideas, es una vaca eternamente encinta que pare terneros en forma de ideas, es un rabdomante que encuentra el agua en cualquier desierto y la hace brotar en forma de ideas: es un mago Merlín, un vidente, un profeta. Porque ve cosas que los demás no ven, siente cosas que los demás no sienten, imagina y prevé cosas que los demás no pueden ni imaginar ni prever... Y no sólo las ve, las siente, las imagina, las prevé: las transmite. En vida y después de muerto. Cariño, ninguna sociedad ha evolucionado nunca sin escritores. Ninguna revolución (ya fuera buena o mala) ha sucedido nunca sin escritores. Para bien y para mal, han sido siempre los escritores quienes han movido el mundo: quienes lo han cambiado. Así pues, escribir es la profesión más útil que existe. El más exaltante, el más satisfactorio de la Creación.

¿Exagero? ¿Cedo a la retórica del entusiasmo, a las utopías del neófito? Me imagino tu réplica: «Calma, señor mío, calma. No olvides lo que en el ilustrado siglo XVIII decía el matemático y philosophe Jean-Baptiste d'Alembert. En una isla salvaje y deshabitada, decía, un poeta (léase escritor) no sería demasiado útil. Un aparejador, sí. Desde luego no fue un escritor quien encendió el fuego, desde luego no fue un novelista quien inventó la rueda. En cuanto a lo de la profesión más exaltante y más satisfactoria de la Creación, añadirías, pregúntaselo a los escritores que escriben a todas horas y todos los días durante años, que inmolan su existencia a un libro. Te responderán coronel, ¿cree en serio que para emitir semejante juicio basta con escribir unas horas después de la cena en Beirut? ¿Cree en serio que para escribir un libro basta con tener ideas o construir a grandes líneas una historia? ¿¡¿Cree en serio que escribir es un goce?!? Se lo vamos a explicar nosotros lo que es, coronel. Es la soledad atroz de una habitación que poco a poco se va transformando en una cárcel, una celda de tortura. Es el miedo a la página en blanco que te escruta vacía, burlona. Es el suplicio de la palabra que no encuentras y si la encuentras rima con la palabra contigua, es el martirio de la frase que cojea, de la métrica que no cuadra, de la estructura que no se sostiene, de la página que no funciona, del capítulo que debes desmantelar y rehacer rehacer rehacer hasta que las palabras te parecen comida que huye de la boca hambrienta de Tántalo. Es la renuncia al sol, al azul, al placer de caminar, viajar, usar todo tu cuerpo: y no sólo la cabeza y las manos. Es una disciplina de monje, un sacrificio de héroe, y Colette sostenía que es un masoquismo: un crimen contra uno mismo, un delito que debería ser castigado por la ley a la par que los demás delitos. Coronel, hay gente que de escribir ha acabado o acaba en las clínicas psiquiátricas o en el cementerio. Alcoholizada, drogada, enloquecida, suicida. Escribir enferma, señor mío, arruina. Mata más que las bombas.» Lo sé. Lo he comprendido. Jean-Baptiste d'Alembert aparte (excluyo que tuviera razón), sé también que mi pequeña Ilíada podría ser una quimera: el embrión de un libro que no nacerá nunca. Podría ser incluso un embarazo

ficticio como el de las mujeres que desean un hijo hasta el punto de suspender con el subconsciente el ciclo menstrual, hincharse el vientre de aire, hacerse la ilusión de que contiene un feto. Pero la felicidad es siempre una ilusión, y ficticio o no este embarazo me regala un paréntesis de felicidad. Te abrazo, cariño. Te agradezco que me hayas ayudado a conversar conmigo mismo, a hacerme compañía, a superar la inquietud que me ponía nervioso, y te deseo Feliz Navidad...

Posdata: ¿Feliz Navidad? Mientras escribía, los franceses evacuaban la Torre y los gubernamentales de la Octava Brigada ocupaban su lugar. Mientras te daba las gracias, los Amal de Gobeyre invadían la placita del Veintidós y conducidos por el enano de la chaqueta llena de remiendos levantaban en ella una barricada... Ignoro con qué astucias psicológicas y oratorias los habrá convencido Ulises para que la desmantelen y vuelvan a su barrio, ignoro por qué cálculos tácticos o estratégicos han aceptado los gubernamentales cedernos el presidio del maldito edificio: el caso es que en la manzana de la discordia ahora hay diez de nuestros infantes de marina. Pero sólo podemos mantenerlos allí hasta las cinco de la tarde, es decir, hasta el crepúsculo, ¿y sabes lo que significa eso? Significa que realidad e imaginación son de verdad la misma cosa, las dos caras del mismo sueño: la batalla que quería desencadenar en mi imaginación estallará de verdad al caer la tarde, cuando los diez infantes de marina abandonen la Torre. Será una batalla feroz y, si sobrevivimos, si sobrevivo, imprimirá de verdad un cambio a la novela. Se convertirá de verdad en su nudo. Y me permitirá de verdad desarrollar el tema de la inevitabilidad del destino, exhumar el tercer camión, sacar las conclusiones sobre $S = K \ln W$ *luego a través de la Muerte facilitará la fórmula de la Vida. Suponiendo que dicha fórmula exista. Nunca había tenido tantos motivos para dudarlo.*

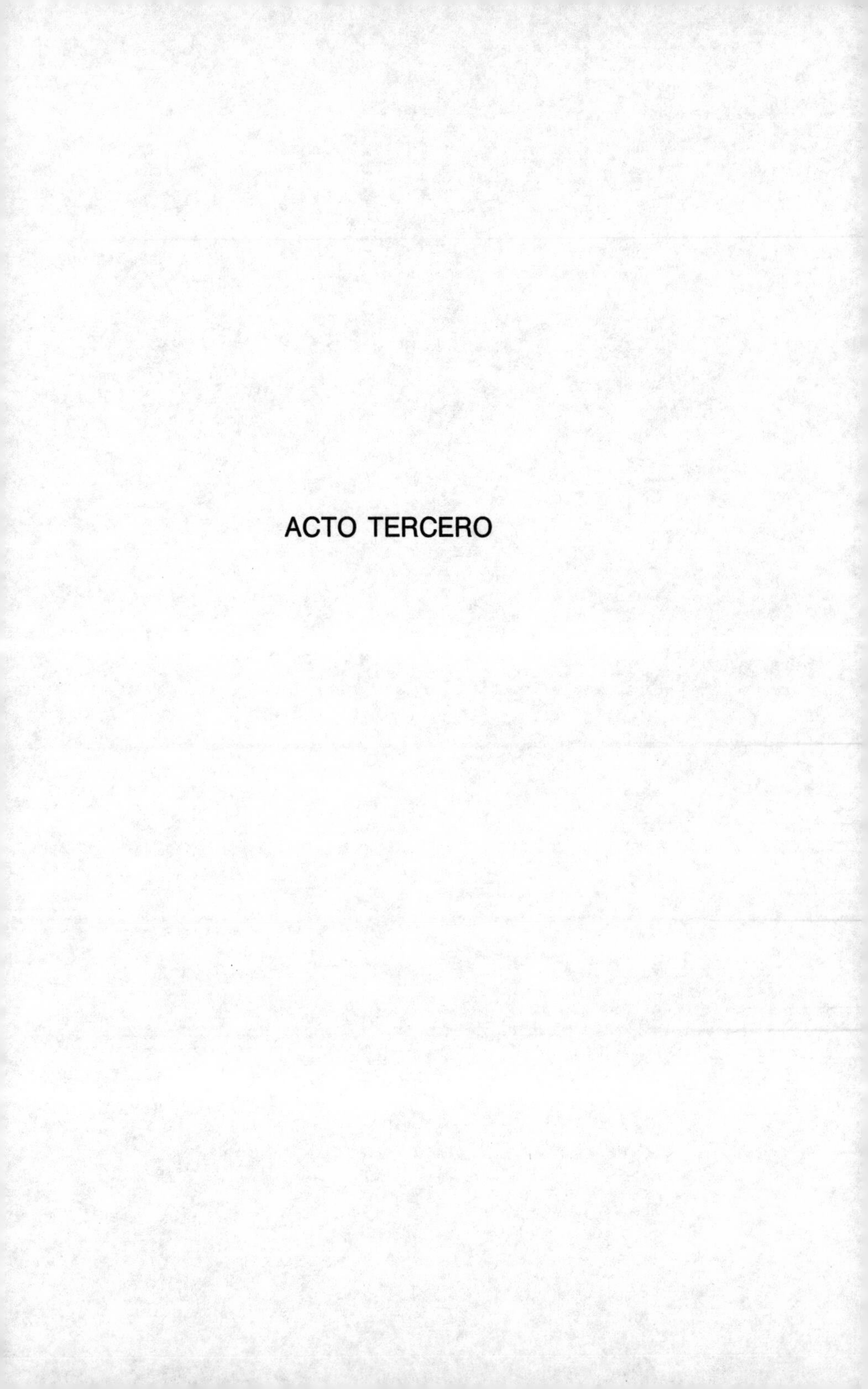

ACTO TERCERO

CAPÍTULO PRIMERO

–1–

Un silencio alucinante reinaba en Sabra y Chatila, una inmovilidad tan pesada como un sudario de plomo. De los corrales y los gallineros no se elevaba ni siquiera un quiquiriquí desesperado y en las calles vacías, en los callejones desiertos, no se veía ni siquiera un topo en busca de comida. De improviso hasta los gallos que a cualquier hora cantaban su locura se habían callado, hasta los topos que se daban un banquete dentro de la basura habían desaparecido y con los topos, las cabras que triscaban la alta hierba crecida sobre la fosa de los mil asesinados. Con las cabras, las personas. Superfluo preguntarse por qué. Al amanecer hasta los ciegos habían visto la bandera gubernamental que ondeaba en lo alto de la Torre y a los Amal que a decenas invadían el Veintidós para levantar en él la barricada, después a Bilal que los volvía a conducir hasta Gobeyre y la bandera italiana que subía al asta del antiguo depósito de agua para substituir a la bandera gubernamental. Antes de que empezara a caer la tarde hasta los sordos habían oído el grito a-las-cinco-de-la-tarde-los-italianos-dejan-la-Torre, a-las-cinco-de-la-tarde-la-Torre-queda-sin-vigilancia, y todo el mundo había comprendido lo que iba a suceder. Atrancando las puertas, tapando las ventanas, bajando los cierres, los habitantes de los dos barrios se habían encerrado en sus casas. Y fuera sólo habían quedado los bersaglieri con los infantes de marina, inmóviles y callados detrás de los sacos de arena.

Míralos mientras callados e inmóviles detrás de los sacos de arena cuentan los minutos que los separan de las cinco de la tarde, del diluvio de ráfagas y cañonazos y cohetes. Sus campanas de Navidad. A algunos no los conoces, no los has conocido aún en el escenario de la tragicomedia, a otros en cambio los conoces bien: son personajes de la novela que el Profesor llama mi-pequeña-Ilíada. En el último piso de la Torre está Rambo que palpa angustiado la medallita con la imagen de la Virgen y mira fijamente una casucha amarilla. La casucha en la que vive Leyda, la pequeña palestina que lo sigue cuando está de patrulla y que le ha robado el corazón porque se parece a Mariuccia: su hermanita muerta a los cinco años. Está en un punto peligroso la casucha amarilla: en el lado occidental de la placita protegida por el Veintidós. Y si le sucediera algo a Leyda, Dios mío, si Mariuccia muriese de nuevo... En el Veintitrés está Cebolla que tantos deseos tiene de hacerse un hombre y para ello ha vencido el miedo a los muertos, ha comprendido que el mal lo hacen los vivos y nada más, pero intuye que pronto habrá de vérselas con los vivos y tiembla más que nunca. En el Veintiuno está Clavo que quisiera pasar el examen de madurez en Beirut, la madurez del adulto, pero sólo piensa en su hambre y en el gran banquete de Nochebuena que al acabar el turno devorará. ¿Lo habrán cocinado con arte, esta noche, el pollo habitual? ¿Habrán puesto la pimienta en las patatas? ¡Ah, poder cocinar con sus propias manos una langosta a la armoricana o un pato a la naranja! En el Veintisiete Lechuza está Nazareno que con su pacifismo ácrata no soporta esa peste a sangre que llega, para olvidarla piensa que está en la India donde percibes olores a salvia y jazmín aunque estés en una cuadra, y de vez en cuando apunta los visores hacia Tayoune: intenta encuadrar la yegua blanca que vive en el centro del bancal. En el Veintiocho están Fabio y Matteo, y Matteo piensa en Dalilah que ayer lo besó infligiéndole mil complejos de culpa respecto de Rosaria: Matteo-yo-no-te-pido-que-me-seas-fiel-porque-sea-una-chica-hermosa-etcétera, te-lo-pido-porque-la-lealtad-es-la-lealtad-y-la-coherencia-es-la-coherencia. Pero al mismo tiempo piensa en el diluvio que estallará, y ya espantado se pregunta qué es una batalla: ¿la cosa horrenda de que hablaba su abuelo que en la batalla perdió una pierna, o una experiencia exaltante que contar en los cafés de Palermo? Fabio, no. Sólo piensa en Jasmine, de la que ya se ha enamorado, en el apodo Míster Valor gracias al cual ha superado la vergüenza de haber traicionado el recuerdo de John, y sonríe sin darse cuenta de que dentro de poco llorará. En el Veinticinco está Ferruccio que en cambio se da perfecta cuenta de ello, y con ojos inquietos escudriña entre las sombras proyectadas por la higuera. Esta mañana Mahoma ha prometido traerle el hummus con la shauarma, es decir, crema de garbanzos con cordero al horno, una-cazuela-llena-ya-verás, y si de verdad se la trajera... Habría que detenerlo, prohibirle sacar la nariz fuera de su chabola, pero, ¿cómo? ¡Dios mío! ¿¡¿Cómo?!? En el Veinticinco Alfa están Luca y Nicola que escuchando la radio han captado una frase alarmante, los-dos-del-mirador-frente-a-la-Torre-pueden-pasarlo-mal, y Luca no cesa de intercalar los insultos a Hemingway con la Salve Regina:

«Salve Regina, madre misericordiosa, vida, dulzura, esperanza nuestra... ¡Piérdete, Hemingway, cerdo asqueroso, so maricón!» En cuanto a Nicola, no cesa de rabiar y lamentarse: «¡Tenías razón, tía Liliana! ¡Tenías razón!» En el Veintidós está Neblí. Espera a Águila Uno que ha ido a recoger a Rambo y a los nueve infantes de marina, y, escrutando la Torre refunfuña para sus adentros: «Ahora arría la bandera del mástil... Ahora la está plegando... Ahora va a bajar las escaleras... Ahora las baja... ¿O las ha bajado de antemano para no desalojar a las diecisiete en punto? ¡Los napolitanos temen el diecisiete más que a los gatos y a los espejos rotos! Ya las ha bajado, sí, ahora llega...» Y por doquier hay un cielo lívido, agorero, que de minuto en minuto se vuelve más lívido y agorero. Mira también eso, míralo.

Míralo y después mira a Águila Uno que para no propiciar la iella, mal de ojo, no abandonar la Torre a las diecisiete en punto, ha bajado de verdad con antelación y está llegando con el jeep de Rambo en los talones. Está muy blanco, Águila Uno, tan blanco que en las mejillas los bigotes rizados destacan como negros puntos de interrogación y respira con dificultad. «Neblí, trasládate al Veinticinco. En el Veintidós estoy yo» dice respirando con dificultad. Después se dirige a Rambo que también aquí mira angustiado la casucha amarilla: «Sitúate con tus muchachos al pie del muro meridional, Rambo, que en el tanque por desgracia no hay sitio.» Inmediatamente después llama a la Sala de Operaciones y transmite un breve informe: «La bandera está arriada, la Torre evacuada, Neblí se traslada al Veinticinco y los diez infantes de marina se quedan conmigo en el Veintidós. ¿Recibido?» «Recibido» responden en la Sala de Operaciones. Son las cinco y cinco, el silencio alucinante continúa y en su despacho el Cóndor está explicando al gran capellán por qué no podrá celebrar la Misa del Gallo: «Considero que el esfuerzo para evitar el choque no ha servido de nada, Excelencia: pronto la batalla estallará y nos envolverá de Chatila a Bourji el Barajni. Nos encontraremos en la situación de un árbitro entre dos boxeadores que se destrozan a ciegas, Excelencia, y varios puñetazos los recibiremos nosotros. Debo poner a la tropa al abrigo.» El gran capellán, acariciando los minúsculos crucifijos que le santifican la solapa del uniforme, escucha con expresión incrédula y replica indignado: «¿¡¿Una batalla en Nochebuena?!?» En cambio el generalote de Roma, sacando brillo a las injustificadas medallas de oro y plata, escucha con expresión de quien se lo cree demasiado, y suda. Él no ha estado nunca en una guerra, sus empresas bélicas se reducen a las maniobras hechas con disparos de fogueo y en las órdenes disparadas desde las poltronas del Ministerio de Defensa, pero sabe que el Cóndor no yerra. Lo saben todos. Lo sabe el Profesor que lo ha explicado en la Posdata de su carta y que ahora daría mucho por que la realidad y la imaginación no fueran la misma cosa. Lo sabe Charlie que apesadumbrado por el disgusto de haber tenido que engañar a Bilal busca justificaciones en la frase capitán, la-amistad-es-un-lujo-en-la-guerra, y-hay-un-proverbio-que-dice-o-tú-o-yo. Lo sabe Caballo Loco que deseoso de imitar a Desaix y Collinet, para ser exactos a Louis-Charles-Antoine Desaix o mejor dicho Des Aix caballero de Veygoux y a Antoine-Charles-Louis Collinet conde de Lasalle, atormenta al Urogallo con sus máximas en latín: «Bellum nec provocandum nec timendum, ¡la guerra no se debe provocar ni temer, nos enseña Plinio!» Lo sabe Pistoia que tras perder su alegría y su rendez vous con Joséphine y Geraldine y Caroline masculla entre dientes: «Esta noche vamos a bailar, muchachos, ¡vamos a bailar!» Lo sabe Azúcar, que ha bajado al Museo para envolver con sacos de arena su bomba de avión nunca desactivada y alarmado murmura para sus adentros: «¡Que no pase nada, que no pase nada!» Lo sabe Sandokan que está en Sierra Mike rebosante de felicidad por gozar la-linfa-de-la-vida que le han negado las guerritas nonatas con Yugoslavia y con Albania o al menos con Malta, al menos con el Principado de Mónaco, al menos con la República de San Marino pero en el fondo de su corazón advierte una inexplicable añoranza de los edelweis y las truchas de las estribaciones de los Alpes. Lo sabe Halcón, que en el Rubí agradece a Dios estar fuera, es decir, poder aplazar la Gran Prueba por la cual, sor Espérance aparte, ha vuelto a Beirut. Lo sabe Gigi el Cándido que en lugar de estudiar el *Mot à mot* de sor George se preocupa por Rocco, trasladado gracias a él de Ost Ten al Cuartel

General. Lo sabe el Lieutenant Joe Balducci que en Ost Ten se pregunta en qué medida determinará la batalla su suerte y la de sus cuatro Marines atrapados en el fucking rascacielos. Lo saben los médicos y los enfermeros que en el hospital de campaña preparan los quirófanos y verifican las reservas de morfina. (¿Bastará?) Lo saben los milicianos de Bilal que despechados por la retirada y el desmantelamiento de la barricada esperan con impaciencia el momento de volver a cruzar la Avenue Nasser. Y mejor que nadie lo sabe Bilal que después de haberlos conducido de nuevo a Gobeyre ha ordenado a Rashid que prepare las defensas, movilice a los jóvenes y a los viejos, los pertreche con cualquier tipo de arma de que disponga, coloque dos camiones en el límite con el barrio de Chyah y monte en ellos los proyectiles más preciosos de que disponen los Amal del barrio: treinta Katiushas de 80 mm que se pueden emplear a corta distancia. Entretanto noventa gubernamentales se disponen a recuperar la Torre. Míralos también, míralos.

Míralos mientras con uniformes planchados y cascos cubiertos de camuflaje y M16 y ametralladoras y morteros de todos los calibres se mueven en la sombra, aprovechando las calles vacías y los callejones desiertos se acercan al objetivo junto con un M48 con cañón de 105 aún tapado pero con la Browning de 12,7 y la ametralladora coaxial listas para su uso. Esta mañana el ejército de Gemayel ha aceptado la propuesta del Cóndor porque sus estrategas habían cometido el error de iniciar una operación mal coordinada, y porque la compañía mandada durante la noche a ocupar la Torre había cometido la ingenuidad de izar en el asta del antiguo depósito de agua la bandera con el cedro del Líbano. Es decir, de provocar a Bilal. No obstante, durante la jornada han remediado sus errores. Han llamado a dos batallones de la Octava Brigada y a dos de la Sexta, cada uno de ellos al mando de oficiales expertos y adiestrados la mayoría en las academias de West Point o Saint-Cyr, han situado en la pequeña avenida que desde El Pinar desemboca en la glorieta de Sabra la columna de M48 y vehículos blindados que Angelo ha visto mientras esperaba a Ninette y cuando salía del hotel, y en el litoral de Ramlet el Baida o mejor dicho a la altura del Parque de Atracciones han situado en formación una columna de M113, vehículos cargados de tropa, jeeps con cañones de 106. (Cosa que en el momento oportuno permitirá un ataque en forma de tenaza. En efecto la primera columna irrumpirá desde el lado septentrional de Sabra y la segunda desde el lado meridional de Chatila.) Además han alertado a los encargados de los morteros de la Sexta, es decir, los que se alojan en el cuartel situado detrás de la Logística, y han puesto a las órdenes del capitán Gassán una compañía reforzada por noventa hombres escogidos. Sí, los noventa que con uniformes planchados, cascos cubiertos de camuflaje, M16, ametralladoras y morteros de todos los calibres se mueven en la sombra, junto con el M48 se están acercando a la Torre. Dentro de poco irrumpirán en ella, con una maniobra rapidísima, militarmente perfecta, y sin izar la bandera Gassán los distribuirá así: veintiséis hombres en la planta baja con dos morteros de 81 y dos ametralladoras de 12,7; diez en el primer piso, que tiene tres ventanas en las que apostarse, las de la fachada; catorce en el segundo, en el tercero, en el cuarto piso que además de las ventanas de la fachada tienen las traseras y las laterales; doce en la terraza del techo, donde colocará cuatro ametralladoras de 7,62 y tres morteros de 60 así como diez cajas de granadas y diez mil balas en cinta. Pero Bilal será informado por sus centinelas y, loco de furor encenderá la mecha, delegando en Rashid el disparo del primer Katiusha y ordenando a sus milicianos que vuelvan a cruzar la Avenue Nasser y se lancen con él a la conquista del maldito edificio. Son las cinco y trece minutos. Continúa el silencio alucinante, y la inmovilidad pesada como un sudario de plomo. Tras dejar al gran capellán que busca enojado un refugio en el que celebrar la Misa, el Cóndor ha llevado al generalote de Roma a la Sala de Operaciones y allí mira el reloj que la mañana de la doble matanza los obsesionaba con su tétrico tic-tac. En pie junto al jeep que ha aparcado entre el tanque del Veintidós y el muro junto al cual están acurrucados los infantes de marina de Rambo, Águila Uno contiene la respiración y espera a que estalle el infierno. Las diecisiete y trece... Las diecisiete y catorce... Las diecisiete y quince... Las diecisiete y dieciséis... Las diecisiete y diecisiete que es una hora doblemente gafe a causa del doble diecisiete. Y para exorcizarlo hace la señal de los cuernos, murmura los conjuros oportunos. Pero el Katiusha que Rashid ha lanzado desde el camión en el límite con el barrio de Chyad ya está surcando el cielo lívido y agorero.

* * *

Lo surcó de levante a poniente, como el cometa del sueño. El cometa de los Reyes Magos. Lo surcó dejando tras sí una cola de brillante luz anaranjada, como el cometa del sueño. El cometa de los Reyes Magos. Y todos, excepto Águila Uno, se quedaron con la boca abierta extasiados. Qué bello cometa, pensó Rambo olvidando por un instante a Leyda y a su hermanita muerta. Qué bello cometa, pensó Cebolla olvidando por un instante su sueño y su miedo. Qué bello cometa, pensó Clavo olvidando por un instante el pollo asado y su hambre. Qué bello cometa, pensó Nazareno olvidando por un instante la India y la yegua blanca. Qué bello cometa, pensó Fabio olvidando por un instante a su Jasmine. Qué bello cometa, pensó Matteo olvidando por un instante a Dalilah y a Rosaria. Qué bello cometa, pensó Ferruccio olvidando por un instante a Mahoma y su cazuela de hummus con shauarma. Qué bello cometa, pensaron Luca y Nicola olvidando uno a Hemingway y el otro a su tía Liliana. Qué bello cometa, pensaron todos, qué bella historia para contar al regreso a Italia. «¿¡¿Lo creerás?!? En Nochebuena vi, en Beirut, el cometa de los Reyes Magos.» Después siguieron con ojos brillantes su parábola, lo admiraron mientras descendía, se posaba casi con dulzura sobre el antiguo depósito de agua. ¿¡¿Sobre el antiguo depósito de agua?!?

Un trueno desgarró el silencio. El antiguo depósito de agua se desintegró en un abanico de llamaradas argénteas, pajitas de oro, humo negro. Un títere que empuñaba el M16 saltó hacia lo alto donde desapareció tragado por la obscuridad. Otros cinco quedaron destrozados en mil pedazos que llovieron sobre los tejados contiguos. Águila Uno se cubrió los ojos y el infierno estalló seguido de los gritos de los habitantes después del grito de Bilal, que con su chaqueta llena de remiendos y su enorme fusil cruzaba otra vez la Avenue Nasser para lanzarse a la conquista de la Torre.

«Ila al Bourji! ¡A la Torre! Ila al Bourji!»

–2–

«Yahallah! ¡Oh, Dios! ¡Yahallah!»
«Ila al Bourji! ¡A la Torre! Ila al Bourji!»
«Nedsa lokum! ¡Qué catástrofe! Nedsa lokum!»
«Ila al Bourji! ¡A la Torre! Ila al Bourji!»
«Mama, ummi, mama! ¡Mamá, mami, mamá!»
«Ila al Bourji! ¡A la Torre! Ila al Bourji!»
«Pappa, pappi, pappa! ¡Papá, papi, papá!»
«Ila al Bourji! ¡A la Torre! Ila al Bourji!»
«Saedni! ¡Socorro! Saedni!»

«Ila al Bourji! ¡A la Torre! Ila al Bourji!»

Disparaban desde las ventanas, desde las terrazas, desde las aceras, desde las trincheras, desde todos los agujeros que había en la ribera opuesta del río llamado Avenue Nasser. Gobeyre parecía un volcán que se ha despertado de golpe para eructar un magma de lava, escorias, piedras. Disparaban con Kalashnikov, Rpg, revólveres, morteros de 81, y los dos camiones en el límite con el barrio de Chyah lanzaban los otros Katiusha. Pero la casual exactitud del cometa no se repetía, todos pasaban por encima del blanco demasiado cercano para caer sobre la Cité Sportive: desde la Torre, Gassán podía reaccionar con furia, y el fuego cruzado martirazaba a Chatila. Maltrataba sobre todo la franja paralela a la Avenue Nasser y muchas puertas atrancadas se abrían, muchos cierres bajados se alzaban, como ratones que huyen de madrigueras en llamas los habitantes se volcaban a las calles o a las callejuelas en busca de una salvación imposible. Familias enteras que escapaban arrastrando maletas y enseres y televisores y jaulas en las que los gallos enloquecidos gritaban más que nunca su locura. Yahallah!, ¡Oh, Dios! Yahallah! Viejos que renqueaban jadeando y gimiendo. Nedsa-lokum, ¡Qué catástrofe!, nedsalokum. Niños que lloraban aterrados. Mama-ummi-mama, mamámami-mamá, pappa-pappi-pappa, papá-papi-papá. Mujeres que vagaban apretando contra su pecho a recién nacidos. Saedni, socorro, saedni. Y, sobre los gemidos, los lamentos, las llamadas, las invocaciones, los quiquiriquíes, el grito de Bilal que seguido por hordas de Amal con la faja verde en torno al brazo o en la frente vadeaba por segunda vez su río, por segunda vez se arrojaba sobre la placita del Veintidós pero en lugar de detenerse a formar barricadas, se internaba por la callejuela que conducía a la Torre. Ila al Bourji!, ¡A la Torre! Ila al Bourji! De nada servía, la verdad, intentar contenerlo, contenerlos, esta noche. Eran demasiados. Exaltados por el grito, embriagados por el odio, se sucedían a oleadas desordenadas y si uno caía muerto pasaban por encima de él: lo pisoteaban como se pisotea un objeto que ya no sirve. Si se desplomaba herido y pedía socorro, no le hacían caso: pasaban por encima de él como se pasa por encima de un estorbo que no hay tiempo de recoger o apartar. Después seguían tras Bilal. Los hombres de Gassán les hacían frente bien, como auténticos profesionales. Los dejaban embotellarse, amontonarse en la callejuela, y allí los segaban: a docenas. Pero no lograban acertar a Bilal que aun con el peso del Kalashnikov y de los cargadores con que se había llenado los bolsillos de la chaqueta llena de remiendos, cinco en un bolsillo y cinco en el otro, casi veinte kilos de plomo, avanzaba. Así pues, para aislarlo y frenar la sucesión de oleadas desordenadas, las 7,62 del tejado de la Torre martilleaban también la placita: gran parte de las ráfagas acababan en el Veintidós donde de pie junto al jeep Águila Uno asistía impotente a la realización del sueño que lo había despertado a las dos de la mañana. Como en el sueño, no tenía en efecto un enemigo del que defenderse porque ni los Amal ni los gubernamentales atacaban a los italianos y se mataban entre sí, como en el sueño, no podía intentar romper el insensato asedio porque eran demasiados y porque intentar romperlo habría significado añadir fuego al fuego mientras que el Cóndor había ordenado disparar-sólo-si-nos-disparan, como en el sueño, no podía poner al abrigo a Rambo y a los nueve infantes de marina porque no había refugios alrededor y el M113 ya estaba lleno. Y como en el sueño, se sentía abandonado, paralizado, incapaz de moverse.

Naturalmente le hubiera gustado hacerlo, ir a ver lo que sucedía en los diversos puestos o al menos reunirse con Neblí en el Veinticinco. Y a cada rato se decía ahora-voy, ahora-voy, al-menos-me-reúno-con-él. Estaba tan cerca, el Veinticinco. Para llegar a él bastaba con tomar la callejuela que desde el Veintidós conducía al ensanche y desembocaba a la altura de la higuera: la misma por la que los milicianos que se habían introducido en la casa de Habbash habían pasado en noviembre para coger por sorpresa a Ferruccio e ir a salir por detrás del tanque. Un recorrido corto, además, apenas doscientos metros. Pero cuanto más lo deseaba, cuanto más pedía a su cuerpo que se separara del jeep, más permanecía pegado a él su cuerpo y más lejano le parecía el Veinticinco: Neblí una isla tan remota como inaccesible, y él mismo un náufrago aferrado al salvavidas y azotado por el mar tempestuoso. «San Genaro, san Gerardo, san Guillermo, Jesús, ¿¡¿qué os he hecho para merecer esto?!?» decía retorciéndose sus frágiles muñecas. «Abraham, Isaac, Jacob, profetas míos y de mi madre, esta mañana os he recitado también el Shemà Israel. ¿¡¿Por qué me castigáis, pues?!?» Se preguntaba también qué otros particulares se realizarían, qué otros presagios. ¿El del belén con el Niño Jesús que era una niña ya grandecita, la vaca que era una cabra, el asno que era un perro, el pesebre que era un colchón, san José que era exactamente san José, la Virgen que era una Virgen enteramente? ¿El de la Virgen vestida de azul que lo acogía con una dulce sonrisa y le decía et-faddal-colunel, huna-el-hami-Allah, entre, coronel, aquí-nos-protege-Alá? ¿El de la chabola que se desplomaba sobre el belén y los infantes de marina? ¡Ah, qué tonto había sido teniendo junto a sí a Rambo y a los nueve infantes de marina! ¡Ah, qué hombrecillo, qué homúnculo, era por no saber realizar un gesto enérgico y colocarlos en un sitio menos peligroso que aquel muro! De repente la voz excitada de Neblí se filtró a través del estrépito.

«¡Águila Unooo! ¡Neblí llamando a Águila Unooo!»

Se llevó a los labios el micrófono.

«Adelante, Neblí, estoy aquí...»

«¡Mi coronel! No sé ahí pero ¡aquí lo estamos pasando mal! ¡Golpean fuerteee!»

«Aquí también, Neblí, aquí también...»

«He dado orden de que se encierren dentro del tanque. ¿He hecho bieeen?»

«Has hecho bien, Neblí, has hecho bien... Pero tú, ¿en qué punto estás?»

«¡En el lado meridional del ensancheee! ¡Fueraaa! ¡Estoy fueraaa!»

«¿¡¿Fueraaa?!? ¡No quiero que estés fuera! Hay un búnker allí, ¡entra en él!»

«¡No puedo, mi coronel! En el búnker no entra el jeep y si lo dejo ¡me quedo sin radiooo!»

«¡Usa la motorola...!»

«¡Con la motorola se gastan las pilas, mi coronel! Y además es que necesito la radio para comunicar con los dos novatos.»

«¿Qué novatos?»

«¡Los dos que están en el mirador del Veinticinco Alfaaa! ¡Los dos de la banderaaa!»

«¡Diles que bajen!»

«¡Ya se lo he dicho, mi coronel, ya se lo he dichooo! Pero, ¡uno me responde no sé qué en griego y el otro me recita en chino la Salve Reginaaa! ¡Habría que ir a sacarlos de allí, mi coronel! ¡Voy para allá! ¡Lo intento!»

«¡Tú no intentas nada, Neblí! ¡Que bajen solos!»

«Solos no bajan, mi coronel, ¡no bajaaan! Tienen demasiado miedo, ¿qué debo hacer?»

«Quedarte donde estás o mejor dicho entrar en el búnker, Neblí.»

Cortó el contacto presa del mayor descontento de sí mismo. O sea, que Neblí estaba dispuesto a dirigirse a donde esos dos del Veinticinco Alfa y él no tenía ni siquiera fuerzas para internarse por la callejuela hacia el Veinticinco. Peor aún: no sabía ni siquiera resolver el problema de los diez pobrecillos acurrucados al pie del muro. Y sin embargo resultaba urgente situarlos en otra parte: Rashid había sustituido los Katiusha que pasaban por encima de su blanco por cohetes de corto alcance que en muchos casos se desviaban hacia la placita, desde el final de la callejuela el M48 había intensificado las ráfagas de las ametralladoras, y por si eso fuera poco dos Amal habían levantado una PK46 rusa sobre la techumbre del distribuidor de gasolina. Disparaban como locos, los imbéciles, atraían el fuego de los fusileros que Gassán había situado en los diferentes pisos de la Torre, y si una bala hubiera acertado el depósito del distribuidor o el habitáculo dentro del cual guardaba las bombonas de gas el encargado del distribuidor... Llamó a Rambo.

«¡Hay que sacarlos de ese muro, Rambo! ¡Hay que instalarlos en alguna parte!»

Rambo asintió.

«Ya lo sé, mi coronel. Pero, ¿dónde?»

«En alguna casa, en alguna chabola. ¿No conoces a palestinos de fiar?»

Rambo se estremeció.

«Sí, mi coronel. Conozco a la madre y al abuelo de Leyda. Usted también los conoce: andan con frecuencia por la placita. Pero...»

«¿Qué Leyda?»

«La niña que vive allá abajo.» Indicó la casucha amarilla. «Pero ése es un punto peligroso: se encuentra exactamente en la trayectoria de las granadas disparadas a la Torre desde el lado meridional de Gobeyre y...»

«¡Mejor que al descubierto, Rambo!»

«Sí y no, mi coronel...»

Se irguió. Hizo el gesto enérgico.

«Llévalos allí en seguida. ¡Rápido!»

«¿En seguida, mi coronel?»

«En seguida, lo que se dice en seguida.»

«¿Está seguro, mi coronel?»

«Segurísimo. Y quédate con ellos.»

«¿Y usted, mi coronel?»

«Yo... Mira muchacho, en Nápoles se dice que existen tres tipos de hombres: hombres, hombrecillos y mierdas de hombres. Y tal vez yo sea un hombrecillo, pero no una mierda de hombre. Aquí debo estar y aquí me quedo.»

«¿¡¿Solo?!?»

«Vete, muchacho, vete.»

Después comunicó a la Sala de Operaciones que la patrulla estaba por fin al abrigo, y se quedó allí sólo gozando de su gesto enérgico. Se sentía casi bien, ahora que lo había realizado: casi dispuesto a recorrer la callejuela hacia el Veinticinco, ir a ver si Neblí se había instalado en el búnker, y tal vez llegarse hasta el Veinticinco Alfa para hacer bajar a los dos novatos. Pero algo echaba a perder aquella pequeña victoria. Algo idéntico al espanto del instante en que la tacita Capodimonte se le había escapado de la mano para romperse en el suelo y formar la aterradora mancha en forma de I, es decir, de Iella, Iettatura, Iattura, mal de ojo, conque no tardó en apartarse del jeep. Corrió a la casucha amarilla, llamó a la puerta que abrió Rambo y, ¡Jesús! ¡San Genaro, san Gerardo, san Guillermo, Abraham, Isaac, Jacob, Jesús! Se trataba de un habitáculo casi carente de muebles e iluminado por una débil lámpara de gas. Por la parte de la entrada, sentados en el suelo y con la espalda contra la pared, que daba a la placita, los nueve infantes de marina. En el medio, un brasero encendido. Y en el otro extremo del cuarto el belén del sueño: un colchón sobre el que dormía una hermosa niña de cinco o seis años. Junto a la niña, un perro y una cabra. Detrás de ella, un viejo con barba y kaffiah. Y con el viejo una mujer joven vestida de azul que lo invitaba a entrar.

«Et faddal, colunel. Entre, coronel. Huna el hami Allah, aquí nos protege Alá.»

«Es la madre de Leyda, mi coronel» dijo Rambo. «Y la niña que duerme es Leyda, el de detrás es su abuelo. ¿Los reconoce?»

Los reconocía, sí. De improviso recordaba haberlos visto con frecuencia en la placita: la joven con el viejo, la niña con el perro y la cabra. Y eso explicaba muchas cosas: ¿no se lo había repetido ya anoche que según el difunto los sueños son fruto de pensamientos reprimidos por nuestra conciencia, fantasías que reflejan inquietudes o temores concretos? No obstante, no explicaba el et-faddal, colunel, huna-el-hami-Allah y la victoria que creía haber obtenido sobre sí mismo se disipó en un tartamudeo.

«Sí, Rambo, sí...»

«Nos ha acogido con gusto, como ve. Y tenía razón, mi coronel: mejor aquí que fuera recibiendo tiros y esquirlas.»

«Sí, Rambo, sí...»

«¿Algún problema, mi coronel?»

«No, Rambo, no...»

«Pero está usted temblando, ¡tiene frío! Quédese un poco con nosotros, ¡caliéntese junto al brasero!»

Ahora el reloj marcaba las cinco cuarenta, y de la callejuela se elevaba una extraña nubecilla de humo blanco. En la extraña nubecilla de humo blanco, una voz cargada de pasión que exhortaba: «Ihkmil! ¡No os detengáis! Ihkmil!» Y otra henchida de furor que tronaba: «B'suraa! ¡Rápido! B'suraa!»

* * *

Era la de Bilal la voz cargada de pasión, y la henchida de furia era la de Gassán. Una furia glacial, la furia que nace del desengaño y la impotencia. En efecto, pese al Katiusha que había desintegrado el antiguo depósito de agua, había matado a seis hombres y había destruido dos ametralladoras y un mortero, hasta aquel momento Gassán había seguido excluyendo la posibilidad de que los Amal consiguieran conquistar la Torre. Son muchos pero tienen demasiadas desventajas, se había dicho. Primera desventaja, el ataque procedía exclusivamente de la placita. No podía venir de otra parte porque el otro acceso, es decir, la calleja en la que la callejuela giraba al final de sus ciento cincuenta metros se formaba en el centro de Sabra: para llegar a ella los Amal deberían dar un rodeo larguísimo, introducirse por el Veintiuno o por la Cité Sportive o por la Ciudad Antigua. Segunda desventaja, la calleja era una especie de callejón sin salida y recto que no ofrecía escapatorias: si te embotellabas en él, para salir no tenías otras opciones que la de retroceder o la de dejarte matar. Tercera desventaja, al final de la calleja estaba el M48 que sin necesidad de emplear el cañón de 105 (superfluo contra un blanco tan próximo) los arrasaba con las ráfagas de la 12,7: el radiofonista que había ocupado el lugar del de la ametralladora acertado por las esquirlas de una Rdg8 no erraba ni un disparo. Última y definitiva desventaja, tanto por detrás como por los flancos la Torre estaba pegada a chabolas o casuchas que impedían cercarla. Y, desde un punto de vista lógico, ese razonamiento era impecable. En cambio, desde un punto de vista práctico no, porque no tenía en cuenta la ventaja que anulaba esas desventajas: no tenía en cuenta a Bilal que cargado con el peso de su Kalashnikov y de los cargadores que llevaba en los bolsillos pero aligerado por su pasión, por su irracionalidad, arrastraba a las hordas que creían en él. Y mientras en la callejuela se apilaban los cadáveres en trincheras de carne tras las cuales se refugiaban las hordas, una buena proporción del fuego dirigido al M48 y a la Torre daba en el blanco. En trece minutos, sus buenos veinticinco muertos: siete entre los que disparaban desde el portón, quince entre los que disparaban desde las ventanas de los cuatro pisos, tres en el tejado donde el Katiusha había eliminado ya a seis. Con los veinticinco muertos una treintena de heridos incluidos tres de los cuatro que estaban dentro del tanque: el de la ametralladora acertado por las esquirlas de la Rdg8, el del cañón que al substituirlo había recibido una bala en la cara, el piloto que para bajarlo se había asomado y había recibido una ráfaga. Así a las cinco y media Gassán había tenido que informar al comandante de la Octava de que la compañía había quedado reducida a una tercera parte y que hacían falta refuerzos, pero en lugar de mandárselos el comandante le había respondido que conservar la Torre ya no tenía sentido. Había llegado el momento de atacar en gran escala: que los supervivientes se retiraran, pues, protegiéndose con granadas de humo. A eso se debía la extraña nubecilla de humo blanco, la voz de Bilal que exhortaba ihkmil no-os-detengáis, ihkmil, y la de Gassán que tronaba b'suraa rápido, b'suraa.

Son algo terrible las granadas de humo. Quien conozca la guerra puede confirmarlo. Son algo terrible porque neutralizan la inteligencia y la voluntad, vuelven inútil el valor y te hacen sentir totalmente inerme: a merced de un enemigo incorpóreo, intangible, invisible y por tanto imbatible. No ves absolutamente nada cuando ese humo blanco te engulle: desorientado, cegado, ya no sabes dónde es delante y dónde es detrás, de dónde te disparan y hacia dónde deberías disparar. Pierdes la medida del espacio y un centímetro te parece un kilómetro, los compañeros a tu alrededor fantasmas: sombras que chocan contra ti como objetos sólidos y al mismo tiempo carentes de consistencia. Si para aferrarte a ellos alargas un brazo, no los encuentras. Si los llamas, no te responden o te responden de lejos. Cambian también los sonidos, ahí dentro. Surcando la nube llegan hasta ti atenuados, acolchados. Remotos. Además el gas que respiras es fósforo y cloridina fosfórica. Te cierra la garganta, te quema los ojos: un suplicio. Naturalmente la dosis del suplicio depende de la duración, de la intensidad, de la dirección del viento, y puede extenderse a quien lo inflige. Pero esta noche el viento iba de norte a sur, es decir, en dirección de los asaltantes: sin correr riesgos Gassán había ordenado lanzar doce granadas de humo por minuto durante diez minutos con los morteros y con los fusiles. (El efecto de las de fusil dura un minuto y medio, más o menos; las de mortero unos tres minutos y medio.) Por consiguiente, el humo no se disipaba, al contrario se adensaba, y lo que no había conseguido el diluvio de fuego lo estaba consiguiendo la nube: los Amal ya no avanzaban. Tampoco disparaban ya, aunque desde la Torre no habían dejado de dispararles. Engullidos por aquella obscuridad blanca, desorientados, cegados, asfixiados, no cesaban de agitarse, gesticular, llamarse: «¡Manzur! ¿Dónde estás, Manzur?» «¡Naadir, no te encuentro, Naadir!» «¡Kamaal, dame una mano, Kamaal!» O invocaban a Alá, jallasni-sálvame-Alá. Llamaban a Bilal que exhortándolos con su ihkmil-no os detengáis-ihkmil y palpando el muro para no perder la orientación seguía avanzando, acercándose paso a paso al portón. Cuarenta metros, treinta y nueve, treinta y ocho. Treinta y siete, treinta y seis, treinta y cinco. Treinta y cuatro, treinta y tres, treinta y dos. Treinta y uno, treinta... Entretanto, Gassán, protegido por la nube, había evacuado a los heridos y estaba iniciando la retirada que le había impuesto el comandante. Primero los supervivientes del tejado, después los supervivientes del cuarto piso, luego los supervivientes de los pisos siguientes. Todas las veces un grupo de uniformes sucios y cubiertos de sangre que tras haber lanzado la última granada de humo se abalanzaban por las escaleras, aterrizaban en la planta baja, salían del edificio, se lanzaban hacia la callejuela, doblaban la esquina incitados por el grito b'suraa-rápido-b'suraa. Echaba espuma, Gassán. Su furia glacial se había intensificado tanto que no se preocupaba siquiera de comprobar si se llevaban todas las armas y las municiones que quedaban. Las dos ametralladoras y los dos morteros no acertados por el Katiusha, por ejemplo, las cintas con las balas de 7,62 y las cajas con las granadas de 60. Menos aún se preocupaba de recuperar el M48 del que el radiofonista que disparaba bien se había escabullido en cuanto los enfermeros habían recogido al de la ametralladora y al del cañón y al piloto. Aparte de las cintas de 12,7 aún no usadas, había cincuenta y cuatro proyectiles de 105 a bordo de aquel tanque: todos los proyectiles que el cañón no había disparado. El caso es que a Gassán ya sólo le importaba una cosa: ver salir de la nube al desconocido que llevaba diez minutos gritando ihkmil-no-os-detengáis-ihkmil, el que en veintitrés minutos lo había derrotado y humillado. Le importaba porque estaba decidido a matarlo.

«Kaofa aktol! ¡Lo mataré! Kaofa aktol!»

Cuando también los supervivientes de la planta baja hubieron doblado la esquina de la callejuela, se plantó delante del tanque.

Allí empuñó el M16 y con el dedo en el gatillo se puso a esperar que la nube se disipara. No esperó demasiado, la nube ya se estaba disipando, y de repente en el blanco ya casi despejado se perfiló la silueta incierta de un chaval vestido con una chaqueta llena de remiendos y armado de Kalashnikov que se acercaba al portón palpando el muro y lanzando a las sombras que lo seguían cautas un grito nuevo: «Lahkni! ¡Seguidme! Lahkni!» ¿¡¿Un chaval?!? El dedo en el gatillo se le quedó paralizado, los ojos asombrados se aguzaron para verlo mejor. No, no era un chaval: era un hombre. Un enano. Un enano minúsculo, delgado, feísimo. ¿¡¿Un enano?!? Así pues, ¿había sido un enano, un enano minúsculo delgado feísimo, quien había dirigido el asalto y lo había derrotado, lo había humillado?!? Su incredulidad aumentó aún más porque durante veintitrés minutos lo había imaginado alto, robusto, hermoso: más alto que él que era muy alto, más robusto que él que era muy robusto, más apuesto que él que era muy apuesto. Y al aumentar multiplicó el estupor que le había impedido apretar el gatillo. Cristalizado en aquel estupor se quedó mirándolo, y tardó algunos segundos en recuperar el dominio de sí mismo: alzar el M16, apuntar. Pero entretanto Bilal había llegado al portón y seguido por las hordas vociferantes se había colado dentro lanzando el grito anhelado.

«Al Bourji Lannaaa! ¡La Torre es nuestraaa!»

«Lanna, nuestra, lannaaa!»

«Nasru! ¡Victoria! Nasruuu!»

A las seis en punto, cuando ya era noche cerrada, un M48 atestado de Amal que agitaban como locos sus banderas verdes y sus Kalashnikov y sus Rpg desembocó de la callejuela a la placita del Veintidós. La cruzó aplastando cadáveres, pasó ante las narices de Águila Uno que había vuelto al jeep, irrumpió en la Avenue Nasser, y se dirigió hacia el viaducto para internarse en Gobeyre por la Rue Farruk: para entregar a Rashid la preciosa presa con los cincuenta y cuatro proyectiles de 105. Entonces Águila Uno comprendió que mientras estaba en el belén con Rambo los infantes de marina y el Niño Jesús que era una niña, la vaca que era un perro, el asno que era una cabra, san José que era de verdad un san José, la Virgen que era de verdad una Virgen, los gubernamentales habían huido y habían abandonado todo. Y con un suspiro de zozobra llamó a la Sala de Operaciones, informó al Cóndor de que Bilal el Barrendero había conquistado la Torre.

–3–

Como la mañana de la doble matanza, estaban casi todos en la Sala de Operaciones: sentados a las transmisoras o inclinados sobre los mapas topográficos y los planos y los diagramas. El Cóndor, tan tenso como un arco a punto de soltar la flecha. El Profesor, que insólitamente nervioso había olvidado su pequeña Ilíada. Caballo Loco, ya presa de la excitación y la impaciencia por imitar a Desaix o mejor dicho Des Aix y a Collinet. Pistoia, ebrio de envidia de quien estaba en el ojo del ciclón y ansioso de ir a lanzarse dentro de la refriega. Azúcar, más inquieto que nunca por la bomba de avión que no había desactivado. Charlie, más apesadumbrado que nunca por la conciencia de que había traicionado a Bilal. Con Charlie, Angelo que encerrado en su tormento personal ayudaba a comunicar con los puestos o los observatorios o las bases y Martino que en la radio sintonizada en la frecuencia de onda de las emisoras gubernamentales intentaba captar los diálogos entre los de la Sexta y los de la Octava Brigada para traducirlos y pasárselos al Cóndor. Estaban también el generalote de Roma que encaramado a un taburete se pasaba el pañuelo por el cuello ya empapado de sudor glacial, y el gran capellán que decidido a celebrar la Misa del Gallo rezongaba hosco aun-a-costa-de-acabar-bajo-tierra-la-digo. Aun-a-costa-de-acabar-bajo-tierra. Y en esa atmósfera llegó la nerviosa llamada de Águila Uno.

«¡Cóndor, atención, Cóndor! ¡Los Amal han tomado la Torre, han tomado la Torre!»

Alzaron todos la cabeza. Después se quedaron unos instantes mirándose, mudos, porque todos sabían lo que pensaban los otros. Todos pensaban la misma cosa. El primer peligro era que animados por la victoria, los Amal de Gobeyre azuzaran a los Amal de Haret Hreik para que atacasen el cuartel de la Sexta Brigada, tan cercana al sector italiano. En ese caso el frente se prolongaría hasta la Rue de l'Aérodrome, la batalla se extendería a Bourji el Barajni, y el fuego embestiría de lleno la Logística. Junto con la Logística, el contiguo hospital de campaña y la base Águila y el Cuartel General. El segundo era que enfurecidos por la derrota y apoyándose en un pretexto ahora legítimo los gubernamentales desencadenaran la ofensiva siempre deseada, y ahora indispensable, para aplastar la serpiente decidida a fagocitarse tres cuartas partes de la ciudad. En ese caso, al ser Gobeyre una especie de triángulo cubierto en un lado por Haret Hreik y en otro por Chyah, el ataque se debería concentrar en el lado indefenso, es decir, el que daba a la Avenue Nasser. En una palabra, Chatila. Y disparar desde Chatila significaba desalojar a los italianos o al menos neutralizarlos.

«Pueden pedirnos que les entreguemos el barrio» gruñó Charlie rompiendo el silencio.

«Ya lo sé, pero yo no se lo entregaré» respondió el Cóndor, excitado.

«Si no el barrio entero, pueden pedirnos que les cedamos el Veintidós, el Veinticinco y el Veinticuatro» corrigió Pistoia.

«Ya lo sé, pero yo no se los cederé.»

«Pueden pedirnos también que renunciemos al Veintiocho, al Veintisiete y tal vez al Veintisiete Lechuza» añadió Azúcar.

«Ya lo sé, pero yo no renunciaré a ellos.»

«O pueden colocarse al lado sin pedirnos nada y preparar así la irrupción a través del Veintiuno y el Veintitrés» concluyó el Profesor.

«Ya lo sé. Y eso es lo que más temo.»

«Quod Deus avertat! ¡No lo permita Dios!» relinchó Caballo Loco.

Pero Dios lo estaba permitiendo ya. En efecto del cuartel de la Sexta Brigada habían salido dos compañías de morteros y se estaban situando en el trecho comprendido entre el Veintiocho y el Veintisiete, los puestos ocupados por los infantes de marina. Aunque con escaso éxito, dos estaban intentando incluso instalarse dentro del Veintisiete Lechuza. Se comprendía por las voces airadas que por la radio llegaban del observatorio. Las voces de Nazareno y del bersagliere que estaba a su lado en las troneras.

«¡Te he dicho que los eches!»

«¡Ya los he echado! ¿¡¿No ves que ya los he echado?!?»

«¡No, no los has echado! ¡Se han parado en la escalinata y dentro de poco vuelven! ¡Ya lo verás!»

«Si vuelven, ¡los echamos para abajo! Y si a ti no te gusta la violencia, ¡los echo yo! Pero, ¿quiénes son? ¿¡¿Qué quieren?!?»

«¡Idiotas de la Sexta Brigada, eso es lo que son! ¡Quitarnos el observatorio, eso es lo que quieren! Me guste o no la violencia, si vuelven, ¡los echo para abajo yo!»

Después la voz exaltada de Sandokan, que sin duda acababa de llegar.

«¡Coño, recoño, muchachos! ¡Callaos que he de hablar con el Cuartel General! ¡Cóndor, atención, Cóndor! ¡Sierra Mike Uán llamando a Cóndor!»

«Adelante, Sierra Mike Uno» exclamó el Cóndor arrojándose sobre la transmisora.

«Cóndor, he venido a inspeccionar mis puestos y en el foso paralelo a la Avenue Chamoun, es decir, el que está entre el Veintisiete y el Veintiocho ¡me he encontrado a los de la Sexta Brigada! Se han instalado allí con morteros de 120, ¡y se niegan a marcharse! Les he dicho que no pueden quedarse, que el foso está en nuestro sector, ¡y me han respondido con burlas! ¡Me han respondido que están aquí para un simple ejercicio! Además una patrulla pretende colocarse junto a nosotros y si no los convencemos para que se vayan tendremos que liarnos a golpes. ¿Recibido?»

«Recibido, Sierra Mike Uno.»

«Pero eso no es todo porque mientras venía, ¡he encontrado a una columna de la Sexta Brigada! ¡Unos quince M113 con Browning de 7,62 y doce jeeps con cañones de 106 sin retroceso y una decena de vehículos blindados de llantas no articuladas! Bajaban a lo largo del litoral de Ramlet el Baida y ahora deberían estar por la calle Sin Nombre. ¿Recibido?»

«Recibido, Sierra Mike Uno.»

Después la voz del radiofonista del Veintiocho, que confirmaba la última noticia.

«¡Cóndor, atención, Cóndor! ¡Una columna de M113, de vehículos blindados sin llantas articuladas, y de jeeps está avanzando desde el oeste por la calle Sin Nombre! ¡Los M113 están ya aquí en la glorieta! ¡Los vehículos blindados se han detenido delante de la embajada de Kuwait y vomitan tropas! ¡Los jeeps con cañones de 106 se están situando en posición de tiro! Creo que apuntan hacia Gobeyre y la Torre, ¿recibido?»

«Recibido, Veintiocho.»

Después de nuevo la voz de Sandokan.

«¡Cóndor, atención, Cóndor! ¡Las baterías del foso han abierto el fuego! ¡Disparan hacia la Torre y hacia Gobeyre! También han abierto el fuego las Browning de 7,62 y los cañones de los jeeps! ¡También hacia la Torre y Gobeyre! ¡Muchos disparos, muchos! Aquí hay un pitote, ¿me oyeeen?»

No, ya no lo oían. Sus palabras se apagaban sofocadas por el tun-tun-tun de las Browning, por el sordo retumbar de los morteros, por los secos estallidos de los cañones. Sin embargo no lo necesitaban para saber que se había iniciado la ofensiva tan deseada y ahora indispensable, y que Chatila estaba pagando las consecuencias. Incluso en la Sala de Operaciones los cristales se rompían uno tras otro, y para completar el cuadro ahora llegaba una llamada de Neblí.

«¡Cóndor, atención, Cóndooor! ¡Aquí el diluvio ha aumentado y me parece que en gran parte procede de Sabra! En el Veintiuno me acaban de informar de que diez M48 con cañones de 105 han bajado del norte a la carretera de Sabra, ¡y disparan con ganas contra Gobeyreee!»

Eran los M48 colocados durante el día en la callejuela que desde El Pinar desembocaba en la glorieta de Sabra. Se habían movido para irrumpir en Sabra mientras la columna encontrada por Sandokan en el litoral de Ramlet el Baida giraba en la calle Sin Nombre para detenerse y vomitar tropas delante de la embajada de Kuwait. Hecho decisivo ya que los cañones de 105 tenían una potencia de fuego bastante superior a la de los cañones de 106 montados sobre los jeeps y podían acertar el blanco con mayor precisión. Pero el blanco que preferían era la Avenue Nasser, y los oficiales encargados del tiro no se preocupaban del detalle de que en la Avenue Nasser estaban los italianos, es decir, que las bombas dirigidas contra las casas de Gobeyre caían muchas veces sobre el Veintidós o el Veinticinco o el Veinticuatro. Lo confirmaba Martino que con la radio sintonizada en la frecuencia de onda de las emisoras gubernamentales había captado una disputa entre un artillero y su capitán, y se lo contaba muy impresionado al Cóndor.

«Mi general, mi general, ¿¡¿sabe lo que han dicho?!? El artillero ha dicho: "Mi capitán, si disparamos así, ¡disparamos contra los italianos!" Y el capitán ha respondido: "¡Me trae sin cuidado, no es asunto mío, seguid disparando así!"»

Por lo demás tampoco se paraban en menudencias los Amal, que desde hacía unos minutos reaccionaban también con el cañón del M48 capturado en la callejuela. Desde luego Rashid no era un experto en artillería, y del mismo modo que había desperdiciado los Katiusha ahora desperdiciaba los preciosos cincuenta y cuatro proyectiles encontrados dentro del tanque: los que creía dirigir contra la carretera de Sabra acababan sobre el Veintiuno, y los que pensaba dirigir a la columna detenida en la calle Sin Nombre acababan en el Veintiocho o en el Veintisiete o en el Veintisiete Lechuza. En cuanto a Bilal, contribuía más que nadie al calvario de los diferentes puestos. Lo hacía disparando con los morteros y las ametralladoras que Gassán había dejado en el tejado de la Torre, y cantando un himno misterioso. Un himno que nadie había oído nunca.

«Beasnani saudafeh haza al bourji, beasnani! Beasnani saudafeh haza al quariatna, beasnani! Beasnani oudamiro ainai wa lisan, itha iktarabbom menni. Beasnani!»

Con la contribución de todos, en pocas palabras, la batalla se desgranaba en mil granos de infelicidad. Los granos que nos disponemos a observar, uno por uno, comenzando por Roberto, el conductor de Sandokan.

–4–

Seducido por aquel caudal de guerra que caía sobre él con la munificencia de un Pentecostés inesperado, a las cinco cuarenta Sandokan había llamado a su conductor y armado de un gran revólver, bombas de mano, fusil, el cuchillazo Camillus, había corrido como sabemos a Chatila. Allí, concluida la inútil bronca con los de los morteros que decían haber venido a hacer un simple ejercicio, había llegado a la explanada comprendida entre el Veintisiete y el Veintiocho y había dejado a Roberto: «Espérame junto al jeep y no te muevas por ninguna razón.» Después había subido al Veintisiete y sacando pecho, con las piernas abiertas y los visores nocturnos pegados a los ojos, se había quedado gozando en primera persona de la única hazaña bélica de su vida. «Ahí va una andanada, ¡coño, recoño! ¡Bang! Ahí va otra, ¡coño, recoño! ¡Bang! Ésta viene por nosotros, nos acierta, recitad el Requiem Aeternam. No, ¡no nos ha acertado! ¡Bang! ¡Bang! ¡Bang!» Así se había olvidado de Roberto que más solo que un perro dejado de la mano de Dios y de los hombres lo esperaba de verdad, junto al jeep, sin moverse.

Llevaba ya una hora esperándolo. Y gran parte de esa hora la había pasado de pie porque, aunque el espacio comprendido entre el Veintisiete y el Veintiocho era adyacente al foso contra el que Rashid y Bilal dirigían la mayor parte de los disparos, no se había dado cuenta del peligro que corría: por aquel lado el foso quedaba ocultado por un terraplén que cubría las llamaradas, y tanto los disparos de llegada como los disparos de partida le pasaban por encima de la cabeza con parábolas demasiado altas para asustarlo. ¿Por qué habría de asustarme?, pensaba. No soy un gubernamental ni un Amal: soy un infante de marina que se encuentra aquí por casualidad, un muchacho de diecinueve años que no molesta a nadie. Y en lugar de una batalla le parecía contemplar un encuentro de ping-pong entre jugadores invisibles que en vez de una pelotita de plástico se lanzan bolas de fuego. En lugar de la red de la mesa de ping-pong, el terraplén. Habían hecho falta dos explosiones a este lado del terraplén para hacerle comprender que las bombas no se preguntan si eres un gubernamental o un Amal o un infante de marina que se encuentra ahí por casualidad, un muchacho de diecinueve años que no molesta a nadie, y comprenderlo le había desalentado mucho. Abrumado por el desaliento se había puesto a rezar para que Sandokan regresara pronto y después se había acurrucado a un lado del jeep. Pero con mucho cuidado de no mancharse el uniforme de fango y grasa. Era el uniforme limpio, qué caramba, se lo había puesto creyendo que esa noche era la cena de Nochebuena, se lo había lavado en agua fría y con detergente y se lo había planchado con la plancha de vapor: sistemas que en Sierra Mike no empleaban precisamente. Eran pésimos lavanderos, en Sierra Mike. Aunque los uniformes tuvieran lamparones de grasa o manchas de fango, los echaban en los calderos de agua hirviendo y los planchaban con la prensa. Ignoraban incluso que el fango contiene substancias corrosivas y no se debe cocer en el agua hirviendo, que se debe quitar la grasa con arte, y no se debe meter la prenda sin desengrasar bajo la prensa: queda una marca de desteñido. Él lo sabía porque había nacido y crecido en la mejor lavandería de Sanremo, sus padres estaban especializados en la limpieza de manchas en seco, y no podía soportar los lamparones: los detestaba casi más que las uñas sucias, los cabellos sucios, los zapatos sucios, la gente que apesta a sudor o sobaquina y... «¡Madre mía! ¡Qué tormento es estar en cuclillas!»

Con su hermosa carita torcida por una mueca de pena, Roberto se preguntó si debería alzarse y estirar las piernas entumecidas por la posición incómoda. Pero desde hacía algunos minutos el absurdo encuentro de ping-pong había perdido simetría: mientras que las granadas de partida seguían pasando por encima del terraplén, las de llegada acababan en él arrancándole fragmentos. Y además de no haberle dado tiempo para quitarse el uniforme de paseo, Sandokan no le había dejado coger el chaleco antibalas ni el casco. ¡Qué-chaleco-ni-qué-casco-ni-qué-niño-muerto! Yo-no-los-llevo-nunca. ¡Coño-recoño! Los-chalecos-y-los-cascos-no-sirven-para-nada. ¿Para nada? Si no sirvieran para nada, no los habrían fabricado ni los habrían incluido entre los pertrechos de los militares: ¿no? Sobre todo el casco. Desde que el mundo es mundo, los soldados usan casco. Lo usaban los egipcios, los persas, los antiguos griegos, los antiguos romanos, los vikingos, los guerreros de la Edad Media: ¿por qué no le había dejado coger por lo menos el casco? ¡Jolín, joroba, jolines! Porque era un zafio, por eso. Si no fuera un zafio, no iría por ahí con ese arsenal de cuchillazos, revólveres, bombas de mano y artilugios diversos. No disfrutaría viendo saltar en pedazos su depósito de municiones, y de vez en cuando pronunciaría la palabra gracias. Gracias, Roberto, por venir corriendo en cuanto te llamo. Gracias por esperarme al volante cuando me voy de putas. Gracias por acompañarme a donde quiera y pasarme el aspirador por la moqueta. Sí, también el aspirador. Se lo pasaba él por la repugnante moqueta que al principio era blanca y ahora era un arco iris de suciedad. Que quede claro: los oficiales nunca te dan las gracias. Sea cual fuere su grado, te tratan como peces gordos a los que corresponde toda clase de reverencias y servicios. Te humillan, te maltratan, se aprovechan de que en el ejército no existen los sindicatos ni la huelga... Pero la zafiedad de Sandokan era una zafiedad especial, ¡jolines! ¡Coño, jolines! Águila Uno, por ejemplo, le habría dado tiempo para cambiarse el uniforme de paseo y coger el casco. No lo habría abandonado en medio de una explanada sobre la que llovían las bombas. No le habría ordenado espérame-junto-al-jeep-y-no-te-muevas-por-ninguna-razón. Sí, le había dicho eso. Exactamente eso. Después había subido por la escalinata, había entrado en el observatorio, se había quedado gritando bang, bang, requetebang y lo había olvidado como se olvida un paraguas.

«¡Yo no soy un paraguas!» gritó con las lágrimas a punto de saltársele.

El grito se extinguió en el estruendo como una pavesa aplastada por una maza, y el desaliento se convirtió en un océano de consternación. ¿Qué hacer? Fuera justo o injusto, no podía abandonar el jeep, subir también él la escalinata, dirigirse al Veintisiete Lechuza y pedir a Sandokan que le dejara estar allí. Tampoco podía ir a buscar refugio en el tanque del Veintisiete ni descansar en el jeep, que por estar abierto no ofrecía protección contra las esquirlas, y estaba tan cansado. Le dolían las rodillas, le dolían las pantorrillas, le dolía la espalda, le dolía todo y soñaba con tenderse un poco: aunque fuera en el suelo. ¿¡¿En el suelo?!? ¡En el suelo sí que se habría ensuciado el uniforme de fango y grasa! Un momento. Había un cartón a unos quince metros de él. Muy ancho y bastante largo, limpio. Si pudiera llegar hasta él, arrastrarlo hasta aquí, colocarlo junto al jeep, podría tenderse sin ensuciarse. Se levantó despacito. Vaciló un poco, recuperó el equilibrio, se lanzó, y después de una carrera que le pareció interminable lo alcanzó: lo cogió, lo arrastró hasta el jeep, lo colocó junto al costado derecho, se tendió sobre él. Pero mientras se tendía advirtió que los pantalones habían rozado una rueda manchada de fango, se volvió preocupado a examinar el daño, al volverse una manga se le enganchó en la manilla de la puerta, se le desgarró, y la consternación se convirtió en desesperación: estalló en sollozos y se puso en pie de un salto gimiendo no, el-uniforme-de-paseo-no, y no vio la granada que estallaba en medio de la explanada. Una granada de 60, una granada de Bilal. Sin embargo oyó su estallido, sintió el granizo de tierra y fragmentos que se proyectaban en derredor, luego un gran golpe en el cráneo, después una especie de aguja que le agujereaba y cerraba el ojo izquierdo. Y cayó al suelo presa del terror.

«Madre mía, estoy muerto. Me han matado.»

Lo repitió muchas veces, convencido de estar de verdad muerto y al tiempo sorprendido de descubrir que los muertos hablan como si estuvieran vivos: pasaron algunos minutos antes de que comprendiese que estaba vivo o mejor dicho que había tenido una suerte inmensa porque si la granada hubiera estallado cuando recogía el cartón estaría muerto de verdad. Entonces se tocó la cabeza. Se encontró un chichón empapado en una capa gelatinosa que se quedaba pegada a los dedos, abriendo al máximo el ojo sano se miró los dedos, intentó ver qué era, y madre mía: ¡era sangre! Sangre, sí, sangre que le goteaba por la frente, de la frente al ojo, que ardía con un dolor casi insoportable, y volvió a aparecer el terror. No estaba muerto pero corría peligro de morir desangrado y ciego, ¿¡¿y cuánto viviría si no lo socorrían en seguida?!? Un día había leído que el cuerpo humano contiene cinco o seis litros de sangre: ¿¡¿cuánto se tarda en perder cinco o seis litros de sangre?!? Había que avisar a Sandokan, pedir al hospital de campaña que vinieran inmediatamente con plasma, pero, ¿cómo si su voz resultaba apagada por el estruendo como una pavesa aplastada por una maza y sus piernas no tenían fuerza siquiera para llevarlo hasta la escalinata del Veintisiete Lechuza? Volvió a sollozar. Madre mía, ayúdame. Después se calló de golpe. ¡La radio! ¡Había olvidado que en el jeep estaba la radio, ya sintonizada con la frecuencia de onda de Sierra Mike! ¡Tenía que volver a ponerse de pie, subir al jeep, informar a la base! Se volvió a poner de pie, volvió a agacharse. No, de pie no: corría demasiado riesgo. Mejor avanzar a gatas, subir por detrás, es decir, por la caja. Se puso a gatas. Apoyándose en los codos y en las rodillas llegó hasta la parte trasera, trepó a la caja, se arrastró hasta la radio fijada al armazón de la capota, localizó el micrófono, alargó un brazo, lo cogió, se dispuso a girar el mando que abría el circuito, y en lugar del mando giró una ruedecita para cambiar de canal. Perdió la frecuencia de Sierra Mike. ¡Oh, Señor! Había docenas y docenas de canales, y recuperar el de Sierra Mike era más difícil que encontrar una aguja en un pajar. Retiró el brazo. Lo alargó de nuevo. Giró de nuevo la ruedecita, y después de un chirrido horrible se encendió un circuito para traer las voces de Águila Uno y del Cóndor.

«Águila Uno, ¡aquí Cóndor Unooo! ¡Quiero saber a dónde han ido a parar esos dos del Veinticinco Alfaaa!»

«¡Aún están en el mirador, mi general!»

«¿¡¿Cómo que en el miradooor?!? ¡En el mirador ya no son útiles y podrían palmarlaaa! ¿¡¿Por qué no están dentro de un tanque?!?»

«¡Porque por radio Neblí no ha logrado hacerlos bajar, mi general!»

«Si no lo ha logrado por radio, ¡que vaya a recogerlos en personaaa!»

«¡No puede, mi general! ¡Hay demasiado fuego sobre el Veinticinco!»

«Si Neblí no puede, ¡vaya usted!»

«Pero, ¡si aquí está peor que en el Veinticinco, mi general!»

«Me trae sin cuidado, ¡arrégleselas como puedaaa!»

«Mi general...»

«¡He dicho que se las arregle como puedaaa!»

Después, transcurridos unos segundos, otra voz. La de Azúcar.

«Águila Uno, aquí Cóndor Zeta. El general ha vuelto a analizar la cuestión y en cuanto podamos ¡iremos nosotros a sacar a esos dos del Veinticinco Alfa!»

Contuvo el deseo de abandonarse de nuevo a los sollozos. O sea, que de esos dos todos sabían que estaban en peligro: hasta el general se preocupaba de ponerlos a salvo. En cambio de él no lo sabía nadie, de él nadie se preocupaba. Sin contar con que esos dos no corrían peligro de morir desangrados o ciegos y él sí, esos dos eran dos, es decir, que podían consolarse mutuamente y él no. Era la criatura más sola del mundo, ¡y es tan horrible tener miedo y estar solo! ¡Es tan horrible encontrarse solo mientras todos están con alguien! Apretó los dientes, volvió a girar afanosamente la ruedecita para cambiar de canal, y captó la frecuencia de la Base Rubí, donde el radiofonista gritaba ofendido.

«También a nosotros nos disparan, ¿¡¿qué os creéis?!?»

Después la de la base Águila donde el radiofonista advertía a un tal Natale.

«¡No te arriesgues, Natale, no te arriesgueees!»

Después la de la Logística donde el radiofonista estaba irritado con el gran capellán que se había metido en un garaje y pretendía celebrar allí su Misa.

«No hay forma de que se vaya, ¡decidnos qué debemos hacer!»

Por último, entre otros chirridos horribles, la voz de Azúcar que llamaba a Sierra Mike.

«Sierra Mike, ¡aquí Cóndor Zeta! ¡El general quiere saber qué sucede en el Veintisiete y en el Veintiocho!»

¿¡¿El Veintisiete?!? ¿¡¿El Veintiocho?!? ¿¡¿Sierra Mike?!? ¡Milagro! Había vuelto a encontrar la frecuencia de Sierra Mike, ¡podía introducirse! Apoyó la boca al micrófono.

«Sierra Mike, ¿me oís? ¿Me recibís? ¡Soy yo, Roberto, el conductor de Sandokan! ¡Estoy herido en la cabeza! ¡Estoy ciego de un ojo! Sierra Mike, Sierra Mike, ¿¡¿me oís?!?»

No, no lo oían. Seguían hablando entre ellos como si él no existiera.

«Cóndor Zeta, ¡en el Veintiocho los dos infantes de marina del Campo Tres están aún fuera del tanque y en el Veintisiete están todos en el tanque!»

¿¡¿Todos?!? Se rebeló.

«No, Sierra Mike, ¡todos nooo! ¡Yo estoy aquí totalmente solo y herido en la cabeza y ciego de un ojo! ¡Venid a recogerme, por favor! ¿¡¿No me oíiis?!?»

Pero, ¡qué va! No lo oían en absoluto: ¿se habría estropeado la antena? Olvidando toda prudencia, se puso de pie en la caja del jeep, palpó y, ¡madre mía! De casi tres metros de antena no quedaba sino un trozo de unos cuarenta centímetros de largo. Evidentemente una esquirla la había cortado, y por eso el aparato recibía pero no transmitía. Entonces se desplomó como una piedra y le sucedió lo que le sucedía de niño cuando se despertaba por la noche para encontrarse solo en la obscuridad, al encontrarse solo en la obscuridad sentía un gran deseo de hacer pipí y no lograba contenerse, no lograba siquiera llamar a su madre ni correr al baño por lo que el pipí inundaba la cama y lo empapaba como una esponja: le entraron unas ganas tremendas de orinar. Unas ganas tan violentas, tan irresistibles, que no tuvo tiempo de desabrocharse el pantalón y se lo hizo encima. Empapado de orina, apestando a orina, él que era un modelo de limpieza, bajó del jeep. Se dejó caer en el barro. Total ya no le importaba el uniforme de paseo, ya no le importaba estar sucio y apestar: anonadado, resignado a cualquier desgracia incluida la de perder cinco o seis litros de sangre y morir, sólo pensaba en el dolor de sus padres que lo enterraban en el cementerio de Sanremo llorando Roberto-Roberto, niño mío, hijo mío. Pero con la resignación coexistía una especie de incredulidad, de estupor. ¿Se lo merecía acaso? ¿Se lo merecían, sus padres? Su madre sólo tenía treinta y ocho años, su padre treinta y nueve, y de la vida habían recibido muy poco salvo la lavandería especializada en la limpieza de manchas en seco. Por no deshacerse de él, es decir, por no abortar se habían casado cuando ella tenía diecinueve años y él veinte, después habían traído al mundo también a su hermana y por los hijos habían perdido la juventud. Ahora empezaban a darse el lujo de alguna cena en el restaurante, concederse unos pocos días de vacaciones en la montaña, disfrutar del Festival de la Canción en el patio de butacas y no en la TV: si lo enterraban en el cementerio de Sanremo, el dolor los envejecería antes de tiempo y adiós cenas en el restaurante. Adiós vacaciones en la montaña y Festival de la Canción en el patio de butacas en lugar de en la TV. Asi que se puso a rezar.

«Jesús, si es verdad que estás contra el aborto, recuerda que en mi caso no abortaron. Sé bueno con ellos. Sé bueno también conmigo: no me dejes morir desangrado y ciego. No me lo merezco. Soy un buen chico, soy un tipo que no juega y no bebe, que no gasta los cuartos en tonterías, sino que, al contrario, los ahorra. Y no hago caso de quienes me dicen tacaño, tacaño, tacaño. Soy un buen ciudadano que sabe guardar cola en las tiendas y en la parada del tranvía, uno que, cuando va al cine, no se cuela: salvo cuando se me escapa coño-recoño, nunca he dicho una palabrota. Creo en ti y en la Virgen y los domingos siempre he ido a misa. Muchas veces, aun a costa de no beber el café con leche y no comer el bollo con mermelada, he comulgado también. No sé lo que es ir de putas, a Sheila ni siquiera le hablo y a Fatima no la miro. En Italia tengo una chica y se acabó. No la toco ni siquiera con condón, y si supieras lo que cuesta. En la escuela siempre he estudiado todo lo que podía. En la lavandería siempre he trabajado, aunque tuviera que levantarme a las cinco de la mañana para encender las lavadoras. Y la única culpa que me puedes reprochar es la de haber suspendido en álgebra. El único pecado, el de haberme hecho un agujero en la oreja derecha para colgarme un pendiente a lo James Dean. Yo no sabía que en la oreja derecha se lo ponen los maricas. Pero en álgebra me recuperé y el pendiente dejé de llevarlo. Yo no lo quiero ni en la derecha ni en la izquierda y el agujero se está cerrando. Sí, en Beirut he fumado hachís. Lo probaban todos, y me dejé convencer: de vez en cuando me fumo un porrito. Y te digo la verdad: si ahora tuviera uno, me lo fumaría. Pero si te molesta, Jesús, no lo fumo más. Te lo juro. Basta con que se acuerde de mí ese zafio. Y que tú comprendas que nadie sufre como yo...

El que sufre, ya se sabe, cree ser siempre el único en sufrir o sufrir como nadie. Por tanto de nada habría servido explicarle que de forma diferente, o por motivos distintos, los otros granos de infelicidad sufrían igual que él. Aún menos habría servido contarle que en ese trecho de Chatila alguien sufría el doble que él. Alguien que se encontraba en el tanque del Veintiocho, por tanto a poca distancia de Fabio y de Matteo que ahora se disponían a afrontarlo.

* * *

El tanque del Veintiocho estaba en el punto alto del terraplén que limitaba por el sur con el foso, en lo alto de una especie de colinita que dominaba la glorieta de la embajada de Kuwait, es decir, el cruce entre la Avenue Chamoun y la calle Sin Nombre, y en aquel trecho de Chatila era el más expuesto al fuego de Gobeyre. El recinto del Campo Tres estaba en cambio al nivel de la calle, a la derecha y por detrás estaba protegido por la pendiente de la colinita, a la izquierda tenía el shelter de Jasmine, por lo que al recibir la orden de encerrarse en los M113, Fabio y Matteo habían reaccionado pidiendo a Neblí permiso para quedarse en el Campo Tres. Neblí había respondido que de acuerdo y ahora, escondidos detrás del muro, incubaban allí su miedo personal. Tenían mucho miedo. Tenían tanto que ya no pensaban en Jasmine ni en Mirella ni en Rosaria ni en Dalilah, y Matteo lo expresaba con su locuacidad habitual. «Me cago en mí y en la tesis sobre el Líbano.» «Esta gente no respeta ni siquiera la Navidad.» «La mafia de Palermo la respeta.» «¿Has oído decir alguna vez que un Badalamenti haya matado a un Caruso o que un Caruso haya matado a un Badalamenti en Navidad?» Y cosas por el estilo. En cambio Fabio la expresaba de forma insólita: cantando a voz en cuello la reelaboración de una cancioncilla que decía hallo-Mister-Cairo, how-do-you-do. Sustituyendo el nombre de Míster Cairo por el de Míster Valor e improvisando disparates que rimaban con el sonido de how-do-you-do, llevaba cuarenta minutos desgañitándose como un obseso y pese al estruendo su voz llegaba hasta el Veintisiete Lechuza donde no oían a Roberto.

«Hallo, Míster Valor, hao du iù duuu! Hola, Míster Valor, ¿qué haces ahí tú? Hola, Míster Valor, ¡tú ya tururú!» Pero de pronto un aullido no humano, un aullido que superaba las propias explosiones salió del tanque del Veintiocho:

«Socorro, mamá, mamita, socorro. Yo no quiero morir como un ratón. ¡No quiero morir con vosotros! Dejadme salir, dejadme, por favor.» Y Fabio se calló. También Matteo se calló.

«¿Quién es?» preguntó Fabio.

«El siciliano que llegó hace veinte días» respondió Matteo.

«¿Ese que está mal de la cabeza y destinado en las cocinas?»

«Sí, Calogero el Pescador.»

–5–

Lo llamaban Calogero el Pescador porque se presentaba diciendo soy-Calogero-el-Pescador, y lo habían destinado a las cocinas porque en un puesto amenazaba con escaparse. Yo-aquí-no-me-quedo. Tengo miedo. Creían que estaba mal de la cabeza porque en veinte días, es decir, desde que lo habían mandado a Beirut, había escapado sus buenas cinco veces. Todas ellas corriendo hacia el mar en busca de una barca para volver a casa. Tenía dieciocho años cumplidos hacía seis meses, un cuerpo rechoncho y sin gracia, un rostro aniñado y quemado por el sol, dulces ojos negros siempre desorbitados en un estupor lleno de espanto. Y venía de una islita de las Égades tan pequeña como un guisante, Formica, en la que vivían ochenta personas apenas: cifra que incluía al párroco, a la maestra, al farmacéutico, y a los dos carabinieri enviados para administrar la ley. Allí había nacido, único varón después de cuatro hembras, y desde niño no había hecho otra cosa que pescar. Oficio que le gustaba muchísimo y que había aprendido de su padre, un salvaje que para no responder a la llamada a filas se había atravesado un pie con el arpón y se había quedado cojo. Lo sabía todo, pero es que todo, sobre los boquerones y las sardinas, sobre los salmonetes y las lubinas, sobre las langostas y los pulpos, sobre las gambas y los calamares, sobre los cangrejos y las almejas. Nada, pero es que nada, sobre las criaturas que viven fuera del agua. Aparte de sus padres y sus cuatro hermanas y su abuela y los conejos salvajes y las gallinas detrás de la casa, el único animal terrestre con el que tenía familiaridad era el perro del abuelo muerto a consecuencia de un accidente sucedido durante la pesca de los atunes. Escribía con dificultad, con monstruosos errores de ortografía: después de tercero de primaria habían dejado de mandarlo a la escuela. Total no aprendía nada y además se consumía. Nunca había leído un libro y, antes de que le llegara la notificación, no había salido de Formica ni siquiera para ir a Trapani: a la que, por lo demás, sólo se podía llegar con la goleta postal que funcionaba los lunes. Por consiguiente nunca había visto una ciudad, un ferrocarril, una autopista, por no decir un aeropuerto. Para él los aviones eran grandes aves que volaban rectas y dejaban tras sí un rastro de humo, y no podía imaginar un embotellamiento en la carretera o un tren en marcha. Aún menos podía imaginar una guerra. Para llevar los ecos del mundo a Formica no existía sino la televisión, pero el misterioso instrumento hablaba italiano como la maestra y nunca sabías qué contaba. Y sin embargo aquella islita había sido siempre para él el Paraíso y nunca había deseado abandonarla. ¿Qué vas a pedirle a Dios si ya tienes una barca de pesca, una cala para amontonar el pescado, una casa para protegerte de la lluvia y del frío, una iglesia para ir a misa, un bar para comprar helados los domingos y las demás fiestas, y por último un padre y una madre y cuatro hermanas y una abuela y un perro que te quieren? Pero un triste día de julio había llegado la tarjeta. Y con la tarjeta lo habían informado de que debía ir en seguida a Brindisi, presentarse en el cuartel de los infantes de marina, hacer la mili.

Madre mía, ¡qué disgusto! Había llorado noches y más noches del disgusto. Había estado a punto de atravesarse el pie con el arpón como su padre. Sólo cuando su padre se había puesto a gritar no-lo-hagas, te-arrepentirás, yo-me-he-arrepentido, mejor soldado que cojo, había decidido obedecer. Había llenado la maleta con tarros de atún en aceite, se había despedido de su barca, de sus padres, de sus hermanas, de su abuela, del perro, y había subido a la goleta postal para desembarcar en Trapani donde había visto por primera vez una ciudad. Madre mía, ¡qué ciudad! ¡Huy, la Virgen! Setenta mil habitantes y astilleros, chimeneas, edificios, catedrales, tiendas, las luces encendidas incluso de día, calles y más calles. En las calles, un gran estruendo de automóviles, bicicletas, camiones, autobuses, un montón de personas que caminaban rápido, y nadie que lo acompañara al ferrocarril.

«Coge la calle Tal» le respondían, «tuerce a la izquierda en la calle Cual, sigue hasta el segundo semáforo, dobla a la derecha, todo recto hasta el quinto semáforo...»

¿Y si no sabes cuál es la calle Tal o Cual? ¿Si no entiendes los semáforos? Tan pronto están rojos, como verdes, como amarillos: ¿por qué? Había tardado un siglo en dar con el ferrocarril, y otro tanto en encontrar aquel tren larguísimo. Más que un tren, muchos trenes pegados uno a otro. Primera clase, segunda clase, etcétera. En la primera clase, no le habían dejado entrar. Déjame-ver-el-billete, no, tú-aquí-no-puedes-entrar. Lástima porque en primera clase había menos gente. En segunda había mucha y empujaba, te pisaba, te pasaba por delante, te robaba el sitio que habías elegido. «¡Ocupado, ocupado!» De todos modos había cogido un sitio. En el compartimiento de fumadores, por desgracia. ¡Una peste! Y el tren se había movido. De Trapani lo había llevado a Alcamo, de Alcamo a Palermo, de Palermo a Cefalú, de Cefalú a Messina: tirando todo de un lado para otro. Patapum-patapum. Patapum-patapum. Patapum-patapum. Con aquella gente que fumaba y fumaba. Y mientras fumaba, charlaba y charlaba, comía y comía... Naranjas, plátanos, mandarinas, chocolatinas. Él, no: se había comido un poco de atún y nada más. Con el pan que había traído de casa.

Horrible, el tren, horrible. Lo único hermoso en el tren era la ventanilla, el campo que pasaba volando en ráfagas de viento. Después, en Messina, habían trasladado el tren a un barco. El tren con todos los trenes de primera clase, segunda clase, etcétera. Y el barco no se había hundido. Al contrario, había cruzado el estrecho y los había llevado a Reggio Calabria: en el continente. Algo extraordinario. Tan extraordinario que de la emoción se había devorado todo un tarro de atún en aceite. Pero en Reggio Calabria habían bajado del tren. Habían tomado otro que costeaba la suela de la bota y después el tacón porque es cierto que Italia tiene la forma de una bota con su tacón, y habían ido a Catanzaro. De Catanzaro a Crotona. De Crotona a Corigliano. De Corigliano a Tarento. Y siempre mirando el golfo de Tarento: cosa doblemente extraordinaria, ésta, porque allí era el mar el que fuera de la ventana pasaba volando en ráfagas de viento. En Tarento habían bajado de nuevo. Pero, en lugar de coger un directo para Brindisi, muy cerca ya, habían tenido que tomar otro tren más que bajaba al tacón, es decir, a Lecce y de Lecce volvía a subir por el tacón, es decir, hacia Brindisi. Los viajeros estaban muy furiosos. El más furioso era un señor con la insignia del Partido Comunista, que decía esto no es una línea ferroviaria, esto es una burla, una ofensa a los meridionales: si los comunistas estuvieran en el gobierno, ciertas cosas no sucederían. Decía también que Roma es una madriguera de ladrones, y quería mandar a aquellos ladrones a un lugar llamado Siberia. Entonces un señor con la insignia del Partido Demócrata Cristiano se enojaba a su vez y le respondía vaya a Rusia, vaya: los ciudadanos viajan en los vagones para ganado e incluso no viajan en absoluto, porque la policía se lo prohíbe. Después un joven con chaqueta verde de militar y zapatos de piel muy fina, zapatos de rico, que los tuteaba como si fueran parientes y los vapuleaba utilizando argumentos nunca oídos en Formica. A ti ni siquiera te considero, decía al señor de la insignia demócrata-cristiana. Eres un siervo del Estado imperialista multinacional que desestabiliza con matanzas como la de Piazza Fontana y acabarás con el pecho acribillado en el maletero de un coche. En cuanto a ti eres un falso camarada y un traidor a la clase obrera –decía al señor de la insignia del Partido Comunista–. Con tus culpables silencios te vuelves cómplice del sistema y acabarás del mismo modo: la clase obrera no perdona. Resultado: los tres llegaban casi a las manos y hacían falta siete paradas para que se pusieran de acuerdo sobre algo, es decir, sobre que el tren no corría bastante. Pero sí que corría. A él le parecía que corría demasiado incluso. Habría pagado oro por que corriera menos y llegara a Brindisi lo más tarde posible.

Había llegado el miércoles por la tarde: después de dos días, dos noches, y seis horas. Muerto de cansancio y desaliento, el estómago hecho polvo porque en ese tiempo se había comido todos los tarros de atún en aceite, había cruzado la ciudad que era igual a Trapani y no se acababa nunca. De calle en calle había llegado a una fortaleza en la costa, había entrado diciendo soy-Calogero-el-Pescador y en seguida le habían cortado el pelo. ¡Al cero! Después le habían dado un uniforme que le apretaba por todas partes, un par de botas que aprisionaban los pies, y durante cuatro meses había vivido peor que en una pesadilla. Gritos, reproches, órdenes extrañas: «Adelante, ¡marchen! Derecha, ¡ar! Izquierda, ¡ar! Media vuelta, ¡ar! Presenten, ¡armas!» Sin contar las maniobras, madre mía, la instrucción, las clases de tiro con fusiles que en cuanto tocabas el gatillo se te escurrían como peces y te golpeaban en la cara rompiéndote un diente. Y con los fusiles que te rompían un diente los compañeros malvados, los oficiales crueles, las ofensas de unos y otros. «¡Bárbaro! ¡Cavernícola! ¡Troglodita! ¿¡¿Vienes de cavernas del período jurásico?!?» Por último la desesperación del día en que un siciliano había dicho a otro siciliano: «Ni mànnano o Lebàno! ¡Nos mandan al Líbano!» Porque en lugar de Lebàno había entendido Melàno, Milán y había perdido los estribos. ¡No! ¡Milano, no! ¡No quiero ir a Milán! Milán no es país de mar. Y de nada servía repetirle no-Calogero-no, el-Líbano-no-está-en-Milán. Creía que el Líbano estaba en Milán y había seguido creyéndolo hasta la víspera del embarque: la duda sólo lo había asaltado al ver el barco atracado. «¿Por qué vamos en barco? A Milán no se puede ir en barco.» «No vamos a Milán, Calogero.» «¿¡¿No?!? ¿Y adónde nos llevan, entonces?» «A Beirut, Calogero.» «¿A Beirut? Y Beirut, ¿qué es?» «La capital del Líbano, Calogero.» «Entonces el Líbano... ¿no es Milán?» «No, Calogero. No es Milán.» «Y país de mar, ¿lo es, el Líbano?» «Sí que es país de mar, Calogero.» «¡Madre mía! ¿¡¿Es ciudad de mar, Beirut?!?» «Sí que es ciudad de mar, Calogero.» Se había convencido por fin, se había alegrado incluso. De acuerdo, Beirut no sería Formica. No tendría sus aguas límpidas y puras, sus playas de arena blanca y limpia, sus rocas fosforescentes. Cerca de sus playas y sus escollos, los peces no se deslizarían en relámpagos de rojo y amarillo, de azul turquí y plata. En sus profundidades no florecerían jardines de corales y esponjas, de algas y conchas. No encontraría a su padre, a su madre, a sus cuatro hermanas, a su abuela, y el perro. Pero podría vivir en paz y sin malos tratos: cuando no hay cuarteles por medio, una ciudad de mar siempre es una promesa. Y con esa ilusión se había embarcado, había viajado: horas y horas en la cubierta de proa escrutando el horizonte, deseoso de divisar Beirut. La última noche ni siquiera había dormido de impaciencia, cuando el alba se había alzado trazando el perfil de la ciudad prometida, había gritado de felicidad. «¡Beirut! ¡Beirut! ¡Beirut!» Después el barco se había acercado a la costa surcando un agua turbia y sucia de papeluchos, jeringuillas, ratones muertos, basura de diversas clases, había entrado en el puerto rodeado de escombros, los habían desembarcado en un muelle en que retumbaban los cañonazos, ¡y madre mía! ¡Aquélla no era ciudad de mar! ¡Era ciudad de guerra! La guerra que se ve en la televisión, ¡con las casas destrozadas y los muertos a pedazos! Y nada más llegar a la base, se había escapado a la playa de Ramlet el Baida para buscar una barca que lo llevara de vuelta a Formica. Una barca, una barca, para ir a Formica. Lo habían cogido y se había escapado de nuevo. Lo habían destinado a un puesto de guardia, se había escapado del puesto de guardia. Lo habían relegado a lo alto de un mirador, se había escapado del mirador. Lo habían ingresado en la enfermería, se había escapado de la enfermería. Lo habían encerrado en las cocinas para limpiar pescado y allí se había quedado. ¡El pescado, el pescado! ¡Sí que es ciudad de mar! Pero ayer el infante de marina del Veintiocho que estaba de guardia en la esquina de la calle Sin Nombre con la Avenue Chamoun había pillado una diarrea como para mandarlo al hospital, y el jefe de escuadra había dicho: «Substituidlo con Calogero. Poned a Calogero de guardia en la esquina de la calle Sin Nombre con la Avenue Chamoun. Total, es un puesto fácil.» Lo habían puesto y...

¡Qué desgracia, madre mía, qué desgracia! Ante todo por el fusil que debía sostener en la mano y por el casco que debía mantener en la cabeza, después por el fango que lo chupaba hasta los tobillos y lo anclaba al terreno impidiéndole escapar, luego por el olor a temporal que había olisqueado ya por la mañana y que de hora en hora había ido aumentando. Tienen un olor antipático, los temporales que se anuncian, un olor a detritos podridos que salen a flote. Y al olisquearlo se percibía como cuando estás pescando en alta mar y se alza el lebeche, el mar se infla para aconsejarte que regreses rápido, conque presa de la inquietud sacas las redes y comienzas a remar hacia la orilla, pero cuanto más remas más te arrastra la corriente hacia alta mar. De hecho, le había dicho al jefe de escuadra: «Se está acercando un gran temporal.» Lástima que el jefe de escuadra no lo hubiera tomado en serio: «Calla, cavernícola.» Por lo demás tampoco lo había tomado en serio cuando al atardecer un rayo en forma de cometa había surcado el cielo y él había gritado: «¡El rayo, el rayo del temporal!» Respuesta: «¡Qué va a ser un rayo, troglodita!» Pero sí que era un rayo. La prueba era que había ido a parar donde van a parar los rayos, es decir, en lo alto de la Torre y el temporal había estallado de verdad. Rayos, centellas, truenos, y la orden de entrar en el tanque. Madre mía, qué miedo. Parecía que el suelo se abriera para engullir el tanque. A cada explosión se alzaba y bajaba peor que una barca traqueteada por un maremoto. Y en el fondo de la barca, él: metido por la fuerza, como una sardina dentro de una cesta llena de sardinas, aplastado, estrujado, asfixiado por la peste de los que se peían de espanto. ¡Oh, cómo se peían! Unos pedos de muerte. Pero, en cuanto decías quiero-mear, la tomaban con Garibaldi que para hacer la unidad de Italia había desembarcado en Marsala, es decir, justo delante de las Égades. «Maldito sea ese entrometido de Garibaldi que nos pegó con vosotros los del sur» gritaban. «Por su culpa nos hemos convertido en un país del tercer mundo, ¡por su culpa!» Gritaban también que había que vender el sur a Libia a cambio de petróleo, que después de venderlo a Libia, había que levantar una muralla igual a la china, y que para entrar en Italia los de Formica deberían tener un pasaporte con visado válido para medio día y se acabó. Después se dirigían a él y: «¿¡¿Entendido?!? ¡Ay de ti si meas una gotita!» De todos modos el peor tormento no era ése: era la idea de morir como un ratón, dentro del tanque. Morir hay que morir, de acuerdo, y para morir no hay edad: en la red caen los peces viejos, los peces jóvenes, y los peces recién nacidos. No obstante, una cosa es morir en la barca en la que puedes orinar cuanto quieras y en la que los pedos se los lleva el viento, y otra cosa es morir como una sardina dentro de una cesta llena de sardinas que se peen, que la toman con Garibaldi, que para dejarte entrar en Italia pretenden imponerte un visado y que te venden a Libia a cambio de petróleo. No quería morir con ellos. Quería volver a Formica, a sus aguas límpidas y puras, sus playas de arena blanca y limpia, sus rocas fosforescentes, sus peces, sus esponjas, sus corales, sus padres, sus hermanas, su abuela, su perro. Conque en determinado momento se había lanzado contra la trampilla para huir, los demás lo habían detenido, y por eso lanzaba ahora ese aullido no humano.

«¡Socorro, madre mía, socorro! ¡Yo no quiero morir como un ratón! ¡No quiero morir con vosotros! ¡Dejadme salir, dejadme, por favor!»

Después la trampilla se abrió de par en par. Y una figura rechoncha, una sombra sin casco ni fusil, saltó fuera del tanque. Perseguida en vano por los gritos del jefe de escuadra que gritaba adónde-vas-troglodita-adónde-vas-cavernícola, llegó a la cima de la colinita y se lanzó por la pendiente que baja hasta el Campo Tres. Se lanzó con el mismo movimiento que un cuerpo que se lanza de una altura para zambullirse en el mar: tronco rígido, piernas rectas, brazos tendidos hacia delante. Y como un cuerpo que se zambulle en el mar cayó de cabeza en el terreno blando de fango. Se hundió en él. Pero al instante reapareció para rodar hasta los pies de Fabio y Matteo: una máscara de cieno dentro de la cual centelleaban los ojos como llamas en la obscuridad.

«Soy Calogero el Pescador y quiero pasar.»

«¿Para ir adónde, Calogero?» respondió Matteo al tiempo que dejaba el fusil sobre los sacos de arena y lo sujetaba por las muñecas.

«A mi casa. Quiero ir a mi casa. Suéltame.»

«No puedes, Calogero. Vuelve al carro.»

«Al carro, no. No quiero morir como un ratón. No quiero morir con ellos. No me dejan mear, se peen, y me quieren vender a Libia a cambio de petróleo. Son malos y la tienen tomada con Garibaldi. ¡Suéltame, suéltame!»

Si te quieren vender a Libia y la tienen tomada con Garibaldi y se peen quédate con nosotros, Calogero. Quédate con nosotros. Somos paisanos, nosotros también somos sicilianos. Yo soy de Palermo y él de Brindisi. ¿No lo sabes?

«No lo sé y no lo quiero saber. No me gusta Brindisi, no me gusta Palermo. A mí me gusta Formica y se acabó. Y aquí no me quedo. Suéltame.»

«No, Calogero. O te quedas en el tanque con ellos o te quedas aquí con nosotros: a casa no puedes ir» repitió Matteo lanzando una mirada de entendimiento a Fabio que se puso rápido a su espalda y lo inmovilizó.

«Quieto, Calogero, quieto, que nosotros te queremos bien.» Después, en voz alta para que lo oyeran los del tanque: «¡Cerrad la trampilla! ¡Lo hemos cogido, lo tenemos aquí!

Entre exclamaciones de alivio, bien-gracias-bien, la trampilla volvió a cerrarse. El asunto pareció resuelto. El caso es que a Calogero no le importaba nada que aquellos dos fueran paisanos y dijesen que le querían bien. Las amargas experiencias vividas en aquellos meses le habían enseñado que la gente dice que te quiere bien sólo para joderte mejor, y con un movimiento de atún arponeado se escurrió de las manos de sus secuestradores. Lanzó un fuerte puñetazo a la mandíbula de Fabio que cayó aturdido, otro al mentón de Matteo que se desplomó medio desmayado, y después pasó por encima de ellos: tranquilo. Tranquilo orinó, se alejó del muro, giró a la derecha en la calle Sin Nombre, llegó al cruce con la Avenue Chamoun, entró en la barahúnda de los gubernamentales que disparaban con Browning y cañones de 106, y siguió recto hacia el litoral de Ramlet el Baida. Y quien se hubiera encontrado en aquella calle habría visto algo que raras veces se ve incluso en la guerra, es decir, en un lugar donde se ve de todo: un soldadito que sin fusil ni casco, con el rostro reducido a una máscara de cieno, iba a la batalla hablando para sus adentros.

«Rayos, truenos, centellas, maremoto. No comprendo, no comprendo. Porque no tengo ni siquiera veinte años, tengo dieciocho años y se acabó, soy un muchacho, y no quiero morir tan joven en Beirut. Quiero vivir, pescar, morir como Matusalén en Formica. Pescando. Vosotros, allá vosotros: arreglároslas. Quedaos donde estáis con esos que quieren venderme a Libia a cambio de petróleo. Malvados. Sí, malvados. Todos. Incluso vosotros paisanos de los cojones que me habéis cogido de las muñecas, la cintura y el cuello. ¿¡¿Qué tengo yo que ver con ellos, qué tengo que ver?!? Yo ya lo había dicho que no me gustaba Milán. Y vosotros respondisteis: no es Milán, es Beirut, es país de mar, ciudad de mar. Y me habéis hecho venir aquí, a esta ciudad de guerra y maremoto. De rayos, truenos, maremoto. Me habéis echado dentro de la cesta llena de sardinas que se peen y no te dejan mear. Me habéis encerrado en el tanque para morir como un ratón con los enemigos de Garibaldi. No comprendo, no comprendo. Pero comprendo que estoy hasta los cojones y me voy al mar, me cojo una barca. Una barca para ir a Formica. Porque donde hay mar siempre hay una barca. Una barca...»

Fabio y Matteo comprendieron que se había salido con la suya en cuanto se recuperaron y vieron que ya no estaba. Entonces corrieron al tanque, avisaron al comandante de la escuadra de que Calogero los había agredido, se había escapado. Y el comandante de la escuadra bajó a buscarlo con ellos, a llamarlo con ellos.

«¡Calogerooo! ¿¡¿Dónde estás, Calogero?!?»

«¡Calogerooo! ¡Responde, cacho bárbaro, cavernícola, troglodita! ¡Calogerooo!»

«¡Calogerooo! ¡Malditos seáis tú y Garibaldi, que nos mezcló! ¡Vuelve atrás, Calogerooo!»

«¡Calogerooo! ¡Calogerooo! ¡Calogerooo!»

Lo llamaron largo rato, lo buscaron por todas partes: tras los escombros, en el shelter de Jasmine, en la calle Sin Nombre, en la Avenue Chamoun, en la glorieta de la embajada de Kuwait, y por radio también en Sierra Mike. Pero Calogero ya estaba lejos. Farfullando su soliloquio rayos-truenos-rayos-maremoto había llegado a la playa de Ramlet el Baida, donde completamente enloquecido se había puesto a buscar la barca. «Una barca, una barca para ir a Formica. Porque donde hay mar hay siempre una barca. Una barca, una barca...»

Y eso sucedía mientras en el Veintisiete Lechuza Sandokan se agitaba en las difíciles aguas de otro mar. Un mar llamado crisis de conciencia.

* * *

Son como los ataques de tos, las crisis de conciencia. Llegan cuando menos te las esperas. (Suponiendo que tengas conciencia, se entiende.) Y aquella crisis Sandokan no se la esperaba, la verdad, mientras sacando pecho y con las piernas abiertas y los visores nocturnos pegados a los ojos disfrutaba en primera persona de la única hazaña bélica de su vida. «Bang-bang-requetebang.» John Wayne que al mando del acorazado *West Virginia* bombardea las costas de las Filipinas para preparar el terreno a MacArthur. Henry Fonda que a bordo del submarino *Seahorse* da caza al almirante Yamamoto y le lanza el torpedo. Robert Mitchum que con vehículos anfibios desembarca en Normandía y establece la sólida cabeza de puente de la playa de Omaha, Vietnam, Afganistán. Estremecimientos demasiado anhelados, entusiasmos demasiado deseados, las llamaradas y las detonaciones con las que se extasiaba. Sin embargo, durante la frenética actividad de los M48, delante de los sacos de arena del Veintisiete Lechuza había saltado algo que había hecho un ruido insólito. No el ruido seco de una esquirla sino el ruido sordo de un objeto blando. ¡Chaf! Movido por la curiosidad había apartado los visores, había salido afuera a ver de qué se trataba, ¿y sabes de qué se trataba? De una pequeña mano amputada a la altura de la muñeca, una mano de mujer con anillos en los dedos y las uñas pintadas con esmalte color carmín. Entonces le había sobrevenido el ataque de tos, preguntas y respuestas y dudas con las que nunca habría creído que llegaría a atormentarse habían despertado al buen hombre no puesto a prueba aún por su momento de la verdad: el bonachón de treinta y nueve años que se ocultaba bajo la barbaza hirsuta y descuidada, los bigotazos largos y colgantes, las patillas de cabra, las cejas enmarañadas, la piel quemada por el sol, el ceño de pirata contento de parecerlo. ¿De dónde venía, de quién era la pequeña mano de mujer con anillos en los dedos y uñas pintadas de esmalte color carmín? ¿En nombre de qué lógica había resultado muerta o mutilada aquella pobrecilla? Coño, recoño, nunca lo había pensado: la guerra era también eso: una pequeña mano de mujer con anillos en los dedos y las uñas pintadas de esmalte color carmín. ¿Habría tenido razón su padre en odiar las armas y los uniformes, en sostener que el pacifismo es un imperativo moral y un código de civismo? ¿Habría estado equivocado él al responderle papá, yo no me licencio en Derecho, tu próspero bufete no lo quiero, no me interesa llegar a ser un plácido burgués con reloj de oro en el chaleco y carnet del Rotary Club en el bolsillo, Vicenza se me ha quedado pequeña»? ¿Se habría equivocado al amar la guerra, respetarla, invocarla, decirse que la guerra es la linfa de la vida, que nace con la vida que corre por las venas del hombre junto con su sangre, que todo ser vivo la hace, todo elemento de la Naturaleza? ¡No, coño, recoño, no! Un perro que muerde a otro perro comete un acto de guerra, un ave que pica a otra ave comete un acto de guerra, un pez que engulle a otro pez comete un acto de guerra. Y lo mismo un insecto que devora a otro insecto, un árbol que sofoca a otro árbol, un gas que se expande o un ácido que quema. Todo lo que hacemos para vivir, sobrevivir, existir, es un acto de guerra. Por tanto no estaba equivocado. Pero sí, coño, recoño: estaba equivocado. Porque un hombre no es un ácido ni un gas, ni un árbol, ni un insecto, ni un pez, ni un ave, ni un perro: ¡es una persona que razona y sabe que razona, crea y sabe que crea, destruye y sabe que destruye, mata y sabe que mata! Es una mente capaz de encontrar soluciones diferentes de las que ofrece la naturaleza y... Y fuera como fuese, esta batalla estaba empezando a revolverle el estómago.

Sí, precisamente con esos pensamientos (tal vez un poco diferentes en la forma pero idénticos en la substancia) Sandokan miraba ahora el Pentecostés inesperado a causa del cual había olvidado a Roberto y no había hecho caso de Calogero. Entretanto, desde el norte, desde el sur, desde el este, desde el oeste, los gubernamentales martilleaban la Torre y Gobeyre. Se disponían a reducir a Bilal, que sobre los escombros del antiguo depósito de agua resistía cantando.

CAPÍTULO SEGUNDO

–1–

Bilal resistía cantando. Los cañones de los M48 alineados por la Octava Brigada a lo largo de la carretera de Sabra escupían diez disparos por minuto, los morteros de 120 colocados por la Sexta en el foso paralelo a la Avenue Chamoun escupían el doble, las ametralladoras de los M113 situados delante de la embajada de Kuwait disparaban con tal intensidad que a menudo tenían que suspender el fuego para dejar enfriar los cañones, y Bilal resistía cantando. Desde Gobeyre los milicianos respondían de forma cada vez más desordenada, el obtuso Rashid había desperdiciado también las cincuenta y cuatro granadas capturadas con el tanque, nadie se preocupaba de mandar refuerzos, y Bilal resistía cantando. A cada lado de la Torre horadada como un colador se abrían grietas espantosas, en todos los pisos se abrían abismos impresionantes, las rampas de las escaleras estaban semiderrumbadas, la mitad del tejado había dejado de existir, y Bilal resistía cantando. Los Amal que después de su grito Iahkni-seguidme-Iahkni, se habían lanzado hacia el edificio yacían muertos o moribundos, entre los residuos del tejado sólo quedaban cinco milicianos exhaustos y las dos 7,62 con pocas balas porque los morteros de 60 habían resultado destruidos, y Bilal resistía cantando. Trompetas y trompas y tambores los gallos de su voz desafinada, los solos que se mezclaban con las explosiones, y los estallidos y las ráfagas. Conciertos de gloria las estrofas del himno en el que había substituido la palabra «casa» por la palabra «torre» y que desde las seis repetía tozudo, obsesivo, incansable.

«Beasnani saudafeh haza al bourji, beasnani! Beasnani saudafeh haza al quariatna, beasnani! Con uñas y dientes defenderé esta torre, ¡con uñas y dientes! Con uñas y dientes defenderé este barrio, ¡con uñas y dientes! Beasnani oudamiro ainai wa lisan, itha iktarabbom menni. Beasnani! Con uñas y dientes os arrancaré los ojos y la lengua, si os acercáis. ¡Con uñas dientes!»

Sólo una vez se había interrumpido: cuando su mirada se había detenido en la choza de la placita donde en noviembre Passepartout había registrado a Charlie. Yahallah, yahallah! Estaban sus ocho hijos, en aquella choza, y su anciano padre y Zeinab con el noveno en el vientre. Eran muy traviesos sus hijos, no cesaban de pelearse y lloriquear, pero eran sus hijos y los quería. Era una carga su padre, no cesaba de lamentarse y toser, pero era su padre y lo amaba. En cuanto a Zeinab... Era una gruñona, Zeinab: no cesaba de reprenderlo y machacar que la política es cosa de señores, no de barrenderos, que la gente es ingrata y escupe en la cara a quien da. «¡Ay de quien se sacrifica, Bilal! ¡Ay de quien regala cosas o a sí mismo al prójimo!» La gente recibe, recibe, y cuanto más recibe más te escupe en la cara.» Pero era Zeinab y le gustaba tanto que no la pegaba nunca. La respetaba tanto que no la traicionaba ni siquiera con la prostituta de la Ciudad Antigua: esa que si le barrías bien la acera se te entregaba gratis. ¡Vaya si le gustaba, Zeinab! Tan gruesa, mantecosa, jugosa, el doble de alta que él, y dispuesta en todo momento a acogerlo en el pozo de sus profundidades. ¡Qué gozo, verdad, trepar a aquel cuerpo inmenso, zambullirse dentro de aquel pozo, ahogarse, descargar los deseos de la jornada...! Después se sentía más saciado que un lobo que ha devorado un buey entero. ¡Vaya si la respetaba! Porque tenía un corazón de oro, Zeinab, y pese a sus reproches lo colmaba de atenciones. Si se le caía un remiendo de la chaqueta, se lo cosía con hilo del mismo color. Si al hurgar en la basura pescaba un piojo, se lo atrapaba y se lo aplastaba con las uñas. ¡Crac! Si alguien se burlaba de él por su estatura de enano, lo consolaba. «¡Los seres humanos no se miden en absoluto con el metro, Bilal! Lo que debe tener un hombre lo tienes y bien grande. Eres como un pino que escupe piñas, y con las piñas semillas. Semillas, semillas, semillas.» Por si eso no bastara, ayer le había pegado las páginas sueltas del medio libro encontrado en la basura y le había puesto un forro verde con el título de «Kitab». Libro, Kitab. Después había ido a la carnicería y había robado una cabeza de cordero que iba a cocinar esta noche. «Por favor, Bilal, ¡no vuelvas tarde esta noche que voy a cocinar la cabeza de cordero!» No, no se sentía con ánimo para renunciar a Zeinab. Y tampoco para renunciar a su anciano padre, a sus ocho hijos, en una palabra, a la vida. ¡Quería vivir! Y exasperado, desalentado, desgarrado por las nostalgias, había estado a punto de alzar la bandera blanca: rendirse, retirarse. Pero, cuando se preparaba para hacerlo, había caído un disparo de 120. Un obús de los morteros chiítas que disparaban desde el foso paralelo a la Avenue Chamoun. Las esquirlas habían acertado a uno de los cinco milicianos que había expirado susurrando disparan-contra-sí-mismos, Bilal, disparan-contra-sí-mismos, y eso había disipado la tentación.

Contra sí mismos, sí, contra sí mismos: si disparas a un hermano de fe disparas contra ti mismo, se había dicho. Y a fuerza de disparar contra sí mismos lo vencerían, lo matarían con los cuatro últimos, después junto con los de la Octava concentrarían el fuego en Gobeyre y... ¡Un momento! ¿No se debían sobre todo a los encargados de los morteros de la Sexta Brigada, esa Sexta Brigada compuesta casi exclusivamente de chiítas, los problemas del ejército gubernamental? ¿No eran los encargados de los morteros de la Sexta Brigada los que en la Galerie Semaan se peleaban con los artilleros de la Octava y para no acertar a sus barrios desobedecían a los oficiales cristianos, desviaban el tiro, lanzaban en otra dirección las bombas destinadas a Gobeyre o a Chyah o a Haret Hreik? Esta noche no desviaban nada, desde luego: todos los disparos llegaban con exactitud... Tal vez los oficiales cristianos los hubieran amenazado: quien-no-dé-en-el-blanco-esta-noche-acabará-ante-un-Consejo-de-Guerra. Tal vez les hubiesen prometido una recompensa: quien-dé-en-el-blanco-esta-noche-se-gana-un-premio-y-un-permiso. El miedo y el dinero, ya se sabe, hacen callar al corazón. No obstante, cuando se dieran cuenta de que habían disparado contra sus propias casas y sus propias familias y sus propios hermanos de fe, es decir, que habían disparado contra sí mismos, el corazón volvería a hablar de nuevo. La vergüenza y la ira los incitarían a rebelarse, el ejército de Gemayel se dividiría, la Sexta expulsaría a la Octava de la zona occidental y el antiguo sueño de entregar a los musulmanes tres cuartas partes de la ciudad se haría realidad. Con el sueño, lo que él le había dicho al capitán: «Venceré. Vivo o muerto venceré.» ¡Por el misericordioso Alá, el capitán le había hecho un favor al engañarlo! ¡Le había hecho un regalo al ocultarle que los italianos ocuparían la Torre sólo hasta el atardecer, que al atardecer dejarían entrar en ella a los gubernamentales! Si no se lo hubiera ocultado, no se habría enfurecido al saber que tras marcharse los italianos habían ocupado la Torre los gubernamentales. Si no se hubiera enfurecido, no se habría lanzado al grito de ila-al-Bourji, ila-al-Bourji. Si no se hubiese lanzado al grito de ila-al-Bourji, ila-al-Bourji, ahora sus hermanos de fe no se dispararían contra sí mismos y el ejército de Gemayel no estaría destinado a dividirse... Sí, las cosas habían ido e iban de la mejor forma. Y con aquel razonamiento de gran estratega, de gran político, había vuelto a resistir: olvidando a sus ocho hijos, al anciano progenitor, e incluso a Zeinab que lo acogía en sus profundidades, le arreglaba los remiendos rotos con hilo del mismo color, le atrapaba los piojos y se los aplastaba, lo consolaba diciendo los-hombres-no-se-miden-en-absoluto-con-el-metro-Bilal, le pegaba las páginas del medio libro y le ponía el forro verde con el título de Kitab y con su noveno hijo dentro de su gran vientre lo hacía sentirse de verdad como un pino que escupe piñas y con las piñas semillas semillas semillas. Volviendo a resistir había vuelto a cantar beasnani-saudafeh-haza-al-bourji-beasnani, beasnani-saudafeh-haza-al-quariatna-beasnani, y ahora su desafinada voz resonaba con tal vigor que llegaba hasta la glorieta de Sabra donde con un cañón de 106 montado sobre el jeep el capitán Gassán le lanzaba en vano sus granadas personales. En vano porque, desviadas por un defecto que él no lograba determinar, pasaban por encima de la Torre e iban a parar a Chatila. Personales porque pertenecían a su reserva personal y en cada una de ellas iban grabadas dos extrañas palabras: Brahmet bayi.

Y aquí tenemos a Gassán.

* * *

Era justamente lo opuesto a Bilal, el capitán Gassán. Era alto, como sabemos, era robusto, era apuesto, y tenía todo lo que Bilal no tenía: una esposa refinada y grácil, dos hijos delicados y educados, un lujoso apartamento en la zona residencial de Ashrafiyeh, así como muchas chaquetas nuevas y muchos libros enteros con cubierta de piel y título auténtico. Pero ya no tenía la quinta de su familia en el paseo marítimo de Ramlet el Baida y, lo más importante, ya no tenía padre. Un general cristiano-maronita, comandante de la Octava Brigada, que en Beirut siempre se había distinguido por su moderación y prudencia, y que a la llegada de los palestinos había reaccionado declarando: «Que sean bien venidos. Hay sitio.» Por lo demás, antes de su muerte, también lo pensaba Gassán, en aquella época un afable estudiante de Medicina que creía en el perdón y en la piedad. «Yo a la gente quiero curarla, no matarla.»

Y para que no quedara duda bastaba con escucharlo cuando comentaba la matanza de Damour, la ciudad cristiano-maronita en que asociados en un efímero pacto de alianza los chiítas y los palestinos habían realizado una copia ante litteram de Sabra y Chatila: «Nada de vengarse. La violencia es hija de la ignorancia y la venganza es hija de la violencia. Hay que perdonar y encontrar un modus vivendi.» El caso es que los chiítas y los palestinos no necesitaban encontrar un modus vivendi: necesitaban mantener la ventaja adquirida con aquella matanza y dar una segunda prueba de fuerza liquidando a un personaje acreditado. Así, en Nochebuena, seis individuos obsequiosos se habían presentado en la verja de la quinta del paseo marítimo de Ramlet el Baida. Habían pedido que los recibiera el general para desearle felices fiestas, el general los había recibido, y en lugar de felices fiestas, se había ganado una descarga de revólver en la cabeza. Después, mientras lo enterraban en el cementerio de San Elías, otros individuos menos obsequiosos habían quemado la quinta. Y Gassán había sacado la conclusión de que el perdón es un lujo de los santos, la piedad una debilidad: tras arrojar por la borda el estudio de la medicina había solicitado el honor de entrar en la Octava Brigada, había pegado a la culata del fusil la imagen de la Virgen de Junieh, y se había convertido en uno de los oficiales más feroces del ejército gubernamental. Un verdugo con el grado de capitán. «Cuando te matan a traición a tu padre y durante su entierro te queman la casa, la venganza es un derecho irrefutable y un deber inderogable» respondía a quien le recordaba su comentario sobre Damour. Y para ejercer aquel derecho-irrefutable, aquel deber-inderogable, usaba una reserva personal de proyectiles con las palabras brahmet-bayi o sus iniciales BB. En efecto si los proyectiles eran pequeños, balas de fusil o revólver o ametralladora, se limitaba a escribir las iniciales con rotulador. En cambio si eran grandes, granadas de cañón o mortero, las grababa enteras con el puñal o con la bayoneta: BRAHMET-BAYI. En árabe, sobre-la-tumba-de-mi-padre.

Lo sabían todos. En cambio nadie sabía cuántos habían muerto de brahmet-bayi o de BB. Tampoco él, puesto que en todo guerrillero chiíta o palestino veía a un asesino de su padre y en su opinión ajusticiar a los asesinos de su padre constituía un empeño del que nunca se cansaba. Sólo lo interrumpía para comer y dormir, pasar unas horas con su refinada y grácil esposa y con sus delicados y educados hijos o ir a la iglesia a confesarse y comulgar. Al confesarse enumeraba culpas insignificantes, faltas irrisorias que consideraba pecados, nunca episodios relacionados con sus homicidios: «Eso no es pecado.» Al comulgar rezaba a la Virgen de Junieh para que lo ayudara a matar más, y en ningún caso negaba haber participado en la matanza de Sabra y Chatila. «Había una cuenta por saldar. La saldamos. Fue un trabajo excelente y un gran esfuerzo» decía con fría indiferencia. Parecía frío. Quien no conociera la siniestra manía que lo poseía lo habría calificado de hombre carente de pasiones, alguien que substituye los sentimientos por el raciocinio y la buena educación. Nunca alzaba la voz, no blasfemaba, no bebía y con las mujeres era cortés aunque llevaran chador. Con los viejos, correcto aunque llevaran el kaffiah. Con los animales, tierno. Si encontraba un perro herido, por ejemplo, lo recogía y lo curaba como se cura a una persona. Un día había recogido a un pajarito con un ala rota, se la había vuelto a pegar con profesionalidad. También era inteligente, culto, y capaz de juzgarse con tranquilo distanciamiento. Si lo criticabas, por ejemplo, te respondía: «En el epílogo a *La vie en fleur*, Anatole France observa que los hombres raras veces se muestran en lo que son: en la mayoría de los casos ocultan las acciones que inspirarían odio o desprecio ajeno y exhiben las que inspiran estima y admiración. Yo no: oculto las acciones que inspirarían estima y admiración y exhibo las que inspiran odio y desprecio. Eso no significa que sea mejor o peor que los demás: significa que no soy hipócrita.» Y en el mismo tono polemizaba con los occidentales que criticaban las venganzas por rencillas de Beirut: «Corneille estaba en lo cierto al escribir que la gente mira los males ajenos con ojos diferentes a aquellos con los que mira los propios. ¿Habéis olvidado acaso las rencillas y las matanzas de vuestra historia?» Por último, era valeroso. En cualquier choque o combate se lo veía en primera línea y, aun sabiendo que era el hombre más aborrecido de la zona occidental, se paseaba por ella incluso de noche como una pantera en la obscuridad. En efecto era frecuente encontrarlo en la Avenue Nasser donde sin preocuparse de los Amal se detenía a conversar con los bersaglieri ostentando el perfecto italiano aprendido en la Escuela de Guerra de Civitavecchia después en la escuela de Pisa el año en que había asistido al curso para oficiales extranjeros y había conocido a Pistoia: tal vez el único amigo que tenía en Beirut. No es de extrañar: los hombres como Gassán son siempre hombres solos. Precisamente porque su ferocidad nace de una tragedia y no de una bestialidad innata, precisamente porque en ellos conviven dos seres diferentes e incompatibles, casi nadie logra comprenderlos y sentir por ellos la simpatía que se siente por los Bilal. Y sin embargo no sufren menos que los Bilal, y dejémonos de ilusiones: en cada uno de nosotros duerme un capitán Gassán, un alter ego, un Lucifer que cualquier dolor puede desencadenar transformándonos de buenas a primeras en lo contrario de lo que somos o parecemos o soñamos ser.

«¡Virgen santa!»

El capitán Gassán ensanchó su hermoso rostro bronceado en una sonrisa glacial. A fuerza de darle vueltas había descubierto el motivo por el que continuaba errando el blanco, es decir, el maldito enano: aquel aborto de la naturaleza que, no contento con haberle robado la Torre y el M48, ahora se burlaba de él cantando un himno de lo más vulgar. Hay un spotter, un marcador de puntería que lanza un trazador sobre el objetivo, sobre los cañones de 106. En efecto la granada no se dispara hasta que el trazador ha dado en el blanco. Pero para dar en el blanco los dos cañones deben estar alineados. Y esta vez no lo estaban. Mejor no obstinarse, mejor esperar, por tanto, a que el aborto de la naturaleza renunciara a resistir y abandonase la Torre y saliese de la placita para cruzar la Avenue Nasser y regresar a Gobeyre. Porque renunciaría a resistir. Abandonaría la Torre. Saldría de la placita. Cruzaría la Avenue Nasser. Lo presentía. Se lo decía cada una de las células de su cuerpo, cada una de las neuronas de su cerebro. Y entonces, no erraría el blanco, no. Lo acertaría como se acierta a un muñeco en el tiro al blanco. Sin spotter, sin trazadores... A menor distancia y con el blanco en medio de la avenida no necesitaba el spotter. No necesitaba los trazadores. Bastaba con poner en marcha el jeep, avanzar a lo largo de la Avenue Nasser, detenerse a unos treinta metros del Veintidós, apuntar el cañón en línea recta, bajarlo a la altura de un hombre o mejor dicho de un enano, y no olvidar que esta noche era el aniversario del asesinato de su padre: que debía ese pequeño tributo a su padre. Ese simbólico manojo de flores que depositar sobre la tumba del cementerio de San Elías. Brahmet-bayi, brahmet-bayi. Y pronunciando rítmicamente las dos palabras Gassán se puso a esperar que Bilal se le ofreciese como un muñeco del tiro al blanco.

Entretanto Bilal seguía cantando beasnani-saudafeh-haza-al-bourji-beasnani, beasnani-saudafeh-haza-al-quariatna-beasnani, con-uñas-y-dientes-defenderé-esta-torre, con-uñas-y-dientes; con-uñas-y-dientes-defenderé-este-barrio, con-uñas-y-dientes, y desde la glorieta de Sabra su desafinada voz resonaba en la glorieta del viaducto. Es decir, en el Veinticuatro, donde el sargento Natale estaba a punto de pelearse con Passepartout y pagar las consecuencias.

–2–

El sargento Natale no conocía a Passepartout. No lo había visto pasar nunca con su colilla pegada a los labios, sus Rdg8 en el cinturón, su Kalashnikov en bandolera: aquellos árabes con la faja verde en torno al cuello o en la frente le parecían todos iguales, y si uno se distinguía por alguna característica particular ni siquiera lo advertía. No sabía tampoco que la noche en que Rashid había irrumpido en el Veinticinco con los veinte milicianos Passepartout había atacado verbalmente a Ferruccio, ni había oído decir que había sido él quien había lanzado las dos bombas a la patrulla aprisionada en el callejón de Bourji el Barajni. Y para vivir tranquilo eso constituía una ventaja. En efecto el sargento Natale era un napolitano de Pignasecca, barrio en el que se crece aprendiendo a dar en vez de recibir, manejaba el cuchillo como D'Artagnan manejaba la espada, distribuía las palabrotas como Demóstenes distribuía los conceptos, y por si eso no bastara tenía un físico hercúleo. Bíceps cuya circunferencia superaba con mucho la del cráneo, tórax cuya potencia nada tenía que envidiar a la de Rambo, más una nariz torcida y aplastada que parecía colocada allí para atestiguar sus dotes de boxeador aficionado. Por algo los de Pignasecca lo llamaban Natale el Duro y decían: «Si Natale te tira un viaje, te manda al Paraíso.» En una palabra, ¡ay de quien lo enfureciese! No obstante, era un muchacho excelente, un tipo que comprendía las desgracias ajenas y se conmovía con facilidad. Había entrado en el ejército precisamente para disciplinar su fuerte carácter, para no llegar a ser un matón del hampa, y en el batallón de Águila Uno no existía un bersagliere tan orgulloso de llevar el casco con plumas. «El casco con plumas, mi casco.» Tampoco existía un jefe de tanque tan orgulloso de su tanque. «Mi tanque no se toca.» Por eso a las cinco de la tarde lo había colocado lo más lejos posible de la esquina con la Avenue Nasser, y hasta las siete de la tarde el Veinticuatro había sido uno de los puestos menos afectados por el fuego. Pero a las siete unos treinta jovencitos que seguían a Passepartout habían advertido que manteniéndose al abrigo de aquel M113 podrían disparar con comodidad a los gubernamentales agolpados delante de la embajada de Kuwait. Conque protegidos por el flanco izquierdo se habían puesto a provocarlos con ráfagas de Kalashnikov y de nada servía que por las troneras del tanque Natale les gritara que se marchasen, que no atrajeran el fuego. Además se lo gritaba en napolitano.

«Largaos, hijos de puta, caguetas, boceras, ¡que me atraéis las bombas!»

«Shu? ¿Qué?»

«Quoi? ¿Qué?»

«What? ¿Qué?»

«Mish fahem! ¡No entender! Mish fahem!»

«¡Bien que me habéis entendido, mierderos! ¡No finjáis no entender, cornudos! ¡Os he dicho que os tenéis que marchar, estúpidos! Si no os vais, ¡os mato a todos con mis propias manos, beduinos de mierda!»

«Shu?»

«Quoi?»

«What?»

«Mish fahem, mish fahem!»

«¡Me cago en vosotros y en vuestros muertos, en los muertos de vuestros muertos, y en los que aún no se han muerto! ¡No me toquéis más los cojones, mamones de mierda!

«Shu?»

«Quoi?»

«What?»

«Mish fahem, mish fahem!»

¡Qué shu ni qué cua ni qué uat ni qué mishfaé ni qué niño muerto! ¡Marchaos, cacho hipócritas!»

Hipócritas, sí. Mentirosos, falsos:

«¡Maldita sea! ¿¡¿Quién no comprende el napolitano?!? ¡Todo el mundo habla el napolitano!» Se aprovechaban porque no podía salir del tanque y usar el cuchillo, esos beduinos de mierda. Se burlaban de él para hacerlo quedar mal delante de sus compañeros, esos hijos de puta. A saber qué pensarían ahora sus compañeros. Tal vez pensaran: «¡Huy, la leche! ¿Será este Natale el duro que cuando te tira un viaje te manda al Paraíso?» O: «¿Qué clase de sargento es nuestro sargento? ¿Qué clase de jefe de tanque es nuestro jefe de tanque? Un manta, un acojonado que no sabe siquiera expulsar a un puñado de intrusos y que no se merece el casco con plumas. Sin contar con que tarde o temprano los gubernamentales agolpados delante de la embajada de Kuwait reaccionarían. La tomarían con el Veinticuatro, y adiós tanque. Adiós honor. Porque un jefe de tanque que no sabe defender el tanque no es un hombre de honor. Es un manta carente de honor, un cagueta, un calzonazos. Y si su destino era el de ser un manta, cagueta y calzonazos, ¡tanto habría dado quedarse en Pignasecca donde el baranda rival del baranda que vendía la coca le había ofrecido el puesto fijo de guardacoches ilegal en Piazza Garibaldi! Trescientas mil liras al día y sólo un tercio de comisión, es decir, seis millones limpios al mes libres de impuestos: ¿queda claro? Tres veces la paga que te pasa el ejército donde ya llueva o nieve o haga viento, sólo recibes un millón y medio con las retenciones para la Seguridad Social etcétera. Maldita sea, escucha qué tun-tun-tun. Respondían con ametralladoras, los gubernamentales agolpados delante de la embajada de Kuwait. En cambio esos treinta desgraciados habían dejado de descargar ráfagas con los Kalashnikov y... Pero, ¿qué hacían, ahora? ¡Llamaban a su tanque! Lloraban aterrados, imploraban...

«Eftah, eftah!»

«Eddina der el sadr, eddina der el sadr!»

«Eddina der arrah, eddina der arrah!»

«Min fadlak, min fadlak!»

«The helmets, please, the helmets!»

«The flak jackets, please, the flak jackets!»

Se dirigió a los otros, perplejo.

«¿Qué dicen? ¿Qué quieren?»

«Nos piden que abramos y quieren los cascos, quieren los chalecos antibalas, mi sargento» respondió el radiofonista, que estaba ya informando a Neblí.

¿Los chalecos? ¿Los cascos? ¡Por los cojones! Indignado esta vez, Natale los miró bien por el periscopio. Los escrutó bien uno por uno y al instante el buen muchacho, el tipo que comprendía las desgracias ajenas y se conmovía con facilidad, pudo más. ¡Virgen mía! ¡Qué iban a ser hijos de puta, caguetas y boceras! Eran chavalines, pilluelos como los pilluelos que en Nápoles juegan a la guerra con fusiles de madera! Todos, ¡huy, la leche!, todos. Empezando por el chiquillo de la colilla en los labios y las Rdg8 en el cinturón que los dirigía. ¡Qué pena le daba, ése, qué pena! Porque sin conocerlo lo conocía, a aquel infeliz. Una ojeada bastaba para reconstruir la historia de su desgraciadísima vida. Nacido en algún Pignasecca de Beirut, inscrito desde el nacimiento en el registro municipal de pobres y habría que dar las gracias a Dios si mañana por la mañana el alcalde le daba un paquete navideño con galletas enmohecidas y un juguetillo reciclado por la Cruz Roja. Raquítico, tal vez tuberculoso, hijo de padres arrastrados. Padre parado de profesión y también ladrón, madre reventada por los embarazos y también puta, que para desahogarse le arreaban todos los días golpes en la cabeza. Una docena de hermanos y hermanas con los que dormía en la misma cama, es decir, en un colchón de paja que escupía pulgas, y de escuela nada. Los pilluelos de los Pignasecca no van a la escuela. Van a birlar el bolso o el billetero a los turistas, a divertir a los turistas zambulléndose desde los peñascos del restaurante *Zi' Teresa* para pescar las monedas que les arrojan al mar. O a vender las mercancías robadas o agenciar prostitutas o droga. Y fuman sin parar. Siempre tienen una colilla pegada a los labios, una colilla que nunca cae, que se pega al músculo labial con la saliva. Y manejan las armas mejor que los militares, dado que en su mundo hay tanto contrabando de armas como de cigarrillos o de droga. Y sin embargo tienen un corazón de oro, serían incapaces de matar una mosca. En su corrupción son más inocentes que Cristo en la cruz. ¡Chiquillo, chiquillo! ¿Sabes cuántas armas había manejado ese chiquillo de corazón de oro? ¿Sabes cuántas prostitutas y cuánta droga había agenciado, cuántos bolsos y cuántos billeteros había birlado, cuánta mercancía robada había vendido, cuántas veces se había zambullido desde los peñascos de Beirut para divertir a los turistas que arrojaban monedas al mar? No había que maltratarlo, había que hablarle con paciencia, explicarle que aquí había una guerra de verdad, que debía irse con sus compañeros de juego. Y lleno de buenos propósitos el sargento Natale se puso su adorado casco con plumas, sin perder tiempo en abrocharse la correa suelta abrió de par en par la trampilla, salió, se acercó a Passepartout que había sido el primero en dejar de disparar y en dirigir el coro de las súplicas.

«Chiquillo, ¿comprendes el italiano de Nápoles, chiquillo? ¿Lo hablas?»

«Yo comprender, hablar todas lenguas» respondió con una sonrisa burlona Passepartout recuperando en un dos por tres su insolencia habitual.

«Si lo entiendes, escúchame bien, chiquillo. No podemos daros los chalecos y menos aún los cascos. No tenemos para vosotros. Tenemos sólo lo que llevamos puesto.»

«No verdad. Tú tener reservas, yo saber.»

«Con reserva o sin ella, chavalín, los cascos no te los doy. Los chalecos no te los doy. Vuelve a casa, chiquillo, vete con tus chavales. Que éste no es sitio para vosotros, chiquillo...»

Entretanto, tras haberle informado del caso a Neblí, el radiofonista lo llamaba a grandes gritos desde el tanque.

«¡Mi sargento, mi sargento! ¡El capitán dice que vale la pena que nos los quitemos de encima dándoles los dos cascos de reservaaa!»

«¿Visto? Tú tener. Y tu capitán autorizar.»

Pero Natale movió indulgente la cabeza.

«Te he dicho que no, chiquillo. No te los doy. Ni aunque me lo mande el coronel, ni aunque me lo mande el general. Ni el general ni Dios Nuestro Señor.»

«¿No? La? ¿No?»

«No, la, no, chiquillo. No me toques los cojones más.»

Después le volvió la espalda y, de espaldas, no vio que el chiquillo le saltaba encima para quitarle el casco con la correa suelta. Pero sintió el choque, junto con el choque alguien que le descubría la cabeza, oyó el grito de triunfo ana-jutta, lo-he-cogido, ana-jutta, y lo que sucedió después te lo puedes imaginar. Ante todo el berrido: «Mi casco, mi casco, me has robado mi casco.» Después el gran cuerpo que saltaba sobre Passepartout, le arrancaba de las manos el casco, se lo volvía a poner, tiraba el célebre viaje de Natale el duro. Después Passepartout que caía al suelo, se quedaba unos instantes aturdido, se volvía a levantar gritando saedna-socorro-saedna y escapaba para volver bajo el viaducto. Después los treinta chavalines que tras vencer el estupor le apuntaban con el Kalashnikov pero mientras tanto Natale había asido su Fal y sujetándolo por el cañón, haciéndolo girar como una cachiporra, berreando todas las palabrotas de su repertorio, los abatía del mismo modo. «Éste es para ti y para la puta de tu hermana. Este otro para la zorra y chupapollas de tu madre, siempre abierta de patas. Y este otro para el marica, calzonazos y cabrón de tu padre. Para toda tu descendencia, presente y futura.» Con cada golpe de cachiporra, con cada insulto, tres o cuatro acababan por el suelo como Passepartout. Como Passepartout se quedaban unos instantes aturdidos y después se volvían a levantar y gritando saedna-socorro-saedna escapaban para refugiarse bajo los arcos del viaducto. Al final se quedó él solo mirando perplejo en derredor y palpándose la cabeza de nuevo descubierta. ¡Virgen mía, el casco! El casco con las plumas, su casco. Ya no estaba. ¿Se le habría caído con la tremolina? ¿Lo habrían recogido los caguetas, boceras, hijos de puta para dárselo otra vez al chiquillo? Sí, mamones de mierda. Debía de haber sido así y esta vez la ofensa había que castigarla con el cuchillo. Después separó la bayoneta, el cuchillo, del fusil y empuñándola avanzó hacia los arcos del viaducto: sordo a los ruegos que los cinco bersaglieri le lanzaban desde la portezuela del tanque.

«¡Mi sargento, no vaya, mi sargento!»

«¡Mi sargento, déjelo, mi sargento!»

«¡Mi sargento, tenemos dos de reserva, mi sargento!»

Avanzaba torvo, con los firmes y lentos pasos del matón que va a lavar su honor enfangado, mientras avanzaba aguzaba la vista en busca de su casco con plumas, y no tardó mucho en localizarlo. Lo llevaba puesto el chiquillo. Y con el reflejo de las explosiones las plumas iridiscentes resplandecían con los destellos de un faro. Sin embargo no llegó hasta él. Porque en la trama de los episodios marginales y en apariencia carentes de importancia, en el misterioso tejido de las coincidencias fortuitas que componen el destino ya escrito, estaba establecido que Passepartout siguiera llevando puesto aquel casco. Sólo si seguía llevándolo puesto Passepartout podía realizarse la cadena de los acontecimientos, materializarse la fórmula hasta el final. Y mientras avanzaba torvo, con los pasos lentos y firmes del matón que va a lavar su honor enfangado, cayó sobre la rotonda un cañonazo de 105. Un granizo de esquirlas lo embistió en la cara, en las piernas, en el bajo vientre, lo destrozó, lo detuvo, y adiós. El casco con plumas, su casco. A eso se debió la zozobra de que fue presa Águila Uno.

* * *

El primer herido, en la batalla, es como el primer muerto: un drama previsto, esperado, y, sin embargo traumatizante para el grupo al que pertenece. Arranca las máscaras autoimpuestas, revela su fuerza o su debilidad, provoca zozobra y, en cualquier caso, el grupo reacciona como reaccionaría ante una desgracia imprevista e inesperada: enfureciéndose, desesperándose, o incluso perdiendo la cabeza. Muchos la perdieron después de que resultara herido el sargento Natale. Pero quien más la perdió fue Águila Uno, ya totalmente desamparado. En efecto cuando supo lo que le había sucedido entretanto a Neblí, transfirió sobre él y sobre los demás del Veinticinco la angustia que lo ahogaba. Y cometió el error que entre otras cosas costaría la vida a una hojita del bosque, un niño llamado Mahoma.

–3–

«Neblí, atención, Neblí, ¡aquí Águila Uno!»

«Neblí, aquí Águila Uno, ¿me recibes?»

«Neblí, ¿me oyes, Neblí?»

No, no lo oía. Su radio no recibía. Entonces repitió la llamada con la motorola y ésta chirrió en seguida para transmitir un grito sofocado por el estruendo de las explosiones.

«¡Mi coronel, aquí Neblí, mi coroneeel!»

«¡Neblí! ¿¡¿Por qué no me respondías?!?»

«¡Porque la radio me ha saltado en pedazos con el jeep, mi coronel!»

«¿¡¿En pedazos?!?»

«¡En pedazos, en pedazos! ¡Un obús! ¡Menos mal que en aquel momento me encontraba dentro del búnker! Pero no se preocupe, antes de que saltara he hablado con el Veinticuatro, ¡y ya ha llegado la ambulancia para Nataaale! ¡Ha pasado por el Veintitrés y después por la callejuela que se forma detrás de la fosa común y lo ha recogido!»

«Bien, muy bien, ¡dime entonces dónde estás ahora!»

«Sigo en el búnker, mi coronel, pero con la motorola no puedo hablar a la tropa y ahora me voy al tanque. ¡Así usaré la radio del tanqueee!»

¿El tanque? Oh, Dios, el tanque. Estaba justo en el centro del ensanche, el M113 del Veinticinco, y el centro del ensanche estaba en la trayectoria de los obuses que los morteros de la Sexta Brigada dirigían a Gobeyre. Había que quitarlo de allí, bajarlo al cráter de bomba adyacente a la calleja que conducía al Veintidós, y dejar sólo al piloto con el encargado de la ametralladora. Si no, ¿te imaginas con cuántos sargentos Natales se iba a encontrar en su conciencia?

«De acuerdo, Neblí, pero, ¡debes apartarlo!»

«¿¡¿Apartarlo, mi coronel?!? ¿¡¿Y dónde lo pongo?!?»

«¡En el cráter de bomba adyacente a la callejuela! ¡Debes bajarlo ahí y dejar sólo al piloto con el de la ametralladora!»

«¿¡¿Bajarlo y dejar sólo al piloto con el de la ametralladora?!?»

«Sí y a los demás debes meterlos en la casa de Habbash.»

«¿¡¿En la casa de Habbash?!?»

«¡Sí, en la casa de Habbash! ¡Y quiero que tú también te metas en ella!»

«¿¡¿También yo?!?»

«¡También tú, también tú!»

«Pero allí estaré otra vez sin radio, mi coronel... ¡Ya le he dicho que con la motorola no puedo hablar con la tropa!»

«¡Coge la portátil del jefe del tanque!»

«¡La portátil funciona con pilas, mi coronel! ¡Las pilas se acaban!»

«¡Haz lo que te digo! ¡Neblí! ¡Es una orden!»

Era una orden y tenía que obedecerla pese a los problemas que presentaba. Ante todo, el abandono, prácticamente, del puesto. Desde la Sala de Operaciones el Cóndor seguía con su mantener-los-puestos, mantener-los-puestos, y Águila Uno hacía abandonar el Veinticinco para trasladarlo o mejor dicho desmembrarlo entre una casa derrumbada y un cráter de bomba. Y después el propio cráter. La lluvia de la noche anterior lo había transformado en un embudo de cieno, en el cieno las orugas no agarraban, y en la maniobra para bajar el M113 resbaló y se quedó casi vertical con la portezuela comprimida contra el fondo. Peor aún: como el piloto había puesto la marcha atrás cuando el tanque estaba aún lleno, los seis bersaglieri destinados a la casa de Habbash se vieron obligados a salir por la escotilla anterior que distaba casi dos pasos del borde del cráter. Al intentar el salto tres cayeron sobre la empinada y cenagosa pared, y tardaron muchísimo tiempo en subirla. Tardaron mucho también en recorrer los dieciocho metros que los separaban de la entrada de la casa de Habbash. Con el peso de los morrales, los fusiles, los chalecos antibalas, parecían tortugas que despiertan de un largo sueño y a las que ni siquiera el peligro puede estimular. Quien más tiempo tardó fue Ferruccio. Se detenía, se miraba en derredor, vacilaba, y de nada servía que Neblí lo espolease con su impaciencia.

«¡Me cago en tus muertos, Ferruccio! ¿Te decides a venir?»

«Ya voy, mi capitán, ya voy...»

«Pero, ¿qué miras? ¿A quién esperas?»

«A nadie, mi capitán, a nadie...»

En cuanto a la casa de Habbash, sólo ofrecía abrigo en la antigua sala de estar de la planta baja, es decir, en el salón con las ventanas desencajadas por las que en noviembre habían pasado los milicianos de Rashid. Además constituía un refugio discutible porque la pared contigua al ensanche del Veinticinco se había desplomado: para protegerse allí de las esquirlas y las ráfagas apenas había un margen de dos metros construido con sacos de arena. Refunfuñando de disgusto, con su tosco rostro torcido por una mueca de preocupación, Neblí encendió la linterna. Para prevenir asechanzas ulteriores, examinó los rincones obscuros después el centro del recinto, y en seguida las manos empezaron a temblarle convulsivamente. A saber en qué momento, tal vez durante el caos del asalto a la Torre, los Amal habían depositado en él dos cajas de pentrita: explosivo que con el simple impacto de una bala puede detonar. Estaban una junto a la otra, más siniestras que dos cajas de muerto, y en el haz de luz el rótulo en inglés resaltaba más tétrico que una advertencia tétrica. *Penthrite, penthrite, penthrite.*

«¡Mi capitán!»

«¡Jesús, María y José! ¡Mi capitán!»

«¿Y ahora qué hacemos, mi capitán?»

«No lo sé» respondió con voz ahogada.

Desde que el contingente estaba en Beirut nadie había visto nunca temblar a Neblí. Nadie le había oído nunca responder no-lo-sé con voz ahogada, y todos conocían el férreo valor que se ocultaba tras su afable aspecto de buenazo incapaz de proezas y fanfarronadas. En todas las circunstancias mantenía la calma, ante cualquier amenaza reaccionaba con sangre fría y eso se había visto perfectamente en aquellas horas. Por ejemplo cuando el obús le había destruido la radio y el jeep. No-se-preocupe, mi coronel. Por lo demás, en virtud precisamente de aquellas dotes le había encomendado Águila Uno la misión de jefe de sector en Chatila y le delegaba tareas que no se habría encomendado a sí mismo. Pero el miedo es un fenómeno misterioso. A veces no afecta a quien suele espantarse por una pequeñez, a veces se apodera de quien no se espanta nunca de nada, y se materializa con cualquier motivo. Un crujido, una sombra, una imagen inofensiva. Conque no digamos dos cajas de pentrita más siniestras que dos cajas de muerto que se encuentran en una sala expuesta al fuego de una batalla.

«¿No lo sabe, mi capitán?»

«No lo sé» repitió mientras el temblor se le transmitía de las manos a los brazos y a todo el cuerpo. Después apagó la linterna, los hizo acurrucarse junto a los sacos de arena, y evitando los doce ojos que en la obscuridad brillaban como pupilas de gato, cada uno de ellos un reproche mudo, no-lo-sabes, no-lo-sabes, se acurrucó también él. Aparentando desenvoltura, se puso a silbar. Pero mientras tanto se reconvenía a sí mismo. Se decía: Neblí, ¿qué te sucede ahora, Neblí? ¿Te vas a rajar? Si te rajas tú, se rajan también los seis chavalines. El miedo es una epidemia, ya lo sabes.

Se pega como una enfermedad. Cálmate, Neblí. No eres un recluta de diecinueve años. Tienes cuarenta años, eres un soldado de carrera, un oficial. Te corresponde a ti dar ejemplo. Nunca te ha resultado difícil a ti dar ejemplo, y en otras ocasiones las has pasado peor que en Beirut. Las has pasado canutas, te has tragado todo un capacho de cacaos, y siempre has tenido una suerte loca. Una potra que no veas. Piensa en la potra que has tenido esta noche con el obús. Si en lugar de estar dentro del búnker hubieras estado en el umbral o incluso en el jeep, habrías acabado hecho picadillo. Hecho picadillo. ¿Y por qué habría de dar una estúpida bala precisamente en las dos cajas de muerto? Existe una probabilidad entre un millón de que llegue y les acierte... Anda, muévete. Deja de comportarte como un chorra y cumple con tu deber. Coge la motorola y llama a Águila Uno, dile que has cumplido su puñetera orden. Enciende la portátil y llama a los otros puestos, llama al Veintisiete Lechuza, pregunta a Nazareno si ha caído la Torre. Llama también a esos dos del Veinticinco Alfa y anímalos, pobrecillos. Invéntate cualquier bobada. Pero cuanto más se lo decía más temblaba, y se convencía de que su destino era saltar en pedazos: morir con los seis muchachos entre los escombros de aquella casa semiderruida. Y eso le hizo recordar en seguida el horrible domingo, la doble matanza de los franceses y los americanos. Volvió a verse dirigiendo los equipos de socorro, recordó los detalles macabros, la sierra con la que había cortado el cadáver de un Marine cuyas piernas habían quedado bajo un bloque de cemento que la grúa no conseguía levantar, el pico con el que había ensartado los restos del paraca cubierto por los detritos, las cartas y las fotografías que volaban sobre las ruinas, las frases afectuosas, las dedicatorias... My-dear-son, querido-hijo, Mon-cher-mari, querido-marido. To-Jim-with-love. Pour-Michel-avec-amour. Y en aquel recuerdo se perdió. ¡Perro mundo! También él llevaba consigo las fotografías de su familia. Y junto con las fotografías, una carta de su mujer. Había llegado esta mañana con el helicóptero que había traído al generalote de tres estrellas y al Ordinario Militar y el correo. «Cariño, cuánto te hechamos de menos. La niña no para de preguntar: ¿cuándo vuelve papá? Le he comprado el triciclo que deseaba, le diré que se lo has mandado tú de Beirut. En cambio para mí he comprado una pala para apartar la nieve delante de la puerta de casa. No te lo creerás: ¡ha caído nieve, en Roma! Desde el Quirinale al Celio las colinas están cubiertas de un manto blanco y la cúpula de San Pedro parece un inmenso pastel de nata...» ¡La nieve! ¡Le gustaba tanto la nieve! ¡No quería morir sin volver a ver la nieve! Tenía que volver a ver la nieve. Y, con la nieve a su hija y a su mujer y Roma. Escaparía. Sí, escaparía: al diablo el deber, al diablo el buen ejemplo. Al diablo los doce ojos que en la obscuridad brillaban como pupilas de gato, cada uno de ellos un reproche mudo, no-lo-sabes, no-lo-sabes. No, muchachos, no lo sé y me trae sin cuidado. Porque me escapo, me doy el piro, os dejo con las dos cajas de pentrita, deserto y vuelvo a ver la nieve. A mi mujer, a mi hija, la nieve. ¡La nieve! Se puso en pie para escapar. Pero, mientras lo hacía, una silueta obscura se delineó en el vano de la puerta.

«¿Quién va?»

La silueta obscura se introdujo con cautela. Resultó ser un bersagliere de casco con plumas.

«¡Soy yo, mi capitán! ¡No dispare!»

Era Vincenzo, el joven e inexperto piloto que en la maniobra para bajar el carro al cráter lo había dejado resbalar hasta el fondo.

«¿¡¿Qué quieres, Vincenzo?!?»

«He venido a hacer caca, mi capitán.»

«¿¡¿Caca?!?»

«Sí, mi capitán. No podía aguantarme más.»

«¿¡¿No podías aguantarte más?!? ¿Y no podías hacerlo en las bolsas de plástico? ¿¡¿No os he dicho que caguéis en las bolsas de plástico en que venía el rancho?!?»

«Sí, pero, ¡es que ya no me queda ninguna, mi capitán! ¡Esos estallidos me han dado diarrea!»

«Bueno, vale, ¡hazlo!»

«Ya lo estoy haciendo, mi capitán... ¡Ah...! ¡Ah...!»

Lo estaba haciendo de verdad. Mientras hablaba se había bajado los pantalones y ahora, gimiendo de felicidad, estaba descargando su terror precisamente junto a las cajas de pentrita.

«No, ahí no, ¡apártate! ¿No lees lo que está escrito?»

«Está escrito *penthrite*, mi capitán.»

«Exacto, ¡pentrita! ¿Quieres ser el primero en palmarla, si estalla?»

«Pero, ¡si no puede estallar, mi capitán!»

«¿¡¿No puede estallar?!? ¿¡¿Y por qué no puede estallar?!?»

«Porque está usted aquí, mi capitán.»

Lo dijo como si el capitán fuera el búnker de los búnkeres, la garantía de las garantías, Dios Nuestro Señor en persona. Lo dijo con tal fe, tal certeza de estar protegido por su presencia, que el miedo de Neblí desapareció de golpe. Y con el miedo el recuerdo del horrendo domingo, de la sierra con la que había cortado el cadáver cuyas piernas habían quedado bajo el bloque de cemento, del pico con el que había ensartado al otro cadáver cubierto por los detritos, de las dedicatorias de las fotografías To-Jim-with-love, Pour-Michel-avec-amour, de las cartas My-dear-son. Mon-cher-mari. Y con el recuerdo el deseo de darse el piro y volver a casa: volver a ver la nieve. A su mujer, a su hija, Roma, la nieve. Y se avergonzó de haber cedido. Perro mundo, el destino le había encomendado a aquellos pobres mocosos a los que no estaba permitido administrar su propia salvación por lo que cuando les ordenaban entrar en el tanque entraban en el tanque, cuando les ordenaban salir salían, cuando les mandaban trasladarse a un lugar sin protección contra las esquirlas y los disparos de fusil se trasladaban, cuando encontraban en él dos cajas de pentrita se quedaban en él, ¿¡¿y él temblaba se rajaba pensaba en escapar y abandonarlos?!? Se acercó a las cajas de explosivo. Se sentó encima con desenvoltura.

«De acuerdo» sonrió. «Estoy yo aquí. Y mientras yo esté aquí, no os sucederá nada. Pero si cagas junto a la pared, no nos llegará tanto el olor, ¿no?»

«Sí, mi capitán» respondió Vincenzo retrocediendo hacia la pared sin interrumpir la operación y dejando en el suelo un largo rastro de excremento. Después se abrochó de nuevo los pantalones, contento, y fue a sentarse junto a Neblí, que lo miró sin comprender.

«Y ahora, ¿qué quieres, Vincenzo?»

«Me quedo junto a usted, mi capitán. Así no me sucederá nada.»

«Vincenzo, no te puedes quedar conmigo. Tienes que estar en el tanque.»

«Por favor, ¡déjeme estar al menos un poco aquí, mi capitán!»

«¡Ni un poco ni nada, Vincenzo! ¡Te está esperando el de la ametralladora!»

«No me espera, mi capitán. Ha sido él, Mario, quien me ha enviado para acá.»

«¿¡¿Para acá?!?»

«Sí, mi capitán. Me ha gritado: "Yo no puedo estar con uno que cada cinco minutos me asfixia de pedos y me llena de mierda el tanque. Coge tus cosas y vete a asfixiar a otros, vete a llenar de mierda a otros." Mire, me he traído todo. El fusil, la cantimplora, el morral...»

«Pero, ¡el de la ametralladora no se puede quedar solo en el tanque! ¡Debe haber alguien que vigile por el periscopio!»

«Mi capitán, yo puedo ir al tanque con Mario. Yo puedo substituir a Vincenzo» intervino Ferruccio.

«¡Tú calla, Ferruccio! ¡Tú no eres el piloto!»

«Ya lo sé, mi capitán, pero, ¿qué hay que pilotar ya? Sólo hay que estar en el periscopio e informar a la Sala de Operaciones de que la portátil se ha quedado sin pilas.»

«¿¡¿Quééé?!?»

«Sí, mi capitán. Se ha quedado todo el día encendida con el squelch, con el silenciador puesto. Un descuido, un error. Y las pilas se han descargado.»

«¿¡¿Que se han descargado?!? ¿Y ahora me lo dices? ¿¡¿Ahora?!?»

«No se lo habíamos dicho antes para que no se enojara, mi capitán» intervino Vincenzo con expresión culpable.

Entonces Neblí se llevó las manos a la cabeza. ¡Me cago en la leche! Después de la última llamada, también las pilas de la motorola se habían descargado. Y en aquella trampa llena de explosivo él estaba completamente aislado. Había que avisar a Águila Uno y a la Sala de Operaciones con la radio del tanque. Pero nada de llevarse consigo a Vincenzo. Míralo, parecía un niño que atemorizado por el temporal se refugiaba en la cama de su madre. En cambio Ferruccio era un tipo audaz, decidido. Y quería en serio substituir a su compañero, situarse junto al de la ametralladora.

«¡Voy con mucho gusto, mi capitán!»

«De acuerdo. ¡Prepárate! Te llevo yo.» Después, volviéndose hacia los otros: «Voy y vuelvo. Vosotros os quedáis arropados detrás de los sacos de arena, ¿entendido?»

«Entendido, mi capitán.»

Y Ferruccio salió con Neblí, seguido de una estela de comentarios.

* * *

«¡A saber por qué tendrá tanto interés!»

«¡Desde que hemos llegado aquí está inquieto!»

«No, no, inquieto ya estaba también cuando salimos del tanque. ¿No te acuerdas?»

«¿Desde que salimos? ¡Desde que entramos, querrás decir! Todo el tiempo escrutando por las troneras y repitiendo mi-vöri-turnà-sota-al-fich.»

«¿Repitiendo qué?»

«Quisiera-volver-bajo-la-higuera. Es milanés, ¿no? ¡Y su puesto de guardia está bajo la higuera!»

«Humm... En mi opinión espera a alguien.»

«¿Y a quién quieres que espere con este pitote?»

«A una muchacha, ¿no? El amor no se preocupa de las bombas.»

«¡Qué va a ser una muchacha! ¡La muchacha la tiene en Milán! Os lo voy a decir yo a quién esperaba y a quién espera: ¡a su amigo Mahoma!»

«¿¡¿Mahoma?!? ¿Y quién es Mahoma?»

«El niño palestino que le trae pipas de girasol, pistachos, y va a comprarle hachís a la tienda del sirio.»

«¿Ese que viene aunque llueva o haga viento?»

«Sí, el que se libró de la matanza de Sabra y Chatila.»

«Humm... Tal vez tengas razón.»

«¿Razón? ¡Me apuesto lo que queráis!»

El único que no se unió al coro fue Vincenzo. Tras haber perdido a Neblí se había pegado al más robusto, un tirolés siempre enojado que hablaba casi exclusivamente alemán, y no lo soltaba ni siquiera ahora que se alejaba para orinar.

«¿A dónde vas, Franz? ¿A dónde vas?»

«Wohin es mir beliebt, Vinzenz! Felle mir nicht auf den Sack!»

«¿Qué has dicho? ¿Qué has dicho?»

«He dicho que voy adonde quiero, Vincenzo, y tú no me toques los cojones.»

«¿Qué haces? ¿Qué haces?»

«Ich pisse, Herrgott, siehst du nicht dass ich eben pisse?!?»

«¿Qué has dicho? ¿Qué has dicho?»

«He dicho que estoy meando, ¡maldición! ¿¡¿Es que no ves que estoy meando?!? Verschwinde von hier! ¡Largo de aquí! Warum klebst du an mir als eine Schmeissfliege? ¿Por qué te pegas a mí como una lapa?»

«Porque quiero mear yo también, Franz...»

«Aber du hast ja vor fünf Minuten gepisst! Pero, ¡si has meado hace cinco minutos! Hast du nicht gepisst wärend du schissest?!? ¿¡¿Es que no has meado mientras cagabas?!?»

«Sí, pero ahora vuelvo a mear contigo, Franz. Así nos hacemos compañía.»

–4–

Uno, dos, tres, ¡ya! Con la cabeza baja Neblí y Ferruccio se lanzaron hacia el M113 empantanado dentro del cráter, pero el fuego cruzado era tan denso que en seguida tuvieron que tirarse cuerpo a tierra y seguir arrastrándose. Cosa que arrancó a Neblí un par de me-cago-en-tus-muertos y que alegró mucho a Ferruccio. Al seguir arrastrándose, tardaban mucho tiempo, y eso aumentaba la esperanza de ver llegar a Mahoma: mandarlo para atrás o gritarle Mahoma-cuidado-Mahoma, no-te-quedes-aquí, tírate-al-suelo. Dieciocho metros, pensaba midiendo con puñaladas de remordimiento el trayecto que iba disminuyendo. Diecisiete... Dieciséis... Quince... ¡Ah, si hubiera llegado antes de que Neblí y él llegasen al tanque! Porque de que Mahoma llegaría no le cabía la menor duda. Era demasiado valiente, aquel niño, y le quería demasiado. Moriría antes que faltar a la promesa de traerle el hummus con la shauarma. Catorce... Trece... Doce... Once... A saber cuántas horas llevaba temblando con su cazuela llena de hummus y shauarma. «¡Mamá, déjame ir, mamá!» Tal vez se hubiera ganado una bofetada: «¡Ni hablar! ¿Es que no oyes las bombas?» También por sus fugas nocturnas se ganaba con frecuencia una bofetada. Pero no había bombas ni bofetadas que pudieran disuadir a Mahoma, y pronto aparecería por la callejuela del Veinticinco. Estaba seguro. Le parecía incluso que lo tenía ante sí con sus ricitos negros, su chalequito de lana, sus pantaloncitos cortos, sus piernecitas flacas. «¡Ferruccio! ¡Yo aquí, venido, llegado, Ferruccio!» gritaría al acercarse al puesto de guardia bajo la higuera. Después, decepcionado por no encontrarlo, buscaría el tanque y tampoco lo encontraría. El M113 sobresalía del cráter sólo con el morro, desde lejos resultaba casi invisible. Entonces, confuso, se detendría en medio del ensanche: «¡Ferruccio! ¡Tú salir, por favor, Ferruccio!» Y eso lo expondría aún más a las bombas, a las esquirlas, a las ráfagas. ¡Oh, Señor! ¡Señor! Diez... Nueve... Ocho... Siete... ¡Me cago en la mar! ¡Ay, si le sucedía algo a Mahoma! ¡Ay! Porque no había olvidado a la niña sacada del retrete, no había superado la rabia de haber perdido sus diecinueve años, de haber descubierto que los hombres saben construir carreteras y puentes y casas, saben pintar la Capilla Sixtina y escribir el *Hamlet* y componer el *Nabucco* y transplantar corazones e ir a la Luna pero son peores que los animales conque si tienes un poco de cabeza o mejor dicho de corazón no te agrada haber nacido entre los hombres y llegas a la conclusión de que habría sido mejor nacer entre las hienas o las cucarachas... Sin embargo a la niña del retrete nunca la había conocido, para él era un trozo de tela celeste con florecillas rosas, un tubo de carne, una salchicha de la que colgaba una cola de cabellos ensangrentados. En cambio Mahoma era Mahoma, y si le sucedía algo... Seis metros... Cinco... Cuatro... Tres... Dos... Uno, ¡me cago en la mar, uno! Ya habían llegado al tanque y Neblí llamaba a la escotilla anterior para que lo oyera el de la ametralladora.

«¡Cabo! ¡Abre, cabooo!»

La tapa de la escotilla se alzó el tiempo necesario para dejarlos entrar, después volvió a bajar para aprisionarlos dentro de una obscuridad maloliente. Neblí cogió con impaciencia el microteléfono de la radio, llamó a Águila Uno, le explicó en seguida el problema de las pilas, el de la ametralladora volvió a escrutar por el periscopio, y Ferruccio empezó a darle la lata para que le dejara su sitio.

«¿Quieres que mire yo, Mario?»

«No, gracias, Ferruccio.»

«Estarás cansado, descansa.»

«No te preocupes, Ferruccio.»

«Pero, ¡para eso he venido, Mario!»

«Bueno, vale, mira tú.»

Se sentó inquieto. Apoyó los ojos en el soporte de goma y, ¡qué panorama, la Virgen, qué panorama! En pocos segundos el fuego había aumentado hasta tal punto que el ensanche parecía iluminado casi como si fuera de día. ¿Cómo pensar que Mahoma fuese a mantener de verdad su promesa? Ni siquiera la temeridad de niño nacido y crecido en la guerra se atrevería a desafiar un infierno semejante. Un momento, y aquella silueta que aparecía por la callejuela, ¿qué era? Nada, gracias a Dios: la sombra de un trapo que colgaba de una chabola. ¿Un trapo? ¡Qué iba a ser un trapo! Un trapo no camina. ¡Era él! Con sus ricitos negros, su chalequito de lana, sus pantaloncitos cortos, sus piernecitas flacas, y en la manita derecha la cazuela. ¡La cazuela, Dios, la cazuela!

«¡Mahomaaa!»

El grito retumbó en el M113 y se extinguió dentro de él. El de la ametralladora se sobresaltó, sorprendido, y Neblí suspendió la comunicación con Águila Uno.

«Ferruccio, ¿¡¿qué te pasa, Ferruccio?!?»

Siguió aullando desesperado.

«¡Mahomaaa! ¡Estoy aquí, Mahomaaa!»

Mientras tanto levantaba los brazos hacia la tapa de la escotilla anterior, la abría de par en par, se izaba sobre el asiento, y escapando a las manos del encargado de la ametralladora que lo había agarrado de las piernas se metía rápido por la abertura. Salía, trepaba por el morro del tanque hundido casi en vertical, se preparaba para el salto que debía conducirlo hasta el borde del cráter.

«¡Mahoma! ¡Cuidado, Mahoma!»

«¡Mahoma! ¡No te quedes ahí, Mahoma!»

«¡Mahoma! ¡Tírate al suelo, Mahoma!»

El salto que debía conducirlo al borde del cráter era el que antes de trasladarse a la casa de Habbash habían fallado tres bersaglieri y que él había dado sin dificultad. En cambio esta vez no le salió, y cayó de cabeza contra la pared empinada y cenagosa. Pero no se desanimó, y cegado por el fango se volvió a poner en pie, se puso a subir de nuevo. Al subir volvió a resbalar pero se puso en pie otra vez, empezó a subir de nuevo. Lo malo era que no había salientes a los que agarrarse y cada vez se hundía más en el cenagal, cada resbalón una presa viscosa y perversa, cada presa un minuto perdido. Y en vano se debatía, jadeaba, lanzaba imprecaciones: sordo a los gritos de Neblí y del de la ametralladora, a los estallidos del bombardeo, a las propias llamadas de Mahoma que incapaz de oírlo y cargado de estupor y decepcionado vagaba por el ensanche con su cazuela en la mano. Yahallah, ¿por qué no estaba Ferruccio en su puesto de guardia bajo la higuera? ¿Por qué había desaparecido el tanque? ¿¡¿Era posible que se hubiesen ido sin avisarle?!? ¿Era posible que Ferruccio no lo hubiese esperado?!? ¿No sabía que para venir a traerle el hummus con el shauarma había provocado el enfado de su mamá, que su mamá le había dado una bofetada? ¿No veía que esta noche caían muchas bombas? ¿¡¿No comprendía que entretenerse en medio del ensanche era peligroso?!? Sí que lo comprendía. Pero a saber por qué se le había metido en la cabeza gastarle una broma y no respondía. Seguro. Se había escondido en alguna parte para gastarle una broma.

«¡Ferruccio! ¡Yo aquí, venido, llegado, Ferruccio!»

«¡Mahoma! ¡Estoy aquí, Mahoma!»

«¡Ferruccio! ¡Tú salir, por favor, Ferruccio!»

«Mahoma, cuidado, ponte al abrigo, ¡Mahomaaa!»

«¡Ferruccio, te traído hummus con shauarma, Ferruccio! ¡Una cazuela llena, Ferruccio!»

«¡Mahoma! ¡Al suelo, Mahoma!»

En determinado momento y pese al estruendo Mahoma percibió la voz de su amigo. Y se volvió en la dirección de la que procedía. Sin soltar la cazuela en la mano derecha avanzó algunos metros hacia una extraña mancha que sobresalía del cráter de la bomba cercano a la callejuela, se detuvo, aguzó la vista, y en el resplandor de una explosión divisó a Ferruccio que con el rostro y el uniforme embadurnados de fango surgía del cráter agitándose con gestos que sólo podían significar ¡socorro-Mahoma-socorro! Conque pensó que le habían hecho daño, que había resultado herido, y olvidando más que nunca la menor prudencia lanzó un grito y corrió hacia él.

«¡Ferruccio! Aquí estoy, ¡te ayudar yo, Ferruccio!»

«¡No, Mahoma, nooo!»

«Ya voy, Ferruccio, ya voy, te ayu...»

Nadie sabría nunca quién había disparado aquella bola de fuego. ¿Bilal, Gassán, Rashid, los de los morteros del foso, los tanquistas de la carretera de Sabra, los Amal que disparaban desde Gobeyre, el diablo que se divierte matando a niños, Dios Nuestro Señor que disfruta recibiéndolos en su misericordioso seno, dejad-que-los-niños-se-acerquen-a-mí? Lo único cierto es que explotó bastante cerca de Mahoma, que al explotar lo embistió como un viento apocalíptico, lo chupó como un tornado. Y Mahoma voló al cielo como un ave: con los brazos extendidos a modo de alas y en la extremidad de un ala la cazuela de hummus con el shauarma. Voló derecho hacia arriba, ligero, y volando subió muy alto, tan alto que en cierto momento no se lo vio más: como si hubiera ido al Paraíso. Pero inmediatamente después reapareció, tal vez había ido de verdad al Paraíso pero Dios Nuestro Señor lo había rechazado para hacer un desprecio a Alá o tal vez no había querido entrar en él porque antes de entrar tenía que llevar a Ferruccio el hummus con el shauarma, y cerrando las alas volvió hacia la tierra con su cazuela. Volvió bajando en picado, con el peso de un ave abatida, y en picado cayó sobre la higuera donde rompió dos ramas e hizo llover las hojas. Entonces se espantó y extendió de nuevo las alas. Sin soltar su cazuela de hummus con el shauarma subió de nuevo, de nuevo voló al cielo como un ave. Menos derecho, menos ligero. De nuevo desapareció, reapareció, y cerrando para siempre las alas volvió a tierra para caer esta vez sobre los duros sacos de arena y se destrozó contra ellos. ¡Crac! Allí se quedó, inmóvil, embadurnado de hummus y shauarma, y la manita derecha se abrió para dejar caer la cazuela vacía que rodó en la obscuridad mientras una voz ronca balbucía.

«Mahoma...»

«¿Qué te ha sucedido, Mahoma...?»

«Has quedado todo sucio, Mahoma...»

«Mahoma... Mahoma...»

En los años siguientes, cuando volviera a pensar con melancolía en el que había sido el primer gran dolor de su vida, Ferruccio se preguntaría con insistencia qué había hecho, mientras Mahoma volaba al cielo con su cazuela y después descendía para caer sobre la higuera y volver a subir y bajar de nuevo y destrozarse sobre los duros sacos de arena. Pero no encontraría otra respuesta que las palabras insensatas: Mahoma, ¿qué-te-ha-sucedido? Has-quedado-todo-sucio-Mahoma. Borrados de la memoria el instante en que por fin había logrado salir del cráter, la bofetada de aire que le había embestido también a él aplastándolo contra el suelo, el esfuerzo para volver a ponerse en pie y correr hacia el cuerpecito inmóvil. Totalmente diluido el recuerdo de Neblí que arrancaba a Mahoma de sus brazos y susurrando ojalá-os-desuellen, hijos-de-puta, bichos-de-alcantarilla, asesinos, lo arreglaba dentro del recinto del puesto de guardia. Le bajaba los párpados, le cruzaba las manitas sobre el corazón, le alineaba sus flacas piernecitas. Con el recuerdo de Neblí, el del encargado de la ametralladora que abofeteaba a alguien (¿a él?) y gritaba basta-por-Dios-basta-ya. A saber por qué defensa del alma que con frecuencia sabe reaccionar ante los sufrimientos borrando de la memoria los detalles demasiado crueles, sólo recordaría la radio que chirriaba y dos voces que se cruzaban.

«Neblí, ¿qué decías sobre la casa de Habbash?»

«Le decía que hemos salido de Guatemala y hemos caído en Guatepeor, mi coronel. En la sala de la casa de Habbash hay dos cajas de pentrita y no sé qué hacer. ¿Qué debo hacer?»

«Los conjuros, Neblí, los conjuros. Pero, ¿por qué habías interrumpido la llamada?»

«Porque he tenido que resolver un problema, mi coronel.»

«¿Un problema? ¿Qué problema?»

«Nada, mi coronel, nada... Aquí en el Veinticinco ha muerto un niño y...»

«¿Un niño?»

«Sí, el niño que siempre venía a ver al bersagliere bajo la higuera. Y por desgracia el bersagliere se lo ha tomado muy mal.»

«Comprendo. En cualquier caso, y ya que estás en el tanque,

llama tú a la Sala de Operaciones, comunícales que también a mí se me han acabado las pilas de la motorola. Después llama a los infantes de marina del Veinticinco Alfa, comprueba si han bajado del mirador. Y, con pentrita o sin ella, vuelve a la casa de Habbash que las cosas están empeorando.»

* * *

Estaban empeorando, sí. En efecto eran las nueve de la noche, la hora que los estrategas de Gemayel habían elegido para hacer la maniobra de tenaza, y la Octava Brigada se disponía a invadir Chatila con los M48 llegados del Pinar y que estaban en formación en la carretera de Sabra. La Sexta, con los M113 que habían bajado del litoral de Ramlet el Baida y estaban en formación en la calle Sin Nombre, delante de la embajada de Kuwait. «¡Mantener los puestooos! ¡Mantener los puestos pero disparar sólo si nos disparan a nosotrooos!» repetía incansable el Cóndor. No obstante, era el primero en darse cuenta de que al menos dos puestos no se podían mantener, de que para doblegar a los Amal y truncar la resistencia de Bilal los gubernamentales necesitaban ocupar Chatila: irrumpir por el lado septentrional, es decir, desde el Veintiuno y por el lado meridional, es decir, desde el Veintitrés.

Y en el Veintiuno estaba, como sabemos, Clavo. En el Veintitrés, Cebolla.

–5–

Acurrucado en el fondo del tanque del Veintitrés, con la cabeza encajada entre los hombros, los ojos cerrados para no ver los relámpagos que centelleaban por las troneras y los dientes apretados con tal vehemencia que su carota de por sí roja se le había puesto morada, Cebolla estaba combatiendo su batalla personal. La de hacerse un hombre. Combatía con todas las fibras de su ser, ahora que había comprendido la substancia del discurso: para hacerse un hombre, no basta con vencer el miedo a los muertos. No basta con robar un gladiolo en la capilla para ponerlo en la fosa común mientras dedos invisibles salen de los terrones para agarrarte por los pies y arrastrarte bajo tierra. No basta con saber que los fuegos fatuos son luciérnagas como dice el coronel y pensar que en Beirut hay luciérnagas incluso en invierno. No basta con que después de esos esfuerzos te salga una bellísima barba, y si ese imbécil de Clavo se burla qué-va-a-ser-barba, ¿no-ves-que-sólo-es-un-poco-de-pelusa?, pues paciencia. Para hacerse un hombre, mi querido amigo, hay que vencer de verdad el miedo a los vivos. Los muertos no hacen daño a nadie. No te cogen por los pies, no te arrastran bajo tierra, no te matan. Son los vivos los que te agarran por los pies, te arrastran bajo tierra, te matan. Había que empezar todo de nuevo, pues, con los vivos que ahora querían entrar en Chatila. Lo había dicho el general por la radio de la Sala de Operaciones que querían entrar en Chatila: «¡Cóndor Uno, aquí Cóndor Uno! Dos columnas de tanques gubernamentales están apuntando hacia el Veintiuno y hacia el Veintitrés. ¡Mantened los puestos! ¡Mantened los puestos! ¡Disparad sólo si disparan contra nosotros y mantened los puestos!» Se te saltaban las lágrimas, al pensarlo. ¡Maldita sea! Si avanzaban con dos columnas, ¿cómo podían seis mantener el puesto y sin disparar? Ni siquiera un héroe podría lograrlo. Hombre, un héroe, sí. Un héroe igual al de la película que había visto antes de venir a Beirut. Una película sobre la historia de un soldado que tiene mucho miedo a morir y no hay forma de hacerle sacar un poco de valor. Pero en determinado momento le viene el valor y él solo destruye cuarenta tanques alemanes. ¡Cuarenta! ¡Él solo! Le había gustado por eso y porque el actor se le parecía como una gota de agua a otra gota de agua. La misma cara redonda, la misma estatura baja y la misma edad: diecinueve primaveras. ¿Y si intentara imitarlo? Imposible. El actor de la película disparaba. Hombre, pues había que superar al actor de la película: hacerse un héroe, un hombre, sin disparar un tiro. Por ejemplo, gritando sólo ialla-ialla, fuera-fuera, Chatila-es-asunto-nuestro, aquí-no-pasáis. Cogidos por sorpresa, intimidados, los invasores retrocederían y volverían con la cola entre las piernas a sus cuarteles. Y Clavo dejaría de burlarse de él, preguntarle si se debía llamarlo Cebolla o Miedo, el general le daría las gracias con una medalla al valor: «Aquí tenéis a un hombre con cojones. ¡Bravo por el bersagliere Cebolla, que ha dado una lección al mundo y a cada uno de nosotros!» Naturalmente se celebraría una ceremonia en el Cuartel General. Vendrían los periodistas, los fotógrafos, los de la televisión, toda Italia se enteraría, e imagínate qué recibimiento al volver a Caserta. Banderas, cohetes, confetis, gente aplaudiendo desde las ventanas. «¡Viva Cebolla! ¡Bravo, Cebolla!» En la plaza, la banda con uniforme de gala tocando la marcha triunfal de *Aida*: «¡Ta-tááá, taratatá-ta-ta-taratatááá-ta-tááá!» En el palco el alcalde con la corporación municipal completa. Y junto con la corporación, sus padres: su madre con el vestido de los domingos y su padre con traje cruzado. Y junto con sus padres, Miss Campania y el director del Banco de Italia y el arzobispo. El arzobispo le llevaría la bendición del Papa. «Bersagliere Cebolla, el Papa me ha encargado traerle su Dominus Vobiscum.» El director del Banco de Italia, un cheque de cien millones: «Ilustre señor Cebolla, esto es un respetuoso obsequio para usted.» Miss Campania, dos besos en la boca y su número de teléfono: «Llámame cuando quieras, guapetón. Soy tuya.» De todos modos más que recibir besos y promesas de polvos, y dinero y bendiciones del Papa y aplausos, más que verse homenajeado por la multitud y por la banda que con uniforme de gala toca la marcha triunfal de *Aida*, le habría enorgullecido sentirse un héroe, es decir, un hombre. Un hombre capaz de afrontar con pie firme a los vivos y a los muertos, un hombre sin miedo. El odiado miedo que pese a los buenos propósitos aumentaba y aumentaba... En efecto, cuanto menos quería tener, más tenía. Cuanto más tenía, más razones válidas encontraba para tenerlo. Cuantas más razones encontraba, más lo roía la sospecha de que imitar o mejor dicho superar al actor de la película era una soberana tontería. ¿Y si en vez de retroceder intimidados, volver con el rabo entre las piernas a sus cuarteles los gubernamentales pasaban por encima de él con los M113? Mejor cien años de oveja que un día de león, decía un adagio antiguo. ¿O decía lo contrario? Oh, Dios, sí: decía justo lo contrario...

Encerrado en el tanque del Veintiuno y medio borracho, Clavo combatía, al contrario, una batalla muy concreta: la de vencer el hambre que ya a las cinco de la tarde lo atormentaba. No era el único, claro está: al no haber habido cambio de turno no había llegado la cena, y en Chatila todos tenían el estómago vacío. Pero él lo tenía más vacío que los demás, y el motivo radicaba en el detalle de que no había comido el rancho de las doce. ¡Me cago en Lenin! Era bueno hoy, el rancho de las doce: sopa de verduras frescas, guisado de carne con judías, queso y fruta. La prueba es que tenía intención de dejar el plato limpio como una patena. Lo malo es que en el momento de empezar había aparecido Jamila, la niña desnutrida y voraz que vivía bajo el mirador, ¿y quién iba a tener corazón para dejar el plato limpio como una patena sin hacer el ademán de ofrecerle algo? El ademán había comenzado con la manzana. Una manzana hermosísima ciertamente sin gusanos. Contando con que a Jamila le gustaba robar la comida, si se la ofrecías se llevaba las manos a la espalda y después bajaba los ojos y movía la cabeza para decir que no, le había enseñado la manzana y ¡me cago en la leche!, al instante había respondido: «Na'am, sí.» Después, en vista de que no se marchaba y miraba el queso: «¿¡¿Es que quieres también el queso?!?» «Na'am, sí.» Después, en vista de que continuaba allí y devoraba con los ojos el guisado de carne con judías: «¡Huy, Dios mío! ¿¡¿No querrás también la chicha?!?» «Na'am, sí.» Después, en vista de que no se movía y miraba la sopa del mismo modo: «Se acabó la miseria, Jamila. ¡Cógete todo y no se hable más! Total, esta noche es la cena de Nochebuena y mejor será que me mantenga ligero.» ¡Me cago en Lenin! ¿¡¿Cómo iba a sospechar que seguiría en ayunas?!? Ni siquiera se le había pasado por la cabeza la idea de semejante desgracia durante el estallido del cometa. Sólo a las cinco y media, cuando Neblí había transmitido la orden de refugiarse en los tanques, se había dicho: «¡me cago en la leche! Aquí no va a haber cambio de turno a las seis, nos vamos a quedar sin cenar.» Y aterrado ante la perspectiva se había puesto a buscar una ración de reserva. Pero los otros cinco se habían zampado hasta los caramelos para la tos: en las cajas saqueadas no había encontrado sino las bebidas reglamentarias para quien está de guardia por la noche. Dos frasquitos de licor de café, dos bolsitas de aguardiente, dos de coñac, una de cordial. Entonces, loco de rabia, se los había trincado todos. Y pese a las pequeñas dosis, tres centímetros cúbicos cada una, el alcohol se le había subido a la cabeza desencadenando un desesperado monólogo que nadie conseguía detener. No se preocupaba siquiera de los cañonazos ni de las ráfagas que le caían en derredor. No le importaban siquiera los M48 que se disponían a entrar en el Veintiuno donde habían atravesado el tanque para cortar el paso por la carretera. Ni siquiera se distraía mirando por el periscopio que el jefe del tanque le había confiado con la esperanza de inducirlo a callarse por un rato.

«Dios, qué hambre. Todo por culpa de mi generosidad, de mi comunismo, de Lenin, del maldito precepto lo-mío-es-tuyo-y-lo-tuyo-es-mío. Si no le hubiera regalado mi rancho a Jamila, no sufriría así. Me voy a morir de inanición. Porque si no como yo es que me muero, soy de los que siempre tienen necesidad de meter algo en la boca, estoy flaco. Oh, Dios, me voy a desmayar. ¿Es posible que en todo este tanque no haya siquiera un caramelito para chupar, un chicle para mascar? ¡Un chicle, un chicle! Os lo pago, os doy mi sueldo si me prestáis un chicle...»

«¡Cállate, Clavo!»

«No, no me callo, no. Dios, qué hambre. Se me retuercen las vísceras, ya es que no me quedan jugos gástricos. Roñosos, piojosos, tacaños. Ni siquiera una miguita me habéis guardado. ¡En nombre del cristianismo, ya que no del comunismo! ¡Oh! ¡Huy! Si tuviera un bocadillo. Un bocadillo de salami o de mortadela. Me gusta mucho el salami, me gusta mucho la mortadela. Los prefiero al jamón. Si Lenin resucitara, le diría: camarada, no basta con decir pan-para-todos. Hay que decir pan-y-salami-para-todos, pan-y-mortadela-para-todos: ¿no tenéis en Rusia salami ni mortadela? ¿¡¿Lo hacéis todo con caviar?!? Está bueno también el caviar, desde luego. Con mantequilla y con limón e incluso con un trozo de cebolla picada o de yema de huevo cocido. Se unta sobre una tostadita y listo. Pero el salami es mejor, la mortadela es mejor...»

«¡Clavo! ¡Cierra el pico, Clavo!»

«No, no lo cierro, no. Dios, qué hambre. Eso de dejarnos sin cena no debían haberlo hecho. ¿¡¿Qué tiene que ver la guerra con la cena?!? En la paz o en la guerra, la cena es la cena. Os lo dice un cocinero de profesión, uno que se ha diplomado con las calificaciones máximas en la Escuela de Hostelería o mejor dicho de Gastronomía. Y a propósito, ¿sabéis lo que prepararía esta noche si estuviera en Livorno? Un menú de Pellegrino Artusi. Un clásico. Tortellini al estilo de Romaña con queso fresco, ternera, parmesano fresco y nuez moscada; tostadas al estilo toscano, es decir, con pasta de lecha y anchoas diluidas en mantequilla; un buen asado de liebre con pastel de espinacas y ensalada mixta; y de postre pan de especias de Siena seguido de un buen helado de menta para la digestión. No es que yo tenga nada contra la Nuvel Cuisín, ¿eh? Hoy está muy considerada la Nuvel Cuisín, y personalmente tengo en gran estima a Paul Bocuse. Es un genio, ése, un genio que sabe combinar los sabores con la elegancia. Casi casi copiaría a Bocuse en lugar de a Artusi... Comenzaría con una sopa de trufas Élysées, seguiría con una lubina doradita después una pollita estilo Jeanne Nardon, y de verdura guisantes au beurre así como achicoria de Lyon. De postre, merengue con marrons glacés bañados en Armañac o en un buen Napoleón. Pero Artusi es el padre de todos nosotros y...

«¡Clavooo! ¡Cierra el pico y cuenta lo que ves por el periscopiooo!»

«¿Qué voy a contar si no hay nada que contar? ¡Esos M48 están quietos como mi estómago!»

Pero de repente se calló. Y, olvidando a Lenin, a Bocuse, a Artusi, observó mejor los tanques gubernamentales. ¿Quietos? No, la leche, no estaban quietos. ¡Se movían con los cañones de 105 apuntados hacia Chatila! ¡Avanzaban hacia el Veintiuno! ¿¡¿El Veintiuno?!? ¿¡¿No se habían dado cuenta de que el M113 de los italianos estaba atravesado en la carretera y obstruía el paso?!? Se habían dado cuenta, sí. En efecto el M48 que guiaba la columna se detenía y dos oficiales con uniforme de la Octava Brigada bajaban, se acercaban a él con expresión despectiva. ¿¡¿A él?!? Dejó al instante de mirar. Abrió furioso la escotilla anterior de par en par, se asomó, arrojó a la cara de los intrusos el haz luminoso de la linterna.

«¿Qué queréis? Shubaddak?»

«Move, apartaos, move» respondió uno de los dos masticando.

¿¡¿Mas-ti-can-do?!? ¿¡¿Masticando qué?!? ¿Un caramelo, una chocolatina, un chicle? En el peor de los casos, lo sentía, un chicle. Y presa de la envidia por aquel chicle que tal vez fuera incluso un caramelo o una chocolatina, Clavo perdió los estribos.

«¡Apártate tú, cacho mierda! ¡Quítate de en medio tú, pedazo de fascista, carne de presidio que tienes el valor de venir a masticar en mis narices! Y da gracias a Dios que no he comido y estoy débil, si no, ¡bajaría y de un puñetazo te haría tragar ese chicle o caramelo o chocolatina o lo que sea!»

Entretanto, dentro del M113 el jefe del tanque hablaba muy nervioso con la Sala de Operaciones.

«¡Cóndor, atención, Cóndooor! ¡Aquí en el Veintiuno los gubernamentales pretenden que apartemos el tanqueee!»

«¡Veintiuno, atención, Veintiunooo! ¡Mantened el puesto, mantened el puesto!»

«¡Lo mantenemos, Cóndor, lo mantenemos! Pero, ¡ellos tienen tanques para parar un tren! ¿Podemos disparaaar?»

«¡No, disparar, no! ¡Debéis disparar sólo en caso de amenaza directa! Pero, ¡no los dejéis entrar!»

Mezcladas con las voces de los radiofonistas que gritaban a voz en cuello, las de los bersaglieri en el tanque.

«Pero, ¿¡¿qué se creen en la Sala de Operaciones?!? ¿¡¿Que nuestro tanque es Leónidas en las Termópilas?!?»

«¡Ni mucho menos! ¡Leónidas podía disparar! ¡Disparaba!»

«¡Exacto! ¡Deberíamos disparar también nosotros! ¡Me parece que hay una amenaza directa!»

«¡No, no la hay!»

«¡Sí que la hay! ¡Pregúntaselo a Clavo, si la hay!»

«¡Clavo no cuenta! ¡Clavo ve doble porque está borracho perdido!»

«¡Qué va estar borracho perdido! ¡Tiene envidia del oficial que mastica en sus narices chicle o Dios sabe qué!»

«¡Lo insulta y se acabó! ¡No hace nada para que le entiendan!»

Pero el oficial que masticaba en sus narices chicle o Dios sabe qué le había entendido bien. No hacía falta haber nacido en Livorno para darse cuenta de que el loco asomado a la escotilla quería hacerle tragar algo y se negaba a dejarlos entrar. Conque seguido de su compañero había vuelto al M48, y éste, decidido a dejar el paso libre, estaba avanzando de nuevo. Clavo fue el primero en comprender lo que sucedía y en gritar.

«¡Atento, piloto, atentooo! ¡Que se nos echan encima! ¡Pon los frenos, pon los frenooos!»

«¡Ya los he puesto, ya los he puesto!»

«¡Bloquea las orugas! ¡Bloquéalaaas!»

«¡Ya las he bloqueado, ya las he bloqueado!»

Las había bloqueado. En efecto pese al considerable empuje que recibía, el M113 del Veintiuno no se desplazaba ni un centímetro. Pero el oficial que masticaba chicle o Dios sabe qué había bajado una segunda vez, y ahora ordenaba a los tres tanques situados detrás del suyo que se acercaran uno con el morro contra el trasero del otro para cuadruplicar el empuje. Los incitaba a embestir.

«Ruha! ¡Duro ahí!»

El cuarto empujando al tercero, el tercero empujando al segundo, el segundo empujando al primero y todos juntos haciendo un estruendo ensordecedor, los cuatro M48 empezaron a hacer presión contra el costado del M113.

«Ruha! Ruha!»

Era un espectáculo absurdo y cruel. Era como si un potentísimo tren compuesto de locomotoras, en lugar de vagones echara un pulso monstruoso con los frenos y las orugas del M113, una competición imposible, y a cada empujón el tanque rechinaba pavorosamente. Parecía romperse en dos y catapultar a Clavo que seguía asomado a la escotilla y distribuyendo improperios, cachomierdas, pedazo-de-fascistas, carne de presidio. Por tanto, era evidente que tarde o temprano cedería.

«Ruha! Ruha!

Al séptimo empujón cedió. Y de metro en metro, siempre de través y dejando grabado en el terreno un profundo rastro, empezó a retroceder: llegó al Veintiuno Alfa donde fue abandonado por el oficial que masticaba chicle o Dios sabe qué.

«Stay there. Quedaos ahí.»

Unos instantes después también los demás M48 irrumpieron en la carretera, entraron en Chatila, y eso sucedió casi en el mismo momento en que los M113 de la Sexta Brigada se acercaban al Veintitrés para irrumpir en él seguidos por cuatro vehículos cargados de tropa. Eran las nueve y cuarto, y también el drama de Cebolla estaba a punto de concluir. Pobre Cebolla. Gracias a la versión exacta del antiguo adagio había borrado la sospecha de que imitar o mejor dicho superar al actor de la película era una soberana tontería, y repitiéndose mejor-un-día-de-león-que-cien-años-de-oveja sólo pensaba en saltar fuera del tanque: rechazar con las manos desnudas a los invasores, enviarlos de vuelta a sus cuarteles, convertirse en un héroe, es decir, en un hombre. Un hombre capaz de hacer frente con pie firme a los vivos y a los muertos, un hombre sin miedo. Así, cuando las siluetas negras de los M113 gubernamentales se perfilaron en la obscuridad para irrumpir por el lado meridional de Chatila, no vaciló. Tras dejar el fusil se lanzó hacia la trampilla, la abrió de par en par, salió, y arriesgándose a que lo aplastaran como a un perro que cruza la calle, se plantó con las piernas separadas delante de la columna.

«Ialla ialla! ¡Fuera, fuera!» gritó. «¡Chatila es asunto nuestro! ¡Por aquí no se pasa!»

En seguida lo agarró del cuello y se lo llevó a patadas el jefe del tanque, que había corrido tras él y le gritaba ¡imbécil! ¿Qué tienes dentro de esa calabaza? Imbécil, eres lo que se dice una criatura, nunca serás un hombre. Y como el tanque del Veintitrés no obstruía el paso, como en la escuadra del Veintitrés no había ningún otro niño ansioso por hacerse un hombre y convencido de que hacerse un hombre significa llegar a ser un héroe, todos sabían que las dos cosas no necesariamente coinciden y que ser un hombre ya es un esfuerzo tremendo, los M113 de la Sexta Brigada desfilaron sin tropiezos para ir a reunirse con los M48 que habían irrumpido por el Veintiuno.

Fue en ese momento cuando Bilal dejó de cantar con su desafinada voz beasnani-saudafeh-haza-al-bourji-beasnani. Y fue en ese momento cuando el capitán Gassán se movió con el jeep y el cañón de 106 para colocarse en la recta de la Avenue Nasser.

* * *

Lo hizo con mucha calma, absolutamente seguro de que el enano que lo había derrotado y humillado había dejado de provocarlo con su vulgarísimo himno no porque estuviera muerto sino porque había renunciado a resistir y se preparaba para abandonar la Torre. Lo hizo con la tétrica lógica y la dolorosa perfidia a las que nunca había renunciado desde la Navidad en que su padre había sido asesinado, en que la espléndida quinta de Ramlet el Baida ardía mientras lo enterraban en el cementerio de San Elías, y también con la fe ciega de que la Virgen de Junieh lo ayudaba a redimir su orgullo vilipendiado. Con el orgullo vilipendiado, el desconcierto que tres horas antes le habían impedido apretar el gatillo. En efecto, de improviso el cielo se había llenado de bengalas, transparentes globos de luz azulina iluminaban como si fuera de día la Avenue Nasser, y tanta suerte no podía ser sino una señal de la benevolencia divina: para apuntar a ojo, dar en el blanco sin el spotter defectuoso, necesitaba luz. Mucha luz. Conque, sin preocuparse del fuego que los M48 estaban ya derramando sobre la avenida, puso en marcha el motor. Se alejó de la glorieta de Sabra, avanzó por la recta, se detuvo a unos cuarenta metros del Veintidós. Allí soltó el volante, saltó sobre la caja del jeep, se colocó junto al cañón, y con el dispositivo para apuntar lo fijó en dirección al trecho de calle por el que según sus cálculos pasaría Bilal. Hecho esto bajó del jeep, se colocó detrás del cañón, abrió la culata y miró a través de la boca de fuego para ver si apuntaba de verdad en la dirección deseada y a la altura de un enano. Apuntaba en la dirección deseada, pero a la altura de un hombre. Entonces volvió a montar en el jeep, giró la manivela del alza, corrigió la mira, volvió a bajar. De nuevo se colocó detrás del cañón, miró a través de la boca de fuego, y se concedió la sonrisa glacial. ¡Bien! Por fin apuntaba a la altura de un enano, es decir, poco más de un metro sobre el asfalto: por fin podía introducir la brahmet-bayi. La introdujo, atento a escoger una cuya ojiva llevara un rótulo bien claro: b-r-a-h-m-e-t b-a-y-i. Volvió a cerrar la culata, regresó junto al cañón, y con el dedo en el botón de disparo se puso a esperar a que su enemigo saliese de la placita para cruzar la avenida y ofrecerse como un muñeco de tiro al blanco. Entretanto, con los puños cerrados y los labios apretados, rezaba a su diosa en el Olimpo. Le decía: «Madre celestial, Señora misericordiosa que amas y proteges a los que sufren, escúchame. No hay bastantes bengalas sobre la Avenue Nasser, y las que hay se están apagando. Si le disparo con poca o ninguna luz, tampoco lo mato esta vez. No redimo mi orgullo vilipendiado, no coloco el simbólico ramo de flores sobre la tumba del cementerio de San Elías. Ayúdame, Virgen clemente, bendita entre las mujeres y consoladora de los afligidos, refugio de los pecadores y morada del Espíritu Santo. Yo no te pido que me devuelvas a mi padre, a mis hombres muertos, mi quinta, mi M48 y la Torre. Sólo te pido que me mandes un poco de luz para apuntarlo bien, cuando cruce la avenida. Así pues, en el momento justo enciende otra bengala, te lo suplico.» Precisamente lo contrario de lo que con igual fervor habría pedido Bilal a su dios en el Olimpo, a Alá.

Ya no quería matar, Bilal, ni que lo mataran. Al no querer ya matar ni que lo mataran, ya no pensaba que el capitán le hubiera hecho un favor engañándolo: ya no formulaba razonamientos de gran estratega y gran político sobre los militares chiítas que tras haber advertido que habían disparado contra sus propias casas, contra sus propias familias, contra sus propios hermanos de fe, se rebelarían y dividirían en dos el ejército de Gemayel. Por una parte la Sexta Brigada y por otra la Octava. Peor aún: ya no le importaba que la Sexta expulsara a la Octava de la zona occidental de la ciudad, que el antiguo sueño de dar a los musulmanes tres cuartas partes de la ciudad se hiciera realidad, que en una palabra su derrota se convirtiese en su victoria. También las dos ametralladoras que quedaban habían sido destruidas, también los cuatro milicianos que habían sobrevivido al proyectil de 120 habían muerto, y en el edificio que amenazaba ruina sólo había quedado él: herido en el brazo derecho por una bala que le había desgarrado el deltoides. La tentación disipada por la frase disparan-contra-sí-mismos-Bilal, se había vuelto a presentar para entregarlo completamente a la renuncia. Defender aquella Torre con uñas y dientes, aquel barrio con uñas y dientes, ¿para qué? ¿Para quién? ¿Para los Rashid, para los Passepartout-Jalid, para los indiferentes, para los ingratos que cuanto más reciben más te escupen en la cara? Tenía razón Zeinab: «Pobre del que se sacrifica, Bilal, pobre del que regala las cosas o a sí mismo al prójimo. La gente recibe, recibe y cuanto más recibe más te escupe en la cara.» Marcharse, sí. Abandonar aquel tejado lleno de cadáveres, de amigos y enemigos muertos por su culpa. Levantar bandera blanca, rendirse, resignarse a las reglas injustas de un mundo que a veces gira al derecho y a veces al revés pero a ti te da siempre el revés. Retirarse, sobrevivir, intentar gozar la vida que es hermosa hasta cuando es fea y te deja molido con las calles que barres, hasta cuando te niega una chaqueta sin remiendos y un libro entero y una estatura de adulto. Bajar las escaleras, llegar a la planta baja, la placita, la acera de la Avenue Nasser. Vadear en dirección contraria tu río, regresar a Gobeyre, volver a encontrarte con tu anciano padre, tus hijos, Zeinab con el noveno en el vientre. Tocárselo, preguntarse si contiene un varón o una hembra, envanecerse con la idea de ser un árbol cargado de frutos, un pino que escupe piñas y con las piñas semillas semillas semillas. Comer la cabeza de cordero robada al carnicero, quemar el maldito libro que te ha causado tantas desgracias, dormir en tu cama y despertarte con el sol, volver a ver el sol mañana por la mañana... Pero para hacer eso había que exponerse a la luz de las bengalas que desde hacía unos minutos iluminaban como si fuera de día la avenida, y aunque de forma confusa sentía que dentro de aquella luz se escondía el peligro de no volver a ver el sol ni mañana por la mañana ni nunca. Así, vacilaba y vacilaba, y al vacilar rezaba a su dios en el Olimpo. Le decía: «Padre celestial, Señor misericordioso que amas y proteges a quienes se ganan siempre el revés, escúchame: hay demasiadas bengalas en la Avenue Nasser. Si cruzo con toda esa luz me disparan como a un muñeco del tiro al blanco, y no vuelvo a casa. No vuelvo a ver el sol ni mañana por la mañana ni nunca. Ayúdame, Dios omnipotente, omnipresente y omnisciente, consolador de los afligidos y rey de reyes. Yo no te pido una vida carente de calles que barrer, no te pido una chaqueta sin remiendos ni un libro entero ni una estatura de adulto. Sólo te pido un poco de obscuridad para cruzar la avenida y regresar a Gobeyre y volver a ver el sol mañana por la mañana. Así pues, haz que esas bengalas se apaguen, sóplalas, ¡te lo suplico!»

El caso es que tardaban mucho en apagarse, cada una de ellas duraba un minuto, y en determinado momento llegó a la conclusión de que Alá no quería escucharlo. No quería ayudarlo. Entonces, decepcionado, tiró el Kalashnikov. Tambaleándose como un borracho abandonó el tejado lleno de amigos y enemigos muertos por culpa suya, con cuidado para no caer por las rampas semiderruidas y carentes de barandillas se puso a bajar las escaleras. Escalón por escalón, o mejor dicho fragmento de escalón por fragmento de escalón, cada fragmento de escalón una puñalada que se transmitía del brazo al cerebro y se lo nublaba, llegó al cuarto piso después al tercero luego al segundo después al primero luego a la planta baja. Llegó a la callejuela que conducía a la placita del Veintidós. Paso a paso, saltando o pisando cadáveres, los cadáveres de los hombres que había llevado a morir, llegó a la placita del Veintidós donde los bersaglieri del tanque se preguntaron quién sería aquel pequeño individuo que avanzaba tambaleándose como un borracho. ¿Un viejo moribundo? ¿Un niño perdido en la batalla? Sólo Águila Uno reconoció en el pequeño individuo el orgulloso enano que al grito de ihkmil-no os detengáis-ihkmil y lahkni-seguidme-lahkni había derrotado a una compañía de la Octava, había conquistado la Torre. Y apiadado lo llamó: «¡Bilal!» Pero él no respondió y, tras superar el distribuidor de gasolina sobre cuya techumbre disparaban los dos Amal con la Pk46, llegó a la Avenue Nasser. Allí advirtió que entretanto la terrible luz había sido reabsorbida por la obscuridad, y cubierto de vergüenza por haber creído que Alá no lo escuchaba abandonó la acera. Cargado de humildad y ansioso de obtener el perdón del Padre celestial, del Señor misericordioso que ama y protege a quien se gana siempre el revés, comenzó a cruzar la avenida en diagonal: para dirigirse hacia la callejuela más cercana, es decir, la que quedaba delante del Veinticinco. Y estaba a mitad de la calle cuando en el Olimpo de los dioses pendencieros la Virgen de Junieh puso la zancadilla a Alá y concedió a Gassán el milagro necesario para dar en el blanco: una enésima bengala encendió la noche. Un globo inmenso, una mastodóntica luna que, colgada del cielo caía justo sobre su cabeza y al caer irradiaba un reverbero tan blanco, tan brillante, tan cegador, que desde la rotonda de Sabra a la del viaducto parecía de verdad de día. Se detuvo deslumbrado, decepcionado, atemorizado. Se quedó un instante batiendo los párpados y preguntándose por qué el Padre celestial no era ni padre ni celestial, por qué el Señor misericordioso no era ni señor ni misericordioso, por qué además de no amar ni proteger a quien siempre se gana el revés se divertía burlándose de él. Después reanudó la marcha pero dos pasos después sintió dos pupilas, dos estiletes de hielo, que le agujereaban la espalda y se detuvo de nuevo. Se volvió a escrutar en la dirección de la que procedía la mirada, la glorieta de Sabra, y a unos cuarenta metros del Veintidós vio el jeep con el cañón apuntado contra él: a altura de hombre o mejor dicho de enano. Junto al cañón, un robusto oficial gubernamental que lo miraba inmóvil y fijamente. Lo miraba, lo miraba fijamente, y de su inmovilidad emanaba tal amenaza que olvidó su deseo de no matar nunca más a nadie: buscó su Kalashnikov. No lo encontró y en el mismo instante comprendió que nunca llegaría a la callejuela delante del Veinticinco, no volvería a abrazar nunca más a su anciano padre ni a sus ocho hijos ni a Zeinab. No sabría nunca si el noveno que crecía dentro del gran vientre henchido era un varón o una hembra. No podría nunca más probar a gozar la vida que es hermosa hasta cuando es fea y te deja molido con las calles que barrer, hasta cuando te niega una chaqueta sin remiendos y un libro entero y una estatura de adulto. Nunca comería la cabeza de cordero robada al carnicero, no volvería a dormir nunca más en su cama, no volvería a ver el sol nunca más. Entonces se reencontró a sí mismo, y dominando el dolor de mil puñaladas levantó el brazo derecho. El brazo herido. Apretó el puño, clavó los ojos en los dos estiletes de hielo, y por última vez alzó su orgullosa voz desafinada.

«S'antasser!» bramó. «¡Venceré!»

«Sobre la tumba de mi padre» le respondió, tranquilo, Gassán. Después apretó el botón de disparo.

La brahmet-bayi de 106, de medio metro de larga y diez centímetros coma seis de diámetro, partió derecha y en línea recta y explotó con tal fragor que el estallido se oyó incluso en el Cuartel General donde Charlie sintió un escalofrío que no supo explicarse y con la garganta seca se preguntó a-saber-a-quién-habrá-acertado. En la Avenue Nasser las paredes temblaron, en la placita del Veintidós la casucha de Leyda osciló. Con la casucha el tanque de los bersaglieri, el distribuidor de gasolina con los dos Amal, el jeep de Rambo, el jeep de Águila Uno que se arrojó al suelo, al tiempo que sentía el impulso de gritar: «¡Cuidado, Bilal!» Después atisbó la avenida y, al no verlo, pensó: «¡Se ha librado de una buena!» Por consiguiente nadie, excepto Gassán, supo nunca que la brahmet-bayi de medio metro de larga y diez centímetros coma seis de ancha había desintegrado el blanco. Y que de Bilal el Barrendero no había quedado ni un remiendo.

CAPÍTULO TERCERO

–1–

No existe paradoja más absurda que la de un soldado que en la batalla no pueda usar las armas, y la impotencia con que los bersaglieri se habían visto obligados a sufrir las incursiones de los Amal y después la irrupción de la Sexta y la Octava Brigada había exacerbado esa paradoja hasta los límites de lo soportable. Así pues en el Cuartel General y sobre todo en la Sala de Operaciones, había un gran deseo de combatir, de responder al fuego con el fuego. «¡Respondámosles con la misma moneda! Los golpes llaman a los golpes, que hasta un perro atontado te muerde si le pisas la cola» rezongaba Pistoia. «Contumeliam si dices audies, si injurias debes esperarte injuria, nos recuerda Plauto. Moveatur, ergo! ¡Movámonos, pues!» relinchaba Caballo Loco. «El principio de la autodefensa es la base del Reglamento. ¡Apliquémoslo!» sentenciaba Azúcar. Y el Cóndor espumeaba. Responder al fuego con el fuego significaba ordenar a los barcos que dispararan con los cañones y los lanzamisiles sobre los objetivos indicados por el mapa del Urogallo, impartir esa orden equivalía a transformarse de aliados en enemigos, y por una parte habría vendido el alma por hacerlo. Basta, pensaba, basta de representar la comedia del buen samaritano, de contarse la historia del ferroviario que guía el tren, de inventarse el cuento del general en guerra con la Muerte: tengo derecho a reaccionar.» En cambio por otra parte habría pagado oro por no hacerlo, y repitiéndose la comparación con el árbitro cogido entre dos boxeadores llegaba a la conclusión de que no, no puedo, no debo, y además ¿de qué sirven los cañones y los misiles de los barcos cuando los auténticos objetivos son las hormigas que tienes alrededor y encima, los Kalashnikov y las Rpg que disparan desde los tejados y desde las callejuelas adyacentes a tus puestos, las ametralladoras y los morteros que disparan desde los fosos y desde las calles del barrio en el que te encuentras? Para reaccionar debería bombardearme a mí mismo. Pero entretanto se inclinaba sobre el mapa del Urogallo, y elegía con el Profesor los blancos: «Éste sí, éste no, éste sí.» De repente Charlie se separó de la radio ante la cual estaba sentado con Angelo y Martino para captar los mensajes gubernamentales, y se le acercó.

«Tengo una idea mejor, mi general.»

«¿Qué idea, Charlie?» le respondió con voz hastiada.

«Solicitar y obtener una tregua, mi general.»

«¿¡¿Una tregua?!? ¿Y quién debería solicitarla, esa tregua? ¿¡¿Quién debería obtenerla?!?»

«Nosotros, mi general.»

«¿¡¿Nosotros?!? No hemos podido detener a los Amal en el Veintidós y en el Veinticuatro, a los gubernamentales en el Veintiuno y en el Veintitrés. ¿¡¿Y viene a proponerme que paremos una batalla?!?»

«Sí porque no es imposible, mi general. Basta con chantajear un poco a los barandas de las dos barricadas.»

«¿¡¿Y con qué argumento?!?»

«Con el suyo, mi general: comunicando a los dos que, si no suspenden el fuego, los bombardearemos desde los barcos aun a costa de bombardearnos a nosotros mismos. Es un buen argumento. Un excelente argumento.»

«Estoy de acuerdo...»

Repentinamente interesado, el Cóndor buscó los ojos del Profesor que se encogió de hombros.

«Yo probaría. Si quiere, telefoneo en seguida a los gubernamentales.»

«Y yo corro ahora mismo a ver a Zandra Sadr» insistió Charlie. «Si sale bien, tenemos todo por ganar.»

Era evidente que si salía bien tenían todo por ganar. Además Rashid había asumido el mando dejado vacante por Bilal, y con su habitual incompetencia se había puesto a disparar contra el cuartel de la Sexta Brigada y muchas granadas caían en torno al hospital de campaña. Pero una tregua requiere conversaciones laboriosas, negociaciones interminables, y la decisión de emplear o no los barcos resultaba urgentísima. Así pues, pasó un minuto antes de que el Cóndor respondiera.

«De acuerdo. Con tal de que lo hagan rápido. Y usted procure no llamar la atención, Charlie. Llévese al intérprete y a nadie más.»

«Desde luego, mi general.»

Así fue como Charlie se llevó sólo a Martino y dejó a Angelo delante de la radio.

«Tú te quedas aquí.»

«Vale» respondió Angelo con indiferencia.

* * *

Habían transcurrido veinticuatro horas desde que Martino le había traducido la carta. Pero el tiempo no es una realidad objetiva, siempre igual a sí misma. No se mide con el calendario y el reloj, con el cambio de las estaciones y la puesta del sol: su dimensión cambia como una goma que nuestro yo mueve según los estados de ánimo. A veces es infinitamente largo, pasa con una lentitud que transforma los minutos en siglos. A veces es infinitamente breve, pasa con una velocidad equivalente a la velocidad de la luz. Y a veces se detiene, interrumpido por algo que lo petrifica. Un dolor profundo, una sorpresa demasiado violenta, un trauma. El suyo se había detenido con las palabras tuya-o-mejor-dicho-ya-no-tuya-Ninette, al detenerse le había impedido participar en cosa alguna que sucediera en el tiempo del calendario y del reloj, por lo que había reaccionado ante todo con indiferencia e incluso había superpuesto la idea fija de aquella carta al drama de la batalla. Podía recitarla de memoria, ahora. Todas sus frases se le habían quedado grabadas en la cabeza con la fuerza de una marca de fuego, y todos los detalles habían servido para cristalizar el dolor, la sorpresa, el trauma. Que conociera perfectamente el francés y se negara a hablarlo, por ejemplo: «No puedo, no quiero, no debo, y no es culpa mía que el caos del señor Boltzmann abarque la babel de las lenguas.» Que hubiese comprendido bien el concepto de $S = K \ln W$ y hubiera descubierto el suicidio de Boltzmann: «Tal vez no soportara el desaliento de haber demostrado lo que hasta los recién nacidos intuyen, la invencibilidad de la Muerte, y con coherencia se le entregó antes de lo necesario.»

Que considerara el amor físico un medio para comunicar, para escapar a la soledad, y la amistad un recurso efímero o artificioso, con frecuencia una mentira: «No esperes nunca de la amistad los milagros que produce el amor: los amigos no pueden substituir al amor.» Que pese a su sed de vivir, sus riquezas, sus privilegios, naufragara en la infelicidad y no creyera en su futuro: «Yo soy Beirut. Soy una derrotada que se niega a rendirse, una moribunda que se niega a morir.» Que definiese la necesidad de amar como una necesidad que calmar en pareja pero cuya cantidad y calidad no está nunca equilibrada por simetría y sincronismo. «En mi opinión el anatema que Dios lanzó contra Adán y Eva al expulsarlos del Paraíso Terrenal no fue tú-parirás-con-dolor, tú-te-ganarás-el-pan-con-el-sudor-de-tu-frente. Fue: cuando-él-te-quiera, tú-no-lo-querrás; cuando-ella-te-quiera, tú-no-la-querrás.» Por último que lo hubiera elegido sólo porque sus ojos y su rostro y su cuerpo resucitaban los ojos y el rostro y el cuerpo de un hombre al que había amado mucho, y que de conformidad con la maldición divina ya no lo amara: «Del mismo modo que no se puede amar a un muerto eternamente, no se puede amar eternamente a quien no te ama.» Pero sobre todo, ahora que quien amaba era él, no lograba liberarse de la frase sobre los perros que vuelven atrás un instante para dirigir a quien los ha rechazado un meneo de la cola en señal de tierna reprobación. No lo lograba porque de tanto pensar en ello le había venido la sospecha de que volvería precisamente esta noche.

Se inclinó sobre la radio que seguía sintonizada en la frecuencia de onda gubernamental y transmitiendo mensajes en árabe. Fingió escucharlos, buscó motivos para vencer la desazón. Qué va, hombre, se dijo, era un temor carente de sentido. Sería un suicidio volver atrás precisamente esta noche, y en las últimas líneas la carta condenaba el suicidio: «Sólo si anhelara el alivio y el reposo que en algunos casos puede ofrecer la Muerte podría imitar al señor Boltzmann, ir a su encuentro, entregarme a ella. Pero en ese caso estaría loca. Más loca que la loca que en Chatila canta y baila en torno a la fosa común.» Sí, pero los locos no saben que están locos, y si lo estuviese de verdad... Frunció la frente. Por primera vez interesado en las conversaciones ajenas, se puso a escuchar a Pistoia que contaba al Urogallo las circunstancias en que el sargento Natale había resultado herido. «En determinado momento los Amal se pusieron a aporrear el tanque, Natale salió para echarlos, y adivina quién los encabezaba; el rubito con la colilla pegada a los labios y las Rdg8 en el cinturón que al parecer tiró las bombas en el callejón de Bourji el Barajni. Hubo una pelea, alguien le robó el casco, y...» ¿¡¿El rubito con la colilla pegada a los labios y las Rdg8 en el cinturón?!? Conque, ¡también esta noche andaba por ahí Passepartout! Si regresara esta noche, Ninette corría el peligro de encontrarse con el pequeño criminal. ¿Encontrarse con él? Tonterías. Ninguna lógica en el mundo justificaba un temor semejante... Se mordió una uña, después otra, luego otra más. No, no lo justificaba y sin embargo el temor tomaba cuerpo. Al tomar cuerpo avivaba la desazón que a saber por qué le traía la imagen del ancla en forma de cruz. Con el ancla en forma de cruz, la idea de que aquel collar constituía una pieza indispensable en el mosaico de sucesos, un eslabón insuprimible de la cadena abierta con la doble matanza de octubre, y su ansiedad se convertía en angustia. ¿Por qué? Porque tenía los nervios deshechos y no podía perdonarse el despropósito de haberla considerado una tonta, porque no podía resignarse a la aflicción de haberla perdido, porque había comprendido que la amaba. Evidente. ¿Evidente? Las cosas evidentes son siempre las más difíciles de demostrar. También el hecho de que uno sea mayor que cero parece evidente. Pero para demostrarlo habría que probar ante todo que el uno existe, que el cero existe, que el uno y el cero son diferentes. E incluso si partes del axioma de que el uno existe, de que el cero existe, de que el uno y el cero son diferentes, intentar resolver ese teorema te da dolor de cabeza... Tal vez no debería pensar en ello, concluyó de pronto. Tal vez debería separarse de aquella radio y encontrar la ocasión idónea para salir de aquella sala: intentar devolverse a sí mismo. Después aguzó el oído ante un diálogo que sostenían Azúcar y el Cóndor, y se estremeció.

«Mi general» decía Azúcar, «acabo de hablar con el Veintidós, el Veinticinco, y el Veintisiete Lechuza. Tanto Sandokan como Águila Uno y Neblí se han quedado sin pilas: hay que llevárselas. Además los dos infantes de marina del Veinticinco Alfa no han bajado del mirador: si no va alguien a sacarlos de allí, acabarán palmándola. ¿Puedo ir yo?»

«Sí, Azúcar» respondía el Cóndor. «Pero tome una escolta que sirva. Un comando, quiero decir. Sáquelo de Bourji el Barajni, si es necesario.»

«Corro, mi general.»

¿Una escolta, un comando? ¡Ahí estaba la ocasión idónea! Y al instante se separó de la radio, abandonó la Sala de Operaciones, se precipitó a la Oficina Árabe. Seguido por las miradas inquisitivas de Fifí y Bernard le Français se puso el chaleco antibalas, se colocó en la cabeza el casco, cogió el M12, una motorola, una linterna, se lanzó de nuevo por las escaleras, llegó al patio donde Azúcar esperaba a que el Leopard se apartara, y se plantó delante de su jeep.

«Jefe...»

Azúcar lo miró atónito.

«¿Qué haces aquí, Susto? ¿Qué quieres?»

«Ir con usted a Chatila, jefe.»

«Yo ya no soy tu jefe y tu nuevo jefe te ha ordenado que permanezcas en la Sala de Operaciones, Susto.»

«Y el general le ha ordenado a usted que lleve consigo un comando.»

«Voy a buscarlo, quítate de en medio.»

«No tiene sentido ir a buscarlo. Aquí estoy yo.»

Entretanto el Leopard se había apartado, el tanquista le pedía que se moviera, y Azúcar empezó a ceder.

«Bien, veo que llevas el fusil...»

«Sí.»

«Llevas el casco...»

«Sí.»

«Llevas el chaleco antibalas...»

«Sí.»

«¿Llevas la motorola y la linterna?»

«Sí.»

«Sube.»

Subió con ímpetu.

«¿Por dónde comenzamos, jefe?»

«Por el Veintisiete Lechuza. Antes de meterme en el berenjenal del Veintidós y del Veinticinco quiero echar un vistazo desde el observatorio» farfulló Azúcar al tiempo que se internaba por el pasaje en serpentina.

«¿Y qué camino tomamos para desembocar en la calle Sin Nombre?»

«El que después del hospital de campaña bordea el cementerio musulmán. Está un poco más protegido» farfulló Azúcar dilatando las inmensas ventanas de su nariz.

No fue buena la elección. Muchas tumbas del cementerio, acertadas de lleno por los obuses que poco antes habían dirigido los Amal contra el cuartel de la Sexta Brigada, bastante cercano en línea recta, habían quedado destapadas y de una de ellas asomaba un cráneo de mujer. Un cráneo con cabellos largos, lisos y castaños como los de Ninette.

«No...» resolló.

«¿Qué ocurre? ¿Qué te pasa?» preguntó Azúcar, al tiempo que continuaba dilatando las inmensas ventanas de su nariz.

«Nada, jefe» respondió.

Para llegar al Veintisiete Lechuza tuvieron que surcar la barahúnda de los vehículos blindados y los jeeps que obstruían la glorieta de la embajada de Kuwait, girar en la Avenue Chamoun y entrar en el Veintisiete. Llegados a él se detuvieron a los pies de la escalinata que conducía al observatorio y Azúcar se apeó con las pilas que llevaba a Sandokan, en cambio Angelo se quedó en el jeep esperándolo. Eran casi las diez, y en aquel punto ya no caían bombas. Ahora todo el fuego de los Amal se concentraba sobre la carretera ocupada por los gubernamentales y sobre la parte meridional del barrio. Pero desde el foso los morteros de la Sexta Brigada disparaban con la furia de antes, y junto con el sordo tun-tun-tun de las 12,7 el estruendo de las granadas disparadas ensordecía. Al ensordecer apagaba la débil voz de Roberto que con su chichón en la cabeza, su ojo cerrado, su uniforme desgarrado y sucio de orina, acusaba de sus desgracias a Jesús.

–2–

«Las nueve y media. Jesús. Y él no viene. No vuelve, no viene. Me ha olvidado de verdad, como un paraguas. Y tú no has movido un dedo para refrescarle la memoria, recordarle que me ha dejado solo. No te importa nada que me duela tanto la cabeza, que esté ciego de un ojo, que me haya orinado encima, que esté a punto de morir. Te traigo sin cuidado, sin cuidado. A ti no te gustan los muchachos formales que no beben y no juegan en el Casino, que no derrochan dinero y no se van de putas. Los muchachos formales que no tocan a su novia ni siquiera con preservativo, que renuncian al hachís, que se quitan el pendiente a lo James Dean, que quieren a su papá y a su mamá, que no dicen palabrotas. Prefieres a los tipos de su clase, los tipos sin corazón que por un simple estornudo dicen coño, recoño. Bueno, pues ahora lo digo yo: ¡Coño, recoño! Estoy muy irritado, Jesús. Mucho. Y contigo más que con él. Porque por Sandokan yo nunca he sentido demasiada simpatía. Nunca he tomado en serio sus bravatas. Nunca he podido soportar su barbaza rubia y el aspirador lo he pasado siempre por su pringosa moqueta de mala gana. En cambio, ¡por ti! El cielo habría barrido por ti, ¡el cielo! Por ti iba a misa todos los domingos, ayunaba, y comulgaba. Por ti no votaba comunista. Sí, yo te consideraba un gran hombre, Jesús. Un hombre valeroso, generoso, un santo. Creía en tus milagros. Aunque no estuviera convencido y me pareciesen cosas de prestidigitador, creía en la historia de que caminabas sobre el agua, multiplicabas los peces, devolvías la vista a los ciegos, resucitaste a Lázaro. Conque escúchame bien, Jesús: sobre el agua no camina nadie, los peces se multiplican solos con los huevos, y a los ciegos se les devuelve la vista sólo con los transplantes que en tus tiempos no existían. En cuanto a Lázaro, si resucitó quiere decir que no estaba muerto o estaba en estado de catalepsia. En una palabra, yo ya no te creo. Y como ya no te creo, ya no te rezo. Coño, recoño, llevo cuatro horas rezándote, siguiéndote la corriente, prometiéndote esto y lo otro, si Sandokan se acuerda de mí. Y tú no te molestas siquiera en refrescarle la memoria. Si vuelvo a Sanremo, yo me vengo, Jesús. Se acabaron las misas, los ayunos, las comuniones. Voto comunista, me vuelvo a poner el pendiente a lo James Dean, empiezo otra vez a fumar hachís. Y en el cine, en la parada del tranvía, en las tiendas, paso delante de quien sea. Viejos incluidos. Y derrocho dinero, juego en el Casino, me emborracho. Me voy de putas. Cambio de vida, me hago ateo y malo. ¡Culpa tuya! Pero no saldré vivo de ésta, lo presiento. No volveré a Sanremo, lo presiento. Me duele demasiado la cabeza y el ojo. Y tengo frío. Madre mía, qué frío. Es el frío de la muerte, lo sé. Estoy a punto de morir, lo sé. Me muero. Culpa tuya, ¡culpa tuyaaa!

La voz débil se dilató en un gemido tan agudo que Angelo se volvió de golpe. Ya en el momento en que Azúcar se había dirigido escalinata arriba le había parecido oír un rumor quejoso y enfurecido, pero después el tronar de los morteros y el tun-tun-tun de las ametralladoras lo habían apagado, y había concluido que se había equivocado. En cambio ahora estaba seguro de haber oído las palabras estoy-a-punto-de-morir, me-muero, culpa-tuya, culpa-tuya, y escrutó en la obscuridad apenas interrumpida por los relámpagos de las explosiones. ¿Vendría del jeep de Sandokan? Se acercó a él. Se puso a mirar con la linterna. No vio a nadie y entonces se alarmó.

«¿Quién va?»

Le respondió un grito de alivio.

«¡Yo! ¡Soy yo, Roberto! ¡El conductor de Sandokan!»

«¿Y dónde estás?»

«¡Aquí, estoy aquí! ¡Debajo del jeep!»

Se arrodilló en el suelo, apuntó la linterna entre las ruedas, y el haz de luz verde iluminó un uniforme desgarrado después una carita manchada de sangre y de barro que lo miraba con una sola pupila.

«¿Qué haces ahí abajo?»

«¡Esconderme! ¡Estoy herido! Y tú, ¿quién eres?»

«Soy un sargento del Cuartel General, me llamo Angelo. Sal de ahí, Roberto.»

«¿Un ángel? ¡Oh, Jesús! ¡Gracias por haberme escuchado! ¡Perdóname por no haberte creído! No sabía lo que decía... ¡No volveré a decir esas cosas!»

«Sal, Roberto. Déjame ver si estás herido de verdad.»

«¡No! ¡Fuera disparan! ¡No!»

«No te disparan a ti. Ven, que te ayudo.»

Lo sacó. Lo apoyó en el costado del jeep, lo examinó. Al tiempo que lo consolaba, vamos, no-es-nada, cogió el paquete de primeros auxilios. Le limpió el ojo lleno de tierra y de sangre coagulada, y le vendó la cabeza. Después lo acompañó hasta el tanque del Veintisiete, lo confió al jefe del tanque, y cuando volvió atrás ya no pensaba ni en la carta ni en el ancla en forma de cruz ni en Passepartout ni en el cráneo con cabellos largos y lisos y castaños como los de Ninette. De vuelta al tiempo del calendario y del reloj, sólo se preocupaba de elaborar reflexiones sobre la forma de poner en práctica las cosas aprendidas en los asaltos a las fortalezas imaginarias, es decir, en la guerra hecha en Livorno por juego. Pero, ¿acaso no sucede así siempre o casi siempre en la vida? Adviertes una amenaza, te angustias, te preparas con todas las fibras de tu yo y, en el momento en que se realiza o empieza a realizarse, la pierdes de vista. No piensas más en ella. Algo, un muchacho aterrado y convencido de haber sido socorrido por un ángel, por ejemplo, te ha distraído precisamente cuando deberías haber sacado las conclusiones.»

«He estado pensando en lo que podríamos hacer, jefe» dijo, en cuanto Azúcar volvió a salir de la obscuridad.

«¿Ah, sí?» gruñó Azúcar con expresión absorta.

«Podríamos repartirnos las tareas, separarnos a medio camino.»

«De acuerdo...»

«Mientras usted va al Veinticinco y al Veintidós, yo podría detenerme en el Veinticinco Alfa. Podría recoger a los dos infantes de marina del mirador.»

«De acuerdo...»

«Podría llevarlos al Veintiuno y nosotros dos podríamos volver a encontrarnos allí.»

«De acuerdo, de acuerdo...»

Volvieron a ponerse en marcha. Tras recorrer las callejuelas que desde la explanada del Veintisiete conducían al centro de Chatila, se dirigieron por la carretera ahora totalmente en manos de los gubernamentales. Detrás de los M113 que martirizaban Gobeyre con las Browning de 12,7 no se divisaba ni siquiera el tanque del Veintitrés, semioculto por los M48 que cañoneaban con los proyectiles de 105 el del Veintiuno: parecía un despojo abandonado en la playa por una marejada, y la fosa común bullía de militares con uniforme de la Sexta o de la Octava. Al grito de ialla-ialla rechazaban a quien se acercara y no dejaban pasar a ningún vehículo que no les perteneciese. Aparcaron el jeep cerca de un muro, se dirigieron a pie hacia la calleja que conducía al Veinticinco Alfa y después al Veinticinco y a la Avenue Nasser: el único trecho desierto. Vacilaban en entrar en él, explicó un oficial de la Octava, porque sólo de asomarte podías recibir una ráfaga en enfilada.

«¿Y ahora, qué?» preguntó Angelo.

«Pues que nos lanzamos igual» respondió Azúcar.»

«Bien.»

«Derechos hasta el Veinticinco Alfa, y allí nos separamos.»

«Bien.»

«De aquí al Veinticinco Alfa hay unos trescientos metros en dirección sudeste, por tanto el lado derecho es el más expuesto al fuego y debemos mantenernos en el lado izquierdo. ¿Está claro?»

«Está claro.»

«A ras del muro y con la cabeza baja. ¿Entendido?»

«Entendido.»

«¿Estás listo?»

«Listo.»

«¡Adelante!»

Dieron la vuelta a la esquina de un salto. Con los ojos atentos, los oídos aguzados, los nervios firmes y la mente contraída en el único pensamiento que tenía importancia, el pensamiento de llegar ilesos al objetivo, se lanzaron por el lado izquierdo y echaron a correr: los recibió al instante un crepitar de ráfagas. Las ametralladoras y los Kalashnikov que Bilal había apostado en todas las ventanas de la Avenue Nasser. Parecían dos liebres apuntadas por hordas de cazadores ocultos en los apostaderos o tras las enramadas, y como dos liebres corrían: ora saltando ligeros en busca de un ángulo más obscuro, ora frenando de golpe para aplastarse contra un hueco y después lanzarse de nuevo hacia delante. Pero no eran liebres. Eran profesionales refinados en el arte de medirse con el riesgo de los riesgos, el riesgo de morir. De ese arte conocían todas las reglas, todos los trucos, y su valor se parecía muy poco al arrojo heroico de quien se ve impulsado por un entusiasmo o una pasión: era el valor lúcido, frío, calibrado al milímetro, de los acróbatas o los stuntmen que saben actuar sin pasarse, y sabiéndolo saben captar el instante justo para saltar de la plataforma: agarrar el trapecio o lanzarse de un tren en marcha y aterrizar en el punto en que los espera el colchón. Vamos, ya. Sin concederse vacilaciones ni incertidumbres, sin tener demasiada confianza en su bravura y en su infalibilidad, sin entregarse a optimismos ni pesimismos. Eran máquinas perfectas y juntos formaban una pareja perfecta: un binomio casi sobrehumano. En determinado momento, Angelo, gracias a sus largas piernas y a su juventud, había logrado adelantar a Azúcar que encabezaba la carrera; amparado en una mayor experiencia y en el orgullo del maestro que no puede dejarse humillar por el discípulo, Azúcar había vuelto a sacar ventaja en seguida: pero una ráfaga le había pasado rozando y Angelo había vuelto a adelantarlo para protegerlo con su cuerpo. Entre uno y otro se había iniciado, pues, una competición para protegerse mutuamente, alternarse con la destreza de los malabaristas que se intercambian el sitio, vamos, ya, lo que había perfeccionado aún más la empresa. De ese modo llegaron a la casa de tres pisos sobre cuyo tejado estaba el mirador del Veinticinco Alfa. Y allí se detuvieron jadeantes para intercambiar una ojeada de admiración recíproca. Bien Azúcar, bien Susto. Después, se separaron.

«Que tengas suerte, muchacho.»

«Usted también, jefe.»

«Ten cuidado ahí arriba...»

«Usted tambien, ahí abajo...»

«Desde luego.»

Y Azúcar superó la curva solo.

* * *

Derecho como una plomada sobre la Avenue Nasser y por tanto expuesto totalmente a las ráfagas de Gobeyre, el trecho de doscientos metros comprendido entre el Veinticinco Alfa y el Veinticinco parecía la diana de un tiro al blanco reservado a quien deseara desperdiciar balas. Los disparos caían sobre él desordenados e incesantes, con el único fin de disuadir de su avance a los gubernamentales, las puertas atrancadas negaban el menor abrigo, y tampoco existían entrantes en los que aplastarse o agujeros en los que meterse. La única ventaja radicaba en que las bengalas gracias a las cuales Gassán había desintegrado a Bilal, se habían vuelto a apagar, cosa que favorecía a Azúcar que después de la curva había echado a correr de nuevo pero de forma diferente. Cinco o seis pasos a lo largo del muro de la izquierda y después, con un salto, en diagonal hacia el muro de la derecha; ocho o nueve pasos a lo largo del muro de la derecha y después, con otro salto, en diagonal hacia el muro de la izquierda. Zig-zag, zig-zag. Pero su profesionalidad había perdido brío, ahora que Angelo ya no lo presionaba y sus facciones revelaban un secreto malestar. Un pesar recóndito.

Lo revelaban ya antes de que se lanzase por la callejuela del Veinticinco Alfa. Tal vez por la obscuridad, Angelo no había notado que mientras recorría la Rue de l'Aérodrome y después el camino que bordeaba el cementerio musulmán Azúcar dilataba las inmensas ventanas de su nariz. Y aunque lo hubiera notado, se habría preguntado en vano qué olfateaba. Olfateaba un hedor que a aquella distancia sólo él podía sentir: el hedor acre, penetrante, que impregna el aire durante un combate. El hedor a cenizas y azufre que un olfato no ejercitado en la guerra puede confundir con un inocuo olor a medicinas, a antiséptico rociado para desinfectar, y que en realidad es el hedor maléfico odioso venenoso de la pólvora. El hedor de la batalla. A Azúcar siempre le había gustado el hedor de la pólvora, el hedor de la batalla. «¡Qué perfume de fulminante, de fósforo, de tritol! ¡Qué buen perfume de limpio! Lo metería en un frasco y me lo llevaría a casa» había dicho siempre, ensanchando con voluptuosidad su gran nariz en forma de berenjena. En cambio mientras recorría la Rue de l'Aérodrome y después el camino que bordeaba el cementerio musulmán no le había gustado. Y en el Veintisiete Lechuza, en los callejones, en la carretera en que arreciaba el fuego, aún menos. Con estupor había captado en él un efluvio a sucio, a podrido, que le daba náuseas y le dejaba sin respiración. A eso se debía el secreto malestar, el pesar recóndito. Pero, distraído por la presencia de Angelo, no había comprendido de qué malestar se trataba, de qué pesar, y ahora que corría a solas consigo mismo lo comprendía. Era lo que nunca había experimentado al ver las casas deshechas, los cadáveres, el espectáculo que su moral aceptaba, lo que nunca habría imaginado que jamás experimentaría ni imaginaría siquiera: la nostalgia del período en que trabajaba de perito técnico en Busto Arsizio y marcaba la tarjetita que al caer en el dispositivo emitía el aborrecido tric-trac, el tric-trac del aburrimiento burgués. Era el pesar de haber renunciado a aquel aburrimiento por la profesión que llamaba la-profesión-más-hermosa-del-mundo, una-profesión-que-no-cambiaría-ni-siquiera-para-ser-rey-o-multimillonario, y que aun así calificaba como la-profesión-de-matar. Era el pesar por haber dedicado veinte años al culto de los artefactos que coleccionaba como los zares coleccionaban los inigualables huevos de Fabergé o Jean duque de Berry los preciosos manuscritos miniados de Paul de Limbourg: las ametralladoras pesadas y ligeras, las pistolas y los bazookas, los cohetes y los misiles, las granadas perforantes y las bengalas, las mechas detonantes y deflagrantes, las bombas de humo y lacrimógenas, de mano y de relojería, de fusil y de mortero, las minas contra tanques y contra hombres y contra búnkeres, los diferentes tipos de fulminantes y dinamitas y pentritas, las cabezas de muñeca y los gatitos de yeso, los juguetes que estallaban en la cara de quien los recogía. Era el repentino, inesperado, insospechado descubrimiento de haber desperdiciado su vida venerando una profesión en la que de pronto ya no creía. Es atroz descubrir que has desperdiciado tu vida venerando una profesión en la que ya no crees. Tal vez sea peor que descubrir que la has desperdiciado batiéndote por una idea equivocada o sacrificándote por una persona indigna. Y pensando en eso concluyó la carrera en zigzag, desembocó en el ensanche del Veinticinco, llamó.

«¡Neblí! ¡Soy Azúcar, Neblí!»

Le respondió un crepitar de disparos de fusil que lo devolvieron totalmente a su profesionalidad. Se arrojó rápido a tierra, rodó rápido hasta el recinto del puesto de guardia bajo la higuera, y... ¿Qué había tocado, diantre? Un bulto frío. Blando y frío. Encendió la linterna. La luz verde iluminó un cuerpecito rígido y compuesto como sobre un catafalco. Párpados bajados, manitas cruzadas sobre el corazón, piernecitas alineadas. El cuerpo de un niño muerto a consecuencia, seguro, de una onda espansiva o de un golpe muy violento. En efecto no se veían ni heridas ni manchas de sangre: sólo una extraña salsa de la que junto con fragmentos de comida estaba embadurnado de la cabeza a los pies. Apretó las mandíbulas. Sintió una fuerte picazón en la garganta, casi una necesidad de llorar. Apagó la linterna, esperó a que la picazón pasara, después aprovechando cuidadosamente la obscuridad salió fuera arrastrándose. Se puso a buscar el tanque que no se veía, llamó de nuevo:

«¡Neblí! ¿Me oyes, Neblí?»

Le respondió un tintinear imprevisto, esta vez. El tintinear de una olla vacía en la que había chocado con el codo y que rodaba entre las piedras. Siguió arrastrándose perplejo, chocó de nuevo con ella, y la olla voló hacia el cráter de bomba donde cayó golpeando algo que resonó con un sonido metálico. ¿Metálico? Se acercó incrédulo hasta el borde del cráter, y allí estaba el tanque que había resbalado hacia atrás en posición casi vertical. Allí estaba un bersagliere que abría la trampilla anterior y se asomaba con aire de buscar el objeto que había caído golpeando el tanque.

«¡Neblí!»

«El capitán está con los demás en la casa de Habbash, mi teniente» murmuró Ferruccio. Y al ver la olla la cogió con un gemido.

«¿En la casa de Habbash?»

«Sí. Aquí estamos sólo dos.»

«¿¡¿Sólo dos?!?»

«Sí. Órdenes del coronel.»

«¿¡¿Y el tanque en el cráter?!?»

«Órdenes del coronel.»

¡Órdenes del coronel! ¡Sin informar de ello a la Sala de Operaciones! ¡Sin pedir siquiera permiso al Cóndor! Pero, ¡eso era abandono del puesto, delito manifiesto, según el artículo 342 de los Principios de Disciplina Militar! ¡Como para acabar en un Consejo de Guerra! ¡Se lo diría a Neblí, se lo diría a Águila Uno! Y por un instante Azúcar volvió a ser el rígido Azúcar del Reglamento. El inexorable Azúcar que sostenía que un-soldado-no-debe-discutir, debe-obedecer-y-se-acabó. El implacable Azúcar que se decía listo para degollar a la-periodista-de-Saigón si el general se lo ordenaba. El inevitable Azúcar maltrataba a Gino, que ponía en la picota a Rocco, que te mandaba a buscar las estrellas en el bosque y te castigaba si en lugar de estrellas encontrabas níscalos, el inflexible Azúcar al que le gustaba el hedor de la batalla. Qué-buen-perfume-de-limpio. Pero un instante apenas.

«Comprendo, bersagliere, comprendo. ¿Y qué haces con esa olla?»

«Quisiera conservarla de recuerdo, mi teniente... Era de un amigo mío... Un niño que ha muerto por venir a traerme el hummus con shauarma...»

«¿El niño que está en el puesto de guardia bajo la higuera?»

«Sí. La tenía en la mano cuando ha muerto... ¿Puedo quedármela?»

«Sí, bersagliere, desde luego.»

Y después no dijo nada a Neblí. Se limitó a entregarle las pilas y aconsejarle que cubriera las cajas de pentrita con los sacos de arena. No dijo nada tampoco a Águila Uno, completamente ahogado ya en un océano de espanto e impotencia. Además habían sido tan difíciles los doscientos metros de la callejuela que unía el Veinticinco al Veintidós. Habían anulado cualquier residuo de respeto por los artículos de los Principios de Disciplina Militar. Y en el Veintidós el hedor de la batalla era tan nauseabundo. No emanaba sólo de los componentes químicos de la pólvora: subía de los cadáveres que atestaban la placita, la calleja que conducía a la Torre, la Avenue Nasser. No olía sólo a cenizas y a azufre, a medicinas, a antiséptico rociado para desinfectar: olía a sangre.

«Le he traído las pilas, mi coronel.»

«¡Oh, Azúcar! ¡Que Dios lo bendiga, Azúcar! ¿Ha sido duro?»

«No, no, mi coronel.»

«¿Se ha detenido también en el Veinticinco? ¿Ha visto a Neblí?»

«Sí, sí, mi coronel.»

«¡Ha sido una buena idea, ¿verdad?, instalarlo en la casa de Habbash y bajar el tanque al cráter!»

«Excelente, mi coronel.»

Entretanto, en el Veintiocho Alfa Angelo intentaba convencer a Luca y a Nicola para que abandonaran el mirador y lo siguieran.

–3–

No había sido un juego llegar hasta ellos. El muro de la casa de tres pisos al que estaba fijada la escalera de mano recibía gran parte de las balas, algunos travesaños habían sido truncados por las ráfagas y para subir tenías que plantar con frecuencia los pies en la pared, que no ofrecía puntos de apoyo: todo retrasaba el ascenso y multiplicaba el peligro y al menos un par de veces había creído que no lo lograría, que se dejaría incluso la piel. Y sin embargo lo había logrado. Se había izado a pulso hasta la terraza, con paso de leopardo se había arrastrado hasta la garita del mirador, y: «Muchachos, he venido a recogeros. Moveos, rápido.» Pero ellos no se habían movido, y era inútil intentar vencer su resistencia con amabilidad y persuasión. Como pulpos pegados con ventosas a la roca, se aferraban cada vez más a aquella garita. Cada ventosa un nido de tozudez.

«Es usted muy amable, mi sargento, muy cortés. Pero yo no voy. Prefiero rezar. Salve Regina...»

«¡Vamos, marinero, valor!»

«Pero es que están disparando, mi sargento, ¡están disparando! ¿No ve que están disparando?»

«Sí que lo veo. Por eso he venido a recogeros.»

«Se lo agradezco, mi sargento. Pero yo me quedo aquí. Aquí hay sacos de arena. Salve Regina...»

«El tanque es mejor que los sacos de arena, marinero. Vamos al tanque del Veintiuno, ánimo.»

«No, no. Está lejos el tanque del Veintiuno. Y yo no quiero morir de ningún modo. Yo quiero vivir, maldito Hemingway, ¡quiero volver a Venecia, volver a ver a mi padre, a mi madre, a Ines y a Donatella! No me interesa hacerme un hombre, demostrar que tengo arrojo. ¡No lo tengo, mi sargento! Salve Regina...»

«Sí que lo tienes. ¡Ánimo!»

«No lo tengo, no lo tengo. Lo he comprendido que no lo tengo. Yo soy un niño, mi sargento. Un niño que quiere seguir siendo niño en los jardines de Kensington como Peter Pan. No me gusta afrontar los toros y los leones y la guerra, ¡maldito Hemingway! Déjeme rezar. Salve Regina...»

«Después rezarás. ¡Ánimo!»

«No, no, rezo ahora. Salve Regina, madre misericordiosa, vida, dulzura, esperanza nuestra. A ti clamamos, desterrados hijos de Eva, a ti suspiramos gimiendo y llorando en este valle de lágrimas. ¡Ea, pues, señora, abogada nuestra, vuelve a nosotros esos tus ojos misericordiosos! ¡Muéstranos a Jesús, fruto bendito de tu vientre! ¡Oh, piadosa! ¡Oh, clemente! ¡Oh, dulce Virgen María!

En cuanto a Nicola, era peor. Porque a la tozudez Nicola añadía una locuacidad cargada de argumentos. Y no había forma de hacerlo callar.

«Mi sargento, usted nos dice "ánimo, ánimo". Pero Luca valor ha tenido. Porque es un señor, Luca, su padre conoce a los ministros. Si hubiera querido, se habría podido librar. En cambio, prefirió dar crédito a ese de los toros que se disparó en la boca y venir aquí. En cuanto a mí, no soy un cobarde. Una vez participé en una competición de motocross y la gané. Unos saltos que quitaban la respiración. El público aplaudía y gritaba: "¡Hostias, qué valor tiene ése!" Porque hace falta valor para correr en motocross, ¿verdad? ¡Es un deporte peligroso! Otra vez conduje el Fiat de tía Liliana por la autopista mojada y un canalla me adelantó por la derecha. Como para dar un volantazo repentino y perder el control del coche: matarse. Y yo no di un volantazo. Mantuve el control y tuve valor. Pero la guerra no es una autopista mojada, mi sargento. ¿Me explico?

«Te explicas, Nicola, pero ahora vamos.»

«No, mi sargento, no, tengo demasiado miedo. Tengo tanto miedo que lloraría como lloraba al desembarcar, cuando todos se burlaban de mí y decían riendo dadle-el-biberón. Del miedo no siento siquiera el hambre, no siento siquiera la sed, no siento siquiera el sueño ni el frío. Siento sólo una gran rabia contra los ministros que me mandaron a Beirut. ¡Qué granujas! Si pudiera los fusilaría en persona. Yo que el año pasado escribí en la escuela que la pena de muerte no es civilizada. Escribí que no hay que fusilar a nadie, ni siquiera a los delincuentes, ni siquiera a los asesinos, porque la vida es sagrada... Los fusilaría, sí, y les diría: para que aprendas a mandar a los muchachos de diecinueve años a Beirut. Para que aprendas a colocarlos en lo alto de un mirador a observar la bandera francesa y a la mujer desnuda que enciende y apaga la luz. ¿Me explico?

«Te explicas, Nicola, te explicas. Pero ahora muévete.»

«No, mi sargento, no. No puedo... Mi sargento, sé que ha arriesgado usted la piel para venir aquí arriba a recogernos, y le agradezco su gentileza. Pero yo no me voy de este mirador. Estoy aquí desde anoche a medianoche: casi veinticuatro horas, mi sargento, y ya no puedo más. Pero yo no me voy de aquí. Se lo he dicho también al capitán Neblí que por la radio nos ordenaba bajar. Le he dicho: mi capitán, si bajo, me gano una descarga y no vuelvo a Rávena. Mi sargento, ¡yo quiero volver a Rávena con mis padres y mi tía Liliana! Luca quiere volver a Venecia y yo quiero volver a Rávena. ¿Verdad, Luca?»

«¡Sí, sí, yo quiero volver a Venecia! ¡Y aquí están los sacos de arena! Salve Regina, madre misericordiosa, vida, dulzura, esperanza nuestra...»

En cierto sentido no andaban descaminados. Los sacos de arena envolvían el mirador formando un pequeño búnker, protegían con eficacia contra las balas y las esquirlas, y pese a su mala situación constituía un refugio bastante seguro: Angelo lo comprendía tan bien que al llegar arriba se había preguntado si no serían excesivos los temores expresados en la Sala de Operaciones. Si tenía sentido llevárselos de allí, es decir, exponerlos al fuego que caía sobre la calle. Pero de improviso se estremeció, tuvo un sobresalto que no nacía de la impaciencia sino de una intuición precisa, y los agarró brutalmente. Los puso de pie, les colocó los fusiles a la espalda, los sacó a la fuerza de la garita, los empujó hacia la escalera de mano.

«¡Fuera de aquííí! ¡Bajad, rápidooo!»

Cogidos por sorpresa, intimidados por el mal trato inesperado, Luca y Nicola obedecieron pero en el primer peldaño roto resbalaron y cayeron cuan largos eran y gimiendo no-por-favor-no, estoy-demasiado-cansado, no-por-favor-no, me-falta-la-respiración. Entonces los puso de pie de nuevo cogiéndolos por un brazo los arrastró como trineos al tiempo que gritaba corred-por-Dios-corred, y apenas se habían alejado cincuenta metros de la casa cuando un silbido agudísimo desgarró el aire. Una granada cayó sobre el tejado, se metió entre los sacos de arena y estalló dentro del mirador. Después a ésa se sumaron una segunda, una tercera, una cuarta: todas procedentes de Gobeyre. Un silbido y un estallido, un silbido y un estallido, una llamarada amarilla, un muro que se desplomaba mientras Luca y Nicola continuaban lloriqueando no-por-favor-no, estoy-demasiado-cansado, no-por-favor-no, me-falta-la-respiración, y mientras él seguía arrastrándolos como trineos, gritando corred-por-Dios-corred. Llegó a la carretera tan extenuado que se desplomó junto al muro y necesitó bastante tiempo para recuperarse, confiar los dos trineos al cabo del Veintiuno, llamar a Azúcar, decirle que los había puesto a salvo.

«Misión cumplida, jefe. Estoy en el Veintiuno.»

«Te felicito, Susto» respondió Azúcar. «Yo estoy en el Veintidós y en cuanto disminuya el pitote me reúno contigo. Pero ¿dónde estabas cuando el mirador saltó por los aires?»

«Abajo, jefe. Hacía apenas un par de minutos que me los había llevado de allí...»

«¿Apenas un par de minutos? ¡Alguien estaba rezando por ti, Susto! Un milagro.»

«Una coincidencia afortunada, jefe.»

Una coincidencia afortunada. La enésima prueba de que en la entropía de Boltzmann todo puede suceder: incluso que dos partículas a punto de chocar, por ejemplo una bomba y el individuo o los tres individuos a los que debe acertar la bomba, no se encuentren en el último instante para favorecer la vida en lugar de la muerte. O tal vez no: ¿habría sido de verdad un milagro y habría rezado alguien de verdad por él? Pensándolo bien, no sabía explicarse por qué había sentido de improviso el impulso de agarrar a Luca y a Nicola, sacarlos a la fuerza de la garita, empujarlos hacia la escalera de mano... Pero no, había sentido el impulso por azar: afortunadas o no, las coincidencias suceden siempre por azar. Y el azar es un episodio fortuito, imprevisible y por tanto inexplicable. ¿Sabes cuántos episodios fortuitos, imprevisibles y por tanto inexplicables preparaba el azar en ese momento? Miró a su alrededor. En la carretera la barahúnda proseguía, pero en el Veintitrés los M113 de la Sexta habían despejado el pasaje para dejar pasar a los cuatro vehículos que habían traído a la tropa y también ésa era una coincidencia afortunada: un azar que favorecía el envío de refuerzos si el Cóndor se decidía a mandarlos... En cambio a la placita del Veintidós se habían trasladado los disparos que antes caían sobre la callejuela del Veinticinco Alfa, y ésa era una coincidencia muy desafortunada: un azar que perjudicaba a Azúcar, Águila Uno, los bersaglieri del tanque, y los infantes de marina refugiados con Rambo en la casucha amarilla. Qué idea tan estúpida la de refugiarlos allí. Era un montón de ladrillos podridos, aquella casucha amarilla: habría bastado una esquirla para hacerla cisco. Apretó los labios. Se sentó en el jeep, encendió las luces del salpicadero, ansioso por lavarse el cerebro con pensamientos que lo distrajeran buscó una hoja de papel. Se puso a tomar apuntes para intentar resolver el teorema en que había pensado en la Sala de Operaciones cuando estaba atormentándose por Ninette. El del uno mayor que el cero, en apariencia tan evidente pero-las-cosas-evidentes-son-siempre-las-más-difíciles-de-demostrar. Partir del axioma de que el uno existe, de que el cero existe, de que el uno y el cero son diferentes, se dijo, y después avanzar con una tricotomía. Tener en cuenta que, dados los elementos a y b, tienes tres hipótesis por considerar: que a sea igual a b, que a sea mayor que b, que a sea menor que b. Descartar la hipótesis de que a sea igual a b, ya anulada por el axioma gracias al cual has establecido que uno es diferente de cero, y considerar las otras dos: que a sea mayor que b, es decir, que uno sea mayor que cero, y que a sea menor que b, es decir, que uno sea menor que cero. Desarrollar el teorema por reducción al absurdo, es decir, basándose en que, si una hipótesis es correcta, la otra es errónea. Es decir, demostrar que la hipótesis uno-menor-que-cero es errónea y... ¿Y si alguien hubiese rezado de verdad por él? ¿Y si ese alguien hubiera sido Ninette? ¿Y si Ninette hubiese rezado porque hubiera visto las granadas que caían sobre Chatila? ¿Y si las hubiese visto porque se encontrara de verdad en la zona occidental? No le faltaba valor para acudir en el momento en que arreciaba una batalla...

Y sobre eso no se equivocaba.

* * *

Es el resorte de la vida, el valor. Encendimos el fuego porque tuvimos valor. Salimos de las cavernas y plantamos la primera semilla porque tuvimos valor. Nos lanzamos al agua y después al cielo porque tuvimos valor. Inventamos las palabras y los números, afrontamos las fatigas del pensamiento, porque tuvimos valor. La historia del Hombre es ante todo y sobre todo una historia de valor: la prueba de que sin valor no haces nada, de que si no tienes valor ni siquiera la inteligencia te sirve. Y el valor tiene muchas caras: la cara de la generosidad, de la vanidad, de la curiosidad, de la necesidad, del orgullo, de la inocencia, de la inconsciencia, del odio, de la alegría, de la desesperación, de la rabia, e incluso del miedo al que con frecuencia va unido por un vínculo casi filial. Pero existe un valor que nada tiene que ver con estos tipos de valor: el valor ciego y sordo e ilimitado, suicida, que nace del amor. No tiene límites el valor que nace del amor y por amor se realiza. No tiene en cuenta peligro alguno, no escucha forma alguna de raciocinio. Pretende mover las montañas y con frecuencia las mueve. En cambio a veces resulta aplastado por ellas. El caso, precisamente, de Ninette.

Pero Ninette está aún lejana. Ahora debemos seguir otro amor, otra tragedia que la batalla prepara: la de Rambo y Leyda que en la casucha amarilla están viviendo los últimos minutos de su pequeña felicidad.

–4–

«¡Rambo!»

Con las manitas apretadas en la cuerdecita de la que había colgado la medalla con el perfil de Jomeini, y despreocupada del infernal estruendo que no la impresionaba porque había nacido en él y no podía imaginar siquiera cuáles eran los sonidos de la paz, de la normalidad, durante todo aquel tiempo Leyda había seguido durmiendo en el colchón al fondo del cuarto. Junto a ella, su madre y su abuelo y el perro y la cabra: los personajes del belén soñado y reencontrado por Águila Uno. Pero cuando los cañonazos habían comenzado a martillear la Rue Argan se había despertado. Había visto a Rambo, había corrido hacia él, y ahora sentada en sus rodillas miraba fijamente y muy inquieta un objeto que nunca había visto antes: la medallita con la imagen de la Virgen María que colgaba de la cadena junto con la placa de identificación.

«¡Rambo! Lesh hamel mara ala sadrak? ¿Por qué llevas esa mujer al cuello?»

«¡Leyda!» protestó su madre. Pero Rambo sonrió con una sonrisa llena de ternura y tiró de la medalla con el perfil de Jomeini que colgaba de la cuerdecita.

«Ma enti lesh hamla ha rejjal? Y tú, ¿por qué llevas a este hombre en el pecho?»

«Lianna ha rejjal hua Jomeini, Rambo! ¡Porque este hombre es Jomeini!»

«Wa hel mara heya Mariam al Azraa, heya Madonna. Y esta mujer es la Virgen María, es Nuestra Señora. Betaarafi Madonna? ¿Sabes quién es la Virgen?»

«Ana a'arif! ¡Sí que lo sé! Ana a'arif! Heia mara batila! ¡Es una mujer mala!»

«La! ¡No, Leyda! Madonna mish batila, la Virgen no es mala. Heia miliha, es buena.»

«Mish sakieh! ¡No cierto! Mish sakieh!»

«Sakieh, Leyda. Es cierto.»

«La! ¡No! La! Madonna betaktol al atfal! ¡La Virgen mata a los niños! Ana a'arif! ¡Yo lo sé! Ana a'arif!»

«¡Leyda...!»

«Na'am! ¡Sí! Na'am! Ktir Madonna ejou fi Chatila, wa katalet ktir atfal. Vinieron muchas vírgenes a Chatila y mataron a muchos niños.»

«Leyda! Taali ya! ¡Ven aquí, Leyda!» protestó de nuevo su madre. Pero Leyda movió la cabeza.

«La, no. Beddi akun maa Rambo, quiero estar con Rambo.»

«Sa babdik, tapki ma tizigih! Si quieres estar con él, ¡no le molestes!»

«Ma tzigini, ja set. No me molesta, señora.»

¡Molestarle! ¿¡¿Molestar a él que para escucharla y responderle había aprendido incluso el árabe?!? Era el único consuelo que tenía, aquella criatura. Se parecía tanto a Mariuccia. La misma edad, el mismo rostro mofletudo, las mismas trenzas atadas con una goma... Bueno, no, al final a Mariuccia sólo le habían quedado los ojos: para introducir la sonda en la caja craneana la habían rapado al cero, y parecía la miniatura de una viejecita calva. El caso es que en el recuerdo no veía nunca la miniatura de una viejecita calva con la sonda introducida en la caja craneana. La veía como era antes de que la hidrocefalia la destruyese, con la carita mofletuda y las dos trencitas atadas con una goma... Por eso la primera vez que se la había encontrado en la placita se le había cortado la respiración y: «¡Mariuccia!» Después, mientras los infantes de marina lo miraban perplejos y la niña decía riendo ana-ismi-Leyda, me-llamo-Leyda, la había cogido de la mano murmurando: Ven, Mariuccia. Por eso dejaba que todos los días lo siguiera cuando iba de patrulla, kidni-maak, voy-contigo, Rambo. Con la ilusión de llevar consigo a Mariuccia resucitada, sana y resucitada, olvidaba incluso que el parecido radicaba sólo en una carita mofletuda y en dos trencitas atadas con una goma. Porque Mariuccia no era inteligente, no. Sobre todo antes de morir, no cesaba de juguetear con aquella medallita de la Virgen María o susurrar aquella monótona retahíla: «Bruja, brujiiina, patas de gallina... la noche se avecina... ahora con la carretiiita, me voy bajo la camita...» En cambio, ¡Leyda! De patrulla identificaba incluso a los tipos peligrosos. «Talla alai, talla alai! Cuidado con ése, Rambo, cuidado con ése!» Y nunca hablaba sin ton ni son. Ni siquiera la frase vinieron-muchas-vírgenes-a-Chatila-y-mataron-a-muchos-niños era una frase dicha sin ton ni son. Se refería a la matanza de Sabra y Chatila, a los falangistas que con la imagen de la Virgen en la culata del fusil habían repetido la matanza de Herodes. Se la acomodó mejor en las rodillas.

«Mish kanu Madonne, no eran Vírgenes, Leyda. Kanu asaker, eran soldados.

«Kanu Madonne! ¡Eran Vírgenes! Madonne lapsimzei asaker! ¡Vírgenes vestidas de soldados! Ana a'arif! ¡Yo lo sé!

Y tirándole de la medallita:

«Shila, Rambo! ¡Quítatela!»

«La, Leyda, no.»

«Lesh? ¿Por qué?»

«Liann hadeja, porque es un regalo. Hadeja! ¡Un regalo!»

«Wa mina ataki azihi al hadeja? ¿Y quién te ha dado este regalo?»

«Mariuccia.»

«Ojtek Mariuccia? ¿Tu hermana Mariuccia?»
«Na'am, sí.»
«Wa hallaa vein Mariuccia? Y ahora, ¿dónde está Mariuccia?»
«Maata, Leyda. Muerta.»
Había muerto como un pajarito en la nieve. Despacito, despacito... Así mata la hidrocefalia. Había muerto en casa, entre sus brazos. La sonda no había funcionado, el líquido del cerebro aumentaba por lo que los médicos del hospital la habían devuelto a casa donde durante meses él no se había separado de su cama. Siempre allí, siempre allí, sin hacer caso a quien le tiraba de la manga de la chaqueta y murmuraba basta-ya-vete-a-dormir-un-poco. Por cuidarla había perdido el empleo, un buen empleo de peón de albañil en la periferia de Cagliari, y con el empleo a su novia que cansada de sentirse preterida le había devuelto el anillo: «Esto es demasiado. ¿Es que yo no cuento?» Contaba, evidentemente. La quería y tenía intención de casarse con ella. Pero, ¿acaso podía dejar a Mariuccia en manos de quien murmuraba basta-ya-vete-a-dormir-un-poco, de quien la consideraba ya un estorbo? Con la cabeza atestada de agua, respiraba cada vez con mayor dificultad y ya no comía. Ya no hablaba. Aun cuando le canturrearas su retahíla bruja-brujina, patas-de-gallina, se limitaba a mirarte con pupilas indiferentes y nubladas. Sólo unos minutos antes de morir había tenido una vislumbre de lucidez. Le había señalado la medallita con la imagen de la Virgen María y: «¿La quieres? Si la quieres, cógela.» La había cogido. El día siguiente se había celebrado el entierro y habían comenzado los suspiros de mal disimulado alivio. Mejor así, pobre Mariuccia, ¡ha dejado de sufrir y de hacernos sufrir! ¡Ha volado al Paraíso!» ¿¡¿Al Paraíso?!? ¿Por qué debe volar al Paraíso una criatura de cinco años con la cabeza atestada de agua por la hidrocefalia?!? ¿Por qué debe marcharse sin saber lo que significa envejecer? La gente dice: «Es terrible envejecer, es una humillación ajarse, encanecer, arrugarse.» De acuerdo, lo es. Pero si no envejeces, mueres. Por tanto envejecer es también hermoso. Y morir de viejo es una conquista, un consuelo. Se había alistado en la Infantería de marina precisamente para olvidar el mal disimulado alivio con que la familia había acogido su muerte, es decir, el fin de las molestias: lo de mejor-así-pobre-Mariuccia-etcétera. Esperaba que la lejanía y el uniforme lo ayudaran a recuperar un poco de confianza en el prójimo, la alegría de cuando ella estaba viva y tenía la carita mofletuda, las trencitas atadas con una goma. Lo malo

es que la lejanía y el uniforme no lo habían ayudado a recuperar nada de nada: en el lapso de tres alistamientos no había hecho ni un amigo siquiera. Tampoco había substituido a la novia del esto-es-demasiado, yo-no-cuento, había llegado a ser un buen infante de marina y nada más: un musculosísimo Rambo que se mantiene apartado de todos y sólo abre la boca para gruñir lo indispensable. Después había venido a Beirut, ¿y cómo explicar su amor por Mariuccia resucitada en Beirut? Una vez había visto la fotografía de una familia vietnamita muerta en un bombardeo de Saigón, y entre los cuerpos de los adultos desmembrados estaba el de un recién nacido: tendido en una estera, desnudo e intacto. A saber por qué los niños y en particular los recién nacidos asesinados por la guerra quedan casi siempre intactos, desnudos e intactos... Tal vez porque son tan ligeros y las explosiones los hacen volar como plumas, en una palabra porque los mata la bofetada de aire que los desnuda... Y ante la idea de que Leyda acabara como el recién nacido de Saigón, el que había quedado desnudo e intacto, ante la idea de que Mariuccia muriera una segunda vez...

«Lau Mariuccia matet, ehza keladat Madonna! Si Mariuccia murió, ¡puedes quitarte la Virgen!»

«La, Leyda, no...»

«Shilha! ¡Quítatela, Rambo! Shilha! Lau shelti Madonna, astik Jomeini! Si te quitas la Virgen, ¡te doy mi Jomeini!»

«La, Leyda, no...»

«Jomeini milieh! ¡Jomeini bueno! Madonna batila! ¡La Virgen mala! Kul ala shani, dilo conmigo: Jomeini milieh, Madonna batila! ¡Jomeini bueno, la Virgen mala!»

«La, Leyda, no...»

«Na'am! ¡Sí! Na'am! Kul ala shani! ¡Dilo conmigo!»

«La, no...»

«Aamel maaruf! ¡Por favor! Aamel maaruf!»

«Tamam, vale: Jomeini milieh, Madonna batila. Jomeini bueno, la Virgen mala...»

«Batila, batila! ¡Mala, mala!»

«Batila, batila! ¡Mala, mala!»

De los nueve infantes de marina acurrucados de espaldas a la pared oriental, es decir, la pared que daba a la placita se alzó un coro de risas liberadoras. Ninguno de ellos había olvidado la tarde del horrendo domingo en que Rambo había tirado encima del mullah la tacita de café y después había susurrado a Fabio Judas-eres-un-Judas y oírle decir Jomeini-bueno-la-Virgen-mala era un acontecimiento.

«¡Muchachos! ¿Lo habéis oído, muchachos?»

«¡Huy, la leche! ¡Ésta sí que es como para contarla!»
«A Fabio hay que contársela, a Fabio!»
Pero Rambo no se inmutó. Y lanzando una mirada de entendimiento a la madre de Leyda que decía violenta tahali-honatenami, Leyda, ven-aquí-a-dormir, le tiró de las trencitas.
«Mapsula? ¿Contenta?»
«La, lessa mish. No, aún no.»
«Lessa mish? ¿Aún no?»
«La, no. Bakun mapsuta lau shelti Madonna. ¡Estaré contenta, si te quitas la Virgen!»
«¡Leyda...!»
«Aamel maaruf! ¡Por favor!»
«La'akdar, no puedo, Leyda.»
«Arguk! ¡Te lo ruego! Arguk!»
«Bueno, vale... Lau shelto Madonna, hat ruhe tentami? Si me quito la Virgen, ¿te vas a dormir?»
«Na'am! ¡Sí! Na'am! Wa hazizi hedejati! ¡Y yo te regalo un regalo!»
«Hadeja shu? ¿Qué regalo?»
«Na'am! I Jomeini!» ¡Mi Jomeini! Wa enta lazem telbezha daiman, y debes llevarlo siempre.»
«Daiman? ¿Siempre?»
«Daiman! ¡Siempre! Hal tahoubani? ¿Ya no me quieres?»
«Más de lo que te imaginas, Leyda, más de lo que te imaginas...» murmuró Rambo para sus adentros. Después se quitó la medallita de la Virgen María, se la metió en un bolsillo del uniforme, se puso al cuello la cuerdecita de la que colgaba la medalla con el perfil de Jomeini, alzó a Leyda, y fue a dejarla sobre el colchón del belén, junto a su madre y su abuelo y el perro y la cabra.
«Ya está. Lakín al an nami, pero ahora cierra los ojos.»
«El hanam! ¡Los cierro! El hanam!» gorjeó Leyda mientras él volvía a acurrucarse con los demás a la pared oriental. Y en ese preciso momento llegó el cohete.
Llegó de Gobeyre, y horadó la casucha amarilla con la facilidad de un cuchillo que se hunde en un trozo de mantequilla. La horadó en sentido horizontal, un par de metros por encima de la cabeza de Rambo y de los nueve infantes de marina, después describió una parábola hacia abajo y fue a estallar al fondo del cuarto con una llamarada de oro. Un resplandor más brillante que mil flashes centelleando en la obscuridad. Y al estallar iluminó por unos segundos a las cinco criaturas del belén, retuvo su imagen como una fotografía, por lo que Rambo tuvo tiempo de

mirar a Leyda una última vez y pensar ¡oh, Dios! Muere otra vez. ¡Oh, Dios! Un instante después hubo una detonación sorda, casi sofocada, y con la detonación un grito infantil: «¡Rambo!» Un grito breve pero tan agudo, tan nítido, que lo oyeron todos cuantos se encontraban en aquella zona de Chatila. También lo oyó Azúcar que tras dejar el Veintidós estaba cruzando otra vez el ensanche del Veinticinco, y alarmado volvió atrás al instante: se dirigió al Veintidós donde permaneció unos minutos petrificado de incredulidad. La casucha amarilla había dejado de existir. En su lugar se rebalsaba una densa polvareda de la que surgían los nueve infantes de marina de Rambo, harapientos, cubiertos de hollín y tierra, pero enteros y sin un arañazo. En efecto con la explosión el tejado había volado como un sombrero robado por el viento, la pared oriental se había abièrto en abanico para desplomarse sobre la placita y la oleada de esquirlas les había pasado por encima dejándoles ilesos. «¡Qué potra, chicos!» se felicitaban entre abrazos. «¡Nos ha tocado el gordo, chavales! ¡Esto es lo que se dice nacer de pie!» Delante de ellos, los bersaglieri que fuera del tanque gritaban ebrios de alegría vivos-estáis-vivos y Águila Uno balbucía: «Jesús, María y José, Jesús, María y José...» Por último Rambo que salía de la polvareda manchado de sangre y apretando contra su corazón un minúsculo cuerpo semienvuelto en la chaqueta del uniforme: una especie de marioneta desarticulada de la que colgaban dos breves trencitas negras.

«¡Rambo!» exclamó Azúcar.

La apretaba contra su corazón con el gesto posesivo y celoso de quien defiende un tesoro que le pertenece, y con paso de autómata avanzaba mirando fijamente algo que nadie más veía. Tal vez la escena fotografiada por sus pupilas cuando el resplandor más cegador que mil flashes había iluminado a las cinco criaturas del belén y mirando a Leyda se había dicho oh-Dios, muere-otra-vez, oh-Dios. Tal vez lo que había visto cuando ella había gritado «¡Rambo!»: una pequeña sombra que volaba junto con el tejado. O tal vez lo que había visto después, cuando se había lanzado hacia el fondo del cuarto sin techumbre y se había puesto a excavar frenéticamente con las manos bajo los ladrillos calientes: los restos irreconocibles de su madre, su abuelo, el perro, la cabra, y más allá un pequeño cadáver desnudo. Desnudo e intacto. La réplica del recién nacido tendido en una estera y muerto por el bombardeo de Saigón. O tal vez veía a Mariuccia que en un vislumbre de lucidez le señalaba la medallita con la imagen de la Virgen María. «¿La quieres? Si la quieres, cógela.» «Rambo» repitió Azúcar, al tiempo que volvía a notar la picazón en la garganta, casi la necesidad de llorar, que había sentido al encontrar bajo la higuera el cadáver del niño cubierto de una extraña salsa y sin manchas de sangre. «¿A dónde la llevas, Rambo?»

Rambo no respondió y siguió caminando.

«¡Rambo! ¿Quién es esa niña, Rambo?»

Rambo no respondió y siguió caminando.

«¡Rambo! ¿Por qué la has cogido, Rambo?»

Rambo no respondió y al llegar al muro meridional de la placita acostó en la caja del jeep el cuerpecito semienvuelto en la chaqueta de su uniforme. Lo tapó bien, lo arropó como se arropa a una criatura que duerme y que no debe coger frío, después se sentó a su lado y se ajustó la cuerdecita de la que colgaba la medalla con el perfil de Jomeini.

«Porque es Mariuccia» respondió. «Y es la segunda vez que muere.»

Entretanto, en la conocida casa situada en el barrio de Haret Hreik Charlie esperaba para proponer a Zandra Sadr la tregua que los gubernamentales ya habían aceptado. Y en la espera se consumía, abrumado por la conciencia de que el fin de la batalla dependía de aquel encuentro, es decir, de él.

–5–

Tragó otro sorbo de té espeso y pensó en lo mucho que le habría gustado arrojarlo a la cara del vejestorio como el domingo de la doble matanza un sargento de infantería de marina había arrojado a la cara del mullah de Chatila una tacita llena de café. Hacía al menos quince minutos, maldición, que el vejestorio sentado entre sus dos hijos escupía zalemas sin dejarlo entrar en materia. Bienvenido, capitán, siempre-nos-alegramos-de-volver-a-verlo. Esperamos-que-la-batalla-no-le-haya-provocado-molestias, beba-el-té-y-después-hablaremos. Además de ser más espeso de lo habitual, el puñetero té abrasaba. No conseguía tragarlo y en la espera de que se enfriara pasaban minutos preciosos, silencios interminables que multiplicaban su angustia: aquel bribón lo advertía perfectamente. No obstante, le traía sin cuidado y con su mutismo parecía decir: «Media hora o un minuto, capitán, ¿qué más da? No tenga prisa, amigo mío. Alá decide por nosotros, hágase su voluntad.» Pues no, Eminencia Reverendísima. Cuando estás bajo el fuego, un minuto es una vida. Media hora es la eternidad. El tiempo se mide con el latido del corazón propio, con la respiración de los pulmones propios, y el día siguiente no cuenta. Cuenta el próximo latido, la próxima respiración: ¿es que no sabes cuántas vidas humanas cuesta cada sorbo de tu asquerosísimo té, cuántas personas mutiladas, cuántas casas derruidas? ¿Por qué callas y me obligas a callar? ¿Porque desperdiciar el tiempo forma parte de tus astutos cálculos, cuantos-más-mueran-mejor? Basta de tus zalemas, tus hipocresías, tus crueldades: ¡descubramos las cartas! Y ordenando a Martino que se preparara para traducir, dejó el vaso sobre el tapete.

«Eminencia Reverendísima, el tiempo apremia y hay que ir al grano. He venido a proponerle lo que mi general ya ha propuesto a los gubernamentales y que los gubernamentales ya están dispuestos a aceptar. Es decir, una tregua.»

Los inteligentes ojillos de Zandra Sadr centellearon, su mastodóntica nariz verrugosa se estremeció, y por entre su blanca barba se filtró la cantinela más dulzona que Charlie hubiera oído jamás.

«Capitán, Nos sorprende usted. ¿Sobre la base de qué razonamiento nos pide que detengamos una batalla que no depende de Nosotros y que no les incumbe a ustedes?»

«Sobre la base del razonamiento o mejor dicho del hecho que la batalla nos incumbe, Eminencia Reverendísima. Ya hemos tenido los primeros heridos, no queremos los primeros muertos, y tenemos el derecho a pedir una tregua. Usted tiene el deber de facilitarla.»

«Pero Nosotros somos un humilde representante de Alá, capitán... Somos un humilde representante, un insignificante siervo suyo, un hombre de Iglesia. No podemos interferir en las operaciones de los combatientes. Sólo podemos suponer que, si los otros están dispuestos a aceptar una tregua, nuestros fieles meditarán sobre la oportunidad de hacer lo propio. Alá es grande y su misericordia es infinita.»

«En tal caso, sepa que toda paciencia tiene un límite, Eminencia Reverendísima, y que por nuestra parte se ha rebasado dicho límite. Sepa que además de los puntos de partida del fuego gubernamental conocemos los de ustedes, que nuestros barcos se encuentran en estado de alerta, y que si no se realiza la tregua mi general pasará al ataque.»

Bajo su gran capa negra Zandra Sadr pareció sobresaltarse, y apretó sus torcidos dedos. Sus inteligentes ojillos se obscurecieron, su tono se volvió áspero.»

«Capitán, nuestros oídos son débiles y están cansados. Temen no haber entendido bien.»

«Sus oídos son vigorosos y agudos. Han entendido perfectamente y aclaro: a tres kilómetros de la costa nuestras fragatas y nuestros cruceros esperan con sus cañones y sus misiles, conque a una señal de mi general dispararán aun a costa de alcanzar nuestras bases y nuestros puestos. ¿Me he explicado bien, Eminencia Reverendísima?»

«Sí, capitán.»

«Entonces, ¿qué me responde?»

«Le respondo que Nos ha dicho cosas bastante graves y que debemos examinarlas rezando, pidiendo consejo a Alá. Espérenos aquí, capitán.»

Se levantó con lentitud. Seguido de sus dos hijos que durante la porfía habían permanecido inmóviles como estatuas, el rubio con una sonrisa estúpida en los labios, el moreno con una mueca de odio, salió del cuarto. Y Charlie permaneció allí atormentándose con las suposiciones. ¿Habría salido para cortar una conversación que lo ofendía? ¿Habría sido un error atacarlo con tanta dureza, renunciar al tono melifluo de los otros encuentros? Tal vez, y pese a sus pretensiones de imitar a Lawrence de Arabia, había olvidado que un occidental no puede tratar a un árabe como a un occidental: para doblegarlo debe navegar por los meandros de su tortuosa alma, adecuarse a su ambiguo lenguaje, a sus mentiras que muchas veces son verdades y a sus verdades que muchas veces son mentiras... Zandra Sadr no era Bilal. Era un sacerdote corrupto, un bandido sofisticado, un político habilísimo, capaz de reconocer un farol... Comprendía perfectamente que hacer intervenir los barcos a costa de bombardear las bases propias y los puestos propios sería un acto de guerra contra un país aliado... Lo comprendía, sí, pero sabía que la Sexta y la Octava Brigada habían entrado en Chatila para atacar frontalmente a Gobeyre. Sabía que en Gobeyre los Amal no podían resistir mucho tiempo, que necesitaban recuperar el aliento, recoger a los heridos, enterrar a los muertos. Por tanto, lejos de haber querido cortar una conversación que lo ofendiera, había ido a telefonear: a discutir con los jefes Amal para inducirlos a aceptar la tregua. Suponiendo que en Gobeyre funcionara el teléfono. Porque, si no funcionaba, debería enviar a sus emisarios: adiós esperanzas de arreglar las cosas aprisa. ¿Te imaginas cuánto tiempo emplearían para llegar a Gobeyre bajo las bombas, ponerse en contacto con los diversos grupos y grupúsculos, regresar? Sin tener en cuenta que algunos grupos podían negarse, declarar combatiremos-hasta-la-última-sangre, o gilipolleces por el estilo. Sobre todo Bilal. ¿Bilal...? Frunció la frente, picado por una inquietud nueva. Por primera vez en todo aquel tiempo volvió a pensar en el misterioso malestar de que había sido presa cuando en la Sala de Operaciones se había oído aquel estallido y con la garganta seca se había preguntado a-saber-a-quién-habrá-acertado. Por primera vez se preguntó si estaría aún vivo Bilal y al instante se respondió que no. Una voz, un espasmo en el estómago, le decía que Bilal había muerto. Muerto por su destino de buey que por una brizna de heno ara la tierra de los demás: con la complicidad de una muñeca llamada Lady Godiva, dos reclutas ignorantes, un Charlie que lo había traicionado. Engañado y traicionado porque la-amistad-es-un-lujo-en-la-guerra, capitán, y-hay-un-proverbio-que-dice: o-tú-o-yo. Pero pobre de él si lo reconociera. Perdería la confianza en sí mismo, si lo reconociera, y con la confianza la fuerza para batirse. Bebió el té ya helado. Miró la puerta por la que Zandra Sadr había salido con sus hijos. No volvía, no volvía, y ya había pasado un cuarto de hora: demasiado. Cogió la motorola. Pulsó el botón.

«Cóndor Uno, Cóndor Uno, aquí Charlie-Charlie.»

«Adelante Charlie, aquí Cóndor Uno» respondió al instante el Cóndor. «¿Ha salido bien, Charlie? ¿Ha aceptado?»

«No, aún no, mi general. Pero me parece que va por buen camino y...»

«Charlie, ¿¡¿qué significa ir-por-buen-caminooo?!?

«¡Significa que mi interlocutor está contactando con quien debe contactar! Dele tiempo, mi general...»

«¡No hay tiempo y lo sabe usted muy bieeen!»

«Si no hay, ¡debemos encontrarlo, mi general! Tenga un poco de paciencia...»

«¡Ya he tenido demasiada paciencia! Los otros ya han respondido, ¿¡¿es que lo ha olvidadooo?!?»

«Pero es que los otros tienen un gobierno, un ejército, comunican con teléfonos y con la radio, ¡están organizados! Éstos van cada uno por su lado, ¡y contactarlos resulta difícil!»

«¡Cómo que dificiiil! ¿Por qué dificiiil?»

«¡Porque no tienen radio! ¡Porque es muy probable que no funcione el teléfono en Gobeyre! Si no funciona, debe enviar emisarios y...»

«¡Eso no me interesa! Dentro de veinte minutos, como máximo veinte minutos, quiero una respuesta concreta. ¿Entendidooo?»

«Entendido, mi general.»

Cerró el circuito y unos instantes después el hijo mayor de Zandra Sadr vino a comunicarle que Alá misericordioso había aconsejado a Su Eminencia Reverendísima que aceptara la propuesta del señor capitán. Pero en Gobeyre los hilos del teléfono colgaban cortados o quemados y Su Eminencia Reverendísima había tenido que enviar emisarios. Lo más probable era que no se recibiese la respuesta antes de la medianoche.

Y aún eran las diez y media.

* * *

Las diez y media y Angelo regresaba al Cuartel General con Azúcar, que ya había olvidado el Reglamento y había decidido no contar el detalle del tanque dentro del cráter ni el de Neblí escondido en la casa de Habbash. A lo largo de la callejuela que había visto la espléndida carrera de los dos profesionales refinados en el arte de medirse con el riesgo de los riesgos, el riesgo de morir, se había instalado Gassán con tres escuadras de fusileros y la firme intención de no dejar pasar a una mosca. Fiel a su irreverencia la farsa estaba a punto de introducirse de nuevo en la tragedia, y en la placita del Veintidós Águila Uno se desgañitaba para obtener el envío de refuerzos, es decir, la compañía de reserva llamada de Intervención Rápida.

«¡Mandadme la Intervención Rápida! ¡Venid a echarme una mano! ¡Maldita sea! ¿Es que no sabéis que no se puede contar con la fortuna eternamente?»

CAPÍTULO CUARTO

–1–

El diccionario define la fortuna como la suerte ora buena ora mala que se nos presenta cada día o a lo largo de la existencia. Explica además que la palabra deriva del nombre de una diosa, llamada precisamente Fortuna, que según los antiguos distribuía el bien y el mal haciendo caso omiso de quiénes fueran sus víctimas o sus protegidos. En efecto la diosa era ciega. O tenía los ojos vendados. En cambio, en el uso corriente la fortuna tiene un significado exclusivamente positivo e indica una especie de bendición que a veces llueve sobre nosotros sin tener en cuenta nuestros méritos o deméritos. Se puede ser estúpido o malvado y tener fortuna, bueno o inteligente y tener infortunio. (Término, éste, muy preciso y sin relación con el nombre de una diosa.) Así pues, tanto en el diccionario como en el uso corriente la palabra «fortuna» entraña algo inquietante y turbio y ambiguo. Refleja enteramente la accidentalidad o mejor dicho la inexplicabilidad de la vida, el misterio por el que en circunstancias idénticas uno vence y otro pierde, uno se salva y otro muere, y resulta imposible comprender sus motivos: no es casualidad que para dar sentido al misterio se recurra a la escapatoria del destino ya escrito, a la siniestra fábula de Dios Nuestro Señor que decide a su gusto. Lo único seguro es que la fortuna tiene de verdad los ojos ciegos o vendados, y que eso la vuelve injusta. La vuelve ilógica, absurda, el símbolo mismo del caos del que nació el universo y que sigue siendo el fundamento de todo: S = K ln W. No obstante, nada y nadie es más amado, más deseado que ella, y aunque tengas el cerebro de un genio hablas de ella con reverencia. No pones en duda su extraordinario poder, le confías tus proyectos, tus sueños, olvidas incluso que es una puta de la que no hay que fiarse: una traidora que de improviso te vuelve la espalda, una caína a la que es mejor ignorar contando con las propias fuerzas. Y ésta es la cuestión.

Sólo la puta de la que no hay que fiarse, la traidora que de improviso te vuelve la espalda, la caína a la que es mejor ignorar contando con las fuerzas propias, habría podido explicar por qué habían vuelto indemnes Angelo y Azúcar al Cuartel General. O por qué se habían librado Rambo y los nueve infantes de marina del cohete que había matado a Leyda, su madre, su abuelo, la cabra y el perro, por qué Ferruccio no había sido alcanzado por la bola de fuego que había arrojado a Mahoma hacia el cielo y después sobre la higuera, por qué no habían sido acertados Luca y Nicola por las ráfagas que llovían sobre el mirador y luego por los cañonazos que caían a lo largo de la callejuela, por qué se había metido Neblí en el búnker un instante antes de que el jeep saltara en pedazos, por qué había salido bien librado Roberto el Lavandero con un chichón en la cabeza y un poco de polvo en un ojo, por qué había resultado derribado pero no muerto el sargento Natale por las esquirlas de la bomba que había explotado a pocos metros de él, en una palabra por qué en cinco horas de infierno los italianos no habían tenido ni siquiera un muerto. Así pues, el grito de Águila Uno venid-a-echarme-una-mano, maldita-sea, ¿es-que-no-sabéis-que-no-se-puede-contar-eternamente-con-la-fortuna? rebosaba sensatez. Y el Cóndor lo sabía tan bien que en el momento de oírlo ya había decidido o mejor dicho ordenado movilizar a la compañía de reserva llamada de Intervención Rápida y mandarla al Veintitrés, al Veinticuatro, al Veinticinco, al Veintidós, al Veintiuno. Es decir, a los puestos más martirizados por la batalla. Pero los M113 llenos de tropa llevaban diez minutos detrás de la puerta cochera posterior de la base Águila y la orden de ponerse en marcha no llegaba. En su lugar, un coro de protestas y una voz nasal que por la radio les replicaba.

«Favete linguis! ¡Silencio, señores!»

«Pero queremos marcharnos, ¡tenemos las trampillas cerradas!»

«Cerradas o abiertas, ¡tienen que esperar! Necessitati parendum est, ¡es preciso obedecer a la necesidad, nos enseña Cicerón!»

«Pero esperar, ¿¡¿qué?!? ¿A quién?»

«¡Quis, quid, quod, pro quo no les incumbe, señores!»

Resulta superfluo preguntarse a quién pertenecía aquella voz.

* * *

Desde las cinco y media de la tarde llevaba Caballo Loco relinchando, coceando, escarbando, resoplando, tocando las narices a todo el mundo con su manía de arrojarse al ojo del ciclón. «Contumeliam-si-dices-audies, moveatur-ergo.» O bien: «¡Vamos, ilustres colegas! ¡Pongamos de rodillas a esos marranos! Recordemos la máxima de Cicerón: bellum ita suscipiatur ut nihil aliud nisi pax quaesita videatur, ¡empréndase la guerra para demostrar que sólo se quiere la paz! ¡Imitemos lo que Antoine-Charles-Louis Collinet conde de Lasalle y mariscal de Francia osó en la batalla de Zhedenick, o lo que Louis-Charles-Antoine Desaix o mejor dicho Des Aix caballero de Veygoux osó en la batalla de las Pirámides! ¡Con tres escuadrones, ilustres colegas, apenas tres, Collinet atacó a los austríacos y los dispersó! ¡Sólo con la vanguardia de la Armada de Oriente Desaix o mejor dicho Des Aix derrotó al bey Sediman Murad y abrió el camino a la conquista del Alto Egipto!» Pero cuando había comprendido que el envío de la Intervención Rápida le ofrecía una esperanza de trasladarse a Chatila, su excitación había perdido todo comedimiento y ni siquiera el estallido del indulgente Urogallo había servido para aplacarlo. «Amigo mío, ¡no exagere! ¡Cálmese, diantre, contrólese!» ¿Calmarse, controlarse, precisamente ahora que un rayo de luz reavivaba sus deseos? Santo cielo, Dios santo. ¿Acaso se podía aceptar que un caballero de su rango, un oficial de Caballería al que había correspondido el privilegio de servir a Su Majestad Británica, en una palabra un purasangre, estuviese allí pudriéndose en la retaguardia como un rocín piojoso? ¡Ah, si la encabezara él la columna que iba a Chatila! ¡De gloria se cubriría, de gloria! A la menor resistencia de los marranos, arengaría a la tripulación de los tanques: «¡Corneta, toque de carga! ¡Desenvainad las espadas, mis valientes, mis intrépidos!» Y tal vez encontraría incluso la ocasión de declamar entera la frase gritada por el entonces coronel Lepic, Louis Lepic, a un jinete de la caballería ligera que en la batalla de Jena, el 13 de octubre de 1806, bajaba la cabeza para esquivar los tiros. «¡Valor, muchacho! ¡Son balas, no mierda!» Llevaba años soñando con declamarla entera y en circunstancias adecuadas, no en los salones en los que las señoras se oponen al uso del viril vocablo mierda por lo que un auténtico caballero se ve obligado a utilizar los puntos suspensivos. Valor-hijo, son-balas-no... Conque, en lugar de dejar partir a los M113 en formación ante la puerta cochera posterior de la base Águila, se había puesto a perseguir al Cóndor que junto con el Profesor y Pistoia, se trasladaba de habitación en habitación y ni siquiera lo oía.

«¡Mi general, mi general!»

«¡Tenga a bien prestarme oído, mi general!»

«¡Con la venia, mi general!»

Pero, al final, el Cóndor lo oyó. Y le dirigió una mirada distraída.

«¿Qué hay, coronel? ¿Qué quiere?»

«¡Mi general! ¡Solicito o, mejor, invoco el altísimo honor de encabezar la columna!»

«¿La columna? ¿Qué columna?»

«¡La columna de Intervención Rápida, mi general!»

«Coronel, no diga tonterías. La Intervención Rápida ha salido hace diez minutos.»

«¡No, mi general! Me he tomado la libertad de retenerla en la puerta cochera!»

«Que se ha... tomado... ¿qué?»

«¡La libertad de retenerla, mi general! ¡Para así solicitar o mejor invocar el altísimo honor y asumir los riesgos que esa noble empresa conlleva!»

En otro momento, el Cuartel General habría resultado desgarrado por gritos comparables con los truenos de los cañonazos que sacudían la ciudad, y el pobre Caballo Loco habría corrido el riesgo de acabar en el hospital de campaña con fracturas múltiples y equimosis diversas. Pero la llamada de Charlie y el dilema cada vez más acuciante de mandar o no disparar a los barcos habían colocado al Cóndor en un estado de tensión que no dejaba espacio a los habituales estallidos de cólera, y presa del desconcierto se alejó unos pasos con Pistoia y el Profesor.

«¿Qué me dicen: lo mato ahora mismo, lo mato después o lo mando de verdad...?»

«Yo no lo mandaría» respondió Pistoia. «A saber la que podría organizar si lo manda.»

«Yo en cambio sí» respondió el Profesor. «A mi juicio la ventaja de librarse de él compensa cualquier posible perjuicio.»

Siguió un instante de silencio absorto. Después un gruñido sordo puso fin a la incertidumbre.

«Vaya, coronel, vaya. Pero no crea que va a Waterloo con un regimiento de caballería ligera, y nada más llegar a la calle Sin Nombre mande uno de los tanques al Veinticuatro que ha perdido un hombre. ¿Entendido? No tome iniciativas, porque lo estrangulo con mis propias manos.»

«¡Sí, mi general! ¡Ejecuto ipso facto, mi general! Y ciego de emoción, de alegría, Caballo Loco corrió a su aposento para prepararse.»

El cuidado del aspecto formal, ante todo: si una bala lo matara y su cuerpo fuera expuesto para los honores debidos ante la tropa, nadie debería decir valeroso-sí-pero-desaliñado. Así pues por un par de minutos se entregó al ceremonial a que se abandonaba antes de dirigirse al comedor: se quitó el polvo del uniforme, se peinó los bigotes, se roció con las dos gotas de 4711, el agua de colonia preferida del Emperador. Después se fijó bien el monóculo, se colocó la pistola reglamentaria en el cinturón, se puso el chaleco antibalas, se colocó el casco, se miró al espejo y llegó a la conclusión de que faltaba algo. ¿Qué? ¡Los guantes amarillos y la fusta, por Dios! Se enfundó los guantes amarillos, buscó la fusta, se la apoyó en la axila, se miró una segunda vez: y ahora, ¿qué faltaba? ¡El parapeto faltaba, el sagrado apéndice del chaleco antibalas que sirve para proteger los genitales! Sus insensatos colegas nunca lo usaban, decían que era ridículo y obstaculizaba el paso, pero, ¿acaso se puede poner en peligro el símbolo mismo de la masculinidad que desafía a la muerte? Así pues se colocó el parapeto, se miró una última vez, sonrió satisfecho y en ese momento se dio cuenta de que estaba temblando como un pollito empapado. No obstante, no se desanimó por ello. ¡Por Dios, for Christsake! La mañana del 15 de enero de 1675, es decir, cuando se dirigía a Türkheim para afrontar a las milicias de Guillermo de Orange, también el gran Henri de La Tour d'Auvergne vizconde de Turenne temblaba. Estaba escrito en sus memorias: «Tiemblas, carcamal, pero más temblarás cuando descubras adónde te llevo, me dije a mí mismo.» Y farfullando para sus adentros tiemblas-carcamal-pero-más-temblarás-cuando-descubras-adónde-te-llevo, sin preocuparse por haber perdido otros diez minutos, salió del Cuartel General. Subió al jeep, ordenó al conductor que lo llevara a la base Águila.

«¿Cochera anterior o posterior, mi coronel?»

«¡Anterior, joven, anterior siempre!»

«¿Seguro, mi coronel?»

«Sit tua cura sequi et me duce tutus eris, haz lo que te digo y con mi guía te encontrarás seguro, dice Ovidio.»

«Sí, mi coronel.»

Se metieron por la Rue de l'Aérodrome donde el retumbar de las explosiones ensordecía. Llegaron a la cochera anterior donde no había nadie.

«¿Lo ve, mi coronel? Nos hemos equivocado. ¡Era la cochera posterior!»

«Calma, joven, calma. ¿Por qué se preocupa?»

«Me preocupo por no perder tiempo, mi coronel.»

«Eso me incumbe a mí, joven. Detengámonos aquí y esperemos.»

«¿Esperemos, mi coronel?»

«¡Esperemos, esperemos!»

No tenía otra opción: el temblor había aumentado tanto, que el parapeto saltaba como loco, y pobre de él si los de la Intervención Rápida se daban cuenta de que tenía miedo. ¿¡¿Miedo?!? Qué iba a ser miedo: ¡era la legítima preocupación que Turenne tenía en Türkheim, Kellermann en Preussisch-Eylau, Collinet en Zhedenick, Desaix o mejor dicho Des Aix en Marengo! Era la excitación normal que se apodera de quien está a punto de lanzarse al fuego, era... No, no, era miedo exactamente. ¿Y cómo controlarlo, por Dios? Tal vez repitiéndose la definición que de él daban los libros de psicología estudiados en la Academia Militar: «El miedo es un estado emocional transitorio derivado de una forma negativa de incertidumbre, un sentimiento irracional que influye en la razón e impide reaccionar con la lógica, un accidente que hay que superar con la voluntad.» Se la repitió, humillado. Pero el temblor continuaba, el movimiento del parapeto aumentaba, por lo que llegó a la conclusión de que hacía falta algo más eficaz. Y sin preocuparse en ningún momento del tiempo que pasaba, se dirigió al conductor.

«Joven, ¿conoce la oración que Esprit Fléchier compuso por la muerte del gran Turenne?»

«¿Esprí quién? ¿Turé quién?» exclamó el conductor.

«¡Turenne! ¡Henri de La Tour d'Auvergne, vizconde de Turenne y mariscal de Francia, por Dios! ¡Esprit Fléchier, el prelado y literato francés que por sus espléndidas oraciones fúnebres fue admitido en la Academia Francesa en 1673! ¡Es su obra maestra, la oración que compuso por la muerte del gran Turenne! ¿De verdad que no la conoce?»

«No, mi coronel. Yo oraciones sólo conozco el Padre Nuestro, el Ave María y el Requiem Aeternam.»

«¡Mal hecho, joven, mal hecho! Sin embargo, nunca es tarde para aprender, y el pasaje más célebre de la célebre oración es éste: «No deis a la palabra valor el significado de arrojo inútil, jactancioso o desesperado de quien busca el peligro por el peligro y se arriesga sin motivo y tiene por objeto el renombre unido al aplauso de las multitudes. El valor es arrojo meditado y calculado que surge a la vista del enemigo, que en el riesgo considera toda posibilidad favorable, que entra en acción sólo cuando sus fuerzas se lo permiten, que en la batalla afronta las empresas difíciles sin intentar las imposibles, que no confía nunca nada al azar, que ante el fuego reflexiona y sobreviviendo cumple con su deber...» Hermoso, ¿eh?»

«Si usted lo dice, mi coronel...»

«¡Lo dice el mundo, joven, el mundo! Piense que el concepto expresado por Esprit Fléchier es esencialmente el expresado por Spinoza en su *Ética:* Audacia est cupiditas, la audacia es codicia. Sabe usted quién es Spinoza, ¿verdad?»

«¿Spinozza quién?»

«Spinozza no, por Dios: ¡Spinoza! ¡Baruch, es decir, Benedictus Spinoza, el gran filósofo holandés que vivió en el siglo XVII, nacido en 1632 en Amsterdam para ser exactos y muerto en La Haya en 1677! ¡El autor de los *Pensamientos metafísicos*, de la *Ética*, del *Tractatus Theologico-Politicus*! Pero, ¿¡¿qué les enseñan en la escuela?!? ¿¡¿No sabe ni siquiera eso?!?»

«No, mi coronel. Pero lo que sí sé es que si no vamos a la cochera posterior, no encontraremos nunca a la Intervención Rápida» lo cortó tajante el conductor. Y sin pedirle permiso metió la marcha, se dirigió a la puerta cochera posterior donde las protestas rayaban en el paroxismo.

«¡Hostiaaas! ¡Queremos movernos, hostiaaas!»

«¡Estamos hasta los cojones de estar aquí esperando no se sabe qué ni a quiéééén!»

«¡Basta yaaa! Dad la salida, ¡y basta yaaa!»

Al instante dejó de temblar. Velozmente descendió del jeep, los mandó callar con el habitual favete-linguis, saltó al primer tanque. Tras desalojar al encargado de la ametralladora le cogió el casco con los auriculares y el micrófono, se lo puso. Sobresaliendo de la trampilla hasta la mitad del busto, se colocó ante la Browning, cerró el contacto de radio con la Sala de Operaciones, tronó un fiero ite-mecum-mis-valientes. Y uno por uno los cinco M113 dejaron la base para meterse por la Rue de l'Aérodrome, girar en el camino que bordeaba el cementerio musulmán, dirigirse hacia la calle Sin Nombre. Cada vuelta de oruga era una caricia que renovaba la excitación con que se había embriagado en aquellas cinco horas. Bueno, no se dirigía a Türckheim ni a Zhedenick ni a Preussisch-Eylau con los purasangres de la Grande Armée, no veía las crines al viento, los dientes que tascaban el freno, las pezuñas que piafaban ansiosas por galopar contra los cañones austríacos, rusos, prusianos, ingleses, belgas u holandeses: pero el placer de conducir aquella columna y sobresalir hasta la mitad del busto por aquella trampilla, el orgullo de ofrecer la cabeza y el pecho al fuego de la batalla, le hacía olvidar todas las vilezas y miserias de la vulgarísima época en la que había tenido la desgracia de nacer. Al diablo el concepto de audacia-est-cupiditas, es decir, Baruch Benedictus Spinoza, al diablo Esprit Fléchier, al diablo Henri de La Tour d'Auvergne, vizconde de Turenne, al diablo el valor calculado y meditado: hay casos en los que arriesgar la piel por pura vanidad es derecho sacrosanto de un valeroso. Y de ese derecho bebería hasta la última gota, ahora que con el contacto cerrado no podía el general perseguirlo con sus prepotencias y sus villanías. No-crea-que-va-a-Waterloo-con-un-regimiento-de-caballería-ligera-y-nada-más-llegar-a-la-calle-Sin-Nombre-mande-uno-de-los-tanques-al-Veinticuatro-etcétera, no-tome-iniciativas-porque-lo-estrangulo-con-mis-propias-manos, había gruñido el plebeyo con su habitual desprecio hacia la caballería. Pero en Waterloo, ¿¡¿quién sino la caballería había demostrado mayor heroísmo?!? ¿Quién sino los Dragoon Guards de Henry William Paget marqués de Anglesey y conde de Uxbridge se había lanzado bajo las baterías de la Belle Alliance? ¿Quién sino los escuadrones de Édouard-Jean-Baptiste conde de Milhaud y después de Charles conde de Lefebvre-Desnouëttes había atacado a las infanterías de Wellington en Hougoumont y en La Haie Sainte? ¿Quién sino los coraceros de François-Étienne-Christophe Kellermann duque de Valmy había pagado el precio de los errores cometidos por Ney, el general Michel Ney duque de Echilgen y príncipe del Moscova? ¿Quién sino los húsares de Hans Ernst Karl conde de Zieten había cargado contra la Guardia Imperial y había obligado a Napoleón a la retirada? Hoy en día, por lo demás, los M113 substituían a los caballos: ¡Tenía buenas razones para sentirse a la cabeza de un regimiento de caballería ligera y tomar iniciativas! En efecto no mandaría ningún tanque al Veinticuatro: irrumpiría con la columna entera en el Veintitrés, ¡y ni una bala en el corazón o en el cerebro podría detenerlo! En cuanto a la frase de Lepic, eso es: éste era el momento. Porque su M113 estaba desembocando en la calle Sin Nombre donde las ráfagas rozaban su cuerpo, y tanto el piloto como el encargado de la ametralladora desalojado le suplicaban que bajara. «¡Baje, mi coronel, baje! ¿Quiere que lo maten?» Qué circunstancia tan adecuada, por Dios, qué oportunidad tan extraordinaria. Y qué lástima desperdiciarla delante de un público tan modesto. Para disfrutarla plenamente era necesario que su voz llegara al general y a los del Cuartel General, volver a abrir el contacto con la Sala de Operaciones, por Dios. Lo volvió a abrir. Se alzó más, se ajustó el monóculo, tomó aliento. Lo volvió a soltar al micrófono junto con un aullido alegre.

«¡Valor, hijos! ¡Son balas, no mierda, como dijo Lepic!»

Después, seguido por la columna entera y por un coro de a-tomar-por-culo-Lepic-y-tú, atravesó la calle Sin Nombre. Gracias al paso libre entró en el Veintitrés e irrumpió en la avenida de Chatila preguntándose si en la Sala de Operaciones lo habrían oído bien.

* * *

Lo habían oído bien. Después de un silencio de más de veinte minutos la frase se había metido en sus oídos como una piedra que cae en medio de un estanque.

«¿Qué ha dichooo?» gritó el Cóndor, furioso.

«¿Qué ha dicho?» balbució el Profesor, desorientado.

«¿Qué ha dicho?» exclamaron todos, desconcertados.

«Ha dicho lo que han oído, es decir, una de sus estupideces habituales» gritó Pistoia. «Pero ahora está haciendo algo peor. ¡Escúchenlo, escúchenlo!»

Escucharon. Ahora la radio traía el eco de un altercado en inglés y en francés.

«Sir! You are not a gentleman! ¡Usted no es un caballero, Sir!

«Shut up, bloody imbecile. Cierra el pico, cacho imbécil.»

«Sir! You are a boor a worse boor than my stable-boy! ¡Señor, es usted un patán más patán que mi mozo de cuadra! And I don't deal with the stable-boys! ¡Y yo no trato con mozos de cuadra!»

«Tais-toi, espèce d'idiot. Calla, so idiota. Et va-t'en, y vete.

«Monsieur! Si vous ne moderez pas votre langage, je vous prends à coups de cravache! Si no modera usted su lenguaje, ¡le mido el cuerpo con la fusta!»

«¿Qué dice?» gritó el Cóndor, más furioso que nunca.

«¿Qué dice?» gritó el Profesor, más desorientado que nunca.

«¿Qué dice?» gritaron todos, más desconcertados que nunca.

«Discute con los gubernamentales que no le dejan pasar, ¡claro! ¡Ya sabía yo que organizaría algún cacao de cuidado!» gritó Pistoia.

El Cóndor lo miró con espanto.

«Vaya usted a resolver ese asunto. ¡Rápido!»

«¡A escape, mi general!»

«Pero nada de disparos, esta vez. ¿Queda claro?»

«Claro, mi general, claro. Pattada sarda y basta» respondió Pistoia.

–2–

Hay amantes de la guerra que sumergidos en la atroz experiencia de una batalla cambian radicalmente. Comprenden que han amado algo odioso y exhumando su verdadera naturaleza se quitan la máscara que habían elegido: de golpe o un poco cada vez se pasan al lado opuesto de la barricada. El caso, ya lo sabemos, de Azúcar y en particular de Sandokan. En cambio hay otros que, por no tener máscaras que quitarse ya que ese amor coincide con su auténtico temperamento, no cambian en absoluto. Y éste era el caso de Caballo Loco, tal vez el personaje más coherente y en ese sentido más admirable de nuestra historia, en toda circunstancia fiel a sí mismo y a su mundo incomprendido por el vulgo. Pero era también el caso de Pistoia, y las cinco horas de infierno lo habían demostrado: ni siquiera en los momentos de mayor tensión había perdido Pistoia su arrogancia de soldadote que en la guerra se encuentra como el pez en el agua, su astucia de falso cruzado que con la excusa de reconquistar el Santo Sepulcro se solaza con las Clorindas y las Florindas y las Teodolindas. Y había soñado con ir a Chatila tanto al menos como Caballo Loco. Así pues corrió de verdad a escape a coger la pattada sarda con la que dos meses antes había contribuido de forma determinante a la destrucción del camión abandonado ante los ojos de Gino, y después cogió el resto. Se llevó a Ugo, salió a toda marcha, y llegó al Veintitrés donde lo recibió el habitual crepitar de ráfagas. Allí aparcó desenvuelto en la fosa común, total-los-muertos-no-te-ponen-multa, dejó a Ugo, que en caso de complicaciones habría sido un estorbo y nada más, y prosiguió caminando él solo para reunirse con Caballo Loco. Los vehículos gubernamentales que habían abandonado el barrio después de haber descargado a la tropa habían vuelto en efecto para llevar municiones y obstruían de nuevo la entrada, el humo de los cañonazos disparados multiplicaba la barahúnda, y sólo los dos tanques que debían reforzar el Veintiuno y el Veintitrés habían logrado situarse. El resto de la Intervención Rápida estaba detenido con los motores encendidos, bloqueados a la izquierda por los M113 de la Sexta, a la derecha por los M48 de la Octava, y con el primer tanque bloqueado en la esquina de la callejuela que conducía al Veinticinco. No costaba mucho identificarlo. Casi fuera de la trampilla y tieso como el héroe de un monumento ecuestre, con la cabeza sofocada en el casco del encargado de la ametralladora y el monóculo lanzando destellos de indignación, Caballo Loco agitaba la fusta contra dos gubernamentales de la Octava que con el jeep atravesado le impedían el paso y relinchaba, relinchaba, relinchaba.

«Sirs! I already said to you that I don't deal with the stableboys! Ya les he dicho que no trato con mozos de cuadra! Move that vehicle! ¡Aparten ese vehículo, quick!»

«Shut up, imbecile, calla la boca, imbécil» le replicaban los dos.

«Messieurs! Votre attitude est inadmissible! ¡Su actitud es inadmisible! Poussez-vous! ¡Apártense!»

«Tais-toi, idiot. Calla, idiota.»

Lo llamó a voces.

«¡Mi coronel, mi coronel!»

El monóculo cayó y quedó columpiándose inerte de la cadenita que lo sujetaba, la fusta bajó humillada. Quod Deus avertat? ¿Qué hacía aquí ese patán, ese don Juan de mesón, ese palurdo que no habría podido entrar en su club ni para lavar los platos, ese pillo perteneciente a la banda que se permitía substraerle la estilográfica para substituir el rótulo God-save-the-Queen por el de God-save-Lenin?

«¡Capitán! ¿Qué desea?»

«Yo nada, mi coronel. ¡No se haga tanto el remilgado, que he venido a echarle una mano!»

Después le volvió la espalda y, sordo a los relinchos capitán-no-se-entrometa, hoc principiis obstat, lo prohíben los principios, le volvió la espalda. Se puso a estudiar la situación. Bueno, era menos grave de lo que había parecido en la Sala de Operaciones: los dos del jeep llevaban la cruz al cuello, por lo que con ellos se podía hacer valer el nombre de Gassán. Además estaban sentados en la caja, y el morro del jeep miraba a la carretera: para resolver el asunto tampoco hacía falta la pattada sarda. Bastaba con apoderarse del volante, apartar el vehículo, y mascullar alguna palabra en árabe. Volvió al tanque de Caballo Loco. Se acercó a la tronera del piloto.

«¿Me oyes, piloto?»

«¡Sí, mi capitán!» exclamó una voz contenta.

«Mantén los motores encendidos y en cuanto diga vía-libre mueves el culo. ¿Entendido?»

«¡Entendido, mi capitán!»

«Y avisa a los tanques de atrás que hagan lo mismo, ¿entendido?

«¡Entendido, mi capitán!

Bien, podía actuar. Y mientras los dos gubernamentales lo miraban paralizados y por tanto incapaces de saltarle encima o apuntarle el fusil, se puso al volante. En un abrir y cerrar de ojos apartó el jeep, lo adelantó unos metros, y volvió a apearse.

«Haza amr men Gassán! ¡Órdenes de Gassán!»

«Haza amr men Gassán? ¿Órdenes de Gassán?» le respondieron incrédulos.»

«¡Claro que sí! Mish taarafun Gassán? ¿Es que no conocéis a Gassán, bobos?»

«Na'am, sí. Lakin, pero...»

«¡Qué lakin ni qué niño muerto! ¡Hale, piloto, vía libreee!»

Entre murmullos de alivio y con Caballo Loco que despechado sobresalía cada vez más de la trampilla, el primer tanque se movió. Seguido por el segundo y el tercero dio la vuelta a la esquina, se internó por la callejuela en que las ráfagas de los Amal caían con la misma violencia, y Pistoia lo siguió perplejo. Había sido demasiado fácil, Virgen santa, simplemente un trabajillo de guardia municipal que desbloquea el tráfico apartando el automóvil averiado: los dos bobos no habían opuesto resistencia alguna, los oficiales de la carretera no se habían acercado siquiera para prohibirle la maniobra, e incluso ahora que la columna avanzaba se comportaban como si la cosa no les incumbiese. ¿Quién había dado la orden de obstruir el paso, entonces? ¿Algún gilipollas demasiado diligente, o el propio Gassán que tal vez esperara en la curva del Veinticinco Alfa para detenerlos de nuevo? La Virgen, no le gustaría usar la pattada sarda con Gassán: ¡no es simpático precisamente cortar el cuello a un amigo! Por otra parte la guerra es la guerra, también en las Cruzadas los amigos no cesaban de degollarse mutuamente, ¡y desde luego un Pistoia no podía soportar prepotencias porque procedieran de Gassán! Sin contar que con Gassán tenía que ajustar la cuentecilla del depósito que había saltado por los aires en Sierra Mike y... Maldita sea: la columna aminoraba la marcha. ¡Se detenía de verdad, el monumento ecuestre descendía esta vez del pedestal, agitaba de nuevo la fusta, volvía a desvariar! Empuñando la pattada sarda Pistoia pasó ante el tercer tanque después el segundo después el primero, y allí estaba Gassán respaldado por una veintena de sombras que empuñaban M16.

«Coronel, le repito que vuelva a casa.»
«¡Sir! ¡Yo tengo una misión que cumplir, Sir!»
«Me trae sin cuidado, coronel.»
«¡Sir! ¡Usted no sabe con quién está hablando, Sir!»
«Sí que lo sé. Estoy hablando con alguien que no entiende ni siquiera su propia lengua.»
«¡Sir! ¡Debería desafiarlo a duelo, Sir!»
«Y yo debería responderle que se vaya a tomar por culo, coronel. Pero estoy cansado.»

* * *

Estaba cansado por dentro, Gassán. La caza al enano que había que destruir lo había agotado psicológicamente, los últimos instantes de espera lo habían dejado moralmente exhausto, y cuando la brahmet-bayi había dado de lleno en el blanco no había sentido que lo invadiera la alegría vital que lo fortalecía en aquellos casos. Al contrario había sentido un curioso fastidio, con el fastidio casi un hastío hacia la Virgen de Junieh que le había concedido la gracia, y se habían apoderado de él pensamientos bastante similares a los que habían impulsado a Bilal a tirar el Kalashnikov y después bajar del tejado para volver a casa. Seguir viviendo entre la sangre, matando y corriendo el riesgo de ser matado, ¿por qué? ¿Por quién? ¿Por los Gemayel, los Jumblatt, los poderosos gángsteres que se aprovechaban de tipos como él para aumentar sus cuentas bancarias y sus mafias? Su padre estaba ya vengado, flores simbólicas había recibido a docenas sobre la tumba del cementerio de San Elías, y no habían servido para resucitarlo precisamente. No habían servido tampoco para mitigar la furia glacial que lo devoraba. Más aún: lo habían endurecido para alimentar el círculo vicioso que desde hacía años aprisionaba a Beirut: yo te mato a ti por lo que tú me matas a mí por lo que yo te vuelvo a matar a ti por lo que tú me vuelves a matar a mí, hasta el infinito. Basta. Retirarse, descansar, trasladarse a alguna Suiza con su refinada y esbelta esposa, sus dos delicados y educados hijos, renunciar de una vez por todas a las brahmet-bayi, a la venganza. Y con una mueca de fastidio en su apuesto rostro bronceado se había vuelto a colocar al volante del jeep con el cañón de 106, había vuelto a la retaguardia de Sabra. Pero allí había visto a los heridos de su compañía, los muertos recogidos en la Torre que ya no interesaba a nadie, y se había avergonzado de su ataque de debilidad. Le había renacido la rabia y había pedido tres escuadras de fusileros que llevar a Chatila, se había instalado a lo largo de la callejuela con la firme intención de no dejar pasar a una mosca, y había cortado el paso a Caballo Loco. El caso es que las rebeliones del alma son irreversibles, una vez iniciadas ya no se pueden detener, e instalarse allí no le había devuelto la combatividad: con absoluta indiferencia miraba ahora a Pistoia que avanzaba empuñando la pattada sarda.

«¿Qué has dicho al coronel, Gassán?»

«Le he dicho que debería responderle que se vaya a tomar por culo, Pistoia.»

«Pídele perdón y déjanos pasar, Gassán.»

«No tengo la menor intención de hacerlo, Pistoia.»

«¿No?»

«No, Pistoia, no.»

Ante los ojos de los fusileros cogidos por sorpresa como los dos bobos del jeep, la pattada sarda hizo un molinete y acabó contra la garganta de Gassán.

«Pídele perdón de una vez o te degüello, Gassán.»

Se oyó un resoplido de fastidio, después una risita sardónica.

«Suelta, Pistoia. No me obligues a disparar.»

«Moriríamos juntos, Gassán.»

La risita sardónica se convirtió en una sonrisa amarga.

«Lo sentiría por ti. ¿No éramos amigos, Pistoia?»

«Amigos o enemigos, di a tus secuaces que nos dejen pasar si no doy orden a los tanques de que les pasen por encima y a ti te degüello.»

«Vale, Pistoia, vale. Pasa y disculpa.»

«No. Las disculpas se las presentas al coronel. ¡Y rápido!»

Obedeció encogiéndose de hombros, le-ruego-que-me-disculpe-coronel, y la pattada sarda se retiró para ceder el paso a Caballo Loco que daba un taconazo muy emocionado.

«¡Sir!»

«Por favor, coronel...»

«Es usted un auténtico caballero, Sir. Se lo agradezco y me disculpo a mi vez por la impetuosidad de mi subordinado. Por lo demás, en semejantes casos es necesaria la indulgencia, como usted sabe. También el general Jean Lannes, duque de Montebello y mariscal de Francia, se comportó de esta guisa durante el asedio de Ratisbona. En efecto, tras haber apoyado una escalera al muro de la fortaleza trepó por ella con la espada desenvainada y...»

«No se preocupe, coronel...»

«Rebus sic stantibus, Sir, es menester que le estreche la mano y le recuerde una máxima de Licinio: discordia fit carior concordia, la discordia hace más dulce la concordia. ¿Permite?»

«Permito, coronel.»

«¡Sir!»

Y la farsa concluyó con su defenestración. Porque viendo aquella escena Pistoia comprendió que en lugar de trepar por una escalera para reconquistar Ratisbona había que trepar al primer tanque para quitar al monumento ecuestre el mando de la columna. Así lo hizo y, cuando Caballo Loco lo advirtió, ya era demasiado tarde: el tanque partía ya con el usurpador. Y lo que es peor, seguido del segundo.

«Pero, ¿qué hace, capitán? ¿A dónde va?»

«¡Me pongo en marcha, nos ponemos en marcha, mi coronel, para ahorrar tiempooo! ¡Coja el tercero, usted!»

En el tercero había una tripulación despierta y decidida. Para mantener a Caballo Loco alejado de la ametralladora Browning y los botones de la radio alzaron un muro de cuerpos y después un coro de voces obsequiosas, venga-mi-coronel-póngase-cómodo, los tres tanques llegaron indemnes al ensanche del Veinticinco. El primero para detenerse en el centro y restablecer el puesto anulado, el segundo para girar a la derecha y dirigirse al Veinticuatro, el tercero para girar a la izquierda y dirigirse al Veintidós donde Caballo Loco vertió sobre Águila Uno toda la indignación de su heroísmo inexpresado.

«¡Como para hacerle Consejo de Guerra, ilustre colega, como para fusilarlo por la espalda! ¡No sabe usted de qué afrenta se ha hecho culpable el patán! Y pensar que por un instante pensé haberlo juzgado mal por lo que lo comparé con Jean Lannes que, como usted sabe, fue uno de los más valerosos generales de Napoleón, ¡y por algo descansa en el Panthéon de París! ¡Pues sí! ¡Bien dice Horacio al advertirnos sperne-vulgus desprecia-al-vulgo! ¡Bien dice Tácito al recordarnos que el vulgo está siempre dispuesto a las cosas peores, est vulgus ad deteriora promptum! Bien dice Séneca que...»

«¡Nooo! ¿Qué delito he cometido? ¡Nooo!» aulló en determinado momento Águila Uno. Y reprimiendo a duras penas el único impulso homicida de su vida, el impulso de disparar a las cuerdas vocales de su antiguo compañero de Academia, hizo lo que debería haber hecho en todas aquellas horas: puso en marcha el jeep, se marchó bajo el fuego.

Eso sucedía mientras, con su Kalashnikov y el casco con plumas del sargento Natale, Passepartout se situaba sobre la techumbre del surtidor de gasolina desde el que los dos Amal disparaban con la PK46. Y mientras con un manojo de rosas, una Bûche de Noël, un perrito de trapo y el valor ciego sordo ilimitado suicida que pretende mover montañas y con frecuencia las mueve, el valor que nace del amor y que la muerte de un amor puede multiplicar, Ninette iba a su encuentro.

–3–

La muerte de un amor es como la muerte de una persona amada. Deja la misma aflicción, el mismo vacío, la misma negativa a resignarte a ese vacío. Aun cuando la hayas esperado, causado, deseado por autodefensa o sentido común o necesidad de libertad, cuando llega te sientes inválido. Mutilado. Te parece que te has quedado con un solo ojo, un solo oído, un solo pulmón, un solo brazo, una sola pierna, el cerebro demediado, y no cesas de invocar la mitad perdida de ti mismo: aquel o aquella con quien te sentías entero. Al hacerlo no recuerdas siquiera sus culpas, los tormentos que te causó, los sufrimientos que te impuso. La nostalgia te entrega el recuerdo de una persona apreciable o mejor dicho extraordinaria, de un tesoro único en el mundo, y de nada sirve decirse que eso es una ofensa a la lógica: un insulto a la inteligencia, un masoquismo. (En el amor la lógica no sirve, la inteligencia no ayuda, y el masoquismo alcanza cimas de psiquiatra.) Después, poco a poco, se te pasa. Acaso sin que seas consciente de ello la aflicción disminuye, se extingue, el vacío se reduce, y la negativa a resignarte a él desaparece. Te das cuenta por fin de que el objeto de tu amor no era ni una persona apreciable o mejor dicho extraordinaria ni un tesoro único en el mundo, lo substituyes por otra mitad o supuesta mitad de ti mismo, y por un determinado período recuperas tu integridad. Pero en el alma queda una cicatriz que la afea, un cardenal negro que la desfigura, y comprendes que ya no eres aquel o aquella que eras antes del duelo. Tu energía se ha debilitado, tu curiosidad se ha reducido, y tu confianza en el futuro se ha extinguido porque has descubierto que has desperdiciado un trozo de existencia que nadie te reembolsará. Ésa es la razón por la que, aun cuando un amor esté consumiéndose sin remedio lo cuidas y te esfuerzas por curarlo. Ésa es la razón por la que, aun cuando agonice en estado de coma, intentas retrasar el instante en que exhalará el último suspiro: lo retienes y en silencio le suplicas que viva un día más, una hora más, un minuto más. Ésa es la razón por la que, por último, aun cuando deje de respirar, vacilas en enterrarlo o incluso intentas resucitarlo. Lázaro, levántate y anda. Pero esas cosas Ninette las sabía bastante bien mientras iba al encuentro de Passepartout, es decir, mientras acudía a la cita con su destino.

Se había arrepentido en seguida de su carta definitiva y soberbia. Después de haberla entregado al portero, había sentido al instante el impulso de volver atrás y recuperarla, subir a la habitación cuyas ventanas daban al Pinar y pasar una última noche con su apuesto italiano pensativo. Pero la voluntad había prevalecido y había vuelto a su casa: la conocida quinta de Ashrafiyeh en que vivía protegida por los privilegios de la riqueza y las atenciones de los criados afectuosos. ¿Madame, ¿se-siente-mal, Madame? Madame, ¿necesita-ayuda, Madame? Sorda a sus preguntas se había encerrado en su cuarto y hasta el amanecer las lágrimas habían regado un rostro bastante diferente del que Angelo conocía: melancólico, surcado por pequeñas arrugas que eran cicatrices dejadas por los disgustos, y menos joven de lo que le había parecido nunca. Después había cogido la fotografía de un apuesto hombre de cabellos grises y facciones que se parecían de forma impresionante a las de Angelo, diferentes sólo por las señales de una madurez avanzada, y murmurando George, George, George, se había calmado. Había amado tanto a aquel hombre. Lo había amado tanto que al ver sus miembros dispersos entre los restos del automóvil que había saltado en pedazos había perdido el juicio durante meses, y de aquellos meses no recordaba nada excepto a una enfermera que empujaba su silla de ruedas, un médico que le fijaba los electrodos en el cráneo, y otro que despertaba los fantasmas de su existencia burlada: el exquisito palacete de Furn el Chebbak en el que había nacido después de la muerte de su padre a manos de un policía francés en la rebelión contra el mandato de Francia, y en el que había crecido con una madre que delegaba sus deberes de madre en la niñera y en la servidumbre; el refinado colegio de Lausana en el que se había educado y el lujoso piso de Londres en el que había vivido con despreocupada libertad hasta el día en que había regresado a Beirut para el garden party ofrecido en su honor por la embajada británica, allí había conocido a un personaje famoso y respetado al que al instante había seducido y por el que después se había visto seducida: el apuesto hombre de cabellos grises; la iglesia de Notre-Dame-du-Liban en la que se habían casado locos de amor y sin hacer caso de quienes se asombraban por la excesiva diferencia de edad o de quienes lo consideraban un matrimonio arreglado para unir sus patrimonios; la eterna luna de miel que los había bendecido aun después de la espina de un hijo perdido y nunca más vuelto a concebir, después el comienzo de la guerra civil y el inicio de la pesadilla que explotaría con la carga de tritol en el automóvil. Las llamadas por teléfono conminatorias, los mensajes tu-marido-está-en-nuestro-punto-de-mira, prepárate-para-quedarte-viuda, el terror cotidiano de que se lo mataran de verdad, y una mañana un estallido. Una voz que gritaba corra-Madame, lo-han-matado, Madame. Por último, un silencio lleno de inercia. La sombría inercia en que caes al sacar la conclusión de que tu vida ha muerto con él. En cambio, al abandonar la clínica, había comprendido que la vida no muere con la muerte de un hombre demasiado amado: a su hombre demasiado amado lo había substituido varias veces. Esta vez con el pensativo italiano que físicamente se lo devolvía más que ningún otro. Esos ojos que eran los mismos ojos, esa frente que era la misma frente, esa nariz que era la misma nariz, esos pómulos que eran los mismos pómulos, esa boca que era la misma boca, ese cuerpo que era el mismo cuerpo, por lo que al verlo en la librería le había parecido que veía a George sin cabellos grises, George sin las señales de la madurez avanzada, George con treinta años menos. Por eso le había hablado, lo había buscado y deseado, lo había convertido en el instrumento de su reavivado deseo de vivir: el objeto de su maníaca necesidad de amor. Sin embargo también este amor había muerto, y había que enterrarlo diciéndose que ningún amor resiste a la falta de amor: no se puede dar amor a quien no te lo da. Había que olvidarlo repitiéndose que ningún amor es insubstituible: las relaciones sentimentales son siempre espejismos que nos inventamos para llenar el vacío, quimeras que nos inventamos para vencer la soledad, y en resumidas cuentas cualquiera puede convertirse en su objeto o instrumento.

Se había ido a dormir con estos pensamientos, y había caído en un largo sueño de plomo. Pero en casos semejantes el reposo sólo servía para aplazar la crisis, que al despertar se había iniciado para reavivar hasta la agonía el mal obscuro que aquella noche Angelo había intuido: la locura que cinco años antes la había llevado a la clínica con la enfermera que empujaba la silla de ruedas, el médico que le fijaba los electrodos en el cráneo, el otro que despertaba los fantasmas de su existencia burlada. Y al reavivarlo hasta la agonía la había hecho sentirse de nuevo como después de la muerte de un amor, es decir, con un solo ojo, un solo oído, un solo pulmón, un solo brazo, una sola pierna, un cerebro demediado, y con nostalgia había revivido las doce semanas transcurridas persiguiendo el objeto del espejismo y el instrumento de la quimera. La imprudencia de dirigirse a la zona occidental con aquellos vestidos demasiado cortos y demasiado escotados, la humillante espera delante de la garita de los carabinieri con los ridículos paquetes de dulces y el ofrecimiento aún más ridículo del anticonceptivo, el humillante mendigar let-us-make-love, let-us-make-love, el agotador juego al escondite con su identidad y su dirección, la desesperada búsqueda del pequeño o sórdido hotel en el que no te reconocen y no te piden la documentación. Y en la nostalgia su apuesto italiano pensativo le había parecido una persona apreciable o mejor dicho extraordinaria, un tesoro único en el mundo. ¡Qué encanto su juventud, su miedo al amor, su vitalidad, su ingenua ilusión de encontrar en las matemáticas la receta para vivir, la fórmula de la Vida! ¡Qué voluptuosidad su vigor físico, sus ímpetus de deseo, sus arrebatos casi rabiosos! Debía recuperarlo, retenerlo con su belleza y sus atenciones, debía resucitar aquel amor muerto: Lázaro, levántate y anda. Conque a las siete de la tarde se había preparado. Se había puesto un disparatado vestido blanco que realzaba su espléndido cuerpo, se había calzado un par de zapatos con tacones altísimos que realzaban sus espléndidas piernas, se había colgado al cuello su omen, es decir, la cadena con el ancla en forma de cruz, y pese a que los criados habían intentado en vano detenerla no-salga-vestida-así-Madame-hoy-es-demasiado-peligroso, había salido. Había ido a comprar un manojo de rosas y un pastel navideño, la Bûche de Noël. Después en un escaparate había visto el perrito de trapo, un pachón con las orejas caídas y la lengua colgando que le había parecido el emblema patético de lo que sentía, y también lo había comprado. Por último había montado en el único taxi que había aceptado acercarse a la Línea Verde, se había apeado en el paso de Tayoune, y naturalmente sabía lo que iba a arriesgar: los cañonazos tronaban en toda la ciudad, la gente hablaba de choques que en Gobeyre y en Chatila dejaban muertos sobre muertos, y desde las cinco y media de la tarde nadie se atrevía a abandonar la zona cristiana para pasar a la musulmana. Pero la valentía que nace del amor no tiene en cuenta peligro alguno, como hemos dicho. No escucha ninguna forma de raciocinio, pretende mover montañas, con frecuencia las mueve, y el suyo resultaba decuplicado por la locura. Así pues sin arrepentirse se había apeado en el paso de Tayoune. Sin pestañear lo había cruzado y se había dirigido a la glorieta y después al comienzo de la callejuela. Pero allí un oficial de la Octava le había prohibido continuar y se había detenido. Había dejado en el suelo el bolso y los absurdos regalos, se había acurrucado al pie de un árbol, allí se había quedado casi dos horas temblando de frío, mirando los relámpagos de la batalla, escuchando el estruendo. Y como una

Ofelia que va a ahogarse en el estanque ahora esperaba escabullirse, llegar a la Rue Argan.

Lanzó una mirada al oficial que le había prohibido continuar. Parecía haberla olvidado. Iba, volvía, hablaba por radio, impartía órdenes a los militares del vehículo blindado, y éstos no se ocupaban en absoluto de ella: reunidos en torno a un pequeño fuego parecían pensar sólo en sus propias tristezas. Era el momento de aprovechar, se dijo, y se levantó despacio. Con cuidado de no llamar la atención, recogió el bolso, el manojo de rosas, la Bûche de Noël, el perro de trapo, se internó en la callejuela. Caracoleando sobre sus altísimos tacones, empezó a recorrerla. Entretanto pensaba en el trayecto que elegiría al llegar a la Rue Argan. ¿Pasar por la Rue Farruk, la callejuela que cortando por Gobeyre desembocaba en la calle Sin Nombre, o girar a la derecha y pasar por la Avenue Nasser? Seguro que la Rue Farruk estaba menos expuesta al fuego, pero tomarla significaba zambullirse en un barrio desaconsejable a quien no viviera en él y en particular a una cristiana vestida al estilo occidental. En cambio la Avenue Nasser, aun estando en el centro de los combates, ofrecía la ventaja de limitar con los puestos italianos: si se viera en un aprieto, podría buscar refugio en ellos. Así pues eligió la Avenue Nasser, y al llegar a la Rue Argan giró a la derecha en la acera que acababa precisamente frente al Veintidós: bien visible porque estaba iluminada por el resplandor de una casa en llamas. Sin preocuparse de los cañonazos que los M48 de la Octava lanzaban sin cesar, de las piedras y las esquirlas que llovían por doquier, de los milicianos que apostados entre los escombros respondían con los morteros y las Rpg, se dirigió hacia ella. Pero al cabo de pocos pasos atrajo su atención un individuo extraño con el casco con plumas de los bersaglieri que agitando un Kalashnikov saltaba de la techumbre del surtidor de gasolina de la placita, tropezaba con un cadáver, se volvía a poner en pie, se lanzaba, venía hacia ella. Y se detuvo por instinto. Por instinto dejó sobre el muro de la acera el bolso y el manojo de rosas y la Bûche de Noël, se liberó la mano derecha y agarró el ancla en forma de cruz que brillaba bajo su garganta. Se la trasladó a la nuca, la cubrió con sus largos cabellos, y sin dejar de apretar contra su corazón el perrito de trapo observó atentamente al extraño individuo. ¿Quién era? ¿Por qué venía hacia ella? No, no venía hacia ella, venía en su dirección, y sólo era un muchacho. Un muchacho inofensivo de trece o catorce años al que habían mandado al combate contra su voluntad, seguro, y que presa de un pánico invencible escapaba con el casco que le había prestado un bersagliere. Pobre criatura. Podría haber sido su hijo, el hijo perdido y nunca más vuelto a concebir, y mira cómo se desesperaba: «¡Me matan! ¡Socorro, que me matan!» Había que ayudarlo, consolarlo. Y enternecida por el amor más peligroso que existe, el amor llamado piedad, esperó a que pasara junto a ella. Lo cogió con dulzura de un brazo.

«Esh, walad! ¡Deténte, muchacho!»

«¡Déjame! ¿Quién eres? ¿Qué quieres? ¡Déjame!» chilló Passepartout presa de verdad de un pánico invencible. Mientras se divertía disparando desde la techumbre del surtidor de gasolina una ráfaga perdida procedente de Gobeyre había matado a los dos de la PK46 y no lo había acertado por un pelo, y eso le había hecho perder la cabeza.

«Cálmate, habibi, tesoro...»

«¡Déjame, déjame!»

«No llores, cariño. Estáte aquí conmigo...»

«¡No! ¡Yo aquí no me quedo! ¡Y esto ya no lo quiero, nooo!»

«¿El qué, habibi?»

«¡Estooo!»

Le puso en la mano el Kalashnikov. Se soltó, cruzó la Rue Argan, se lanzó por la Rue Farruk, y desde aquel instante todo empezó a desarrollarse con el ritmo de un guión ya escrito el día en que un viejo ciego y siempre sentado en una sillita fumando el narguile había indicado a Angelo la joyería que buscaba, por lo que Angelo había entrado en ella y había comprado un resto secreto de la Beirut feliz: una cadena de oro de la que colgaba una cruz en forma de ancla o mejor un ancla en forma de cruz cuyas asta y barra formaban una cruz con un pequeño Cristo cuyo costado destilaba una minúscula gota de rubí... ¿Los ves? Passepartout, que con su casco de plumas corre, corre, y a grandes saltos se zambulle en la calle del guión ya escrito. Ninette que sin dejar de apretar el perrito de trapo contra su corazón se queda con el Kalashnikov en la mano preguntándose ¿ahora qué hago?, después se reanima y dejando en el muro de la acera el bolso y el manojo de rosas y la Bûche de Noël cruza a su vez la Rue Argan, se lanza a su vez a la Rue Farruk y pese a sus altísimos tacones corre tras el muchacho al que considera un inofensivo muchacho mandado al combate contra su voluntad. Un muchacho que podría ser su hijo, el hijo perdido y nunca más vuelto a concebir. Y lo llama:

«Iah walad! ¡Muchacho! Iah walad!»

Alcanzarlo. Devolverle el fusil. Explicarle los riesgos a que se expondría si se deshacía de él. Decirle ¿sabes lo que te sucederá, si descubren que lo has entregado? ¡Pueden fusilarte, cariño, fusilarte! Pero cuanto más lo seguía más se alejaba el casco con plumas, y a la altura de la joyería se detuvo vencida. Mejor deshacerse del incómodo objeto, dejarlo allí o confiárselo al viejo. Había un viejo, a unos pasos de distancia. Sentado en una sillita fumaba su narguile como si la batalla no lo incumbiera, pero parecía verlo todo y si el muchacho volvía se lo devolvería. Se acercó. Sin advertir que era ciego, le tendió el fusil.

«Papi, abuelo...»

Con exasperada lentitud el viejo separó la boca del tubo del narguile y giró sus lechosas pupilas.

«¿Qué me das?»

«Un fusil, abuelo. Me lo ha puesto en la mano un muchacho y...»

«Tíralo.»

«No, abuelo. Podría cambiar de idea, venir a buscarlo...»

«Si viene a buscarlo, lo encontrará. Si lo encuentra, matará. Tíralo.»

«Abuelo, sólo es un muchacho y...»

«También los muchachos matan, aquí. Matar, matar, no saben hacer otra cosa que matar. Morir y matar, matar y morir. Es fácil matar. Tan fácil como morir. Basta apretar el gatillo. Tíralo.»

«Abuelo...»

«Tíralo.»

«Pero si volviese, abuelo...»

«Tíralo.»

Su tono era tan tajante en su sosegada indiferencia, tan seguro de sí mismo, que a su manera hizo lo que le ordenaba: escondió el Kalashnikov en el vano del portón contiguo a la joyería. Después prosiguió para dirigirse a la Rue Argan, recuperar el bolso, el manojo de rosas, la Bûche de Noël, internarse por la Avenue Nasser donde estaban los puestos italianos en los que en caso de necesidad podría pedir asilo. Pero en el guión ya escrito estaba dispuesto que no llegaría. Al cabo de unos metros la onda expansiva de un cañonazo la embistió y la lanzó contra una pared, se desmayó, y cuando volvió a abrir los ojos estaba en una camioneta que descargaba heridos delante de un desolador edificio con banderas verdes. En torno al edificio, una multitud de mujeres desesperadas que presionaban contra un cordón de milicianos.

«¡Dejadnos entrar, en nombre de Alá!»

«¡Dejadnos pasar, por caridad!»

«¡Queremos verlos!»
«¡Queremos la lista de los nombres!»
«¡El mío se llama Bachir!»
«¡El mío, Barakaat!»
«¡El mío, Ismahil!»
«¡El mío, Sharif!»
«¡El mío, Alí!»

Ante ella, dos enfermeros que indicaban con ironía el perrito de trapo y parecían haberla reconocido, recalcaban burlones el apelativo de Madame.

«¿Es tuyo este juguete, Madame?»
«Sí...»
«¿Puedes bajar sola, Madame?»
«Sí...»
«Entonces baja. Rápido.»
«¿Dónde estoy? ¿Qué ha sucedido?»
«Has hecho un vuelo, Madame. Estás en el hospital. Te hemos traído al hospital.»
«No, no necesito nada, no...»
«Necesitas un doctor.»

Se tocó los labios hinchados y cubiertos de sangre, la nariz desollada y rajada, la frente desfigurada por un corte profundo. Se miró el vestido blanco, que ya no era un vestido blanco sino un harapo desgarrado y gris, se miró las llagas que le lastimaban las piernas y las rodillas. Escupió un diente que al tocarse los labios había caído, después se llevó una mano a la nuca para cercionarse de que el ancla en forma de cruz seguía allí detrás tapada por los largos cabellos, y bajó

«¿Qué hospital es?»
«La clínica chiíta, Madame.»

Sí, era la clínica chiíta donde una tarde de primeros de noviembre Charlie había mandado a Angelo a comprobar si la madre del niño para el que se necesitaban tres unidades de B negativo decía la verdad. Y donde sentado en el banco de la entrada Angelo había sentido la presencia inasible y sin embargo tangible de una Ninette apática y triste, nunca conocida y nunca sospechada: la Ninette que cojeando y pidiendo un poco de calor a su absurdo perrito de trapo avanzaba hacia los cuerpos destrozados de los Bachir, los Barakaat, los Ismahil, los Sharif, los Alí. Casi todos menores de edad de trece o catorce años, la edad del muchacho que le había puesto en la mano el fusil.

* * *

Estaban por todos lados. Amontonados como borregos en el matadero, tendidos en las crujías abarrotadas, en los corredores atestados, en los huecos bajo la escalera, en los retretes, y en el suelo de la sala de Primeros Auxilios, eran tantos que para ponerte en fila con los heridos leves tenías que pasar por encima de ellos. En efecto para substituir a los adultos diezmados por el asalto a la Torre Rashid había llamado a docenas de adolescentes inexpertos después los había situado en los tejados del barrio y la artillería gubernamental había hecho tales estragos entre ellos que en la mayoría de los casos los cirujanos no intervenían ni siquiera para aliviar sus sufrimientos con un poco de morfina. Los entregaban a los sepultureros y éstos esperaban a que expiraran, en cuanto expiraban los sujetaban de los pies, los arrastraban a una sala de la que llegaban vaharadas de hedor nauseabundo, en ella los arrojaban gritando a los camilleros: «¡Ha quedado un puesto libre! ¡Han quedado dos puestos libres!» La escena era horripilante, el coro de lamentaciones ensordecedor. Uno lloraba por sus muñones mal cauterizados, otro gemía por sus brazos amputados, otro aullaba por su vientre abierto del que salía el intestino con borbotones de excremento. «Yahallah! Yahallah!» Uno, tendido sobre una mesa y alcanzado en la cabeza por una gran esquirla, sólo tenía medio rostro. Privado de la sien derecha, del ojo derecho, de la mejilla derecha, y con la nariz reducida a unas gachas de cartílagos sanguinolentos, parecía un cobaya a medio viviseccionar. Pero le quedaban las dos mandíbulas, el paladar, la lengua, las cuerdas vocales y rezongaba claramente: «Mama, ummi, mama... Mamá, mami, mamá... Mátame, te lo ruego, mamá.» Al llegar Ninette se estremeció. Desorbitó el ojo supérstite, un inmenso ojo azul en el que vibraba una desmesurada impaciencia por morir, y se apagó con un estertor de alivio.

«Shukrán, mama, shukrán... Gracias, mamá, gracias...»

Se le acercó. Dominando la repulsión le bajó el párpado y después, en lugar de ponerse en la fila con los heridos leves, fue a sentarse en el banco de la entrada. De improviso se sentía mal, muy mal. A la quemazón de la frente cortada, de la nariz desollada y rajada, de las piernas y las rodillas llagadas, al dolor que le había dejado el diente escupido, se había sumado una atroz hemicránea. A la atroz hemicránea, un profundo cansancio. Al profundo cansancio, una tétrica apatía. Y sabía por qué. Desde el día en que la carga de tritol se había llevado al hombre demasiado amado, no había vuelto a ver la muerte de cerca: después de salir de la clínica con la enfermera que empujaba la silla de ruedas y el médico que le fijaba los electrodos en el cráneo y el otro que despertaba los fantasmas de su existencia burlada, siempre había conseguido no mirarla a la cara, ignorarla como la había ignorado con Angelo el domingo de la doble matanza. Life-goes-on, darling, and-we-must-forget. La-vida-continúa, cariño, y-hay-que-olvidar. Y ésa había sido una gran medicina para su mal obscuro, la había ayudado a superar las crisis que se habían presentado durante aquellos cinco años. Pero ahora que la Muerte se le ponía de nuevo delante y la obligaba a mirarla a la cara de nuevo, aumentada y multiplicada, la crisis iniciada al despertar explotaba para apoderarse de ella con los síntomas que los psiquiatras le habían anunciado y explicado antes de devolverla a su casa. «Usted es una mujer inteligente y tiene derecho a saber la verdad. Por otro lado traicionaríamos a la ética profesional si se la ocultáramos: no se haga la ilusión de estar curada, Madame. Ciertas enfermedades no se curan. Siguen ciclos y cualquier estrés físico o psicológico puede iniciar el nuevo ciclo, exacerbarlas: un esfuerzo excesivo, una emoción violenta, un disgusto sentimental, un shock. Así pues tendrá períodos en los que aparecerá alegre y locuaz, lúcida y desinhibida, cargada de deseos, y períodos de inercia durante los cuales estará melancólica y taciturna, confusa e inhibida, cargada de renuncia. Los segundos desencadenan crisis que conducen con frecuencia al suicidio o a un gesto equivalente a él. No olvide que los enfermos maníaco-depresivos son proclives al masoquismo, y que por vías directas o indirectas uno de cada cinco acaba matándose. Atención. Los síntomas más frecuentes son una feroz hemicránea, un profundo cansancio, una tétrica apatía. En cuanto se manifiesten, llámenos. ¿De acuerdo?» «De acuerdo.» Sonrió con amargura. Aunque hubiera sido posible, esta noche no los habría llamado: para llamar al doctor, para combatir la crisis que conduce al suicidio o a un gesto equivalente a éste, hace falta deseo de vivir. Y de improviso su deseo de vivir había dejado de existir. Se lo habían quitado los Bachir, los Barakaat, los Ismahil, los Sharif, los Alí que había visto en Primeros Auxilios. Se lo había robado el muchacho al que faltaba medio rostro: su desmesurada impaciencia por morir, su estertor de alivio: «Shukrán, mama, shukrán...» Porque había sido esa impaciencia la que le había hecho comprender que de nada sirve rechazar la Muerte, de nada sirve odiarla, declarar yo-no-me-rendiré-nunca, no-me-doblegaré-nunca-ante-su-invencibilidad. Había sido ese estertor lo que le había hecho comprender que de nada sirve oponerle la Vida, creer o esperar que ésta sea la medida de todo, el resorte de todo, el fin de todo. Es la muerte la medida de todo, el resorte de todo, el fin de todo, y la Vida no constituye sino su instrumento. Su alimento, su comida. «S = K ln W. Lo mismo daba morir, pues, rendirse como el señor Boltzmann. Ir a su encuentro. Dejarse engullir por la nada...

Se pasó la lengua por el hueco del diente escupido, precisamente uno de los dos incisivos superiores, se acarició la nariz ahora violeta y monstruosamente hinchada. Volvió a sonreír con amargura y se dijo que le habría gustado tener consigo el bolso y coger el espejo, examinar en el espejo la desaparición de su legendaria belleza. Y el impulso a dejarse engullir por la nada aumentó. Quién sabe: tal vez no fuera una enemiga, la Muerte. Tal vez fuese una amiga, una hermana, una madre de verdad cuyo insaciable vientre ofreciera refugio y reposo. Tal vez fuese de verdad un alivio abandonarse a ella como el señor Boltzmann, recibirla como el muchacho que parecía un cobaya a medio viviseccionar. Shukrán-mama-shukrán. El ansia de encontrar el refugio, de conquistar el reposo, la poseía ahora con tal fuerza que hasta el obsesivo pensamiento de George se había disipado. Pero de repente sucedió algo. Sucedió que mientras se acunaba en el sueño de las palabras shukrán-mama-shukrán volvió a ver el inmenso ojo azul en el que vibraba la desmesurada impaciencia de morir, y se le sobrepusieron los dos grandes ojos azules en los que vibraba una desmesurada impaciencia por vivir: los ojos de Angelo. Angelo que en Junieh le tendía la ingenua carta y el ancla en forma de cruz, Angelo que le confiaba su crisis y su odio por la ecuación S = K ln W, Angelo que pretendía comprender lo incomprensible, explicar lo inexplicable, Angelo que buscaba la fórmula de la Vida. Y el amor muerto renació, lavado de toda clase de deseo o egoísmo. ¿Y si hubiera sido él quien llorara por sus muñones mal cauterizados, quien gimiese por sus piernas sesgadas, quien sollozara por sus brazos amputados, quien gritase por su vientre abierto del que salía el intestino con borbotones de excremento, quien estuviera tendido sobre una mesa con el rostro reducido a medio rostro? ¿Si lo hubieran arrojado a él a una sala de la que llegaran vaharadas de hedor nauseabundo? Matar, matar, no saben hacer otra cosa que matar había dicho el viejo ciego. Matar y morir, morir y matar. Es fácil matar. Tan fácil como morir. Basta con apretar el gatillo. ¡No!

Se puso en pie de un salto. Con la repentina y caduca vitalidad de los moribundos que galvanizados por un último arrebato de energía se llenan los pulmones para exhalar el último aliento, se lanzó fuera del hospital. Sorda al dolor de las heridas y de la atroz hemicránea, libre del profundo cansancio, de la tétrica apatía, se sumergió en la multitud de mujeres contenidas por el cordón de milicianos. Preguntó por el trayecto para el Cuartel General italiano. Torcer a la derecha, le respondieron mirándola incrédulas y apiadadas, llegar a la calle Sin Nombre, torcer a la izquierda, bordear el lado meridional de Gobeyre, continuar hasta la glorieta del viaducto, es decir, hasta la Rue de l'Aérodrome. Asintió. Se puso en marcha. Cojeando más que nunca sobre sus altísimos tacones, estremeciéndose más que nunca de frío, pidiendo más que nunca calor a su absurdo perrito de trapo, se dirigió a la calle Sin Nombre donde ya el infierno era ya insostenible. En efecto los M48 alineados en Chatila habían intensificado el fuego, los morteros de la Sexta Brigada habían aumentado el ritmo de tiro, y gran parte de los disparos caían en medio de la calle. Pero ella no se ocupaba de eso. Sólo se preocupaba de llegar rápido, oír decir que Angelo estaba vivo e indemne, y a cada paso se repetía: no-quiero-volver-a-abrazarlo. Sólo-quiero-saber-si-está-vivo-e-indemne. No-puedo-morir-en-paz-si-no-sé-que-está-vivo-e-indemne. Bordeó el lado meridional de Gobeyre. Llegó a la glorieta del viaducto donde los bersaglieri de la Intervención Rápida que habían llegado al Veinticuatro la vieron a través de las troneras y uno, atónito, gritó: «¡La hostia! ¡Ésa sí que tiene cojones!» Se internó por la Rue de l'Aérodrome. Recorrió los doscientos metros que la separaban del Cuartel General, irrumpió en la explanada exterior donde los carabinieri de guardia preguntaron alarmados quién era aquella andrajosa magullada y coja y desdentada que avanzaba hacia ellos con un extraño bulto.

«¡Alto ahí! ¿Quién eres?»

«¿Qué llevas en ese bulto? ¿Una bomba?»

«¡Vete! ¡Aquí no se puede estar!»

Se apoyó en un bidón del terraplén.

«Please, tell me if Angelo... Por favor, decidme si Angelo...»

«¡Largo! Ialla! ¡Largo!»

«Pero, ¡dejadla hablar, pobrecilla! ¿No veis que está medio muerta?» intervino uno, apiadado. Después, dirigiéndose a ella: «What do you want? ¿Qué quieres?»

«I want to know if Angelo is live. Quiero saber si Angelo está vivo...»

«Angelo, the sergeant? ¿El sargento de la Oficina Árabe?»

«Yes...»

«He is alive, he is alive. Está vivo, está vivo. He just came back from Chatila. Acaba de regresar de Chatila, and he is well, y está bien.»

Se levantó con un brinco semejante al que la había galvanizado en el hospital.

«Well, really well? ¿Bien, de verdad bien?»

«Well, really well. Pero, ¿tú quién eres? Who are you?

«Ninette... I am Ninette, soy Ninette.»

«¿¡¿Ninette?!?»

La iluminaron con las linternas. La observaron bien y poco a poco encontraron los cabellos lisos castaños con reflejos de oro, los estupendos ojos violeta, la encantadora boca, el magnífico cuerpo de la muchacha que casi todos los días venía al Cuartel General con su alegría contagiosa. Estallaron en un coro de exclamaciones incrédulas.

«¡Maldita sea, pero si eres Ninette!»

«¿¡¿Qué te ha sucedido?!? What happened to you, Ninette?!?»

«Has perdido un diente, you lost a tooth! Te has roto la nariz, you broke your nose!»

«How did you get here?!? ¿¡¿Cómo has logrado llegar hasta aquí?!?»

«Now we call Angelo! ¡Vamos a llamar a Angelo!»

Se endureció de golpe.

«No, don't call him! ¡No, no lo llaméis!»

«¿No? Why not?!? ¿¡¿Por qué no?!?»

«Because, porque...»

Miró el perrito de trapo. Lentamente le acarició las orejas caídas, el lomo aterciopelado, la lengua que le colgaba, las pequeñas manchas de sangre en el pecho y la garganta, lo dejó sobre los sacos de arena de la garita.

«Because I only came to leave this, porque sólo he venido a dejarle esto.»

«¿¡¿Esto?!?»

«¿Y qué es? What is it? A toy? ¿Un juguete?»

«No, it's a gift, un regalo. A good-bye gift, un regalo de despedida» murmuró tranquila.

Y se fue sin responder a las llamadas.

«¡Ninette! ¡No te vayas! Don't go away, Ninette!»

«¡Ninette! ¡Espera! Wait! Please wait, Ninette!»

«¡Ninette! ¡Allí es demasiado peligroso! It is too dangerous there!»

«¡Ninette! Stay here! ¡Quédate aquí, Ninette!»

Ni siquiera los escuchaba. No necesitaba escucharlos. Disipados los sufrimientos del cuerpo y del alma, sólo necesitaba ir al encuentro de lo que siempre había negado: entregarse como el señor Boltzmann a lo que siempre había detestado. Y saberlo le daba una plácida felicidad, le regalaba la sensación de liberación que alivia a quien comprende que ha concluido su ciclo vital y sin miedo ni pesares va a elegir un lugar para morir. A unos metros de la glorieta del viaducto se detuvo un instante en la acera. Con gestos sosegados buscó el ancla en forma de cruz que había permanecido todo el tiempo detrás del cuello. Volvió a colocársela delante, bien a la vista bajo la garganta, después sin cojear y con el paso lento de quien no tiene prisa porque tiene ante sí la eternidad reanudó la marcha. Llegó a la calle Sin Nombre, la cruzó, y cuando se encontró en la acera opuesta pareció dirigirse hacia la Avenue Nasser. Pero no lo hizo. Como si hubiera intuido que su cita con el destino no estaba en la Avenue Nasser, sino en la Rue Farruk, se internó por la Rue Farruk. Allí recorrió unos cincuenta metros, llegó hasta donde estaba el viejo ciego que sentado en su sillita seguía fumando impertérrito su narguile, se le acercó. Y estaba a punto de decirle: papi, ¿crees que ha vuelto ese muchacho a buscar su fusil?, cuando una voz perversa la acometió.

«Minni Kalashnikov! ¡Mi Kalashnikov!»

Era Passepartout que poco antes había sido sorprendido por Rashid sin su fusil y había tenido que soportar su furia. Cacho-cobarde, has-escapado. Has-soltado-el-Kalashnikov-y-has-escapado. Ve-a-recuperarlo-o-te-arrepentirás-de-haber-venido-al-mundo, desertor-asqueroso. Conque presa de un nuevo miedo había vuelto a buscar a la mujer a la que se lo había entregado, y allí la tenía: con su vestido blanco que aun cuando estuviera bastante menos blanco en la obscuridad resaltaba como una lámpara encendida. La reconoció en seguida. Aun andrajosa y magullada la reconoció en seguida. También ella lo reconoció, con su inconfundible casco con plumas, y fue a su encuentro presurosa.

«Iah walad, muchacho...»

La voz se volvió aún más perversa.

«¡Me lo has robado, ladrona! ¡Me lo has robado!»

«¡No, cariño, no! Me lo has dado y...»

«¡Yo no te he dado nada! Me lo has robado, me lo has robado para venderlo, ¡lo has vendido, vieja desdentada!»

«No, cariño, no. Lo he escondido...»

«¿Dóndeee? Devuélvemelo, ¡que si no me matan! ¿Dóndeee?»

«Ahí, cariño, en ese portón...»

«¿Qué portón? ¿¡¿Cuááál?!?»

«El que está al lado de la joyería, cariño. Voy a recogerlo, cariño, espera...»

«No lo hagas» dijo el viejo desorbitando sus lechosas pupilas. «No se lo des.»

«¿No lo has oído, papi? Si no se lo doy, lo matan» respondió.

«Si se lo das, te matará él a ti.»

Sonrió con calma. Sin cojear, entró en el portón contiguo a la joyería. Cogió el fusil, volvió a donde Passepartout que lo cogió con rabia, y en ese mismo instante las llamas de una casa incendiada se reavivaron haciendo resplandecer la minúscula gota de rubí que el costado del pequeño Cristo destilaba y después iluminaron toda el ancla con forma de cruz. Y un aullido sacudió la Rue Farruk.

«¡Cristiana, puta, espíaaa!»

Ninette tuvo apenas tiempo de distinguir la mano que se alargaba para arrancársela del cuello con la cadena, después la expresión de Passepartout que se la metía en el bolsillo. Una expresión obtusa y al tiempo pérfida, pensó estupefacta, y sin embargo tan inocente como puede serlo un desamparado al que han enseñado a matar y nada más, destruir y nada más. Un instante después oyó el clic del gatillo que disparaba, vio un resplandor amarillo, sintió una descarga de piedras de fuego que le traspasaban la garganta, que le traspasaban el pecho, que la alcanzaban en todo el cuerpo lanzándola con fuerza hacia atrás. Y mientras todo se volvía negro, inmóvil y negro, mientras Passepartout aullaba de nuevo cristiana, puta, espía, mientras el viejo farfullaba se-lo-había-dicho-yo-que-no-se-la-diera, se-lo-había-dicho, la vieja desdentada y ladrona se desplomó con un gran desgarrón en la garganta y un gran desgarrón en el pecho y largos surcos de sangre que serpenteaban hasta empapar el asfalto. Entonces desorbitó sus estupendos ojos violeta, exhaló un largo suspiro de alivio, y se entregó a la madre cuyo insaciable vientre ofrece refugio y reposo. Se dejó engullir por la nada. Shukrán, mama, shukrán.

Esto sucedió a medianoche.

–4–

Fue precisamente a medianoche, mientras en un sótano el gran capellán celebraba con las habituales promesas de hermandad y paz el nacimiento del Niño Jesús, cuando las esperanzas de obtener la tregua parecieron disiparse y la batalla llegó a su punto culminante. En efecto los gubernamentales, al no poder invadir Gobeyre con un ataque frontal de M48 porque desde la Avenue Nasser se entraba en dicho barrio sólo por callejuelas en las que los tanques se habrían quedado embotellados, ni aún menos irrumpir por los flancos porque en el lado septentrional, es decir, en la Rue Argan no había accesos y en el lado meridional, es decir, en la calle Sin Nombre la maniobra habría provocado a los Amal de Haret Hreik, recurrieron a la artillería pesada: los cañones de 130 y de 155 que Gemayel tenía situados en las montañas. Entonces Rashid respondió con todo lo que quedaba, los cohetes chinos, las ametralladoras PK46, los morteros de 60 y de 81, los Kalashnikov, las Rpg, y la lava del volcán desbordó los límites dentro de los cuales había estado contenida durante siete horas. Las piedras del volcán llegaron hasta Bourji el Barajni. Cayeron como granizo sobre la base Águila, la Logística, el hospital de campaña, el Cuartel General, y el drama del Cóndor alcanzó cimas dolorosas: se equivoca quien crea que dar órdenes es fácil, que mandar es un gozo. Se equivoca porque mandar significa decidir por los otros, decidir por los otros significa elegir a costa de la piel de los otros, elegir a costa de la piel de los otros significa imponerse un bagaje hecho de tormento. Si tienes un mínimo de inteligencia o conciencia, si no eres un imbécil o un irresponsable o un delincuente, toda opción te parece una celada: una propuesta inestable como las figuras de un caleidoscopio que al más leve toque, desplaza los espejos, deshace los colores y las formas para recomponerlo todo de forma diferente. Un cuadrado donde había un triángulo, un hexágono donde había un cuadrado, un rombo donde había un trapecio, el blanco donde estaba el negro, el amarillo donde estaba el rojo, el verde donde estaba el rosa o el marrón o el azul. Y toda forma o color una opción a un tiempo válida y desastrosa, un dilema que desgarra. Cualquier líder lo sabe, cualquier persona que sin ser un imbécil o un irresponsable o un delincuente se encuentre a la cabeza de un grupo. Pero pocos lo saben mejor que un general en la guerra, dado que de las opciones seguidas por un general en la guerra depende la vida o la muerte de centenares o miles de personas incluidos sus soldados. Y en aquel momento nadie lo sabía mejor que el Cóndor, ya decidido a responder al fuego con el fuego: a dar la orden de disparar a los barcos.

Hacia las diez Charlie había llamado con la motorola desde

la casa de Zandra Sadr y le había dicho: «Mi general, en Gobeyre el teléfono sigue sin funcionar y los mensajeros enviados por Su Eminencia no han regresado. Su Eminencia nos pide que tengamos paciencia, que esperemos. Tengamos paciencia, mi general, esperemos...» Y aunque de mala gana se había dejado convencer. Hacia las once lo había llamado de nuevo y le había dicho: «Mi general, al parecer los mensajeros han quedado bloqueados en el camino de regreso, Su Eminencia ha mandado a dos correos a buscarlos y nos ruega que le concedamos otros treinta o cuarenta minutos más. Concedámoslos, mi general...» Y aunque a gritos los había concedido. Pero al cumplirse los cuarenta minutos Charlie no había llamado, justo después la artillería de Gemayel se había puesto a martillear con los cañones de 130 y 155, la lava de Gobeyre había empezado a desbordar sobre el Cuartel General y el hospital de campaña y la Logística y la base Águila y Bourji el Barajni. Las figuras del caleidoscopio habían cambiado por enésima vez, y con la cabeza gacha había salido de la Sala de Operaciones. Se había encerrado en su despacho, se había colocado ante la radio sintonizada en la frecuencia del Albatros, el crucero a bordo del cual se hallaba el comandante de los barcos, y en pocos instantes había llegado a la fase que se alcanza cuando algo decide por nosotros. No sucede sólo en las situaciones de guerra. Sucede en la vida cotidiana, por ejemplo en las relaciones sociales o afectivas que causan demasiado dolor y en el dolor se consumen para agonizar colgadas de un hilo... Si no eres un jugador incurable, es decir, alguien que resuelve los dilemas con el rouge-ou-noir, les jeux-sont-faits, rien-ne-va-plus, te lo piensas bien antes de romper ese hilo. Tal vez sea un hilo resistente, piensas con forzado optimismo; tal vez pueda reconstruir lo que se ha consumido, te dices con forzada esperanza. Y aunque disparen contra ti tienes paciencia, aunque sangres como un san Sebastián esperas, aunque la precariedad de la relación cristalice en una espera eterna de lo mejor te concedes aplazamientos. Después, de improviso, algo decide por ti. ¿Qué? Un episodio que anula los restos del forzado optimismo. Un gesto que borra los residuos de la forzada esperanza. Una palabra que te hace sacar la conclusión de que no, no era un hilo resistente, era un hilo delgadísimo, casi inexistente: basta con tener paciencia, basta con esperar, basta con tener esperanza. Después extiendes la mano y, ¡zas! Extendió una mano. Alzó el micrófono. Y, mientras se lo lleva a la boca para llamar al Albatros, atención-Albatros, aquí-Cóndor-Uno, veamos lo que él ve con los ojos nublados por el tormento de quien debe decidir por los otros, elegir a costa de la piel de los otros.

* * *

Ve los barcos que a tres kilómetros de la costa se mueven lentamente, con los cañones y los misiles apuntados. Y en cada barco, detrás del puente de mando, una sala espectral apenas alumbrada por una penumbra fluorescente y violácea. Una especie de acuario sin agua. En el centro de la sala espectral, una pantalla horizontal y redonda sobre la que flotan misteriosos ectoplasmas: contornos fluidos, resplandores de hielo. A lo largo de las paredes, pantallas verticales y cuadradas en las que centellean manchas verde esmeralda que un pincel de luz barre a trescientos sesenta grados. Ninguna otra cosa parece moverse en la penumbra fluorescente y violácea y ningún ruido turba el silencio. Ninguna voz. En efecto, a la primera ojeada crees que está vacío. Has de aguzar la vista para distinguir a los serios individuos con auriculares en los oídos que están sentados en torno a la pantalla horizontal y redonda o delante de las pantallas verticales y cuadradas: los primeros para accionar extraños mandos que mueven misteriosos ectoplasmas, los segundos para accionar extraños teclados conectados al pincel de luz. Los observas perplejo, te preguntas quiénes son: ¿monjes que ejecutan un rito esotérico, espiritistas que intentan entrar en contacto con las almas de los difuntos, seguidores de una secta secreta que reza por la salvación de la humanidad? No, son militares, y ese lugar es la Central de Operaciones de Combate: la COC. (Léase Ceocé.) En cuanto a la pantalla horizontal y redonda, es la síntesis de los datos recogidos y elaborados para proporcionar el mapa de los objetivos que bombardear. Interpretaciones de los blancos, los fluidos contornos geométricos. Flechas que se mueven para indicarlos, los resplandores de hielo. En cambio las pantallas verticales y cuadradas son radares que escrutan el cielo y el mar y la tierra, las manchas verde esmeralda son el eco electrónico de las playas y las montañas y los pueblos y las ciudades sobre los que los cañones y los misiles vertirán el fuego. No, aquí no ves casas que arden, chabolas que saltan en pedazos, ratones con dos piernas y dos brazos que escapan arrastrando consigo maletas y colchones y televisores, sepulcros destapados de los que asoman cráneos de mujer con los cabellos largos, parejas de acróbatas de uniforme que corren bajo las balas calibrando al milímetro su valor, niños que vuelan al cielo con una olla de humus y shauarma, niñas que mueren sepultadas bajo los escombros con su madre y su abuelo y la cabra y el perro, reclutas sucios de fango y orina que sollozan yo-no-soy-un-paraguas, jefes de tanque que se desploman heridos al intentar recuperar un casco con plumas, enanos con chaqueta remendada que van al asalto de un edificio inútil y lo conquistan cantando con-uñas-y-dientes-defenderé-esta-torre-con-uñas-y-dientes, ex pacifistas de uniforme que matan disparando proyectiles con el rótulo brahmet-bayi, sobre la tumba de mi padre, coroneles con monóculo y fusta que se exponen a las balas gritando orgullosas tonterías, capitanes belicosos que colocan la pattada sarda en la garganta de sus amigos, muchachos que lloran por sus muñones mal cauterizados o sus piernas segadas o sus brazos amputados o su vientre abierto del que sale el intestino con borbotones de excremento, moribundos con medio rostro que exhalan el último aliento diciendo a la Muerte gracias-mamá-gracias, mujeres espléndidas a las que el dolor ha hecho enloquecer y que hartas de vivir se dejan fusilar por pequeños delincuentes armados con Kalashnikov. La guerra incómoda, dolorosa, concreta, bestial y sin embargo humana que se hace más o menos de cerca, es decir, manchándose las manos de sangre. Aquí encuentras la guerra cómoda, indolora, abstracta, racional y sin embargo inhumana que se hace de lejos, es decir, sin mancharse las manos de sangre. La guerra moderna. La guerra tecnológica. La guerra cobarde, es decir, delegada en el Ser Supremo con quien hoy en día se substituye al Padre Eterno y a Jehová y a Alá (demasiado viscerales y por tanto demasiado imperfectos), hecha por el dios lógico y perfecto que piensa por nosotros, juzga por nosotros, trabaja por nosotros, mata por nosotros. El dios Computer.

Aleluya, aleluya, ¿quién no conoce su omnisciencia, su omnipotencia y su omnipresencia de mago capaz de cualquier prodigio o brujería? Lo sabe todo, él, todo, y materializado en infinitas formas o dimensiones a veces tan pequeñas como una cabeza de alfiler habita por doquier: en tu reloj de pulsera, en tu teléfono, en tu televisor, en la balanza del frutero y del carnicero, en el telescopio del astrónomo que estudia los agujeros negros, en la calculadora del burro que por sí solo no consigue sumar dos más dos, en el archivo de la Oficina de Hacienda y de la Policía (evidente), en el tiovivo y en la montaña rusa del Parque de

Atracciones, en los mandos de un avión o un submarino, en los zapatos o la estilográfica de un agente secreto, en el marcapasos instalado dentro del corazón que no funciona bien, en la muñeca que ríe y llora y camina, en la célula fotoeléctrica que capta la matrícula de tu automóvil cuando corres demasiado, en el satélite que viaja entre los planetas de nuestro sistema solar o más allá de nuestro sistema solar, en la bomba dirigida por radio, pero sobre todo en los artefactos de la guerra moderna: la guerra tecnológica, la guerra cobarde. Habita, pues, a bordo de los barcos que el Cóndor ve con los ojos nublados en la sala contigua a la COC-léase-Ceocé. Una sala bien iluminada, ésta, sacudida por el zumbido de los acondicionadores, que mantienen una temperatura constante de 20 grados centígrados equivalentes a 68 grados Fahrenheit porque los sagrados aparatos no deben sufrir calor ni frío, y aséptica como un quirófano porque ni una pizca de polvo ni un cabello ni el humo de un cigarrillo deben acabar entre las divinas neuronas. Siempre igual a sí mismo porque requiere una copia exacta de sí mismo en cada barco, se alza sobre una plataforma de paneles bajo la cual se extienden sus santos tentáculos: su fisonomía es la de un paralelepípedo color gris metal. Mide un metro y medio de altura, un metro de largo, otro tanto de ancho y pesa doscientos kilos. Respira una corriente eléctrica de 5.000 vatios y está custodiado por dos operadores con bata blanca, zapatos blancos y guantes esterilizados para no contagiarle nuestras enfermedades. Obsequiosos e incansables, esos dos controlan las divinas neuronas, vigilan sus sagrados artefactos, inspeccionan sus santos tentáculos y él lo agradece centelleando con un ojo rojo y otro azul. Parece un dios benigno, un dios al servicio de la Vida. Pero, cuando con las copias de sí mismo se ponga a trabajar, distribuirá la muerte a una velocidad espantosa. La velocidad de la luz que en un segundo va de la Tierra a la Luna o gira siete veces y media en torno a la Tierra. A trescientos mil kilómetros por segundo activará una cadena de asensos electrónicos que nosotros nunca conseguiríamos activar, iniciará una secuencia de impulsos eléctricos que nosotros nunca conseguiríamos iniciar, ejecutará una serie de operaciones simultáneas que nosotros nunca conseguiríamos ejecutar: dará instrucciones a los misiles fijados a las rampas y al mismo tiempo cargará los cañones, les facilitará los objetivos, la trayectoria, el ritmo de tiro. Prescribirá treinta disparos por minuto si se trata de cañones de 127, cincuenta y ocho si se trata de cañones de 76, encargará dividirlos en ráfagas de cuatro granadas que salen una por una en cuanto se cierra el obturador. Carga y dispara, carga y dispara, carga y dispara, carga y dispara. Pausa. Carga y dispara, carga y dispara, carga y dispara, carga y dispara. Pausa. Mata y destruye, mata y destruye, mata y destruye, mata y destruye. Descansa. Mata y destruye, mata y destruye, mata y destruye, mata y destruye. Descansa. Y de nada sirve desear que un disparo no dé en el blanco por error. Él no comete errores. No los cometería ni aun cuando tuviera un alma que le suplicara hacerlo: su infalibilidad raya en el absoluto. Pero, atención, atención: como todos los dioses existe en la medida en que existen los hombres que lo han concebido y alumbrado y criado y programado. Funciona en la medida en que los individuos serios con los auriculares en los oídos mueven los misteriosos ectoplasmas y accionan los extraños teclados y administran su omnisciencia, su omnipotencia, su omnipresencia, su infalibilidad. Sin ellos no es sino una vulnerabilísima urdimbre de hilos eléctricos, un delicadísimo instrumento que se estropea con un poco de calor o un poco de frío, se rompe con una pizca de polvo o un cabello o el humo de un cigarrillo, y para distribuir la muerte con la velocidad de la luz necesita a un hombre que le dé la orden. En este caso, el Cóndor.

El Cóndor se da cuenta de ello perfectamente. Y no menos perfectamente se da cuenta de que al dar la orden acabará autobombardeándose de verdad, que la mitad de los treinta disparos por minuto caerán sobre el sector italiano. Conque, aun con el hilo ya cortado, tiene un instante de vacilación. Y en ese instante también su mente viaja a la velocidad de la luz: cada kilómetro, cada metro, cada centímetro, un misil o una granada de 127 que le estalla dentro del cerebro. ¿Sabes cuántas cosas puede pensar un hombre mientras la luz va de la Tierra a la Luna o gira siete veces y media en torno a la Tierra? ¿Sabes cuánto puede sufrir mientras las piensa, cuánto puede flagelarse, cuánto puede arrepentirse? Hay un huracán apocalíptico dentro de su cabeza, una vorágine de pensamientos y sentimientos rápidos como los asensos electrónicos y los impulsos eléctricos y las operaciones simultáneas que el dios capaz de cualquier prodigio o brujería se dispone a ejecutar, y en esa vorágine hay una imagen constante: la imagen del tren de que hablaba el abuelo, el tren sobre el que dentro de poco se abatirán las ráfagas de carga-y-dispara. En la locomotora, él conduciendo. En los primeros vagones, los infantes de marina y los bersaglieri que llevan veinticuatro horas en Chatila hambrientos ateridos atemorizados. Con ellos, la compañía de reserva que los ha protegido con la Intervención Rápida y los oficiales que comparten su suerte. El pobre Águila Uno al que siempre ha maltratado, el pobre Caballo Loco al que siempre ha humillado, el pobre Neblí al que siempre ha criticado, el pobre Sandokan al que siempre ha insultado, el pobre Pistoia al que siempre ha utilizado. En los vagones siguientes, los paracaidistas de Bourji el Barajni y todos cuantos se encuentren en la base Águila, en la Logística, en el hospital de campaña y en el Cuartel General. En los últimos, los alojados en Sierra Mike y en el Rubí que parecía haber quedado fuera del infierno pero no ha sido así en realidad porque con la artillería de Gemayel se ha despertado la artillería de Jumblatt. ¿Y si anudara, se pregunta el Cóndor, el hilo cortado? Tal vez debería anudarlo, tener un poco más de paciencia, esperar la llamada de Charlie. O debería ampliar el intervalo que se forma entre las dos fases de la orden... La orden comienza con tres palabras: «Preparados para disparar.» No son tres palabras irreparables. Pronunciadas dichas palabras el Computer activa la cadena de asensos, inicia la secuencia de los impulsos, ejecuta la serie de operaciones simultáneas, después se detiene en espera de las tres palabras irreparables: «Fuego a discreción.» Si la llamada de Charlie llegara en el intervalo comprendido entre el preparados-para-disparar y el fuego-a-discreción, el Cóndor podría dar marcha atrás, o sea, decir: «Contraorden, orden anulada.» Sí, tal vez valga la pena anudar el hilo... Tal vez los mensajeros de Zandra Sadr hayan logrado convencer a los Amal... Tal vez ya hayan regresado de Gobeyre con la respuesta positiva... Tal vez ya la hayan comunicado a Zandra Sardr. Tal vez Zandra Sadr ya haya encargado a Charlie de avisar a su general... Tal vez Charlie esté llamando... Después mira a la motorola que calla, dos estallidos muy cercanos sacuden la ciudad, un puñado de cascotes le caen del tejado en la cabeza, comprende que la batalla ya ha alcanzado la Rue de l'Aérodrome, recuerda que la fortuna es una puta de la que no te puedes fiar, y acerca la boca al micrófono: «Albatros, atención, Albatros. ¡Aquí Cóndor Uno!»

«Adelante, Cóndor Uno. Aquí Albatros» responde el comandante de los barcos.

«¡Preparados para el fuego!»

«¡Preparados para el fuego» repitió el comandante de los barcos.

«Preparados para el fuego» confirmó la Central Operativa de Combate.

«Preparados para el fuego» dijo el Computer a sí mismo y a las copias de sí mismo. Después se preparó para oír el fuego-a-discreción, y fue entonces cuando la motorola del Cóndor chirrió para traer la voz exultante de Charlie.

«¡Cóndor Uno, Cóndor Uno, aquí Charlie-Charlie!»

«¡Adelante, Charlie...!»

«Mi general, ¡los mensajeros de Su Eminencia han regresado! ¡Los Amal han aceptado la tregua! ¡Basta con informar a los gubernamentales para que entre en vigor!»

Diez minutos después entró en vigor la tregua y el Cóndor hubo de excusarse con la diosa de los ojos ciegos o vendados: ni siquiera cuando la batalla había alcanzado su punto culminante había habido víctimas entre los italianos.

* * *

No las había habido en Chatila donde un Rpg procedente del ángulo nordoccidental de Gobeyre y dirigida hacia los morteros de la Sexta no había acertado por cinco centímetros al tanque del Veintiocho, había acabado en la acera de enfrente, había matado a Ahmed asomado a la puerta para llamar a Jasmine. No las había habido en el Cuartel General donde una granada había caído sobre los sacos de arena que protegían la Sala de Operaciones y otra por un pelo no había acertado los cimientos que custodiaban el Museo de Azúcar. No las había habido en el hospital de campaña donde las bombas caídas entre las tiendas de Primeros Auxilios y de los quirófanos no habían explotado por tener defectuosas las espoletas. No las había habido en la Logística donde un garaje había saltado por los aires junto con dos aparcamientos. No las había habido en la base Águila donde una quinta parte del campamento había ardido y un cohete había destruido el baño contiguo a la habitación Luis XVI. No las había habido en Bourji el Barajni donde en los últimos minutos ningún puesto de mando se había librado de la lluvia de disparos. No las había habido en Sierra Mike donde hasta Calogero el Pescador había salido bien librado sin un arañazo y ahora yacía en la enfermería encerrado en una camisa de fuerza. (Al ser informado de su fuga, Sandokan había corrido a buscarlo y lo había encontrado en la playa de Ramlet el Baida: un perfil incierto que vagaba en zig-zag a lo largo de la orilla, una voz débil que pedía al viento una-barca-para-ir-a-Formica-una-barca.) No las había habido en el Rubí donde un Katiusha y dos cañonazos de los drusos habían destruido el oasis de Rocco e Imaam... Naturalmente había habido muchos heridos. Los que estaban en los miradores o en los observatorios se habían ganado montones de esquirlas. Pero ninguna en partes vitales del cuerpo, y el gran capellán llegado de Roma aprovechó para demostrar la validez de sus teorías: antes del ite-Missa-est dijo que esta noche el Niño Jesús había vuelto a nacer para salvar a los soldados del contingente. Pero la mayoría no se lo habían tragado y después del ite-Missa-est le formularon preguntas tan incómodas como sensatas. Si Dios Nuestro Señor lo es de todos los hombres y los ama a todos del mismo modo, le preguntaron, ¿por qué también esta vez había cometido favoritismos e injusticias? ¿Por qué los había preservado a ellos, cortesía que le agradecían de todo corazón, que quede claro, y había segado la vida de muchos otros? Y Alá, ¿qué hacía entretanto Alá? ¿Dormía, jodía con las huríes, jugaba a las cartas con el diablo? Pero, ¿no son la misma cosa, Dios Nuestro Señor y Alá, los mismos nombres de la misma misericordia? ¿O son de verdad esperanzas vacías, fantasías vanas, frutos de nuestra imaginación y nuestra desesperación?

El gran capellán respondió que la razón humana, tan imperfecta y corrompida por el pecado original, es decir, por la manzana de Adán y Eva, no podía penetrar en el misterio de los grandes designios divinos. Conque cerraron el pico. Y entretanto en Chatila avanzaban los recogedores de los muertos.

–5–

Se volvían a abrir las puertas, se volvían a levantar los cierres, se volvían a encender las lámparas de gas, y como ratones que regresan a la madriguera los habitantes que habían sobrevivido a la fuga insensata regresaban a las casas y a las chabolas. En cambio los que se habían quedado salían con una cuerda en la mano, y como gatos que salen de su escondrijo cuando ha pasado la tormenta avanzaban a pasitos cautos: conteniendo la respiración para no hacer ruido y con los ojos bien abiertos para escudriñar en la obscuridad. La radio gubernamental había anunciado la tregua con un comunicado especial, los muecines la habían ratificado desde los alminares con plegarias a Alá, los italianos la habían confirmado desde los tanques con exclamaciones de júbilo y alegres blasfemias, pero ellos no se fiaban. Sólo tras haberse asegurado de que de verdad no disparaban contra ellos se pusieron a caminar en libertad, con apariencia de ir a buscar algo. Iban a buscar a los muertos. Y en cuanto encontraban a uno se detenían sin decir nada, le ataban un extremo de la cuerda en los tobillos o en el tórax, se pasaban el otro extremo por un hombro, y lo llevaban arrastrando como si fuera un trineo. Encontrar muertos era fácil. Estaban por todos lados. Pero la mayoría se amontonaban en la zona de la Torre, es decir, al sudeste de Sabra, en la zona del Veintidós, es decir, en la placita y en las callejuelas contiguas a la placita, en torno al Veinticinco, en las callejuelas paralelas a la Avenue Nasser, y para enterrarlos en seguida sólo existía la fosa común donde estaban cavando sepultureros improvisados. En efecto el cementerio de Gobeyre sólo aceptaba los cadáveres de su barrio, el de San Elías pertenecía a los cristianos maronitas, y los de la Ciudad Antigua estaban demasiado lejos. Así, a lo largo de la carretera de Sabra y la callejuela del antiguo Veinticinco Alfa, ahora abandonada por Gassán y protegida por los militares de la Sexta con doce jeeps, se delineaba poco a poco un espectáculo inesperado y alucinante: dos procesiones de sombras que parecían arrastrar su propia sombra y que con cansina lentitud se dirigían hacia el cruce del Veintiuno. Allí se encontraban en ángulo recto para convertirse en una sola procesión muda, una espectral comitiva de larvas, desfilando por el espacio dejado libre por los M113 y los M48 gubernamentales las larvas llegaban a la fosa común, sin decir nada desataban el cuerpo arrastrado con la cuerda. Lo entregaban a los sepultureros improvisados que al instante lo arrojaban entre los restos de los mil palestinos asesinados un año y cuatro meses antes. No se podía hacer otra cosa: si no tienes ríos de formol ni cámaras frigoríficas en abundancia, después de una batalla o un bombardeo los muertos tienes que enterrarlos rápido o quemarlos. Si no se corrompen, infectan a los vivos con su podredumbre, causan epidemias, apestan el aire con su fetidez. Esa fetidez dulzona, desagradable, tremenda, que aunque te laves y te vuelvas a lavar se te queda pegada a la piel y a los cabellos durante días. En las ventanas de la nariz durante semanas, durante meses. En la memoria, para siempre.

Parado al volante del jeep con el que al anuncio de la tregua había recorrido los puestos y después se había dirigido al Veintitrés, Águila Uno observaba tapándose la nariz y se decía desalentado: «¡Jesús! ¡San Genaro, san Genaro, san Gerardo, san Guillermo, Abraham, Isaac, Jacob, Jesús! Tampoco esta vez pueden ser menos de mil, y para una batalla de barrio, ¡mil son muchos! Son demasiados.» Se lo decía porque en determinado momento se había puesto a contar los cadáveres arrastrados con la cuerda por los recogedores de muertos, y en pocos minutos había llegado a treinta y seis. A partir de esa cifra había calculado que entre Sabra y Chatila las víctimas serían un mínimo de trescientas o cuatrocientas, en Gobeyre cerca de seiscientas o setecientas, y ese número le consternaba aún más que el comentario de Caballo Loco ante la carnicería de la placita: «Menudencias, amigo mío, menudencias. Sus buenos treinta y dos mil franceses y cuarenta mil austríacos, es decir, setenta y dos mil caídos, hubo entre el 5 y el 6 de julio de 1809 en Wagram.» Lo turbaba también el modo como los gubernamentales instalados ya en el barrio asistían al alucinante espectáculo. Tal vez distraídos por sus pérdidas, excepto en la Torre bastante reducidas aunque no despreciables, ni los que llevaban la cruz al cuello ni los que no llevaban la cruz al cuello daban señal alguna de piedad o interés. Por último, le espantaba el inverosímil silencio que petrificaba el barrio, la ausencia de ruidos que había substituido al infernal estruendo de la batalla, y dentro de ese silencio un piar casi imperceptible: la repetición de la palabra que en árabe significa «ayuda, ayudadme, ayuda». «Saedni... saedni... saedni...» Escrutó en la obscuridad. Procedía de una mujer joven a la que ya había visto salir de la callejuela por el Veinticuatro y correr a la fosa común, revolotear en torno a ella con los saltos frenéticos de una mariposa, después inclinarse a mirar a los que tiraban dentro. Pero ahora se había apartado y se acercaba a él despacito: como si hubiese consumido hasta sus últimas energías y no lograra mantenerse en pie. Le sonrió, amable.

«¿Qué quieres, querida, shubaddak?»

«Muhammad... saedni...»

«¡Dime, querida, habla!»

«Saedni... Muhammad...»

«¿Qué Muhammad, querida? Who?»

«Muhammad baby... My baby...»

«¿Tu hijo? ¿Has perdido a tu hijo? Baby lost, perdu?»

«Na'am, sí, na'am...»

«Perdu, mort? ¿Muerto? Dead?»

Sus inmensos ojos negros se desorbitaron horrorizados.

«Laaa! ¡Nooo! Talieni...»

«No comprendo, querida. Je ne comprends pas, I don't understand!»

«Talieni... Sadiqui talieni...»

«Sadiqi talieni, ha un amico italiano? Friend, ami?»

«Na'am, sí, na'am...»

«¿Dónde, querida? Where, où?»

«Hamsa ua aeshrina...»

«Mish fahèm, no entiendo querida. Je ne comprends pas, I don't understand!»

«Hamsa ua aeshrina...»

Agitaba las manos, mientras decía hamsa-ua-aeshrina. Con la derecha movía el pulgar y el índice, en señal de dos, y con la izquierda los cinco dedos. Conque Águila Uno empezó a intuir.

«¿Dos? Deux, two, etnén?»

«Na'am, sí, na'am..."»

«Cinque? Cinq, five, hamsa?»

«Na'am, sí, na'am!»

«¿Veinticinco? Vingt-cinq, twenty-five?»

«Na'am! ¡Sí! Na'am! Veinticinco, hamsa ua aeshrina, na'am!»

«Entiendo, querida. Come with me, viens avec moi. Ven conmigo. Yo te llevo allí.»

La hizo subir al jeep. Se dirigió hacia la callejuela del Veinticinco. Avanzando a paso de hombre porque los doce jeeps de la Sexta Brigada se habían alineado con los faros apagados a lo largo de la pared meridional y también la procesión tenía dificultad para avanzar, llegó al ensanche. La ayudó a bajar, la acompañó al tanque de la Intervención Rápida.

«Esta mujer busca a su hijo, un niño que se llama Muhammad y que tiene un amigo italiano en el Veinticinco. ¿Lo ha visto alguien entre vosotros?» preguntó.

«No, mi coronel, entre nosotros no» respondió el jefe del tanque. «Ahora bien, Muhammad quiere decir Mahoma y allí hay un niño muerto que se llama Mahoma.»

«Allí, ¿¡¿dónde?!?»

«Detrás de los sacos del puesto de guardia bajo la higuera, mi coronel.»

«¿Y quién lo ha puesto allí?»

«No lo sé, mi coronel. Tal vez el bersagliere de la escuadra de turno. Se ha plantado allí y no deja que se lo lleven.»

«¿Y quién es ese bersagliere?»

«El que recibió la medalla de los franceses, por la niña del retrete, mi coronel.»

«¡Oh, no!» exclamó Águila Uno, al recordar de repente lo que Neblí le había dicho por radio a las nueve de la noche. «Nada, mi coronel, nada, aquí-en-el-Veinticinco-ha-muerto-un-niño... El-niño-que-venía-siempre-a-ver-al-bersagliere-bajo-la-higuera. Y-por-desgracia-el-bersagliere-se-lo-ha-tomado-muy-mal.» Después se dirigió a la mujer joven que esperaba cargada de esperanza, casi tranquilizada.

«Espera aquí, querida. Attends ici, wait!»

«Na'am, sí, na'am...»

«Pero, mientras decía na'am, sus ojos se detuvieron en la higuera. La miraron con perplejidad, después recayeron en Ferruccio que erguido contra los sacos de arena cerraba la entrada al recinto. Y como si sintiese que aquélla era la higuera de la que hablaba siempre Mahoma, aquél el amigo para el que había llenado la olla de humus y shauarma, después había escapado de casa, se separó de Águila Uno. Y corrió hacia Ferruccio:

«Monsieur! Monsieur!»

«Cristo, oh, Cristo...» balbució Ferruccio al reconocer en el rostro de la mujer joven el rostro de Mahoma.

«Sadiqi Muhammad, Monsieur? ¿Es usted el amigo de Mahoma?

«Cristo, oh, Cristo...» balbució de nuevo Ferruccio.

«Talieni sadiqi Muhammad? ¿El amigo italiano de Mahoma?»

«Cristo, no...» sollozó esta vez Ferruccio. Y extendió un brazo para impedirle el paso. Pero ella ya había comprendido, ya se había colado dentro del recinto, ya había visto a su hijo muerto, y un alarido sacudió el Veinticinco. Un alarido prolongado, inhumano.

«¡Muuuhaaammaaad!»

Entonces, el inverosímil silencio que petrificaba el barrio se rompió de repente. De todos los callejones, todas las calles, todas las casas, todas las chabolas, todos los tejados, todas las terrazas, todas las ventanas, todos los agujeros se alzó un lúgubre coro de gemidos y quejidos y voces que llamaban a los muertos. Los Bachir, los Ismahil, los Sharif, los Alí, los Barakaat muertos en Chatila. Las Leydas, las Fatimas, las Jamilas, las Aminas muertas junto a los Bachir y los Ismahil y los Sharif y los Alí y los Barakaat. Y, con el lúgubre coro, un sonido inusitado. El sonido sin igual que las árabes emiten tamborileando la lengua contra el paladar y gorjeando un pío-pío estridente, un chillido agudísimo compuesto de infinitos chillidos, y cuyo significado cambia según las circunstancias: unas veces expresa protesta, otras veces júbilo, otras duelo, y en este último caso es un sonido tremendo. Porque parece un llanto ciclópeo, un sollozo desmesurado emitido por hordas de animales torturados.

«Ohi-ohi-ohi-ohi-ohi-ohi-ohi-ohi...»

Aunque ya lo hayas oído, aunque ya lo conozcas bien, al volver a oírlo te estremeces. Águila Uno no lo había oído nunca por lo que, de golpe, olvidó sus rencores de judío educado en el rencor. Olvidó las protestas de su madre, olvidó las recomendaciones, olvidó a su tío Ezechiele, a los parientes de Tel Aviv y de Jerusalén, el candelabro de siete brazos, la Torá, y se sintió arrebatado por un amor irresistible hacia los peores enemigos de su pueblo: palestinos o chiítas o lo que fueran. Aquellos palestinos antipáticos e infieles que habían robado la ciudad feliz, la habían corrompido con sus abusos y prepotencias y con la guerra, pero que se habían visto a su vez privados de sus ciudades y sus casas, y desde hacía decenios vivían como los animales, como los animales comían y dormían, como los animales no se preocupaban de recoger su basura y lanzaban insultos a quien se la recogía, como los animales vendían a sus hijas y a sus hermanas, como los animales mataban y eran matados, como los animales eran sepultados y desenterrados. Aquellos chiítas retrógrados y salvajes que sólo sabían odiar, matar, obedecer a los muecines y a los mullahs y a los ayatollahs, culpar a los otros de sus desgracias y su barbarie, aquellos analfabetos ociosos y viciosos que cultivaban la tierra sólo para producir hachís, aquellos vampiros sedientos de muerte que parían terroristas como los ratones paren ratones, a nidadas, que sonreían de felicidad sólo cuando provocaban matanzas con camiones de hexógeno, pero que siempre habían sido explotados humillados tiranizados por todos, incluidos los occidentales, siempre mantenidos en la ignorancia y en la miseria y en el fanatismo, siempre jodidos con las mezquitas y los alminares y la cantinela Allah-akbar, Allah-akbar, Allah-akbar Dios-es-grande, Dios-esgrande, Dios-es-grande. Y se avergonzó de haberlos despreciado tanto. Y al avergonzarse sintió la obligación de remediar con un gesto que superara los límites de la cortesía, de la urbanidad, y presa de una conmoción nueva socorrió a la desgarradora criatura caída sobre el cuerpecito manchado de hummus y shauarma. La levantó a pulso. Se la llevó del puesto de guardia. La hizo subir de nuevo al jeep, le enjugó las lágrimas, la ayudó a beber el agua de su cantimplora. Después dijo al alelado Ferruccio que envolviera a Mahoma en una manta, envuelto en la manta, se lo colocó en su regazo, la volvió a acompañar hasta la fosa común, y tras apartar a los sepultureros improvisados lo colocó en el punto que el trémulo dedo indicaba. Aquel en que un año y cuatro meses antes habían arrojado a su marido y su padre y su hermano fusilados en la matanza, su hija violada y degollada por los falangistas con el beneplácito de Shemà Israel. Se lo enterró con sus propias manos. Después de hacerlo, la confió a un grupo de mujeres y fue al Veintidós para recoger a la niña del belén, enterrarla también con sus propias manos. Pero Rambo no se la entregó.

«Dámela, Rambo...»

«No, mi coronel.»

«Hay que enterrarla, Rambo...»

«Ya lo sé, mi coronel.»

«Yo me encargo de eso, Rambo...»

«Me corresponde a mí, mi coronel.»

«De acuerdo, Rambo. Pero vuelve a ponerte la chaqueta.»

Moviendo su cabezón Rambo recogió la chaqueta con la que había cubierto el pequeño cadáver desnudo de Leyda, se la puso, y poco después se desarrolló la increíble escena que iniciaría el drama final y haría que Angelo dejara de pensar en Ninette.

* * *

Ninette llevaba al menos veinte minutos muerta cuando encolerizado con los carabinieri, inconscientes-deberíais-habermeavisado-al-instante-inconscientes, Angelo había abandonado la Oficina Árabe para correr a buscarla en la glorieta del viaducto y en la Avenue Nasser y en la Rue Argan. Por todas partes menos en la Rue Farruk. La tregua era ya una realidad cuando había regresado y sordo a los comentarios burlones, Papá-Noel-le-ha-traídoun-juguete, guau-guau, se había encerrado en el tabuco a manosear el perrito de trapo y exacerbar su pena con preguntas angustiosas. Había venido, Dios mío, había venido, y ¿por qué no había querido que lo llamaran? ¿Por qué no había aceptado la invitación a descansar un poco? ¿Por qué no la habían reconocido los carabinieri al principio, madre-mía-sargento-cómo-venía? ¿Por qué parecía una andrajosa magullada y estropeada? ¿Por qué le faltaba un diente? ¿Por qué tenía cubierto el pecho y la garganta de manchitas de sangre su absurdo regalo? Después había llegado Charlie, extenuado por el encuentro con Zandra Sadr y la interminable espera de sus mensajeros. Lo había llamado y: «He sabido que en Chatila han vuelto a abrir la fosa común y están arrojando a ella un montón de cadáveres. Quisiera ir a observar las reacciones de los gubernamentales, pero tengo que acudir corriendo ante el Cóndor. Ve tú.» Había ido. Sin cesar de formular aquellos angustiosos porqués se había internado por la Avenue Nasser y había entrado en el Veinticinco. Sin advertir que Ferruccio sollozaba desesperado había aparcado el jeep cerca del puesto de guardia situado bajo la higuera. Sin alzar la vista hacia la maldita Torre que ya no interesaba a nadie, que ya no servía a nadie, se había apeado para continuar a pie a lo largo de la callejuela en que los doce jeeps de los militares chiítas estaban alineados con los faros apagados. Allí se había detenido a mirar las sombras que en la callejuela del Veintidós arrastraban su propia sombra, y ni siquiera eso había hecho que dejara de pensar en Ninette. Pero en cuanto vio a Rambo que con el fusil al hombro y la medalla de Jomeini en el pecho avanzaba con el cadáver desnudo de Leyda en los brazos, todo cambió. Y lanzó una especie de sollozo sofocado.

«¡Dios mío!»

No fue el único. Dejaba sin respiración ver a aquel gigante manchado de sangre que con el fusil al hombro y la medalla de Jomeini en el pecho avanzaba solo con el pequeño cadáver desnudo de una niña pequeñísima en los brazos. Resultaba más desgarrador que la procesión silenciosa, que el lúgubre coro entregado al ciclópeo llanto, que la madre con el cuerpecito de su hijo envuelto en la colcha. Y el militar al volante del primer jeep tuvo una reacción idéntica: «Yahallah!» Gimiendo yahallah extendió la mano hacia el salpicadero, encendió los faros, le iluminó el camino. Y el militar al volante del segundo jeep hizo lo propio. Y así el del tercer jeep, el del cuarto, el del quinto, los de los siete siguientes. Como si obedecieran a una orden que se transmitían con la boca cerrada, uno por uno los once militares chiítas al volante de los once jeeps de la callejuela encendieron los faros para iluminar el camino de Rambo: en el lapso de pocos minutos aquel trayecto se convirtió en un collar con cuentas de luz de las que partían espadas de luz que Rambo cortaba con el pequeño cadáver desnudo de Leyda después dejaba en las sombras tras sí. Así llegó a la esquina con la carretera donde los M48 de la Octava y los M113 de la Sexta seguían detenidos en una formación de dos filas opuestas. Y al instante, también allí, se encendieron dos faros. Los faros de un M113 de la Sexta. Después de éstos, otros dos: por el mismo lado. Y otros dos, otros dos, otros dos, por el mismo lado, hasta que de tanque en tanque también este trayecto se convirtió en un collar con cuentas de luz de las que partían espadas de luz que Rambo cortaba con el pequeño cadáver desnudo de Leyda y después dejaba en las sombras tras sí: las docenas y docenas de recién nacidos muertos, muchachos muertos, hombres muertos, mujeres muertas, viejos muertos. Conque inundada por aquella luz la procesión se reveló en todos sus atroces detalles, su inmensa tragedia, los militares chiítas comprendieron lo que Bilal había comprendido, es decir, lo que se habían hecho a sí mismos, y de los M113 de la Sexta se alzó un murmullo amenazador. En el murmullo amenazador, la voz de un oficial que tronaba cuatro palabras. Después las voces de muchos soldados que respondían con tres palabras. E invadido por una nueva ansiedad Angelo se preguntó qué habría dicho el oficial, qué habrían respondido los soldados.

CAPÍTULO QUINTO

–1–

Había dicho basta. «Biskaffí, basta, ma'a-baddih-iah. Yo no obedezco más.» Le habían respondido: sí basta. Uah-nahnakamaam, tampoco nosotros obedecemos más.

Y aquellas palabras sintetizaban una ira que había madurado bastante antes de que los faros de los doce jeeps encendieran el collar con cuentas de luz, las espadas de luz, para iluminar la procesión. Analizando las espoletas de las bombas caídas sin explotar sobre el hospital de campaña, todas de un tipo con que estaba dotada la Sexta Brigada, Azúcar comprobaría que eran defectuosas porque alguien las había manipulado: sabotaje semejante al que se producía a lo largo de la Línea Verde cuando los artilleros chiítas alteraban la trayectoria decidida por los oficiales cristianos y en lugar de pasar por encima de la colina, bombardear Harek Hreik, martilleaban la base Rubí. Analizando los fragmentos de las granadas estalladas en Chatila comprobaría además que en las callejuelas paralelas a la Avenue Nasser, el trecho comprendido entre el Veintidós y el Veinticuatro, el grueso de la matanza lo habían cometido los morteros de la Sexta con el truco del tiro corto. Pero muchos de sus disparos habían acabado también más allá de la avenida, es decir, en el objetivo correcto, y habían contribuido bastante a completar la carnicería provocada en el barrio chiíta por los tanquistas de la Octava Brigada. Seiscientos muertos en Gobeyre, precisamente la cifra calculada por Águila Uno, más un millar de mutilados. Y ahora, al cabo de tres semanas (las que han pasado desde que dejamos a Angelo con su pregunta), la ira de los militares chiítas había alcanzado proporciones pavorosas: nueve de cada diez pensaban como los que se habían conmovido al ver a Rambo que pasaba con el pequeño cadáver desnudo de Leyda en los brazos. «El ejército de Gemayel nos ha traicionado» refunfuñaban con cualquier pretexto. «Nos ha obligado a disparar con los cristianos y para los cristianos contra nuestras casas, contra nuestros hijos, contra nuestras mujeres, contra nuestros padres, contra nuestros hermanos de fe, contra nosotros mismos. Biskaffí, basta, biskaffí.»

Tres semanas. Las cosas habían cambiado bastante en tres semanas. Los de la Octava ya no entraban en la zona occidental y los únicos militares que se atrevían a transitar por ella exhibiendo la cruz al cuello eran los oficiales cristianos de la Sexta, poco numerosos y con frecuencia tratados como huéspedes inoportunos. En cambio los oficiales chiítas y los soldados de esa brigada se movían por ella como por su casa y, sin que el Cóndor pudiera oponerse a ello, en Chatila sus M113 flanqueaban a los M113 de los italianos. Allí se conchababan con los Amal, denigraban abiertamente a la Octava, daban pábulo a los rumores de que Gassán había matado a sangre fría a Bilal mientras cruzaba desarmado la Avenue Nasser, y hablaban de represalias futuras. Cuentas que saldar. En una palabra, se advertía a simple vista que la rebelión chiíta estaba a punto de estallar. Sentías a flor de piel que el ejército de Gemayel estaba a punto de dividirse: por una parte la Octava con sus meapilas devotos de Jesús y san Marón y la Virgen, por otra la Sexta con sus fanáticos devotos de Alá y Jomeini y Zandra Sadr. No era casualidad que entre las Fuerzas Multinacionales se respirara una atmósfera de desmovilización. Casi todos los Marines del contingente americano habían sido trasladados a los portaaviones que patrullaban la costa y los pocos que habían quedado no abandonaban nunca las trincheras excavadas bajo los escombros del Cuartel General, los franceses no se alejaban de la zona oriental sino para inspeccionar a los treinta legionarios que habían dejado por orgullo en El Pinar, los cien dragones de Su Majestad Británica no salían del antiguo estanco sino para ir al mercado a comprar fruta, los italianos habían reducido los efectivos en al menos cuatrocientos hombres. Y golpe de efecto: desde hacía algunos días Chatila estaba protegida por los paracaidistas y los infantes de marina, en la quinta del príncipe saudita muerto por indigestión de ostras con trufas en una palabra en la base Águila estaba el Rubí. Los bersaglieri se habían marchado.

* * *

Las razones de dicha partida había que buscarlas en las camillas del barco-hospital que junto con Gino y los demás comandos caídos en la emboscada de Passepartout había devuelto a casa a los soldados heridos durante la batalla. En efecto, en Italia los favoritismos concedidos por Dios Nuestro Señor con ayuda de la diosa Fortuna no habían provocado Te Déum alguno de agradecimiento, y los familiares de quienes habían perdido un ojo o una pierna o un brazo se habían sublevado. Y al sublevarse habían reavivado las polémicas sobre la oportunidad o mejor dicho la inoportunidad de sacrificar a tantos muchachos de veinte años en una guerra que no incumbía al país, y el gobierno había decidido retirar a una parte del contingente. «Que se marche el batallón de los infantes de marina o el de los paracaidistas o el de los bersaglieri. Que elija el Cóndor.» Naturalmente, descartada de antemano la hipótesis de renunciar a sus paracaidistas, el Cóndor elegiría a los infantes de marina. Por lo demás Sandokan no se opondría: ansioso de transformarse en un bonachón burgués con reloj de oro en el chaleco y carnet del Rotary Club en el bolsillo, no deseaba sino marcharse de allí y lo decía. «Coño, recoño, estoy hasta los cojones de estar aquí.» Pero con gran alegría de Fabio que gracias a la muerte de Ahmed ahora podía amar sin obstáculos a Jasmine, la Marina se había negado rotundamente y el hachazo había caído sobre los bersaglieri. Peor aún: convencido de que la noticia constituía un regalo para Águila Uno y decidido a retrasar lo más posible la orden, el inexorable Cóndor lo había llamado sin adelantarle nada después le había lanzado una inexorable lista de reproches acusaciones condenas por su comportamiento bajo el fuego. No haberse separado del Veintidós hasta la llegada de Caballo Loco, no haber autorizado a Neblí a que se dirigiera al mirador del Veinticinco Alfa y haberle ordenado en cambio que bajara el tanque al cráter y después se refugiase en la casa de Habbash, haber mandado a Rambo y a los nueve infantes de marina a una casucha de la que habían salido vivos por puro milagro, así como haber enterrado con sus propias manos a un niño y haber permitido a Rambo que participara con una medalla de Jomeini en una procesión de carácter partidista. Cortesía inoportuna y teatral la primera, tolerancia inadmisible la segunda. Y hasta el final de la requisitoria no le había lanzado a la cara el auténtico motivo de su llamada.

«Coronel, me desagrada hacerle un regalo. Me desagrada darle una buena noticia. Pero dentro de cuarenta y ocho horas se va usted con su batallón.»

¿Buena noticia? Después de lo que le había sucedido al oír el ciclópeo llanto, el desmesurado sollozo, Águila Uno había experimentado una metamorfosis no menos radical que la sufrida por Sandokan, y se comprendía al escucharlo. Ya no se indignaba por la basura que los hediondísimos beduinos amontonaban delante de las chabolas o en la fosa común y decía que en resumidas cuentas los peores enemigos de su pueblo no eran peores que su pueblo. Ya no se irritaba cuando los niños chillaban talieni-tomorrow-kaputt a sus bersaglieri o cuando las prostitutas los provocaban mostrando senos tan gruesos como sandías, judu-take-it tómalo. Ya no predicaba muchachos-no-reaccionéis, no-desafiéis-a-la-muerte, no-importa-que-os-llamen-maricas, mejor-maricas-que-muertos. Ya no se preocupaba por el piloto israelí que podría caer en Chatila y ser comido crudo por los palestinos... Más aún, cuando el día de Año Nuevo su tío Ezechiele había telefoneado repitiendo el lamento materno sobrino-mío-qué-harías-si-te-etcétera, le había respondido: «¡Tío Ezechiele, no me jorobe! Si cae, que se joda.» Por último se maldecía por haber obligado a Rambo a ponerse la chaqueta con la que había cubierto el pequeño cadáver desnudo de Leyda y, dulcis in fundo, se había enamorado de la mamá de Mahoma. No cesaba de repetir lo monina y desdichada que era, cuánta necesidad de afecto tenía ahora que le habían matado también al hijo que se había librado de la matanza, todos los días le llevaba regalos de comida y si a cambio sólo recibía negativas afligidas: «La, shukrán. No, gracias, Monsieur. No me sirve de nada», pues paciencia. Así pues, la frase coronel-dentro-de-cuarenta-y-ocho-horas-se-va-con-su-batallón lo había dejado aturdido como un mazazo en la cara, y por unos segundos se había quedado con la mirada perdida y con aire de preguntarse: ¿estoy soñando o despierto? No obstante, tras superar el shock había recordado que era un hombre que no carecía de inteligencia, una persona educada y capaz de distinguir una araña María Teresa de una inglesa o veneciana, una taracea de los hermanos Piffetti de una de Maggiolini, y olvidando el miedo que siempre le había provocado el Vultur gryphus se había rebelado. Echando llamas por sus bondadosos ojos azules y revelando una altivez de gran clase había respondido que la solución justa sería repatriar a una tercera parte de infantes de marina, una tercera parte de bersaglieri y una tercera parte de paracaidistas, que repatriar sólo a los bersaglieri equivalía a considerarlos ineptos y superfluos, que en lugar de semejante insulto eran dignos de encomio: ¿quién había sufrido durante horas en el Veintiuno, en el Veintidós, en el Veintitrés, en el Veinticuatro, en el Veinticinco y en el Veintisiete Lechuza? ¿Quién se había ganado durante horas las ráfagas de ametralladora, los cañonazos, los cohetes, los atropellos de los Amal y los gubernamentales? En determinado momento se había permitido incluso alzar la voz. «Mi general, yo cometí un error y nada más: el de ceder al supuesto deber de hacer respetar las estúpidas formalidades, es decir, ¡obligar a Rambo a ponerse la chaqueta con la que había cubierto a la niña muerta! No obstante, con errores o sin ellos, con cortesías teatrales o sin ellas, con tolerancias inadmisibles o sin ellas, en Chatila estaba yo y no usted. Si yo no me alejé del Veintidós hasta que llegó su logorreico jefe de Estado Mayor, usted no se alejó en ningún momento del Cuartel General.» Pero el Cóndor le había replicado con un desdeñoso vaya-a-prepararse-que-al-cumplirse-las-cuarenta-y-ocho-horas-desalojo-el-convento-y-traslado-la-base-Rubí-a-la-base-Águila. Y el desdichado se había visto obligado a bajar la cabeza: regresar a su aposento donde, tras meter en la maleta el candelabro de siete brazos que le había regalado su tío Ezechiele y el azucarero de plata que había sobrevivido a la tacita Capodimonte rota la noche antes de la batalla, había ordenado a Neblí que informara a la tropa con seis palabras.

«Muchachos, nos echan y nos vamos.»

«¿¡¿Nos echan?!? ¿¡¿Nos vamos?!? ¿¡¿De buenas a primeras como ladrones sorprendidos in fraganti y para dejar la base a esos acojonados de los paracaidistas?!?» Excepto Ferruccio, encerrado en una sombría abulia e indiferente a todo lo que no fuera su olla sucia de hummus y shauarma, todos habían reaccionado con gritos de indignación. Había estallado tal tumulto, que para aplacarlo Neblí había tenido que disparar tres tiros de revólver al aire: «Quietos u os agujereo el culo a todos.» Entonces Cebolla se había echado a llorar eso-es-ahora-nos-echan-con-el-culo-agujereado, y Nazareno se había irritado. En consonancia con su nueva aceptación del principio de que la vida no es amor sino odio y violencia, más tarde había celebrado una especie de asamblea para decir que la tolerancia no da resultado, que Gandhi era un idiota, que el jainismo contaba un montón de mentiras, por lo que había que seguir los métodos de los antiguos anarquistas que ponían bombas o imitar a los marineros del acorazado Potemkin que hartos de comer carne estropeada se habían rebelado matando a los oficiales y después habían desencadenado la revolución rusa. «Ser ofendido en la dignidad es aún peor que comer carne estropeada: ¡venguémonos!» Y Franz, el tirolés siempre enojado que sólo hablaba alemán, lo había apoyado: «Genau! ¡Exacto! Errichten wir die Barrikaden! ¡Levantemos las barricadas! Schlagen wir die Fallschirmjäger ins Gesicht! ¡Rompamos la cara a los paracaidistas! Hauen wir alles durch! ¡Destrocémoslo todo!» En cambio Clavo había reaccionado de forma racional. «¡Qué golpes ni qué barricadas ni qué Potemkin ni qué antiguo anarquismo de las bombas ni qué niño muerto! Escuchadme a mí que soy cocinero y comunista: ¡la venganza es un plato que se degusta frío y se debe cocinar con táctica!» Después había propuesto dejar a los acojonados una base infestada de ratones, empresa para la que bastaba dejar cebos con queso o mermelada o mantequilla o salchichas, y su consejo había triunfado. En las últimas cuarenta y ocho horas no habían cesado de esconderlos en las tiendas, los almacenes, las oficinas, los diferentes dormitorios, y sin remordimientos gritando al contrario insolencias a Su Alteza la Primera Viuda, a las dos conviudas, a las dos favoritas, a las dos cocineras, a las dos enfermeras, a las dos doncellas, a la fregona, al eunuco que los miraban por las rejillas del gineceo, habían abandonado la quinta. Se habían trasladado satisfechos al puerto donde un Cóndor de lo más diplomático casi había logrado hacerse perdonar con un parloteo sobre el heroísmo que había distinguido a los bersaglieri en Crimea en 1855, en Custoza y Villafranca y Borgoforte en 1866, en Porta Pia en 1870, en Libia y Cirenaica y el Dodecaneso en 1911, en el Carso y en el Isonzo en 1916, en el Piave en 1918, en el África oriental en 1936, en Grecia en 1940, en el África septentrional en 1941, en Rusia en 1942, y en Chatila la pasada Nochebuena. Después un piquete con la bandera del batallón había desfilado a la carrera detrás del trompeta que tocaba el himno y excepto Ferruccio todos se habían puesto a cantar polémicamente: «¡Cuando pasan por la calleee / los gloriosos bersaglieeeri / siento afecto y simpatíaaa / por nuestro batallón! / ¡Y el paraca es, además, maricón!» Repitiendo el-paraca-es-además-maricón habían embarcado, y el barco que había llegado de Brindisi se los había llevado a Italia junto con notables provisiones de hachís. Sic transit gloria mundi, así pasa la gloria del mundo, habría sentenciado Caballo Loco. Y esa vez se habría expresado a propósito. De los bersaglieri ya no se hablaba. Era como si una pasada del cepillo los hubiera borrado de la pizarra de la memoria, los hubiese eliminado en todos los sentidos del reparto de la tragicomedia. Ahora en Chatila estaban los paracaidistas que sin dejar de proteger Bourji el Barajni ocupaban el Veintiuno, el Veintidós, el Veintitrés, el Veinticinco (se había asignado el Veinticuatro a los infantes de marina), ocupaban la habitación Luis XVI Halcón y Gigi el Cándido que junto con Armando Manos de Oro se habían visto obligados a romper el corazón de sus amigas.

«¡Armando, Armando! Dîtes-moi que ce n'est pas vrai! ¡Dígame que no es verdad!»

«Malheureusement c'est vrai, desgraciadamente es verdad, sor Milady...»

«¡Gigi, Gigi! Confirmez-moi que c'est un bavardage! ¡Confírmeme que es una habladuría!»

«Je le voudrais bien, ojalá lo fuera, sor George...»

«¡Halcón! ¡Halcón! Nous avons reçu une bien triste nouvelle! ¡Hemos recibido una noticia muy triste!»

«Bien triste, muy triste, sor Espérance...»

«Mais moi j'ai peur sans vous, je ne veux pas loger ici sans vous! Pero yo tengo miedo sin ustedes, ¡no quiero vivir aquí sin ustedes!»

«Ne pleurez pas, no llore, sor Madeleine. Si non vous faites pleurer nous aussi, porque nos hará llorar a nosotros también...»

Sí, el Cóndor había evacuado de verdad el convento: en la zona oriental sólo quedaba Ost Ten con los cinco italianos encargados de morteros y el Lieutenant Joe Balducci y sus cuatro Marines. Problema considerable, ése, porque en el plazo de un mes había que evacuar a los Marines y la idea que siempre había atormentado a Gigi el Cándido estaba a punto de hacerse realidad. ¿Con qué estratagema hacerlos cruzar la Línea Verde y acompañarlos hasta las trincheras de su Cuartel General, sin arrojarlos a las garras de los Amal o los Hijos de Dios que con tal de matar a un americano se convertirían al cristianismo? Vestido de paracaidista el rubio y pecoso Joe Balducci podría dar el pego fácilmente. En cambio aquellos cuatro colosos con la piel más negra que la pez y la nariz despampanante a los que sólo faltaba el rótulo USA en la frente, no. Se los reconocería aun disfrazados de muecines, y siempre que lo pensaba Gigi el Cándido sentía la antigua angustia decuplicarse en nidadas de sapos: «Pobres chicos, pobres chicos...»

Y sin embargo no es en los cuatro colosos con la piel más negra que la pez y la nariz despampanante a los que sólo falta el rótulo USA en la frente en los que está pensando, mientras trabaja con Armando Manos de Oro en el extraño artilugio colocado detrás de la puerta cochera anterior de la nueva base Rubí: tres gruesas barras de hierro soldadas en forma de estrella y montadas sobre una vagoneta montada a su vez sobre raíles perpendiculares a la entrada. Un caballo de Frisia móvil, en una palabra, un instrumento para abrir y cerrar el paso como el Leopard del Cuartel General. No es el problema de Ost Ten el que lo angustia mientras a dos kilómetros y medio de distancia una bala está a punto de errar el blanco, volar hasta el campamento, acabar dentro de una tienda, iniciar una serie de azares imprevistos que enlazándose unos con otros vinculan a Rocco con el Cóndor, al Cóndor con el Profesor, al Profesor con Charlie, a Charlie con Angelo, y a Angelo con lo que él llama el eslabón final de la cadena. Es decir, mientras la rebelión chiíta está a punto de estallar y determinar mediante dichos enlaces la suerte de los mil doscientos italianos que han permanecido en el escenario de nuestra historia.

–2–

«¡Date prisa, Armando, por Dios! ¡Es casi mediodía!»

«Ya me doy prisa, ya me doy prisa...»

«No te das prisa, te entretienes...»

«¡No me entretengo! Estoy intentando comprender por qué corre mal esta vagoneta por los raíles... ¡Usted está lo que se dice de mal humor, hoy!»

«¡Claro que lo estoy!»

¿Y quién no lo estaría en su lugar? Se ganaba las broncas él siempre, se dijo, al tiempo que daba una patada a la vagoneta. Esta mañana dos de los delatores habituales habían informado a Charlie de que alguien estaba preparando algo, el Cóndor había deducido que el tercer camión estaba a punto de despertar, y por tanto había que reforzar las defensas, al hacerlo habían advertido que en la puerta cochera anterior de la nueva base Rubí no había el espacio necesario para un Leopard, ¿y quién resuelve el engorro? Gigi el Cándido, claro está. Llamad-a-Gigi-el-Cándido, Gigi-el-Cándido-lo-resuelve-todo, Gigi-el-Cándido-inventará-un-instrumento-que-abra-y-cierre-el-paso-como-el-Leopard-del-Cuartel-General. Bueno, pues se lo había inventado. Gracias a las traviesas y a los raíles robados en el ex ferrocarril de Beirut, ladrón-akrut-ladrón, en pocas horas y con ayuda de Armando Manos de Oro lo había construido incluso. Pero las puñeteras ruedas no andaban ni para arriba ni para abajo, al mediodía vendría el general a inspeccionar, y... No, no era ése el motivo de su mal humor: era que esta noche, como de costumbre, no había dormido. No se podía dormir en la puñetera alcoba con cama de baldaquín y armario taraceado con madreperla y lámpara adornada con putillas desnudas, es decir, en el aposento que ahora compartía con Halcón: pero, por Dios, si es que rebosaba de ratones. Y no eran ratones normales. Monstruos de treinta o cuarenta centímetros de largo, sin contar la cola, dinosaurios que te saltaban encima y te devoraban vivo. En el resto de la base, lo mismo. Infestaban también las tiendas del campamento, los almacenes, las oficinas, maldita sea, y los aposentos del gineceo donde Su Alteza la Primera Viuda no cesaba de chillar: «C'est la faute des Italiens, ces salauds d'Italiens! ¡Es culpa de los italianos! ¡Esos guarros italianos!» Y tenían razón, maldita sea: con las prisas por partir, ¡los bersaglieri habían dejado una cochambre! Trozos de queso, salchichas, bocadillos de mantequilla y mermelada... Atraídos por el olor de la comida los animalazos habían salido de sus madrigueras invernales y lo habían invadido todo.

«¡Ah! Ya comprendo.»

«¿¡¿Qué comprendes?!?»

«Los rodamientos de bolas están oxidados.»

«Si están oxidados, ¡cámbialos!»

No, los ratones y la falta de sueño nada tenían que ver. Y tampoco los chillidos de la Primera Viuda, tampoco las broncas que siempre se ganaba él, tampoco Armando Manos de Oro que se entretenía con los rodamientos de bolas. Se sentía de mal humor porque era jueves y el recuerdo de sor George, de su tipito menudo, su carita graciosa, sus «ges» disueltas, lo atormentaba más de lo habitual. Y con el recuerdo la nostalgia de sus verbos regulares e irregulares, sus acentos graves y agudos y circunflejos, sus reconvenciones afectuosas, sus elogios divertidos, aujourd'hui-les-ânes-volent, Monsieur Gigì. Hoy-los-asnos-vuelan, Monsieur Gigi. No la veía desde la última cena y... ¡la última cena! Negándose también a sí mismo el placer de un último tête-à-tête en el segundo piso ese frescales de Halcón había dicho despidámonos-junto-con-la-tropa, y las había invitado abajo en el comedor. Con la ausencia de sor Françoise, ya totalmente alejada del convento porque había pasado a estar destinada permanentemente en el Rizk, habían bajado, pues, a la planta baja y no veas qué desastre. Enfadada con su evasivo pretendiente y por tanto con su antigua soberbia recuperada, sor Espérance. Decepcionada por no haber tenido el tête-à-tête con Armando Manos de Oro y por tanto con su antigua hostilidad recuperada, sor Milady. Desalentada por el miedo a quedarse sin protección y por tanto insólitamente tediosa, sor Madeleine. Encerrada en un mutismo obstinado, ella: sor George. Sólo para pronunciar un discursito en nombre de la superiora había roto el silencio, y por unos instantes había parecido que se reanimaba con su brío habitual. Pero mientras bromeaba sobre las antiguas tensiones su mirada se había fijado en la escalerita con los dieciséis peldaños ahora sin la barricada antiviolación, las pupilas agigantadas por las lentes dobles de las gafas metálicas se habían obscurecido, la voz se había apagado en un soplo, y: «Je ne peux pas continuer, no puedo continuar. Excusez-moi. Discúlpenme.» Resultado: sor Milady había emitido un gemido de animal herido de muerte, sor Madeleine había estallado en ruidosos sollozos, sor Espérance se había levantado de un brinco. «Mes soeurs, saluez nos amis. Hermanas, despídanse de nuestros amigos.» Un desastre, sí, un desastre. En efecto la mañana siguiente, es decir, cuando el batallón había evacuado la base, las ventanas del segundo piso habían permanecido cerradas: todos habían gritado en vano au-revoir-soeur-George, au-revoir-soeur-Madeleine, au-revoir-soeur-Milady, au-revoir-soeur-Espérance. Peor aún: en tantos días no había podido llamarla siquiera, decirle comment-ça-va. El teléfono del convento no funcionaba y para tener noticias había que recurrir a los encargados de los morteros de Ost Ten.

«Mi coronel, ¡no es necesario cambiarlos!»

«¿Cambiar qué?»

«Los rodamientos de bolas, ¿no?»

«¿Por qué no es necesario?»

«Porque basta con engrasarlos, mi coronel.»

«Si basta con engrasarlos, ¡engrásalos!»

«Ya lo estoy haciendo» saltó irritado Armando Manos de Oro. Y, fingiendo limpiarse el sudor de las sienes, se enjugó una lágrima.

* * *

De acuerdo, sufría, pobre coronel: echaba de menos a sor George, no cesaba de hojear *Mot à mot*, y desde que se alojaba en la ex base Águila sus blancos cabellos parecían aún más blancos. Pero no era justo que lo pagara con él. Si hubiera sido posible poner en la balanza los dos sufrimientos, ¡le habría demostrado que el suyo pesaba el doble o incluso el triple! Porque cuando sor Espérance había resuelto el aprieto con las palabras «mes-soeurs-saluez-nos-amis, de los labios de Milady había salido un susurro: «Rejoignez-moi dans la chapelle. Venga a verme a la capilla, Armando. Je dois vous parler, tengo que hablarle.» Con el corazón latiéndole como loco, había ido y se había sentado junto a ella en el banco. Temblando de la cabeza a los pies por el contacto de su brazo contra el brazo de ella y de su pierna contra la pierna de ella, un contacto casi epidérmico pese a la tela del hábito y del uniforme, la había escuchado. Y sólo de recordar aquel largo monólogo pronunciado con la cabeza gacha y en voz baja, tan baja que más que una voz parecía un susurro, un bisbiseo, se le saltaban las lágrimas... «Deseo darle las gracias, Armando» había dicho en su hermoso francés «pero no por los pequeños favores que ha hecho al convento: por el inmenso, extraordinario favor que me ha hecho a mí. El regalo de comprender quién soy o mejor lo que no soy y no seré nunca: una buena monja, una monja verdadera. Nunca, Armando, nunca... Mi padre tenía razón al escribirme que tengo demasiados deseos, demasiadas pasiones que no consigo dominar. Tenía razón al afirmar que no resistiría la prueba, que renunciaría... Renunciaré, Armando. No pronunciaré los votos. En cuanto salga de esta capilla se lo comunicaré a sor Espérance y a sor George y a sor Madeleine. Les confesaré toda la verdad. ¡Toda! No, no diga nada, Armando. No me interrumpa, o no sería capaz de continuar. Por lo demás sé lo que querría preguntarme: usted es tan práctico... Querría preguntarme qué pienso hacer a partir de hoy con mi vida... Bueno, pues me quedaré con ellas mientras mi presencia sirva para aliviar los problemas que plantea el traslado de la base de ustedes: sería innoble abandonarlas ahora. Después, quién sabe. El futuro depende del destino y del Señor: también podría morir pronto. Ésta es una ciudad en la que nunca puedes estar seguro de que estarás vivo mañana por la mañana, y ahora que ustedes se van... que el convento se queda sin protección... De todos modos, si sobrevivo, creo que iré a París, que utilizaré la licenciatura en Derecho que saqué para contentar a mi familia. O tal vez recorra el mundo, disfrute de la existencia cómoda y alegre que mi padre ha deseado siempre para mí... En ambos casos espero encontrar a un hombre que se le parezca, Armando. Espero encontrarlo, sí, y casarme con él, y tener muchos hijos a los que contar un día el cuento de una novicia irascible que no se hizo monja a causa de un italiano de manos y corazón de oro: un apuesto sargento de carabinieri que pese a los malos tratos y los desprecios y los reproches injustificados le cambiaba los cristales rotos por la guerra, le arreglaba las tuberías, le levantaba absurdas barricadas en los peldaños de la escalerita que conducía a las habitaciones del primer piso y del segundo, la embriagaba con sus atenciones y sus ojos de fuego y sus orquídeas... Orquídeas enviadas desde Italia con un avión militar. De modo que todas las semanas la irascible novicia las esperaba como una enamorada espera las flores de su enamorado, y cuando él se las daba balbuciendo pour-vous, fingía creer que eran también para sor Espérance y sor George y sor Madeleine y sor Françoise. Corría a ponerlas en el altar, es decir, ante la estatua del Niño Jesús pero al Niño Jesús le susurraba: c'est-un-prêt, es-un-préstamo. Ojos de fuego que la seducían más que las cortesías, Armando. En efecto todos los días se levantaba deseosa de encontrar un pretexto para ir a buscar al apuesto sargento, todas las noches se dormía feliz de haberlo encontrado, y al mismo tiempo aguijoneada por una fuerte sensación de culpa por la que se castigaba, ¿y sabe cómo? Conservando la embarazosa pelusa que tenía en el labio superior, casi un par de bigotes que hubiera deseado desesperadamente arrancar, y negándose el derecho a confiar al menos a sí misma lo que hubiera deseado gritarle delante de todos: ¡Lo amo, Armando! Sí, había pronunciado exactamente las palabras lo-amo, je-vous-aime-Armando. Y en aquel momento la capilla se había puesto a girar de forma tan vertiginosa que le había parecido que se hallaba dentro de una centrifugadora lanzada a doce *g*, prisionero de un torbellino que vaciándole el cerebro hasta la última gota de sangre lo cegaba. Lo paralizaba, lo enmudecía. En el torbellino, un embrollo demasiado complicado para él: el altar con las velas y el crucifijo y el tabernáculo y el misal y la estatua del Niño Jesús, el recuerdo de su mujer que sin saber nada le enviaba amable las orquídeas para las monjas, la sensación de culpa, la alegría, la tristeza, el contacto casi epidérmico de aquel brazo contra su brazo y de aquella pierna contra su pierna, y la necesidad irresistible de responderle también-yo-Milady. Habían transcurrido siglos antes de que la centrifugadora desacelerara, se detuviese, le devolviera el cuerpo y la vista y las cuerdas vocales, le permitiese responder: «También yo, Milady.» Entonces ella había acercado a su rostro el hermoso rostro de Virgen gótica, y con una seriedad que rayaba en la solemnidad le había rodeado los hombros. Había puesto la boca sobre su boca, lo había besado. Por largo rato y con pasión. Por último se había separado, lentísimamente. Se había levantado y había murmurado: «Va-t'en-chéri. Vete, querido.»

«¿¡¿Y ahora qué haces?!?»

«Las vuelvo a atornillar, mi coronel...»

«¿¡¿Vuelves a atornillar qué?!?»

«Las cubiertas de los cubos.»

«¿¡¿Qué cubos?!?»

«Los cubos de las ruedas...»

Se había ido caminando a tientas como un ciego. Se había dirigido a la explanada, se había detenido a respirar el aire frío de la noche, y al cabo de un par de minutos había oído una voz ahogada. La voz de sor Espérance. «C'est pas possible, je ne vous crois pas! ¡No es posible, no lo creo!» Y después una voz decidida. La suya. «Pourtant vous devriez, ma Mère. Pues debería creerme, Madre. J'en ai informé même Armando, se lo he comunicado incluso a Armando.» «¿¡¿Armando?!? Qu'est-ce qu'il ya à voir là-dedans, Armando?!? ¿¡¿Qué tiene que ver con eso Armando?!?» «Il y a, ma Mère. Sí que tiene que ver, madre. J'étais avec lui, dans la chapelle. Estaba con él en la capilla.» «Soeur Milady! Dîtes-moi que ce n'est pas vrai! ¡Dígame que no es verdad!» «Au contraire, ma Mère". Al contrario, Madre. Moi je l'aime, yo lo amo. Mais n'ayez pas peur, pero no tema: je ne partirai pas tout de suite, no me marcharé en seguida. Ça coûtera ce que ça coûtera, pour le moment je reste avec vous et avec les autres soeurs. Je ne vous abandonne pas. Cueste lo que cueste, de momento me quedo con usted y las demás hermanas. No las abandono.» ¿Habrían permanecido por eso cerradas las ventanas del segundo piso cuando el batallón había evacuado la base? De todos modos lo que hoy lo desgarraba no era pensar en el je-vous-aime-Armando, en el beso largo y apasionado, en el va-t'en-chéri, en la valerosa confesión a sor Espérance y en las ventanas que habían permanecido cerradas. Era lo que esta mañana había sabido por un encargado de mortero de Ost Ten. Porque, sin pedir permiso a nadie, esta mañana había llamado a Ost Ten. Había pedido noticias y uno de los encargados de morteros le había dicho que la situación había empeorado bastante. A lo largo de los trescientos metros al pie de la colina se producían todos los días choques sangrientos y con el respaldo de los Amal esta noche los Hijos de Dios se habían apoderado de la iglesia de Saint-Michel. Encabezados por un histérico mullah armado de Kalashnikov habían quemado los crucifijos y las imágenes de la Virgen, habían hecho añicos la estatua del santo, habían destruido las reliquias y el tabernáculo, habían defecado en el altar mayor y habían matado al sacerdote. Lo contaba un musulmán sunnita, testigo del sacrilegio, que presa del pánico se había escondido en el rascacielos. También según el sunnita, los Hijos de Dios estaban transformando el lugar sagrado en un depósito de municiones y en la Galerie Semaan los de la Sexta Brigada habían llegado a las manos con los de la Octava. El oficial cristiano que intentaba aplacar la pelea había sido atacado a empujones por un cabo chiíta. Entonces, embargado de malos presentimientos, había pedido al del mortero que se acercara hasta el convento: para ver cómo iban las cosas allá arriba. Bueno, pues, peor no podían ir. El teléfono no funcionaba, la fachada del edificio estaba de nuevo como un colador, y con sólo asomarse a la explanada se arriesgaban a recibir una bala perdida o una esquirla. Así pues, las cuatro monjas vivían atrincheradas en sus habitaciones y sor Madeleine estaba tan aterrada que a cada poco rato escapaba para bajar a un antiguo pozo de la propiedad, y quedarse en él horas y horas recitando el Requiem Aeternam. Sor Espérance, temiendo que perdiera el juicio, le había rogado que avisara por radio al sacerdote de Baabda que durante el asedio israelí les había ayudado a huir: decirle que acudiera a recoger a la pobrecilla para acompañarla hasta el puerto y embarcarla con destino a Marsella. En cuanto a las otras, estaban bien y se comportaban con gran valor. Pero la novicia parecía muy nerviosa y repetía que ésta era una ciudad en la que nunca se podía estar seguro de estar vivo la mañana siguiente: ¿y si los Hijos de Dios tomaban también el convento? ¡Oh, Milady, Milady! Y tras volver a atornillar la cubierta del último cubo, se enjugó a hurtadillas otra lágrima en vilo sobre sus pestañas. Después dio un empujón al artilugio que al instante se deslizó por los raíles y bloqueó el paso, se dirigió a Gigi el Cándido que repentinamente tranquilo escuchaba el eco de un tiroteo que acababa de estallar a lo largo de la Línea Verde.

«Ahora funciona, mi coronel...»

«Bien...»

«Se desliza perfectamente.»

«Ya veo...»

«Cierra el paso mejor que un Leopard. Le aseguro que por aquí el tercer camión no pasa.»

«Ya veo, ya veo...»

«¿Qué ocurre, mi coronel?»

«¡Hummm!» Gigi el Cándido se agachó a recoger algo que examinó absorto. «Pues que en mi opinión el Cóndor se equivoca. En mi opinión, el soplo recibido por Charlie nada tiene que ver con el tercer camión.

«¿No?»

«No. Mira.»

Le tendió el objeto que había recogido: un balín de fusil revestido de una reluciente aleación de cobre y bronce, y con la punta un poco deformada por el impacto con el terreno.

«Es una 5,56» observó Armando Manos de Oro. «Y aún está caliente...»

«Exacto: aún caliente. Y una 5,56 procede de un M16. Y tanto los gubernamentales de la Sexta como los de la Octava tienen asignado el M16. Y desde hace unos minutos en la Línea Verde sólo se disparan ráfagas de M16... Tal vez me equivoque pero en mi opinión los gubernamentales se están disparando entre sí, el soplo se refería a eso, y hoy vamos a ver bastantes de éstas. Si no estamos atentos corremos el riesgo de recibir una en la cabeza» concluyó al tiempo que volvía a abrir el paso para dejar entrar a un jeep de comandos entre los cuales estaba Rocco que lo saludaba agitando alegre el casco.

«¡Buenos días, mi coronel!»

«Hola, Rocco. ¿Qué tal?»

«¡Muy bien, mi coronel!»

«De nuevo feliz, ¿eh?»

«¡Muy feliz, mi coronel!»

«Una razón más para no quitarte el casco, muchacho. Vuelve a ponértelo en la cabeza. Hoy no debes quitártelo ni aunque tengas ganas de rascarte la cabeza, ¿entendido?»

En efecto el tiroteo se había intensificado, y entre los árboles del campamento silbaban multitud de balas perdidas.

–3–

Rocco fue hasta una de las tiendas situadas al borde de la Rue de l'Aérodrome, entró despacito para no despertar a un paracaidista que dormía extenuado por el turno de noche y una gran sonrisa enterneció las poco favorecidas facciones por las que Imaam lo consolaba con tanta dulzura. Tu-ne-pas-led-mon-amour, tu-e-bo-car-tu-e-bo-dedan. No-eres-feo, amor-mío. Eres-hermoso, porque-eres-hermoso-por-dentro. Muy feliz, sí. El soldado más feliz del batallón o, mejor dicho, de Beirut o, mejor dicho, del mundo: ¡le había sucedido tal milagro el día siguiente al de la batalla! Gritando «Rocco, te la hemos encontrado, Rocco», los muchachos de Bourji el Barajni habían venido al Cuartel General y, ¡caramba!, la habían encontrado de verdad. Allí la tenía, llenita y radiante como el sol de agosto. «¡Imaaam!» «Monamouuur!» Además, con la marcha de los bersaglieri, ese buenazo de Gigi el Cándido lo había sacado del Cuartel General y lo había destinado al campamento de la ex base Águila. Un alojamiento ideal precisamente por la tienda situada al borde de la Rue de l'Aérodrome. En efecto, cuando Imaam venía no necesitaba recurrir a los carabinieri para llamarlo: bastaba con que se colocara en la acera gorjeando Rocco-je-sui-ici aquí-estoy, Rocco. Él saltaba la tapia reforzada con sacos de arena, y se marchaban. ¿Adónde? Bueno, pues, a comer el pollo asado, a intercambiarse caricias, a fantasear sobre el mañana... Si no llovía, iban detrás del cementerio musulmán que pese a las tumbas destapadas era un lugar muy simpático. Si llovía, a la sala de espera de Primeros Auxilios del hospital de campaña que pese a los palestinos en busca de medicinas o de plasma sanguíneo era un lugar muy tranquilo. De acuerdo, ni el cementerio musulmán ni la antesala de Primeros Auxilios tenían el encanto del oasis con los tilos y el camión del Rubí en el que se refugiaban para amarse o dormir abrazados y hacerse la ilusión de que ya eran marido y mujer: pero quien viene al mundo con nariz de apagavelas y los ojos diminutos y pegados uno al otro y hundidos bajo las cejas que forman una tira negra, quien para hacer comparaciones sólo tiene el recuerdo de una adolescencia pasada recogiendo aceitunas o limpiando almejas, aprende pronto a contentarse. Por lo demás tenían toda una vida para amarse y dormir abrazados: antes o después se casarían de verdad, ¿no? El futuro era suyo. Un futuro maravilloso como el que espera a los protagonistas de las novelas con final feliz.

Miró el reloj. Las doce y cinco, y hoy Imaam venía a las doce y cuarto. Podía tumbarse un poco en el catre, pues. Y tras quitarse el casco Rocco se tumbó con la cabeza en los pies y los pies en la cabecera: posición que le permitía mirar cómodamente la fotografía pegada con cinta adhesiva a la lona. Una fotografía de Imaam con los zapatos de piel de lagarto marrón comprados en

Diamante (Calabria). ¡Ah! No se cansaba nunca de contemplar aquella boca llena de estrellas, aquellas mejillas sólidas y según ella demasiado rollizas, aquellas caderas llenitas y según ella gruesas, aquellos muslos llenitos y según ella hinchados por la celulitis. Pero lo que más le ponía lánguido, en aquella imagen eran los zapatos de piel de lagarto marrón comprados en Diamante (Calabria). Le quedaban de maravilla. El número exacto, el tacón adecuado, precioso el lacito... Y le gustaban tanto que se los ponía con cualquier vestido. Incluso con el vestido azul. De nada servía decirle Imaam, le-maron-avec-le-ble-ne-va-pa, el-marrón-con-el-azul-no-va-bien. Se encogía de hombros y respondía: «Sava-mon-amur-sava! Set-un-cado-a-tua, donc-sava! Va bien amor mío. Son un regalo tuyo, conque va bien.» Pero también se ponía el pañuelo de Gucci y la pulsera de amatista y el Chanel Número Cinco, es decir, el perfume de Marilyn Monroe. En los rincones más increíbles, éste. Detrás de las orejas, dentro del escote, entre las axilas... Como para hacer perder la cabeza a un monje. En efecto todas las veces que olía aquel perfume que se ponía en los rincones más increíbles, le suplicaba: «Marionnù tudesuì a Beirut! ¡Casémonos en seguida en Beirut, Imaam!» Tanto más cuanto que ya sabía el modo de casarse con ella en seguida en Beirut: hacerse musulmán y celebrar la boda al estilo islámico. Es tan sencillo hacerse musulmán, ¡qué caramba! Basta con buscarse dos testigos masculinos o cuatro testigos femeninos que para el Corán valen lo mismo que dos testigos masculinos, después entrar en una mezquita y gritar: «Ash'hadu en la'ilahe illalah, ash'hadu anna Muhammadu rassullallah! ¡En presencia de testigos afirmo que no existe otro Dios que Alá y que Mahoma es el profeta de Alá!» El mullah no te pregunta siquiera si La Meca se encuentra en Brasil o en Luxemburgo: te entrega una hoja de la que se desprende que has dejado de ser un perro infiel y que de ahora en adelante no debes beber alcohol ni comer carne de cerdo, después te dice mubarik, buena suerte y te despacha. En cambio para celebrar la boda al estilo islámico basta con llamar a un taxi, tomar a dos testigos masculinos o a cuatro femeninos que valen como siempre lo mismo que dos testigos masculinos, llevarlos a casa de la novia, desembolsar a su padre una cifra equivalente a un mes de sueldo, y firmar un contratito. Lo malo es que durante la separación provocada por su rubéola, Imaam se había leído la Biblia o mejor dicho los Evangelios, y había quedado muy impresionada con Jesucristo. En particular, por el hecho de que frecuentara con mucho gusto a una prostituta llamada María Magdalena y que al grito de quien-esté-libre-de-pecado-que-tire-la-primera-piedra impidiera a los fariseos lapidar a las adúlteras. Después había descubierto que recomendaba a sus seguidores que tuvieran sólo una mujer, que en una palabra respetaba a las mujeres, por lo que había quedado prendada de él: «Justo lo contrario de Mahoma que predicaba el ojo-por-ojo-y-diente-por-diente, lapidaba a las Marías Magdalenas, despreciaba a las mujeres en general, las humillaba, las cambiaba por cabras o camellos y no contento con eso aconsejaba tener cuatro mujeres así como un número no precisado de favoritas» decía extasiada. Peor aún: había descubierto que las cristianas se casaban con vestido blanco, velo de tul, flores de azahar, que las flores de azahar son símbolo de la virginidad, y había decidido convertirse al cristianismo: celebrar el matrimonio con el rito católico y el vestido blanco y el velo de tul y las flores de azahar. No había forma de inducirla a cambiar de idea, es decir, persuadirla de que le dejara a él convertirse al islamismo. Sa me caseré le coer, monamur, me partiría el corazón, amor mío. ¡Querida, dulce, suave Imaam! Estaba tan ansioso de verla, tocarla oírla hablar del vestido blanco y del velo de tul y las flores de azahar que, si dentro de cinco minutos no oía el gorjeo je-sui-isi estoy aquí, se tomaría un anticipo besando la fotografía.

Rocco miró de nuevo el reloj que ahora señalaba las doce y catorce. Siguiendo la manecilla de los segundos contó hasta cinco, pero no se oyó el gorjeo y entonces decidió tomarse el anticipo. Se apoyó en el pie izquierdo después en el codo derecho, alzó el busto para acercar el rostro a la fotografía, giró la cabeza cuarenta y cinco grados, y al hacerlo ofreció la nuca a la trayectoria de los disparos que venían de la Galerie Semaan. O mejor dicho a la bala que un gubernamental de la Sexta acababa de disparar a un gubernamental de la Octava a dos kilómetros y medio de distancia. Una bala de M16, una 5,56 igual a la 5,56 que Gigi el Cándido había recogido comentando hoy-de-éstas-vamos-aver-bastantes, si-no-estamos-atentos-corremos-el-riesgo-de-recibiruna-en-la-cabeza, y que tras errar el blanco del gubernamental de la Octava volaba hacia la antigua base Águila. Volaba hacia la tienda en el borde de la Rue de l'Aérodrome para traspasarla y después penetrar en la nuca de Rocco con un silbido suave.

«¡Zzzzzzzzzzzin!»

* * *

Pues sí, son de verdad inescrutables los caminos del Señor. Hilos extraños los entrelazan para tejer el misterio de nuestro destino. En 1952, pocos años antes de que Rocco viniera al mundo, en Whitier (California) había sucedido algo importante: el señor Robert Hutton, estudiante genial de la ciencia balística, había diseñado un cartucho cuya bala medía sólo dos centímetros y medio de larga y cerca de medio centímetro de diámetro. Es decir, muy pequeña y muy ligera. En seguida la había vendido a la Remington (empresa famosa por las máquinas de escribir, las navajas de afeitar, y las armas que desde los tiempos de la Guerra Civil Norteamericana fabricaba en Bridgeport en Connecticut) y había nacido la 222 Remington: maravilla que había tenido un éxito fulgurante entre los apasionados de la caza al ciervo, al zorro, a los perros de la pradera, y sobre todo a los coyotes que en aquel continente son muy odiados porque atacan a los rebaños. Por la misma época, el señor Eugene Stoner, ecléctico ingeniero aeronáutico y sincero admirador del Kalashnikov, había diseñado un fusil de tres kilos, es decir, bastante menos pesado de lo habitual y capaz de disparar a ráfaga. En seguida lo había vendido a la Armalite de la Fairchild, y había nacido el Ar 10: obra maestra perjudicada por el hecho de que se cargaba con un cartucho que no era ni pequeño ni ligero. Es decir, con la 7,62 OTAN: hija de la 7,62 del Garand, hermanastra de la 7,62 del M14, que era un Garand reducido a seis kilos, y prima de la 7,62 que los soviéticos habían logrado acortar sus buenos doce milímetros para adaptarla al Kalashnikov. (En efecto con el cartucho la 7,62 OTAN pesa sus buenos veintitrés gramos coma noventa y cinco. Mete trescientas o cuatrocientas en el morral de un militar ya de por sí cargado y verás qué blasfemias al cabo de medio kilómetro.)

Pues bien: precisamente cuando la 222 Remington empezaba a hacer estragos entre los coyotes y el Ar 10 estaba a punto de pasar a la producción, el Departamento de Medicina de la John Hopkins University de Baltimore había llevado a cabo una investigación sobre la mortalidad de las armas portátiles y había sacado la conclusión de que en la batalla el número de muertos es proporcional al número de tiros disparados. En otras palabras, que lo que mata más enemigos no es el fuego de puntería sino la abundancia de los disparos. Y esa tesis no había gustado a los altos oficiales del Pentágono, que habían reaccionado respondiendo no, el fuego de puntería, precisamente el fuego selecto es el que mata: un buen soldado no desperdicia balas. En cambio había fascinado a cierto general Wyman, comandante de la Escuela de Infantería, que había deducido de ello un razonamiento evidente: «Si el Departamento de Medicina de la Johns Hopkins tiene razón y lo que mata a más enemigos es la abundancia de los disparos, para ganar una batalla o cualquier choque hay que disparar o mejor dicho desperdiciar el mayor número posible de balas. Para disparar o mejor dicho para desperdiciar el mayor número posible de balas hay que llevar grandes cantidades en el morral. Luego se necesita una bala muy pequeña y muy ligera acoplada a un fusil bastante menos pesado que los otros.» Después había llamado a las diversas fábricas de armas, había descubierto que, gracias al señor Stoner y al señor Hutton tal fusil y tal bala ya existían, se había puesto en contacto con ambos, les había pedido que adaptaran el Ar 10 a la 222 Remington, la 222 Remington al Ar 10, y los dos habían vuelto al trabajo. El Ar 10 se había convertido en el Ar 15 y la 222 Remington se había convertido en la 223 Remington: de cuatro centímetros y medio de largo con el cartucho, dos centímetros y medio sin cartucho, es decir, con la bala sola, y que pesaba sólo doce gramos. (La bala sola, apenas tres gramos coma seis, es decir, cincuenta y cinco granos.) Unos meses después se había cedido la patente del Ar 15 a la fábrica Colt, madre ilustre del Colt 44 usado por los nordistas en la Guerra Civil así como del Colt 45 usado por el general Custer en las incursiones contra los sioux. La de la Remington 223 se había cedido a la Winchester (insigne progenitora del Winchester 73, usado por los pioneros de la conquista del Far West) y el mágico binomio se había materializado con los nombres de M16 y 5,56. Y ahora viene lo bueno.

Viene porque en 1961 el presidente Kennedy había dado el visto bueno a la intervención americana en Vietnam y había equipado al ejército sudvietnamita con los M14 y las 7,62 OTAN, y porque tanto en estatura como en complexión los soldados sudvietnamitas eran tan pequeños como Rocco. Al ser tan pequeños como Rocco, no eran robustos: transportando seis kilos de M14, más siete kilos de 7,62 OTAN, es decir, un mínimo de trescientos cartuchos se cansaban mucho. Cansados disparaban peor de lo habitual y en vez de matar a los del Vietcong se dejaban matar por ellos. Conque el problema había acabado en manos del ministro de Defensa Robert Strange McNamara y de sus consejeros: un grupo de tecnócratas diplomados en Harvard y llamados muchachos-astutos, witty-boys. Seducidos por el mágico binomio, los witty-boys habían aconsejado a McNamara que se lo recomendase al presidente. Seducido por ellos, McNamara había ido a ver a Kennedy y le había dicho más o menos así: «Señor presidente, le recuerdo que un M16 pesa apenas tres kilos, y trescientos cartuchos de 5,56 apenas tres kilos seiscientos. Hasta un soldado no robusto puede llenarse el morral con ellos. Ésta es una ocasión excelente para poner a prueba la tesis de la Johns Hopkins University.» Kennedy había respondido que de acuerdo, la Colt y la Winchester habían suministrado con mucha rapidez diez millones de 5,56 y mil M16, y el 9 de junio de 1962 se había hecho la prueba. En alguna jungla o arrozal del Delta una patrulla de Rangers sudvietnamitas había chocado con el enemigo, sin apuntar le habían volcado encima un diluvio de balas, y alguna había llegado a su blanco matando a cinco vietcongs. Entonces habían llevado a Saigón los cuerpos de esos cinco para hacerles la autopsia, es decir, la prueba, y el resultado de dicha prueba se encuentra en la detalladísima investigación que hizo el estudioso de armas Edward Azell: al vietcong alcanzado en los pulmones le había explotado la cavidad torácica, al alcanzado en el vientre le había explotado la cavidad abdominal, al alcanzado en el pecho le había explotado el corazón, al alcanzado en el trasero le habían explotado las nalgas y los genitales, y el alcanzado simplemente en un pie había muerto desangrado. Un triunfo. Por algo, diecisiete días antes de ser muerto a su vez por dos balas, es decir, dos disparos de Carcano-Mannlicher 6 coma 5, Kennedy había autorizado a McNamara a que pertrechara con M16 y 5,56 al ejército sudvietnamita y al ejército americano. McNamara se había apresurado a obedecer, y en los años siguientes el mágico binomio no había cesado de cubrirse de gloria. Centenares de miles de cadáveres sembrados en Vietnam, en Laos, en Camboya y poco a poco también en América Latina, en América Central, en África, en el Oriente Medio: dondequiera que hubiese que rivalizar con el Kalashnikov y con la 7,62 soviética. Y si el Kalashnikov estaba mucho más difundido porque los países comunistas lo vendían por un precio ridículo a quien lo deseara mientras que para comprar un M16 había que recurrir al mercado negro o a los israelíes, es decir, pagarlo muy caro, pues paciencia, si el prestigio del Kalashnikov seguía inalterado y si en una ciudad como Beirut lo tenían todos mientras que el M16 lo tenían sólo los militares de Gemayel, pues paciencia: ¡El M16 disparaba la 5,56, no la 7,62 soviética! ¿Quién iba a comparar la 7,62 soviética con la 5,56? Los propios soviéticos estaban tan prendados de ella, que en determinado momento habían logrado copiarla al parecer o mejor dicho perfeccionarla para utilizarla en Afganistán.

En una palabra, en el cosmos de las balas ninguna podía competir con el mortífero balín diseñado por el señor Hutton para la caza de los coyotes y gracias a los witty-boys de McNamara adoptado por Kennedy para la caza al vietcong y por los soviéticos para la caza a los mujaidines. Y los motivos son los siguientes. Para empezar, la velocidad de novecientos metros por segundo, es decir, tres veces la velocidad del sonido. Milagro debido a la pequeñez y la ligereza, es decir, a la masa que altera la relación con la carga del arranque y al alterarla aumenta la potencia de la propia carga. Después, el alcance de tres kilómetros y medio: portento debido al milagro antedicho así como a la desenvoltura con que la pequeña asesina se atornilla durante el vuelo. Por último, la inteligente perfidia: característica bien demostrada el día de la prueba en los cinco vietcong y debida al retraso del baricentro respecto de la punta. En efecto, a causa del retraso del baricentro su equilibrio es muy precario. Al menor obstáculo pierde la disposición, es decir, la inclinación con la punta hacia delante, y al chocar con el cuerpo humano, es decir, con el blanco anhelado no se limita a entrar en él. Con maligna sabiduría gira como una veleta en él, se da la vuelta, rebota dentro de él haciendo cabriolas alegres, y en lugar de provocar un agujero correspondiente a su diámetro de cinco milímetros con seis hace desgarrones en la carne del tamaño de su longitud. La rasga, la destroza en un volumen de casi cinco centímetros cúbicos, con lo que en pocos minutos la víctima muere desangrada aunque no haya sido acertada en un órgano vital. (El ejemplo del vietcong alcanzado en el pie.) El único defecto, después del primer medio kilómetro su velocidad disminuye en doscientos sesenta metros por segundo, y superando el primer kilómetro su energía se atenúa: no gira como una veleta dentro del blanco anhelado, no se da la vuelta, no rebota haciendo cabriolas alegres para desgarrarlo y rasgarlo y destrozarlo. Se detiene una milésima para recuperar el aliento, mirar a su alrededor, comprender dónde está, y después continúa para buscar un rinconcito que le guste y explotar en él: destruir con estallido aplazado. Si no encuentra un rinconcito que le guste, tras realizar la búsqueda sale dejando tras sí un cadáver vivo: como para añorar la muerte instantánea o al menos rápida. Y eso es lo que hizo aquel día de mediados de enero en Beirut, tras haber recorrido sin obstáculos los dos kilómetros y medio que separaban la ex base Águila de la Galerie Semaan, es decir, del punto en que el gubernamental de la Sexta había disparado al gubernamental de la Octava y había errado, y después de pasar por encima de la tapia del campamento, traspasar la tienda al borde de la Rue de l'Aérodrome y penetrar en la nuca de Rocco con el silbido suave.

«¡Zzzzzzzzin!»

Se introdujo en el hemisferio derecho del cerebelo. Permaneció satisfecha en él la milésima de segundo para recuperar el aliento, mirar a su alrededor, comprender dónde estaba. Después continuó para buscar un rinconcito que le gustara y explotar en él, destruir con estallido aplazado: irrumpió en la Zona del Hipocampo que es la sede de la memoria. Allí encontró un desván con el recuerdo de una infancia carente de recuerdos, tan carente que sólo quedaban los vestigios de una libertad infantil, y el recuerdo de una adolescencia triste: apesadumbrada por la conciencia de ser feo y verse tratado mal por todo el mundo. Ve-ahí, ve-allá, obedece-estúpido. Encontró también la imagen obscura de un semisótano que recibía la luz por un ventanuco: la cocina del restaurante en que un muchacho de diecisiete años frustrado por no haber podido realizar su sueño de llegar a ser camarero y comer la misma comida que los clientes, platos exquisitos como el lenguado con mantequilla y el pastel de arroz con gambas, trabajaba de pinche. Mientras trabajaba de pinche miraba los pies que pasaban por delante del ventanuco para llevar a la gente a la playa, se consumía de envidia, y en cuanto el cocinero pedía agua de mar para limpiar las almejas cogía el cubo. Corría a mojarse las piernas y los brazos, a disfrutar un poco del cielo y del sol. Y no le gustó. Entonces siguió hacia delante, subió de abajo hacia arriba y en sentido oblicuo, atravesó la Zona Límbica que es el centro de los afectos y las pasiones. Allí encontró montañas de sentimientos nunca utilizados, picos de deseos nunca satisfechos, colinas verdes de gratitud hacia un paracaídas y un uniforme que le daban la ilusión de contar algo, ser alguien, así como una libertad muy semejante a la de la infancia porque de soldado te parece que vuelves a ser niño: estás entre muchos niños que juegan. Encontró también desoladas llanuras de ternura regalada y no recibida, valles lozanos de amistad ofrecida y rechazada, páramos de piedad por los desgraciados y los derrotados, por quien fuera más gañán que él. En medio de los valles lozanos y los páramos, campos de amapolas que ardían de amor por una muchacha buena y llenita a la que le gustaban sus ojos diminutos, pegados uno al otro y hundidos bajo una tira negra de cejas. Tesié-adorable-de-sirién tus-ojos-adorables-de-sirio. Una muchacha que le quería tanto, que le preparaba el pollo asado, escuchaba embelesada sus confidencias, dimuá-dimuá, llevaba los zapatos de lagarto marrón con lacito de terciopelo comprados por doscientas mil liras en Diamante (Calabria), quería hacerse cristiana y casarse con él con vestido blanco y velo de tul y flores de azahar porque Jesús respetaba a las mujeres, no lapidaba a las adúlteras y frecuentaba de buena gana a una prostituta llamada María Magdalena. Una muchacha por la que habría dado la vida. Y entre las amapolas de ese amor una flor de lis que era el camión bajo el techo de hojas, el oasis del convento. Y eso le gustó aún menos. Entonces siguió buscando y subió más a la izquierda, más arriba, a través del Lóbulo Frontal que es el reino de la inteligencia. Encontró poca cosa: no había cimas excelsas en esa región ni colinas verdes. Las llanuras estaban baldías, apenas rescatadas aquí y allá por conceptos elementales aprendidos en un banco de escuela o por las simples cosas que debe saber un soldado, y en lugar de los valles lozanos con amapolas y la flor de lis, se extendía un desierto de arena. De hecho creyó haber encontrado el lugar que buscaba, y pareció detenerse: conceder con estallido aplazado una muerte instantánea. Pero precisamente cuando estaba a punto de encender la pólvora contenida en su pequeño corazón de plomo advirtió que también en el desierto de arena nacían flores bellísimas. La flor de una sabiduría instintiva que sólo pedía a la vida un poco de felicidad con la muchacha buena y llenita. La flor de una fantasía ardiente que lo ayudaba a soñar hasta cuando no había nada que soñar salvo el oasis con el techo de hojas o el gorjeo monamur-monamur. La flor de un equilibrio innato que lo hacía lógico y comprensivo y bondadoso. La flor del optimismo que se alimenta del valor. Y eso la enojó tanto que dejando tras sí una Hiroshima de materia gris agujereó la corteza cerebral y después el hueso occipital. Se fue, salió: dos centímetros por encima del ojo izquierdo. Después continuó el vuelo, agujereó también la fotografía de Imaam traspasó de nuevo la tienda. Acabó al pie de un árbol y Rocco cayó boca arriba: con las pupilas desorbitadas, la frente manando sangre por un agujero minúsculo, la mano derecha martilleando automáticamente sobre un hierro del catre. Tun-tun, tun-tun. Por lo que el paracaidista que dormía exhausto por el turno de noche se despertó. Y lo llamó.

«¡Rocco! ¿Qué haces, Rocco?»

Después vio el agujero sobre el ojo izquierdo, el hilo de sangre que corría a lo largo de la sien, las pupilas desorbitadas, comprendió, y un alarido desgarró el campamento.

«¡Socorrooo! Le han dado en la cabeza, ¡correeed!»

Corrió Gigi el Cándido, corrió Armando Manos de Oro, corrió Halcón, corrieron los camilleros. Corrió el Cóndor, avisado por radio. Y detrás del Cóndor, Charlie. Detrás de Charlie, Pistoia. Detrás de Pistoia, Azúcar que descubrió en seguida la 5,56 al pie del árbol. La recogió, reconstruyó su increíble vuelo de dos kilómetros y medio: la inexplicable trayectoria que a través de millares de obstáculos y entre millones de blancos posibles la había conducido dentro de la nuca de Rocco. Y cargaron a Rocco en la ambulancia. Pasando por delante de una muchacha con zapatos de piel de lagarto marrón y una cestita llena de pollo asado que parada en la acera gorjeaba ignorante Rocco, je-suis-ici aquí-estoy, Rocco, lo llevaron al hospital de campaña. Pero el mortífero balín había realizado otra de sus hazañas: Rocco era ya un cadáver vivo. No reaccionaba siquiera a los estímulos mecánicos, a la aguja con que lo pinchaban con la esperanza de que susurrara «¡ay!», y en vano solicitaba Gigi el Cándido un diagnóstico no infausto: «Podría salir adelante, ¿no?» Los médicos callaban o respondían: «No, mi coronel, no: es un coma irreversible.» Sin embargo, en determinado momento uno extendió los brazos y se encogió de hombros. «Mi coronel, por lo general al recibir una bala en la cabeza se muere al instante» dijo. «Si no se muere al instante, se muere poco después por hemorragia interna. En efecto la masa cerebral está alimentada por grandes arterias cuya rotura causa un edema que comprime el cerebro contra las paredes de la caja craneana, en una palabra lo sofoca. Sin embargo, esta vez se ha producido un prodigio. Tal vez por la poca velocidad que la bala llevaba en el instante en que se introdujo en la nuca, tal vez por la trayectoria que seguía o por la forma como estaba inclinada la cabeza, tal vez por las tres cosas juntas, las grandes arterias no han resultado lesionadas: el edema se ha formado por la rotura de los pequeños vasos sanguíneos y nada más. A mi juicio podría salir adelante, sí. Lo malo es que haría falta un neurocirujano, un hospital más dotado que un hospital de campaña, es decir, el Rizk. ¿Quién asume la responsabilidad de semejante traslado?» Y el Cóndor dio un paso al frente.

«Yo» dijo. «Yo la asumo.»

«Bien, mi general. ¿Quién lo acompaña?»

«Yo. Lo acompaño yo.»

«Mi general» intervino Charlie «están disparando con ganas en la Línea Verde. Será difícil llegar al Rizk, y casi imposible volver atrás. Si ha comenzado la rebelión chiíta, lo necesitaremos a usted al menos tanto como Rocco necesita al neurocirujano. No vaya, mi general...»

Pero sólo sirvió para irritarlo.

«¡Charlie! ¡Guárdese los consejos, Charlie! Con rebelión chiíta o sin ella, ¡yo al Rizk llego! ¡Y del Rizk regreso! ¡Mejor será que vaya a hacer callar a esa obsesa que está llorandooo!»

Después ordenó que volvieran a meter a Rocco en la ambulancia, llamó a Gaspare y a dos de los escoltas, subió con ellos al jeep, y el pequeño convoy partió seguido de los sollozos de Imaam a la que habían dicho que Rocco estaba herido en una pierna y se desesperaba.

«¡Rocco! Où est-ce qu'ils t'emmenent?! ¿¡¿Adónde te llevan, Rocco?!? Je veux venir avec toi! ¡Quiero ir contigo!»

«Ce n'est pas possible, no es posible, querida» murmuró Charlie quitándole de la mano la cestita con el pollo asado y ofreciéndole un pañuelo para que se enjugara las lágrimas.

«Mais je suis sa fiancée, Monsieur! Pero, ¡yo soy su novia, señor! Et ils m'ont dit qu'il a été blessé à une jambe! ¡Y me han dicho que lo han herido en una pierna!»

«Sí, querida. À une jambe, en una pierna...»

«Oh, Monsieur! Est-elle une blessure grave, Monsieur? ¡Oh, señor! ¿Es una herida grave, señor?»

«No, querida. Pas grave, no grave...»

«Vraiment, Monsieur? ¿De verdad, señor?»

«Vraiment, de verdad, querida...»

«Une toute petite balle, Monsieur? ¿Una bala pequeña, señor?»

«Très petite, muy pequeña, querida...»

«Cependant vous avez un air si angoissé, Monsieur! Y, sin embargo, ¡tiene usted una expresión tan angustiada, señor!»

«Je ne suis pas angoissé, no estoy angustiado, querida.»

Pero sí que lo estaba. Y no tanto por Rocco o porque temiera que el Cóndor no lograra volver atrás, cuanto porque junto con la noticia de que alguien estaba preparando algo esta mañana había sabido que durante la Nochebuena habían fusilado a una mujer en Gobeyre. Una mujer bellísima con un vestido blanco desgarrado pero muy elegante. Una cristiana de la zona oriental, seguro, que se había perdido en la batalla y a la que habían tomado por espía. Después de la tregua habían recogido su cadáver, acribillado por una ráfaga de Kalashnikov en la Rue Farruk delante de la joyería vigilada por el viejo ciego que fumaba el narguile, según le habían dicho. Y cuando había pedido que la describieran mejor, la respuesta había sido: «Entre los treinta y los cuarenta años. Largos cabellos castaños con reflejos de oro. Inmensos ojos violeta. Cuerpo espléndido, piernas espléndidas...» El retrato robot de Ninette.

Conque debía decírselo a Angelo y sólo de pensarlo se le revolvía el estómago.»

«Si vous ne l'êtes pas, je vous envie, Monsieur! Si no lo está, lo envidio, señor.»

«Ne m'envie pas. No me envidies, querida.»

Entretanto, en torno al M113 gubernamental que en la desembocadura de la callejuela flanqueaba el M113 italiano del Veinticuatro se estaba formando un asedio de los Amal. Los mandaba un barbudo flaco al que los infantes de marina ahora de turno en el puesto no habían visto nunca: Rashid. Con él el rubito con la colilla siempre pegada a los labios, el Kalashnikov en bandolera, las Rdg8 en el cinturón y un casco con plumas en la cabeza: Jalid-Passepartout, protagonista inevitable del drama final.

–4–

El drama final se desarrolló en las dieciocho horas que siguieron al tiroteo que había estallado hacia mediodía en la Galerie Semaan, del que había sido cómplice o mejor dicho pretexto la bofetada que un jefe de escuadra de la Octava Brigada había dado a un jefe de escuadra de la Sexta que le había escupido encima, y tuvo el comienzo pronosticado por Bilal. Es decir, la ruptura del ejército gubernamental que en un abrir y cerrar de ojos se dividió como una ameba cuyo núcleo se escinde para engendrar dos núcleos incapaces de vivir dentro de la misma concha: por una parte la Octava y por otra la Sexta. Pero mientras que la Octava mantuvo intacto su núcleo, la Sexta continuó imitando el proceso de la ameba que después de la escisión se escinde de nuevo para convertirse a su vez en dos amebas y después cuatro y luego ocho y después dieciséis hasta el infinito, y se dividió a su vez: por una parte el grupo compuesto por los oficiales cristianos y por una minoría de soldados chiítas que le seguían siendo fieles, y por otra el grupo compuesto por los oficiales chiítas con el grueso de la tropa chiíta. Inmediatamente después el segundo grupo se dividió en dos facciones posteriores: por una parte la que quería pactar con la Octava a fin de evitar baños de sangre, y por otra la que no quería. Entre peleas y alborotos ambas se desmenuzaron para producir una miríada de desbandadas a merced de cualquiera, y del macabro vientre de la guerra plurifratricida nació un enésimo monstruo de varias cabezas que de cabeza en cabeza fue pasto de los Amal. Y lo que es peor, entregó a los Amal todos los pertrechos de la brigada: toneladas de 5,56 y quintales de M16 que iban a engrosar los depósitos ya atestados de 7,62 y de Kalashnikov, docenas de M113 con ametralladoras de 12,7 y jeeps con cañones de 106, numerosos morteros de 120. Los morteros, los cañones, las ametralladoras, los fusiles que habían disparado contra ellos en Nochebuena. Entonces, fortalecidos por esa abundancia, los Amal lanzaron el ataque decisivo. En el ataque se introdujeron sin esfuerzo los Hijos de Dios y las diversas camarillas político-religiosas dominadas por los mullah y los ayatollah de Zandra Sadr, la entropía de Ludwig Boltzmann alcanzó cimas nunca superadas, y el drama final de la ciudad se convirtió en el drama final de nuestros personajes. Excepto en el caso de Angelo al que los extraños mecanismos del destino encomendarían una misión muy precisa, el papel de los italianos pasó a ser de hecho el de comparsas insignificantes dentro de una tragedia que los excluía y al mismo tiempo los devoraba. Y el primero en pagar las consecuencias fue el Cóndor que en el camino de regreso se vio neutralizado como un león al que encierran en una jaula. Así fueron los patéticos detalles del episodio.

Con el ímpetu y la resolución que lo caracterizaban, el Cóndor había logrado cruzar el paso de Tayoune y llegar al Rizk. Con ayuda de sor Françoise había logrado incluso movilizar a un hábil neurocirujano que aunque sin darle esperanzas había realizado en Rocco la intervención necesaria para remediar un poco la Hiroshima de materia gris. Pero al regreso, es decir, hacia las cuatro de la tarde, había cometido el error de elegir el paso del Museo: punto contra el que los sublevados contenidos por la Octava presionaban para extender la rebelión a la Ciudad Antigua. Cohetes, cañonazos, granadas de todo tipo. Fuego que irradiaban a todo El Pinar. Así pues en las cercanías del Hipódromo se había visto obligado a dejar el jeep para lanzarse junto con Gaspare y los dos de la escolta dentro de una caseta que por fuera parecía una garita de las antiguas caballerizas, y sólo al cruzar el umbral había advertido que se trataba del último lugar al que hubiera deseado pedir refugio: un gallinero lleno de gallos enloquecidos y de gallinas que aleteaban cacareando. Un instante después un obús había destruido el jeep con la radio, y el temor de Charlie se había cumplido: resultaba imposible regresar al Cuartel General que de allí distaba tres kilómetros de bombas, Amal, y jomeinistas más que dispuestos a raptar a un general. ¿Hace falta decirlo? El león en la jaula casi había enloquecido. Se había puesto a dar patadas a los gallos y las gallinas que aterradas habían multiplicado sus cacareos, a gritar improperios, a llamar a la Sala de Operaciones con el único instrumento que le quedaba, es decir, la motorola, y de nada servía que el Urogallo le preguntara dónde estaba. De nada servía que Caballo Loco le implorase con-la-venia-mi-general-díganoslo. Ubi-dolor-ubi-digitus. De nada servía que Pistoia se desgañitara explíquenos-dónde-se-encuentra-que-voy-a-recogerlo. De nada servía que los dos de la escolta le repitieran dígaselo, mi-general, estar-aquí-no-es-una-vergüenza. La idea de que supieran que estaba en un gallinero hería hasta tal punto su orgullo, que no había forma de hacérselo confesar. «¡¡¡Callaooos!!!» A cambio martilleaba órdenes rabiosas y superfluas, declarad-el-estado-de-alarma, preparad-la-Intervención-Rápida, intensificad-las-patrullas, reforzad-los-miradores. Y de nada servía aconsejarle que hablara menos porque si no se le agotarían las pilas, de nada servía recordarle que las pilas se consumen más transmitiendo que recibiendo: no se callaba en ningún momento. No se separaba de la motorola, que era su última ilusión de que era él quien dirigía el contingente. Entretanto el tiempo pasaba, inexorable. Caía la noche, y las pilas se estaban agotando de verdad. Si bien las voces de la Sala de Operaciones llegaban aún claras y traían frases bastante completas, a la Sala de Operaciones su voz llegaba débil y transmitía sólo palabras o medias palabras desgarradas por chirridos.

«¡Comuníquenme... grrrr... cuartel... grrr... Sexta Brigada!»

«Mi general, ¡no hemos recibido! ¡Repita!»

«¡Comuni... grrr... cuar... grrr... grrr... Brigada!»

«No recibimos, mi general, ¡no se oye!»

«Repito... grrr... cu... grrr... grrrr...»

A las nueve de la noche, cuando lo que parecía un providencial M48 de la Octava se acercaba seguido de una ambulancia municipal, también las voces de la Sala de Operaciones empezaron a traer palabras desgarradas por chirridos, y resultó claro que la motorola no tardaría en callar del todo.

«Mi general... grrr... hemos... grrr... ¿Recibido?»

«¡No!»

«Grrr... serio... grrr... Chatila... grrr... ¿Recibido?»

«¡Nooo!»

Por último, el silencio total. Las pilas se habían agotado totalmente. Entonces, furioso, el león se lanzó fuera de la jaula. Empuñando la pistola y seguido de Gaspare, de los dos de la escolta, de una estela de quiquiriquíes y cacareos que parecían chillar muy-bien-vete-de-aquí-muy-bien, corrió hacia el M48 para detenerlo y subir en él, pero tuvo apenas tiempo de ver un cohete que alcanzaba al de la ametralladora de la torreta y lo desintegraba. Inmediatamente después la explosión lo lanzó contra un pino contra el que chocó su cara y después se desmayó, y cuando volvió a abrir los ojos estaba en una ambulancia de la Cruz Roja que junto con dos moribundos del tanque alcanzado lo llevaba de vuelta al Rizk. Allí el mismo neurocirujano que había operado el cerebro de Rocco le suturó con nueve puntos internos y doce externos un corte marcial que del pómulo a la mandíbula le desfiguraba la mejilla izquierda, sor Françoise lo atiborró de sedantes que nada sedaron, y permaneció hasta el alba en un catre reconcomiéndose con la pesadilla de un tren que debería haber conducido pero no podía conducir porque volaba en la noche conducido por quién sabe quién.

Lo conducía el Profesor que al callar la «motorola» había asumido el mando y se incorporó a los extraños mecanismos del destino ordenando a Charlie que llevara a Angelo al Veinticuatro donde las cosas se estaban poniendo feas.

* * *

Pese a la presencia casi constante de Rashid que se alejaba sólo para dirigirse a inspeccionar los otros puestos, en el Veinticuatro no había sucedido nada salvo un aumento gradual de la petulancia por parte de los Amal que como buitres en espera de dejar en los huesos la carroña cercaban el M113 gubernamental detenido en la desembocadura de la callejuela a través de la cual se llegaba a la carretera de Chatila. En particular, la petulancia de Passepartout que exhibiendo su casco con plumas atormentaba a la tripulación: siete soldados chiítas y un teniente cristiano. «Ahora basta de bloquear la callejuela, ¿entendido? Debéis entregarnos el tanque, cobardicas. Y tú, el de la cruz al cuello, ¡mueve el culo y lárgate!» No era casualidad que el teniente cristiano, un joven seguro de sí y con la imagen de la Virgen pegada a la culata de su pistola, replicara sin darle excesiva importancia: «Yo no voy a ninguna parte, mocoso, y mis hombres tampoco. Conque deja de provocar si no te meto una bala en la barriga.» Y lo mismo sus hombres, reclutas inexpertos de Chyah y Haret Hreik, que reflejando la proliferación de la ameba ya en la cuarta escisión sólo se ocupaban de discutir sobre sus discrepancias o vacilaciones. El encargado de la ametralladora Browning repetía por ejemplo que permanecería fiel al teniente ¡y pobre del que lo tocara!; el piloto se declaraba dispuesto a seguir a los Amal pero no a entregarles el tanque; el radiofonista se decía dispuesto a entregarles el tanque pero no a seguirlos. Y de los demás uno quería seguirlos y entregarles el tanque, otro proponía venderlo a la Octava por setenta mil dólares, es decir, diez mil dólares por cabeza, otro esperaba el momento idóneo para escabullirse, y otro no sabía a qué carta quedarse.

«¿Qué dices? ¿Nos vamos con los verdes o no?»

«No, no, yo me voy a mi casa y se acabó.»

«Idiotas, ¿no habéis comprendido que con este tanque podríamos ganar un montón de cuartos? Con tal de tenerlo, los otros nos lo comprarían: ¿no?»

«¡Cínico, avaricioso! Tú no vendes nada a nadie, ¿¡¿entendido?!? El tanque me lo llevo yo, ¡y se lo doy a los nuestros!»

«Dáselo, dáselo. ¡Siempre que no me lleves también a mí!»

«Yo puedo irme también con los Amal. Pero sin el tanque.»

«Haced lo que os parezca pero ¡al primero que ponga un dedo sobre el teniente lo dejo seco!»

«Pero, ¿¡¿qué clase de chiíta eres tú?!?»

«¡Un chiíta que no traiciona, un soldado fiel!»

Pero a las nueve menos cuarto Rashid se había separado del grupo, y tras decir algo al oído a Passepartout se había acercado al teniente cristiano. Con repentina familiaridad lo había cogido del brazo, y haciéndole dar la espalda al Veinticuatro se lo había llevado hacia la acera opuesta y le había dicho: «Mi teniente, todos somos hijos de Alá. ¿Qué sentido tiene disputar entre nosotros? Discutamos nuestros malentendidos y yo aplacaré a mis muchachos y usted a los suyos.» El teniente había respondido que de acuerdo, sin separarse del brazo y dando la espalda al Veinticuatro habían permanecido unos minutos conversando, y al volver atrás había advertido que se habían burlado de él. Con la complicidad de la obscuridad y sin que los infantes de marina hubieran tenido tiempo de oponerse, unos quince Amal se habían introducido en la callejuela y otros quince a las órdenes de Passepartout habían trepado al M113 gubernamental. Había resultado un tumulto durante el cual el teniente había disparado algunos tiros de revólver y el soldado fiel una ráfaga de Browning, el que no quería entregar el tanque y el que quería venderlo a la Octava se habían puesto a dar culatazos, el indeciso a dar puñetazos, y Passepartout había puesto pies en polvorosa: al instante Rashid lo había perseguido gritando cobarde, esta-vez-te-mato, cobarde. Entonces los infantes de marina habían llamado a Sandokan, y Sandokan había acudido con su metamorfosis: en lugar del revólver, las bombas de mano, el cuchillazo Camillus, una pipa en la boca y las pacíficas tesis paternas. «Calma, chicos, calma. Como dice Bertrand Russell, hay que vencer con la tolerancia el viejo mecanismo del odio que induce a agredir a las otras tribus. Y como yo digo, salva la piel y tira para adelante, aprovecha. Dejadlos que se cuezan en su caldo y encerraos dentro del tanque.» Después se había encerrado también en él y a fuerza de «over», último residuo de los tiempos en que soñaba con ser Robert Mitchum desembarcando en Normandía o John Wayne bombardeando Iwo Jima, había informado de ello al Profesor.

«Cóndor, atención, Cóndor. Aquí Sierra Mike Uán. Over.»

«Adelante, Sierra Mike Uno, aquí Cóndor Dos. Hable en italiano y diga qué sucede.»

«Sucede que en el Veinticuatro los beduinos están tocando las pelotas. Over.»

«¿Qué pelotas? ¿Qué beduinos? ¡Explíquese!»

«Mis pelotas y las de mis infantes de marina. Los beduinos del trapo verde, los Amal. Han agredido a los gubernamentales del tanque y han entrado en Chatila pasando por la callejuela. Over.»

«¿¡¿Por la callejuela?!? ¿¡¿Y usted qué hace?!? ¿¡¿Dónde está?!?»

«¿Yo? Dentro del tanque. Y no hago nada. Lo que se dice nada. Over.»

«¿Qué significa nada? ¿Y sus hombres?»

«Están conmigo en el tanque. Los he encerrado yo en él. Over.»

«¡Sierra Mike Uno! ¡No deben estar en el tanque! Deben estar fuera, ¡intervenir! ¡Y usted el primero!»

«¡Qué leche! Que se degüellen entre ellos. A mí lo que me gustan son las truchas y los edelweis. Over.»

«¿¡¿Qué truchas, qué edelweis?!? Sierra Mike Uno, ¡lo denuncio ante un Tribunal Militar!»

«Denuncie a quien quiera, Cóndor Dos. ¡Coño, recoño! Me la trae floja. Over.»

Después había apagado la radio y en ese momento había sido cuando en la Sala de Operaciones habían intentado informar al Cóndor. Mi-general-tenemos-un-problema-grave-en-Chatila. ¿Sólo grave? Ahora los Amal que habían entrado en el Veinticuatro corrían dentro del barrio para obligar a los militares chiítas a seguirlos, amenazaban con secuestrar a sus oficiales cristianos, asediaban los puestos italianos, y los jefes de tanques reclamaban el derecho a disparar: «¡Dennos autorización, por Dios! Si no disparamos, ¡aquí va a haber un linchamientooo! Ni más ni menos lo que pensaba el Profesor. Pero, justo cuando estaba a punto de dar la autorización, fue a ponérsele delante la gran mole de Charlie que (sin saberlo) venía a implicarlo en los extraños mecanismos del destino.

«Mi coronel, en el Veinticuatro se ha abierto una brecha, ¿verdad?»

«Sí, Charlie.»

«Y en lugar de cerrarla el matasiete que no mata a nadie se lava las manos como Poncio Pilatos, ¿verdad?»

«Sí, Charlie.»

«Y en Chatila temen un linchamiento, por lo que usted está pensando en autorizarlos a disparar, ¿verdad?»

«Sí, Charlie. ¿Tiene usted una idea mejor?»

«La tengo. La de siempre, la que funcionó también en Nochebuena.»

«En Nochebuena había una batalla, Charlie. Esta noche hay una rebelión. Y las rebeliones no se detienen con treguas. Se detienen disparando.»

«No hablo de treguas, Profesor. Hablo de ir al Veinticuatro y poner un parche que impida a los Amal hacernos quedar mal en Chatila. Porque si quedamos mal en Chatila, perdemos Chatila. Si perdemos Chatila, perdemos Bourji el Barajni. Si perdemos Bourji el Barajni, perdemos el resto del sector y nuestra razón de estar en Beirut. Déjeme poner el parche, mi coronel.»

«¿Qué tipo de parche, Charlie?»

«Uno que sirva para regatear.»

«¿Regatear con quién? Su amigo Bilal está muerto.

«Ya lo sé que está muerto... Pero Rashid, la fiera que lo ha substituido, está vivo y... Déjeme ir al Veinticuatro, se lo ruego.»

«Corremos el riesgo de desperdiciar tiempo, Charlie.»

«Una hora. Me basta con una hora. Diga a los paracaidistas y a los infantes de marina que resistan durante una hora y le prometo que saldrá bien.»

«De acuerdo, vaya. Pero con escolta, con un ayudante.»

«No me hace falta, mi coronel. Basta con el intérprete.»

«Esta noche no, Charlie. Además del intérprete esta noche hace falta alguien que sepa usar bien el fusil. Quiero que lleve consigo a su sargento huraño. El matemático.»

«¿Charlie Dos? Preferiría dejarlo aquí. Porque usa el fusil demasiado bien incluso, pero está atravesando por un período difícil y...»

«No discuta, Charlie.»

«A sus órdenes, mi coronel.»

Así fue como Charlie llamó a Angelo. Antes llamó a Martino que como de costumbre se presentó desarmado y tuvo que volver atrás para coger el M12, después llamó a Angelo que se presentó en cambio con el M12 ya cargado con 9 mm Parabellum. Junto con ellos subió al jeep, salió del Cuartel General, y mientras se internaba por la Rue de l'Aérodrome no se proponía en realidad contar la historia de la bellísima mujer fusilada en Gobeyre. Y mucho menos aún pronunciar el nombre de Ninette. Pero lo que nos proponemos o no nos proponemos influye muy poco en nuestra vida, por quién sabe qué alquimias acabamos casi siempre diciendo o haciendo precisamente las cosas que no queríamos decir o hacer, y de repente Charlie sintió la necesidad de pronunciar aquel nombre y después de contar la historia de la bellísima mujer fusilada en Gobeyre. Y lo hizo, él que conocía como nadie el arte de dosificar las palabras, él que aborrecía como nadie la violencia, con la brutalidad de un verdugo que no concede ni siquiera el tiempo para rezar una plegaria o fumar un último cigarrillo: te pone la soga al cuello y listo.

«Angelo, ¿has vuelto a ver a Ninette?»

«No» respondió Angelo sin sospechar nada. «¿Por qué?»

«Porque creo que ha muerto, muchacho.»

Siguió un silencio glacial durante el cual se oyó apenas un gemido. El gemido de Martino: «¡Oh, no!» Después una voz baja, ronca, incolora. La voz de Angelo.

«Ha muerto, ¿cómo?»

«Asesinada, muchacho.»

«Asesinada, ¿cómo?»

«Fusilada, muchacho.»

«Fusilada, ¿por quién?»

«Por alguno de los que actúan por su cuenta, supongo. En Nochebuena. En Gobeyre.»

«¿Quién lo ha dicho?»

«Nadie. Pero esta mañana he sabido que después de la tregua, delante de la joyería de la Rue Farruk, la vigilada por el viejo ciego que fuma el narguile, se recogió el cadáver de una bellísima mujer acribillada por una ráfaga de Kalashnikov. Y las señas corresponden. Entre treinta y cuarenta años... Largos cabellos castaños con reflejos de oro... Inmensos ojos violeta... Cuerpo espléndido, piernas espléndidas... Corresponde también el vestido. He preguntado a los carabinieri con los que habló hacia medianoche qué ropa llevaba y me han respondido que un vestido blanco desgarrado. La bellísima mujer fusilada en la Rue Farruk llevaba un vestido blanco desgarrado.

«¡Oh, jefe!» sollozó Martino. «¡Tal vez no fuese Ninette! ¡Tal vez fuese alguien que se le pareciera!»

«Lo excluyo» respondió Charlie lanzando una ojeada a Angelo que callaba. Y con el aire de haberse quitado un gran peso de encima llegó al Veinticuatro.

Eran casi las diez de la noche, los tanquistas de la Octava habían alargado el tiro por lo que algunas granadas de 105 caían en la Avenue Nasser. Y en el Veinticuatro, con la ausencia de Rashid y Passepartout, el asedio parecía haber cambiado.

* * *

Había cambiado y en cierto sentido se había agravado. Ahora rodeando al M113 gubernamental había una bandada de buitres muy jóvenes claramente enviados para mantener aquella fácil cabeza de puente que gracias al pasotismo de Sandokan podía llegar a someter a la tripulación del M113 gubernamental. «¡Atrás, mocosos, atrás! ¡A mis hombres no los vais a atrapar y mi tanque no lo vais a coger!» gritaba el teniente cristiano, y el soldado fiel lo respaldaba. «¡Que os disparo! Como mováis un dedo, ¡os mato!»

Pero en vez de quedarse impresionados, ellos se echaban a reír burlones y se acercaban cada vez más. A pasos lentísimos, los pasos de quien quiere mostrarse seguro de sí mismo, Charlie se separó del jeep. Pasó por delante del tanque de los infantes de marina que permaneció cerrado, llegó hasta la bandada y después se dirigió a Martino que ahora lloraba.

«Deja de lloriquear y pregunta quién es el jefe» gruñó.

Martino se enjugó una lágrima, carraspeó, lo preguntó, y de la bandada se elevó una algazara grotesca.

«Ana! ¡Yo! Ana!»

«La! ¡No! Inta la! ¡Tú, no! Ana!, ¡yo!»

«Lasa inta, lasa hawah: ana! Ni tú ni él: ¡yo!»

«Mejor así. Pregúntales quién los ha enviado» dijo Charlie con una ojeada de entendimiento al teniente cristiano.

Martino lo preguntó. La algazara aumentó.

«¡Rashid! Huah Rashid! ¡Nos ha enviado Rashid!»

«Bien, ahora pregúntales dónde está Rashid.»

Martino se lo preguntó. La algazara disminuyó.

«¡Gobeyre, en Gobeyre! Uah harab mah Jalid! ¡Ha ido con Jalid!»

«Perfecto. ¡Ahora diles que nos vamos todos a ver a Rashid!»

Marino se lo dijo. La algazara volvió a aumentar.

«La! ¡No! La!»

«La kal! ¡Todos, no!»

«Rashid la iurid! ¡Rashid no quiere!»

«Diles que los quiero a todos y añade que nosotros dos conocemos bien a Rashid: yo soy su hermano de leche y tú su ahijado.»

Martino se lo dijo. La algazara se extinguió y Charlie se llevó aparte al teniente cristiano. Le explicó en francés que con el pretexto de que le acompañaran a ver a Rashid se llevaba a los intrusos. No vendrían otros, en su opinión: como podía oír perfectamente, los tanquistas de la Octava habían alargado el tiro y las granadas de 105 no tardarían en llegar a la glorieta del viaducto disuadiendo a los que lanzaban bravatas. Pero en el caso de que se presentaran otros, les aconsejaba que se refugiasen en el tanque. Para vigilar el puesto quedaba su ayudante, un comando enérgico y valeroso. Después, sin dignarse echar una mirada a Sandokan que había abierto despacito la trampilla para observar la escena y despacito la cerraba otra vez para encerrarse de nuevo dentro del tanque, dio un manotazo a Angelo que se había quedado al volante y seguía guardando silencio.

«Te confío el jeep y al meapilas, muchacho.»

«Sí» murmuró sin apenas mover los labios.

«Estáte atento para que no lo degüellen.»

«Sí.»

«Y el jeep apárcalo de modo que puedas vigilar sin que te vean de norte a sur. Pero por favor: procura no disparar. Lo último que necesito es el esqueleto de un Amal.»

«Sí.»

«Entonces me voy. Ánimo, muchacho... Tenía que decírtelo, ¿no? Tenía que quitarme ese peso del corazón.»

«Sí.»

«¿Te sientes bien? ¿Puedo irme tranquilo?»

«Sí.»

Pero Charlie no se sentía tranquilo y mientras caminaba con Martino y los jóvenes Amal para ir a ver a Rashid se decía: me he equivocado al contarle todo esta noche, me equivoco al dejarlo solo ahí. Ése es capaz de dar la espalda al puesto y marcharse a buscar a quien le ha matado a la mujer.

–5–

No dio la espalda a nada, no fue en busca de nadie. Con cara de piedra esperó a que el teniente cristiano se refugiara en el tanque después aparcó el jeep dentro de la cavidad del terraplén que desde hacía algunos días rodeaba el Veinticuatro. Más que una cavidad, era un abrigo en forma de herradura que Sandokan había mandado construir para colocar en él el M113 y que los infantes de marina no utilizaban porque preferían dejarlo en la acera de la calle Sin Nombre, es decir, alejado del M113 de los gubernamentales. Lo aparcó con las ruedas posteriores contra la pared interna de la cavidad y las ruedas anteriores a dos pasos de la abertura, después se apeó. Se situó junto a la portezuela derecha. Posición que dada la altura del terraplén, un poco inferior a su estatura, le permitía vigilar sin ser visto de norte a sur: al norte, a quince metros de distancia, el tanque de los gubernamentales detenido en la desembocadura de la callejuela; al sur, a dieciocho metros de distancia, el tanque de los infantes de marina. Por último dejó la linterna sobre el capó, se cercioró de que el cargador con las 9 mm Parabellum estaba metido en el fusil, y sordo al estruendo de los cañonazos que ahora caían también cerca del Veinticuatro se zambulló en el magma de su llanto sin lágrimas.

Muerta. Asesinada. Fusilada. Era como si esas tres palabras se le hubiesen congelado en el cerebro. Y sin embargo no le habían revelado nada que no supiera ya en el fondo de su corazón. Nada que, pese a que su mente estaba acostumbrada a razonar con datos preciosos, fórmulas matemáticas, no hubiese comprendido ya cuando se había lanzado a la Rue de l'Aérodrome y había corrido a buscarla en la glorieta del viaducto y en la Avenue Nasser y en la Rue Argan; por todos lados, menos en la Rue Farruk. No cesaba de pensar en aquel cráneo de cabellos largos, el cráneo de mujer que había vislumbrado entre las ruinas del cementerio musulmán, mientras la buscaba por todos lados menos en la Rue Farruk. Y después lo mismo. Había sido necesario el espectáculo de Rambo que con la medalla de Jomeini al cuello y el pequeño cadáver desnudo en los brazos avanzaba en la obscuridad cortando las espadas de luz, después el sonido de las misteriosas palabras pronunciadas por el oficial chiíta y por los soldados chiítas, para que olvidara el temor de que le hubiera sucedido algo horrible a Ninette. Pero el día siguiente se había puesto a pensarlo otra vez, y con tal intensidad que se había confiado a Charlie. Le había contado todo. Todo: desde la compra del ancla en forma de cruz hasta la carta traducida por Martino. El caso es que Charlie estaba demasiado afectado por una noticia recién comprobada, la de que Bilal había muerto durante la batalla, y lo había escuchado sólo con un oído. «No te atormentes con dudas y fantasías, Hamlet. Ya verás cómo tarde o temprano tu Ofelia se presenta aquí sana y salva. Espérala...» La había esperado. ¡Dios, cómo la había esperado! Para esperarla, no había vuelto siquiera a ver a Gino. Pobre Gino... No había llegado a contarle la historia del marciano con seis dedos para el cual el siete y el ocho y el nueve y el diez no existen por lo que en sus cálculos cuatro más cuatro son treséis, que equivale a nuestro doce y cinco más cinco son cuaséis que equivale a nuestro catorce. No lo había ayudado a soportar la desgracia de sentirse como un mono que no puede escribir porque le falta el pulgar necesario para sujetar la pluma en la mano. No había intentado buscar al pequeño criminal de las Rdg8, no se había preocupado de ajustar las cuentas con él. Había renegado de la poesía sobre el amor y la amistad que son la misma cosa, las dos caras de la misma necesidad, de la misma hambre insaciable y de la misma sed inextinguible. Y, con una llamada por teléfono cargada de reprobación, el día de la partida sor Françoise se lo había dicho. «Se ha marchado, Angelo, y hasta el último momento no cesó de repetir no-viene, no-ha-venido. ¿Por-qué-no-ha-venido-Angelo, por-qué?» Porque no es cierto que el amor y la amistad sean la misma cosa, sor Françoise. Porque incluso en los casos en que está mezclado con el odio o nace del odio el amor tiene una fuerza que la amistad no tiene. Una fuerza que induce a olvidar a los amigos, sor Françoise.

Muerta. Asesinada. Fusilada. Delante de la misma joyería en que él le había comprado el ancla en forma de cruz. ¿Fusilada por qué motivo, por qué causa? Sí, es cierto que cuando perdemos a una persona querida le atribuimos sólo méritos y virtudes: como si quisiéramos multiplicar o justificar nuestro dolor la calificamos de buena aun cuando fuera mala, de honrada aun cuando fuera desaprensiva, de inocente aun cuando fuera culpable. Pero si existía una criatura en el mundo incapaz de hacer daño a los demás, era precisamente Ninette. ¿Quién la había matado, pues? ¿Quién? ¿A quién debería matar, para vengarla? ¿A quién? Nunca le había gustado la venganza. Siempre la había considerado un acto visceral, grosero, dictado por la ceguera de las pasiones. No le había gustado nunca la idea de matar. Pese a su destreza en el manejo de las armas, al asaltar las fortalezas imaginarias del elaborado juego infantil, siempre la había juzgado extraña a su forma mentis. Por eso el domingo de la doble matanza no le había costado ningún esfuerzo responder al bersagliere juro-que-nunca-mataré-a-nadie. En cambio ahora la idea de matar se le ajustaba como un guante de la talla exacta se ajusta a la mano, le apetecía como un fruto maduro que pide que lo coman, y la idea de vengar a Ninette le seducía mil veces más de lo que le había seducido la idea de ajustar las cuentas al pequeño criminal de las Rdg. En una palabra a Passepartout. La venganza le parecía un derecho que debía ejercer en nombre de la lógica; un acto racional y legítimo, intelectualmente antes que moralmente justo. Intelectualmente, sí. No tiene sentido matar a un desconocido que lleva un uniforme diferente del tuyo, que por puro azar se encuentra en el otro lado de la barricada y al que en circunstancias diferentes invitarías a tomar un café: matar a quien te ha causado un daño, te ha substraído un bien, te ha impuesto un dolor, en cambio sí que lo tiene. Porque restablece un equilibrio roto, pone orden en el desorden, niega el triunfo del Caos. Y con un gesto positivo borra el gesto negativo de quien te ha causado el daño, te ha substraído el bien, te ha impuesto el dolor: la operación que en matemáticas se llama devolver-el-sistema-a-la-fase-inicial, y equivale a anular con un proceso inverso los resultados del problema. Sí: si se enterara de quien había acribillado a Ninette con una ráfaga de Kalashnikov, lo mataría sin vacilar. Quienquiera que fuese, dondequiera que lo encontrase, en cualquier momento, es decir, también ahora y en este puesto; al diablo las órdenes de Charlie. Su por-favor-procura-no-disparar, lo-último-que-necesito-es-el-esqueleto-de-un-Amal.

«Ana hunna! ¡Aquí estoy!»

«Hal tas ma' wai? ¿Me oís?»

«Ruha wa, la'aim! ¡Salid, cobardicas!»

Precedido por sus gritos ásperos y perversos, Passepartout había salido de la obscuridad de la calle Sin Nombre y completamente solo se dirigía hacia el M113 gubernamental para ponerse a atormentar de nuevo al teniente cristiano. Pero a mitad de camino divisó la alta silueta del militar de pie junto a la portezuela derecha del jeep y, sorprendido de encontrar a alguien en la cavidad siempre vacía, se detuvo en medio del descampado. Una sombra con el fusil en bandolera que se confundía hasta tal punto con la obscuridad que no le permitía distinguir el perfil del casco con plumas. Aguzó las pupilas, rió burlón, se preparó para dedicar al desconocido su petulancia.

«¡Hola, italiano! ¡Buenas noches!»

«Shubaddak? ¿Qué quieres?» respondió Angelo tirando de la varilla de carga, es decir, la palanca del resorte que introduce el proyectil en el mecanismo del disparo. Después, manteniendo el M12 bien sujeto con el brazo derecho y sin dejar de apuntar, extendió la izquierda hacia la linterna que había dejado sobre el capó. La cogió, se la encendió en la cara y el disco de luz verdosa iluminó una carucha que por un juego de claroscuros le pareció la de una mosca que había que aplastar. Ojos redondos y salientes, nariz de gancho, labios muy desarrollados, y entre los labios una colilla de cigarrillo que parecía un rostro succionador. ¿¡¿Una colilla de cigarrillo?!? Angelo alzó un poco la linterna para ver si la mosca tenía los cabellos rubios, y el disco de luz verdosa iluminó también el casco con plumas. El casco de que había hablado Pistoia en Nochebuena. El casco del sargento Natale.

«¡Calma, italiano, calma! ¡Tú cegarme!»

«¿Quién eres?»

«¡Jalid! ¡Soy Jalid! ¡Tú cegarme!»

«¿Quién eres?»

«¡Jalid! ¡Soy Jalid! Y hablar italiano.»

«Jalid, ¿eh?»

«Sí. Querer decir eterno, inmortal.

«Eterno, inmortal, ¿eh? Y eso, ¿quién te lo ha dado?»

«Shu? ¿Qué?»

«El casco.»

«No dado. Conquistado. Cogido» dijo con júbilo Passepartout, feliz de haber causado impresión.» Y con la imprudencia de la mosca que va a posarse sobre la viscosa tela de la araña, se acercó unos pasos al terraplén. Entretanto, el disco de luz verdosa bajaba a su cinturón en busca de las Rdg8.

«¿Cogido dónde? ¿A quién?»

«Aquí, ¡a bersagliere de tanque!»

«¡Ah! ¿Sí?»

«¡Sí, durante batalla!»

Estaban también las Rdg8. Dos Rdg8 idénticas a la que Charlie había recogido junto a la higuera del Veinticinco y cuyo número de fabricación era casi consecutivo al aún visible en la lengüeta de la bomba con la que el pequeño criminal había dejado manco a Gino. Apagó la linterna. Volvió a apoyarla en el capó y a sostener el M12 con las dos manos.

«Y ésas, ¿a quién se las has cogido?»

«Shu? ¿Qué?»

«Esas dos bombas.»
«No cogidas. Regalo Rashid.»
«Rashid, ¿eh?»
«Sí, yo y Rashid uña y carne. Él uña, yo carne.»
«Uña y carne, ¿eh?»
«Sí, yo vivir en su casa, dormir en su cama, y él joder sólo conmigo. Decirme siempre mi sol, mi dulce sol, y hacer siempre regalos. Mi Kalashnikov, regalo Rashid. Y noviembre Rashid me dado caja de Rdg8.»
«Una caja, ¿eh?»
«Sí, caja entera. Rdg8 muy buenas. Dos apañar cinco enemigos. Yo saber» aclaró la mosca enmarañándose completamente en la viscosa tela de la araña lista para devorarla.
«Lo sabes, ¿eh?»
«¡Saber, saber! ¡Yo probado!»
Con la linterna apagada era de nuevo una sombra con el fusil en bandolera que se confundía con la obscuridad, pero los contornos de la sombra ahora aparecían nítidos y el tórax que ofrecía al M12 parecía una silueta de tiro al blanco. Además se había puesto tan cerca, el idiota: justo en la abertura del abrigo. Con el índice en el gatillo, Angelo pensó en lo fácil que habría sido satisfacer el deseo de matar para vengar a Gino. Demasiado fácil incluso, y sin consecuencias: gracias al terraplén que lo ocultaba hasta la mitad de la cabeza, ni desde el M113 gubernamental ni desde el de los infantes de marina verían nada. Con mucha probabilidad tampoco oirían el cling de la bala que parte y el clang del fusil que se recarga: los cañonazos del M48, de repente bastante cercanos, apagaban cualquier otro ruido. Y después, ¿quién lo iba a saber, quién iba a comprender que había sido él? En la guerra los cadáveres no desencadenan investigaciones policíacas, exámenes balísticos, autopsias... Pero cuanto más lo pensaba, más se retiraba el índice en el gatillo. Cuanto más se retiraba el índice en el gatillo, más cuenta se daba de que vengar a Gino no le interesaba tanto como había creído el día en que se había dicho que Beirut era pequeña, el triángulo Gobeyre-Chatila-Bourji el Barajni era pequeñísimo y la gente se volvía a encontrar en él con facilidad...
«¡Vete!» dijo recalcando las sílabas, al tiempo que retiraba del todo el índice del gatillo.
«¿Por qué?»
«Porque no quiero verte. ¡Largo!»
Passepartout dio un paso atrás, decepcionado. Si se iba, Rashid lo atraparía antes de que se le apagara la cólera a la que se había

entregado poco antes al verlo abandonar el tanque de los gubernamentales. Si lo atrapaba antes de que la cólera se le apagara, se ganaría una zurra o un castigo peor. En cambio si se quedaba aquí... Pero, ¿cómo iba a quedarse si éste no quería? Tal vez seduciéndolo un poco y entregándosele gratis.

«¿Yo no gustar tú?»

«Vete. ¡Lárgate!»

«Pero, ¡tú gustar mucho yo! Tú hermoso, tú joderme gratis y juntos poner cuernos a Rashid.»

«Lárgate o te arrepentirás.»

Dio otro paso atrás, intimidado por la fría voz del desconocido que se negaba a joderlo gratis y poner los cuernos con él a Rashid. Lanzó una ojeada al tanque gubernamental, se preguntó si era oportuno permanecer allí para chillar de nuevo ruha-wala'aim, salid-cobardicas, llegó a la conclusión de que no valía la pena, buscó otro pretexto, y fue entonces cuando la mosca enmarañada en la viscosa tela de la araña ahora decidida a no devorarla firmó su sentencia de muerte. Porque extrajo del bolsillo de los vaqueros la cadena con el ancla en forma de cruz arrancada a Ninette y haciéndola oscilar en la obscuridad se volvió a acercar a la abertura del abrigo.

«Italiano...»

«Te lo he advertido. ¡Vete!»

«Yo ir, sí, pero antes te vender joya por bueno, ¡buenísimo precio!»

«¡Largo! Ialla, largo.»

«Joya oro puro, oro verdadero, por dólares cincuenta. ¡Mira!»

«Ialla. Largo, ialla.»

«¡Cincuenta, sólo cincuenta! ¡Abre luz, italiano, abre!»

«Ialla.»

«¡Cuarenta, sólo cuarenta! ¡Abre!»

«Ialla.»

«¡Treinta, sólo treinta! ¡Muy buenísimo precio por oro puro, oro verdadero! ¡Mira!»

«Ialla.»

«¡Cadena con ancla! ¡Ancla con Cristo! ¡Cristo con rubí! Mira, por favor, ¡mira! Abre luz, ¡mira!»

Se hizo un silencio atroz, un silencio roto sólo por los cañonazos que ahora caían a pocos metros del terraplén y a veces parecían pasar por encima de él. Después la voz fría se volvió una voz de mármol.

«¿Qué has dicho?»

«¡Dicho cadena con ancla! ¡Ancla con Cristo! ¡Cristo con rubí! Por dólares treinta, ¡sólo treinta!»

«Déjame ver.»

Lentamente Angelo separó la mano izquierda de la empuñadura del M12. Lentamente volvió a extenderla hacia el capó, volvió a encender la linterna, la volvió a apoyar en el capó. Lentamente tendió el brazo, cogió el ancla en forma de cruz que Passepartout le ofrecía. Lentamente la colocó bajo el rayo de luz verdosa en el que la gota de rubí vibró con un resplandor casi siniestro. Lentamente la dejó resbalar dentro del bolsillo izquierdo de la chaqueta. Después lanzó una ojeada al Kalashnikov que Passepartout había dejado en bandolera, el Kalahsnikov con el que había matado a Ninette, y volvió a poner la mano izquierda en la empuñadura del M12. Colocó de nuevo el índice en el gatillo.

«¿A quién se la has robado?»

«No robada, no...» balbució Passepartout, perdiendo la colilla hasta entonces en equilibrio sobre el labio inferior.

«¿A quién?»

«No robada, mía... Juro... ¡mía!»

«¿A quién?»

Es blando el gatillo del M12. Muy blando. Si tienes el pulso firme, y el índice firme, y si tu deseo de matar es grande, puedes saborear cada milímetro de su retroceso. Puedes esperar unos segundos antes de hacerlo disparar: mantenerlo hasta que llega al límite. Y Passepartout no lo sabía. Menos aún sabía que el dedo estuviera en el gatillo: la luz de la linterna apoyada en el capó lo cegaba bastante más que al principio y del M12 sólo veía el cañón apuntado. Pero como un perro que olfateando siente lo que no sabe, sintió que el índice estaba en el gatillo. Y que el gatillo retrocedía. Retrocedía, retrocedía, y su retroceso no se interrumpiría porque él había cometido un error terrible: había ofrecido al desconocido algo que le pertenecía. Algo que lo denunciaba, lo condenaba sin esperanza, lo entregaba a un castigo más fuerte que todos los castigos impuestos por Rashid, el mismo castigo que él había impuesto a la vieja desdentada de Rue Farruk. Y paralizado por el terror, incapaz de entregarse a una fuga en cualquier caso inútil, desgarrador en la medida en que lo es cualquier criatura que se dispone a morir, incluso una criatura malvada, una pobre mosca asesina, un Jalid-Passepartout, se puso a implorarle.

«¡No dispara, italiano, no dispara!»

«¿A quién se la has robado?» repitió Angelo.

Y el gatillo retrocedió, suave.

«Yo te regalar, ¡no dispara!»

«¿A quién?»

Y el gatillo retrocedió más.

«Yo te dar gratis, ¡no dispara!»

«¿¡¿A quién?!?»

Y el gatillo retrocedió más.

«A puta cristiana espía, ¡no dispara!»

«Y después la mataste, la fusilaste. ¿Verdad?»

«Sí, sí, ¡no dispara! En nombre de Alá, ¡no dispara!»

«¿Por qué la fusilaste?»

«¡Porque puta cristiana, espía! Pero, ¡no dispara! No dispara, no dispara, no dispa...»

«¿No?» dijo la voz de mármol. Y el tiro dirigido al corazón salió.

Salió justo mientras un cañonazo de los M48 caía en medio del ensanche para explotar en un abanico de esquirlas. Así que, con el corazón traspasado por la 9 mm Parabellum y el cuerpo acribillado de esquirlas, la pobre mosca asesina osciló un poco hacia delante y un poco hacia atrás perdiendo su casco con plumas. Después se desplomó en el suelo como se había desplomado Ninette y sin exhalar suspiros de alivio, sin dar gracias a ninguna madre (pero, ¿a qué madre debería haber dado las gracias, ella?), liberó al mundo de su presencia. En cambio, Angelo voló contra la parte interior del terraplén y allí se quedó hasta que las portezuelas de los dos tanques se abrieron. Es decir, hasta que Sandokan y el teniente cristiano corrieron hacia él.

–6–

«Charlie Dos, Charlie Dos, ¿estás herido?»

«No.»

«Sergent, sergent, êtes-vous sain et sauf. ¿Está sano y salvo?»

«Oui.»

«Quelle chance, mon ami! ¡Qué suerte!»

«Es cierto, ¡coño, reconõ! ¡Tienes un santo de tu parte, chico! Ese Amal ha quedado peor que un colador.»

«Et bien! Regardez-le: atteint et plein. Miradlo: alcanzado de lleno.»

«Y ahora, ¿qué hacemos con él?»

«Il faut s'en libérer, mon capitaine! ¡Hay que deshacerse de él!

Voulez-vous que j'appelle mes hommes? ¿Quiere que llame a mis hombres?»

«No, no, teniente, yo me ocupo de él. Chicos, corred a sacar de ahí a ese verde, ¡coño, recoño!»

«Sí, mi capitán, ¡aquí estamos!»

«¡Hombre, mira quién es! ¡El que encabezaba el grupo!»

«Aún lleva el Kalashnikov en bandolera, el pobrecillo...»

«Bueno, pobrecillo no. ¡Era un canalla!»

«¡Canalla y cobarde!»

«¡Molestaba a todo el mundo!»

«Levántalo, venga, ¡que ahora ya no molesta a nadie!»

«¡Cómo que levantarlo, capullos! ¿¡¿Es que no veis que si lo levantáis os mancharéis de sangre?!? Arrastradlo por los pies, ¡coño, recoño!, ¡que ya no siente el dolor!»

Se lo llevaron arrastrándolo por los pies. Sin darse cuenta de que a la altura del corazón había un orificio de casi un centímetro de diámetro, el orificio de una 9 mm Parabellum, y gracias a que la glorieta estaba en aquel momento desierta, lo llevaron hasta la esquina con la Avenue Nasser donde lo dejaron con el Kalashnikov en bandolera y las dos Rdg8 en el cinturón. Después volvieron al tanque, y Angelo recogió el casco con plumas. Lo escondió bajo el asiento del jeep, dijo que no con un gesto a Sandokan que desde la portezuela le preguntaba si necesitaba algo.

«Nada, gracias. Estoy bien.»

Estaba bien de verdad. No sentía empacho, se dijo al sentarse al volante, no sentía remordimiento, y tampoco autocomplacencia ni alegría. En lugar de todo eso, una extraña mezcla de sorpresa y alivio. Sorpresa al descubrir lo fácil que era hacer en serio lo que durante siete años le habían enseñado a hacer por juego en los polígonos y en los asaltos a las fortalezas imaginarias, alivio al pensar que con aquel único tiro había aplicado el derecho que había que ejercer en nombre de la lógica y había realizado el acto racional y legítimo: el gesto intelectualmente antes que moralmente justo, el acto que sirve para restablecer el equilibrio roto, poner orden en el desorden, impugnar el triunfo del Caos, desarrollar la operación que en matemáticas se llama devolver el sistema a la fase inicial. Y si el cañonazo se había superpuesto a la 9 mm Parabellum y había soltado un abanico de esquirlas más que suficientes para matarlo, pues paciencia: la bala le había entrado en el corazón un instante antes, y quien lo había matado había sido él. Desde luego, al final, daba compasión... ¡No-dispara, no-dispara, no-dispara! En realidad, pensándolo bien, daba compasión también antes: esa carucha que recordaba a la de una mosca que había que aplastar, esa colilla que parecía un rostro succionador, esa triste historia de Rashid que lo llamaba mi-dulce-sol y le pagaba con las Rgd8, ese indecente ofrecimiento de su cuerpo, yo-gustar-tú-mucho, tú-hermoso, tu-joder-yo-gratis-y-juntos-poner-cuernos-a-Rashid. Un sociólogo especializado en miserabilismo no habría necesitado demasiadas palabras para convencer a un jurado de buen corazón de que aquel pobre menor no era un verdugo, sino una víctima de la sociedad humana, un desvalido incapaz de entender y querer, un paria al que nadie había explicado nunca la diferencia entre el Bien y el Mal, en una palabra un irresponsable que no tenía culpa de sus culpas y como máximo merecía algunos años de reformatorio. Pero cuando tu alma sangra no te puedes permitir el lujo de hacer tuyos los argumentos fáciles y las ambiguas misericordias de la sociología, responsabilizar sólo a quien tiene inteligencia y suerte y cultura. ¿Van todos los Barrabás al Paraíso? ¿Se sientan todos a la diestra del Señor? Víctima o no, desvalida o no, paria o no, la mosca con el rostro succionador había matado a Ninette y había causado el daño. Había substraído el bien, había impuesto el dolor. Por tanto estaba justificado decirse ahora-estamos-en-paz, Jalid-Passepartout. Tú la mataste a ella, yo te he matado a ti.

Volvió a encender la linterna, la colocó sobre el salpicadero. Notó con indiferencia que el cañoneo de los M48 estaba cesando y que aun así los Amal no regresaban. Se buscó en el bolsillo izquierdo de la chaqueta, volvió a coger la cadena con el ancla en forma de cruz, volvió a colocarla bajo el rayo de luz verdosa, y se estremeció. Enredado en la uña del ancla había un largo cabello castaño de reflejos de oro. Un cabello de ella. Oh, duele siempre encontrar un objeto que pertenecía a la persona amada. Una pluma, un libro, un botón, un vestido que sigue esparciendo su olor y mostrando las huellas de su sudor. Pero encontrar un cabello trastorna. Porque es lo mismo que encontrar una parte de su cuerpo desaparecido, una parte de ella que ha quedado viva e intacta. Lo acarició con un dedo, despacito. Despacito lo enroscó en torno a la uña, después envolvió la cadena con el ancla en un pañuelo, volvió a guardársela en el bolsillo, y sintió un violento picor en la garganta. Unas irresistibles ganas de llorar. ¿¡¿Llorar?!? Se obligó a cambiar el curso de sus pensamientos. Para lograrlo buscó la libreta en la que desde hacía algunos días anotaba sus elucubraciones matemáticas, la acercó a la linterna y la libreta se abrió en una página llena de símbolos: de + y de − y de > (por *mayor*) y de $<$ (por *menor*). El teorema iniciado en Nochebuena en Chatila mientras esperaba a que Azúcar volviera del Veintidós, el teorema del uno que es mayor que cero pero-ponte-a-demostrarlo. Las-cosas-evidentes-son-siempre-las-más-difíciles-de-demostrar. ¿Cómo lo había iniciado? Ah, sí: partiendo del axioma de que el *uno* existe, el *cero* existe, el *uno* y el *cero* son diferentes, había decidido avanzar con una tricotomía y había fijado las tres hipótesis ofrecidas por dos elementos a y b. La de que a sea igual a b, la de que a sea mayor que b, la de que a sea menor que b. Después, descartada la hipótesis de a igual a b, invalidada por el axioma *uno-y-cero-son-diferentes*, había decidido desarrollar el teorema por reducción al absurdo, es decir, basándose en que si una hipótesis es correcta la otra es errónea. Pero en ese momento había sido presa de nuevo del temor de que Ninette se encontrara de verdad en la zona occidental... Carraspeó para rechazar el violento picor que continuaba, cogió la pluma, reanudó los cálculos razonando en voz alta: «Dado que la hipótesis de a menor que b, es decir, $1 < 0$ es errónea, plantear una inecuación de la que resulte que la hipótesis de a mayor que b, es decir, $1 > 0$ es la correcta... Añadir a ambos términos de la inecuación la cantidad (-1) y obtener la inecuación *uno más menos-uno menor que cero más menos-uno*. Así: $1+(-1) < 0+(-1)$. Y como $1+(-1)$ da 0 y $0+(-1)$ da (-1), obtengo la inecuación *cero menor que menos-uno*: $0 < (-1)$. Al llegar aquí debo multiplicar por (-1) ambos términos y al hacerlo obtengo la inecuación *cero por menos-uno menor que menos-uno por menos-uno*. Así: $0 \times (-1) < (-1) \times (-1)$...» Se interrumpió un instante, consciente de una idea paralela y extraña que se introducía en aquellos cálculos. Parpadeó para limpiarse una cortina de niebla en los ojos, y prosiguió: «Ahora bien, dado que $0 \times (-1)$ da 0, obtengo la inecuación *cero menor que menos-uno por menos-uno*. Así: $0 < (-1) \times (-1)$. Y dado que $(-1) \times (-1)$ da 1, obtenemos la inecuación final *cero menor que uno*: $0 < 1$. Resultado que, en vez de probar la corrección de la hipótesis en la que hemos basado la inecuación $1 < 0$, la refuta. Al refutarla, denuncia su inaplicabilidad. Al denunciar su inaplicabilidad, prueba la exactitud de la hipótesis contraria, es decir, $1 > 0$, y así hemos llegado a la demostración de que *uno* es mayor que *cero*: que algo es más que nada...»

No, cambiar de pensamientos no servía. La idea paralela y extraña seguía ahí como el picor en la garganta, las irresistibles ganas de llorar. Cerró la libreta, volvió a metérsela en el bolsillo, bajó del jeep. Con los ojos nublados por la cortina de niebla fue a cerciorarse de que ninguno de los Amal había vuelto a acercarse al tanque de los gubernamentales, y se detuvo perplejo delante del hoyo abierto por el cañonazo. Era un hoyo claro y redondo, evocaba algo. ¿Qué? Volvió al abrigo, perplejo. Se sentó de nuevo al volante, al hacerlo tocó con las botas el casco con plumas que había escondido bajo el asiento, el casco resonó con un sonido semejante al de un pequeño gong, y la idea se delineó. Espeluznante. Se había equivocado al decirse que en la guerra los cadáveres no desencadenaban investigaciones policíacas, exámenes balísticos, autopsias. Si el cadáver no es un cadáver cualquiera, desencadenan lo que desencadenan en tiempos de paz. Y el cadáver de Jalid-Passepartout no era un cadáver cualquiera: era un cadáver ilustre, propiedad privada de Rashid. Lo examinaría bien, Rashid. Al examinarlo bien vería el orificio que se le hundía en el corazón. Un orificio claro y redondo, con el diámetro de nueve milímetros coma nueve, bastante diferente de los desgarrones que producen las esquirlas. Comprendería que lo que había matado a su sol no habían sido las esquirlas sino una 9 mm Parabellum, es decir, la bala del M12: fusil que sólo los italianos utilizaban en Beirut. Y loco de rabia aplicaría a su vez el derecho que hay que ejercer en nombre de la lógica. Realizaría a su vez el acto racional y legítimo, el gesto intelectualmente antes que moralmente justo. Así pues con aquella 9 mm Parabellum no había restablecido ningún equilibrio roto. No había puesto orden alguno en el desorden, no había negado triunfo alguno al Caos, no había desarrollado operación alguna que pudiera devolver al sistema a la fase inicial. Al contrario. Había roto totalmente el equilibrio, había exacerbado o mejor dicho multiplicado el desorden, había respaldado el triunfo del Caos proporcionando a la entropía otro cadáver que pedía venganza... En otras palabras, había caído en un error mil veces más grave que el cometido por Jalid-Passepartout cuando le había ofrecido el ancla en forma de cruz. El error de trasladar a la concreción de la Vida, al proceso irreversible de la Vida, una lógica que elabora lo abstracto y mediante procesos reversibles invierte los resultados de un teorema: la lógica de las matemáticas. La vida no se invierte como los resultados de un teorema. No se invierte como los $1 < 0$ y los $0 > 1$ y los $0 < 1$ y los $1 > 0$. No se devuelve a la fase inicial. No se restituye matando a quien ha matado... Entonces, cargado de espanto, comprendió lo que había hecho: había añadido el eslabón final a la cadena de los acontecimientos iniciados con la doble matanza de octubre. El eslabón que faltaba. Había despertado al tercer camión, había puesto en marcha una contravenganza que se abatiría sobre todo el contingente. Y el rostro de piedra volvió a ser un rostro de carne, la cortina de niebla se convirtió en una cascada de agua: cuando Charlie reapareció junto con Martino lo encontró volcado sobre el volante del jeep y sollozando.

«¿Qué ha sucedido? ¿¡¿Qué has hecho?!?»

«Lo he matado» respondió serenándose en seguida.

«Has matado, ¿¡¿a quién?!?»

«A Jalid-Passepartout.»

Después le contó el resto e hicieron falta unos minutos para que Charlie se recuperara. Pero pasados esos minutos dijo: «Tú no has matado a nadie. No has conocido nunca a ningún Jalid-Passepartout, no sabes siquiera quién es Jalid-Passepartout.» Después se dirigió a Martino que escuchaba alelado, dijo: «Tú no has oído nada, no has visto nada, eres ciego, eres sordo y si abres la boca eres también hombre muerto.» Por último, dirigiéndose a sí mismo, dijo: «Que Dios tenga piedad de nosotros. Precisamente con Rashid acabo de firmar un acuerdo.

* * *

El acuerdo era bastante más que el parche para no quedar mal que había ido a buscar. En efecto disponía que los oficiales cristianos de la Sexta Brigada podrían llegar sin obstáculos a la zona occidental para unirse a la Octava, que los oficiales y soldados chiítas se retirarían al cuartel al sur de la calle Sin Nombre, que los italianos continuarían protegiendo solos Chatila, ¡y pobre del que se opusiera! Así pues a medianoche los M113 gubernamentales abandonaron el barrio, y en la glorieta del viaducto se formaron dos cortas columnas. Una que se dirigió al paso de Tayounne con el teniente del Veinticuatro, el soldado fiel, los demás con la cruz al cuello, y otra que se internó por la calle Sin Nombre con los fieles de Alá. Inmediatamente después los Amal abandonaron el asedio a los puestos y, tras amontonar a las víctimas del cañoneo entre las que se encontraba el rubito que los extranjeros llamaban Passepartout, fueron a hacer de las suyas fuera del sector italiano. Así las infamias de aquella noche se concentraron en otros puntos de la media ciudad, y el contingente se libró del espectáculo de lo que sabía hacer el nuevo monstruo nacido del macabro vientre de la guerra plurifratricida. Milicianos que disfrazados de enfermeros secuestraban las ambulancias y ondeando las banderas de la Cruz Roja o de la Media Luna Roja caían sobre los puestos de control mantenidos a lo largo de la Línea Verde por los militares de la Octava. Allí imploraban sed-misericordiosos, dejadnos-pasar, llevamos-un-niño-moribundo, y cuando tenían el paso libre se lo agradecían a quien los había dejado pasar dejándolo tieso con una ráfaga de Kalahsnikov. Milicianos sin organización que movidos por la furia antialcohólica atacaban los bares de los hoteles frecuentados por los extranjeros y junto con los vinos y los licores eliminaban a quienes los bebían. (Ocho turistas africanos ajusticiados en Rue Hamra por haber sido sorprendidos tomando una cerveza.) Mullah que ebrios de fanatismo savonaroliano irrumpían en las casas para perseguir a las mujeres con la cabeza descubierta y los labios y las uñas pintados de rojo. A bofetadas las arrastraban delante de una mezquita, las exponían a la vergüenza pública, o las obligaban a ponerse el chador. Y no hace falta subrayar lo que sucedió a los oficiales cristianos de la Sexta que no habían recibido la orden de retirarse al este: coroneles fusilados al instante por sus subalternos, capitanes ajusticiados en el sitio por la tropa con la que habían combatido codo con codo durante años, tenientes muertos a bayonetazos por sus propias escuadras. En cuanto a los Hijos de Dios estaban por doquier. Quemaban, saqueaban, profanaban del modo como habían profanado la iglesia de Saint-Michel, amenazaban a los palestinos con pronto-os-ajustaremos-las-cuentas-también-a-vosotros, con frecuencia aterrorizaban incluso a los muecines que hasta la medianoche habían continuado con su cantinela no-toquéis-a-los-italianos, los-italianos-son-nuestros-hermanos-de-sangre. Y naturalmente la llamada se había suspendido sin que Zandra Sadr moviera un dedo para reanudarla. Ni, junto al dedo, una mano que frenara a sus fieles. ¿Por qué habría debido hacerlo? Antes de iniciar la rebelión los Amal no habían tenido ni siquiera el sentido común de esbozar un armazón político-militar que substituyese en la zona occidental al frágil pero existente gobierno de Gemayel. De modo que a Su Eminencia Reverendísima tanta anarquía le resultaba provechosa: garantizaba un futuro de pequeño Jomeini. Y en esa situación se alzó el alba. Con el alba, un grito que sacudió el Cuartel General.

«¡Ha vuelto el Cóndor!»

Había vuelto en un jeep que le habían facilitado los de la Octava. Con barba larga, ojos magullados, cara hinchada, la mejilla acorazada por el esparadrapo que cubría el corte marcial, parecía el superviviente de un linchamiento. Y sin embargo no había perdido un gramo de su ardor. «El que hable de gallos y gallinas acaba en el paredón» gruñó a Gaspare y a los dos de la escolta en cuanto estuvo delante del Leopard. Después fue a la Sala de Operaciones a afrontar un coro de preguntas destinadas a no recibir respuesta. ¿Dónde había quedado bloqueado? ¿Cómo había resultado herido? ¿Por qué no había querido que fueran a recogerlo? En cambio Charlie no le preguntó nada. Esperó a que un evasivo no-tiene-importancia-y-esto-es-un-simple-arañazo acallara el coro, después se lo llevó aparte. En tono conciso, el tono de quien en cualquier caso espera lo peor, le dijo lo que pensaba.

«Mi general, debemos marcharnos a escape.»

Y la reacción fue igualmente concisa.

«Lo sé. Ahora mismo informo a nuestro gobierno de que quiero evacuar en el menor tiempo posible.»

Cuatro días después, es decir, al amanecer del martes, un helicóptero de la nave almiranta depositó en Sierra Mike al generalote de Roma que, con el pecho cubierto de medallas y condecoraciones, durante la batalla de Navidad había permanecido sobre el taburete de la Sala de Operaciones secándose el sudor glacial del miedo. Junto con él, última burla de la suerte y gran desgracia para Halcón, el cabo interino Salvatore Bellezza hijo del difunto Onofrio que gracias a quién sabe qué protecciones o artimañas había logrado que lo volvieran a destinar en Beirut para degollar a Alí y dejar señalada a Sanaan. Con una sonrisita feliz en su pobre cara de bajorrelieve y una inesperada astucia en los ojillos de ratón atrapado en la trampa, Salvatore Bellezza hijo del difunto Onofrio, traía el maletín con las hojas que autorizaban al contingente a partir cuando y del modo como el Cóndor deseara.

Entonces el Cóndor celebró el último briefing y la impaciencia de Charlie se convirtió en desasosiego. En efecto, la noche antes sus informadores le habían dicho que en Gobeyre circulaban dos rumores muy alarmantes. El de que Passepartout había sido muerto por los italianos con una 9 mm Parabellum disparada casi a quemarropa en el corazón, y el de que loco de rabia Rashid buscaba la ayuda de los Hijos de Dios para vengarse con un castigo espectacular.

CAPÍTULO SEXTO

–1–

Como quiera que concluya una historia vivida o inventada, y hayas o no adivinado el modo como concluirá, hay algo inquietante en el telón que empieza a caer sobre su epílogo. Algo que recuerda la precariedad de la vida, su irrepetibilidad, su meta inevitable e ineluctable. Mientras se aflojan los hilos del mecanismo que lo mantenían levantado y bajan despacio los cortinajes, te parece estar mirando una vela que poco a poco se apaga para dejarte en una obscuridad cargada de asechanzas. El último briefing fue eso, un inquietante telón que empieza a caer, una vela que poco a poco se apagaba para dejarlos en una obscuridad cargada de asechanzas, y de una forma o de otra todos lo sintieron. Más que ninguno, Charlie que antes de sentarse a la gran mesa de cerezo había susurrado al Cóndor: «Mi general, aquí conviene despedirse a la francesa y en seguida. Es decir, abandonando todo y utilizando los helicópteros de la Marina. Si lo hacemos esta noche, al ritmo de tres vuelos cada veinte minutos y metiendo de doce a quince hombres en cada helicóptero, mañana por la mañana estamos a bordo de la nave almiranta y de los cruceros... Era muy peligroso partir. Al menos tan peligroso como quedarse. Por otra parte, y pese a que Rashid amenazaba con el castigo ejemplar, no existían otras opciones. La ciudad dividida definitivamente en dos agonizaba bajo el fuego que los cristianos habían reanudado contra los musulmanes y los musulmanes contra los cristianos y los drusos contra ambos; el aeropuerto ahora en manos de guerrilleros incapaces de dirigir la torre de control y las pocas pistas inutilizadas por las bombas no funcionaba, el puerto ocupado por los falangistas y los Kataeb amenazaba con ceder al asedio de los Amal: de minuto en minuto la confusión se intensificaba y las Fuerzas Multinacionales eran ahora el residuo de un triste fracaso. Por algo los franceses refugiados en la zona oriental habían reducido a una exigua escuadra los treinta legionarios dejados por orgullo en El Pinar, los americanos trasladados a los portaaviones habían reducido a la mitad el número de Marines que estaban en las trincheras excavadas bajo los escombros del Cuartel General, y los cien dragones de Su Majestad Británica se habían escabullido de noche sin avisar ni decir adiós a nadie. De ellos sólo quedaba el burlón mensaje con el que Sir Montague había roto el corazón de Caballo Loco: «Farewell, my dear friend, and good luck. Adiós, querido amigo, y buena suerte.» Por eso y sin referirse al asunto de Rashid, Charlie había susurrado mi-general-de-aquí-conviene-despedirse-a-la-francesa. Lo malo era que la desventura sufrida en el gallinero entre los quiquiriquíes de los gallos y los cacareos de las gallinas había exacerbado el orgullo del Cóndor, y la idea de humillarse escapando le horrorizaba hasta el punto de no dejarle tener en cuenta los mortales peligros que una partida de otro tipo impondría al contingente. Así pues, sacando pecho y con el rostro endurecido por el corte marcial en la mejilla izquierda, ahora una costra violácea que evocaba los duelos de Heidelberg, abrió el briefing con un orgulloso anuncio.

«Yo no quiero partir con los helicópteros, a escondidas y de noche como un ladrón» dijo. «Yo quiero irme con los barcos, con la cabeza alta y a la luz del sol.» Y aparte de Charlie que se abstuvo de hacer comentario alguno, nadie lo contradijo.

«Yo también» respondió el Profesor.

«Yo también» respondió Caballo Loco.

«Yo también» respondió Halcón.

«Yo también» respondió Gigi el Cándido.

«Yo también» respondió Pistoia.

«Yo también» respondió Azúcar.

«Nosotros también» respondieron los demás, incluido Sandokan.

«Tres barcos» prosiguió. «Uno para los cuatrocientos infantes de marina de Sierra Mike, otro para los cuatrocientos paracaidistas y carabinieri paracaidistas del Rubí, y otro para los trescientos de la Logística y el resto. Es decir, el personal del Cuartel General y el del hospital de campaña. Y no quiero dejar nada de lo que trajimos aquí. Nada. Ni siquiera una galleta, una cerilla, un alfiler. No quiero que quede nada nuestro en esta ciudad salvo algunos containers, y éste es el esquema de mi plan. Cuatro días y cuatro noches para desmantelar las bases, cargar el material, trasladarlo al puerto con tres convoyes diarios: uno por la mañana, otro a media jornada, otro al atardecer. Mañana, miércoles, el primer convoy: los containers con el vestuario, las lavanderías, las cocinas, los hornos. El jueves los de los frigoríficos, las cisternas, las potabilizadoras y el grueso de los víveres. El viernes los de los grupos electrógenos, las estaciones de radio, las maquinarias de las oficinas. El sábado los de las tiendas, los catres, las armas pesadas y los diversos equipos del hospital de campaña. La noche entre el sábado y el domingo, expedición con dos barcos de carga. El domingo al amanecer, partida con los M113 y los diversos vehículos: un convoy único que cruce Beirut con las banderas desplegadas. A mediodía, el embarque. No hace falta añadir que sobre la fecha del embarque mantendremos el más absoluto secreto y que a la propia tropa se le informará pocas horas antes. ¿Alguna objeción?»

«Ninguna» respondió el Profesor.

«Ninguna» respondió Caballo Loco.

«Ninguna» respondió Halcón.

«Ninguna» respondió Gigi el Cándido.

«Ninguna» respondió Pistoia.

«Ninguna» respondió Azúcar.

«De acuerdo» respondieron los demás, incluido Sandokan.

En cambio, Charlie siguió callado y alisándose los bigotes.

«Sé que mi plan entraña riesgos notables. Sé que al ver los preparativos y los barcos anclados en el puerto, todo el mundo comprenderá que estamos a punto de marcharnos. Sé que por consiguiente fallará el factor sorpresa, es decir, el elemento que ha favorecido la fuga de los ingleses, la retirada de los franceses, y el traslado de los americanos. Sé que al desmantelar las bases nos debilitaremos día tras día, que el domingo por la mañana seremos una tortuga sin concha, y que cualquier perro puede devorar a una tortuga sin concha, es decir, atacar el convoy final. Y me preocupa, evidentemente. No obstante, no tanto como me preocupan las horas durante las cuales nos encontraremos hacinados en un muelle con los M113 y los diversos vehículos por cargar.

Mil doscientos hombres hacinados en un muelle constituyen un blanco fácil, y tanto los Amal como los gubernamentales tienen interés en disparar contra nosostros para acusarse mutuamente y aumentar el caos. Pobres-italianos, precisamente-cuando-estaban-a-punto-de partir, ahora-los-vengaremos-nosotros. Pasemos, pues, a los containers a que antes me refería. Tenemos un centenar de containers de cinco a siete metros de largos, de dos a tres metros de anchos, de la misma profundidad, y de hierro sólido. Como para transportar el material nos bastan cincuenta, llenaremos de arena o lastre los cincuenta restantes y con éstos levantaremos en el muelle una serie de escudos protectores. Trincheras verticales, por así decir, trincheras sobreelevadas, dentro de las cuales permaneceremos antes del embarque y desfilaremos en el momento de embarcar. Quien no esté de acuerdo que levante un brazo.»

Lo levantó Charlie.

«Yo, mi general.»

El Cóndor puso una sonrisa indulgente.

«Adelante, Charlie, díganos el motivo de su desacuerdo...»

«Muy sencillo, mi general: la fase peor no será la del embarque. Será aquella durante la cual los barcos se separarán del muelle y se harán a la mar.»

«¿Habla del tercer camión, Charlie?»

«Sí. El tercer camión que viene del mar, la lancha kamikaze que le preocupaba a usted después de la doble matanza...»

«Ya he pensado en eso, Charlie. Pero es un temor que he descartado al instante. El tercer camión o la lancha kamikaze o lo que sea tenía un sentido mientras estuviéramos en Beirut. ¿¡¿Por qué habrían de mandárnoslo cuando nos vamos?!?»

«Sí, ¿por qué?» repitió el Profesor.

«¿Por qué?» repitieron todos, incluido Sandokan.

«Porque...» Charlie vaciló en busca de una respuesta que dijera lo necesario sin levantar sospechas ni despertar la curiosidad, después puso la expresión de pesadumbre de quien está abrumado por la indignación y lanzó un gran suspiro. «Porque me han informado de que en Gobeyre circula una infame calumnia, mi general.»

«¿¡¿Una calumnia?!? ¿Qué calumnia?»

«La de que el rubito de las Rdg8 fue asesinado por los italianos...»

Estalló un alboroto.

«¿¡¿El rubito de las Rdg8?!? ¿¡¿El que robó el casco al sargento Natale?!?»

«¿¡¿Asesinado por nosotros?!?»

«Pero, ¡es una acusación inconcebible!»

«¡Escandalosa!»

«¡Vergonzosa!»

«¡Inaudita!»

«¡Una gilipollez o mejor dicho una soplapollez!»

En cambio el Cóndor miró a Charlie con expresión alarmada.

«Una historia muy fea. Muy fea. Y según ellos, ¿quién de nosotros lo mató, al parecer? ¿Cómo? ¿Dónde?»

«El quién, el cómo, el dónde son misterios que están en la mente de Alá, dado que el individuo murió por las esquirlas, es decir, embestido por una granada gubernamental» respondió Charlie sin pestañear. «Tampoco vale la pena solicitar explicaciones, mi general. Sólo serviría para alimentar la calumnia. Y las calumnias se comen como las cerezas, ya lo sabe. Una tira de la otra. Pero sí que hay que tomar en serio el rumor de que Rashid ha pedido ayuda a los Hijos de Dios para llevar a cabo una venganza espectacular.»

«¿¡¿Rashid?!?»

«Rashid.»

«¿¡¿Una venganza espectacular?!?»

«Una venganza espectacular.»

«No exageremos, Charlie. Si debiéramos tomar en serio todos los rumores, es decir, todas las habladurías que circulan en esta maldita ciudad...»

«No se trata de una habladuría, mi general. Y no olvide que tal vez estemos vivos porque tomamos muy en serio uno de aquellos rumores, hace tres meses.»

Se hizo un gran silencio, y el Cóndor se puso pensativo.

«Estoy de acuerdo, Charlie, estoy de acuerdo... Pero, aun cuando no se tratara de una habladuría, ¿en qué basa la sospecha de que Rashid quiere llevar a cabo una venganza espectacular con una lancha kamikaze?»

«En la palabra espectacular. ¿Recuerda lo que dijo hace tres meses, mi general? Dijo: "Si yo fuera un kamikaze decidido a cometer una matanza espectacular, no me molestaría en lanzarme con un camión o un avión contra las bases o el Cuartel General. Tomaría una lancha y me tiraría contra el barco que todas las semanas llega y vuelve a partir con tropas de relevo. Un objetivo fácil, seguro, concentrado. Cuatrocientos cadáveres garantizados."»

«Lo recuerdo, Charlie, lo recuerdo.»

«Sin contar, añadió, con que hay muchas lanchas en las ensenadas contiguas al puerto, ¿y cómo distinguir las inofensivas de las kamikazes?»

«Lo recuerdo, Charlie, lo recuerdo. Y la lancha es un medio ágil, veloz... Y los barcos con los que tengo intención de partir son transbordadores indefensos e incapaces de superar los quince nudos... Tiene razón, sí. Sea verdadero o falso, debemos tomar muy en serio ese rumor. Pero, ¿qué otra cosa podemos hacer salvo tener los ojos bien abiertos y pedir a la flota que multiplique por diez la vigilancia?»

«Asegurarnos un mínimo de garantía antes de la partida, mi general. Un semáforo verde que nos permita salir del puerto sin riesgos excesivos.»

«¿Y de qué modo?»

«Pagando un peaje simbólico, mi general.»

De nuevo estalló el alboroto. Encabezado, esta vez, por un Cóndor enfurecidísimo.

«¿¡¿Un peaje simbólico?!? Y a alguien que quiere partir con la cabeza alta, a la luz del sol, ¿¡¿propone usted pagar un peaje simbólicooo?!?»

«¡Inconcebible!»

«¡Escandaloso!»

«¡Vergonzoso!»

«¡Inaudito!»

Pero una vez más Charlie no se inmutó.

«No un peaje simbólico en dinero, mi general. Un peaje simbólico en cortesía. Un favor semejante a aquel con el que hasta hoy hemos pagado la frase no-toquéis-a-los-italianos, los-italianos-son-nuestros-hermanos-de-sangre... Mi general, en mi opinión deberíamos dejar el hospital de campaña.»

«¿¡¿El hospital... de... campaña?!?»

«Sí, con los médicos y con una compañía de carabinieri que los proteja a las órdenes de un oficial superior.»

El alboroto adquirió proporciones ciclópeas.

«Y a alguien que no quiere dejar ni siquiera una galleta, una cerilla, un alfiler, ¿¡¿propone usted que deje el hospital de campaña con los médicos y una compañía de carabinieri?!?»

«¿¡¿Quiere tomarnos el pelo?!?»

«¿¡¿Está bromeando?!?»

«Además, ¡equivaldría a dejar cien rehenes!»

«¡Cien rehenes a cambio de nuestra piel!»

«¡No doy crédito a mis oídos!»

«¡Yo tampoco!»

El único que no se inmutó, esta vez, fue Caballo Loco que se puso en pie de un brinco y se llevó la mano al monóculo.

«Necessitati parendum est! ¡Es menester obedecer a la necesidad, nos enseña Cicerón! Y Séneca añade: necessitas plus posse quam pietas solet, la necesidad puede tener más fuerza que la piedad. Mi general, me quedo yo con los carabinieri protegiendo el hospital de campaña.»

«De acuerdo, coronel, de acuerdo. Quédese» rezongó el Cóndor con la expresión distraída de quien está pensando en algo muy distinto.

«¿De verdad, mi general?»

«De verdad, de verdad.» Después, repentinamente aplacado y dirigiéndose a Charlie: «Supongamos que pague ese simbólico peaje, ¿quién me asegura que el tercer camión, en una palabra, la lancha no llegará igualmente.»

«Nadie» respondió Charlie, seco. «Es un juego de azar.»

«¿Y con cuántas probabilidades de vencer?»

«Las que hay en el juego de azar: rouge ou noir, et rien ne va plus.»

«Humm... ¿Y quién dirigiría el juego?»

«El croupier que lanza la bolita, evidentemente.»

«¿Zandra Sadr?»

«Zandra Sadr. No hay ningún otro, mi general.»

Siguió un largo silencio durante el cual sólo se oyó el tamborilear de cinco dedos que pedían consejo a la gran mesa de cerezo. Después la voz del Cóndor se alzó decidida.

«De acuerdo, Charlie, juguemos al azar. Vaya a ver al croupier y ofrézcale la *fiche* del hospital de campaña.»

Y mientras el Profesor, Halcón, Gigi el Cándido, Pistoia, Azúcar, Sandokan y los demás callaban enmudecidos, mientras Caballo Loco se regocijaba extático por el de-acuerdo-coronel-quédese, Charlie salió para correr con Martino a ver a Zandra Sadr.

–2–

Volvió por la tarde, presa de una cólera que superaba todas las cóleras que habían tenido en Beirut. Nada más entrar en el patio rezongó a Martino baja-y-déjame-solo, después se abatió sobre el volante y durante unos minutos se quedó así diciéndose lo que no se había dicho nunca. Basta de sufrir en este muladar. Basta de vivir en esta ciudad en la que no se envejece, en la que no se muere de viejo. Basta de soportar sacrificios e incomodidades, dormir en un catre demasiado corto y con sábanas sucias, sin un almohadón blando y sin una mujer al lado. Basta de despertarse en un sótano con las cantinelas de los muecines y los estruendos de las bombas, basta de lavarse en una pileta con agua fría y secarse con un trapo que apesta, basta de beber el café con leche en un vasucho de aluminio. Basta de llevar el uniforme de la Máquina que jode a los hombres, los reduce a ruedecillas del engranaje, basta de pertenecer a un organismo que es el refugium peccatorum de quien busque un albergue en el que alojar sus fracasos. Basta de desempeñar el papel de consejero equilibrado y sabio, de aventurero cínico e inteligente, de espía de corazón de oro, de idealista que se conmueve por el pueblo buey, del Lawrence de Arabia que no soy ni seré nunca. Quiero irme de aquí. Quiero salvarme y establecerme en una ciudad en la que se envejezca, en la que se muera de viejo. Apergaminado y saciado con la existencia. Quiero vivir una vida cómoda, dormir en una cama con sábanas limpias y almohadón de plumas y la mujer al lado. Quiero despertarme en una habitación con el cielo entrando por las ventanas junto con el ding-dong de las campanas, lavarme en un baño con agua caliente y muchas toallas recién lavadas. Quiero beber el café en tazas de porcelana y llevar trajes cruzados con chalecos grises y azules, buenas camisas, hermosas corbatas, y usar el paraguas cuando llueve. Quiero abandonar la Máquina y hacer un trabajo de gilipollas, un trabajo que por la noche me permita ir al restaurante, al teatro, al cine, y los domingos a los partidos de fútbol. Quiero volverme tonto, sereno y tonto, contento y tonto. Normal. Como hombre normal, contento y tonto, sereno y tonto, quiero olvidar a los Amal, a los Hijos de Dios, a Zandra Sadr, a los gubernamentales, la guerra, Beirut. Quiero lo mismo para todos los que el domingo se embarcarán y lo quiero sobre todo para mis Charlies: para Stefano, para Martino, para Fifí, para Bernard le Français, para Angelo, que ha provocado este embrollo pero ha hecho lo que en su lugar habría hecho yo. Porque en su lugar yo me habría comportado de forma idéntica o mejor dicho peor. Me habría divertido rezongando me-cago-en-tus-catorce-años, Jalid-Passepartout: quien-mata-a-los-catorce-años, a-los-catorce-años-debe-morir. Por lo demás, la culpa de lo que ha hecho es mía, sólo mía. Si no le hubiera dicho que su Ofelia había sido fusilada en Gobeyre, no nos encontraríamos en una situación semejante. Por tanto debo convencer al Cóndor para que se baje los pantalones y pague lo que Zandra Sadr pretende. Después se separó del volante, bajó del jeep, y se fue a informarle de los resultados del encuentro.

«Mi general, el semáforo está rojo. O mejor dicho rojo-sangre.»

El Cóndor se puso en pie de un salto.

«¿¡¿Qué significa rojo-sangre?!?»

«Significa que no sólo están al acecho para hacernos la emboscada sino que además quieren hacerlo más a lo grande de lo que me temía.»

«¿¡¿Quién lo ha dicho?!?»

«Él, Zandra Sadr. Cuando tras lanzarle a la cara la historia de la calumnia y la amenaza de venganza he puesto sobre la mesa de juego la *fiche* del hospital de campaña, ha respondido que nadie nos calumniaba y nadie amenazaba con vengarse. Pero cuando le he sugerido que se informara mejor, se ha informado mejor y ha concluido que yo estaba en lo cierto. Ha aludido a tres lanchas, mi general, y fíjese bien que yo no había pronunciado la palabra lancha...»

«Repita las palabras exactas.»

«Zandra Sadr no usa palabras exactas. Recurre a las metáforas, ya se sabe. Ha dicho: "Capitán, por desgracia es verdad. Hasta tal punto que mis dos oídos no bastaban para oír lo que escuchaba." Entonces le he preguntado si para oír lo que había escuchado habría necesitado tres oídos, y ha dicho: "Sí, capitán, tres oídos. Un oído para cada mala noticia. Y con los tres oídos, tres ojos. ¡Porque el tercer oído que no existe no oye, y el tercer ojo que no existe no ve...!"»

«Ésa es su interpretación, Charlie.»

«No, porque después ha añadido algo más preciso. Ha dicho: "Capitán, es muy difícil ver con dos ojos solos el fuego que viaja tres veces sobre el agua."»

«Entonces, el peaje de cortesía no sirve» susurró el Cóndor al tiempo que volvía a sentarse.

«Sirve, pero no basta, mi general.»

«¿¡¿No... basta?!?»

«No. Y ahora escúcheme con paciencia, por favor. Aquí todo tiene un precio. Todo se regatea, todo se negocia, todo se vende y todo se compra. Incluso la vida. Y hasta hoy la vida no la hemos comprado: la hemos alquilado, la hemos arrendado con el plasma sanguíneo. En cambio, desde hoy debemos comprarla. Y eso significa que ese peaje no deberemos pagarlo en cortesía sino en dinero.

«¿¡¿En di-ne-ro?!?»

«Sí, mi general. No basta con dejar el hospital de campaña con los médicos y una compañía de carabinieri.»

«¿¡¿No basta?!?»

«No. Tendremos que regalarlo, el hospital.»

«¿¡¿Regalárselo a Zandra Sadr?!?»

«No, a la media ciudad por mediación de Zandra Sadr.»

«¿¡¿Ha tenido la desfachatez de pedir semejante cosa?!?»

«Sí, y sin perífrasis. A propósito del fuego que viaja tres veces sobre el agua ha dicho bien claro que para intentar detenerlo habría que regalar el hospital de campaña a la media ciudad. Después ha explicado que regalándolo nos haríamos un regalo a nosotros mismos dado que no necesitaríamos dejar a los médicos ni a alguien para protegerlos.»

«Quíteselo de la cabeza, Charlie.»

«Mi general, si me lo quito de la cabeza, debe resignarse a la idea de acabar de pasto para los peces.»

«¡A mí no me importa acabar de pasto para los peces! Con tal de no perder la dignidad, ¡prefiero palmarla!»

«No lo dudo. Pero, si la palma usted, la palman todos. Y en el momento de palmarla piense que por la puñetera dignidad ha sacrificado a centenares y centenares de muchachos de veinte años que tenía el deber de devolver a la patria sanos y salvos.»

«Charlie...» farfulló una voz que se parecía muy poco a la del Cóndor.

«Sí, mi general...» respondió Charlie en tono suave.

«¿Se da cuenta de lo que me propone, Charlie?»

«Me doy cuenta, mi general.»

«¿Sabe lo que vale un hospital de campaña bien equipado? ¿Sabe cuánto cuestan tres unidades radiológicas y un quirófano o mejor dicho un quirófano móvil y un aparato de gammagrafía y un gabinete odontológico? Dignidad aparte, orgullo aparte, ¿no comprende que regalaríamos ese caudal a quien quiere matarnos?»

«Lo comprendo y la cosa no acaba ahí.»

«¿¡¿No acaba ahí?!?»

«No, porque Su Eminencia Reverendísima sugiere, es decir, pide también los víveres que usted quiere reexpedir a Italia con el barco del sábado por la noche.»

«¿También... los... víveres?»

«Sí. Y también ésos valen una fortuna, lo sé. Pero para ganar mucho hay que jugar mucho.»

«¿¡¿Jugar?!? ¿¡¿Habla aún de jugar?!?»

«Sí, y una vez más de juego de azar. Para qué nos vamos a engañar, mi general: ni siquiera los víveres y el hospital de campaña nos darían la garantía del en plein.»

«¿¡¿No nos la darían?!?»

«No, y nuestro croupier lo reconoce. Podría ser muy difícil, ha dicho, persuadir a los tres kamikazes para que renuncien al ataque. Uno de los tres podría responder que nones y lanzarse igualmente contra el primero o el segundo o el tercer barco. En otras palabras, es posible que se consiga salvar sólo a dos tercios del contingente. Pero hay que aceptar igualmente, mi general. En plein o no.»

«Charlie... No se trata de hacer o no hacer el en plein: ¡se trata de respetar los principios! Yo, con tal de salvarlos, me quedaría con el hospital de campaña y mandando una simple compañía de carabinieri: ¿me explico?»

«No, porque con los principios no se compran ni siquiera los ataúdes de que hablamos después de la doble matanza. Mi amigo Bilal no lo compró. Ahora bien, el general es usted. Decida usted.»

Siguió una larga pausa. Muy, muy larga. Después el Cóndor alzó el receptor del teléfono de circuito interno y llamó a Caballo Loco.

«Coronel, tráigame la lista de los víveres con los precios actualizados y el inventario del equipo con que cuenta el hospital de campaña.»

«Hic et nunc! ¡Al instante, mi general!» respondió Caballo Loco, loco de felicidad.

–3–

Cándido, ingenuo, adorable Caballo Loco. Ni siquiera se le había pasado por la cabeza que el Cóndor le hubiese respondido maquinalmente, es decir, pensando en algo muy distinto y con el único fin de hacerlo callar. Antes bien, después de ese de-acuerdo-coronel-quédese, se había hecho hasta tal punto la ilusión de que se quedaría en Beirut para proteger el hospital de campaña, que nada más llegar a la oficina había cogido la estilográfica con el rótulo God-save-the-Queen y había redactado una carta de adiós a la señora londinense con la que soñaba envejecer cabalgando sobre los verdes prados de Cornualles. «Good-bye forever, Madam. Duty calls me and I dismiss myself with these Shakespeare's verses: "Life every man holds dear, but the brave man holds honour far more precious dear than life." Adiós para siempre, señora. El deber me llama y me despido con estos versos de Shakespeare: "Todo hombre estima la vida, pero el hombre valiente juzga el honor un bien bastante más precioso que la vida."» Inmediatamente después, una desdeñosa notita para Sir Montague: «You fled, dear Montague, you took to your heels throwing discredit on the Union Jack flag. I remain, instead, with a bunch of valiants to redeem the Western honour, and soon the world will know what a cavalry Italian officer who does not forget to have served in the Seventh Brigade is capable of. Morituri te salutant... Te has escapado, querido Montague, has puesto pies en polvorosa, desacreditando a la bandera de la Union Jack. En cambio yo me quedo con un puñado de valientes para defender el honor de Occidente, y pronto el mundo sabrá de lo que es capaz un oficial italiano de Caballería que no olvida haber servido en la Seventh Brigade. Morituri te salutant.» Después había entregado los sobres al Urogallo con el ruego de echarlos al correo en Italia, y había corrido a hacer la lista de los víveres con los precios actualizados así como el inventario del equipo con que contaba el hospital de campaña. Diecinueve densas páginas que enumeraban todas las cubetas, todas las jeringuillas, todas las pinzas que se encontraban en Primeros Auxilios o en los quirófanos, y todas las salchichas, todas las chuletas, todas las manzanas que se encontraban en las cocinas o en los almacenes. «Flumina pauca vides de magnis fontibus orta! ¡Los grandes ríos nacen de pequeñas fuentes, nos advierte Ovidio!» Al entrar en el despacho del Cóndor creía que lo había llamado para una transmisión de poderes y se esperaba cualquier cosa menos el mazazo que recibiría entre cabeza y cuello.

«¡Aquí tiene, mi general!»

«Lea, coronel, lea.»

«Sí, mi general, comienzo por las vituallas. Noventa y cinco apartados que incluyen las reservas para los casos de emergencia y excluyen las raciones que consumiremos estos días. He estado atento para no omitir nada, mi general. Ni siquiera el pesto a la genovese del que hay 210 kilos y que a 5.400 liras el kilo asciende a 1.134.000 liras, las alcaparras de las que hay 268 kilos y que a 3.338 liras el kilo ascienden a 894.584 liras, el azafrán del que hay un kilo ochocientos y a 1.804 liras el gramo asciende a 3.247.200 liras, el orégano que...»

«¡Coronel! ¡Lo que me interesa es el valor!»

«¡Sí, mi general! En valor tenemos 95.569.050 liras de carne bovina, 50.472.530 liras de carne porcina, 30.276.000 liras de carne ovina y caprina, 26.698.750 liras de carne enlatada, 20.115.700 liras de jamones y salamis y mortadelas y pancetas y sobrasadas y salchichas y salchichones, en una palabra, embutidos diversos, 15.246.630 liras de pollos, 12.251.760 liras de pechugas de pollo. Además tenemos 19.689.810 liras de pescado entre lenguados y merluzas y jureles, 17.757.000 liras de atún en aceite y de anchoas en sal, 14.703.200 liras de spaghetti y fideos y tallarines, 8.162.000 liras de ravioli y tortellini, 16.825.410 liras de arroz, 20.601.120 liras de parmesano, 14.326.212 liras de quesos diversos, 8.518.460 liras de mantequilla, 10.111.050 liras de aceite de oliva. Tenemos 13.500.830 liras de galletas dulces, 7.364.000 liras de galletas saladas, 9.296.080 liras de panettoni, 7.100.000 liras de leche condensada, 5.725.410 liras de leche fresca, 14.988.980 liras de café, 7.781.962 liras de té, 5.980.550 liras de cacao y chocolate...»

«¡La suma, coronel!»

«¡Sí, mi general! Con las patatas, las judías, los guisantes, los garbanzos, los tomates, la salsa de tomate, la harina blanca, la harina amarilla, el azúcar, la sal, la pimienta, los demás víveres que no me deja enumerar, la suma es de 469.063.618 liras. Pero en ella no figuran los zumos de fruta y el agua mineral ni las bebidas alcohólicas, es decir, el vino blanco y tinto, el espumoso, la cerveza, los licores en botellas de un litro y en botellines de bolsillo o en envases de plástico cuyo valor es de 247.252.096 liras. Así pues la cifra total es de 716.315.714 liras. Calculada a partir de los precios mínimos que los proveedores hacen al ejército, evidentemente. Y a propósito de los alcoholes permítaseme aclarar que, aun siendo notables, su cantidad no es excesiva para los rigores nocturnos del invierno. Me interesa subrayarlo, mi general, porque si sobrevivo no quiero que se me acuse de haber bebido demasiado. Yo no empino ni he empinado nunca el codo, no permito ni he permitido nunca a mis subordinados que lo empinen, y al respecto pienso como Séneca cuando nos avisa uti-non-abuti: usa no abusa.»

«¡Qué tendrá que ver Séneca, coronel!» gritó el Cóndor sin comprender el significado de la precisión. Después se dirigió a Charlie que sin escuchar aquella porfía, sumaba en la calculadora las cifras aportadas por Caballo Loco.

«Una fortuna, Charlie.»

«No, si dividimos las 716.315.714 liras por 1.200» respondió Charlie. «En comida y bebidas, con precios al por mayor, cada uno de nosotros viene a costar sólo 596.929 liras con 76 céntimos. Aun añadiendo el valor de las cuatro cámaras frigoríficas y de los grupos electrógenos, poco más de un par de zapatos hechos a medida.»

«¿Cámaras frigoríficas? ¿Grupos electrógenos?»

«Bueno... Carne, pescado, leche, mantequilla son alimentos perecederos. Para conservarlos hacen falta las cámaras frigoríficas. Y las cámaras frigoríficas funcionan con grupos electrógenos. Deberíamos darles unas y otros, ¿no?»

«¡Eso se sobrentiende!» exclamó Caballo Loco, que seguía convencido de que hablaban de su permanencia en Beirut. Pero, de nuevo, el Cóndor no entendió.

«Guárdese los comentarios, coronel. Y pase al equipo con que cuenta el hospital de campaña.»

«¡Con mucho gusto, mi general! Mire, tengo aquí doscientos cincuenta y seis apartados que comprenden todo, incluida una balanza para pesar recién nacidos cuyo objeto se me escapa, y se los leo en orden alfabético. Cuatro aparatos de aerosol, tres aparatos de anestesia, seis atomizadores, la balanza para pesar recién nacidos... ciento dieciséis bombonas de oxígeno, cincuenta bombonas de protóxido de nitrógeno, veintiséis cubetas cuneiformes, es decir, escupideras, cuatro ventiladores...

«¡Vaya al grano, coronel! El precio del equipo, ¡al grano!»

«Mi general, el precio de los artículos concretos yo no lo conozco. No obstante, con la escrupulosidad que me caracteriza he considerado oportuno realizar algunas investigaciones. Y teniendo en cuenta las ambulancias, las tiendas, las camas, las sillas de ruedas articuladas, las cámaras de búnker, las tres unidades radiológicas, los electrocardiógrafos, los quirófanos y el quirófano móvil, el gabinete odontológico, el aparato de gammagrafía, en una palabra los objetos de mayor valor, he llegado a la cifra de conjunto de tres mil millones de liras. Pero no se preocupe por ello, mi general. Soy una persona prolija, ordenada, y cuidaré todo como si me perteneciera.»

«Lo sé, coronel, lo sé» resopló el Cóndor, que seguía sin comprender. «De hecho le encomiendo a usted el embalado del quirófano móvil y del aparato de gammagrafía.»

«¿Embalado, mi general?»

«Embalado, embalado. Yo esas dos cosas me las llevo a Italia.»

«¿¡¿Se las lleva a Italia, mi general?!?»

«Sí, cuestan demasiado y ciertamente no serían capaces de usarlas.»

«¿¡¿No serían capaces de usarlas, mi general?!?»

«Exactamente, coronel.»

«Con la venia, mi general, ¿por qué motivo no habrían de ser capaces de usar lo que siempre han sido capaces de usar? ¡Y además es que las necesitaremos! Las necesitaré, mi general...»

«¡Oh, Dios!» exclamó Charlie, consciente por fin del equívoco. En cambio el Cóndor se limitó a mirar fijamente a Caballo Loco con irritado estupor.

«¿¡¿Y por qué diablos habría usted de necesitar el quirófano móvil y el aparato de gammagrafía?!?»

«¡Porque me quedo a proteger y por tanto a dirigir el hospital de campaña, mi general!»

«¿¡¿Se queda?!? ¿¡¿Y quién se lo ha dicho?!?»

«Usted, mi general...»

«¿¡¿Yo?!? ¿¡¿Y cuándo?!?»

«¡Esta mañana, en el briefing, mi general! Cuando me he ofrecido a quedarme y usted ha respondido de acuerdo, coronel, de acuerdo, quédese...»

«¡Oh, Dios!» repitió Charlie.

Pero el Cóndor se encogió de hombros.

«A saber en qué estaría pensando, coronel. En cualquier caso, baje de las nubes y vuelva aquí a la tierra: si bien la idea de abandonarlo en las garras de los Hijos de Dios me seduce, el domingo usted se embarca con nosotros.»

«¿¡¿Me... embarco... con... ustedes?!?»

«De eso no cabe la menor duda.»

Se oyó un relincho desgarrador. El relincho, verdad, de los caballos que se rompen las piernas y piden que los maten. Después un alarido salvaje. Un alarido que no habrías esperado nunca de él.

«¡Mi generaaal! ¡Agradezca al cielo que además de ser un caballero y un aristócrata digno de ese nombre yo sea un soldadooo! ¡Porque debería desafiarlo a duelo, mi generaaal! Un duelo con el sable que usted no maneja, ¡un duelo a muerte!»

Dicho eso partió al galope, al galope se lanzó fuera de la oficina, recorrió el corredor, atravesó el foyer, subió por las escaleras, llegó a la terraza del techo donde se puso a invocar al misterioso francotirador que desde hacía meses disparaba a la Cámara Rosa, aciértame-en-el-pecho-bellaco, méteme-una-bala-en-el-corazón-miserable, y fueron necesarios tres carabinieri para arrancarlo de allí. Pero no se calmaba. Se debatía y seguía gritando, se desesperaba quiero-morir, mors-omnia-solvit, la muerte resuelve todo, honesta-mors-turpi-vita-potior, una-muerte-decente-es-preferible-a-una-vida-infame. Conque fue necesario llevarlo al hospital de campaña e inyectarle una fuerte dosis de valeriana mezclada con belladona. Cosa que sucedió mientras, sin ocuparse del alboroto, el Cóndor decidía pagar el peaje ya no simbólico.

«Continúe con los cálculos, Charlie...»

«Aquí tiene, mi general: si al valor del hospital de campaña añadimos los 716.315.714 liras de los víveres más los 283.684.285 liras a que asciende el costo aceptado de las cámaras frigoríficas y de los grupos electrógenos, obtengo la cifra de cuatro mil millones. Para ser exactos, 3.999.999.999, es decir, una lira menos. Y si divido esos tres mil novecientos noventa y nueve millones novecientas noventa y nueve mil novecientas noventa y nueve liras por mil doscientos, es decir, por todos nosotros, obtenemos la increíble cifra de 3.333.333,33. O lo que es lo mismo tres millones trescientas treinta y tres mil trescientas treinta y tres coma treinta y tres liras por cabeza.»

El Cóndor sonrió con amargura.

«Poco para una ciudad en la que todo tiene un precio, todo se regatea, todo se negocia, todo se vende, todo se compra... Incluso la vida.»

«Una fruslería, mi general. En Italia, para el rescate de un ciudadano raptado, ningún delincuente aceptaría una cifra semejante. Podemos renunciar también al quirófano móvil y al aparato de gammagrafía.»

«Estoy de acuerdo. Y como con los principios no se compran ni los ataúdes siquiera, sólo me queda dictarle cuatro condiciones de las que no prescindo y después enviarle a llevar las negociaciones.»

* * *

Charlie las llevó de forma soberbia, demostrando una vez más que la mejor cuenta bancaria de un hombre es su inteligencia, y compitió en astucia con el diabólico Zandra Sadr. No pronunció nunca la palabra «peaje» que sustituyó todas las veces por el pérfido término de «palo de la cucaña» o «tesoro», no aludió en ningún momento al chantaje al que estaba resignado, y en lugar de comportarse como quien pide se comportó como quien concede. Toneladas de comida excelente y un hospital completo no se regalan a la ligera, dijo por mediación de un asombrado Martino, y antes de decidirse el general se lo había pensado mucho. Había examinado incluso la oportunidad de dividir en dos esa cucaña y asignar la mitad a la zona cristiana, la mitad a la zona musulmana. Así pues para dársela entera a Su Eminencia Reverendísima ponía cuatro condiciones. Primera condición, que la bandera italiana y el estandarte de la Cruz Roja siguieran ondeando en el hospital de campaña. Segunda, que siguiese al servicio de todo el mundo y no sólo de los seguidores de un credo político-religioso. Tercera, que los nuevos propietarios lo defendiesen para prevenir actos de vandalismo o saqueos. Cuarta, que se cedieran a los pobres de la zona cristiana la carne porcina y las bebidas alcohólicas prohibidas por el Corán: punto no menos esencial que los anteriores porque los almacenes y frigoríficos contenían quintales de cerdo fresco y jamones y salamis y mortadelas y pancetas y sobrasadas y salchichas y salchichones y embutidos diversos, millares de botellas de vino y de espumosos y de licores y de cerveza, y los italianos no tenían tiempo de seleccionar nada. ¿Estaba dispuesto Su Eminencia Reverendísima a asumir esa cuádruple obligación? Si lo estaba, desde hoy podía considerarse legítimo propietario del tesoro: la entrega se haría antes del embarque, es decir, en el plazo de un mes. En efecto el general contaba con partir dentro de un mes. Y, tras insinuar esa mentira, afrontó el tema que más le urgía. El de la ruleta que pese al elevadísimo envite no daba garantía de hacer el en plein, es decir, de salvar los tres barcos. Naturalmente, dijo, el general no abrigaba la menor duda de que con sólo dos ojos y dos oídos Su Eminencia Reverendísima conseguiría bloquear también a los ingratos movidos por el viento de la calumnia. No obstante, no le había gustado la frase del tercer ojo que no existe y no ve, el tercer oído que no existe y no oye, y consideraba necesario citar un antiguo proverbio italiano: «No hay peor sordo que el que no quiere oír, no hay peor ciego que el que no quiere ver.» Consideraba necesario también formular la siguiente pregunta: ¿de qué modo Su Eminencia Reverendísima tenía intención de apagar la triple llama del fuego que viaja tres veces sobre el agua?

Hierático y sentado entre los siempre presentes hijos, el rubio de aspecto de haragán en vaqueros que no se le parecía nada y el barbudo que en cambio se le parecía como un ave rapaz a otra ave rapaz, Zandra Sadr soportó la parrafada sin inmutarse y cuando rompió el silencio fue para declarar en tono melifluo que sí:

aceptaba tanto el regalo como las condiciones. La bandera italiana y el estandarte de la Cruz Roja seguirían ondeando en el hospital de campaña, el hospital seguiría al servicio de todo el mundo y no sólo de los seguidores de un credo político-religioso, los nuevos propietarios lo defenderían para prevenir actos de vandalismo o saqueos, se separarían tanto los víveres como las bebidas prohibidas por el Corán y se entregarían a los pobres de la zona cristiana. Fíese-de-nosotros, capitán. Pero inmediatamente después cambió de tono y declaró, áspero, que también en los países árabes existían proverbios antiguos y uno decía: «Si recibes, agradece con lo que tienes y no con lo que no tienes.» Otro decía: «A veces dos manos no bastan para apagar tres fuegos.» Así pues la respuesta a la pregunta era la siguiente: como no tenía tres oídos ni tres ojos, tampoco tenía tres manos, y como no tenía tres manos no podía comprometerse a apagar tres fuegos. A cambio podía comprometerse a usar su única nariz para oler a chamusquina, y su única boca para reanudar con algunas modificaciones la llamada que los muecines habían dejado de difundir. Después la reanudó, la modificó, y aquella misma noche una nueva cantinela descendió de los alminares de la ciudad.

«Samma, mishan Allah, samma! Ma'a tezi talieni mon tarak! Altalieni ejuaatuna bil dam wa iza rahalun taraku al hadeja! ¡Escuchad, en nombre de Dios, escuchad! ¡No toquéis a los italianos que parten! Los italianos son nuestros hermanos de sangre y al partir nos dejan regalos.»

Misteriosa como una mentira que tal vez sea una verdad, una verdad que tal vez sea una mentira, la cantinela se repitió los cuatro últimos días y las cuatro últimas noches después de la plegaria Allah-akbar, Allah-akbar, Allah-akbar, wah-Muhammad-rassullillah. Y así llegaron el miércoles, el jueves, el viernes, el sábado: estaciones de un vía crucis que no perdonó a nadie. Ni siquiera a la yegua blanca de Tayoune que desde hacía una semana no se separaba del parterre en el medio de la glorieta.

–4–

La estación del miércoles cuenta por la tremenda intuición que Angelo tuvo al resolver el problema de la gota de lluvia que cae sobre la ventanilla de un tren en marcha. Pero como permaneció como un secreto custodiado dentro de su mente, a juicio de todos la jornada se distinguió por la afortunada conquista de un muelle. Acontecimiento del que fue protagonista Pistoia. En efecto además de la Ciudad Antigua los Amal se habían apoderado del trecho de costa septentrional que desde el promontorio nordoccidental y a través de la faja de los grandes hoteles destruidos se extendía hasta el comienzo del puerto en manos cristianas. Disparando desde la plaza de los Cañones o desde los edificios contiguos a la dársena de poniente intentaban apoderarse de él, y para rechazarlos los gubernamentales habían cerrado las infraestructuras portuarias. Desiertos los astilleros, las atarazanas, las oficinas de aduanas, desocupados los raíles de los trenes que antes se sucedían con las mercancías, abandonados los diques de carena y los embarcaderos, vacío el rompeolas que desde la dársena de poniente se lanzaba al mar con un ángulo de 45 grados respecto de la costa y que al cabo de ochocientos cincuenta metros acababa en un hermoso faro, los únicos muelles que funcionaban eran los de la dársena de levante: usados exclusivamente por la Octava Brigada y por los falangistas para el atraque de los mercantes que descargaban los suministros de armas. Por si fuera poco, para dirigir la capitanía se había llamado a Gassán, ahora coronel por méritos en el campo de batalla. Sólo él tenía la autoridad para conceder la posible utilización de un muelle, y había respondido que no al Profesor que se lo pedía por radio en nombre del Cóndor: «Señor vicecomandante, mi gobierno le confirmará que ni siquiera con nuestros aliados se pueden hacer excepciones.» Y sin embargo había que encontrar un muelle. Si no lo encontraban, no se podía dar la salida a los convoyes. Si no se daba la salida a los convoyes, no se podían desmantelar las bases. Si no se desmantelaban las bases, había que ordenar marcha atrás a los barcos que habían salido de Brindisi con dirección a Beirut. Si se ordenaba dar marcha atrás a los barcos, adiós partida con la cabeza alta y a la luz del sol: la fuga a la francesa resultaba inevitable. Así pues con el alba se planteó el dilema, y cuando el Cóndor estaba a punto de resignarse a la solución descartada con indignación, fue y se presentó Pistoia con la propuesta de resolver él el asunto: «¡No se preocupe, mi general! Yo me encargo de eso.» Después, seguido por Sandokan a quien correspondía el derecho de supervisar cualquier operación relativa a la partida por vía marítima, se presentó en el puerto y afrontó a su antiguo amigo Gassán.

«Escúchame bien, granuja: en Nochebuena te puse la pattada sarda en la garganta, no lo niego. Pero no te degollé. Y eso quiere decir que me debes la vida. Luego págame y suelta el muelle.»

Y Gassán lo soltó. Había cambiado tanto Gassán. El cansancio que en Nochebuena había apagado su sed de sangre y después le había encendido pensamientos semejantes a los últimos pensamientos de Bilal había aumentado para entregarlo a una pereza cargada de renuncia. La escisión de la ameba y la derrota de los cristianos le había como quitado la confianza en sí mismo, y ahora recordaba bastante poco al frío justiciero que durante años había aterrorizado a Beirut. Entorpecido por un comienzo de obesidad que lo debilitaba, descolorido por una palidez que lo afeaba, ya no se movía con la obscura energía de una pantera en las tinieblas. Ya no firmaba las granadas con brahmet-bayi, las balas con bb, ya no vagaba por la ciudad en busca de musulmanes sobre los que ejercer el inderogable deber y el irrefutable derecho. Había quitado la imagen de la Virgen de Junieh de la culata del revólver, ya ni siquiera citaba a Anatole France o a Corneille para ser comprendido por quien no lo comprendía, y en lugar de hablar de Cruzadas hablaba siempre de un enano con la chaqueta llena de remiendos que le había dejado un sabor amargo en la boca. Junto con el amargor, la duda de si habría desperdiciado su vida. Yo-a-la-gente-quería-curarla-no-matarla. Por lo demás corría el rumor de que ya se había comprado una casa junto al lago de Ginebra, y que en espera de emigrar a Suiza había aceptado dirigir el puerto para mantenerse alejado de las actividades bélicas.

«De acuerdo, Pistoia. Examina las tres dársenas y dime qué muelle te gustaría.»

Con la ayuda de Sandokan, que asistía a la escena casi desprovisto de su indiferencia, Pistoia las examinó. En la dársena de levante, la mejor, la que los italianos habían usado siempre, no había sitio: los mercantes con los suministros de armas destinadas a los falangistas atestaban todos los muelles y descargaban con exasperante lentitud. En la dársena del centro había sitio, y también una mayor seguridad: los muelles distaban quinientos metros de los edificios en los que los Amal se habían hecho fuertes y los macizos silos protegían con eficacia de las ráfagas largas o de los obuses. Pero había poca profundidad, el espacio en tierra estaba mermado por los almacenes de aduanas y por las grúas: no bastaría para albergar a la tropa y los vehículos del convoy final. En cuanto a la dársena de poniente, contigua a los edificios de los asediantes, recibía casi todo su fuego y presentaba la desventaja de estar defendida por los pendecieros Kataeb: la milicia privada de Gemayel. Pero tenía la profundidad idónea, los muelles disponibles hasta el domingo por la tarde, y una explanada de doscientos por noventa metros en la que se podían levantar las trincheras verticales: proteger a los mil doscientos hombres y los M113, los Leopard, los camiones, los jeeps, las motocicletas del convoy final del domingo por la mañana. Con los brazos abiertos en el gesto de quien debe contentarse, Sandokan la calificó de idónea. Pistoia convino en ello y se lo dijo a Gassán.

«¡Oh, granuja! ¡Me alegro, mira por dónde, de no haberte degollado!»

«Y yo me alegro de que te alegres» respondió Gassán y le concedió al instante el muelle.

Gracias a aquella extraña relación el plan expuesto en el briefing pasó, pues, a ser efectivo, y el Cóndor encomendó a Pistoia la empresa de levantar bajo el fuego las trincheras verticales. A Azúcar, el encargo de dirigir los convoyes cotidianos a través de la Línea Verde. Cada convoy, quince vehículos con remolque que escoltados por seis vehículos blindados cruzaban la Línea Verde por Tayoune y antes de cruzar se detenían a cien metros para recibir el vía-libre transmitido por radio por dos centinelas: Angelo y Bernard le Français, el Charlie que no hablaba italiano. En efecto la glorieta era castigada por francotiradores de facciones opuestas y por el jefe de escuadra de los Amal: un mongoloide autobautizado Rocky que por levantar la barra y dejar entrar o salir a los veintiún vehículos pretendía que se le pagara con un fular que había vislumbrado durante el traslado del Rubí. El fular rojo de Gigi el Cándido. Con total mala fe Gigi el Cándido se lo había prometido, y aquel tormento era comparable con el de los Kalashnikov o los M16 ocultos tras los balcones de las quintas abandonadas. «Ana badi fulara, ana badi fulara!» ¡Quiero el fular! Naturalmente Azúcar habría preferido el paso de Sodeco, donde los Amal no pedían nada y no había francotiradores, pero al inspeccionarlo había advertido que los remolques demasiado largos no lograrían girar en las curvas por lo que había tenido que resignarse al de Tayoune y al expediente de los dos centinelas. Cometido que Angelo y Bernard le Français desempeñaban aparcando delante del parterre de la yegua blanca, aplacando a Rocky con chocolatinas, caramelos cigarrillos o lo que fuera, y conteniendo la respiración cada vez que decidían dar vía libre porque los francotiradores habían suspendido el tiroteo. (¿Y si lo reanudaban mientras transitaba el convoy?) Primer vehículo blindado, camión, camión, camión... Segundo blindado, camión, camión, camión... Tercer blindado, camión, camión, camión... Cuarto blindado, camión, camión, camión... Quinto blindado, camión, camión, camión, último blindado... ¡ya han pasado!

Hasta que el último vehículo no entraba en la Avenue Sami Sohl, es decir, en la zona oriental, o llegaba a la Rue Argan, es decir, a la zona occidental, no volvían a respirar. Bernard le Français, murmurando su odio hacia Rocky con el que se peleaba al menor pretexto. Angelo, mirando la yegua blanca que a saber por qué motivo le recordaba a Ninette. Y la tremenda intuición le sobrevino en uno de estos intervalos.

* * *

«Touchant du bois, qu'est-ce qu'on décide? Tocando madera, ¿qué decidimos? On leur donne le feu vert ou non? ¿Les damos vía libre o no?»

«Sí. Pide a Rocky que levante la barra.»

«Mais maintenant il recommence à mendier le foulard et moi je n'ai plus rien pour le faire fermer la gueule!» Pero, ¡ahora empieza a pedir el fular otra vez y yo ya no tengo nada para callarle la boca! Il a tout pris, ce misérable, ils ne restent même pas les bonbons! Ya se ha quedado con todo, ese miserable, no quedan ni siquiera caramelos...»

«Dale la botellita de licor de café.»

«Mais c'est un bedouin! ¡Si es un beduino! Il ne peut pas boire les liqueurs! ¡No puede beber licores!»

«Dásela igual.»

«Zut alors! ¡Huy, la leche!»

Más furioso que nunca, Bernard le Français abandonó el jeep. Fue a donde Rocky para resarcirlo con el licor de café, hacerle levantar la barra, y en seguida estalló la pelea.

«Ana badi fulara, ana badi fulara!»

«Je t'ai déjà dit que je n'ai pas de foulards, espèce d'idiot! ¡Ya te he dicho que no tengo el fular, cacho idiota! Prends le petit liqueur ainsi tu iras à l'enfer, tête de linotte! Toma el licor de café, ¡así irás al infierno, cabeza de chorlito!»

«Ana badi fulara, ana badi fulara!»

«Tais-toi et lève la barre, troglodyte! ¡Cállate y levanta la barra, troglodita!»

«Fulara wa sigaret. El fular y los cigarrillos.»

«Quelles cigarettes?!? ¿¡¿Qué cigarrillos?!? Qu'est-ce que c'est maintenant cette histoire de cigarettes?!? ¿¡¿A qué viene esta historia de los cigarrillos?!? Je n'ai pas de cigarettes, moi! Je ne fume pas, moi! ¡Yo no tengo cigarrillos! ¡Yo no fumo! Lève la barre, babouin, ballot! ¡Levanta la barra, babuino, bobo!»

Al final se alzó la barra, y Angelo pudo llamar a Azúcar que esperaba con el convoy en la Rue Argan.

«Adelante, Cóndor Zeta. La barra está levantada y todo parece tranquilo.»

«Nos ponemos en marcha, Susto» respondió Azúcar. Dos minutos después el convoy irrumpió en la glorieta, la cruzó a gran velocidad, entró en la zona oriental, y soltando aire Bernard le Français volvió a murmurar su odio hacia Rocky. Angelo, a mirar la yegua blanca y a preguntarse por qué le recordaba a Ninette.

Tal vez porque era bella con una belleza muy semejante a su belleza. Cuerpo sólido y al tiempo delicado, piernas largas y perfectas, ojos inmensos de un turquesa que con el sol se volvían violeta, y una larga crin rubia que fluctuando en sedosas oleadas de luz resucitaba sus largos cabellos castaños con reflejos de oro. O tal vez porque estaba sola con una soledad que recordaba a su soledad, era valiente con un valor que recordaba a su valor: no se atemorizaba ni aunque los francotiradores desencadenaran un tiroteo salvaje, y cuando llegaba el convoy no se inmutaba. Seguía allí modosita paciendo la hierba. Esta mañana un blindado había subido por error al parterre y con el flanco le había rozado su delicada cola. Y sin embargo no se había movido del sitio. Ni siquiera se había agitado, como si se negara a oponerse al destino: Inshallah, como Dios quiera, como Dios guste, Inshallah. Apartó la mirada. Presa de un dolor más intenso se preguntó si en el momento de encontrar a Passepartout también Ninette se habría negado a oponerse al destino o si lo habría facilitado incluso: Inshallah, como Dios quiera, como Dios guste, Inshallah. Y la pregunta lo desalentó. Aborrecía la palabra destino, aborrecía la palabra Inshallah: sinónimas y símbolos ambas de una impotencia o mejor dicho de una resignación que ofendía al concepto de libertad y responsabilidad. Pero cuanto más la aborrecía más se sentía un títere tirado por los hilos de alguien o algo que iba a la par con las palabras destino e Inshallah.

«Menuda la que has armado, muchacho. Ya están hablando abiertamente de una tercera lancha» le había dicho Charlie al explicar que Zandra Sadr no aseguraba que lograra detener los tres fuegos, que pese al peaje la tercera lancha podía llegar.» Y él había asentido, destrozado. Pero, ¿era de verdad suya la atroz responsabilidad? Lo era y no lo era. Lo era en el sentido de que había disparado la 9 mm Parabellum, había matado al asesino de

Ninette. A propósito y en la plenitud de sus facultades mentales. No lo era en el sentido de que a consecuencia de una proliferación de azares ajenos a su arbitrio, A produce B, B produce C, C produce D, D produce E, E produce F, F produce G, G produce H, ese alguien o ese algo había actuado a fin de colocarlo en un punto del tiempo y del espacio en el que no existían alternativas a lo que había hecho.

«Mais regarde-le, ce retardé mental! Pero, ¡mira, a ese retrasado mental!»

«Ya lo miro, Bernard...»

«Wa sigaret! ¡Y los cigarrillos! Il ne lui suffit pas le foulard! ¡No le basta el fular! Maintenant il veut des cigarettes! ¡Ahora quiere cigarrillos!»

«Sí...»

«Dans le cul je te fout les cigarettes, dans le cul! ¡En el culo te voy a meter los cigarrillos, en el culo!»

«Desde luego...»

«Et le foulard ausssi!» ¡Y el fular también!»

«El fular también...»

Azares ajenos a su arbitrio. Porque si A no hubiera producido B, es decir, si la 5,56 no hubiera sido una bala que al cabo de dos kilómetros y medio está en condiciones de traspasar un obstáculo y continuar su carrera, Rocco no habría recibido el balazo. Si B no hubiera producido C, es decir, si Rocco no hubiera recibido el balazo, el Cóndor no habría deseado acompañarlo al Rizk. Si C no hubiera producido D, es decir, si el Cóndor no hubiese deseado acompañarlo al Rizk, la rebelión chiíta no lo habría bloqueado a saber dónde. Si D no hubiera producido E, es decir, si la rebelión chiíta no lo hubiese bloqueado a saber dónde, el Profesor no habría asumido el mando. Si E no hubiera producido F, es decir, si el Profesor no hubiese asumido el mando, Charlie no habría recibido la orden de llevar a Chatila a ese-sargento-suyo-ceñudo-el-matemático. Si F no hubiera producido G, es decir, si Charlie no lo hubiese llevado a Chatila, él no habría acabado en el Veinticuatro. Si G no hubiera producido H, es decir, si él no hubiese acabado en el Veinticuatro, no se habría encontrado allí con Jalid-Passepartout y... ¿Y si la tercera lancha no tuviese forma de materializar la amenaza? ¿En qué elementos se basaba Charlie para tomar en serio a Zandra Sadr? ¿En qué elementos se basaba el Cóndor para ratificar el temor? De acuerdo: los tres barcos enviados para embarcar a la tropa eran barcos indefensos e incapaces de superar los quince nudos. De acuerdo: aun cargada de hexógeno, digamos, los dos mil doscientos kilos con que los Hijos de Dios habían cometido la matanza de los americanos o los ochocientos kilos con que habían cometido la matanza de los franceses, una lancha puede avanzar a veinte o mejor dicho treinta o treinta y cinco nudos y por tanto alcanzar un blanco que avance a una velocidad mucho menor que la suya. De acuerdo: partiendo de una ensenada muy cercana, la contigua a la dársena de poniente, por ejemplo, un Pietro Micca acertaría sin dificultad a un barco fuera del puerto. Pero nada más salir del puerto, nada más doblar el faro, ¡todos los barcos estarían protegidos por la flota en formación a las órdenes de la almiranta! Era un ángel custodio infalible, esa flota a las órdenes de la almiranta. Una garantía, una salvaguardia mejor que mil Zandra Sadr. Sus helicópteros y sus centinelas lo avistarían en un abrir y cerrar de ojos, al hipotético torpedo humano, y con la misma rapidez lo abatirían antes de que se acercara al blanco. Así pues Charlie se equivocaba al tomar en serio al carcamal, el Cóndor se equivocaba al tomar en serio a Charlie, él se equivocaba al tomar en serio sus suspiros menuda-la-que-has-armado-muchacho, y basta de remordimientos. Basta de autoacusaciones, de exámenes de conciencia, de filosofías sobre el destino y su sinónimo Inshallah. Tenía que quitársela de la cabeza, esta historia, tenía que lavarse el cerebro.

«Ponte a la radio, Bernard.»

«Moi?!? ¿¡¿Yo?!?» protestó Bernard le Français, aterrado ante la idea de tener que hablar italiano, si Azúcar o algún otro llamaba. C'est ton travail! ¡Es tarea tuya, la radio!»

«Sí, pero es que ahora quiero lavarme el cerebro.»

«Tu veux quoi? ¿¡¿Quieres qué?!?»

«Resolver un problema, Bernard.»

«Quel problème?!? ¿¡¿Qué problema?!?»

Sonrió a flor de labios: el problema de la gota de lluvia que cae sobre la ventanilla de un tren en marcha y que los 15 nudos del transbordador y los 20 nudos de la lancha le habían traído a la mente. «Vas en un tren que avanza a 15 km por hora, y está lloviendo. Estás sentado mirando en la dirección en que avanza el tren, junto a la ventanilla, y ves una gota de agua que cae sobre el cristal: de derecha a izquierda, es decir, oblicua, y formando un ángulo de 30 grados respecto de la vertical. Al cabo de un rato el tren acelera, pasa de 15 a 20 km por hora, y el ángulo formado por la gota de lluvia cambia: pasa a ser de 45 grados respecto de la vertical. En el primero y en el segundo caso, ¿a qué velocidad cae la gota de lluvia?»

«Un problema de matemáticas, Bernard.»

«De mathématiques?!? ¿¡¿De matemáticas?!?»

«Sí, con un toque de geometría y de trigonometría. De hecho, la solución es esencialmente gráfica pero se basa en los teoremas del seno y el coseno.»

«Les théorèmes de quoi?!? ¿¡¿Los teoremas de qué?!?»

«El teorema del seno. El que dice: "En un triángulo la relación entre los dos lados es igual a la relación entre los senos de los ángulos opuestos a los dos considerados." Y el teorema del coseno. El que dice: "El cuadrado construido sobre el lado de un triángulo es igual a la suma de los cuadrados construidos sobre los otros dos más el producto de su longitud multiplicado por el doble del coseno del ángulo comprendido entre ellos."»

«Seins et coseins?!?»

«No, en francés sinus y cosinus. En matemáticas los senos son funciones circulares de un ángulo o de un arco de circunferencia de radio unitario que...»

«Et à quoi ça sert?!? ¿¡¿Y para qué sirve eso?!?»

«Para olvidar, Bernard.»

«Oublier quoi?!? Olvidar, ¿¡¿qué?!?»

«Los disgustos, el destino... Todo, Bernard.»

«Je ne comprend pas, no comprendo.»

«No importa. Ten.»

Le tendió el micrófono de la radio. Sin dejar de sonreír a flor de labios trazó en la libreta un segmento vertical y, partiendo de su base, un segmento horizontal dirigido a la izquierda: el componente vertical y el componente horizontal de la velocidad. Después, partiendo del extremo del segmento vertical, trazó dos segmentos oblicuos: el recorrido que con ángulo de 30 grados hace la gota de lluvia cuando el tren va a 15 km por hora, y el que con ángulo de 45 grados hace cuando el tren va a 20 km por hora. De ese modo obtuvo dos triángulos con un lado en común sobre los cuales empezó a trabajar, y aplicando el teorema del seno respondió a la primera pregunta: 13,66 km por hora. Después, utilizando ese resultado y aplicando el teorema del coseno, planteó la operación $13,66^2+5^2 -2 \times 5 \times 13,66 \times \cos 60^2$, sacó la raíz cuadrada, fijó de nuevo la mirada en el segmento oblicuo con el ángulo de 45 grados y la sonrisa a flor de labios se extinguió en una exclamación sorda: «¡Oh, Dios!»

En efecto al trazar los segmentos se había imaginado que se encontraba de verdad sentado junto a la ventanilla del tren, veía de verdad la gota de lluvia que caía en diagonal de derecha a izquierda, e incluso mientras aplicaba los dos teoremas había seguido viéndola: graciosa y redonda, lúcida, inofensiva como puede serlo una gota de lluvia. Ahora, en cambio, no la veía: en su lugar había un torpedo humano. La tercera lancha. La lancha de Rashid. Irrumpiendo desde lo alto del segmento vertical que de improviso se había convertido en la desembocadura de la ensenada contigua a la dársena de poniente y pasando de repente de 20 a 35 nudos, se había puesto a correr a lo largo del segmento oblicuo con ángulo de 45 grados de improviso convertido en el rompeolas. Corría, corría, y manteniéndose casi paralelo a la escollera del rompeolas que respecto de la costa formaba precisamente un ángulo de 45 grados, se dirigía contra un barco que acababa de salir del puerto. Un transbordador, cargado de militares, que tras haber doblado el faro a la distancia de doscientos metros continuaba hacia el noroeste describiendo un arco de parábola de ciento noventa y cinco metros y con el flanco izquierdo vuelto hacia el torpedo humano...

Continuaba a sólo seis nudos, tan lento que para alcanzarlo y saltar por los aires con él Rashid debía simplemente adecuarse a su arco de parábola, es decir, mantenerse cada vez menos paralelo al rompeolas, establecer una trayectoria que respecto del flanco izquierdo formara otro ángulo de 45 grados, bloquear el timón y cebar el detonador. Total nadie lograría detenerlo. Nadie. Y menos que nadie los militares que con los revólveres o los fusiles o las Browning le disparaban desde popa y desde proa y desde el puente de cubierta y desde el puente de mando, decididos a matarlo. De nada servía matarlo. Con el timón bloqueado y el detonador cebado, la lancha concluiría su carrera y chocaría con el barco aunque Rashid muriera a medio camino. De nada servía tampoco que dispararan contra el hexógeno. Para iniciar el proceso explosivo el hexógeno necesitaba una onda de choque potente, el impacto violentísimo y a su vez explosivo que produce un detonador o una bomba o un cañonazo. Y los cañones de la flota alineada a tres kilómetros de la costa callaban... ¡Callaban, callaban! Una flota de guerra no está concebida para proteger los transbordadores que nada más doblar el faro se ven atacados por los Pietro Micca: ahí tenía algo en que no había pensado al considerarla un ángel custodio infalible, una garantía y una salvaguarda mejor que mil Zandra Sadr. ¡En casos semejantes necesita tiempo! El tiempo de avistar el objeto que camuflado por las olas del mar y confundido con los peñascos de la escollera al pie del rompeolas se mueve a ras del agua... El tiempo de identificarlo en los radares a los que su eco llega atenuado por el eco del rompeolas que lo supera en casi dos metros por lo que las pantallas registran sólo una imperceptible motita, una perturbación infinitesimal, la miniatura de una minúscula gota de agua... El tiempo de examinar la cuestión, de determinar si se trata de un torpedo humano o de un inofensivo bote de pesca... El tiempo de trazar el tiro con el director de tiro y de centrar el objetivo con otro radar, el radar paraboloide... El tiempo de poner en marcha el Computer y para el Computer el tiempo de teledirigir los cañones, para los cañones el tiempo de cargarse y abrir fuego, para el fuego el tiempo de caer sobre el blanco... Cada fase un puñado de segundos regalados a la lancha que se acerca. Se acerca para saltar por los aires contigo. Y él lo sabía.

Lo sabía porque disparaba con los demás desde el barco, asomado a la amura izquierda, es decir, el flanco expuesto, y porque desde allí lo veía avanzar como el viajero sentado junto a la ventanilla ve avanzar la gota de lluvia: en diagonal y con un ángulo de 45 grados. Se había asomado a la amura izquierda para mirar algo que ahora se le escapaba, comprender algo que ahora no comprendía, tal vez algo que se refería a Ninette y a la fórmula de la Vida, y disparaba desde el momento en que el grito del Cóndor había desgarrado el silencio: «¡Detenedlo! ¡Disparadle, detenedlooo!» Estaba también el Cóndor y con el Cóndor estaba Charlie, con Charlie el Profesor y Caballo Loco y Pistoia y Azúcar y Stefano y Gaspare y Ugo y Bernard le Français: todos excepto Fifí y Martino que a saber por qué motivo no iban a bordo del tercer barco. Sí, el tercer barco. El que llevaba al personal del Cuartel General, y del hospital de campaña y de la Logística. El último. Los dos primeros, que habían partido con los infantes de marina y los paracaidistas y sus oficiales, iban ya rumbo a Italia. Disparaba desde el tercer barco, con ellos, y ellos lo sabían igualmente bien que los tiros de revólver de fusil las ráfagas no servían porque Rashid había bloqueado el timón y había cebado el detonador. Pero disparaban igual, desesperadamente, con un gran crepitar de disparos, una gran superposición de voces ora roncas ora estridentes ora apagadas. «¡Las bombas de fusiiil! ¡Probad con las bombas de fusiiil!» gritaba el Cóndor. «El motor, el motor, ¡apuntad al motooor!» gritaba Azúcar. ¡Me cago en esos cabrones y mierderos y en los que de ellos se han fiadooo!» gritaba Pistoia. «Sursum corda! ¡Arriba los corazones! «Qualis miles pereo! ¡Como soldado muero!» gritaba Caballo Loco. Y Charlie decía, apesadumbrado: «Yo he hecho lo que he podido. Más no podía hacer.» Bernard le Français decía: «Je n'aurais jamais dû quitter Bruxelles! ¡No debería haberme ido nunca de Bruselas!» Stefano decía: «¡Mamá, ayúdame, mamá!» Él no decía nada. Disparaba y se acabó, pensaba y se acabó. Un caos de pensamientos que eran más bien imágenes, imágenes que eran más bien angustias, angustias que eran más bien un delirio de silogismos: Boltzmann que se convertía en Ninette, Ninette que se convertía en Passepartout, Passepartout que se convertía en Rashid, Rashid que se convertía en Pietro Micca, Pietro Micca que se convertía en la ecuación $S = K \ln W$, la ecuación $S = K \ln W$ que se convertía en un estallido apocalíptico, un mastodóntico hongo igual a los dos mastodónticos hongos del domingo de finales de octubre... Y en el delirio la conciencia de que aquellos tres meses habían sido una prórroga, un aplazamiento de la matanza anunciada por Mustafá Hash, el descubrimiento de que el tercer camión no había llegado aquel domingo de finales de octubre porque debía llegar en otro espacio y otro tiempo: este domingo de finales de enero. Después caían los cañonazos de 76 y de 127. Los cañonazos de la flota. Pero no caían sobre la lancha, caían sobre su estela y con el único efecto de levantar inútiles columnas de agua: el Computer no lograba acertar a la lancha. Por lo demás, si lo hubiera logrado nada habría cambiado. La lancha estaba demasiado cerca, ya. Estaba tan cerca que podías ver con absoluta claridad el rostro de Rashid. Un rostro malvado y feliz con la misma felicidad que el domingo de finales de octubre había iluminado el rostro del kamikaze que había entrado en el Cuartel General de los americanos, y oías claramente su grito victorioso: «Allah akbar! Allah akbar, Allah akbar!» Victorioso dado que para llegar al costado izquierdo del barco le faltaban menos de sesenta metros, cincuenta y cinco para ser exactos o mejor dicho cincuenta y cuatro, y ahora cincuenta, cuarenta y cinco, cuarenta, treinta y cinco, treinta, veinte, diez, nueve, ocho, siete, seis, cinco, cuatro, tres, dos, ¡uno! La exclamación sorda se repitió, cargada de espanto.

«Oh, Dios...»

«Qu'est-ce qu'il y a?!? ¿¡¿Qué ocurre?!?» exclamó Bernard le Français.

«Estaba pensando...» murmuró recuperando su media sonrisa.

«Avec ce boucan? ¿Con este estruendo?»

En efecto desde hacía unos minutos los francotiradores habían reanudado el fuego y se divertían descargando sus reservas de 7,62 y de 5,56 sobre el parterre de la yegua blanca. Pérfido tiro al blanco ante el cual ella reaccionaba agitando su delicada cola como si las balas fueran tábanos y moscas que espantar.

«Sí... Mira qué estruendo» respondió al tiempo que se decía

que tal vez hubiera sido eso lo que hubiese provocado la pesadilla de la lancha que avanzaba y a la que en vano acertaban los disparos, las bombas de fusil, las ráfagas de ametralladora, los cañonazos de la flota.

«Ces bâtards, ces sadiques! ¡Esos bastardos, esos sádicos! Ils finiront pour la tuer, acabarán matándola... Mais as-tu résolu ton casse-tête avec les sinus et les cosinus? Pero, ¿has resuelto tu rompecabezas con los senos y los cosenos?»

«Casi» dijo cerrando la libreta que había quedado abierta en la página con la raíz cuadrada de $13{,}66^2+5^2-2 \times 5 \times 13{,}66 \times \cos 60^2$: la operación mediante la cual determinar la velocidad de la gota de lluvia que cae con ángulo de 45 grados, cuando el tren va a 20 km por hora. Y, casi convencido de que la pesadilla había sido causada por un fenómeno acústico y no por la lógica de un razonamiento, no se preguntó si las cosas habrían podido seguir realmente otra dirección, como sostenía la operación de la libreta. Eso se lo preguntó después, cuando advirtió que la realidad de la pesadilla radicaba en el problema matemático más sencillo que hubiera tenido que resolver jamás.

Hay un barco que sale del puerto, que a la distancia de 200 metros dobla el faro situado al final del rompeolas, que a la velocidad de 6 nudos describe un arco de parábola a lo largo de unos 195 metros, que con dicho arco se dirige hacia el noroeste y por tanto ofrece el flanco izquierdo a quien viene por el oeste. Hay una lancha que en cuanto el barco dobla el faro se separa de un amarre situado a 100 metros del comienzo del rompeolas, y a la velocidad media de 35 nudos se lanza hacia el barco para embestirlo al final del arco de parábola. A tal efecto corre casi en paralelo al rompeolas a lo largo de 850 metros y poco a poco diverge a fin de establecer una trayectoria con ángulo de 45 grados respecto al flanco izquierdo contra el que apunta. Hay una flota que a tres kilómetros de la costa se mantiene lista para defender el barco con los cañones de 76 y de 127. Pregunta Número Uno: ¿puede la lancha embestir al barco? Pregunta Número Dos: ¿puede la flota intervenir antes de que sea demasiado tarde?

* * *

Comenzó trazando un dibujo análogo al trazado para la gota de lluvia pero al revés, es decir, visto desde la parte de quien se encuentra en el flanco izquierdo del barco, y con un único segmento oblicuo. Después indicó los elementos a considerar: la costa, el amarre del que la lancha se separa abandonando la ensenada contigua a la dársena de poniente, el punto de partida del rompeolas y el rompeolas que respecto de la costa forma el ángulo de 45 grados, el faro, el punto en que el barco dobla el faro (punto que llamo momento-cero), el itinerario del barco, es decir, el arco de parábola a lo largo de 195 metros y dirigido hacia el noroeste, y el itinerario de la lancha que respecto del flanco izquierdo del barco forma otro ángulo de 45 grados. En efecto la respuesta a la Pregunta Número Uno se la daría el tiempo que la lancha emplea en hacer el trayecto comprendido entre el amarre y el final del arco de parábola así como el trayecto recorrido por el barco en el mismo tiempo. Y para obtenerla necesitaba partir de la longitud de dicho trayecto: operación sencilla que consistía en sumar los 100 metros comprendidos entre el amarre y el comienzo del rompeolas, los 850 metros del rompeolas, por último, los 200 metros comprendidos entre el faro y el momento-cero. Total, 1.150 metros. Después, dado que un nudo equivale a 1.852 metros por hora y en una hora hay 3.600 segundos, determinó que necesitaba saber cuántos metros recorría la lancha por segundo: otra sencilla operación que consistía en multiplicar el 35 de los treinta y cinco nudos (la velocidad de la lancha) por el 1.852 de los metros por hora, y en dividir el total por el 3.600 de los tres mil seiscientos segundos. Resultado, 18 metros por segundo. Por ese 18 dividió, pues, el 1.150 de los mil ciento cincuenta metros del trayecto comprendido entre el amarre y el final del arco de parábola, y obtuvo el tiempo que la lancha empleaba para embestir el barco con la trayectoria fijada por el timón bloqueado: 63,89 segundos redondeables en 64 segundos. Es decir, un minuto y cuatro segundos. ¿Y el barco? Para saber cuánto camino hacía el barco en ese minuto y cuatro segundos había que seguir el mismo procedimiento, es decir, multiplicar el 6 de los seis nudos (la velocidad del barco) por el 1.852 de los metros por hora, y dividir el total por el 3.600 de los tres mil seiscientos segundos. Lo ejecutó. Obtuvo 3,06 metros por segundo. Multiplicó el 3,06 por el 64 de los sesenta y cuatro segundos redondeados, y se estremeció: en ese minuto y cuatro segundos el barco hacía 195 metros y medio. Sin contar el medio metro, de importancia irrelevante respecto a las medidas del barco, los 195 metros precisamente del arco de parábola, es decir, el trecho en el que la lancha con el timón bloqueado podía alcanzar el blanco. La única esperanza de que no ocurriera así radicaba en los cañones de los acorazados, de los cazatorpederos, de las fragatas. Es decir, en la Pregunta Número Dos.

La respuesta a la Pregunta Número Dos procedía del cálculo del tiempo que en casos semejantes tarda una flota en reaccionar. Y esa vez la operación se limitaba a una trivialísima suma. Diez segundos los helicópteros y los centinelas para avistar la embarcación sospechosa. Cinco segundos para lanzar la alarma, informar a la Central Operativa de Combate o Ceocé. Diez segundos la Ceocé para identificar en los radares el eco que llega semiapagado por el eco del rompeolas de dos metros de alto por lo que las pantallas registran sólo una perturbación infinitesimal, una mota imperceptible, la miniatura de una minúscula gota de lluvia. Diez segundos el comandante para examinar la cuestión, determinar si se trata de un torpedo humano o de un inofensivo bote de pesca. Diez segundos el director de tiro para trazar el tiro con el radar paraboloide. Cinco segundos el radar paraboloide para centrar el objetivo. Tres segundos los operadores para poner en marcha el Computer. Tres segundos el Computer para teledirigir los cañones. Tres segundos los cañones para cargar y abrir fuego. Tres segundos los proyectiles para volar hasta el objetivo. (Eso en el caso de que las que disparen, a tres kilómetros de distancia, sean las bocas de 76. En efecto las de 127 funcionan con mayor lentitud.) En total, 62 segundos: dos menos que los sesenta y cuatro segundos que necesita la lancha. Pero en la pesadilla de Tayoune los cañonazos comenzaban a caer cuando Rashid estaba a menos de sesenta metros. Para ser exactos, cincuenta y cinco o mejor dicho cincuenta y cuatro. Y, a 18 metros por segundo, 54 metros se recorren en tres segundos exactos: en tres segundos es imposible acertar a un pequeño objeto que corre a tres kilómetros de distancia. Peor aún: si el pequeño objeto se acerca a un barco, has de tener cuidado para no acertar al barco. Para no acertarlo debes disparar un poco más atrás, al disparar un poco más atrás acabas en la estela de la lancha y... Volvió a estremecerse. No, la flota no podría detener a Rashid.

Se lo dijo también a Charlie. Pero, distraído por el nombre, Charlie no lo tomó en serio.

«¿Rashid?» dijo sonriendo burlón. «Cuando pienso en el piloto de la tercera lancha, no pienso en Rashid. Un kamakize tiene que tener cojones. Rashid no los tiene.»

Y ya hemos llegado a la estación del jueves.

–5–

La estación del jueves cuenta tanto por el extraño salvamento de Joe Balducci y de los cuatro Marines que habían permanecido con los cinco encargados de morteros del Rubí en lo alto del rascacielos de Ost Ten, como por la despedida que Gigi el Cándido y Armando Manos de Oro dieron a sor Milady y a sor George: episodios de los que Gigi el Cándido salió como artífice y protagonista inmediatamente después del diálogo que con las primeras luces del alba se desarrolló entre el Cóndor y Halcón.

«Coronel, proceda a la evacuación de Ost Ten.»

«¿¡¿Cuándo, mi general?!?»

«Inmediatamente. Esta noche los Amal y los Hijos de Dios han tomado la Galerie Semaan, la Línea Verde se ha desplazado hasta el comienzo del camino que sube al convento, y el trecho de trescientos metros se ha transformado en una especie de zona gris. Temo que en las próximas veinticuatro horas estalle una batalla por la posesión de la colina, conque quiero que antes del mediodía los cinco nuestros regresen a la base y los cinco Marines sean devueltos a su Cuartel General.»

«¿¡¿Antes del mediodía, mi general?!?»

«¡Antes del mediodía, antes del mediodía! ¿¡¿Se ha vuelto sordooo?!?»

«No, pero ¿a los cinco Marines quién los lleva?»

«¿¡¿Quién los lleva?!? ¡Los lleva usted o quien usted designe! ¡Ost Ten está bajo su mando! ¡Le corresponde a usted o a quien usted designe ponerlos a salvo!»

«Sí, pero Joe Balducci es blanco, mi general. Es de origen italiano, parece un italiano. En cambio los cuatro Marines son negros y si los Amal o los Hijos de Dios comprenden que son americanos...»

«¡Coroneeel! Blancos o negros o amarillos o rojos antes del mediodía los quiero sanos y salvos dentro de las trincheras de su Cuartel General: ¿¡¿está claro?!?»

«Sí, pero yo...»

«Es su problema. Arrégleselas.»

Las palabras que Halcón temía desde el día en que el Cóndor había decidido no exponer a Joe Balducci y a los cuatro Marines a las asechanzas de un traslado en el que podían arriesgar la muerte, y mantenerlos en Ost Ten. La orden que se esperaba desde el día en que habían trasladado el Rubí a la ex base Águila y habían dejado a los cinco con los encargados de los morteros en Ost Ten. Y sin embargo al oírla se tambaleó. Y en cuanto llegó a la habitación Luis XVI vertió sobre Gigi el Cándido una crisis peor que las que le sobrevenían cuando la idea de morir en un retrete o de perder un pie en él y no poder jugar más al tenis le paralizaba las vísceras, temblando se decía que aquel martirio era un ejercicio para medirse consigo mismo y disponerse a la Gran Prueba para la que había regresado a Beirut. ¡Es-su-problema-arrégleselas! ¡Ost-Ten-está-bajo-su-mando-y-le-corresponde-a-usted-o-a-quien-usted-designe-ponerlos-a-salvo! Pero, ¿¡¿con qué estratagema hacerles cruzar la Línea Verde, hacerles superar los puestos de control, devolverlos vivos y enteros a su Cuartel General?!? Utilizar un helicóptero era impensable porque en la colina no había el espacio necesario para el aterrizaje y el despegue: demasiado angosto el camino, demasiado tupidos los árboles en derredor, demasiado numerosos los hilos eléctricos. En cuanto al tejado del rascacielos nunca acabado, no resistiría su peso. Dirigirse a Azúcar, pedirle que recogiera a los cinco Marines con uno de los convoyes que regresaban con los remolques vacíos, era inadmisible porque Azúcar no podía ni cambiar el itinerario Tayoune-puerto-Tayoune ni correr riesgos embarcando a pasajeros clandestinos. Disfrazarlos de paracaidistas o de carabinieri o de infantes de marina era inimaginable porque como él decía a los cuatro negros sólo les faltaba el rótulo USA en la frente... Y arrugando el fular rojo que no recordaba haber prometido a Rocky, Gigi el Cándido lo escuchaba en silencio. Lo dejaba desahogarse. Pero de repente lo interrumpió.

«Existe un sistema» dijo.

«¿¡¿Cuál?!?» exclamó Halcón entre incrédulo y esperanzado.

«Llevárselos a lo ladrón.»

«¿¡¿A lo ladrón?!? ¿Qué significa a lo ladrón?»

«Con el sistema de los ladrones. Lo primero que hace un ladrón es esconder su mercancía, ¿no? Yo cuando iba a agenciarme los raíles del ferrocarril los escondía en seguida.»

«¡Cinco hombres no se esconden como los raíles del ferrocarril!»

«Se esconden mejor. Porque son plegables, elásticos, y para taparlos basta con un poco de lastre: sacos de dormir, morrales, culos de comandos.»

«¿¡¿Culos de comandos?!?»

«Los culos de los comandos sentados sobre los sacos de dormir y los morrales que cubren a los cinco hombres.»

«¡Está usted bromeando!»

«No, hablo en serio. Comandante, hace tres meses que me devano los sesos con este asunto. Lo he examinado desde todos los ángulos y estoy convencido de que la única vía de salida es la de llevárselos a lo ladrón. Autoríceme y verá.»

Halcón pareció vacilar.

«¿Y si Joe Balducci se niega?»

«No se negará. Se enfurecerá, dirá alguna gilipollez del tipo de yo-soy-un-Marine, yo-no-me-escondo-bajo-el-culo-de-nadie y después cederá.»

«¿Y si se niegan los otros cuatro?»

«Los otros cuatro harán lo que Joe Balducci les ordene hacer. Es su teniente.»

«¿Y si los Amal pretenden inspeccionar el camión?»

«No se lo dejaremos inspeccionar. Nos liaremos a golpes, dispararemos y, en lugar de a lo ladrón, pasaremos con disparos de fusil. Pero estoy seguro de pasar a lo ladrón.» Se tocó el fular rojo. «¿Ve esto? Es el amuleto que da más suerte de todos los que he tenido. Con esto avanzamos como sobre una balsa de aceite.»

«¡Sobre una balsa de aceite...!»

«Mi comandante, no tenemos otra opción.»

No la tenían y Halcón lo comprendía. Comprendía también que no era una cuestión de suerte sino de valor, que la Gran Prueba era aquélla, que debería responder de-acuerdo-vamos, yo-también-voy. Además, si fuera podría concederse un salto al convento: saludar a sor Espérance o incluso ponerla a salvo con sor George y sor Milady y sor Madeleine. Las dos cosas se intersecaban, se amalgamaban en un amasijo de sentimientos que mezclaba el deseo de volver a ver a sor Espérance con la necesidad de afrontar su momento de la verdad, y el yo-también-voy lo tentaba bastante. Pero cuanto más lo tentaba más se sentía invadir por el miedo que en las letrinas de los oficiales provocaba su estreñimiento, y al final respondió: «De acuerdo, vaya.» Entonces Gigi el Cándido llamó a la Sala de Operaciones, pidió dos camiones con muchos morrales y muchos sacos de dormir así como una docena de comandos y una escolta de carabinieri. Telefoneó a Ost Ten, avisó de su llegada, dijo a Armando Manos de Oro prepárate-Armando-que-tengo-una-bonita-sorpresa-para-ti, por último corrió hasta el armario taraceado con madreperla china y tomó el *Mot à mot* de sor George. Lo abrió por la página de anteportada y sin errores escribió en ella: «Pour une petite femme qui avait le nom d'un homme mais qui était une vraie femme et une grande femme en souvenir d'un âne qui ne volait pas mais qui l'aimait bien et l'aime bien et l'aimera bien toujours, son âne Gigi. Para una mujercita que tenía nombre de hombre pero era una mujer verdadera y una gran mujer en recuerdo de un asno que no volaba pero la quería y la quiere y la querrá siempre, su asno Gigi.» Después se lo puso bajo el brazo y se dirigió a Halcón.

«Voy, mi comandante.»

«De acuerdo, vaya» repitió Halcón. «Y si tiene tiempo dé recuerdos de mi parte a la superiora.»

«Lo haré, mi comandante.»

Poco después, eran cerca de las siete de la mañana, cuatro vehículos salieron de la ex base Águila: el jeep con Gigi el Cándido y su emocionadísimo Armando Manos de Oro, el camión con los comandos y los morrales y los sacos de dormir para esconder a los cinco Marines, un segundo camión para cargar el material y a los cinco encargados de los morteros, y el jeep con los carabinieri de la escolta. A velocidad sostenida se dirigieron hacia el paso de Tayoune donde Rocky dormía aturdido por el licor de café por lo que el fular rojo permaneció en el cuello de Gigi el Cándido, con cuidado de no embestir el parterre de la yegua blanca cruzaron la glorieta, irrumpieron en la Avenue Sami Sohl, entraron en la zona oriental. Allí, dando un rodeo interminable que los obligó a zigzaguear durante cuarenta minutos en el barrio de Furn el Chebbak y después a bordear el ferrocarril, llegaron al barrio de Hazmiye después a la Galerie Semaan ahora en manos de los Amal y luego al trecho de los trescientos metros que el Cóndor había calificado de una-especie-de-zona-gris, pero, ¡qué iba a ser una zona gris! Hormigueaba de asaltantes. Amal con los uniformes de la Sexta Brigada, militares de la Sexta Brigada con la faja verde de los Amal; Hijos de Dios que con la cinta negra en torno a la frente y la imagen de Jomeini en el pecho incitaban a la conquista de la colina. Entre ellos, el mullah que había encabezado el asalto a la iglesia de Saint-Michel: un jorobado con turbante carmesí y el Corán colgado en bandolera. Se lanzó en seguida contra el jeep de Gigi el Cándido.

«Habess, habess! ¡Inspección!»

«¡No hagáis caso! ¡No reaccionéis ni con rechifla siquiera!» gritó Gigi el Cándido.

No hicieron caso y mientras él los perseguía furioso se internaron por el camino que subía a Ost Ten, lleno de hoyos abiertos por las granadas del choque nocturno y totalmente desierto. Desiertos también los senderos que conducían a las quintas de los ricos huidos, los hermosos campos de olivos, las haciendas contiguas al claro de los tilos que había sido el oasis de Rocco e Imaam, y por doquier reinaba una calma siniestra: la calma que anuncia la explosión de un combate como el cielo cárdeno anuncia la explosión de una tormenta. Lo sentía en la piel que pronto estallaría el combate, y Gigi el Cándido se convenció de ello cuando habló con los cinco encargados de morteros: ya en la planta baja con las radios retransmisoras, los mapas, las brújulas, los visores nocturnos, los prismáticos, las cajas de municiones, las armas, los objetos personales, los sacos de Joe Balducci y los cuatro Marines que aún no habían bajado. No, la colina no estaba desierta como parecía, le dijeron. En los senderos, en las quintas, en los campos de olivos, en las haciendas contiguas al claro de los tilos estaban los de la Octava Brigada. En los diversos pisos del rascacielos, lo mismo. Habían llegado al amanecer, pasando a saber por qué paso comunicado con las callejuelas de Hazmiye, furiosos por la pérdida de la Galerie Semaan habían colocado en los puntos estratégicos tres compañías de fusileros, y no costaba mucho ver que no cederían con facilidad aquella base. Pero los chiitas parecían igualmente decididos a apoderarse de ella. Se veía en la violencia del fuego que habían desencadenado hacia las dos.

«¡Qué follón, mi coronel!»

«Además de las granadas, los Katiusha...»

«Uno ha rozado el ático del rascacielos, ¡por un milagro no nos ha acertado!»

«¿Y sabe dónde ha acabado? En la explanada del convento.»

«¿¡¿En la explanada del convento?!?»

«Sí, les ha caído lo suyo a las monjas, pobrecillas... Esperemos que no hayan muerto.»

Gigi el Cándido cogió el *Mot à mot* que había dejado sobre el asiento del jeep.

«Corro a averiguarlo» dijo. «Vuelvo dentro de un cuarto de hora. Entretanto haced bajar a los americanos e instaladlos con el material en el segundo camión.»

Después ordenó a los comandos que descargaran los morrales y los sacos de dormir, a todos que estuvieran listos para marcharse antes de un cuarto de hora, y se dirigió con Armando Manos de Oro hacia la verjita.

* * *

La verjita yacía en el suelo, arrancada de los goznes. Pasaron por encima de ella, continuaron hacia la explanada, y al llegar intercambiaron una mirada de desaliento. El Katiusha había abierto en ella una sima tan ancha y profunda que para pasar tenías que mantenerte en equilibrio por el borde. En cuanto al edificio, estaba irreconocible. Semidemolido el tejado del que colgaban los canalones en una maraña de hierros retorcidos, semidestruida por los desgarrones la fachada, resquebrajadas las ventanas que sor Madeleine abría de par en par por la mañana para modular sus alegres carcajadas y gorjear un-peu-d'air-un-peu-de-soleil-pour-oublier-que-les-brutes-sont-ici, completamente destruida la cantina a la que Gino iba a emborracharse y escribir poesías sobre la felicidad que es un monasterio en las montañas del Himalaya, traspasado de brechas el comedor y derrumbado el portón ante el cual se había desarrollado la pelea entre sor Milady y Armando Manos de Oro y después la dulce reconciliación. Entraron pisando una alfombra de cascotes y cristales rotos, subieron rápidos los escalones de la antigua barricada antiviolación, irrumpieron en las aulas destrozadas de la antigua escuela y la antigua guardería, llamaron llenos de ansiedad.

«¡Sor Milady! ¡Sor George, sor Espérance, sor Madeleine!, ¿están aquí?»

«¡Sor George! ¡Sor Milady!, sor Espérance, sor Madeleine, ¿nos oyen?»

No respondió nadie. Entonces subieron al segundo piso, y allí la devastación era completa. Tuberías que perdían agua, muebles patas arriba, platos y vasos desmenuzados, y, en la cocina, en lugar del techo una grieta de cielo burlón. Solamente se habían salvado los dormitorios, en desorden como si sus ocupantes hubiesen huido precipitadamente. Llamaron otra vez.

«¡Sor George! ¡Sor Milady, sor Madeleine, sor Espérance! ¡Estamos aquí!»

«¡Sor Milady! ¡Sor George, sor Madeleine, sor Espérance! ¡Respondan!»

Otra vez no respondió nadie y entonces volvieron a bajar a la planta baja, las buscaron en las diversas habitaciones y después en la capilla que aparecía intacta. Pero en el altar estaba sólo la estatuilla del Niño Jesús que recibía las orquídeas enviadas desde Livorno. El Crucifijo y el Misal habían desaparecido y del tabérnaculo de la Eucaristía faltaban tanto el ostensorio como el cáliz y las vinajeras.

Intercambiaron una mirada a un tiempo aliviada y decepcionada.

«Han huido» dijo Gigi el Cándido. «Y a saber a dónde.»

«Tal vez al sótano» respondió Armando Manos de Oro. «Durante los bombardeos se refugiaban siempre en él...»

«Tal vez. Pero no podemos seguir buscándolas. Es tarde, Armando. Tenemos que marcharnos.»

«Un último intento, mi coronel, ¡se lo ruego!»

«¡Tenemos que marcharnos, te digo!»

«Se lo ruego, mi coronel, se lo ruego...»

Realmente debían marcharse. Habían transcurrido catorce minutos desde que se habían separado de los encargados de los morteros diciendo que volverían al cabo de un-cuarto-de-hora, y seguro que Balducci había bajado ya del ático del rascacielos con sus cuatro Marines. No obstante, en aquel se-lo-ruego-mi-coronel-se-lo-ruego ardía una súplica tan desesperada, que Gigi el Cándido hizo suyo el ruego, y bajaron juntos al sótano. Sin encender siquiera la linterna se precipitaron al pasillo en el que se alineaban los cuartos trasteros usados por los sirios como celdas de tortura, se detuvieron con el corazón brincándoles dentro del pecho. Se traslucía un reflejo de luz del último trastero de la izquierda. Una claridad que podía ser la llamita de una vela.

«¡Sor George! ¡Sor Milady, sor Espérance, sor Madeleine! ¡Soy yo, Gigi!»

«¡Sor Milady! ¡Sor George, sor Madeleine, sor Espérance! ¡C'est moi, Armando!

Y esta vez hubo respuesta. Primero tres susurros apagados. Ce-n'est-pas-posible, no es posible. Je-ne-le-crois-pas, no lo creo... Ce-sont-eux-je-vous-assure, son ellos, se lo aseguro... Después tres sombras que se asomaban cautas por el vano. Una baja y menuda, otra más bien alta y esbelta, otra muy alta y enjuta. Por último tres figuras que avanzaban cautas y que a la luz de la vela se transformaban poco a poco en sor George, sor Milady, sor Espérance. Las tres sucias, tiznadas, y con la cabeza descubierta.

«¡Gigi!»

«¡Armando!»

«Mes amis! ¡Amigos!»

Encendieron la linterna. Las observaron incrédulos. Con la cabeza descubierta ya no parecían monjas. Empezando por sor Espérance que sin el velo asombraba por el inesperado espectáculo de unos cabellos pelirrojos y cortados a lo garçon. Cosa que la rejuvenecía al menos diez años y que, borrando toda huella de soberbia regia, transformaba a la ceñuda guerrera en una hermosa deportista vestida a saber por qué con hábito. Igual sorpresa, sor George. En efecto un clamor de rizos rojos y un flequillo alborotado transformaban al ratón de biblioteca en una graciosísima hippy que lleva hábito por juego y gafas bifocales por coquetería. En cuanto a sor Milady... ¡Qué iba a ser una Virgen gótica! Con aquella cascada de resplandecientes guedejas de un negro azabache se convertía en una Circe implacable de cuyos encantos caes presa antes de enamorarte. Además los bigotitos del labio superior habían desaparecido. Se los había depilado de verdad.

«¿Y sor Madeleine?» preguntó Gigi el Cándido al tiempo que lanzaba los rayos de la linterna en el cuarto en el que sólo veías los utensilios sagrados trasladados desde el altar, el precioso crucifijo de zafiros colocado junto al ostensorio, y colgado de un clavo el cuadrito regalado después del armisticio a sor George: la ingenua pintura que reproducía el campo de olivos bajo las letrinas de los oficiales. En cambio Armando Manos de Oro no preguntó nada. Parecía hipnotizado por la Circe de las resplandecientes guedejas de color azabache.

«Partie, rentrée en France. Se ha marchado a Francia» respondió la bella deportista de los cabellos pelirrojos cortados a lo garçon. «Elle avait trop peur, tenía demasiado miedo. Toujours dans le puits à prier, siempre en el pozo rezando... Un bon père de Baabda est venu la chercher pour l'emmener au Rizk, soeur Françoise l'a tenue quelque jour chez elle, puis elle l'a accompagnée à Junieh et mise sur un navire direct à Marseille. Un bondadoso padre de Baabda vino a recogerla para llevársela al Rizk, sor Françoise la tuvo unos días con ella, después la acompañó a Junieh y la embarcó con destino a Marsella.»

«Es necesario que partan también ustedes, sor Espérance.»

«Jamais, nunca. J'ai déjà fait cette erreur, dans le passé, et je ne le répéterai pas. Ya cometí este error en el pasado y no lo repetiré.»

«El convento está medio destruido, sor Espérance. No existe una sola habitación en la que puedan vivir.»

«Nous logerons ici, viviremos aquí. Nous avons tout ce qu'il nous faut, ici. Aquí tenemos todo lo que necesitamos» dijo indicando el Crucifijo, el Misal, el ostensorio, y el cáliz con las vinajeras.

«Sor Espérance, aquí sólo hay algunas hostias consagradas, un sorbo de agua y un sorbo de vino. No bastaría para la supervivencia de una cigarra.»

«Les chemins de la Providence sont infinis, mon ami. Los caminos de la Providencia son infinitos. Vous savez bien que

Notre Seigneur Jésus Christ a multiplié le pain et les poissons, ainsi que transformé l'eau en vin. Bien sabe usted que Nuestro Señor Jesucristo multiplicó los panes y los peces y transformó el agua en vino.»

«Hemos venido con dos camiones y dos jeeps para recoger a los de Ost Ten, sor Espérance» intervino Armando Manos de Oro. «Podemos llevarlas también a ustedes. Podemos dejarlas en el barrio de Hazmiye o de Furn el Chebbak y...»

«Merci, gracias, Armando. Mais je ne vois suivrai pas, pero yo no les seguiré.»

«Está a punto de estallar una batalla, sor Espérance» insistió lanzando una ojeada a sor Milady.

«Elle ne sera pas la première bataille que je vis, no será la primera batalla que yo haya vivido, Armando. J'en suis habituée aux batailles, moi. Yo estoy acostumbrada a las batallas.»

«Pero esta vez los chiítas quieren tomar la colina, sor Espérance. Y quien tenga el convento tendrá la colina» replicó Gigi el Cándido lanzando una ojeada a sor George.

«En ce qui me concerne, voilà une énième raison pour tenir le territoire comme un bon soldat. Por lo que a mí respecta, ésa es la enésima razón para mantenerme en el territorio como un buen soldado» recalcó decidida.

«Cuando es necesario, los buenos soldados se retiran, sor Espérance.»

«Pas les soldats de Dieu. Los soldados de Dios, no. Moi je suis un soldat de Dieu, cher ami. Yo soy un soldado de Dios, querido amigo. Et je ne bouge pas, y no me muevo.»

«Moi non plus, yo tampoco» repitió la graciosísima hippy con el clamor de rizos rojos y el flequillo alborotado y las gafas bifocales que llevaba por coquetería. «Le Bon Dieu nous a toujours protégées et il continuera à nous protéger. Dios siempre nos ha protegido y seguirá protegiéndonos. S'il ne continuera pas, tant pis. Nous nous protégerons toutes seules. Si deja de protegernos, mala suerte. Nos protegeremos solas.»

«À coups de pierres! ¡A pedradas!» añadió la implacable Circe de cuyos encantos caías presa antes de enamorarte. «Moi je suis d'accord et je reste avec soeur Espérance et soeur George. Yo estoy de acuerdo y me quedo con sor Espérance y sor George. Je préfère mourir plutôt que les abandoner. Prefiero morir a abandonarlas.»

Gigi el Cándido lanzó otra ojeada al reloj y se estremeció. Casi veinte minutos, veinte, habían pasado desde que había dicho ¡es-tarde-debemos-marcharnos! Y aún tenían que despedirse de ellas, informarlas de su marcha, entregar a sor George el *Mot à mot* con la dedicatoria... Se lo ofreció de golpe.

«Notre livre? ¿Nuestro libro?» exclamó ella, perpleja al ver que se lo devolvía.

«Sí. He escrito una dedicatoria, sor George...»

«Pour moi? ¿Para mí?»

«Para usted, en francés. Espero que no haya muchos errores.»

«¡Ah! Il y en aura, il y en aura! ¡Los habrá, los habrá!» dijo sonriendo conmovida. Después se ajustó las gafas, se acercó a la vela, leyó la dedicatoria, y: «Pas de fautes, ningún error, bien... Merci... Mais pourquoi avez-vous écrit en souvenir? Pero, ¿por qué ha escrito "en recuerdo"?»

«Porque nos vamos de Beirut, sor George.»

«Quand?!? ¿¡¿Cuándo?!?»

«Pronto, muy pronto, sor George.»

Las pupilas agrandadas ya por las lentes bifocales se dilataron. «C'est donc un adieu?!?, ¿¡¿es por tanto un adiós?!?»

«Sí. Tenemos que despedirnos, sor George.»

«Tout de suite?!? ¿¡¿En seguida?!?»

«Tout de suite, en seguida. Los de Ost Ten llevan media hora esperándonos. Y es peligroso mantenerlos allí.»

Se quitó las gafas, se echó a llorar.

«Pas tout de suite, no en seguida, pas tout de suite...»

«Pues sí, sor George...»

«Mais moi je dois encore vous remercier pour la dedicace, pero yo tengo que agradecerle aún la dedicatoria...»

«Ya me la ha agradecido, sor George. Adiós, sor George.»

«Vous savez, Gigi, l'âne n'était pas un âne. El asno no era un asno... Il volait, volaba... Il volait aussi haut qu'une mouette, volaba tan alto como una gaviota... Et moi je l'aimais autant bien... je l'aime autant bien... je l'aimerai toujours autant bien... Y yo le quería también... le quiero también... le querré siempre también... J'ai même sauvé son petit tableau plein de tendresse, incluso he salvado su cuadrito lleno de ternura...»

«Ya lo he visto, sor George... No me parta el corazón, sor George.» Después, volviéndose hacia sor Espérance, que lo miraba con aflicción: «Halcón me ha encargado que le dé recuerdos de su parte, sor Espérance. ¿Debo decirle algo de su parte?»

La aflicción se volvió dureza.

«Oui. Dîtes à Falco qu'il aurait dû venir avec vous et Armando. Sí, dígale a Halcón que debería haber venido con Armando y con usted. Dîtes-lui que j'aurais bien voulu l'embrasser, dígale que me hubiera gustado abrazarlo... Non, pas ça. No, eso no. Ce que j'aurais voulu n'a pas d'importance, lo que me hubiera gustado no tiene importancia... Dîtes-lui qu'il faut avoir du courage, que rien dans le vie compte plus que le courage, que la vie sans le courage n'est pas vie. Dígale que hay que tener valor, que nada en la vida cuenta tanto como el valor, que la vida sin valor no es vida.»

«Se lo diré, sor Espérance. Adiós, sor Espérance.»

«Adieu, mon ami.»

«Adiós de nuevo, sor George...»

«Adieu... Gigi... Adieu...»

«Adiós, sor Milady.»

«Je vous accompagne, los acompaño» respondió ella, decidida. Después esperó a que también Armando Manos de Oro se despidiera, abandonó el sótano, fue hasta la antigua explanada, y allí se detuvo.

«Je vous en prie, mon colonel. Laissez-moi quelques instants seule avec lui. Se lo ruego, mi coronel. Déjeme unos instantes a solas con él.

«Sí, querida» murmuró Gigi el Cándido, rozándole emocionado una mejilla y se marchó corriendo.

Fue un adiós sin palabras el de sor Milady y Armando Manos de Oro. No había nada que añadir a lo dicho y sucedido un mes antes en la capilla que giraba con la fuerza de una centrifugadora lanzada a 12 *g*, y en ciertos casos las palabras se convierten en un sonido superfluo. Un ruido molesto. En silencio Armando la tomó entre sus brazos, en silencio le acarició el labio ahora carente de bigotitos, en silencio buscó su boca, en silencio Milady se la ofreció. Y la siniestra calma que reinaba en la colina, la calma que en la guerra anuncia la explosión de un combate como el cielo cárdeno anuncia la explosión de una tormenta, se convirtió en una paz celestial que los compensaba por todo: por el tiempo desperdiciado rechazando la atracción recíproca, por el sacrificio realizado para respetar los vínculos y los compromisos ya asumidos, por la batalla que pronto se abatiría sobre ella para entregarla a la ferocidad de los vencedores, e incluso por el barco que pronto se lo llevaría a él para entregarlo a la desesperación después a la resignación luego al recuerdo cada vez más tenue de un amor arrinconado por otros amores y otros afectos y otros encuentros. El amor por una novicia conocida y perdida en Beirut. Saber que el futuro se condensaba en un presente hecho de pocos instantes traducía toda fealdad en belleza, toda inarmonía en armonía, y en la sima abierta por el Katiusha un gato herido maulló de dolor. Pero a ellos les pareció un maullido de alegría.

En torno a los árboles ennegrecidos por los cañonazos zumbó iracundo un abejorro. Pero a ellos les pareció escuchar el gorjeo de un ruiseñor feliz. Y un canto paradisíaco el coro de discusiones, vulgaridades, groserías que resonaba desde la planta baja del rascacielos.

«Call your fuckin' colonel and let's get out of this fuckin' trap, fuckin' wops! ¡Llamad a vuestro coronel de los cojones y salgamos de esta puta trampa, puñeteros italianinis!»

«Load us on the fuckin' truck and let us leave, fuckin' mother fuckers! ¡Cargadnos en el puñetero camión y marchémonos, hijos de la gran puta!»

«Put your fuckin' ass in gear and let's move, fuckin' ass-holes! ¡Moved el culo de una puta vez y en marcha, cacho capullos!»

«Fuckin' dagos! Fuckin' cock-suckers! ¡La puta madre que ha parido a estos italianinis! ¡Estos soplapollas del copón!»

«Pero, ¡oíd lo que dicen estos bestias desagradecidos!»

«¡Soplapollas, capullos e hijos de la gran puta lo seréis vosotros!»

«¡Volveros a África y a Alabama a rascaros las pulgas, volveros, simios, cornudos!»

«¡Iros a la mierda, fascistas! ¡Imperialistas, apestosos!»

«Shut up all of you! It's an order, shit! Shit! Shit! Shit! ¡Cerrad todos el pico! Es una orden, ¡hostias! ¡Hostias, hostias, hostias!»

* * *

Exasperados por el retraso y cargados con las armas, M16 al hombro y Colt 45 en el cinturón, cargadores pegados con cinta adhesiva al casco y cuchillazos Camillus atados a las rodillas y a los pies un arsenal de lanzagranadas, bombas de mano, bazookas, bombas de bazooka, cintas de balas, así como el equipaje de radio y mapas y visores nocturnos, los cuatro Marines estaban peleándose con los comandos. Y Joe Balducci no lograba calmar la pelea. Por lo demás, estaba tan furioso, también él, que ametrallaba con shit-mierda-shit tanto como sus hombres con los habituales fucking, fucker y fuck-you. Shit! Nada menos que cuarenta minutos, shit! Con una batalla a la vista y el rascacielos lleno de gubernamentales entre los cuales podían ocultarse traidores o espías jomeinistas, shit! Los cinco del Rubí ya se habían instalado en el camión de los carabinieri y en cambio él estaba allí esperando que el coronel se jodiera a alguna Suzie con hábito, shit! Shit, shit, shit! Y cuando Gigi el Cándido volvió, embargado de dolor por el adiós a sor George, casi le saltó encima.

«¡Coronel! Nosotros aquí tocándonos cojones desde hace cuarenta y cinco minutos, shit! ¿¡¿Dónde tú estado, shit?!?

«Donde me sale de los cojones, Joe. Guarda la lengua en su sitio y ordena a tus hombres que se tiendan en la caja de ese camión. ¡Date prisa!

«Tenderse, lay down?!?»

«Leidaon, leidaon! Tres con la cabeza del lado de la cabina y dos, entre ellos tú, con la cabeza del lado del antepecho. Understand?»

«No. Yo no understand, coronel. No comprender objeto de tenderse, lay down.»

«El objeto de tenderos, leidaon, es para que después os tape con los morrales y los sacos de dormir. ¿Queda claro?»

«¿¡¿Con morrales, con sacos de dormir?!?»

«Sí, señor. Y sobre los morrales, sobre los sacos de dormir, pongo los culos de los comandos.»

«¿¡¿Culos de comandos?!?»

«Sí, pongo los comandos sentados encima.»

«¿¡¿Sentados?!? Sitting down?!?»

«¡Sentados, sitdaon, sí, señor! Ellos encima y vosotros debajo. ¡Escondidos debajo! ¿¡¿Quieres moverte o no?!?»

El rojo rostro de Joe Balducci se puso cárdeno.

«¡No!»

«¿¡¿No?!?»

«¡No, yo no hacer esto! I am a Marine! ¡Yo soy un Marine! ¡Marines no esconderse bajo puñetero culo de puñeteros comandos! ¡Marines no esconderse bajo puñetero culo de nadie!»

«Marine o no, tienes que hacerlo.»

«Never! ¡Nunca! Never!»

«No hay otra opción, Joe. Si no os ven, os reconocen. Y como mínimo acabamos a golpes.»

«¡Yo no temer golpes! I am a Marine! ¡Yo soy un Marine! ¡Yo combatir!»

«Joe, ni tu Cuartel General ni el mío quieren hacer la guerra para devolveros a casa. Por tanto ordena a tus hombres que suban al camión y se tiendan como he dicho; si no se lo ordeno yo. Understand?!?»

«No understand.»

Pero, poco a poco, comprendió.

«Coronel, ¿tú seguro que tu plan funciona?»

«Segurísimo.»

«Porque si no funciona, yo y mis hombres disparar.»

«También yo y mis hombres, Joe. Pero no hará falta, ya verás. Coge mi fular rojo.»

«¿¡¿Tu fular rojo?!?»

«Sí, porque es un amuleto, Joe. Un amuleto buenísimo. Y dentro de poco necesitaremos bastante suerte. Anda, póntelo al cuello. Átalo bien.»

«Ok, coronel...»

Se lo ató bien. Con el fular rojo al cuello ordenó a los cuatro Marines que cargaran las armas y equipajes, con otra sarta de shit-shit los convenció para que se tendieran como se lo habían pedido, es decir, tres con la cabeza del lado de la cabina y uno del lado del antepecho, con un gran suspiro se tendió junto a este último, murmuró ready-listo. Entonces los comandos cubrieron a los cinco con los morrales y después con los sacos de dormir y, provocando otras peleas, desencadenando otras vulgaridades y otras groserías, se sentaron encima.

«Get your fuckin' ass off my fuckin' stomach, you fuckin' mother-fucker! ¡Quita tu puñetero culo de mi estómago, hijo de la gran puta!»

«¡Puñetero serás tú, cacho capullo! Y no hables de mi madre, que te cago encima. ¿¡¿Entendido?!?»

«Get your fuckin' feet off my fuckin' face, you fuckin' cocks-sucker! ¡Quita tus puñeteros pies de mi cara, cacho soplapollas!»

«¡Soplapollas lo serás tú, bestia! Y si no te callas te meto la mía en la boca, ¿¡¿queda claro?!?»

«Go and fuck yourself, fuckin' dago! ¡Vete a tomar por culo, puñetero italianini!»

«¡Vete tú, muerto de hambre!»

Por fin, encabezado por el jeep de Gigi el Cándido y Armando Manos de Oro que había reaparecido pálido como un muerto, el corto convoy se puso en movimiento. En menos de un minuto dejó tras sí el rascacielos, el convento, los hermosos campos de olivos, los senderos que conducían a las quintas de los ricos huidos, las haciendas contiguas al claro de los tilos, los fusileros gubernamentales, sor Espérance que se preparaba para defender su territorio como un buen soldado, sor George que lloraba ante la dedicatoria escrita en la anteportada de *Mot à mot,* sor Milady que prefería morir antes que abandonarlas, y estuvo de nuevo en el trecho de los trescientos metros que el Cóndor había calificado de una-especie-de-zona-gris. Surcando de nuevo la multitud de los asediadores, los Amal con los uniformes de la Sexta Brigada, los militares de la Sexta Brigada con la faja verde de los Amal, los Hijos de Dios que con la cinta negra en torno a la frente y la imagen de Jomeini en el pecho incitaban a la conquista de la colina, sin hacer caso de nuevo a los gritos de alto del mullah jorobado del turbante carmesí y el Corán colgado en bandolera, habess-inspección-habess, se lanzó a la Galerie Semaan, ahora en manos de los Amal. Superó el puesto de control ocupado por la Octava Brigada, volvió a entrar en el barrio de Hazmiye, se dirigió a la carretera que bordeaba el ferrocarril después al barrio de Furn el Chebbak luego a la Avenue Sami Sohl, llegó a Tayoune donde desde hacía unos minutos nadie disparaba por lo que Angelo dio en seguida vía libre. Y lo inevitable sucedió poco después. En efecto en la barrera estaba toda la escuadra de Rocky con Rocky que se había recuperado de la pequeña curda del licor de café y exigía el fular.

«Ana badi fulara.»

«Ana badi fulara?!?»

Sin dejar de pensar en sor George, Gigi el Cándido lo miró con la perpleja expresión de quien oye sonar una campanilla de alarma y no sabe de qué alarma se trata. ¿Quién era éste, y qué significaba ana-badi-fulara?»

«Fulara. I fulara. Mi fulara.»

«I fulara?!? ¿¡¿Tu fulara?!?»

«Na'am, sí. Fulara ahmara.»

«Fulara ahmara?!?»

«Fiche-moi le camp et lève la barre, babouin, tête de linotte, troglodyte! ¡Quítate de en medio y levanta la barra, babuino, cabeza de chorlito, troglodita!» gritó Bernard le Français mientras los comandos sentados sobre Joe Balducci y los cuatro Marines embrazaban los M12 y los carabinieri de escolta saltaban a tierra para colocarse en posición de tiro. Pero Rocky no se inmutó. Babuino o no, cabeza de chorlito o no, troglodita o no, había reconocido a su deudor y esta vez no se contentaría con caramelos o cigarrillos o licores que le daban sueño. Obtendría lo que le correspondía y esperaba desde hacía semanas.»

«Na'am, sí. La fulara, la iawaz.»

«La fulara, la iawaz?!?»

«Il dit rien foulard rien passer, dice sin fular no pasar, mi coronel!» explicó Bernard le Français furioso. «Il fait toujours comme ça! ¡Siempre hace lo mismo! Il est fixé avec un foulard et à chaque convoi il nous emmerde. ¡Tiene la obsesión de un fular y con todos los convoyes nos toca los cojones!»

«¿Un fular...?»

«Oui, un foulard rouge. ¡Sí, un fular rojo!»

¿¡¿Un fular rojo?!? Oh, Dios, era Rocky: el mentecato al que con la mayor mala fe había prometido su amuleto. Y si no se lo daba, no les dejaría pasar: de eso no cabía duda. Entonces comandos y carabinieri abrirían fuego, Joe Balducci y los cuatro Marines saltarían fuera de la caja para unirse al follón, los cinco encargados de morteros harían lo propio, y lo que había parecido sólo un coñazo se convertiría en tragedia. Eran unos veinte, los hombres del mentecato: bien armados con Kalashnikov y Rpg. Y muchos otros estaban detrás de los árboles de la avenida. Olvidando finalmente a sor George, Gigi el Cándido sofocó una blasfemia. Después, decidido a evitar la tragedia, ordenó bajar los fusiles. Hizo acopio de las pocas palabras árabes que conocía, bajó del jeep con una gran sonrisa.

«¡Ah! Inta Rocky! ¡Eres Rocky! Sadiqi Rocky! ¡Mi amigo Rocky!»

«Na'am. Wa ana badi i fulara. Sí. Y quiero mi fular» respondió Rocky, impertérrito. Mish takazzar i fulara? ¿No te acuerdas de mi fular?»

«Takazzar! ¡Recuerdo! Takazzar!»

«Wa lesh mish andak? ¿Y por qué no lo traes?»

«Andi! ¡Lo traigo! Andi!»

«Andak fen? ¿Dónde lo llevas?»

«Huna! ¡Aquí! Huna!»

Entretanto se acercaba al camión de los Marines, se colocaba junto al borde, entre dientes y fingiendo hablarse a sí mismo lanzaba ansiosas llamadas a Balducci.

«¡El fular rojo, por Dios, el fular rojo! Dámelo, Joe, si no, ¡esto va a acabar mal! ¡Va a acabar a golpes! Rápido Joe rápido, ¿no me oyes? ¿¡¿Tienes cera en los oídos, por Dios?!?»

Pero Joe Balducci oía perfectamente. Y aunque estaba aplastado por el peso que le impedía mover las manos y los brazos, ya había logrado desatar el nudo: quitarse del cuello el maldito amuleto. Como un retoño que avanza en la obscuridad de la tierra y poco a poco sube, trepa entre piedras y terrones para llegar a la superficie y brotar, hacerse una planta, el fular rojo estaba insinuándose entre los sacos de dormir y los morrales. Centímetro a centímetro, shit a shit, trepaba, se dirigía hacia una rendija de luz, la alcanzaba, se asomaba cauto, aparecía entre las piernas de un comando que lo cogía con un grito.

«¡Aquí está, mi coronel!»

Y Gigi el Cándido lo agarraba con otro grito, se lo lanzaba a Rocky.

«¡Toma, desgraciado, cógelo!»

Y Rocky lo cogía, extático, ordenaba a sus hombres que despejaran la glorieta, se precipitaba a levantar la barrera.

«Iawaz! ¡Pasar! Iawaz!»

Pasaron con tal ímpetu que, por primera vez desde el día en que habían comenzado los convoyes, la yegua blanca se espantó y relinchó. Con ímpetu se lanzaron a la avenida que desembocaba en la Rue Argan, entraron en la Avenue Nasser, cruzaron la glorieta del viaducto, se internaron por la Rue de l'Aérodrome, llegaron al aeropuerto, lo pasaron, llegaron al Cuartel General americano o lo que quedaba del Cuartel General americano, entraron en él. Y mientras de las trincheras excavadas bajo los escombros se elevaban las blasfemias de alegría, los comandos saltaron a tierra. Quitaron los sacos de dormir, los morrales, desenterraron a Joe Balducci y a sus cuatro Marines. Después los fuckin' dagos, los dagos, los fuckin' wops, los fuckin' ass-holes, los mother-fuckers y los cocks-suckers abrazaron a los muertos de hambre, los cornudos, los simios, los apestosos, los fascistas, los imperialistas, y Gigi el Cándido fue llevado en triunfo.

«You did it, son of a gun! ¡Toma ya, lo has logrado, hijo de perra!»

«You got balls, old fart! ¡Tienes cojones, pedo viejo!»

«You are a devil, man! ¡Eres un hacha, tío!»

«Thank you, brother. Gracias, hermano.»

Y entretanto los mil doscientos seguían desmantelando las bases. De minuto en minuto la pequeña ciudad que había que meter en la maleta empequeñecía, desaparecía, se esfumaba como un espejismo, como un sueño fracasado, y en el muelle de la dársena de poniente otra pequeña ciudad nacía: un poblado imaginario al que encomendar la esperanza de no volver a casa dentro de los ataúdes. Minúsculos campanarios, rascacielos en miniatura, edificios para ser mirados con los prismáticos de la fantasía, las alegres trincheras verticales que debían proteger al contingente durante el embarque. Alegres porque los containers tenían medidas diferentes, colores diferentes, y porque Pistoia los colocaba con inspiración: uno alto junto a uno bajo, uno amarillo junto a uno azul, uno verde junto a uno escarlata. Vistos desde la carretera o desde el mar parecían las torres de un San Gimignano pintado con pinceladas de arco iris, y él se jactaba de ello a grandes voces.

«¡Qué pastel! ¿Eh? ¡Se ve que soy un artista!»

* * *

Pero se jactaba de ello sin brío. En tono modesto. Desde que la tercera lancha se cernía sobre la partida, ya no era Pistoia. Su alegría no parecía sincera, su arrogancia ocultaba un esfuerzo y la vitalidad amatoria que durante un año había sostenido sus maratones estilo Casanova se había marchitado tanto que con las tres novias pasaba el tiempo autocompadeciéndose y se acabó. Me-cago-en-mí-y-en-el-día-en-que-elegí-este-oficio. Me-cago-en-mí-y-en-el-día-en-que-vine-aquí. Por algo Caroline, la casada con el falangista sexualmente perezoso, ahora prefería a su marido. «Mejor que nada...» Geraldine, la joven e inexperta a la que tenía que arrancar de las garras de su recelosa madre, no cesaba de protestar. «¿¡¿Tampoco hoy jodemos, Pistoia?!?» Y Joséphine, la que él calificaba de una-olla-a-presión, una-que-en-la-cama-no-predica-ba-los-Evangelios, había hecho circular el rumor de que se había vuelto impotente: «Pobrecillo, se ha aflojado como un soufflé mal hecho.» Pero, sobre todo, ya no le gustaba estar en la guerra. Ya no se divertía saboreando el atroz deporte que es la caza de cazas, el desafío de desafíos, la apuesta de apuestas: el desafío a la Muerte, la apuesta con la Vida. Condenaba a güelfos y gibelinos, escupía sobre la batalla de Montaperti, maldecía las Cruzadas, decía que Godofredo de Bouillón era igual al feroz Saladino, que en Jerusalén Tancredo de Altavilla se había comportado como un ladrón y un carnicero...

Y pasamos a la estación del viernes.

–6–

La estación del viernes cuenta por el precio que, con la complicidad de Salvatore Bellezza hijo del difunto Onofrio, pagó Halcón para imponerse la Gran Prueba que siempre había eludido o aplazado. No obstante, abarca un episodio que demuestra bastante bien hasta qué punto es inigualable inimitable insuperable eterna la perfidia humana: el martirio de la yegua blanca. Así que comenzaremos por él. Y ésta es, brevemente, la historia.

Había sido una noche de inactividad, en Tayoune. A saber por qué nadie había matado a nadie, y los francotiradores de las facciones opuestas se habían aburrido mucho. Así pues, para resarcirse del aburrimiento al despuntar el alba reanudaron el sádico tiro al blanco ante el que la yegua blanca reaccionaba como si las balas que volaban en derredor fueran tábanos o moscas que espantar sacudiendo su delicada cola, y pronto se alzó en la glorieta un relincho agudísimo: casi un grito de mujer parturienta o víctima de malos tratos. Tal vez a causa de la neblina matutina el juego de rozarla y nada más no había salido bien, y en lugar de en la hierba una 7,62 hermana de las 7,62 que habían matado a Ninette había acabado dentro de la potente grupa. Otra, en el hombro derecho. Inmediatamente después una 5,56 hermana de la 5,56 que había traspasado el cerebro de Rocco fue a clavarse en el muslo izquierdo en el que abrió un gran desgarrón rojo y, loca de dolor, la yegua blanca se encabritó: con la esperanza de sacudirse las tres piedras de fuego saltó fuera del parterre, se puso a galopar alrededor y comenzó el auténtico martirio. Era tal tentación, verdad, aquel blanco móvil: aquel gran cuerpo sólido y delicado que galopaba desesperado, aquella larga melena rubia que fluctuaba en sedosas oleadas de luz, aquel hermoso hocico que se alargaba en busca de salvación. Era tal invitación a dar libre curso a su ferocidad y a su vileza: ¡no podían permitirle que se librara con tres heridas apenas! Y musulmanes y cristianos, por una vez de acuerdo, olvidando por una vez su odio recíproco, empuñaron mejor los fusiles con mira telescópica. Se apoyaron mejor en los muretes y en los balcones de las ventanas rotas, se unieron en la empresa de destruirla sin apuntar a la cabeza ni al corazón, si no se desplomaba al instante y adiós diversión, adiós pasatiempo, adiós distracción, y le descargaron encima una lluvia de aquellas piedras de fuego. ¡Tun-tun-tun! ¡Bang-bang-bang! ¡Ding, ding! Entonces ella se detuvo. Con el vientre agujereado, el jarrete izquierdo roto, la rodilla derecha destrozada, la cruz desgarrada, el lomo llagado, volvió a subir al parterre. Embadurnada de sangre, desalentada por el descubrimiento de que batirse o escapar no servía de nada porque los hombres son demasiado perversos, la perfidia humana está por doquier, inigualable inimitable insuperable eterna, y la muerte es el único refugio en el que encontrar la salvación, se abatió en medio de la hierba: en su casa. Y allí se quedó jadeando, resoplando, bufando, desangrándose poco a poco, sufriendo cada vez más: los inmensos ojos violeta, los ojos de Ninette, desorbitados en una mirada que parecía preguntar ¿¡¿qué he hecho mal?!? ¿¡¿Qué?!? ¿Por qué no muero? ¿Por qué no logro morir? ¿Por qué? Aún vivía cuando Angelo y Bernard le Français llegaron a Tayoune.

«Assassins! Vers puants. ¡Asesinos! ¡Gusanos hediondos! Bêtes hideuses! ¡Bestias repelentes! Hyènes! ¡Hienas!» gritó Bernard le Français con un nudo en la garganta.

La tomó también con Rocky y los Amal de Rocky. «Salauds, voyoux, pusillanimes, cabrones, chulos, pusilánimes, qu'est-ce-qu'it-fallait-pour-l'aider, ¿qué-trabajo-os-costaba-ayudarla?» En cambio, Angelo se encerró en uno de sus silencios pétreos. Sólo abrió la boca para decir que había que rematarla con una bala en la frente.

«Hazlo tú, Bernard.»

Lo malo es que Bernard no fue capaz de ello. Je-ne-peux-pas, no-nuedo, je-ne-peux-pas. Y la pobre criatura hermosa que nunca molestaba a nadie, que nunca había molestado a nadie, continuó jadeando resoplando bufando desangrándose sufriendo dos días y una noche más. Es decir, hasta que una hiena piadosa la decapitó desde lejos con dos ráfagas de Kalashnikov.

¿De verdad piadosa? Quien conoce a los hombres, y por consiguiente no abriga la menor ilusión respecto a ellos, tiene todo el derecho a dudar de que en este mundo exista de verdad un sentimiento llamado piedad. Fuera como fuese, volvamos con Halcón, que durante aquel martirio se flagelaba en un examen de conciencia carente de la menor piedad para consigo mismo.

* * *

«Dîtes à Falco qu'il faut avoir du courage, que rien dans la vie compte plus que le courage, que la vie sans le courage n'est pas vie. Diga a Halcón que hay que tener valor, que nada cuenta en la vida más que el valor, que la vida sin valor no es vida. Y aún antes: Dîtes-lui qu'il aurait dû venir avec vous et Armando, que j'aurais bien voulu l'embrasser, dígale que debería haber venido con Armando y usted, que me hubiera gustado abrazarlo. Se había despedido de Gigi el Cándido con aquel reproche. Y, en cuanto a valor, ¡qué lección le había arrojado a la cara al negarse a ponerse a salvo! Moi-je-suis-un-soldat-de-Dieu-et-je-ne-bouge-pas, yo soy un soldado de Dios y no me muevo. Se habían negado las tres, las tres le habían arrojado a la cara una lección de valor, pero era ella la que decidía. Era ella la que daba ejemplo. Si ella hubiera decidido huir, también sor Milady y sor George habrían huido y... Era evidente que saber que ella o mejor dicho ellas estaban en el convento vacío y semidestruido, escondidas en la obscuridad de un cuarto trastero y bajo tierra y a la merced de los fanáticos que conquistarían la colina, le partía el corazón. Era evidente que pensar en las cosas que le había contado Gigi el Cándido lo dejaba sin respiración, lo desgarraba con el cilicio de la nostalgia. Y sin embargo lo que le hacía sufrir como ahora sufría no era el corazón partido, la falta de la respiración, el cilicio de la nostalgia. Era la vergüenza de aquel reproche, el dolor que sentía al comprender hasta qué punto sor Espérance había comprendido que él no tenía valor. Y eso sin contar el malestar que le había infligido el triunfo de su ayudante. You did it, son of a gun! You got balls, old fart! You're a devil, man! Thank you, brother! Si ayer por la mañana hubiera pronunciado las tres palabras que le quemaban la lengua, yo-también-voy, el triunfo le habría correspondido también a él. Pero no las había pronunciado. No había ido. Como siempre había preferido el cómodo limbo de quien no vence y no pierde. Y no pierde porque no vence, no vence porque no juega, no juega porque no se atreve, no se atreve porque no vive. No vive porque no tiene valor.

Aguzó el oído ante el eco de un cañoneo que venía de Hazmiye, señal de que la batalla por la posesión de la colina había comenzado, y eso exasperó su tormento. El limbo de quien no vive porque no tiene valor, sí. El limbo de quien no se expone nunca, no se compromete nunca, no se arriesga nunca, por tanto no recibe ni elogios ni vituperios: no va ni al Paraíso ni al Infierno. El limbo de quien se mantiene siempre neutral, siempre espectador, siempre seguro detrás de una ventana desde la que mira a los pocos que se exponen y se comprometen y se arriesgan. El limbo de quien tiene miedo y por miedo se niega incluso el bálsamo de un adiós: dé-recuerdos-de-mi-parte-a-la-superiora. El limbo de los cobardes. Yo y el miedo somos viejos amigos, se decía en las letrinas de los oficiales para justificar sus estreñimientos. Amigos de infancia, amigos fieles, amigos que se encuentran en cualquier lugar y en cualquier circunstancia: en las plazas airadas que te atacan con barras de hierro y piedras de un kilo y cócteles Molotov, en las reprensiones de los generales que te ensordecen con sus gritos, en las esperas que preceden al lanzamiento en paracaídas. Pero afronto las plazas airadas, respondo a las reprensiones de los generales, me lanzo en paracaídas. Por tanto no soy un cobarde. Y la autodefensa tenía su lógica. Es cierto que tener miedo no significa ser cobarde. Es cierto que el valor nace con frecuencia del miedo, que en resumidas cuentas consiste en superar el miedo. Lo malo es que la autodefensa se refería a un pasado compuesto de pruebas de escaso valor: en la ciudad a la que había venido y regresado con el propósito de afrontar la Gran Prueba había eludido todas las ocasiones para superar el miedo. Todas. Salvo en las letrinas de los oficiales nunca había hecho nada para demostrarse a sí mismo y a los demás que con frecuencia el valor nace del miedo, que tener miedo no significa ser cobarde. No había realizado un solo gesto que le permitiera decir yo-no-soy-un-cobarde. Y dentro de cuarenta y ocho horas se marcharía. Si el barco en que se embarcaba no saltaba por los aires con un kamikaze, al cabo de una semana volvería a su plácido mundo carente de ocasiones. Volvería a ejercer su oficio de guripa que tiene más miedo que los idiotas a los que quiere dar miedo o da miedo: su papel de inquisidor que no ve más allá de su nariz. Y su verdad continuaría a ser la de siempre. Es decir, la de un presunto duro que para que lo tomen en serio se aferra a las tumbas de los carabinieri caídos en Podgora, en Gorizia, en el frente grecoalbanés, en el África septentrional, en la resistencia a los nazifascistas: la de un auténtico flojo cuyo ideal es el de morir a los cien años en un campo de tenis y con la raqueta en la mano por lo que el domingo se quita el uniforme de duro y va a probarse en los drives y en los reveses, en los top-spin y los drop-shots y las voleas, en particular la volea que hay que ejecutar apoyándose en el talón derecho... Sintió que un escalofrío le recorría el cuerpo. Dios, susurró, Dios, dame otra ocasión. Una última ocasión, una ocasión in extremis, ¡un motivo para demostrarme a mí mismo que no soy un cobarde! No me importa tener testigos, ser llevado en triunfo, oír que me dicen you-did-it-son-of-a-gun, you-got-balls-old-fart, you're-a-devil-man, thank-you-brother. Tampoco me importa que ella llegue a saberlo, que siga considerándome un hombre sin valor. Sólo me importa poder decirme a mí mismo que no soy un cobarde.

«¡Mi comandante!»

Alzó su agudo rostro aún más agudo por aquella tribulación, miró con indiferencia al paracaidista que lo llamaba.

«¿Qué hay?»

«Mi comandante, ¡Rocco ha salido del coma!»

«¿¡¿Que ha salido del coma?!?»

«¡Sí, mi comandante! ¡Han telefoneado del Rizk!»

«¿Y quién ha respondido?»

«Su ayudante, mi comandante!»

Corrió a la habitación Luis XVI. Muy excitado, Gigi el Cándido lo confirmó. Sí, esta mañana el teléfono con la zona oriental funcionaba y sor Françoise había llamado para comunicarles que durante la noche Rocco había abierto los ojos, se había puesto a farfullar: «Imaam... reloj... Imaam...»

Naturalmente eso no significaba que estuviese fuera de peligro, y sor Françoise deseaba subrayar que se puede salir del coma para volver a caer en él poco después: las lesiones cerebrales permanecían y lo demostraba el hecho de que su farfullar fuera maquinal, inconsciente. No obstante, ahora existía una pizca de esperanza y... El rostro agudo pareció vibrar. ¡Allí estaba, la última ocasión! ¡Allí estaba el motivo para demostrarse a sí mismo que no era un cobarde!

«Y esa Imaam, ¿dónde está?»

«¡Uf! Ni siquiera Rocco tenía su dirección, mi comandante. Pero creo que vive por el lado de la Cité Sportive. Aun cuando supiera que él la busca, no podría desde luego llegar al Rizk.»

«¿Y el reloj?»

«Lo tengo yo.»

Gigi el Cándido abrió un cajón y sacó un cronómetro de goma negra. El reloj con el que Rocco había comprobado la hora y contado los segundos antes de levantarse y ofrecer la nuca a la 5,56. Rápido, Halcón lo cogió y se lo metió en el bolsillo.

«Yo se lo llevo.»

«¿¡¿Se lo lleva!?! Mi comandante, no tiene sentido ir allá, ¡arriesgar la piel por un reloj! ¡No vale la pena!»

«Eso lo dice usted.»

«¡Lo digo yo y sé de qué hablo! Tayoune rebosa de francotiradores, en el puesto de control de Amal hay un mentecato que...»

«Pasaré por Sodeco.»

«Mi comandante, ¡Sodeco es peor que Tayoune! Parece que esta mañana andan por allí los Hijos de Dios que se instalaron en la iglesia de Saint-Michel y el mullah jorobado que ayer pretendía detenerme con el convoy... Si no quiere pensar en sí mismo, ¡piense en la escolta!»

«No llevaré ninguna escolta.»

«¿Ninguna escolta? No comprendo...»

«No es necesario que comprenda, Gigi» murmuró Halcón. Y acariciando la idea de dirigirse también al convento, volver a ver a sor Espérance, le volvió la espalda. Corrió al jeep en que Salvatore Bellezza hijo del difunto Onofrio lo esperaba con sus ojillos de ratón atrapado en la trampa y su firme intención de degollar a Alí y dejar señalada a Sanaan.

«¡A sus órdenes, mi coronel!»

«¿¡¿Tú?!?»

Parece incongruente pero, pese a su simpleza sin curar e incurable, Salvatore Bellezza hijo del difunto Onofrio ya no era el bobo indefenso al que Halcón había torturado con la técnica-de-Torquemada y lo había devuelto a Livorno con el augurio de que se consumiera durante treinta años en la cárcel: la frágil larva que después del cruel adiós de Sanaan habían recogido y arrastrado de las axilas y los pies. Las adversidades fortalecen, y precisamente gracias a lo que había sufrido, la frágil larva se había convertido en una oruga en condiciones de soportar las intemperies de la existencia: el bobo indefenso se había forjado una coraza con la que había sobrevivido a reveses que habrían destruido a cualquier individuo normal. Por ejemplo, tres intentos de suicidio. El primero, tragando siete balas de 9 mm corto para cuya expulsión el oficial médico le había suministrado siete lavativas de agua salada: una lavativa por bala. El segundo, engullendo un frasco de aguas residuales recogido en las cloacas del cuartel y acabando en Primeros Auxilios donde en lugar del personal sanitario había un cartel que decía: «Hoy, asamblea sindical.» El tercero, colgándose de la mano bendiciente de san Gabriel, patrón de los paracaidistas, que esculpido en mármol campeaba en la capilla del batallón. Tronchada por el peso, la mano bendiciente había caído, le había golpeado en la cabeza y le había causado una herida inciso-contusa en la región occipital izquierda que curaría en veinte días salvo complicaciones.

También había sobrevivido a un viaje en tren con los forofos de un equipo de fútbol, a un domingo en la Plaza de San Pedro con los polacos llegados de Cracovia para ver al Papa, a una entrevista televisiva concedida por un profesorcillo del terrorismo que para salvar la piel se había presentado candidato a las elecciones del Estado imperialista multinacional asesino después había escapado con su cobardía y desde París gimoteaba para volver a su patria, a una adquisición de sellos en una oficina de correos cuyos empleados no querían que se les molestara, a una polémica sobre la guerra del Vietnam entre charlatanes que con mala fe o incapaces de juzgar con la perspectiva del tiempo repetían como discos rayados los viejos estereotipos del antiamerikanismo, al espectáculo de un proceso contra ciento veinte mafiosos a los que después se absolvió por falta de pruebas, a una denuncia por hurto presentada en la Comisaría (donde lo habían tratado como al ladrón de sí mismo), a un mitin seudoprogresista sobre la inderogable y urgente necesidad de transformar el país en una sociedad multirracial, y a la enésima caída del gobierno en seguida reconstruido con la misma gente. En una palabra a los traumas típicos que afectan a un ciudadano cuando vuelve a Italia después de una larga ausencia. Junto con ellos, a la desilusión de no haber sido retratado por Amadeo Modigliani: equívoco en el que había caído a causa de un conocido historiador de arte y ex alcalde de Roma que había hecho el papelón de atribuir al artista de Livorno dos groseros bajorrelieves esculpidos por estudiantes burlones y que representaban un rostro idéntico al suyo. «¡Soy yo, soy yo! ¡Modigliani me eligió a mí!»

Pero, sobre todo, había sobrevivido al odio de quienquiera que hubiese estado a su lado en aquellos meses: los compañeros de dormitorio a los que por la noche no dejaba dormir con su lloriqueo quiero-regresar-a-Beirut, quiero-regresar-a-Beirut; los oficiales que desde la mañana a la noche tenían que escuchar sus súplicas mi-teniente, mi-capitán, mi-comandante, mi-coronel, mándeme-de-nuevo-a-Beirut; el personal de la enfermería que tan pronto debía ponerle las siete lavativas como hacerle el lavado gástrico que le había negado el personal sanitario reunido en asamblea sindical o la sutura en la cabeza partida por la mano bendiciente de san Gabriel; el capellán del batallón que por su culpa se encontraba con la estatua manca y que después de cada suicidio debía soportar la historia de cierto Alí al que tenía que degollar y de cierta Sanaan a la que tenía que dejar señalada en Beirut. Tortura que por lo demás le planteaba un dilema angustioso: ¿observar el secreto de confesión o soplar todo al substituto de Halcón y recomendarle que no accediera a la petición? «Que Dios me perdone, Salvatore Bellezza hijo del difunto Onofrio» le había gritado una fea mañana de enero. «Si no vuelves de verdad allá, yo rompo a martillazos ese capullo de santo que no ha aguantado el peso y me convierto al budismo.» Después, y aquí está el quid, se había tomado muchas molestias para contentarlo. Al grito de ayudémosle-pobrecillo-ayudémosle, había intercedido ante el Vaticano, la Presidencia de la República, el Ministerio de Defensa, y el día en que había partido con el general de tres estrellas lo había despedido llorando de alegría: «Ve, so palizas, y pálmala. ¡Pálmala, pálmala! Mors tua, vita mea.»

Parece igualmente incongruente pero, cuando se había dado cuenta de que los italianos desmantelaban las bases, es decir, de que había regresado para volver a marcharse, Salvatore Bellezza hijo del difunto Onofrio no había cedido al desaliento. Al contrario, se había formulado una serie de preguntas bastante perspicaces. Una: dado que la abominable pareja vivía en la Ciudad Antigua, es decir, lejos de la base, ¿podía o no localizarla en seguida y apañarla antes de la marcha? Respuesta: no, no podía. Dos: ¿cómo resolver el inesperado problema? Respuesta: permaneciendo en

Beirut. Tres: ¿con qué truco permanecer en Beirut? Respuesta: con el de que lo volvieran a destinar a la escuadra de los carabinieri de guardia en la embajada. Cuatro: ¿quién tenía la autoridad para volver a destinarlo a la escuadra de los carabinieri de guardia en la embajada? Respuesta: el Cóndor. Cinco: ¿y quién tenía la autoridad para pedírselo al Cóndor? Respuesta: Halcón. Así pues debía obtener el perdón de Halcón. Y para obtener el perdón de Halcón debía componer un buen discursito, una autocrítica del tipo de las que hacían los herejes en tiempos de la Inquisición y los comunistas en tiempos del comunismo. Así: «Mi coronel, he vuelto con el fin de expresar arrepentimiento y remordimiento, reconocer que al ensuciar la chimenea con mis mensajes amorosos, al abandonar la ametralladora, al despertar a Su Excelencia y a todo el barrio, al dar de puñetazos a mi sargento y hacerle escupir los cuatro premolares, merecí Su severo juicio. Demostré que era de verdad un loco esquizofrénico, un paranoico delirante, un criminal que desacredita a la Benemérita, al Ejército, a la Patria, a la Bandera, y un ciego. Sí, un ciego, mi coronel: aquella a la que amaba y llamaba mi novia no era una muchacha virtuosa, una santa, una santa Rita de Casia. Era precisamente lo que Usted dijo: una lagarta, una puta, una zorra. O mejor dicho una gran puta, una gran zorra. Quiero rehabilitarme, mi coronel. Quiero borrar el ultraje, pagar por mis numerosos delitos, ser de nuevo digno de la Benemérita, del Ejército, de la Patria, de la Bandera, y por eso pido permiso para quedarme en Beirut: ser destinado de nuevo a la escuadra de guardia en la embajada, proteger a Ojo de Vidrio perdón a Su Excelencia el Embajador que se sacrifica por el País en Beirut y no tiene siquiera un campo de golf porque el jefe de los artificieros se lo redujo a un colador disparando sobre las bombas Cluster abandonadas por los palestinos. Quiero protegerlo hasta la última gota de sangre de los drusos, los Hijos de Dios, los Amal, los falangistas, los Kataeb, los amigos y los enemigos incluido el marido de la lavandera multimillonaria y palurda, aquel imbécil que era embajador en Cuba y jugaba con los automóviles como James Dean en *Rebelde sin causa*. Y, si no me perdona, mi coronel, si no pide al general que me deje en Beirut con la escuadra de guardia en la embajada, yo me mato.» Después se había aprendido todo de memoria, empresa que había requerido tres días y tres noches de esfuerzos, y esta mañana se había situado en el jeep de Halcón, que ahora lo miraba con los ojos desorbitados.

«¿¡¿Tú?!?»

«¡Sí, mi coronel! He vuelto con el fin...»

«¿¡¿Y cuándo has vuelto, maldición?!?»

«El martes por la mañana, mi coronel, con el fin de...»

«¿¡¿Y en qué, con quién has vuelto?!?»

«En el helicóptero de la almiranta y con el general de Roma a fin de expresar...»

«¿¡¿Y quién es el irresponsable que te ha hecho regresar?!?»

«El señor capellán del batallón, mi coronel. Intercedió ante el Vaticano, la Presidencia de la República, el Ministerio de Defensa, y después me dijo: ve-so-palizas-y-pálmala. Pálmala, pálmala. Mors-tua, vita-mea.»

«¡Bellezza! Agradece a Dios que no tengo tiempo de escucharte, porque debo ir corriendo al Rizk.»

«¿¡¿Al Rizk, mi coronel?!?»

«Al Rizk, al Rizk. Quítate de en medio, rápido.»

«No, mi coronel. Porque al Rizk lo llevo yo.»

«¿¡¿Cómo?!?»

«Que yo lo llevo allí. Así no va solo y por el camino declamo mi autocrítica.»

«¿¡¿Tu autocrítica?!?»

«Sí, mi coronel. Una autocrítica del tipo de las que hacían los herejes en tiempos de la Inquisición y los comunistas en tiempos del comunismo.»

«Bellezza, tú quieres morir. Por mi mano o por la de otro, tú quieres morir.»

«Si muero, mala suerte, mi coronel. He muerto tantas veces en estos meses. Una más o menos...»

Y enternecido Halcón firmó su propia sentencia.

«Pasemos por Sodeco» dijo.

* * *

La batalla por la posesión de la colina acababa de comenzar cuando, con el reloj de Rocco en el bolsillo y Salvatore Bellezza hijo del difunto Onofrio al volante, Halcón abandonó la base con dirección al paso de Sodeco. Naturalmente no había olvidado las advertencias de Gigi el Cándido, el rumor de que en Sodeco había más francotiradores que en Tayoune, de que esta mañana andaban por allí también los Hijos de Dios que se habían instalado en la iglesia de Saint-Michel y el mullah jorobado que ayer pretendía detener al convoy, y tenía mucho miedo. Pero el consuelo de demostrarse a sí mismo que tener miedo no significa ser cobarde, que el valor nace con frecuencia del miedo, que en resumidas cuentas consiste en superar el miedo, le regalaba una felicidad nunca conocida. Nunca disfrutaba ni siquiera en las pistas de tenis ejecutando la volea apoyado en el talón derecho. La felicidad que da, verdad, emprender algo monstruosamente difícil sin la ayuda de nadie o mejor dicho pese a todos. Por ejemplo un trabajo que todos entorpecen, una rebelión que todos combaten, un desafío que todos desaconsejan. La felicidad silenciosa, orgullosa y sin embargo modesta, de la que eres el único artífice y beneficiario. La felicidad solitaria, privada, secreta, que compensa o alivia la falta de la felicidad verdadera.

Lo exaltaba también la espera de abrazar a sor Espérance, y le gustaba la idea de haber perdonado a Salvatore Bellezza hijo del difunto Onofrio: de haber complicado la Gran Prueba aceptando semejante estorbo. Si-muero-mala-suerte, mi-coronel, he-muerto-tantas-veces-en-estos-meses, una-más-o-menos... Pobre muchacho, pensaba, cuánto debe de haber sufrido al abandonar Beirut. Fui injusto con él, fui feroz. Bruttezza, deberías-llamarte-Bruttezza. No-tienes-cojones, entre-tus-piernas-no-hay-ni-una-cabeza-de-alfiler, tus-mejillas-están-lisas-como-las-mejillas-de-un-eunuco. No-eres-un-hombre, eres-un-eunuco, un-castrado. ¡Pues vaya! Será un castrado pero, a fuerza de dar el coñazo, ha conseguido regresar en el helicóptero de la almiranta y con un general de tres estrellas. Será un eunuco pero ha tenido cojones para afrontarme y seguirme a la zona oriental. Pero, ¿qué dice, qué quiere? Primero hablaba de santa Rita de Casia y de una puta que es una gran puta, una zorra que es una gran zorra: ahora habla del Ejército, de la Patria, de la Bandera, y de la Benemérita. No, habla de un ojo de vidrio y de un campo de golf agujereado por las bombas Cluster, de un embajador imbécil, de una lavandera multimillonaria y palurda, de James Dean y de la película *Rebelde sin causa*. Pero ¿¡¿qué tendrá que ver James Dean, la lavandera multimillonaria y palurda, y el campo de golf y el ojo de vidrio?!? No comprendo. Tal vez al morir tantas veces haya perdido el juicio. O tal vez no lo esté escuchando yo. Ya lo escucharé después. Después de llevar el reloj a Rocco, le preguntaré qué quiere... Y entretanto Salvatore Bellezza hijo del difunto Onofrio conducía, guiaba a aquella alma en pena a la cita con el destino del que era cómplice indispensable sin saberlo. Conducía muy mal. Para declamar mejor su autocrítica apartaba las manos del volante, gesticulaba, accionaba, esquivaba por un pelo los obstáculos. De ese modo había recorrido la Rue de l'Aérodrome después la Avenue Nasser luego había cruzado la glorieta de Sabra, había bordeado El Pinar, se había internado por la Rue Bechara. Y ahora se acercaba al paso de Sodeco, por lo general abierto y constituido por una simple barrera.

«Acelera» ordenó Halcón, impaciente.

«Sí, mi coronel» respondió al tiempo que se lanzaba al zig-zag de las callejuelas que Azúcar había descartado por las curvas en las que los remolques no habrían podido girar. Y dando bandazos, haciendo virajes, patinando, de callejuela en callejuela y de curva en curva llegó a la Rue Bechara, acabó en la calleja que acababa delante del puesto de control, frenó, desorientado. Pero, ¡bueno! Estaba cerrado con caballos de Frisia y rollos de alambre de espinos: ¿por qué? Detrás de aquellos caballos de Frisia y aquellos rollos de alambre de espinos había muchos tiarrones con la cinta negra en torno a la frente y la imagen de Jomeini en el pecho: ¿por qué? Estaba también el mullah jorobado del turbante carmesí y el Corán en bandolera que se arrodillaba para apuntar mejor y dirigía el fusil contra el jeep: ¿por qué?

«¡Vuelve atrás, vuelve atrás!» gritó Halcón.

«¿Atrás, mi coronel?»

«¡Atrás, sí, atrááás!»

«Sí, mi coronel.» Después giró a medias para invertir el sentido de la marcha, chocó con un caballo de Frisia, frenó de nuevo para meter la marcha atrás, y al tocar el embrague se le caló el motor.

«¡No te detengas, por Dios, no te detengas!»

«Se ha calado, mi coronel...»

«¡Vuelve a arrancar, por Dios, vuelve a arrancar!»

«¡No arranca, mi coronel...!»

«¡Vuelve a probar, por Dios, vuelve a probar!»

«Sí, mi coronel...»

Volvió a arrancar, por fin. Completó la maniobra. Pero al completarla se enganchó con el parachoques en un rollo de alambre de espinos: y se lo llevó deshaciendo media barrera. Lo arrastró como una cola de latas arrastradas por el automóvil de dos recién casados. ¡Din-din, din-din, din-din!

«¿Qué has hecho, imbécil, qué haces?»

«Se ha quedado enganchado en el parachoques, mi coronel...»

Y justo mientras decía se-ha-quedado-enganchado-en-el-parachoques-mi-coronel, diciéndolo giraba para volver a la Rue Bechara, al girar, ofrecía al Kalashnikov del mullah jorobado el costado derecho del jeep y por tanto el cuerpo de Halcón, se oyó un grito: «Allah akbar!» Junto con el grito, el crepitar de una ráfaga. Los estallidos de las 7,62 que acertaban en la matrícula, el faro trasero, el ángulo de la caja, el chasquido de una que agujereaba la chapa de la portezuela derecha. La portezuela junto a la cual iba sentado Halcón. Y Halcón vio su pierna derecha saltar hacia arriba y después caer sobre la esterilla para anegarla de sangre. Sintió un gran dolor en el pie derecho, un dolor violentísimo que irradiaba del talón, comprendió que la bala había traspasado la bota y había penetrado en el talón de la volea, se agarró al brazo del imbécil que naturalmente no se había dado cuenta de nada.

«¡Al hospital de campaña, rápido!»

«¿Al hospital de campaña, mi coronel?»

«¡Sí, corre, por Dios! ¡Corre!»

«¿Por qué? ¿No se siente bien? ¿Le ha dado dolor de estómago, mi coronel?»

«Corre...»

«Pero, ¿ya no vamos al Rizk, mi coronel?»

«Corre...»

Corrió, por fin. Sin dejar de arrastrar tras sí el rollo de alambre de espinos que golpeaba contra el suelo como una cola de latas arrastradas por el automóvil de dos recién casados, de nuevo dando bandazos y haciendo virajes y patinando, llegó al hospital de campaña. Sin comprender aún qué había sucedido lo entregó a los médicos de Primeros Auxilios que tras haberlo tumbado en la mesa del quirófano palidecieron. Después de traspasar el obstáculo de la chapa y la bota y perder su disposición, la 7,62 del mullah jorobado había explotado en el pie y había hecho un destrozo idéntico al que habría hecho la 5,56 tan estimada por los witty-boys de McNamara. El talón había dejado de existir, el tarso y el astrágalo y el escafoides estaban reducidos a un puñado de minúsculos fragmentos óseos. Los cuboides y los cuneiformes estaban casi deshechos, y en lugar de las falanges y del metatarso sólo había una masa de cartílagos sanguinolentos.

«¿Me han acertado en el talón de Aquiles verdad?» dijo Halcón jadeando e intentando dominar el dolor ahora insoportable.

«Sí, coronel.»

«Díganme si aún podré jugar al tenis...»

«Y usted díganos qué coño hacía en el paso de Sodeco» respondió, evasivo y preocupado, el cirujano.

«Iba a llevar un reloj...»

«¿¡¿Un reloj?!? ¿Y por qué, hostias, por qué?»

«Para demostrarme a mí mismo que no soy un cobarde» murmuró con un hilo de voz. Después se desmayó y le amputaron el pie. O lo que quedaba del pie.

Se llegó así a la última estación, la del sábado.

–7–

«Mi hachís no hace daño.
Es cosa buena, viene de la Bekaa,
de los verdes valles de Baalbek.
Y cuesta poco.
Cómprate un kilo, soldado, y fúmalo.
¡Fúmalo, fúmalo!
No tienes otra cosa para olvidar
esta triste historia
y esta triste ciudad.»

Caía la noche y una triste voz de mujer cantaba la cantinela que la noche de la doble matanza se había alzado de la Rue de l'Aérodrome cuando, sin quitar la vista de la yegua blanca, ahora al final de su agonía, Angelo y Bernard le Français ordenaron a Rocky que levantara la barrera y Azúcar cruzó Tayoune con los últimos containers. Aquellos dentro de los cuales había guardado los artilugios del Museo, las radios y los teléfonos y el equipo de la Sala de Operaciones, el mobiliario del Cuartel General donde desde la mañana sólo quedaba la gran mesa de cerezo y un par de sillas y el cuadro al óleo del emir con el turbante amarillo y la capa azul. Casi al mismo tiempo Pistoia concluyó la construcción de su pequeño San Gimignano, los tres barcos enviados a recoger a los mil doscientos aparecieron en el horizonte, y la flota encabezada por la almiranta se alineó a lo largo de la costa para velar con sus cañones por los italianos en su último día y su última noche en Beirut. Entonces el Cóndor llamó a Caballo Loco y le dijo que rompiera el silencio con la tropa, que le revelara que se marchaban la mañana siguiente. Llamó al Profesor y le dijo que informara también a los cristianos y a los drusos y pidiera a ambos que facilitaran las operaciones de embarque suspendiendo el fuego al despuntar el alba. Llamó a Charlie y le dijo que hiciera lo mismo con Zandra Sadr y le avisara de que la entrega de los víveres y del hospital de campaña se haría antes de que se pusiera en marcha el convoy final. Después se encerró con llave en el despacho vacío, se acurrucó entre los equipajes, y dejó que las lágrimas se mezclaran esta vez con los sollozos.

«Dios, Dios, Dios...»

No lo habrías reconocido aquel sábado por la tarde, víspera de la partida. Los ojos inyectados, las mejillas hinchadas, el marcial corte deshonrado por una fístula que se había formado bajo la costra, parecía la sombra del apuesto hombre al que la soubrette había gritado desde el escenario general-tío-bueno, estás-para-comerte, qué-haces-esta-noche. Y su extraordinaria energía había desaparecido. Y con ella, todo rastro de arrogancia autoritaria. Sí, pensaba sollozando, sí: se iba a la luz del sol y con las banderas desplegadas. No a la chita callando como los ingleses. Pero se iba con un gran deseo de pedirse disculpas a sí mismo: al niño que a los cuatro años había vencido en la competición con el triciclo, a los seis en la de natación, a los ocho en la de ping-pong, al muchacho que a los diez años había ganado la carrera a campo traviesa, a los doce la carrera de obstáculos, a los trece la carrera por carretera, a los catorce el campeonato de boxeo, al adolescente que había vivido dos veranos en el barco pesquero, al joven que había emprendido la carrera militar para conducir el tren cargado de viajeros confiados, al hombre o mejor dicho al soldado al que estaba a punto de quitar de nuevo el orgullo. Oh, habían sido siempre insultos a su orgullo todas las veces en que había tenido que tragar quina en Beirut. Y eso empezando por la triste llamada ahora modificada en el indecoroso no toquéis-a-los-italianos-que-parten, los-italianos-son-nuestros-hermanos-de-sangre-y-al-partir-nos-dejan-regalos. Pero el peaje que mañana pagaría en chuletas y jamones, ravioli y tortellini, ambulancias y camillas, quirófanos y escupideras, los superaba a todos. Sí: gracias a la venta de su orgullo al precio de tres millones trescientas treinta y tres mil trescientas treinta y tres coma treinta y tres liras por cabeza, devolvía a casa o esperaba devolver a casa a los mil doscientos que le habían confiado. Pero, en su caso, ¿qué significaba volver a casa? Sólo volver a la rutina cotidiana de las pequeñas guerras incruentas, entregarse de nuevo a las reglas falsas o ambiguas de un mundo en el que cuenta lo que no cuenta, volver a los fastidios y la mediocridad de la llamada existencia normal. Para él la casa no era un alivio, una alegría. Era un ático seudoelegante en un barrio seudoelegante de Roma: ocho habitaciones, dos baños, aire acondicionado, garaje, vajilla de plata para los huéspedes importantes o los amigos que no son amigos. Era una cama que compartía con una esposa que no había echado de menos, que no tenía el menor deseo de volver a ver, que seguramente lo recibiría magnificando los presuntos sacrificios sufridos en su ausencia u otras bobadas. Yo-aquí-sola-a-cargo-de-la-familia-y-tú-divirtiéndote-seguro-con-la-libanesa. Era un horario de empleado en el Estado Mayor, era el odio de los colegas que envidian tu temporal celebridad y te la hacen pagar con el veneno de la maledicencia. Era la miserable lucha por el ascenso, la espera de la jubilación, la jubilación. ¡La jubilación! La vida se convierte en un grifo que gotea tedio y renuncia, con la jubilación. Te marchitas, te idiotizas, envejeces, con la jubilación. Te apagas. Mueres de inacción. Mejor morir de hexógeno, por tanto. En seguida y en Beirut. Pero si hubiera muerto de hexógeno centenares de criaturas muy alejadas de la jubilación habrían muerto con él, el precio de su orgullo se habría pagado en vano y...

«Dios, Dios, Dios...»

Sollozaba también por esto: por la sospecha de que pagaba en vano el precio de su orgullo. Posibilidad que asociaba con el temor de no haber conducido bien su tren. En efecto, Charlie no le había dicho en ningún momento que la calumnia difundida en Gobeyre no era una calumnia. No le había confesado en ningún momento que quien había disparado la 9 mm Parabellum en el corazón de Jalid-Passepartout había sido Angelo. Y Angelo no había roto en ningún momento el silencio que le había impuesto Charlie. Martino tampoco. Así sobre la ira de Rashid, sobre el eslabón final que aquella noche se había unido a la cadena de los acontecimientos iniciados tres meses antes, el hombre que sabía todo y quería saber todo no sabía nada. Al no saber nada temía haber conducido mal aquel tren, y se reconcomía, él que se había mostrado siempre adversario de la duda, presa de las dudas. Tal vez me haya equivocado perdiendo tantos días en los convoyes, en los containers, en las trincheras verticales. Tal vez me haya equivocado no despidiéndome a la francesa y jugando al azar, haciéndome la ilusión de que la *fiche* era una *fiche* ganadora. Tal vez sea un mal general, uno de esos que repatrian de verdad a los soldados en ataúdes... Por último, sollozaba porque se temía que en cualquier caso había cometido la imprudencia de considerar una coincidencia fortuita, una concomitancia trivial, aquel «tres» que reaparecía siempre y que todas las veces se multiplicaba o se dividía para darse a luz a sí mismo. Tres camiones, tres lanchas. Tres naves, tres batallones. Tres meses transcurridos desde el domingo de la doble matanza, tres millones trescientas treinta y tres mil trescientas treinta y tres coma treinta y tres liras de peaje por cabeza. Y el tercer camión que no llega, la tercera lancha que acaso llegue, el tercer ojo que no ve, el tercer oído que no oye, el tercer barco que... Era el más vulnerable, el tercer barco. Lo era porque, al dejar partir a los otros dos barcos el hipotético kamikaze podría estudiar el trayecto a seguir y calcular el tiempo que necesitaba. Sin tener en cuenta que, después de la partida del primer grupo y del segundo grupo, en el tercero se produciría una especie de relajamiento: un optimismo peligroso. Ánimo-muchachos-que-lo-vamos-a-lograr, también-nosotros, no-hay-dos-sin-tres. Había organizado bien la autodefensa de los tres barcos. Había ordenado que se situaran diez fusileros en el tejado del puente, diez en el castillo de proa, diez en el alcázar de popa, diez en el puente de cubierta, veinte en los puentes descubiertos. A cada uno de aquellos fusileros les había dicho que a la menor alarma debían hacer fuego, disparar sobre cualquier cosa que se moviera a ras del agua incluso el más inocente pesquero. Y en el tercer barco estaría también él: en caso de necesidad, dirigiría él la operación. Pero un obscuro instinto le decía que, si el kamikaze los atacaba, su presencia no serviría para nada. Menos aún serviría la flota con sus computers y sus cañones, su tecnología. Pese a la lluvia de disparos caería sobre su blanco, una vez más las hormigas se comerían al elefante y... Estuvo sollozando hasta que Caballo Loco llamó a la puerta para informarle de que Halcón se había recuperado del shock postoperatorio y deseaba hablar con él.

«Voy en seguida, coronel.»

Tumbado en un camastro del hospital de campaña, con el pie amputado y la mirada brillante de fiebre, Halcón lo recibió con una sonrisa valiente. Deseaba hablarle, dijo, para solicitarle dos favores. Uno relativo a la raqueta de tenis que estaba en su equipaje: objeto precioso y doloroso que quería dejar como recuerdo a sor Espérance, la superiora del convento. Había sido una tenista famosa, seguro que apreciaría aquel regalo. Y desde luego se le podía enviar con los gubernamentales que ocupaban el rascacielos de Ost Ten. El otro, relativo al cabo primero Salvatore Bellezza hijo del difunto Onofrio, expulsado en noviembre por una pequeña infracción y que el martes por la mañana había regresado con el general de Roma. Al despertar de la anestesia se lo había encontrado junto a la cama y había tenido que escuchar una perorata interminable sobre su voluntad de redimirse permaneciendo en Beirut con la escuadra de los carabinieri de guardia en la embajada, es decir, la escuadra a la que pertenecía en el momento de la infracción. Pobre muchacho, no tenía la inteligencia de Einstein precisamente, y con frecuencia sometía a dura prueba la paciencia de los demás. Pero era resistente, incapaz de hacer daño a nadie, y valía la pena contentarlo.

«Se lo ruego, mi general.»

«De acuerdo, coronel, me encargaré de ello» le respondió conmovido. Y media hora después, sin desperdiciar tiempo en investigaciones, ordenó que se volviera a destinar al cabo primero Salvatore Bellezza hijo del difunto Onofrio a la escuadra de los carabinieri de guardia en la embajada. En cambio la raqueta la dejó en el equipaje de Halcón, porque (a Halcón no había tenido valor para decírselo) durante la noche la colina había sido conquistada por los Amal, el convento había sido asaltado por los Hijos de Dios, y circulaban malas noticias tanto sobre sor Espérance como sobre sor George y sor Milady.

* * *

«Mi hachís no hace daño.
Es cosa buena, viene de la Bekaa,
de los verdes valles de Baalbek.
Y cuesta poco.
Cómprate un kilo, soldado, y fúmalo.
¡Fúmalo, fúmalo!
No tienes otra cosa para olvidar
esta triste historia
y esta triste ciudad.»

Caía la noche y la triste voz de mujer seguía cantando la cantinela de los hashashín cuando los oficiales rompieron el silencio ante la tropa. Cometido que nadie cumplió con mayor gusto que Sandokan que impaciente por volver a Italia, decir adiós al mar y a la Marina, seguir el ejemplo de su padre pacifista y antimilitarista, se había afeitado su hirsuta e inculta barbaza, sus largos y colgantes bigotazos, sus patillas de cabra, y había puesto al descubierto una carita que parecía el símbolo de la bondad: tan anónimo como puede ser el rostro de un tímido burgués que gusta de llevar el reloj de oro en el chaleco y el carnet del Rotary Club en el bolsillo y recoger edelweis y pescar truchas en las lagunas de las estribaciones de los Alpes. También había ido a disculparse ante el diputado sunnita por el daño causado a la moqueta, y predicando las tesis de

Bertrand Russell se había puesto a esperar el momento en que pronunciaría la frase que pronunció.

«Morral al hombro, muchachos. Nos embarcamos mañana.»

¿Cómo reaccionaron? Bueno, la mayoría como se reacciona ante una panacea milagrosa. Y el primero en beneficiarse de ella fue Calogero el Pescador que rebosante de alegría por volver a Formica, recuperó de golpe el juicio perdido durante la batalla. Naturalmente Calogero no se había recuperado del trauma de aquellos rayos y truenos, de aquel maremoto, y en aquel mes había permanecido siempre encerrado dentro de la camisa de fuerza que le habían puesto en la enfermería de Sierra Mike para impedir que escapara de nuevo a buscar la barca. Peor aún: creyendo que la enfermería era una almadraba preparada por los enemigos de Garibaldi y la camisa de fuerza una red con la que lo habían capturado para venderlo a Libia a cambio del petróleo, en aquel mes no había hecho otra cosa que vociferar: «¡Abrid la almadraba, que no soy un atún! ¡Soy un muchacho! ¡Quitadme la red de encima! ¡No soy un pez para dar a Libia a cambio de un bidón de petróleo! ¡Soy un cristiano! ¡Malvados! ¡Malos! ¡Os aprovecháis porque Garibaldi ha muerto!» Pero, en cuanto le dijeron lo de el-morral-al-hombro-muchachos-que-nos-embarcamos-mañana, se sosegó y: «¿Para ir a dónde?» «A casa, Calogero.» «¿A vuestra casa o a la mía?» «Nosostros a nuestra casa y tú a la tuya, Calogero.» «Entonces dejadme hacer las maletas que ya no me escapo.» Y con la misma rapidez curó Roberto el Lavandero que arrepentido de haber ofendido a Jesús con la historia de san Lázaro cataléptico y después con la amenaza de votar comunista, convertirse en un teddy boy etcétera, contaba a todo el mundo que había sido socorrido por un ángel bajado del cielo para curarlo. Y quería hacerse fraile. He decidido entrar en un convento de capuchinos, ponerme al servicio de los desamparados a los que se olvida como un paraguas, y devolver el bien que he recibido.» Pero, ante el anuncio de Sandokan, se puso a gritar: «¡Bromeaba, tontos! No era un ángel que había bajado del cielo. Era un comando que llevaba las pilas al Veintisiete Lechuza.» Después declaró que no veía la hora de volver a Sanremo para ir de putas, jugar en el Casino, inscribirse en el PCI: partido que siempre daría miedo al mundo. En cuanto a Luca y a Nicola, de la emoción se desmayaron los dos, y cuando recuperaron los sentidos estaban completamente cambiados. «Hemingway tenía razón» dijo Luca. en la guerra un hombre se hace hombre aunque no lo sea. Yo ya no soy un niño que quiere seguir siendo niño, un Peter

Pan que busca Never Never Never Land en los jardines de Kensington. Soy un hombre que ha demostrado tener arrojo, saber estar bajo el fuego sin pestañear, y en Venecia no perderé el tiempo más bailando con Donatella o paseando por la Plaza de San Marcos. Escribiré una novela con el título de *Por quién suena el cañón*, y en ella contaré todo: desde lo de la bandera francesa hasta lo de la mujer desnuda. ¿Y tú, Nicolin?» «Yo me haré corresponsal de guerra. Me gusta la guerra» respondió Nicola, al tiempo que corría a unir su júbilo con el júbilo de los demás beneficiados por el milagro.

«¡Hurra! ¡Viva! ¡Hurra!»

En cambio otros reaccionaron con la tristeza o la indiferencia que acompaña al final de una relación por la cual has sufrido demasiado, te has consumido demasiado por lo que al librarte de ella ni siquiera sientes alivio: sólo sientes indiferencia o tristeza. Y ése fue el caso de Rambo que con la medalla de Jomeini en el pecho, que no se había quitado nunca pese a las reprimendas de Sandokan y los gritos del Cóndor, a cada rato abandonaba su patrulla para correr a la fosa común y expulsar a las cabras del punto en que había enterrado a Leyda. «Lástima. No podré volver a echarlas» comentó con tono ausente. Y otros, es decir, los que dejaban a una novia, un amor, reaccionaron con desesperación. En ese sentido, nadie sufrió como Fabio: pobre Fabio. Gracias a la muerte de Ahmed ahora vivía en la felicidad que sabemos, y el miércoles le había dicho a Jasmine: «Yo sin ti no me voy. Te escondo dentro del M113 del Veintiocho y con él te subo al barco. Después te meto en la bodega y te llevo a Italia. Además el jefe del tanque es amigo mío. Cuando se lo diga, no se opondrá.» De nada había servido que Jasmine hubiera respondido para desalentarlo: «Don't ask for the impossible, no pidas lo imposible, Míster Valor. Allah has given us more than we hoped, and we must be content with it. Alá nos ha dado más de lo que esperábamos, y debemos contentarnos con ello.» Él había seguido acariciando el espejismo y, cuando confió al jefe del tanque que escondería a su novia en el tanque, éste lo cogió por el cuello. Inconsciente, imbécil, si-lo-intentas-te-mando-a-la-cárcel. Pero también Matteo sufrió mucho. En efecto durante el día un helicóptero había descargado en Sierra Mike el último reparto del correo, y en él había una carta de Rosaria: la novia por la que, aparte del beso recibido la víspera de la batalla, había contenido el idilio con Dalilah dentro de los límites de una casta amistad. «Querido Matteo» escribía la desvergonzada, «en honor de la corrección y la lealtad que siempre he invocado, debo confesarte por qué te impulsé a arriesgar la piel en el berenjenal de Beirut. ¡Qué iba a ser la tesis sobre el Oriente Medio! Necesitaba alejarte para comprender si estaba enamorada o no de un viejo fascinante que me cortejaba. Bueno, pues lo estaba. Locamente enamorada, y me he casado con él. Desde hace un mes soy la señora de Caruso, consorte del jefe de la familia Caruso. Sí, los Caruso que controlan el mercado del pescado, los rivales de los Badalamenti. Espero que no te disguste.» ¿¡¿Que no te disguste?!? El dolor lo había cegado. Y como con frecuencia ocurre cuando el dolor ciega, lo que se había resentido había sido su perspicacia. En lugar de correr a decirle a Dalilah que la quería, corrió para pedirle que lo ayudara a olvidar la afrenta infligida a su reputación de macho y de síeculo. «Dalilah, Dalilah, ¡Rosaria me mandó a la guerra para casarse con un viejo mafioso! Dalilah, Dalilah, ¡mañana nos marchamos y vuelvo a casa cornudo! En nombre de nuestra amistad, ¡consuélame! Ven a acostarte conmigo o no seré capaz nunca más de sentirme un hombre.» «Moi je ne suis pas une infirmière. Yo no soy una enfermera. Go to hell et bon voyage, vete al infierno y buen viaje» respondió Dalilah, ofendida. Conque para olvidar la afrenta, a Rosaria, a Dalilah, la tesis sobre el Oriente Medio, la mafia, Palermo, Beirut que es una Palermo multiplicada por mil, a las mujeres que son crueles y desleales sea cual fuere la raza o religión a la que pertenezcan, Matteo siguió el consejo que daba la cantinela. Fue a comprarse un kilo de hachís y se fumó una cantidad colosal. Fumó tanto que en determinado momento perdió el seso y gritando en siciliano acabó en la camisa de fuerza recién quitada a Calogero el Pescador.

«¡Quiero morir!»

No fue el único que siguió ese consejo, claro está. La última noche lo compraron muchos, el hachís. Lo compraron casi todos: carabinieri, paracaidistas, infantes de marina, destinados en la Logística, destinados en el Cuartel General. Lo compraron a quien lo vendiera, a quien lo ofreciese, y en Beirut lo vendía todo el mundo: te lo ofrecía todo el mundo. Se lo compraron al sirio que tenía la tienda junto al Veintiuno y que para hacer los porros regalaba el papel con el estampillado del billete de cinco dólares, por una parte Abraham Lincoln con la barba a cepillo y por otra el Lincoln Memorial con el lema In-God-We-Trust, En-Dios-confiamos. Se lo compraron al palestino que tenía el surtidor de gasolina en la placita del Veintidós, el surtidor con la techumbre desde la que los Amal disparaban con su PK46, y al chiíta que tenía la farmacia en la Avenue Nasser justo delante del Veinticinco. Se lo compraron al carnicero de Bourji el Barajni que tenía la tienda frente a la estatua del Guerrillero Desconocido, la estatua a cuyos pies Gino se había detenido a escribir la poesía sobre el hermosísimo mañana que nunca iba a tener, y a los obreros de la fábrica que producía las cabezas de muñeca con el rótulo «Palestinian revolution». Las cabezas de muñeca que hasta hacía un año te estallaban en la mano. Se lo compraron a los muchachitos que a cambio querían chocolatinas, por diez gramos diez chocolatinas y por cincuenta gramos cincuenta chocolatinas. Se lo compraron a Sheila, la prostituta hermosa que se entregaba gratis a los oficiales, y a Fatima: la prostituta fea que follaba en el jeep caído en el fondo de la piscina bajo el Veintisiete. Se lo compraron a Farjane, la muchacha que se paseaba endomingada entre los puestos en busca de un italiano que se casara con ella, will-you-please-marry-me, y a Jamila: la niña hambrienta que robaba el rancho a Clavo. (Pero ella, a cambio, sólo quiso un pollo asado.) Se lo compraron a los guerrilleros, a los desertores de la Sexta Brigada, a los rufianes, a los mullah, a los muecines y al viejo ciego de la Rue Farruk. Lo compraron rubio, negro, rojo, moreno, en polvo, en forma de china, de lámina, de varillas, de tabletas redondas y cuadradas, rectangulares y cilíndricas, en bolsitas de algodón y de lino, con el sello Extra y sin el sello Extra, con la marca Cedro del Líbano y sin la marca Cedro del Líbano, y la mayoría se lo fumaron en seguida. Total aquella noche los oficiales médicos no irían a buscar muestras de orina para analizarla, los jefes de sector no harían inspecciones vociferando como-fumes-hachís-te-arresto-a-patadas-en-el-culo. ¡Menudo cómo se lo fumaron! El Cóndor y su Estado Mayor nunca averiguarían cuánto fumaron: de todas las bases, de todos los puestos, de todos los cuerpos de guardia, de todos los tanques, de todos los miradores, subía el olor a hachís. El olor que los drogadictos llaman perfume, verdad, y que en cambio es una peste. Una peste desagradabilísima a mierda quemada y romero, a musgo podrido y resina, suave y al tiempo penetrante, dulce y al tiempo picante, nauseabunda, fétida como la voracidad de los vampiros que para seguir siendo ricos producen y comercializan la droga. Una peste molestísima que es la peste de la debilidad, la flaqueza, la vileza. En efecto gusta a quien no tiene el valor de afrontar la vida, a quien no tiene cojones para mantener en vida a la vida, a quien no tiene la imaginación necesaria para apreciarla pese a sus durezas y sus porquerías y sus horrores, a quien no tiene inteligencia para amarla. Algunos lo fumaron por primera vez, guiados por una curiosidad rechazada y reprimida durante demasiado tiempo: la curiosidad de los niños que excitados por el no-toques, vas-a-ver-tú-como-toques, tocan. La curiosidad de Eva, madre del género humano, que con la ilusión de descubrir qué es el Bien y qué es el Mal cede a la serpiente y se come la manzana. ¿Se tratará de verdad de un afrodisíaco, de una panacea mística que anula las ansias y los disgustos y el miedo, de un mágico suero de la felicidad? ¿Dará de verdad el valor que no tienes, los cojones que no tienes, la imaginación que no tienes, la inteligencia que no tienes, o te reducirá de verdad a una larva que muere como una larva? «Venga, vamos a probar, vamos a ver» decían los niños excitados por el no-toques-vas-a-ver-tú-como-toques, las Evas ilusionadas con descubrir qué es el Bien y qué es el Mal.» Centenares de niños de uniforme, centenares de Evas vestidas de militares: con el fusil en la mano y la manzana en la boca. Y el hachís que no fumaron lo escondieron en los morrales, en los tacones de las botas, en las ruedas de los jeeps, en los motores de los vehículos blindados, en las sinuosidades de los M113 y de los Leopard: para llevárselo a Italia. Para fumarlo de nuevo o revenderlo, extender la plaga, difundir la desagradabilísima peste a mierda quemada y romero, a musgo podrido y resina, suave y al tiempo penetrante, dulce y al tiempo picante, nauseabunda, fétida como la voracidad de los vampiros que para seguir siendo ricos producen y comercializan la droga. Una peste molestísima que es la peste de la debilidad, la flaqueza, la vileza.

«¿Tú cuánto llevas?»

«Tres tabletas de doscientos gramos.»

«¿Y tú?»

«Cuatro bolsitas de doscientos cincuenta.»

«Yo veinte varillas de sesenta.»

El que se llevó más que ninguno fue Fifí. Mientras Stefano y Gaspare y Ugo echaban a Bernard le Français, que había ido a pedirles prestada Lady Godiva, en-payant-bien-sûr, pagando, claro está, Fifí corrió a comprar tres kilos en forma de chinas que escondió en todo agujero posible incluido el del culo. Chinas que por un extravío o mejor dicho una burla del destino llegarían sanas y salvas con él para conducirlo al cementerio al cabo de seis meses.

* * *

«Mi hachís no hace daño.
Es cosa buena, viene de la Bekaa,
de los verdes valles de Baalbek.
Y cuesta poco.
Cómprate un kilo, soldado, y fúmalo.
¡Fúmalo, fúmalo!
No tienes otra cosa para olvidar
esta triste historia
y esta triste ciudad.»

Había caído la noche y la triste voz de mujer no había cesado aún de cantar la cantinela cuando Charlie regresó de su último encuentro con Zandra Sadr y bajó a la Oficina Árabe donde, después de que sacaran la radio y la babel de municiones mezcladas con reservas de comida, quedaban pocos objetos: los fusiles, los cascos, el póster de las bellísimas piernas femeninas en el que alguien había escrito con grandes letras quien-no-tiene-cabeza-tiene-que-tener-piernas, un baúl vacío, y un fichero del archivo secreto. Parecía deshecho. Con gestos de hastío arrancó el póster, lo tiró, con voz cansada llamó al Cóndor para contarle que Su Eminencia se había comprometido a ordenar la tregua matutina ya garantizada por los cristianos y los drusos, después se acercó al fichero y abrió los cajones de hierro cerrados con llave. Comenzó a extraer las misteriosas hojas, los preciosos documentos sobre los cuales no había permitido a nadie poner la vista, y a trasladarlos al baúl vacío. Los nombres y apellidos de sus informadores chiítas o palestinos. La identidad de los espías extranjeros establecidos en Beirut. Los perfiles biográficos o profesionales de los terroristas exportados por Libia o Siria o Irán. Los retratos robot de los Hijos de Dios más sanguinarios. La topografía de los campamentos en que eran adiestrados y adoctrinados por los ayatollah. Las direcciones de los probables escondites en que languidecían los occidentales raptados por los diversos grupos. Los documentos substraídos Dios sabe cómo a los servicios secretos de las embajadas. El abecé de las insospechadas e insospechables personalidades implicadas en el contrabando de las armas o en el tráfico de la droga. El inventario de las armas vendidas en secreto a los países árabes por los israelíes, los americanos, los franceses, los suecos, los griegos, los italianos, los ingleses, los alemanes, y así sucesivamente. La lista de los poderosos y respetados ministros que para hacer la vista gorda a la intriga exigían una comisión para sí mismos y otra para su partido, progresista acaso. Las pruebas de que la doble matanza de octubre había sido cometida con hexógeno suministrado por el gobierno de Damasco. Los intríngulis de los innumerables asesinatos políticos habidos en la capital y el precio pagado por los notables que los habían encargado. La lista de las personas eliminadas en sordina por los palestinos cuando eran dueños de la ciudad y el señor Arafat era el rey de ella. En una palabra la enciclopedia de todas las infamias conocidas pero calladas por miedo o conveniencia, y también algunos recortes de periódicos con noticias en apariencia poco importantes pero señaladas en rojo. Entre los recortes de periódicos, un ejemplar de la revista *L'écho du Liban* que en la portada presentaba la fotografía de un famoso magistrado maronita asesinado unos años antes con una carga de tritol en el barrio de Ashrafiyeh. En el interior, la de su joven y espléndida mujer enloquecida de dolor.

Las trasladaba por orden, tras haberlas colocado en sobres de plástico que numeraba, mientras se preguntaba con amargura qué le había dado la triste ciudad. Con amargura se respondía que de positivo no le había dado un cuerno. No le había quitado la soledad porque la soledad era una característica de su naturaleza, y porque para estar menos solo no bastaba vivir con otros ni inventarse vínculos, afectos, parentescos: si se salvaban de la tercera lancha, sus Charlies no tardarían en olvidarse de él. Como máximo lo recordarían para mandarle dos líneas distraídas desde Milán o Roma o Treviso o Taormina o Bruselas: Saludos-cordiales-de-su-Charlie-Dos, de-su-Charlie-Tres, de-su-Charlie-Cuatro, de-su-Charlie-Cinco. No lo había librado de la melancolía porque su melancolía era fruto de su soledad, no lo había librado de los rencores porque sus rencores eran fruto de su melancolía, no le había infundido entusiasmos porque los entusiasmos son una cualidad de la juventud y para sentirlos a los cuarenta años debes tener estímulos excelsos o dotes de artista. Por último no había satisfecho su sueño de llegar a ser un Lawrence de Arabia porque para llegar a ser un Lawrence de Arabia hay que ser un victoriano aristocrático nacido en un castillo de Gales y educado en Oxford: un hombre refinado, un histrión genial, un aventurero con clase. Él era un pequeño burgués, es decir, un plebeyo de su tiempo, nacido en una modesta casita de Bari y educado en los cuarteles. Era un hombre substancialmente basto, tal vez un poco más inteligente que aquellos con los que trataba todos los días pero carente de atributos geniales, y eso lo convertía en un aventurero mediocre: un tipo condenado a sacrificarse en empresas menores. En cambio de negativo la triste ciudad le había dado todo. Todo porque, al obligarlo a intrigas mezquinas y avenencias de tendero, había exacerbado su pesimismo: había agravado su carácter de escéptico que no se asombra de nada. Y quien no se asombra de nada no cree en nada... Hasta hacía tres meses en algo creía, Dios mío. Por ejemplo en la necesidad de cambiar un mundo que no cambia, que no funciona porque está regido por la jerarquía más estúpida que existe. La jerarquía de quien no tiene y por tanto no cuenta, tiene poco y por tanto cuenta poco, tiene mucho y por tanto cuenta mucho, tiene demasiado y por tanto cuenta demasiado. Estaba de parte de los pobres y los ignorantes, en una palabra: de parte del pueblo buey que por una brizna de heno ara la tierra de los demás, barre las calles, para consolarse engendra hijos a nidadas, para instruirse lee medio libro encontrado en la basura. De parte de los Bilal. Y estar de parte de los Bilal significa estarlo aunque los Bilal se llamen Rashid o Passepartout, maldición. Pero cuando había descubierto que quien había matado a aquella Ofelia inofensiva e indefensa había sido Passepartout, cuando había visto de qué modo administraban los Rashid las victorias del pueblo buey, había comprendido que no había diferencia entre los Bilal y los Gassán. No la había porque los Bilal y los Gassán son aspectos de la misma cara, del mismo error: un error llamado Hombre. Sí señores, Hombre. Es el Hombre, no el mundo, el que rico o pobre no cambia. Es el Hombre, no el mundo, el que culto o inculto no funciona. Es el Hombre, no el mundo, el que en los dos casos mantiene viva la jerarquía más estúpida que existe. Por tanto basta de cháchara con buena o mala fe, basta de imposturas ideológicas sobre la miseria que absuelve, basta de mentiras evangélicas sobre la ignorancia que excusa, basta de cristianas peticiones de amnistía. Padre-mío-perdónalos-porque-no-saben-lo-que-se-hacen. ¡Lo saben, lo saben! Lo saben y ése era el verdadero motivo por el que ya no creía en nada. Así, si mañana la lancha llegara, moriría sin creer en nada y... ¿¡¿Y qué muerte es más muerte que la que llega cuando no se cree ya en nada?!?

Cogió irritado el ejemplar de la revista *L'écho du Liban*. Irritado la tiró sobre los sobres de plástico ya alineados dentro del baúl. Bienaventurados aquellos que creen en algo, pensó. En Dios Nuestro Señor, en el Diablo, en el amor, en el odio, en la patria, en el dinero, en el más allá, en el más acá: en algo. Se muere mucho mejor cuando se cree en algo. Se muere mucho menos. Y si llegara la lancha... Tal vez llegara. Tal vez hubiera sido inútil convencer al Cóndor para que se bajase los pantalones y pagara el peaje. Tal vez hubiese sido ingenuo recitar todos aquellos deseos: no se establecería nunca en una ciudad en la que se envejece y se muere de viejo, apergaminado y saciado de la existencia. No dormiría nunca en la cama cómoda con sábanas limpias y almohada de plumas y la mujer al lado, no se despertaría nunca en la habitación con el cielo que entra por las ventanas junto con el ding-dong de las campanas, no se lavaría nunca en el baño con agua caliente y muchas toallas recién lavadas, no bebería nunca el café con leche en las tazas de porcelana, no se pondría nunca el traje gris azulado con camisa de calidad y corbata hermosa, no usaría nunca paraguas, no haría nunca el trabajo de cenutrio que permite ir al restaurante y al cine y el domingo a los partidos de fútbol: no podría nunca convertirse en un tonto, sereno y tonto, contento y tonto, normal. Zandra Sadr estaba tan extraño, hoy. No parecía de verdad el odioso santón acostumbrado a tratarte desde lo alto de su hieratismo. Suspiraba, se agitaba como si estuviera abrumado por el peso de un fracaso o una culpa, procuraba no mirarte a los ojos. Además no se expresaba con el habitual lenguaje de oráculo, las habituales frases cargadas de significados ocultos. Hablaba como un común mortal, y sin plural mayestático, lo había informado de que no asistiría a la entrega de los víveres y del hospital de campaña. «No, yo no iré capitán... Soy viejo, ciertas cosas me cansan. Mandaré a mis hijos y se lo ruego: procure no hacer ceremonias, limite al máximo los formalismos. Basta con un apretón de manos y un papel que atestigüe la donación.» También había eludido el asunto de la futura neutralidad del hospital de campaña y la cesión de los víveres prohibidos por el Corán: los dos aspectos que apremiaban al Cóndor. Porfavor-Charlie-recálqueselo-bien. Él se lo había recalcado bien. Le había dicho. Eminencia Reverendísima, mi general quiere estar seguro de que la bandera italiana y el estandarte de la Cruz Roja seguirán ondeando en el mástil del hospital de campaña. Eminencia Reverendísima, aun sabiendo los problemas que plantea la Línea Verde mi general le pide que confirme el compromiso asumido hace cuatro días: el de ceder a los pobres de la zona cristiana la carne porcina y las bebidas alcohólicas que no hemos podido despachar...

Pero en ambos casos la respuesta había sido un evasivo comprendo-capitán-comprendo. De todos modos lo peor había sucedido al despedirse. Porque al despedirse el rostro que había mantenido siempre bajo se había alzado, los ojos que habían permanecido siempre bajos, se habían alzado y: «Capitán, por desgracia en todas las iglesias se encuentran malos fieles, es decir, fieles incapaces de obedecer. Debo pues despedirlo con un proverbio que conviene a esta circunstancia: "El hombre propone y Dios dispone." Inshallah, capitán. Rezaré por usted y por su gente.» Con otras palabras, había delegado en el Altísimo la tarea de salvarlos... Lanzó una mirada a Angelo y Martino que en silencio lo ayudaban a guardar el archivo secreto, y un espasmo le retorció el estómago. Un espasmo muy semejante al del día en que los dos bribones a los que la Ley calificaba de padres habían vuelto para llevarse a su hija Gioia, y al ver que se la llevaban Gioia había estallado en aquellos gritos Dada-no, Dada-no, Dada-no. Son tan jóvenes, ellos, se dijo: creen aún en todo. Si llegara la lancha, morirían creyendo en todo. Tal vez haya una muerte peor que la muerte que llega cuando ya no se cree en nada: la muerte que llega cuando se cree aún en todo. Pero eso le dio tal rabia que dejó de ordenar los documentos en los sobres de plástico. Dejó de numerar los sobres, de alinearlos ordenadamente, y con sereno desprecio volcó los cajones llenos dentro del baúl. Los volcó como si se tratara de basura. ¡Chaf! ¡Chaf! ¡Chaf! Después se dirigió a Angelo y Martino.

«Quemadlos» dijo.

«¿¡¿Quemarlos?!?» exclamó Martino, desconcertado.

«¿Quemarlos?» exclamó Angelo, sorprendido.

«Quemarlos, quemarlos. Y que no quede el menor vestigio de ellos.»

«Vale, jefe...»

Levantaron el baúl, lo llevaron al patio obscuro. Buscaron un bidón, vertieron en él una lata de gasolina. Encendieron el fuego y comenzaron a quemarlos de modo que no quedara el menor vestigio. Sobre tras sobre, hoja tras hoja, sin prisa. Y sin leerlos, aunque al saltar en lengüetazos de vívida luz rojiza las llamas desgarraban la obscuridad e iluminaban aquellos secretos hasta la última coma.

Ambos pensaban en cosas muy distintas.

–8–

«Allah akbar, Allah akbar, Allah akbar! Samma Allah, samma Allah, samma Allah... ¡Dios es grande, Dios es grande, Dios es grande! Escuchadlo, escuchadlo, escuchadlo...»

La triste voz de mujer se había apagado junto con la cantinela de los hashashín y del alminar de la mezquita de la Rue de l'Aérodrome descendía junto con la plegaria nocturna la fútil llamada no-toquéis-a-los-italianos-que-parten, cuando Angelo y Martino pasaron a quemar los recortes de periódicos entre los cuales se encontraba el ejemplar de *L'écho du Liban*. También sin prisa, sin leerlos, y con el pensamiento puesto en cosas muy distintas. Empezando por Angelo que preso del problema resuelto en Tayoune esperaba el alba como la espera un condenado a muerte, y como un condenado a muerte se ahogaba en la nostalgia del pasado. En efecto, sin autoconmiseración ahora volvía a ver el autobús que lo llevaba de Brianza a la Universidad de Milán y de la Universidad de Milán a Brianza, el yugo de la familia que lo oprimía con los reproches nosotros-trabajamos-para-enviarte-a-la-escuela-darte-una-educación-y-tú-ni-siquiera-das-las-gracias, el aburrimiento de la provincia donde el único consuelo era coquetear con la muchacha que vivía al lado, el adiós al póster con la expresiva cara de Einstein y su divina ecuación $E = mc^2$. Sin pesar volvía a ver los años pasados escalando las montañas inaccesibles, bajando a las simas marinas, lanzándose en paracaídas desde las alturas vertiginosas, asaltando las fortalezas imaginarias, haciéndose un supersoldado. Libre de rencores juzgaba el negligente colegio que después de haberle comprimido las raíces del intelecto y haberle podado el follaje de la madurez para reducirlo a un árbol enano, un bonsai, lo había mandado a la ciudad de los perros vagabundos y los gallos enloquecidos: de repente todas las penas y todo el descontento de entonces le parecía una suerte incomprendida, una felicidad que recordar. Pensaba también en el presente, desde luego, en cosas o personas que lejos de inspirar nostalgias exacerbaban su sensación de culpa: la mosca que se agitaba en la tela de araña suplicando no-dispara, el teorema de $1 > 0$ que en lugar de poner orden en el desorden había introducido un nuevo elemento de desorden y había favorecido el desarrollo del caos, la gota de lluvia que al caer desde el extremo del segmento vertical es decir, desde la ensenada contigua a la dársena de poniente se convertía en Rashid y se lanzaba contra el tercer barco, la raíz cuadrada de $13,66^2 + 5^2 - 2 \times 5 \times 13,66 \times \cos 60^2$. Pero sobre todo pensaba en Ninette. Y al hacerlo se formulaba nuevamente las preguntas que se había formulado en la primera fase de su relación, ahora condensadas en la breve pregunta quién-eras.

Se la había formulado muchas veces, hoy. Por ejemplo cuando

había cogido en su mano el ancla en forma de cruz con el cabello en torno a la uña del ancla, aquel residuo vivo de una criatura enterrada, y cuando en Tayoune la hiena piadosa había puesto fin a la agonía de la yegua blanca con dos ráfagas de Kalashnikov. Dos breves ráfagas dirigidas al cuello y la segunda tan precisa que la hermosa cabeza se había separado del cuerpo como si las balas fueran la hoja de una guillotina, como una cabeza cortada por la hoja de una guillotina, soltando una fuente de sangre, había rodado desde el parterre hasta el centro de la avenida: con sus inmensos ojos violeta desorbitados en un brillo de alivio, y sus blanquísimos dientes abiertos en una sonrisa que parecía dar las gracias. Quién eras, quién eras, quién eras. Sólo otra pregunta lo perseguía en la misma medida en que lo perseguía el quién-eras: la planteada por la adivinanza con que concluía su carta: «Te doy la espalda y te deseo que encuentres la fórmula que buscas. La fórmula de la Vida. Existe, querido, existe. Y yo la conozco. Y no está en un término matemático, ni en una sigla ni en una receta de laboratorio: es una palabra. Una simple palabra que aquí se pronuncia con cualquier pretexto. No promete nada, te aviso. A cambio lo explica todo y ayuda.» Una palabra, se decía incrédulo, una palabra. ¿Es posible que una palabra explique lo que los números no explican? ¿Es posible que ayude donde los números no ayudan? ¿Me habré equivocado al creer que esa investigación podía o mejor dicho debía desarrollarse por mediación de la maga capaz de mil encantamientos y mil prodigios? Tal vez sí, me he equivocado. Tal vez la respuesta no esté en la abstracción del pensamiento puro, en la incorporeidad de los números: tal vez esté de verdad en la materialidad de una palabra. Por lo demás conmigo ya han fracasado una vez las matemáticas: cuando concebí la ilusión de poder poner orden en el desorden, anular el gesto negativo con el gesto positivo, devolver el sistema a la fase inicial, matando a Passepartout... ¡Una palabra, una palabra! Una simple palabra que aquí se pronuncia con cualquier pretexto. Pero si se pronuncia con cualquier pretexto, ¿por qué no la he oído nunca? ¿Por qué no la oigo? ¿Apagarán su sonido los fragores de la guerra? ¿Será ese sonido menos audible que el sonido de una pluma que cae sobre una flor o de una estrella que explota en el vacío? ¿Se tratará de un infrasonido de dos hercios apenas o de un ultrasonido de miles y miles de hercios, es decir, demasiado bajo o demasiado alto para que lo registren los tímpanos humanos? El caso es que una palabra no se pronuncia y se acabó, no se comunica con el sonido y se acabó. Una palabra se escribe, se lee, se ve. Y es también una imagen que se ve. ¿¡¿Por qué no la he visto nunca?!? ¿¡¿Por qué no la veo?!? Y al atormentarse no se daba cuenta de que además de oírla y verla una palabra se vive. Se respira, se toca. No comprendía (o mejor no había comprendido aún) que, además de ser un sonido y una imagen, una palabra es carne de nuestra carne: de verdad verbo hecho carne. Porque su materialidad nos pertenece desde el tiempo remoto en que no sabíamos pensar, en que ignorábamos incluso que uno es mayor que cero. El tiempo primordial en que todo comenzó, el tiempo que está aún dentro de nosotros para proporcionarnos la única forma de conocimiento que vale.

Y aclarado esto pasemos a Martino que en cambio esperaba el alba electrizado por una impaciencia jubilosa. Su única preocupación, la de violar con Angelo su secreto, es decir, utilizar el verbo que se hace carne para pronunciar las dos palabritas nunca pronunciadas: soy-gay, soy-marica.

* * *

Sordo al pesimismo de Charlie que después del encuentro con Zanda Sadr le había gruñido esto-va-a-acabar-mal-muchacho, Martino estaba seguro de salir vivo de Beirut. ¡Qué tercera lancha ni qué esto-va-a-acabar-mal-muchacho ni qué niño muerto!, pensaba mientras quemaba los recortes de los periódicos entre ellos el antiguo ejemplar de *L'écho du Liban*, yo a casa vuelvo. Lo siento, lo sé. ¡A casa, a casa! ¡Dios, qué maravilla volver a casa, quitarse el uniforme que estorba y hace ridículo, decir adiós al pálido gris verdoso que no sienta bien a tu tez, ponerte de nuevo los vaqueros ajustados y las camisas estilo Pierrot, las camisetas rosa-shocking con las que en El Cairo te pavoneabas para burlarte del diplomático elegantísimo y perfumadísimo que andaba tras de Albert y de ti! ¡Qué delicia no tener ya al lado a los carabinieri de la Cámara Azul que de noche gimotean tengo-miedo y de día dan muestras de arrogancia, se te echan encima para requisarte el porro! ¡Qué placer no alojarse más en la Cámara Rosa, no poner más la mirada sobre los armarios acuchillados por el cretinismo machista, sobre las paredes embadurnadas por los póster de las muchachas desnudas, la rubia que se acaricia el pubis peludo y la morena que te ofrece el pezón! ¡Qué alivio no asistir más a las competiciones sexuales de Ugo y Gaspare que han aprendido a joder a Lady

Godiva, por lo que siempre están en el baño con ella y el pobre Stefano se desespera me-le-dan-achuchones, me-la-machacan, me-la-tratan-peor-que-a-una-prostituta! Pero, sobre todo, ¡qué alivio dejar este suplicio de Tántalo, escapar de esta caverna de deseos y tentaciones en que uno te gusta porque es gallardo e inteligente, otro porque es huraño y receloso, otro porque tiene las nalgas redondas y las pupilas maliciosas de Beppe, y los otros no se sabe por qué! Cohabitar veinticuatro horas al día, verdad. Dormir en la misma habitación, lavarse bajo la misma ducha, tú que tienes el complejo erótico de la ducha, sufrir sus bromas vulgares, seguir el juego y fingir ser igual a ellos. Fingir, fingir, fingir... Ah, qué gusto no tener que fingir más, no tener que vivir más con el terror de denunciarse y verse en la picota como un apestado, por ese terror mostrarse siempre servicial diligente amable. Voy-yo, de-eso-me-encargo-yo, de-eso-me-ocupo-yo. ¡Qué alivio sentirse de nuevo uno mismo, libre y entregado a la propia verdad, qué alivio no considerarla más una característica impura, una culpa de la que alguien te tiene que absolver, una enfermedad que curar con un antibiótico llamado Mujer! Marica eres y marica seguirás siendo, querido. Por tanto, olvida a las Lucias, las Brunellas, las Adilés que te partieron el corazón deshaciéndose del hijo, las Giovannas que se lo comieron crudo traicionándote con cualquiera, búscate a otro Albert y vive como marica: el futuro es una promesa que comienza mañana.

Sí, estaba contento de verdad, Martino. Tan contento que no había comprado ni siquiera un gramo de hachís. ¿Qué vas a hacer con el hachís, con los porros, con las esnifadas, cuando el futuro es una promesa que comienza mañana? Pero no quería marcharse sin realizar un gesto que lo resarciera por las simulaciones que se había impuesto, el terror en que había vivido durante un año: antes de embarcar quería confesarle a alguien su verdad. Quería pronunciar delante de alguien las dos palabritas que durante meses había anhelado gritar hasta romperse las cuerdas vocales. Alguien que lo escuchara con respeto, lo comprendiera, lo consolase o incluso se congratulara con él. Tienes-valor, Martino. Eres-sincero, Martino. Te-escucho, Martino. Y para realizar aquel sueño había elegido a Angelo: interlocutor ideal, en su opinión, dado que le guardaba un secreto terrible. El secreto del Amal muerto en el Veinticuatro. Le diría las cosas que había dicho a Lady Godiva, pensaba. Comenzaría con el tema de los maricas arrogantes y descarados que si los rechazas cacarean como gallinas, se aferran a Miguel Ángel y a Leonardo da Vinci como si hubieran pintado ellos la Capilla Sixtina y la Gioconda, hubiesen esculpido ellos el David: le diría en una palabra de antemano que a él los maricas siempre le habían resultado antipáticos. Después pasaría al tema del ejército que no quiere a los maricas, a los maricas no les deja ponerse el sagrado uniforme del macho, y explicaría que no lo había tenido en cuenta por los eslóganes con los que el ejército engaña a los ingenuos. Un-hombre-debe-pasar-por-el-ejército, en-el-ejército-se-hace-uno-hombre, ven-al-ejército, etcétera. En resumen porque se había hecho la ilusión de que en él encontraría una curación instantánea. En cambio en él había encontrado la cara opuesta de la mariconería, es decir, el no menos triste y no menos grotesco fenómeno del machismo: el culto al frágil cilindro de carne que los militares invocan con cualquier pretexto y sobre el cual han construido su lenguaje. La polla por aquí, la polla por allá, gilipollas, soplapollez, estoy hasta la punta de la polla, me sale de la polla, o bien cojonazos, cojonudo, descojonado: paronomasias y onomatopeyas de las dos no menos frágiles divinidades situadas a los lados del Dios Falo. Y eso, concluiría, le había abierto los ojos. Lo había inducido a comprender que con el vocablo «hombre» el ejército no entendía «hombre» sino «macho», pero él no podía ser un macho. No le interesaba ser un macho, no quería ser un macho. Quería ser un hombre por lo que... De repente se decidió. Era cerca de la una de la mañana, las llamas del bidón iluminaban más que nunca las hojas con los lengüetazos de vívida luz rojiza, y Angelo estaba inclinándose sobre el baúl para coger el antiguo ejemplar de *L'écho du Liban*.

«Angelo, tengo que decirte una cosa...»

«Sí...» respondió Angelo al tiempo que cogía el antiguo ejemplar de *L'écho du Liban*.

«Una cosa muy, muy importante...»

«Sí...» respondió Angelo deteniéndose por primera vez a observar lo que estaba a punto de arrojar a las llamas.

«Un secreto muy, muy opresivo...»

«Sí...» respondió Angelo acercándose a los lengüetazos de vívida luz rojiza para iluminar bien la portada de la revista.

«Y empezaré confesándote que yo a los maricas nunca los he podido soportar...»

«Sí...» respondió Angelo, al tiempo que miraba la portada.

Había una fotografía, en la portada: la fotografía de un hombre apuesto de cabellos plateados y facciones que se parecían de forma impresionante a las suyas. O mejor, a las que habrían sido las suyas si hubiera tenido al menos treinta años más: frente alta y espaciosa, surcada de arrugas que revelaban una existencia cargada de responsabilidades, ojos cansados de haber visto demasiado, mejillas hundidas de dormir demasiado poco, boca severa, dura. Tan dura que ni siquiera los labios hinchados de sensual dulzura lograban suavizarla. Bajo la fotografía, un título con letras muy grandes: «Qui était l'homme qui aurait pu sauver notre pays. Quién era el hombre que habría podido salvar nuestro país.» Bajo el título, en letras más pequeñas: «Crónica en páginas 13, 14 y 15.»

«Sobre todo los maricas que se jactan de su homosexualidad y la exhiben en las manifestaciones, intentan imponerla a los demás, pretenden santificarla con las leyes...»

«Sí...» respondió Angelo buscando la página 13 y poniéndose a leer el artículo.

Hablaba de un alto magistrado libanés, el presidente del Tribunal Supremo George Al Sharif, asesinado a los cincuenta y ocho años cuando se dirigía a la universidad en su Rolls-Royce para asistir a la inauguración del curso académico. Asesinado con una carga de tritol tan imponente, que el automóvil se había desintegrado y del cuerpo sólo habían quedado unos pocos jirones. Comenzaba con el análisis político del crimen, sucedido en aquellos días, es decir, en diciembre de 1978 y atribuible a uno de los tres grupos hostiles a él: los llamados Señores de la Guerra, es decir, los honradísimos gángsters que tenían la ciudad en sus manos, los palestinos de Habbash o de Arafat que disputaban con éxito el poder a los Señores de la Guerra, los seguidores de una minúscula secta chiíta que hacía poco que había entrado en el arco iris de la violencia: los Tulipanes Negros o Hijos de Dios. Proseguía con un retrato biográfico de George Al Sharif, hijo de una gran familia cristiano-maronita que durante decenios había desempeñado un papel de notable relieve en las luchas por la independencia del Líbano, sobrino de uno de los principales artífices de la Constitución proclamada en 1926 y suspendida por los franceses en 1939, heredero de riquezas fabulosas entre las cuales figuraban pozos de petróleo en Nigeria, financiador del ferrocarril que en 1961 había unido la capital con Damasco y Alepo, magistrado de gran valor y gran carácter, conocido por la firmeza con la que se oponía a quienquiera que alimentase el arco iris de la violencia. Por último, el hombre que los no corruptos habrían deseado ver en la presidencia de la República y hasta los cincuenta años el soltero más impenitente y por tanto más deseado que existía en todo Beirut.

«Por eso he considerado siempre mi homosexualidad una característica impura, una culpa de la que alguien te tiene que absolver, una enfermedad que curar...»

«Sí...» respondió Angelo al tiempo que pasaba a leer la página 14.

En la página 14 el artículo hablaba de la mujer por la que George Al Sharif había dicho adiós a la soltería: Natalia Narakat, veintiséis años más joven que él, como él hija de una gran familia cristiano-maronita que había luchado por la independencia del Líbano, como él heredera de fabulosas riquezas entre las cuales figuraban minas de oro en Sudáfrica, y famosa por su extraordinaria belleza. Pero era conocida también por su inteligencia y su fuerte personalidad, dotes entre las que figuraba una característica algo extraña: la de no hablar la lengua que en el Líbano hablaba todo el mundo, es decir, el francés. Se negaba a hacerlo por odio a los franceses, que durante los sangrientos desórdenes de 1945, es decir, algunos meses antes de que naciera, habían matado con una ráfaga de Garand a su padre: célebre matemático y líder de la rebelión. Ese detalle era citado también en la entrevista que Natalia Narakat Al Sharif había concedido unas semanas antes al *Times* de Londres.

«Ésa es la razón por la que no me substraje a la llamada militar, Angelo. Porque buscaba en el ejército la curación que no había encontrado con Lucia, Brunella, Adilé, Giovanna, y...»

«Sí...» respondió Angelo sin dejar de leer el artículo con los fragmentos de la entrevista con Natalia Narakat Al Sharif.

Fragmentos de los que se deducía el retrato de una mujer orgullosa y sin timideces. «Conozco bastante bien esa lengua» había dicho al enviado del *Times*. «De niña la hablaba bastante mejor que el árabe: mi nanny era una suiza de Lausana y mi madre me mandaba a la École Française. Pero cuando supe que habían sido los franceses quienes lo habían matado, quienes le habían disparado cuando encabezaba la manifestación, juré no pronunciar nunca más una sílaba de su vocabulario y no poner nunca los pies en Francia. He mantenido ambos juramentos. No tengo la menor idea de cómo es París o la Costa Azul, y en francés no digo ni siquiera gracias o adiós.» En compensación, hablaba perfectamente el inglés, aclaraba el autor del artículo. Lo había aprendido en Inglaterra a donde se había trasladado nada más cumplir los catorce años para no-oír-a-gente-que-se-expresara-en-francés, y donde había pasado el resto de su adolescencia y su primera juventud. En efecto había vuelto a Beirut el día de su vigésimo cuarto cumpleaños para participar en un garden-party ofrecido en su honor por la embajada británica, allí había conocido a George Al Sharif y un mes después se había casado con él. Amor a primera vista, inevitable, inexorable, de tragedia griega, lo había calificado ante el enviado del *Times*. «Dada la diferencia de edad, algunos creen que en George veo al padre que no he tenido: un protector, un guía. Tonterías. De George estoy enamorada con el cuerpo y con el alma. Tan enamorada que, si por la calle veo a un hombre que se le parece, el corazón me salta a la garganta y siento el impulso de detenerlo o mejor dicho abrazarlo. No me casé con él, no, por necesidad de afecto o protección. Y tampoco por admiración, si bien hay mucho que admirar en George. Me casé con él por amor. Un amor a primera vista, inevitable, inexorable: de tragedia griega. Enloquecería si lo perdiera.» Y el pronóstico se había realizado, decía el artículo en las últimas líneas de la página 14. Ahora Natalia Narakat Al Sharif se encontraba en una clínica psiquiátrica del Chouf cuyos médicos afirmaban que estaban curándole una grave forma de manía depresiva. Pero se trataba de locura pura y simple, y aunque regresara a casa había que excluir la posibilidad de que recuperara el juicio.

«En una palabra, Angelo, me he entregado a mi verdad» concluyó Martino con un suspiro.

«Sí...» respondió Angelo pasando la página 14.

«Y puedo pronunciarlas, por fin, esas dos palabritas. ¡Soy marica! ¡Soy gay!»

«Sí...» respondió Angelo mirando la página 15.

«¡Angelo!»

«Sí...»

«¡Te he dicho que soy marica, que soy gay!»

Pero esta vez Angelo ni siquiera susurró aquel vacío sí. Se quedó callado y nada más.

Se quedó callado y nada más porque ahora estaba completamente anonadado. Y ahora estaba completamente anonadado porque en la página 15 había visto algo que pese al indiscutible indicio proporcionado por el hecho de que Natalia Narakat Al Sharif se negara a hablar francés y conociese muy bien el inglés, pese a la confirmación de que su marido había sido asesinado con una bomba y su padre había muerto antes de que ella naciera, no estaba preparado para ver: dos grandes fotografías de Ninette. Una en la que con traje de novia y del brazo de George Al Sharif salía de la iglesia de Notre-Dame-du-Liban radiante de felicidad, y otra en la que sujetada por los criados se agitaba mientras contemplaba los jirones humanos que yacían entre los restos del Rolls-Royce.

«¡Angelo! No me escuchas, ¿¡¿no me escuchabas, Angelo?!?»

«¡Angelo! ¿¡¿No has oído lo que he dicho?!?»

«¡Angelo! ¿¡¿Por qué sigues callado?!?»

Seguía callado porque entre las dos fotografías de Ninette había un recuadro con un título inquietante y la declaración con la que Natalia Narakat Al Sharif se había despedido del enviado del *Times.* El título era «La formule de la Vie». La fórmula de la Vida. La declaración era la siguiente: «¿De qué modo resuelvo el problema de vivir con este goteo de amenazas a George, es decir, en esta mezcla de felicidad y terror? Es como preguntarme si existe la fórmula de la Vida... Por tanto, le responderé con una frase extraordinaria que acerté a oír cuando miraba distraída un fragmento de una película. Extraordinaria, sí. Tan extraordinaria que me gustaría saber si se trataba de un aforismo famoso procedente de la mente de un gran filósofo o una simple ocurrencia debida a la pluma de un guionista genial. Es ésta: «La vida no es un problema que resolver. Es un misterio que vivir.» Lo es, querido amigo, lo es. Creo que nadie puede sostener lo contrario. Por tanto la fórmula existe. Radica en una palabra. Una simple palabra que aquí se pronuncia con cualquier pretexto, que no promete nada, lo explica todo, y en cualquier caso nos ayuda: Inshallah. Como Dios quiera, como Dios guste, Inshallah.

* * *

Entretanto, decididos a indemnizarse por los daños de la tregua que al despuntar el alba los privaría por unas horas del placer de matar y ser matados, cristianos y musulmanes se preparaban para desencadenar un ataque recíproco contra la Línea Verde. Y poco después estalló la bacanal con la contribución de los drusos, que disparaban a ciegas desde las montañas. Cañonazos de 105, de 106, de 130, de 155. Obuses, Katiushas, tun-tun-tun de ametralladoras, estallidos de Rpg, ráfagas de M16 y Kalashnikov. Así como los habituales ladridos, claro está, de los perros vagabundos y los habituales quiquiriquíes de los gallos enloquecidos. Aquellos quiquiriquíes desesperados, aterrados, humanos, aquellos sollozos dobles en los que parecía oírse la súplica socorro, socorro-socorro. Tanto en Chatila como en Bourji el Barajni hubieron de refugiarse en los tanques y, en el patio del Cuartel General, Martino resultó herido por una esquirla que lo alcanzó en los glúteos cuando regresaba solo arrastrando el baúl vacío.

–9–

Fue una larga noche, la última noche, y en el Cuartel General nadie durmió. Unos se paseaban por las habitaciones vacías o subían y bajaban las escaleras como almas en pena. Otros imprecaban entre dientes o eructaban blasfemias salvajes. Otros fumaban sin parar o se aturdían con whisky o licor de café. Otros para ayudarse fingían ayudar a los más inquietos. Pistoia, distribuyendo su ahora falsa alegría: «¡Ánimo, muchachos, que a mediodía nos dan por culo con los fuegos artificiales y nos vamos a pique!» Azúcar, ofreciendo consejos técnicos: «¡No lo olvidéis! Si llega, disparad al motor. ¡No al hexógeno! ¡Al motor!» Caballo Loco, recitando versos de la *Eneida*: «Revocate animus maestumque timorem mittite, forsan et haec olim meminisse juvabit! ¡Despejad las almas de la melancolía o el miedo, tal vez un día os agrade recordar, nos enseña Virgilio!» En cuanto a Charlie, estaba tan agitado que respondió mal al Cóndor que le había ofrecido un ascenso: «Si supiera dónde me meto yo los ascensos, mi general.»

Sólo el Profesor no dejó traslucir en ningún momento el menor nerviosismo. Y sin embargo el ansia lo devoraba, y por buenos motivos: antes de que comenzara el bombardeo había salido al patio y había hablado con Angelo. Así se desprende de la carta que después de haber guardado en la bolsa los *Diálogos* de Platón, el *De Libero Arbitrio* de Erasmo de Rotterdam, la *Crítica de la razón pura* de Kant y el resto de la enjundiosa biblioteca que había llevado a Beirut, escribió a la esposa que no existía. Doce páginas densas que al amanecer metió en un sobre dirigido a sí mismo.

* * *

Escribo esta carta con el estado de ánimo de un hombre que tal vez viva la última noche de su vida, cariño y si sobrevivo la destruiré. (Las cartas escritas delante de la muerte sólo se sostie-

nen cuando el que las ha escrito ha muerto. En caso contrario parecen embarazosas, ridículas. Y si tiene un mínimo de orgullo o mejor dicho sentido del humor, el autor se avergüenza de ellas.) ¿Moriré, moriremos? ¿Sobreviviré, sobreviviremos? Ambas hipótesis son válidas, querida. En efecto mis colegas oscilan en un columpio que del más absoluto optimismo se desliza hasta el más absoluto pesimismo: tan pronto dicen que nada nos amenaza, que los tres barcos abandonarán indemnes las aguas de Beirut, como que el tercer camión llegará y llegará precisamente por esas aguas para acertar al barco en el que viajaremos los del Cuartel General. Pero yo la que temo es la primera hipótesis, espero morir, porque... ¡Dios, qué perversa o mejor dicho sádica puede ser la suerte! Hace una hora, mientras caminaba por los pasillos, he observado que en el patio centelleaba un fuego. He corrido a ver qué se quemaba, y delante de un bidón de gasolina incendiada, ¿a quién me encuentro? Al intérprete de la Oficina Árabe y al sargento que me inspiró el protagonista de la pequeña Ilíada. Muy abatido, desalentado como si hubiera sufrido una gran decepción o hubiese recibido una ofensa, el primero quemaba los papeles de un baúl. Petrificado como si hubiera divisado un fantasma el otro miraba fijamente una revista que tenía en la mano, y con el reflejo rojizo parecía tan envejecido que en un primer momento me he preguntado si era de verdad él. La frente surcada de arrugas que revelaban una existencia cargada de responsabilidades, ojos cansados de haber visto demasiado, mejillas hundidas de dormir demasiado poco, y boca severa, dura. Tan dura que ni siquiera los labios henchidos de sensual dulzura lograban suavizarla. Parecía que tuviera más de cincuenta años, que fuese el padre de sí mismo. Me he acercado. Creyendo que lo había dejado petrificado un nuevo ataque de dolor (la estupenda libanesa que amaba sin saberlo fue fusilada en Gobeyre durante la batalla de Navidad), le he echado el brazo sobre los hombros. Después le he quitado la revista de las manos, la he arrojado a las llamas, y pasándole el brazo de nuevo sobre los hombros lo he llevado a la antigua sala de los briefings. Le he declamado un buen sermoncito sobre el tiempo que mitiga todas las penas, sobre la alegría de vivir que descubriría al regresar a Italia. Bueno, por unos minutos me ha parecido que asentía: escuchaba con la cabeza baja. De vez en cuando asentía. Pero ante las palabras regresar-a-Italia ha alzado aquel rostro treinta años más viejo que el suyo y: «Mi coronel, nosotros no regresaremos a Italia. Puedo demostrarle por qué.» Después me lo ha demostrado y si bien considero que su demostración es más que nada un entime-

ma, un razonamiento al que falta una premisa, si bien advierto una laguna con la que me oculta algo...

Es un porqué que se deriva de un problema de trigonometría y que me ha enunciado a partir de tres elementos a mi juicio arbitrarios. Uno, que la lancha kamikaze se oculte entre las numerosas lanchas amarradas en la ensenada contigua a la dársena de la que zarparemos. Dos, que se ponga en movimiento en cuanto el barco salga del puerto y a la velocidad de seis nudos se coloque en un arco de parábola dirigido hacia el noroeste. Tres, que se lance contra él a la velocidad de treinta después treinta y cinco nudos y con la trayectoria proporcionada por un ángulo de 45 grados respecto al flanco izquierdo. Es decir, el flanco al que ha de acertar. Tras mostrarme los cálculos ya efectuados, me ha dado en seguida el resultado y: «Mi coronel, para llegar al punto de colisión tanto la lancha como el barco tardan sesenta y cuatro segundos. Por tanto, es inevitable que la lancha choque con el barco y que el barco salte por los aires.» Me he rebelado. He protestado diciendo que los resultados de un problema son válidos en los casos en que sean válidos los elementos de los que se parte para enunciarlo, y los suyos no tenían nada de válidos: más que elementos eran fantasías racionales, conjeturas lógicas y obtenidas mediante el cálculo de probabilidades. ¿Quién le aseguraba que la lancha existía y se ocultaba precisamente en aquella ensenada? ¿¡¿Quién le garantizaba que se pondría en movimiento en cuanto el barco saliera del puerto, que pasaría en seguida de 20 a 35 nudos, que elegiría una trayectoria con un ángulo de 45 grados respecto del flanco izquierdo?!? ¿¡¿Quién le decía que el barco saldría del puerto precisamente a la velocidad de seis nudos y precisamente con aquel arco de parábola?!? Y aun cuando las cosas se desarrollaran del modo previsto por sus fantasías racionales, sus lógicas conjeturas, ¿¡¿quién le garantizaba que la lancha no sería abatida por nosotros o por la flota antes de que chocara con el barco?!? Pero, después de haberme hecho observar que en sesenta y cuatro segundos la flota no puede abatir nada, nosotros menos aún, me ha arrojado a la cara aquellos ojos cansados de haber visto demasiado y ha respondido: «Mi coronel, en matemáticas la certeza absoluta no existe nunca. Para despejar una incógnita se parte siempre de conjeturas lógicas, fantasías racionales: el cálculo de probabilidades es una teoría aceptada aplicada por cualquier disciplina científica. Por lo demás, si una probabilidad raya en la certeza, es lícito hablar de certeza. Y yo le aseguro que la probabilidad de que la lancha choque contra nosotros raya en la certeza. En cuanto al «casi» que separa la certeza absoluta de la probabilidad rayana en la certeza, se llama destino: Inshallah. Como Dios quiera, como Dios guste, Inshallah.» En una palabra, me ha dejado sin respuesta. Y después ha hecho algo peor. Porque ante la pregunta de si había encontrado la fórmula que buscaba, la fórmula de la Vida, ha respondido: «Sí. Se la acabo de dar. Es la palabra Inshallah. Pero yo la detesto, la aborrezco como la palabra destino: símbolo ambas de una impotencia y una resignación que asesinan el concepto de libertad y responsabilidad. De todos modos, para aceptarla, para creer en ella, aún debo repudiar la fórmula de la Muerte.» Cariño, la acepte o no él, crea en ella o no, también yo detesto la palabra destino: la palabra Inshallah. La mayoría ven en ella esperanza, buenos auspicios, confianza en la misericordia divina. En cambio yo, como él, no veo en ella sino sumisión, resignación, impotencia y renuncia a uno mismo. Padre-Celestial, Señor-Omnipotente, Jehová, Alá, Brahma, Baal, Adonai, o-como-te-llames: elige-tú-por-mí, decide-tú-por-mí. No señor, yo me niego a delegar en Dios mi voluntad y mi pensamiento. Me niego a renunciar a mí mismo y resignarme. Un hombre resignado es un hombre muerto antes de morir, y yo no quiero estar muerto antes de morir. ¡No quiero morir ya muerto! ¡Quiero morir vivo!

Quiero morir vivo y nunca me he sentido tan vivo. Nunca ha latido mejor mi corazón, nunca han respirado mejor mis pulmones, nunca ha pensado mejor mi cerebro. ¡Cuántas cosas pienso esta noche! Pienso tantas que para decírtelas todas tendría que vivir milenios. Y si el cálculo de probabilidades ofrece una casi-certeza rayana en la certeza absoluta, tengo por delante sólo doce horas de vida: apenas tiempo para decirte algo. ¿Qué cosa? Pues que ya no creo tanto en la profesión en que tanto creía: la profesión de soldado. Pero, ¿cómo explicarte semejante metamorfosis? Tal vez a partir de una historia que he sabido ayer por la noche. Una historia infame, terrible. ¿Recuerdas a sor Espérance, sor George, sor Milady, sor Madeleine, sor Françoise, las cinco monjas que quería incluir en el reparto de la pequeña Ilíada? Bueno, pues, las dos últimas están sanas y salvas: sor Madeleine en Marsella a donde logró escapar, y sor Françoise en el hospital Rizk donde trabaja de enfermera. Sor Espérance y sor George y sor Milady, en cambio, que se habían quedado custodiando el convento... Lo he sabido por Gigi el Cándido que a su vez lo había sabido por un Amal: testigo impotente o cobarde de lo que ahora se llama el-martirio-de-las-tres-monjas. Pobre Gigi. Lloraba como un niño, y llorando repetía: «Yo a Armando no se lo digo, yo a Halcón no se lo digo. No se lo digo.» Sor Espérance ha tenido suerte. Ha muerto combatiendo, rechazando a golpes de crucifijo a los Hijos de Dios y partiendo la cara a su jefe: un mullah jorobado, con turbante carmesí y el Corán colgado en bandolera, que las había encontrado en el sótano y las había arrastrado a la capilla. Media ráfaga de Kalashnikov le ha hundido el pecho. Sor George, no: no ha tenido suerte. Furioso porque sor Espérance le había roto la cara, el mullah jorobado la ha tomado con ella y la ha matado despacio: a bayonetazos. Ella mientras tanto rezaba. Recitaba el Ave María: «Je vous salue, Marie, pleine de grâce... Le Seigneur est avec vous... Soyez vous bénie entre toutes les femmes et béni soit le fruit de vos entrailles...» En cuanto a sor Milady, fíjate: los Hijos de Dios eran una treintena. Después de haberla desnudado y atado, la han torturado y violado y sodomizado. Uno por uno, como a las mujeres palestinas torturadas y violadas y sodomizadas por los falangistas en la matanza de Sabra y Chatila, o como a las maronitas torturadas y violadas y sodomizadas por los palestinos en la matanza de Damour, por los drusos en las matanzas del Chouf. Después la han dejado allí, moribunda. No se han preocupado siquiera de rematarla con un tiro de gracia. Esta ciudad de hienas hambrientas. Esta necrópolis infecta y administrada por necrófagos infectos para los cuales matar o ser matado es el único modo de vivir. Esta capital del militarismo, el militarismo más abyecto, donde hasta los niños son soldados y la profesión de soldado ha substituido a todas las demás profesiones. Porque aquellos Hijos de Dios eran y son soldados, verdad. Aquel mullah era y es un soldado, verdad. Soldado, soldados de un ejército irregular pero soldados. Como soldados habían conquistado la colina, como soldados habían muerto para conquistarla, como soldados habían invadido el convento, y como soldados lo ocupan ahora con sus armas y sus banderas. Sí, estoy diciendo que es demasiado fácil echar la culpa a la guerra, refugiarse detrás de la entidad abstracta que llamamos guerra y a la que nos referimos como a una especie de pecado original, de maldición divina. El tema que hay que abordar no versa sobre la guerra. Versa sobre los hombres que hacen la guerra, sobre los soldados, sobre la profesión más antigua, más inalterable, más imperecedera que existe desde que existe la vida. La profesión de soldado. La profesión que yo amaba, respetaba, idealizaba, y ahora repudio. Porque he descubierto su error de fondo, su tara congénita.

¿Qué error de fondo, qué tara congénita? En la primera carta te escribí que el protoántropo colocado de guarda de su caverna, el

homínido que con un bastón impedía a las fieras y a los enemigos entrar en ella, era un soldado. Sí, lo era. Un soldado igual a los soldados que están a la entrada de nuestras bases, delante de nuestros puestos de control, en nuestros miradores, en nuestros puestos de Bourji el Barajni o Chatila. Exactamente igual: lo recuerdo muy bien. Lo recuerdo muy bien porque lo conocía muy bien hace tres millones de años, cuando era un protoántropo también yo. Lo llamaba por su nombre. Lo llamaba Rocco, lo llamaba Rambo, lo llamaba Ferruccio, o Fabio o Matteo, o Luca o Nicola, o Clavo o Nazareno o Cebolla, o Stefano o Martino o Fifí, o Gaspare o Ugo o Bernard le Français, o Salvatore Bellezza hijo del difunto Onofrio... Y si no llevaba uniforme, no llevaba el chaleco antibalas, no llevaba el casco, en verano iba desnudo y en invierno se cubría con una piel de animal, pues paciencia. Si no lograba mantenerse erguido y no se ponía nunca firmes, pues paciencia. Su edad era la misma, y también su ingenuidad, su simpleza, su inocencia, su vicio de rezongar y lamentarse. Estoy-cansado, tengo-frío, tengo-sueño, tengo-miedo, quiero-follar, quiero-ir-a-casa... Recuerdo también esto. Y después recuerdo que me daba mucha pena. Me daba tanta que cuando se lamentaba me habría gustado decirle: vete a descansar, muchacho. Ve a calentarle, ve a dormir, ve a superar el miedo, ve a follar con tu protoantropina, ve a casa. Me quedo yo de guarda de la caverna, me ocupo yo del mamut. Pero la profesión de soldado no consiste sólo en proteger el sueño de la tribu propia, impedir a las fieras que entren en la caverna dentro de la cual la tribu se aloja. Consiste también en la ampliación del territorio de dicha tribu, el aumento de su potencia, la imposición de su fe: cometido que hay que cumplir recordando lo que te han enseñado, es decir, que quien no quiere ceder su territorio o renunciar a su fe es un enemigo, que el enemigo es algo que hay que destruir, que destruirlo es derecho y deber de todo soldado, así como un privilegio concedido por la impunidad que el oficio de soldado garantiza. Así, cuando se le ordena que lo haga, el protoántropo que llamaba y llamo Rambo o Ferruccio o Fabio o Matteo o Luca o Nicola o Clavo o Nazareno o Cebolla o Stefano o Martino o Fifí o Gaspare o Ugo o Bernard le Français o Salvatore Bellezza hijo del difunto Onofrio lo hace. Con su ingenuidad, su simpleza, su inocencia, su vicio de rezongar y lamentarse, obedece y va a conquistar las cavernas ajenas. Va a imponer su fe. Ya no cansado, ya no aterido, ya no adormilado, ya no atemorizado, ya no patético, irrumpe en ellas. Levanta el bastón y, convencido de realizar un gesto digno de encomio y exento de castigo, mata a quien encuentra: hombres, mujeres, viejos, niños, monjas. En nombre de Dios, de Alá, de Jehová, de Brahma, de Baal, o en nombre del capitalismo, del comunismo, del fascismo, del socialismo, del nazismo, del liberalismo, de la democracia y naturalmente de la patria, hunde el pecho a sor Espérance que se defiende a golpes de crucifijo. Traspasa a sor George que recita el Ave María. Desnuda y ata y tortura y viola y sodomiza a sor Milady. Se convierte él en el mamut, en la fiera. Peor aún: cuando se le ordene que ejerza ese derecho y ese deber y ese privilegio dentro de su tribu, es decir, sobre los supuestos enemigos que se alojan en su propia caverna, obedecerá del mismo modo. De nuevo en nombre de la fe, de Dios, de Alá, de Jehová y naturalmente de la patria, detendrá a sus hermanos y hermanas. Los y las desnudará, los y las atará, torturará, violará, sodomizará. Los y las fusilará. Basta de hipocresías y de ilusiones: no siempre pero con frecuencia los soldados se manchan con culpas atroces. No siempre pero con frecuencia, y ya vayan desnudos o cubiertos de una piel de animal, ya lleven los uniformes con galones de un ejército regular, ya lleven los rudimentarios de un ejército irregular, cometen delitos tremendos. Delitos por los cuales quien no es un soldado va a la cárcel, es procesado y acaso condenado a la horca. O bien se lo considera loco y se lo encierra en un manicomio. Cariño, no pensaba en ello o no quería pensarlo cuando te escribía que el uniforme es un hábito, un concepto franciscano, un acto de humildad. En cambio esta noche lo pienso, y me siento cómplice de esos delitos. Porque es cierto que a mis protoántropos yo no les he enseñado nunca a matar monjas, es cierto que no les he ordenado nunca que ejerzan la violencia dentro o fuera de la caverna, pero en nombre de la patria y de otras cosas hermosas les he dicho que destruir al enemigo (o aquellos a quienes sucesivamente vamos denominando enemigos, que acaso mañana denominaremos amigos) es derecho y deber del soldado. Les he inculcado ese principio, sí. Directa o indirectamente les he contado que matar de paisano es un delito por el que se acaba en la cárcel y acaso en la horca, matar de soldado es una virtud por la que se reciben medallas de oro o de plata, coronas de laurel. Les he hecho creer en una palabra que existen dos modos de juzgar el Bien y el Mal: dos conceptos opuestos del Bien y del Mal.

No hay concepto más aleatorio y desconocido que el de Bien y Mal, ya se sabe. Desde el día en que los hombres comprendieron que eran hombres (descubrimiento aterrador al que me alegro mucho de no haber asistido), no cesamos de utilizarlos sin dar una definición objetiva de ellos. Casi todas las que hemos coleccionado en una cincuentena de siglos son definiciones caducas, dictadas por la moda de una época o los prejuicios de una sociedad, impuestas por el fanatismo o los intereses de un momento, y en cualquier caso cretinismos desalentadores: supongo que lo reconocerás. No, no olvido lo que decía en la época en que lo comentábamos con los sagrados textos delante, de modo que las sentencias de Platón y Plotino, san Agustín y Descartes, Spinoza y Kant, volaban a nuestro alrededor como confetis. Pretender dar una definición objetiva del Bien y del Mal tenía sentido cuando el Bien y el Mal eran dos categorías éticas, es decir, un problema moral, decía yo. Tenía sentido cuando Dios y el Diablo estaban vivos y uno se presentaba como garante del Bien con el Paraíso, el otro del Mal con el Infierno, es decir, cuando las grandes religiones de la salvación determinaban nuestro comportamiento y se tomaba en serio el pecado, decía yo. Pero ahora que Dios y el Diablo han muerto asesinados por nuestros Nietzsche y por nuestros Freud y por nuestros Marx, ahora que las grandes religiones de la salvación han quedado desacreditadas por nuestra ciencia y nuestro raciocinio, ahora que el Paraíso y el Infierno se han convertido en dos fábulas, no se toma en serio el pecado. El Bien y el Mal ya no constituyen dos categorías éticas, es decir, un problema moral. Como máximo, constituyen un problema médico, un estado de salud o no-salud psíquica, un equilibrio o un desequilibrio debidos a fenómenos bioquímicos que influyen en el cerebro. Y la definición objetiva ya no tiene sentido, decía yo. Esta noche no lo digo. Aun cuando sigo rechazando la idea de Dios y del diablo, las metafísicas del Más Allá, esta noche considero que había algo de verdad en los argumentos de quien tomaba en serio el pecado. Los argumentos de los Mesías que para inducir a los hombres a ser un poco menos malos les prometían el Paraíso o los amenazaban con el Infierno, los argumentos de los apóstoles que mediante la divinización del Mesías se dirigían a su voluntad y los colocaban ante sus responsabilidades. Cariño, no es posible que el Bien y el Mal estén compuestos de hemoglobina y clorofila, de vitaminas y hormonas. No es posible que dependan del metabolismo y de la biosíntesis de los carbohidratos y de los lípidos y de los prótidos, del porcentaje de ácido nucleico y de fósforo que se encuentra en la materia gris. No es posible que la voluntad no cuente, que la responsabilidad no valga, que incluso la ciencia farfulle Inshallah. Y si me equivoco, si las cosas son como afirman los herederos de Nietzsche y Freud y Marx, ¡que lo produzcan en los laboratorios farmacéuticos, ¡el Bien! Que obtengan con él una pomada, un ungüento, un jarabe, una píldora, un supositorio que meter en el trasero, una vacuna que inyectar por vía intramuscular o endovenosa. Una vacuna que impida torturar violar sodomizar matar en la caverna propia y en las cavernas ajenas, una medicina que se pueda comprar en la farmacia. De lo contrario, y a costa de resucitar a Dios y al Diablo, el Paraíso y el Infierno, las religiones con sus anexidades y conexidades, a costa de correr el riesgo de un nuevo Torquemada ya que a los Torquemadas hemos aprendido a reconocerlos a tiempo y combatirlos, hay que reinventar el problema moral. Hay que volver a ponerlo de moda y dar la definición objetiva para usarla por doquier y por siempre jamás: «El Bien es lo que hace bien, es decir, la bondad, el Mal es lo que hace mal, es decir, la maldad.» Después hay que exhumar la idea del pecado, la conciencia del pecado: explicar de nuevo que quien hace el mal comete pecado, quien comete pecado debe ser castigado en vida y después de la muerte. Hay que traducir ese razonamiento a todas las lenguas, escribirlo en todas las paredes, imprimirlo en todos los periódicos, transmitirlo por todas las radios y por todas las televisiones, embriagar con él a todo el mundo. Y ante todo a los militares que engañan con los dos modos de juzgar el Bien y el Mal, los conceptos opuestos de Bien y Mal. En cualquier caso, viva o muera, digo adiós a la profesión de soldado.

Viva o muera, también digo adiós a la profesión de escritor. No, no pariré mi pequeña Ilíada. La novela que debía escribir con la sonrisa en los labios y las lágrimas en los ojos. La lúcida locura se ha disipado, la gravidez se ha interrumpido, y si me preguntaras qué la ha interrumpido... Podría responderte que la euforia de los días en que hablaba a bombo y platillo de las voluptuosidades literarias y de los heroísmos creativos se ha disipado porque me he dado cuenta de que además de ser un sacrificio monstruoso, una soledad atroz, un suplicio de Tántalo, el suplicio de rehacer rehacer y rehacer, el masoquismo de que hablaba Colette, escribir es algo peor: un perpetuo descontento de sí mismo y por tanto un perpetuo proceso a sí mismo, una perpetua condena de sí mismo. (Malditos sean los escritores improvisados, los escritores aficionados que no conocen dicho descontento.) En otras palabras, podría responderte, he descubierto que escribir no me gusta: que detesto escribir y que, sin ser Mozart recojo su trágica ocurrencia. «Monsieur, je déteste la musique.» O podría responderte que he meditado sobre la profesión de escritor del mismo modo que he meditado sobre la profesión de soldado y he descubierto en él taras igualmente congénitas, vicios igualmente orgánicos, que envilecen el sacrifi-

cio monstruoso y ridiculizan la perpetua condena de sí mismo. Por ejemplo, no es en absoluto la profesión más útil de la creación. Jean-Baptiste d'Alembert, el philosophe del siglo XVIII, tenía razón en observar que en una isla salvaje un poeta (léase escritor) no es muy útil. Un aparejador, sí. En una isla salvaje, añado yo, cualquier campesino o carpintero o zapatero o sepulturero o lavandera o sacamuelas es más útil que un escritor. Respecto a las necesidades inmediatas de la existencia, el escritor es un adorno superfluo. Una mercancía superflua. En cambio en una comunidad organizada es tan necesario como un campesino o un carpintero o un zapatero o un sepulturero o una lavandera o un sacamuelas, pero se convierte en un arma de doble filo: un jano bifronte que, acaso sin quererlo y sin saberlo provoca muchos daños. No, cariño, no estoy renegando de lo que sostenía en la segunda carta: la metáfora del zahorí que encuentra agua en cualquier desierto, la alegoría de la vaca que pare terneros en sucesión. No estoy rechazando sus dotes de mago Merlín, su capacidad de ver cosas que los demás no ven, sentir cosas que los demás no sienten, imaginar cosas que los demás no imaginan, anticipar y transmitir ideas. El escritor realiza, o debería realizar, tales milagros. Pero, y eso es lo que en la segunda carta olvidé subrayar o rehuí hacerlo, es un ser humano: un hombre o una mujer con los defectos (no pocas veces exacerbados por su receptividad) de todo ser humano, las impotencias (no pocas veces agigantadas por la responsabilidad que asume) de todo ser humano. Y no siempre el agua que encuentra es agua pura. No siempre los terneros que pare son terneros sanos. No siempre las ideas que adelanta y transmite son ideas óptimas...

Para qué nos vamos a engañar, cariño: a veces ni son ideas siquiera. Son masturbaciones de ideas, es decir, ideologías que esclavizan e impiden tener ideas, o cháchara que sobre el papel parecen sueños nobles y en la realidad cotidiana resultan tonterías descomunales. En cambio a veces son sugerencias diabólicas, proyectos venenosos que conducen a carnicerías. En el mejor de los casos, protestas sacrosantas que aspiran a extirpar un cáncer y acaban engendrando otro. (Reconocerás que detrás de todo baño de sangre llamado revolución hay un libro, detrás de toda locura constitucionalizada hay un libro, detrás de toda violencia colectiva hay un libro, y detrás de todo genocidio hay un Mein Kampf.) Y no es eso todo. Porque en este mea culpa no figuran los escritores que alimentan el cáncer lamiendo los pies al rey o a la reina de turno, es decir, prostituyéndose con quien cuenta y con quien paga, ni los escritores que no predican con el ejemplo. Los Séneca que aconsejan la frugalidad pero viven en el lujo, incitan a la rectitud pero apilan tesoros comprando por pocos sestercios los bienes de los ciudadanos exiliados o ajusticiados por Nerón. Los Montaigne que recomiendan la solidaridad pero si se declara el cólera en Burdeos (de la que son alcaldes) se encierran en el castillo y de nada sirve suplicarles: señor-alcalde-asómese-por-lo-menos-al-balcón. Los Rousseau que exhortan a educar al niño pero abandonan en un desolador orfelinato a los cinco hijos engendrados en la pobre Marie-Thérèse Levasseur. Los Alfieri que cantan hossanas a la libertad pero tiranizan a los familiares, pegan hasta hacer sangre a los criados poco diligentes, rompen los huesos al barbero culpable de haberles desrizado un rizo. Los Tolstoi que cantan los gozos del matrimonio y los deberes del humanitarismo pero traicionan a su esposa, desfloran a las criadas, saltan sobre las campesinas indefensas. Los Marx que analizan las infamias del capital pero se casan con la baronesa rica, hacen amistades entre los ricos, y se enfurecen si su hija quiere casarse con un empleadillo honrado... En una palabra, y aunque no pueda quitar la razón a Séneca cuando replica que ser capaz de predicar las cosas justas no significa ser capaz de practicarlas, aunque sepa que escribir es un arte maldito no un apostolado ejercido en nombre de la utilidad pública, aunque me dé cuenta de que toda profesión creativa cuesta un sacrificio monstruoso y una condena perpetua de sí mismo, podría responderte que lo que ha interrumpido la gravidez de la pequeña Ilíada ha sido (junto con el moi-je-déteste-la-musique) un desencanto intelectual. Pero diría una mentira, cariño. El verdadero motivo por el que no escribiré la novela que debía escribir con la sonrisa en los labios y las lágrimas en los ojos es muy distinto. Y es el de que yo no existo. Soy sólo un producto de la imaginación, una invención expresada en palabras y destinada a una esencia de papel. Por lo demás esa novela ya la ha escrito otra persona. Sólo le falta el epílogo.

Así mismo, cariño. ¿Resolvemos por fin esta charada y confesamos cómo están las cosas? Hace poco una sombra con el morral al hombro, la sombra de la periodista de Saigón, se ha perfilado en la hoja y utilizando las palabras que en la primera carta utilicé para anunciarte la gravidez me ha dicho: «Ya he escrito la novela con la que quería hablar de los hombres mediante la guerra porque nada como la guerra exacerba con tanta fuerza su belleza y su brutalidad, su inteligencia y su estulticia, su bestialidad y su humanidad, su valor y su cobardía, su enigma. Sólo falta el epílogo.» Después me lo ha resumido y me ha parecido caer en el abismo de una mise en abîme. El juego, verdad, de pintar o fotografiar un espejo en el que se refleja otro espejo que a su vez lo refleja hasta el infinito en una sucesión de imágenes cada vez más pequeñas y cada vez más negras, por lo que al mirarlas te parece que caes dentro de un abismo. Su libro es en todos los sentidos mi libro, o el libro que según creía era mi libro. Todo coincide, todo. El tema desarrollado sobre el armazón de una ecuación matemática que expresa la eterna lucha entre la Vida y la Muerte. La trama cosida con el destino que la razón rechaza y que una mecánica ajena a nuestra voluntad, a nuestro libre arbitrio, confirma. La multitud de personajes incluido el protagonista que en el S = K ln W de Boltzmann ve la fórmula de la Muerte y para combatirla busca la fórmula de la Vida. El lapso de tiempo en el que la historia se desarrolla, es decir, los tres meses que van desde un domingo de finales de octubre a un domingo de finales de enero. El comienzo con los perros que se descuartizan y con la doble matanza que inicia la cadena de los acontecimientos. El tercer camión que la batalla de Navidad parece disipar y en cambio materializa. El dilema siempre tácito y siempre presente que al final estalla con la pregunta: ¿es de verdad destructivo el caos que según esa ecuación se come la Vida? ¿Es de verdad la Muerte la que vence a la Vida? He intentado defenderme, sacar provecho de la mise en abîme. «Así pues, no me equivocaba al sospechar que usted era mi alter ego...» he dicho. Pero la sombra ha movido la cabeza: «Al contrario, Profesor. Usted era el alter ego, mi alter ego. Profesor, usted no existe. Sólo es un producto de la imaginación, una invención expresada en palabras y destinada a una esencia de papel. No finja ignorarlo, Profesor: era yo la que movía los títeres en el escenario de la tragicomedia. Yo quien reía con ellos, lloraba con ellos, tenía miedo con ellos, moría con ellos. Yo quien temía carecer de dedos suficientes para manejar todos sus numerosos hilos. Los he inventado yo, Profesor: a usted, a Angelo, a Charlie, al Cóndor, a Azúcar, a Sandokan, a Halcón, a Águila Uno, a Gino y a todos los demás soldados que había conocido hace dos millones de años cuando también usted era un protoántropo, a Ninette o mejor dicho Natalia Narakat, a George Al Sharif, a Bilal, a las cinco monjas, a Gassán, a Rashid, a Passepartout, a Imaam, a Sanaan, a la niña Leyda, al niño Mahoma, a la yegua blanca de Tayoune... Cada uno de ustedes un alter ego mío, un aspecto o un posible aspecto de mí misma, una imagen reflejada por el espejo con el que intentaba hablar de los hombres.» Me he resistido. He replicado que también conmigo había intentado explicarlos, a los hombres. Y de todos modos ¿no había hecho decir a Angelo que las palabras son carne de nuestra carne, verbo que se hace carne? Yo ya existía. Todos existían: negarlo equivalía a desmentir una de las dos verdades. Pero la sombra ya había desaparecido llevando consigo lo que le pertenecía.

Ya está a punto de amanecer. La obscuridad se aclara en un delicado violeta, y se extingue el estruendo del combate nocturno. En los pasillos y por las escaleras se han intensificado las idas y venidas y las voces han aumentado de tono: «¡Preparaos que dentro de poco formaremos el convoy!» Pronto me llamarán, cariño. Debo decirte adiós: ¡ya ves qué breve es la vida! Demasiado breve, demasiado. Ya estés hecho de palabras o mejor dicho de papel, ya estés hecho de carne, dura lo que una flor del desierto. Una de esas flores que brotan por la mañana para secarse al atardecer. He leído que son muy hermosas las flores del desierto. Tal vez sean hermosas precisamente porque duran el lapso de un día. Eso las vuelve preciosas y... Me han llamado, me llaman. Debo despedirme. Adiós, cariño, gracias. Tampoco tú existes, ya lo sabes. También tú eres un producto de la imaginación, una imagen reflejada por un espejo, un aspecto o un posible aspecto de mí mismo: así como mi titiritera me ha inventado a mí, así también te he inventado yo a ti. Y sin embargo me has dado más de lo que me podría dar una persona existente. ¿Será la soledad la única compañía que tenemos para no sentirnos solos? ¿Será la imaginación la verdadera realidad? ¿Serán nacer y vivir y morir un sueño como el sueño de los sueños, es decir, ese Dios al que pedimos desesperadamente que exista incluso cuando pensamos que no existe, que lo hemos inventado nosotros?

EPÍLOGO

Aquel día el sol salió para traer el cielo más azul que se hubiera visto nunca en Beirut (o así pareció a quien en el cielo buscaba una señal de buen augurio), y con su salida los cañones callaron. Después de los cañones callaron los morteros, las ametralladoras, los Kalashnikov, los M16, las Rpg, la tregua entró en vigor, y el helicóptero de la almiranta pudo aterrizar en la explanada de la Logística para recoger a Martino que gemía boca abajo en una camilla mientras Charlie le daba ánimos. «No te lamentes, muchacho, que gracias a dos agujeros en el culo tú a casa vuelves de verdad.» Después el helicóptero se levantó del suelo para volar hasta el Rizk donde recogió a Rocco que como un vegetal parlante continuaba farfullando Imaam-reloj-Imaam, con él Halcón que ignorante de la tragedia sucedida en el convento, se despedía de sor Françoise. «Au revoir, sor Françoise, y por favor: diga a sor Espérance que me escriba para decirme si le ha gustado la raqueta de tenis.» Casi a la misma hora Azúcar y Pistoia abandonaron el Cuartel General para acompañar a Salvatore Bellezza hijo del difunto Onofrio a la embajada, devolverlo a la escuadra de carabinieri a la que había pertenecido, y después ir al puerto y organizar la llegada del convoy final. Pero, antes de salir Azúcar hizo algo por lo que en circunstancias normales se habría mandado al calabozo a sí mismo. Se detuvo delante del horrible cuadro que siempre había considerado una incomparable obra de arte, el retrato del emir con el turbante amarillo y la capa azul, y ante los incrédulos ojos de Pistoia lo descolgó. Lo guardó junto con el equipaje en el jeep. La devolución de Salvatore Bellezza hijo del difunto Onofrio no fue muy apreciada. Sólo de volver a verlo los cabos primeros de guardia en la puerta se desmayaron, el jefe de escuadra que había perdido los dos premolares superiores y los dos premolares inferiores en total cuatro dientes se puso a gritar yo-lo-mato, yo-lo-mato y Ojo de Vidrio fue presa de un ataque de histeria. «¡Socorro! ¡Socorro, auxiliooo!» En cambio el hurto de la incomparable-obra-de-arte tuvo un resultado glorioso. En efecto la noche anterior un mercante lleno de armas para los falangistas había echado el ancla en la dársena de poniente. Y ahora aprovechando las trincheras verticales estaba descargando piezas de artillería, y de nada servía protestar que con ello impedía el atraque de los barcos: el capitán respondía que quien le había autorizado había sido Gassán y que si Gassán no se lo ordenaba no abandonaría la descarga y no se movería. Conque, locos de rabia, Pistoia y Azúcar llamaron a Gassán. Encogiéndose de hombros Gassán rezongó que en la dársena de levante no había sitio, que debían tener paciencia, embarcar mañana, y Pistoia recordó que era Pistoia. Se acercó al jeep, cogió el cuadro, volvió junto a Gassán, y se lo descargó sobre la cabeza con tal fuerza que el pobrecillo quedó con el cuello ensartado dentro del rostro del emir: la barbita bifurcada y el broche de esmeraldas y rubíes a la altura de la garganta, las cejas en forma de media luna y el turbante amarillo con la perla en forma de gota a la altura de la nuca. «Y si no ordenas a ese intruso que se quite de en medio tú a Ginebra no vas. Porque esta vez la garganta te la corto de verdad, mierdero asqueroso.» Gassán dio la orden y el mercante se apartó.

Recuperados el muelle y la dársena, el Cóndor encargó a Charlie que hiciera el pago del peaje: ceremonia que se celebró en la antigua sala de los briefings y para la que Zandra Sadr delegó en sus dos hijos escoltados por doce milicianos armados hasta los dientes. Mientras los doce miraban con avidez la gran mesa de cerezo, Charlie firmó el acta notarial. Después pronunció un discursito sobre la amistad que unía a los italianos con Su Eminencia Reverendísima, y por unos minutos pareció que las cosas iban de la mejor manera. En cambio cuando se refirió a los acuerdos establecidos durante las negociaciones, es decir, a la tricolor y el estandarte de la Cruz Roja que debían permanecer en el mástil del hospital de campaña a los víveres prohibidos que debían cederse a los pobres de la zona oriental por estar prohibidos por el Corán, se hizo un silencio sepulcral. Y cuando propuso sellar el compromiso con un apretón de manos, el barbudo alto y enjuto retiró la diestra refunfuñando que él no apretaba nada a nadie. El rubio con aspecto de haragán en baqueros tendió la suya con gesto de quien quiere que se la besen. Al desagradable episodio siguió la entrega del hospital de campaña, y al ver que se regalaban las hermosas ambulancias que habrían dado envidia a una clínica de lujo, los limpios dormitorios con las camas hechas y las sábanas inmaculadas, los quirófanos y las salas radiológicas, el gabinete odontológico, las toneladas de medicinas y plasma sanguíneo, el costoso equipo entre el que figuraba el aparato de gammagrafía y el quirófano móvil nunca desmontado y embalado, uno de los oficiales médicos se sintió mal y tuvieron que tenderlo sobre una camilla. Inmediatamente después se hizo la entrega de los víveres y quien se sintió mal fue Charlie. Evidentemente Charlie sabía muy bien que las 716.315.714 liras calculadas a partir de los precios mínimos que los proveedores hacían al ejército correspondían a montañas de comida y ríos de bebidas con los que la ciudad entera podría saciarse durante semanas. Por algo había usado la metáfora de la cucaña. Pero pese a la lista recitada por la prodigiosa memoria de Caballo Loco no se había dado cuenta de que dos quintas partes de aquellas montañas consistían en carne porcina y embutidos, cuatro quintas partes de aquellos ríos en vinos y cervezas y licores, por lo que al abrir los gigantescos frigoríficos que no había abierto nunca y al entrar en los inmensos almacenes en que no había entrado nunca se tambaleó. Con la cabeza dándole vueltas se sentó en una montaña de jamones, se apoyó en un muro de botellas y dijo: «Estoy a punto de desmayarme. Destapad una y dadme un trago.» Entretanto en Bourji el Barajni y en Chatila los infantes de marina y los paracaidistas evacuaban los puestos, y de casa en casa pasaba un grito desconsolado: «Al-talieni tarak! ¡Los italianos se marchan! Al-talieni tarak!» Pasaba también la vana súplica: «Min tarak, no os marchéis, min tarak.» Y quienes la lanzaban eran casi siempre los mismos que durante un año los habían atormentado, se habían burlado de ellos, los habían agredido con las injurias talieni-maccaroni-manjukin, italianos-espaguetis-maricas, talieni-ibn-sharmuta, italianos, hijos de puta, o las amenazas talieni-tomorrow-kaputt, italianos, mañana-os-toca-a-vosotros. De improviso aquellos extraños soldados que recogían la basura, que curaban gratis, que ponían el gladiolo en la fosa común, que bien o mal los defendían de los chiítas y de los falangistas, es decir, de todo aquel que quisiera hacerles pagar los antiguos abusos, habían pasado a ser necesarios e insubstituibles. Min-tarak, min-tarak.

Pagado el peaje y evacuados los puestos de Bourji el Barajni y Chatila, en la Rue de l'Aérodrome y en la calle Sin Nombre se formaron dos desmesuradas columnas que tras encontrarse en ángulo recto en la glorieta del viaducto se extendían hasta el aeropuerto y el litoral de Ramlet el Baida: los M113, los Leopard, los blindados, los camiones-cisterna, los camiones con grúas o remolques, los jeeps, las motocicletas, los camiones llenos de tropa que formaban el convoy final. Y a lo largo de las dos desmesuradas columnas un espectáculo ante el cual Rashid se habría enfurecido más que nunca. Muchachas deshechas en lágrimas que llamaban al paracaidista o al infante de marina: «¡Franco! Où est-tu? ¿Dónde estás, Franco?» «¡Mario! Where are you? ¿Dónde estás, Mario?» Paracaidistas e infantes de marina que asomando de los camiones las llamaban a su vez llorando: «¡Farida! ¡Estoy aquí, Faridaaa!» «¡Leila! ¡Estoy aquí, Leilaaa!» Niños que trepaban a los tanques para despedir a su amigo y ofrecerle un paquetito de pistachos o una china de hachís o un pañuelo: Edoardo, ¡yo te traer pipas para viaje! Antonio, ¡yo te dar china para fumar en Italia! Bruno, ¡tú coger mi Kaffiah recuerdo de mí!» Mujeres que agitaban pañuelos: «Ma'a salama, adiós, ma'a salama!» Entre las mujeres, una vieja minúscula con chador lanzaba besos y gritaba en italiano: «¡Viva Jesús!» Detrás de la vieja minúscula en chador, Imaam que llorando desesperada preguntaba a todos: «Monsieur, je vous en prie, por favor, señor... Savez-vous si Rocco est guéri? ¿Sabe si está curado Rocco? Monsieur, je vous en prie, Monsieur... Si vous voyez Rocco, dîtes-lui que je l'attends... Si ve a Rocco, dígale que lo espero...» Debía encabezar el convoy el Profesor. Pero cuando el Profesor estuvo listo para partir se oyó un grito salvaje, la voz del Cóndor que gritaba de-acuerdo-coronel-vaya-quítese-de-en-medio-si-no-le-meto-el-monóculo-en-la-garganta, y Caballo Loco subió al Leopard del Cuartel General. Rojo de alegría y naturalmente asomando por la trampilla con la pose de estatua ecuestre que había adoptado en Nochebuena, se dirigió a la glorieta del viaducto. Se colocó en cabeza de la columna formada en la Rue de l'Aérodrome, desenvainó la fusta y: «Qui nihil sperare potest desperet nihil! ¡Quien nada tiene que esperar no se desespera por nada, nos enseña Séneca! ¡En marcha, señores!»

Seguido del convoy y de los a-tomar-por-culo-Séneca-y-tú, toquemos-madera, el Leopard se dirigió hacia la Avenue Nasser. Superó la esquina que había sido la esquina del Veinticuatro, el ensanche que había sido el ensanche del Veinticinco, la placita que había sido la placita del Veintidós, giró en la Rue Argan y después en la avenida que conducía a la glorieta de Tayoune. La recorrió hasta el punto en que la cabeza de la yegua blanca había rodado soltando una fuente de sangre y en aquel momento un relincho resonó en todo El Pinar: «¡Alto, santo cielo! ¡Alto!» Después Caballo Loco detuvo el convoy y descendió del Leopard. Se acercó a la hermosa cabeza cubierta de moscas, se inclinó a mirar los inmensos ojos violeta desorbitados con el brillo del alivio, los blancos dientes abiertos con la sonrisa que parecía dar las gracias, se volvió a levantar, con solemne lentitud subió al parterre en que yacía el gran cuerpo blanco también cubierto de moscas. Allí se inclinó de nuevo para examinar las heridas en el vientre, en el jarrete, en la cruz, en la rodilla, en el lomo, comprendió lo que los francotiradores le habían hecho y estremecido de indignación se dirigió a la tripulación del Leopard. Dijo: «¡Vamos, señores! ¡Vengan a formar un piquete, que es menester rendir honores a un soldado valiente!» Confusos y a un tiempo ganados por la paradoja, tres paracaidistas lo formaron. Al presenten, ¡armas!, empuñaron los fusiles, al ¡firmes! observaron diez segundos de silencio, después volvieron a subir al tanque y desviándose para no pillar al valiente soldado el Leopard volvió a avanzar. El convoy lo siguió, en seguida ocurrió algo extraordinario: una de esas cosas que por unos minutos te inducen a hacer las paces con el género humano. Porque, aunque nadie lo había ordenado, todos los vehículos se desviaron del mismo modo. Todos. Incluidos los que estaban un kilómetro atrás y los de la columna formada en la calle Sin Nombre. Ni una oruga, ni una rueda, rozó el hermoso hocico ni la larga crin sedosa y cubierta de sangre. Y sin embargo esquivar semejante obstáculo era muy, muy difícil. Estaba lo que se dice en el medio, verdad: si te desviabas demasiado a la derecha acababas chocando con los árboles, si te desviabas demasiado a la izquierda acababas sobre el parterre. Peor aún: a causa de las moscas que la cubrían volviéndola gris y confundiendo su gris con el gris del asfalto, de lejos la cabeza no se veía. Cuando llegabas a la glorieta, te la encontrabas encima como un gato que surge de repente de la obscuridad.

Una vez que hubieron desfilado las dos columnas, el Cóndor mandó arriar la tricolor que ondeaba en el patio del Cuartel General. Después de enrollarla procurando no conmoverse demasiado, se colocó al volante del jeep, y precedido de una escuadra de carabinieri se puso en marcha. Fue a reunirse con la cola del convoy. Un instante después los doce milicianos que habían venido y se habían vuelto a marchar con los hijos de Zandra Sadr regresaron armados de una sierra eléctrica. Volvieron a entrar en el palacete vacío, cortaron en cuatro la intransportable mesa de cerezo que durante la firma del acta notarial había encendido sus deseos, cargaron las piezas en una camioneta, y ante los ojos de la multitud que aún abarrotaba la Rue de l'Aérodrome se la llevaron. Entonces, estimulados por el ejemplo, los Amal colocados para que hicieran guardia ante el hospital de campaña se desencadenaron. Y comenzó el saqueo. Comenzó y se desarrolló con una rapidez vertiginosa. La de las pirañas que a miríadas arremeten contra el buey caído en el agua y en un abrir y cerrar de ojos lo dejan en los huesos, lo reducen a un esqueleto con algún jirón de carne y se acabó. En efecto en cosa de pocos minutos desaparecieron las costosas ambulancias, y con ellas las reservas de plasma sanguíneo para venderlas en el mercado negro de la zona oriental. Con el plasma sanguíneo, los aludes de medicinas. Con los aludes de medicinas, el quirófano móvil el aparato de gammagrafía y el gabinete de radiología y el gabinete odontológico. Desaparecieron las camillas, los catres, las sillas de ruedas articuladas, las bombonas de oxígeno y de protóxido de nitrógeno, y el resto. De hacer desaparecer el resto se encargó la multitud de la Rue de l'Aérodrome: en un caos boltzmanniano que combinaba la barbarie con la inocencia. Muchachas que sin pensar ya en el paracaidista o el infante de marina que se había marchado invadían los pasillos y cogían almohadas, colchones, sábanas, paños, toallas con los que hacerse el ajuar y casarse con otro. Al cogerlos los desgarraban, los ensuciaban, los reducían a basura. Niños que sin acordarme ya del amigo Edoardo o Antonio o Bruno al que habían llevado los pistachos o el kaffiah o el hachís, se arrojaban sobre juguetes desconocidos: laringoscopios, oftalmoscopios, queratoscopios, cuentagotas, probetas, máscaras de anestesiar, clísteres. Muy contentos se llenaban los bolsillos con ellos. Mujeres que olvidando los amables ma'a-salama-adiós, se pegaban de modo salvaje por la posesión de la única balanza para pesar recién nacidos o rompían las vitrinas para arrebatar objetos de probable uso doméstico: tijeras quirúrgicas, bisturíes, pinzas, tenazas hemostáticas, fórceps, bandejas de medicinas, escupideras, misteriosas sartenes que servían para defecar, extraños floreros que servían para orinar. (La vieja minúscula con chador, la del viva-Jesús, se contentó con las agujas quirúrgicas de sutura: curvadas, con el hilo ya enhebrado, y excelentes para coser botones o remendar vestidos. Le gustaron tanto, pobrecilla. Las cogió a puñados.) Estúpidos que saqueaban los electrocardiógrafos creyendo que eran fotocopiadoras, las pantallas de los electroencefalógrafos creyendo que eran televisores, los delantales radiológicos creyendo que eran escudos antibalas, o los destruían a martillazos para sacar los clavos y los tornillos. Cuando ya no quedó nada que coger, desmontaron las diferentes tiendas. O mejor, las demolieron. En algunos casos, desclavando los puntales y haciéndolos desplomarse. En otros, seccionándolos con los bisturíes. Enrolladas o sueltas se las llevaron arrastrando, y del hospital de campaña no quedaron sino dos harapos pisoteados por innumerables pies: la bandera italiana y el estandarte de la Cruz Roja. Pero no acababa ahí la cosa, porque dejado en los huesos el buey y devorado también el esqueleto del buey, las pirañas se trasladaron como un enjambre a la explanada de la Logística. Vieron los almacenes atrancados y los frigoríficos sellados, y ebrios de alegría forzaron las cerraduras y los candados y...

Acudieron de todas las casas y de todas las chabolas, esta vez, de todas las quintas y de todas las chozas de la media ciudad. Acudieron de Sabra, de Chatila, de Gobeyre, de Chyah, de Haret Hreik, de Bourji el Barajni, de Ramlet el Baida, del Pinar, del aeropuerto. Pobres y ricos, menos pobres y menos ricos, muy pobres y muy ricos. Estos últimos representados por los criados o los familiares. (Su Alteza la Primera Viuda mandó a las dos conviudas, las dos favoritas, las dos cocineras, las dos doncellas, las dos enfermeras, la fregona y el eunuco.) Acudieron en hordas, con maletas, con sacos, con carretillas, con automóviles, con furgones, en un hormigueo infernal: un caos boltzmanniano multiplicado por mil. Mirarlos era aterrador. Se zambullían a ciegas en los frigoríficos, en los almacenes, y pegándose maltratándose amenazándose cogían lo que encontraban. Cuartos de buey y alcaparras, ruedas de parmesano y pollos, cajas de spaghetti y corderos, naranjadas y bacalao. Esparciendo la mitad por la calle y rompiendo lo rompible abarrotaban las maletas, los sacos, las carretillas, los furgones, los automóviles, empapados de sudor corrían a depositar en casa el botín, y volvían atrás. Y vuelta a empezar. En menos de una hora la explanada quedó convertida en un fétido y cenagoso lago de harina, aceite de oliva, leche, encurtidos, azúcar, café, salsa de tomate, chocolate, pescado chafado, huevos rotos, mantequilla derretida, mermelada; un pantano multicolor en el que resbalaban y volvían a levantarse sucios, malolientes, grotescos. Máscaras de voracidad. Después, escoltados por los milicianos que habían serrado y robado la gran mesa de cerezo, reaparecieron los hijos de Zandra Sadr con treinta jóvenes robustos así como cinco mullah y un jeque vestido de negro. (Capa negra, sombrero negro, pañuelo negro.) Sin mostrar sorpresa ni indignación por la desaparición del hospital de campaña se colocaron en los bordes de la explanada, ordenaron a los milicianos que dispararan dos o tres ráfagas al aire, los milicianos dispararon, y entre alaridos de pánico los saqueadores se dieron a la fuga. El hormigueo disminuyó, se redujo a un grupo inerte de viejos contusionados, mujeres magulladas, niños arañados, heridos entre los cuales vagaba el eunuco de Su Alteza la Primera Viuda apretando contra el pecho un pollo congelado y buscando a las dos conviudas: «Mesdames, Mesdames!» De modo que el jeque vestido de negro se adelantó. Dirigiéndose al grupo inerte pronunció la sentencia que los hijos de Zandra Sadr habían corrido a solicitar a su padre en cuanto habían visto la orgía de carne porcina y embutidos y bebidas alcohólicas. El cerdo es un animal sucio, dijo, y las carnes porcinas y sus derivados son alimentos sucios. Comida de Satanás, materia impura, harram. El alcohol es un veneno que induce a los hombres a cometer actos ilícitos, y los licores son bebidas abyectas. Líquidos de Satanás, materia impura, harram. Pese a ello los italianos han dejado cantidades escandalosas de esos alimentos y esas bebidas, y en nombre de la misericordia han pedido al Imam que ceda tanto unos como otras a los desheredados de la zona oriental. ¿¡¿Misericordia?!? ¿¡¿Sería acaso misericordia prestar oído a semejante invitación?!? Incitación al vicio, sería, instigación al pecado: ofensa mortal a Alá. Que todo sea destruido, por tanto. Y pronunciada la sentencia, hizo una señal a los treinta jóvenes robustos. Los treinta jóvenes robustos se lanzaron hacia los frigoríficos, y de frigorífico en frigorífico, gritando-harram-impuro-harram, sacaron la perversa carne porcina. Las chuletas, los lomos, las costillas, los perniles, los filetes, los solomillos, los pies, las patas. Los amontonaron sobre el fétido y cenagoso lago. Inmediatamente después se lanzaron hacia los almacenes, y de almacén en almacén, de nuevo gritando harram-materia-impura-harram, sacaron los malvados embutidos. Apilaron en otros montones los hermosos jamones de San Daniele, los hermosos salazones de Parma, los salchichones y las piernas embuchadas de Módena, los salamis, los salchichones, las longanizas, las mortadelas, las pancetas, las sobrasadas, las salchichas, la morcilla. Un derroche. Hecho esto, pasaron a las bebidas abyectas: las botellas de vino blanco y tinto, de espumoso dulce y brut, de Marsala seco y con huevo, de vino dulce, de whisky, de coñac, de aguardiente, de anís, de Chartreuse. Y la buena quina del Istituto Farmacéutico Italiano, los ricos frasquitos de licor de café, las bolsitas de cordial, las cervezas. A millares. Sin dejar de gritar harram-materia-impura-harram los arrojaron también al fétido y cenagoso lago. Los rompieron. Por último los cinco mullah se adelantaron, encendieron el fuego. Y, mientras también los viejos contusionados, las mujeres magulladas, los niños arañados, el eunuco con el pollo congelado contra el pecho se unían al grito, mientras el cretinismo humano triunfaba una vez más, se produjo el holocausto alimentario. Docenas y docenas de hogueras, piras de Inquisición, que con la subida de humaredas aceitosas y el resplandor de llamitas azulinas exhalaban un embriagador olor a alcohol mezclado con una nauseabunda peste a carne quemada.

«Harram, harram!»

«¡Comida de Satanás, harram!»

«Harram, harram!»

«¡Líquidos de Satanás, harram!»

«Harram, harram!»

Entretanto el convoy avanzaba por la Beirut cristiana, desgranando sus centenares y centenares de vehículos serpenteaba como una interminable culebra de acero durante los cuatro kilómetros del recorrido, y el Leopard de Caballo Loco se acercaba cada vez más al puerto. Se disponía a cruzar su entrada donde, arrepentidas de la escasa generosidad demostrada en los últimos días, Joséphine y Geraldine y Caroline habían ido a despedirse de Pistoia. Y donde Pistoia las expulsaba furioso: «¡Largo, zorras asquerosas, largo! ¡No quiero vuestro besito de adiós!» En la dársena de poniente el barco que había acudido a recoger al batallón de los infantes de marina ya había atracado en el muelle, los encargados de las operaciones portuarias enganchaban las pasarelas metálicas al puente de embarque, y el comandante (un capitán de altura habituado a navegar para los turistas de los cruceros de verano) tenía mucho miedo. «No me gusta, no me gusta» rezongaba entre dientes. «He sido un idiota al dejarme convencer: aquí te puedes dejar la piel.» Después llegó la culebra de acero seguida del Cóndor que sin saber que habían destruido el hospital de campaña y habían saqueado o quemado los víveres, decía: «¡Me parece que el doble regalo funciona!» Con el Cóndor, Charlie que sin saber sabía y respondía perplejo: «Esperémoslo...» Con Charlie, Angelo que después del encuentro con el Profesor por fin había comprendido cuál era el camino para repudiar la fórmula de la Muerte que le había proporcionado Ludwig Boltzmann y creer en la fórmula de la Vida que le había ofrecido Natalia Narakat Al Sharif. Lo había comprendido, sí. Pero aún no había encontrado el agarradero al que aferrarse para seguir ese camino, y lo buscaba. Lo buscaba, lo buscaba, lo husmeaba dondequiera que le parecía que podía encontrarlo: en los rostros de las personas, en la forma de las cosas, en los ruidos, en los colores, en el mar que chapoteaba contra el muelle, en el sol que resplandecía cálido, en el cielo azul y ahora tan azul, que también a él le parecía el cielo más azul que se hubiera visto jamás en Beirut.

Y éstos fueron los acontecimientos gracias a los cuales lo encontró.

* * *

En un silencio paradójico e impuesto por los oficiales que temían alborotos inoportunos provocados por el júbilo o por el nerviosismo, los mil doscientos se apiñaron con los vehículos en las trincheras verticales del pequeño San Gimignano. Después los vehículos de Sierra Mike fueron cargados a bordo del primer barco, y en las planchas metálicas que conducían del muelle a la bodega se acabó el silencio: se convirtió en un ruido obsesivo que a cada giro de rueda o de oruga resonaba como el martillear de una ametralladora. Tun-tun-tun. Tun-tun-tun. Tun-tun-tun. Cargados los vehículos, fueron embarcados los infantes de marina. Y entonces el tun-tun-tun se convirtió en una extraña mezcla de ritmos que variaban con el humor del que subía. El ritmo apasionado de la *Trágica* de Brahms cuando subió Fabio apretando en la mano tres margaritas que Jasmine había arrancado entre los escombros y le había dado con su dulce sonrisa: «Good-bye, Míster Valor. Remember me, please.» El discordante de una música cacofónica cuando subió Matteo idiotizado por la noche pasada en la camisa de fuerza y sostenido por dos compañeros para no caerse. El alegre de un minué de Mozart cuando subieron Luca y Nicola con sus ilusiones de madurez conquistada. El sombrío de un *Requiem* de Salieri cuando subió Rambo con su aflicción y su medalla de Jomeini oculta bajo la chaqueta. El sereno de la *Pastoral* de Beethoven cuando subió Calogero el Pescador con su éxtasis por volver a Formica. El wagneriano de la *Cabalgada de las valquirias* cuando con sus coño recoño subió Sandokan impaciente por ir a recoger edelweis y pescar truchas en las lagunas de las estribaciones de los Alpes. ¡Pam-parapampán, pam-parapampán, pam-parapáááááá! Después de haber embarcado también él, los fusileros seleccionados se situaron del modo deseado por el Cóndor: diez en el tejado del puente de mando, diez en el castillo, diez en el alcázar, diez en el puente de cubierta, veinte en los puentes descubiertos. Después (eran las once en punto) retiraron las planchas, cerraron los portalones, el capitán atemorizado ordenó levar el ancla, los helicópteros de la flota descendieron a poca altura, los vigías de los cruceros y las fragatas y la almiranta apuntaron los prismáticos, los oficiales de la Central Operativa se pegaron a las pantallas de los radares, y el barco se separó del muelle. Mientras todos se ponían rígidos con una tensión espasmódica abandonó la dársena de poniente, recorrió los ochocientos cincuenta metros del canal que bordeaba el lado interno del rompeolas, a la velocidad de seis nudos (los seis nudos calculados por Angelo para resolver el problema de trigonometría) llegó al faro, con el flanco izquierdo ofrecido a la hipotética llegada de la hipotética lancha lo dobló e inició el arco de parábola dirigido hacia el noroeste. Mientras todos respiraban aliviados lo recorrió, se colocó en el rumbo establecido, y en seguida el segundo barco entró en la dársena de poniente. A las órdenes de otro capitán de altura atemorizado y habituado a navegar para los turistas de los cruceros de verano echó el ancla, comenzó a cargar los vehículos y después a hacer subir a los cuatrocientos del Rubí, se reanudó el tun-tun-tun que resonaba como el martillear de una ametralladora, se reanudó la extraña mezcla de ritmos que variaban con el humor del que subía, y esta vez dos episodios caracterizaron el embarque. La crisis de Fifí que borracho de hachís pero no tonto se puso a gritar quiero-subir-a-éste, por lo que para librarse de él Charlie pidió al Cóndor que se lo permitiera, y el síncope de Armando Manos de Oro al que Gigi el Cándido confesó que sor Milady había muerto. «No puedo callártelo más, Armando. Milady ha muerto. La han matado junto con sor George y sor Espérance» le dijo. «No es verdad» respondió Armando Manos de Oro, y cayó desmayado. El segundo barco levó el ancla a la una de la tarde, y la partida fue idéntica en todos los sentidos a la anterior. Idéntica la tensión con que todos se pusieron rígidos cuando se separó del muelle, abandonó la dársena, salió del puerto, dobló el faro ofreciendo el flanco izquierdo a la hipotética llegada de la hipotética lancha, inició el arco de parábola dirigido hacia el noroeste. Idénticos los suspiros de alivio cuando lo concluyó y se colocó en el rumbo establecido. Después atracó el tercer barco, se reanudó el tun-tun-tun, se reanudó la extraña mezcla de ritmos, poco a poco las trincheras verticales se vaciaron, el pequeño San Gimignano se convirtió en una serie de containers a los pies de los cuales se rebalsaba un fuerte olor a hachís, y hacia las tres de la tarde subieron también a bordo los últimos. Con los últimos Angelo que en seguida subió al puente de cubierta y se apoyó en el antepecho del costado que daba al muelle. El costado derecho.

Se sentía muy, muy viejo. Los cincuenta y ocho años que la imagen de George Al Sharif había comunicado al apuesto rostro pensativo de veintiséis se habían transformado en tres millones de años, los tres millones de años vividos desde la época en que estaba de guardián de la caverna para alejar al mamut, y le parecía que todo había sucedido en aquel tiempo remoto. Una imagen ya desenfocada, casi disipada, Ninette a la que ni siquiera para sus adentros llamaba ya Ninette sino Natalia Narakat Al Sharif. Un recuerdo ya extinguido su carta, la fotografía en que con vestido de novia y del brazo de su marido salía de la iglesia de Notre-Dame-du-Liban radiante de felicidad, la otra en que, sujetada por los criados se agitaba contemplando los jirones humanos que yacían entre los restos del Rolls-Royce. Un episodio ya concluido el trauma que lo había dejado anonadado al enterarse de su identidad y descubrir que lo había amado por procuración, es decir, porque se parecía al hombre que había amado de verdad. Una llaga casi curada el dolor por su muerte. Los viejos muy viejos no sufren como los jóvenes: hasta su dolor es cansino, moderado. Pero, precisamente por esa vejez, por esa experiencia que había durado tres millones de años, estaba seguro de que pronto encontraría el agarradero que necesitaba para repudiar la fórmula de la Muerte que le había proporcionado Ludwig Boltzmann y creer en la fórmula de la Vida que le había ofrecido Natalia Narakat Al Sharif. Como Dios quiera, como Dios guste, Inshallah. Estaba seguro de ello porque por fin había intuido que el agarradero estaba en un fondo primordial que había permanecido dentro de él desde aquel tiempo remoto: se ocultaba en una llamada ancestral, una animalidad que era y es la auténtica fuerza de la Vida, es decir, la única forma de conocimiento válida. Aguzó los ojos cansados por haber visto demasiado. Con escepticismo los dirigió hacia el incendio que de las hogueras de comida y alcohol, con el triunfo del cretinismo humano, se había extendido a los almacenes y elevaba nuevas humaredas de un negro aceitoso. Nada. Allá no había nada que le pudiera servir. Los dirigió hacia los alminares de las mezquitas cubiertas de brechas, a los campanarios de las iglesias desportilladas, a los símbolos de la impotencia humana. Nada. Tampoco en ellos había nada que pudiera servirle. Los bajó hacia las infraestructuras del puerto, los arsenales, las atarazanas, las oficinas de aduanas, los raíles de los trenes, los trenes, los productos de la actividad humana. Nada. Tampoco ahí había nada que le pudiera servir. Conque con el mismo escepticismo los volvió a dirigir hacia el barco: hacia el Cóndor que ansioso pasaba revista a los fusileros listos ya para disparar a cualquier cosa que se moviese a ras del agua, hacia Caballo Loco que declamaba las máximas habituales, hacia Pistoia que lanzaba las blasfemias habituales, hacia Azúcar que distribuía los consejos habituales, hacia Charlie que callaba, movía la cabeza y callaba, hacia Stefano y Gaspare y Ugo que en lo alto del castillo se peleaban con Bernard le Français, hacia Bernard le Français que debatiéndose levantaba un bulto. Se acercó, despacio. «¿Qué hacéis?» les preguntó. «Ils n'ont pas voulu me la prêter hier soir, ces grigoux, et je la noye. No quisieron prestármela anoche, estos tacaños, y la voy a ahogar» bramó Bernard. Después lanzó el bulto en plena dársena y tras un lento vuelo Lady Godiva se recostó sobre las olas: despachurrada, cubierta con esparadrapo, patética. Se quedó flotando allí como un pijama cosido a una peluca, con las piernas separadas y los brazos extendidos en un gesto de súplica. «¡Francés de mierda!» gritó Ugo. «¡Tirad un salvavidas, salvadla!» gritó Gaspare. En cambio Stefano reprimió un sollozo y dirigiéndose a Angelo murmuró: «¡Salvarla! No es una mujer precisamente. Es un pijama cosido a una peluca. ¡Y pensar que la he querido tanto, que por ella he sufrido tanto, he provocado tantos problemas! Apuesto a que con la gente sucede lo mismo. Quieres a una persona, sufres por ella, por ella provocas un montón de problemas, y de repente te das cuenta de que no valía la pena: que se trataba de un pijama cosido a una peluca. ¿Tú qué crees?» Pero no obtuvo respuesta. Porque, mientras miraba los brazos extendidos en el gesto de súplica, Angelo había oído en el muelle un tumulto muy conocido. Un vocerío bestial en el que le había parecido captar el sonido de la palabra Inshallah. «Inshallah! Inshallah! Inshallah!» Y obedeciendo a la llamada ancestral había corrido para volver al puente de cubierta, ver quién era.

Eran los perros vagabundos que de noche invadían la ciudad. Los terribles perros que aprovechando el miedo ajeno se derramaban por las calles desiertas, las plazas vacías, los callejones deshabitados sin que se supiera su proveniencia porque de día no se dejaban ver, tal vez de día se ocultaban entre los escombros, en los sótanos de las casas destruidas, en las cloacas con los ratones, o tal vez no existían porque no eran perros sino fantasmas de perros que se materializaban con la obscuridad para imitar a los hombres que los habían matado. Los perversos perros que como los hombres se dividían en bandas ardientes de odio, como los hombres sólo querían despedazarse como los hombres se mataban por la conquista de una acera rica en basura y escombros. Los misteriosos perros que no había visto nunca. Eran ellos, sí, y no eran fantasmas. En carne y hueso irrumpían en el muelle, se acercaban al barco, y aullando gruñendo ladrando Inshallah Inshallah Inshallah saltaban contra los portalones ya cerrados. Eran ellos, y eran horrendos. Cubiertos de costras, cojos, tiñosos, algunos con un solo ojo, una sola oreja, tres patas sólo. Pero de cada uno de ellos se desprendía una vitalidad tan imperiosa, impetuosa, indomable, que parecían sanos y enteros: hermosísimos. Y el agarradero anhelado se reveló con toda su evidencia. ¿Por qué aun matándose a cada caída de las tinieblas, aun muriendo todas las noches, no morían nunca aquellos perros y ladraban con tanta energía Inshallah Inshallah Inshallah? ¿Y si lejos de expresar esperanza y buenos auspicios y confianza en la misericordia divina o sumisión resignación e indolencia y renuncia a sí mismo, significara la palabra Inshallah-destino-Inshallah el triunfo de la Vida? ¿Y si el Caos fuera la Vida, no la Muerte, sino la Vida? ¿Y si la Vida fuese la tendencia ineluctable e irreversible de cualquier cosa, del átomo a la molécula, de los planetas a las galaxias, de lo infinitamente pequeño a lo infinitamente grande, si la Vida fuera el destino de todas las cosas? ¿Si fuese la Vida la que absorbiera la energía de quien la combate y se alimentara de ella, si fuese la Vida la que se comiera a la Muerte y la utilizase para llegar más aprisa a la meta final, y la meta final no la destrucción o mejor dicho la autodestrucción del Universo sino la construcción o mejor dicho la autoconstrucción del Universo? En ese caso la ecuación proporcionada por Ludwig Boltzmann y la palabra ofrecida por Natalia Narakat Al Sharif serían la misma cosa: $S = K \ln W$ = Inshallah. Destino, Inshallah. La Muerte, la que había deseado un lejano domingo de octubre cuando sólo tenía veintiséis años e intentaba comprender con el intelecto: el instrumento de la Vida, el alimento de la Vida. Morir, un simple compás de espera: una pausa para descansar, un breve sueño para prepararse a renacer, a revivir, para volver a morir sí pero para renacer otra vez, revivir otra vez, vivir vivir vivir infinitamente. ¿En *ese caso*? No: ¡no era una hipótesis! Era una certeza. No podía demostrarlo que era una certeza. Nadie podía demostrarlo, nadie lo demostraría. Pero lo era. Lo sentía y por tanto lo sabía con todas las fibras de su cuerpo, todos los poros de su piel, todos los nervios de su sistema nervioso, todas las partículas de su experiencia que había durado tres millones de años que era así. Es decir, que estar vivo significa ser inmortal. Y, ofreciendo al sol un rostro completamente devuelto a su juventud, fue a situarse en el costado izquierdo.

* * *

A las tres en punto levaron el ancla. El tercer barco se separó del muelle y seguido del bestial vocerío salió de la dársena de poniente. Mientras los helicópteros de la flota bajaban a poca altura, mientras los vigías de los cruceros y las fragatas y la almiranta apuntaban los prismáticos, mientras los oficiales de la Ceocé se pegaban a las pantallas de los radares, mientras a bordo todos se ponían rígidos con la tensión espasmódica, recorrió los ochocientos cincuenta metros del canal que bordeaba el lado interior del rompeolas. A la velocidad de seis nudos llegó al faro. Lo dobló, inició el arco de parábola dirigido hacia el noroeste, y había recorrido unos treinta metros cuando la lancha de Rashid salió de la punta del segmento vertical, es decir, de la ensenada contigua a la dársena. Pasando en seguida a 35 nudos empezó a correr a lo largo del segmento oblicuo con ángulo de 45 grados, es decir, a lo largo de la escollera del rompeolas, manteniéndose cada vez menos paralela al rompeolas se adaptó al arco de parábola del barco, estableció la trayectoria que respecto al costado izquierdo formaba otro ángulo de 45 grados, después Rashid bloqueó el timón. Cebó el detonador, y todo se desarrolló como Angelo había demostrado con su problema de trigonometría. Raíz cuadrada de $13{,}66^2 + 5^2 - 2 \times 5 \times 13{,}66 \times \cos 60^2$. Y, cubiertos de sangre, cojos, tiñosos, algunos con un solo ojo, con una sola oreja, tres patas sólo, y sin embargo bellísimos, muertos millones de veces, miles de millones de veces, y sin embargo vivos, vivos y por tanto inmortales, aquella noche los perros vagabundos volvieron a invadir la ciudad.

ÍNDICE

ACTO PRIMERO

Capítulo primero 9
Capítulo segundo 44
Capítulo tercero 69
Capítulo cuarto 93
Capítulo quinto 128
Capítulo sexto 156

ACTO SEGUNDO

Capítulo primero 187
Capítulo segundo 222
Capítulo tercero 253
Capítulo cuarto 282
Capítulo quinto 311
Capítulo sexto 343

ACTO TERCERO

Capítulo primero 375
Capítulo segundo 414

Capítulo tercero 453
Capítulo cuarto 484
Capítulo quinto 531
Capítulo sexto 582

EPÍLOGO 681

Este libro se imprimió en los talleres
de Printer Industria Gráfica, sa
Sant Vicenç dels Horts
Barcelona